D1241252

Евгения Гинзбург

КРУТОЙ МАРШРУТ

Евгения Гинзбург

ЖЕНЩИНА - МИФ

КРУТОЙ МАРШРУТ

Смоленск
«Русич»
1998

УДК 882
ББК 66.3(2)
Г 49

Серия основана в 1995 году

Гинзбург Е.
Г 49   Крутой маршрут: хроника времен культа лично-
сти. — Смоленск: Русич, 1998. — 656 с., илл. —
(«Женщина-миф»).
ISBN 5-88590-952-0

Книга Евгении Гинзбург — драматическое повествование
о восемнадцати годах тюрем, лагерей и ссылок, потрясающее
своей беспощадной правдивостью и вызывающее глубочай-
шее уважение к силе человеческого духа, который не сломили
страшные испытания. «Крутой маршрут» — захватывающее
повествование о безжалостной эпохе, которой не должно
быть места в истории человечества.

УДК 882
ББК 66.3(2)

ISBN 5-88590-952-0

О МАТЕРИ

«У меня отняли восемнадцать лет, а Взморье мне их вернуло... море... сосны... воздух... культура...» — говорила моя мать Евгения Семеновна Гинзбург. Любила она эти места благолепия, где, пешком измеряя километры песчаного берега от Лиелупе до Яундубулты, осуществляла уже созревшую, начиная с Колымы, первую часть хроники времен культа личности «Крутой маршрут». А если кто-то был рядом, читала вслух любимые стихи (равных ей по знанию наизусть я не знала). Такая сдержанная, деловая в Москве, она в Юрмале удивительно молодела, остро чувствовала все самые маленькие радости жизни... «Море... сосны... воздух... культура...»

Приехали мы в Ригу в 1958 году, после жутких квартирных мытарств, летом, уже с очень больным отцом Антоном Яковлевичем Вальтером (я приемная их дочь, но для меня они — Отец и Мать). Это было в Лиелупе, дом у реки, отец на раскладушке в сосновом лесу и мать, которая ему читает первые главы своей трилогии. Удивительно умела она каждый свой миг использовать для любимого дела — писать, и это было ее счастьем и спасением от всех бед. После смерти А. Вальтера в 1959 году жила в Булдури у Вильгельмины Ивановны Руберт (муж ее, секретарь Свердловского обкома, был арестован и расстрелян), с которой мать прошла Эльген. Удивительная, умнейшая женщина — ее нет уже в живых. Когда мама останавливалась у Вилли (так Е. Гинзбург называла В. Руберт) в двухэтажном деревянном доме — все наполнялось юмором и жизнью от этих эльгеновских подруг, прошедших вместе адовый маршрут. До позднего вечера мать читала главы из своих черновиков, и я и дети Вилли слушали, замерев, — так страшно, но с такой артистичностью и заразительностью она это делала. А какая необыкновенная рассказчица! С юмором

5

и озорством зачитывала из своей записной книжечки наблюдения-зарисовки...

В 1962 году Е. Гинзбург отдала первую часть и часть второй своей книги в «Новый мир» и в «Юность». К 1966 году все надежды на публикацию, все замечательные отзывы Каверина, Аникста, Горелова, Эренбурга, Чуковского, Пастернака, Паустовского, Пановой, Евтушенко, Вознесенского и многих других — все это рухнуло...

Для матери было потрясением издание ее книги в Милане (изд-во «Мандадори», 1967). Как? Каким образом? Рукопись «... без моей правки, без всякого моего участия в издании... — Е. Г.» — пустилась в новый маршрут... Как потом выяснилось, на магнитофонную пленку был наговорен текст и вывезен за границу. Очень горько, тяжело перенесла она это — почему не на Родине, а Там? «Книга стала чем-то вроде взрослой дочери», безоглядно пустившейся «по заграницам», начисто забыв о брошенной на Родине старухе-матери. — Е. Г.»

Уже писалась третья часть книги, мама приезжала в Москву из своей Юрмалы и в очень узком кругу, в основном из оставшихся в живых политкаторжан, проверяла написанные главы. Из своей квартиры рукопись «Крутой маршрут» не выпускалась, сработал Великий Страх, который сопутствовал ее поколению... До конца жизни мама под подушкой в сумке держала свой паспорт и партийный билет, и куда бы она ни выходила — носила с собой. На подтрунивание близких она отшучивалась: «Без бумажки ты — букашка». Чего ей стоил этот паспорт?! Чего ей стоила партийная реабилитация?!

Каждый день в десять утра она садилась за машинку — ежедневный труд, ее радость... Трилогия «Крутой маршрут» была закончена, мама торопилась успеть — и успела... Было много планов, обдумывалась новая книга — но увы... Уже «море... сосны... воздух...» — все это было недоступно ей: страшные физические боли, страдания уничтожали ее...

Семнадцать лет мама приезжала в Ригу, и когда я прохожу по ее местам в Юрмале, я думаю: пусть будет благословенно это «море... сосны... воздух... культура...» и низкий поклон всем тем людям, с которыми прошла так много бед и унижений эта красивая, мужественная женщина — Евгения Семеновна Гинзбург.

Антонина АКСЕНОВА

КРУТОЙ МАРШРУТ

Хроника времен культа личности

Все это кончилось. Мне и тысячам таких, как я, выпало счастье дожить до двадцатого и двадцать второго съездов партии.

В 1937-м, когда все это случилось со мной, мне было немного за тридцать. Сейчас — больше пятидесяти. Между этими двумя датами пролегло восемнадцать лет, проведенных ТАМ.

Много разных чувств терзало меня за эти годы. Но основным, ведущим было чувство изумления.

Неужели такое мыслимо? Неужели это все всерьез?

Пожалуй, именно это изумление и помогло выйти живой. Я оказалась не только жертвой, но и наблюдателем.

Что же будет дальше? Неужели ТАКОЕ возможно ПРОСТО ТАК? Без справедливого возмездия?

Жгучий интерес к тем новым сторонам жизни, человеческой натуры, которые открылись передо мной, нередко помогали отвлекаться от собственных страданий.

Я старалась все запомнить в надежде рассказать об этом тем хорошим людям, тем настоящим коммунистам, которые будут же, обязательно будут когда-нибудь меня слушать.

Я писала эти записки как письмо к внуку. Мне казалось, что только примерно к восьмидесятому году, когда моему внуку будет двадцать лет, все это станет настолько старым, чтобы дойти до людей.

Как хорошо, что я ошиблась! В нашей партии, в нашей стране снова царит великая ленинская правда. Уже сегодня можно рассказать людям о том, что было, чего больше никогда не будет.

И вот они — воспоминания рядовой коммунистки. Хроника времен культа личности.

Публикация дается без сокращений и исправлений по рукописи автора. — *Ред.*

ЧАСТЬ I

ГЛАВА ПЕРВАЯ

ТЕЛЕФОННЫЙ ЗВОНОК НА РАССВЕТЕ

Тридцать седьмой год начался, по сути дела, с конца 1934-го. Точнее, с первого декабря 1934-го.

В четыре часа утра раздался пронзительный телефонный звонок. Мой муж — Павел Васильевич Аксенов, член бюро Татарского обкома партии, — был в командировке. Из детской доносилось ровное дыхание спящих детей.

— Прибыть к шести утра в обком. Комната 38.

Это приказывали мне, члену партии.

— Война?

Но трубку повесили. Впрочем, и так было ясно, что случилось недоброе.

Не разбудив никого, я выбежала из дому еще задолго до начала движения городского транспорта. Хорошо запомнились бесшумные мягкие хлопья снега и странная легкость ходьбы.

Я не хочу употреблять возвышенных оборотов, но чтобы не погрешить против истины, должна сказать, что если бы мне приказали в ту ночь, на этом заснеженном зимнем рассвете, умереть за партию не один раз, а трижды, я сделала бы это без малейших колебаний. Ни тени сомнения в правильности партийной линии у меня не было. Только Сталина (инстинктивно, что ли!) не могла боготворить, как это уже входило в моду. Впрочем, это чувство настороженности в отношении к нему я тщательно скрывала от себя самой.

В коридорах обкома толпилось уже человек сорок научных работников-коммунистов. Все знакомые люди, товарищи по работе. Потревоженные среди ночи, все казались бледными, молчаливыми. Ждали секретаря обкома Лепу.

— Что случилось?

— Как? Не знаете? Убит Киров...

Лепа, немного флегматичный латыш, всегда бесстрастный

9

и непроницаемый, член партии с 1913 года, был сам не свой. Его сообщение заняло только пять минут. Ровно ничего он не знал об обстоятельствах убийства. Повторил только то, что было сказано в официальном сообщении. Нас вызвали всего только за тем, чтобы разослать по предприятиям. Мы должны были выступить с краткими сообщениями на собраниях рабочих.

Мне досталась ткацкая фабрика в Заречье, заводском районе Казани. Стоя на мешках с хлопком, прямо в цеху, я добросовестно повторяла слова Лепы, а мысли в тревожной сумятице рвались далеко.

Вернувшись в город, я зашла выпить чаю в обкомовскую столовую. Рядом со мной оказался Евстафьев, директор Института марксизма. Это был простой, хороший человек, старый ростовский пролетарий, член партии с дооктябрьским стажем. Мы дружили с ним, несмотря на почти двадцатилетнюю разницу в возрасте, при встречах всегда с интересом беседовали. Сейчас он молча пил чай, не оглядываясь в мою сторону. Потом осмотрелся кругом, наклонился к моему уху и каким-то странным, не своим голосом, от которого у меня все оборвалось внутри предчувствием страшной беды, сказал:

— А ведь убийца-то — коммунист...

ГЛАВА ВТОРАЯ

РЫЖИЙ ПРОФЕССОР

Длинные газетные полосы с обвинительными заключениями по делу об убийстве Кирова бросали в дрожь, но еще не вызывали сомнений. Бывшие ленинградские комсомольцы? Николаев? Румянцев? Каталынов? — Это было фантастично, невероятно, но об этом было напечатано в «Правде» — значит, сомнений быть не могло.

Но вот процесс начал расширяться концентрическими кругами, как на водной глади, в которую упал камень.

В солнечный февральский день 1935 года ко мне зашел профессор Эльвов. Это был человек, появившийся в казанских вузах после известной истории с четырехтомной «Историей ВКП(б)» под редакцией Емельяна Ярославского. В статье о 1905 годе, написанной Эльвовым для этой книги, были обнаружены теоретические ошибки по вопросу о теории перманентной революции. Вся книга, в частности статья Эльвова, была осуждена Сталиным в его известном письме в редакцию журнала «Пролетарская революция». После этого письма ошибки получили более четкую квалификацию: «троцкистская контрабанда».

Но в те времена, до выстрела в Кирова, все эти вопросы стояли не очень остро. И Эльвов, приехав в Казань по путевке ЦК партии, стал профессором Педагогического института, был избран членом горкома партии, выступал с докладами на общегородских собраниях интеллигенции, на партактивах. Даже доклад на городском активе, посвященном убийству Кирова, делал Эльвов.

Это был человек, бросавшийся в глаза. Красно-рыжая кудрявая шевелюра, очень крупная голова, посаженная прямо на плечи. Шеи у Николая Эльвова почти не было, и поэтому его высокая коренастая фигура производила одновременно впечатление и силы, и какой-то физической беспомощности. Где бы он ни появлялся, на него оглядывались. Не мог он остаться незамеченным и по своим душевным проявлениям. Его доклады, блестящие и иногда претенциозные, его выступления, безапелляционные и едкие, каскады эрудиции, которые он обрушивал на головы скромных казанских преподавателей, — все это делало его одиозной фигурой в городе. Было ему в 1935 году 33 года.

...И вот он сидит передо мной в этот морозный солнечный февральский день 1935 года. Сидит не в кресле у письменного стола, а на стуле, в углу. Не раскинув длинные ноги в элегантных ботинках, а поджав их под стул. И лицо у него не розово-белое, как у всех рыжих, как бывало у него всегда, а темно-серое. И на руках он держит моего двухлетнего Ваську, забежавшего в комнату. И говорит синими трясущимися губами:

— У меня ведь тоже есть... Сережка... Четыре года. Хороший парень...

Потом я много видела таких глаз, какие были в тот день у рыжего профессора. Я не знаю, какими словами определить эти глаза. В них мука, тревога, усталость загнанного зверя и где-то, на самом дне, полубезумный проблеск надежды. Наверно, у меня самой были потом такие же. Но у себя самой я их почти не видела, по той простой причине, что мне не приходилось долгими годами видеть свое отражение в зеркале.

— Что с вами, Николай Наумыч?

— Все. Все кончено. Я только на минуту. Только хотел сказать вам, чтобы вы не думали... Ведь это все неправда. Клянусь — я ничего не сделал против партии.

Стыдно вспомнить, как я начала его «утешать» плоскими обывательскими фразами. Дескать, он все преувеличивает... Ну, может быть, по остроте положения выговор задним числом объявят за ту ошибочную статью... и т. д.

11

Потом он сказал совсем странные слова:

— Мне очень больно, что и вы можете пострадать за связь со мной... Я не хотел этого...

Тут я посмотрела на него с явным опасением. Не сошел ли с ума? Я могу пострадать за связь с ним? Какая связь? Что за чушь?

Меня судьба столкнула с ним с самого его приезда в Казань, кажется, с осени 1932 года. Я работала тогда в пединституте. Он появился как зав. кафедрой русской истории. Квартиру ему дали в здании института. Он сразу задумал несколько изданий и стал для этого собирать на своей квартире научных работников. Помню, что меня туда пригласили для участия в подготовке хрестоматии по истории Татарии.

Еще раз мне пришлось работать вместе с Эльвовым в редакции областной газеты «Красная Татария». После крупного конфликта между новым редактором Красным и прежними сотрудниками этой газеты обком решил освежить аппарат редакции и направил туда «на укрепление» несколько человек из числа научных работников. Меня назначили зав. отделом культуры, Эльвова — зав. отделом международной информации.

— С каких это пор совместная работа в советском вузе и в партийной прессе стала называться «связью», да еще такой, от которой можно «пострадать»?

Видно, в этот страшный момент своей жизни, отбросив свойственное ему позерство и самолюбование, он обрел дар понимания людей. Потому что он правильно увидел за моими словами не трусость, не лицемерие, а беспробудную политическую наивность. Да, я была членом партии, историком и литератором, имела уже ученое звание, но я была политическим младенцем. Он уловил это.

— Вы не понимаете момента. Вам трудно будет. Еще труднее, чем мне. Прощайте.

В прихожей он долго не мог попасть в рукава своего кожаного пальто. Мой старший сын Алеша, тогда девятилетний, встал в дверях, внимательно и серьезно глядя на «рыжего». Потом помог ему надеть пальто. А когда дверь за Эльвовым захлопнулась, Алеша сказал:

— Мамочка, это вообще-то не очень симпатичный человек. Но сейчас у него большое горе. И его сейчас жалко, правда?

На другое утро у меня была лекция в пединституте. Старый швейцар, знавший меня со студенческих лет, бросился ко мне, едва я показалась в вестибюле:

— Профессора-то нашего... рыжего-то... Увели сегодня ночью... Арестовали...

ГЛАВА ТРЕТЬЯ

ПРЕЛЮДИЯ

Последовавшие затем два года можно назвать прелюдией к той симфонии безумия и ужаса, которая началась для меня в феврале 1937 года.

Через несколько дней после ареста Эльвова в редакции «Красной Татарии» состоялось партийное собрание, на котором мне впервые были предъявлены обвинения в том, чего я НЕ делала.

Оказывается, я НЕ разоблачила троцкистского контрабандиста Эльвова. Я НЕ выступила с уничтожающей рецензией на сборник материалов по истории Татарии, вышедший под его редакцией, а даже приняла в нем участие. (Моя статья, относившаяся к началу XIX века, при этом совершенно не критиковалась.) Я ни разу НЕ выступала против него на собраниях.

Попытки апеллировать к здравому смыслу были решительно отбиты.

— Но ведь не я одна, а никто в нашей областной парторганизации не выступал против него...

— Не беспокойтесь, каждый ответит за себя. А сейчас речь идет о вас!

— Но ведь ему доверял обком партии. Коммунисты выбрали его членом горкома.

— Вы должны были сигнализировать, что это неправильно. Для этого вам и дано высшее образование и ученое звание.

— А разве уже доказано, что он троцкист?

Последний наивный вопрос вызвал взрыв священного негодования.

— Но ведь он арестован! Неужели вы думаете, что кого-нибудь арестовывают, если нет точных данных?

На всю жизнь я запомнила все детали этого собрания, замечательного для меня тем, что на нем я впервые столкнулась с тем нарушением логики и здравого смысла, которому я не уставала удивляться в течение всех последующих 20 с лишним лет, до самого XX съезда партии, или по крайней мере до сентябрьского Пленума 1953 года.

...В перерыве партийного собрания я зашла в свой редакционный кабинет. Хотелось побыть одной, обдумать дальнейшее поведение. Как держаться, чтобы не уронить своего партийного и человеческого достоинства? Щеки мои пылали.

Минутами казалось, что схожу с ума от боли незаслуженных обвинений.

Скрипнула дверь. Вошла редакционная стенографистка Александра Александровна. Я часто диктовала ей. Жили с ней дружно. Пожилая, замкнутая, пережившая какую-то личную неудачу, она была привязана ко мне.

— Вы неправильно ведете себя, Е. С. Признавайте себя виновной. Кайтесь.

— Но я ни в чем не виновата. Зачем же лгать партийному собранию?

— Все равно вам сейчас вынесут выговор. Политический выговор. Это очень плохо. А вы еще не каетесь. Лишнее осложнение.

— Не буду я лицемерить. Объявят выговор — буду бороться за его отмену.

Она взглянула на меня добрыми, оплетенными сетью морщинок глазами и сказала те самые слова, которые говорил мне при последней встрече Эльвов.

— Вы не понимаете происходящих событий. Вам будет очень трудно.

Наверно, сейчас, попав в такое положение, я «покаялась» бы. Скорее всего. Ведь «я и сам теперь не тот, что прежде: неподкупный, гордый, чистый, злой». А тогда я была именно такая: неподкупная, гордая, чистая, злая. Никакие силы не могли меня заставить принять участие в начавшейся кампании «раскаяний» и «признаний ошибок».

Большие многолюдные залы и аудитории превратились в исповедальни. Несмотря на то, что отпущения грехов давались очень туго (наоборот, чаще всего покаянные выступления признавались «недостаточными»), все же поток «раскаяний» ширился с каждым днем. На любом собрании было свое дежурное блюдо. Каялись в неправильном понимании теории перманентной революции и в воздержании при голосовании оппозиционной платформы в 1923 году. В «отрыжке» великодержавного шовинизма и в недооценке второго пятилетнего плана. В знакомстве с какими-то грешниками и в увлечении театром Мейерхольда.

Бия себя кулаками в грудь, «виновные» вопили о том, что они «проявили политическую близорукость», «потеряли бдительность», «пошли на примиренчество с сомнительными элементами», «лили воду на мельницу», «проявляли гнилой либерализм».

И еще много-много таких формул звучало под сводами общественных помещений. Печать тоже наводнилась раскаянными статьями. Самый неприкрытый заячий страх водил перьями многих «теоретиков». С каждым днем возрастала роль и значение органов НКВД.

Редакционное партсобрание вынесло мне выговор «за притупление политической бдительности». Особенно настаивал на этом редактор Коган, сменивший в это время Красного. Он произнес против меня настоящую прокурорскую речь, в которой я фигурировала как «потенциальная единомышленница Эльвова».

Через некоторое время обнаружилось, что сам Коган имел оппозиционное прошлое, а его жена была личным секретарем Смилги и принимала участие в известных «проводах Смилги» в Москве при отъезде Смилги в ссылку. Чтобы отвлечь внимание от себя, Коган проявлял страшное рвение в «разоблачении» других коммунистов, в том числе и таких политически неопытных людей, как я. В конце 1936 года Коган, переведенный к тому времени в Ярославль, бросился под поезд, не в силах больше переносить ожидание ареста.

Немного поднялось мое настроение в связи с тем, что секретарь райкома партии оказался таким же «непонятливым», как я. Когда мой выговор поступил по моей апелляции на бюро райкома, он удивился:

— За что же ей выговор? Ведь Эльвова знали все. Ему доверяли обком и горком. Или за то, что по одной улице с ним ходила?

И выговор отменили, оставив (по настоянию других членов бюро, лучше секретаря разобравшихся в том, что требовалось от них «на данном этапе») — поставить на вид «недостаточную бдительность».

ГЛАВА ЧЕТВЕРТАЯ

СНЕЖНЫЙ КОМ

В семи километрах от города, на живописном берегу Казанки, расположилась обкомовская дача «Ливадия». Построил ее предшественник Лепы, бывший секретарь обкома Михаил Разумов. Коротконогий толстяк с пронзительными голубыми глазами и профилем Людовика XVI, член партии с 1912 года, он был связан близкой дружбой с моим мужем — Аксеновым. Поэтому мы знали этого «первого бригадира Татарстана» (такая формула подхалимства была в то время в ходу) очень хорошо.

Это был человек, полный противоречивых качеств. При несомненной преданности партии, при больших организаторских данных, он был очень склонен к «культу» собственной личности. Я познакомилась с ним в 1929 году, и он овельможивался буквально на моих глазах. Еще в 1930 году он занимал всего одну комнату в квартире Аксеновых, а проголодавшись, резал перочинным ножичком на бумажке колбасу. В 1931 году он построил «Ливадию» и в ней для себя отдельный коттедж. А в 1933-м, когда за успехи в колхозном строительстве Татария была награждена орденом Ленина, портреты Разумова уже носили с песнопениями по городу, а на сельхозвыставке эти портреты были выполнены инициативными художниками из самых различных злаков — от овса до чечевицы.

Мы, близкие личные приятели Разумова, еще задолго до того, как аналогичная ситуация была описана Ильфом и Петровым, поддразнивали своего секретаря.

— Михаил Осипович, вам ночью воробьи глаза выклевали. Посмотрите, на Черном озере!

Летом в «Ливадии» отдыхали члены бюро обкома с семьями. Круглый год приезжали по выходным.

В один из весенних дней 1935 года мы приехали тоже всей семьей на день отдыха. За одним из столиков я заметила новое лицо.

— Это что еще за рыжий Мотеле? — шепотом спросила я мужа.

— Не рыжий, а черный, и не Мотеле, а товарищ Бейлин, новый председатель партколлегии КПК.

Думала ли я тогда, что за внешним обликом добродушного местечкового портного скрывается мой первый инквизитор?

Нас познакомили. Что-то блеснуло в его глазах при упоминании моей фамилии, но он тут же погасил этот взгляд, устремив его на тарелку со знаменитыми ливадийскими пирожками. Оказалось, что мое «дело» уже лежало на его служебном столе.

Через несколько дней после этой первой встречи я уже сидела перед жгучими садистско-фанатическими очами товарища Бейлина в его кабинете, и он со всей талмудистской изощренностью уточнял и оттачивал формулировки в отношении моих «преступлений». Снежный ком покатился под гору, катастрофически разбухая и грозя задушить меня.

У товарища Бейлина был тихий голос. Он называл меня по-партийному на «ты».

— Ты разве не читала статью товарища Сталина? Ведь ты высококвалифицированная и не могла не понять ее.

— Ты разве не знала, что по вопросам перманентной революции Эльвов имел ошибки?

— Ты не признала на партийном собрании своей вины. Значит, ты не хочешь разоружиться перед партией?

Я не понимала, что значит «разоружиться», и пыталась убеждать Бейлина, что я никогда против партии не вооружалась.

Он мягко прикрывал полукруглыми веками свои горячие глаза и тихим голосом начинал все сначала.

— Тот, кто не хочет разоружиться перед партией, объективно скатывается на позиции ее врагов...

Я снова делала отчаянные попытки удержаться на поверхности, напоминая моему строгому духовнику, что ведь, в сущности, я ничего плохого не сделала, кроме того, что была знакома по работе с Эльвовым, как и все работники нашего вуза.

— Ты опять не понимаешь, что примиренчество к враждебным партии элементам объективно ведет к скатыванию...

Не слушая моих возражений, он катил ком вперед, проталкивая его по определенному, продуманному, мне еще не вполне понятному плану.

Скоро наши ежедневные беседы перестали быть уединенными. Приехал товарищ из Москвы, фамилии которого я не помню, но которого я мысленно всегда называла Малютой Скуратовым. Это был антипод Бейлина по приемам следствия, но в то же время его двойник по садистской изощренности.

Глаза Бейлина, прикрытые выпуклыми веками, светились приглушенной радостью, которую доставляло ему издевательство над человеком. Глаза Малюты излучали открыто сотни сверкающих неистовых лучей. Бейлин говорил тихим грудным голосом. Малюта орал. Он даже ругался. Правда, ругательства его были еще далеки от тех, которые мне довелось потом услышать в НКВД. Это были политические ругательства. Соглашатели! Праволевацкие уроды! Троцкистские выродки! Примиренцы задрипанные!

Они пытали меня два месяца, и к весне у меня началось настоящее нервное расстройство, обострившееся приступами малярии.

Когда я сравниваю эти свои переживания периода «прелюдии» с тем, что довелось вынести потом, с 1937 года до смерти Сталина, точнее, до самого июльского Пленума ЦК, разоблачившего Берию, меня всегда поражает несоответствие моей реакции внешним раздражителям. В самом деле, ведь до 15 февраля 1937 года я страдала только морально. В смысле внешних условий жизнь моя еще не изменилась. Еще цела была моя семья. Мои дорогие дети были со мной. Я жила в привычной квартире, спала на чистой постели, ела досыта, занималась умственным трудом. Но субъективно мои страдания этого периода были гораздо глубже, чем в последующие годы, когда я была заперта в каменном мешке политизолятора или пилила вековые деревья в колымской тайге.

Чем объяснить это? Тем ли, что ожидание неотвратимой беды хуже, чем сама беда? Или тем, что физические страдания заглушают боль душевной муки? Или просто человек может привыкнуть ко всему, даже к самому страшному злодейству, и поэтому повторные удары, полученные от страшной системы травли, инквизиции, палачества, ранили уже менее остро, чем при первых встречах с этой системой?

Так или иначе, но 1935 год был для меня ужасен. Нервы готовы были сдать. Преследовала настойчивая мысль о самоубийстве.

В этом отношении лекарством (правда, временным) оказалась для меня трагическая история коммунистки Питковской, разыгравшаяся в начале осени 1935 г. Питковская работала в школьном отделе обкома. Это была одна из тех, кто принес в тридцатые годы все повадки периода гражданской войны. Та самая, о каких говорил Пильняк: «Большевики... Кожаные куртки... Энергично функционировать...» Не могу сейчас вспомнить, как ее звали. Да ее никто и не звал по имени. Питковская! Ее можно было нагрузить партработой за четверых, у нее можно было взять деньги без отдачи, над ней можно было легонько подшучивать. Она не обижалась на своих. Вот уж кто по-настоящему расценивал партию как великое братство! Самоотверженная натура, она отягощала свою щепетильную совесть постоянным чувством вины перед партией. Вина эта заключалась в том, что муж Питковской — Донцов — примыкал в 1927 году к оппозиции. Питковская нежно любила мужа, но сурово и прямолинейно осуждала его за прошлое. Даже своему пятилетнему сыну она пыталась популярно объяснить, как глубоко провинился перед партией его отец. Она потребовала от мужа, чтобы он «переварился в пролетарском котле». Конкретно, она не разрешала ему жить в таком большом городе, как Казань, а заставила его работать у станка на Зеленодольском пароходоремонтном заводе.

К осени 1935 года стали арестовывать всех, кто был в свое время связан с оппозицией. Тогда почти никто не понимал, что акции подобного рода проводятся по строгому плану, абсолютно вне всякой связи с фактическим поведением отдельных лиц, принадлежащих к данной категории, запланированной к изъятию. Меньше всех могла это понять Питковская.

Когда ночью за Донцовым, приехавшим на воскресенье из Зеленодольска в Казань, пришли из НКВД, она провела сцену, достойную античной трагедии. Сердце ее, конечно, разрывалось от боли за любимого мужа, отца ее ребенка. Но она подавила эту боль. Она патетически воскликнула:

— Так он лгал мне? Так он все-таки шел против партии?

Неопределенно усмехнувшись, оперативники буркнули:

— Бельишко ему соберите...

Она отказалась сделать это для «врага партии». Когда Донцов подошел к кроватке спящего сына, чтобы проститься с ребенком, она загородила кроватку:

— У моего сына нет отца.

Потом бросилась пожимать оперативникам руки и клясться им, что сын будет воспитан в преданности партии.

Все это она рассказала мне сама. Я абсолютно исключаю хотя бы малейший элемент расчета или лицемерия в таком поведении этой женщины. При всей нелепости ее поступков они были вызваны искренними движениями наивной души, прямолинейно преданной идеям ее боевой молодости. Мысль о возможности чьего-то перерождения, о негодяях, охваченных страстью властолюбия, о коварстве, о бонапартиках — не умещалась в этом чистом, угловатом сердце.

На другой же день после ареста Донцова Питковскую сняли с работы в обкоме. Специальности у нее не было. Да если бы и была, вряд ли можно было устроиться куда-нибудь с формулировкой увольнения: «За связь с врагом партии». С этой же мотивировкой она была вскоре исключена из партии.

Грешница, я дала ей свое пальто и денег на дорогу до Москвы, куда она поехала хлопотать о восстановлении. Но ее не восстановили.

Вернувшись в Казань, она короткий срок проработала у станка на заводе пишущих машинок. Потом поранила правую руку.

Есть стало нечего. Мальчишку выгнали из детсада. С ней перестали понемногу здороваться. Я по звонку, осторожному и неуверенному, узнавала: это идет к нам Питковская. Успокаивали, подкармливали. Потом муж сказал мне, что я сама на подозрении и «связь с Питковской» повлияет на исход моего «дела». Я переживала душевную муку. Естественное желание помочь хорошему товарищу, преданному коммунисту натыкалось на подленький страх: не узнали бы про ежедневные визиты Питковской Бейлин с Малютой. Растерзают.

Но вот она перестала приходить. День, два, три. На четвертый стало известно, что, послав Сталину письмо, полное выражений любви и преданности, Питковская выпила стакан уксусной эссенции. В предсмертной записке никого не винила, расценивала все как недоразумение, умоляла считать ее коммунисткой.

За гробом ее шел пятилетний Вовка, обкомовская уборщица, которую покойница часто выручала деньгами, и два-три «отчаянных» из бывших товарищей.

Увидав этот жалкий холмик без креста или звезды, я поняла: нет, я не сделаю так. Я буду бороться за сохранение своей жизни. Пусть убивают, если смогут, но помогать им в этом я не буду.

К осени Бейлин с Малютой вынесли решение: строгий с предупреждением за примиренчество к враждебным партии элементам, с запрещением вести преподавательскую работу.

Но это, конечно, еще не было развязкой. Снежный ком продолжал катиться дальше.

ГЛАВА ПЯТАЯ

«УМА — ПАЛАТА, А ГЛУПОСТИ — САРАТОВСКАЯ СТЕПЬ...»

Моя свекровь Авдотья Васильевна Аксенова, родившаяся еще при крепостном праве, простая неграмотная «баба рязанская», отличалась глубоким философским складом ума и поразительной способностью по-писательски метко, почти афористично выражать свои мнения по самым разнообразным вопросам жизни. Говорила она на певучем южнорусском наречии, щедро уснащая свою речь пословицами и поговорками. Подобно древнему царю Соломону, изрекавшему в острые моменты жизни свое «И это пройдет», наша бабушка, выслушав сообщение о каком-либо выходящем из ряда вон происшествии, обычно говорила: «Такое-то уж было...»

Помню, как мы были поражены ее выступлением за семейным столом по поводу убийства Кирова.

— Такое-то уж было...

— Как это было?

— Да так. Царя-то ведь уж убивали... (Она имела в виду ни больше ни меньше как убийство Александра II.) В ту пору я еще молоденька была... А только сейчас чегой-то не туды стреляли-то... Ведь у нас нынче царем-то не Киров, а Сталин... Пошто в Кирова-то? Ну, да это дальше видать будет...

До мельчайших подробностей помню день первого сентября 1935 года, когда я, снятая партколлегией с преподавательской работы, заперлась в своей комнате, испытывая поистине танталовы муки. Я всю жизнь или училась или учила других. День первого сентября был для меня всегда даже более важным, чем день Нового года. И вот я сижу в этот день одна, отверженная, а с улицы доносятся привычные звуки возрождающейся после лета жизни вузов, школ. Шумит Казань — город студентов. Но я не войду больше под колонны родного университета.

Бабка Авдотья нарочито громко шаркает за дверью туфлями и вздыхает. Но я не выхожу и не зову ее. Я не могу сейчас никого видеть. Даже детей. Я одинока, как Робинзон Крузо.

Сижу так до обеда, пока у дверей не раздается резкий звонок и торопливый бабушкин голос:

— К тебе, Евгенья-голубчик. Выдь-ка...

В двери незнакомый мальчишка-посыльный. Он протягивает мне большой букет печальных осенних цветов — астр. В букете записка с теплыми словами моих прошлогодних слушателей.

Я не в силах удержаться даже до ухода мальчика. Я начинаю громко плакать, просто реветь белугой, выть и причитать совсем по-рязански, так что бабка Авдотья заливается мне в тон, приговаривая:

— Да ты ж, моя болезная... Да ты ж, моя головушка бедная...

Потом бабушка резко прерывает плач, закрывает двери и шепотом говорит:

— Отчаянны головушки, студенты-то... Що им за те цветы еще будеть... Евгенья-голубчик, а я тебе що скажу... А ты мене послухай, хоть я и старая и неученая... Капкан, Евгенья, капкан круг тебе вьется... Беги, покудова цела, покудова на шею не закинули. Ляжить пословица — с глаз долой, из сердца вон! Раз такое дело, надо табе отсюдова подальше податься. Давайкось мы тебя к нам, в сяло, в Покровское, отправим...

Я продолжаю вслух рыдать, еще не вполне понимая смысл ее предложения.

— Право слово... Тамотка таких шибко грамотных, как ты, дюже надо. Изба-то наша стоит пуста, заколочена. А в садочке-то яблони... Пятнадцать корней.

Я прислушиваюсь.

— Что ты, Авдотья Васильевна? Как же это я все брошу: детей, работу?

— А с работы-то вишь и так выгнали. А детей твоих мы не обидим.

— Да ведь я должна партии свою правоту доказать! Что же я, коммунистка, от партии прятаться буду?

— Евгенья-голубчик... Ты резко-то не шуми. Я ведь не чужая. Кому правоту-то свою доказывать станешь? До бога высоко, до Сталина — далеко...

— Нет, что ты, что ты... Умру, а докажу! В Москву поеду. Бороться буду...

— Эх, Евгенья-голубчик! Ума в табе — палата, а глупости — саратовская степь!

Муж мой только покровительственно усмехнулся, когда я рассказала про бабушкино предложение. Еще бы! Ведь мы владели истиной в ее конечной форме, а она была всего-навсего «баба рязанская».

Позднее, когда я отправилась в Москву обивать пороги комиссии партийного контроля, мне пришлось еще раз встретиться с предложением, напоминавшим вариант Авдотьи Васильевны.

Там, на Ильинке, встречались в те дни многие коммунисты, попавшие первыми в «сеть Люцифера». В очереди у кабинета партследователя я встретила знакомого молодого врача Диковицкого. Он был по национальности цыган. Мы знали друг друга еще в ранней юности, и теперь он доверительно рассказал мне о своей «чертовщине». Он тоже «не проявил бдительности» и, наоборот, «проявил гнилой либерализм». Он тоже куда-то «объективно скатился» и т. д.

— Слушай, Женя, — сказал он мне. — А ведь если вдуматься, дела наши плохи. Хождение на Ильинку вряд ли поможет. Надо искать другие варианты. Как бы ты отнеслась, например, если бы я спел тебе популярный романс «Уйдем, мой друг, уйдем в шатры к цыганам»?

Его синие белки сверкнули прежним озорством.

— Еще можешь шутить?

— Да нисколько! Ты послушай. Я цыган натуральный, ты тоже вполне сойдешь за цыганку Азу. Давай исчезнем на энный период с горизонта. Для всех, даже для своих семей. Ну, например, в газете вдруг появляется объявление в черной каемке. Дескать, П. В. Аксенов с прискорбием извещает о безвременной кончине своей жены и друга... Ну и так далее. Пожалуй, тогда твоему Бейлину волей-неволей придется сдать дело в архив. А мы с тобой присоединились бы к какому-нибудь табору и годика два побродили бы как вольные туристы, пока волна спадет. А?

22

И это, по сути дела мудрое предложение показалось мне авантюристским, заслуживающим только улыбки. А между тем несколько лет спустя, оглядываясь на прошлое, я с удивлением вспоминала, что ведь многие действительно спаслись именно таким путем. Одни уехали в дальние, тогда еще экзотические, районы Казахстана или Дальнего Востока. Так сделал, например, бывший ответственный секретарь казанской газеты Павел Кузнецов, который фигурировал в моем обвинительном заключении как обвиняемый в принадлежности к «группе», но никогда не был арестован, так как уехал в Казахстан, где его не сразу нашли, а потом перестали искать. Он еще потом печатал в «Правде» свои переводы казахских акынов, прославлявших «батыра Ежова» и великого Сталина.

Некоторые «потеряли» партбилеты и были исключены за это, после чего тоже выехали в другие города и села. Некоторые женщины срочно забеременели, наивно полагая, что это спасет их от карающей десницы ежовско-бериевского «правосудия». Эти-то бедняжки здорово просчитались и только увеличили число покинутых сирот.

Да, люди искали всевозможные варианты выхода, и те, у кого здравый смысл, наблюдательность и способность к самостоятельному мышлению перевешивали навыки, привитые догматическим воспитанием, те, над кем не довлела почти мистическая сила «формулировок», иногда находили этот выход.

Что касается меня, то, оставаясь все на той же почве правдивости, нельзя не признать, что я выбрала самый нелепый из всех возможных вариантов самозащиты: пламенные доказательства своей невиновности, горячие заверения в преданности партии, расточаемые то перед садистами, то перед чиновниками, ошеломленными фантастическою реальностью тех дней и дрожащими за собственную шкуру. Да, бабушка Авдотья была права. Не знаю, была ли «ума — палата», но уж глупости-то действительно была «саратовская степь».

ГЛАВА ШЕСТАЯ

ПОСЛЕДНИЙ ГОД

Он был удивительно противоречив для меня, этот последний год моей первой жизни, оборвавшейся в феврале 1937-го. С одной стороны, было очевидно, что я на всех парах качусь к пропасти. Все более свинцовыми тучами затягивался политический небосклон. Шли процессы. Процесс Зиновьева — Каменева. Кемеровское дело. Процесс Радека — Пятакова.

Газетные листы жгли, кололись, щупальцами скорпиона впивались в самое сердце. После каждого процесса дело закручивалось все туже. Вошел в жизнь страшный термин «враг народа». Каждая область и национальная республика по какой-то чудовищной логике должна была тоже иметь своих «врагов», чтобы не отстать от центра. Как в любой кампании, как, скажем, при хлебозаготовках или поставках молока.

А я была меченая. И каждую секунду чувствовала это... Почти весь этот год я прожила в Москве, так как «дело», находившееся по моей апелляции в КПК, требовало постоянных посещений коридоров Ильинки.

Мой муж еще оставался членом ЦИК СССР, и поэтому жила я в комфортабельном номере гостиницы «Москва», а при моих постоянных поездках из Казани и в Казань меня встречали и провожали машины татарского представительства в Москве. Эти же машины доставляли меня и на Ильинку, где решался вопрос — быть мне или не быть. Таковы были гримасы времени и своеобразная «неравномерность» развития событий.

В это лето умер Горький, и на его похоронах я в первый и в последний раз в жизни видела Сталина. Я шла в рядах Союза писателей, так что имела возможность очень близко разглядеть его.

Было бы преувеличением, если бы я стала теперь, задним числом, приписывать себе особенно глубокие мысли о роли Сталина в назревавшей трагедии партии и страны. Эти мысли пришли позднее по мере ознакомления со сталинизмом в действии. Но я не солгу, если скажу, что я без всякого обожания рассматривала тогда его лицо, поразившее меня своей некрасивостью и несходством с тем царственным ликом, который благостно взирал на нас с миллионов портретов. Даже больше чем «без обожания». Правильнее будет сказать — с затаенной враждебностью, хотя еще и неосознанной, слабо мотивированной, инстинктивной.

А что творилось вокруг меня в этом отношении! Рядом со мной шел Федор Гладков, уже тогда старик. Надо было видеть религиозный восторг на его лице, когда он взглядывал на Сталина. А с другой стороны шла начинающая писательница из Вологды. Я запомнила экстатическое исступление, с которым она шептала:

— Видела Сталина. Теперь можно и умереть...

И хорошо запомнила вспыхнувшее во мне в ответ чувство

раздражения и отчетливо прозвучавшее в моем мозгу слово: «идиотка»!

По-видимому, какое-то шестое чувство подсказывало, что этот человек будет палачом моим и моих детей. Во всяком случае, когда зав. школьным отделом ЦК Макаровский, очень ко мне расположенный, предложил мне однажды «поговорить при случае с Хозяином» о моем «деле», я пришла в ужас. Нет, нет, пусть он хоть персонально меня не знает! Наивно монархическая идея о добром вожде, не знающем о злоупотреблениях своих злых чиновников, уже тогда, на ранних этапах моего крутого маршрута, не находила во мне отклика.

(Не знаю, вспомнил ли потом Макаровский, тоже попавший в тюрьму, как я была права в этом вопросе.)

...Самые различные характеры встречались среди «меченых», штурмовавших коридоры Ильинки. Были плачущие женщины и ругающиеся мужчины. Были люди, покорно ждущие решения своей судьбы; и были люди, переходящие в наступление на партследователей. Вот рядом со мной томится на деревянном жестком диванчике директор одного из харьковских заводов.

— Прошу!

Это он протянул мне раскрытый портсигар.

— Спасибо. Не курю.

— Как — не курите? Да разве это возможно в нашем положении? А чем же вы тогда это самое... — Он колотит себя в грудь мелкими ударами. — Чем заглушаете?

— Театрами. Каждый день в театр. Вчера у Охлопкова. Сегодня — в Малый.

— Неужели помогает?

— Да ничего вроде...

В разговор вмешивается сорокалетний рабочий с добрыми карими глазами и простодушным мягким ртом.

— Вы еще шутите, товарищи. А мне не до шуток... Жену ревматизм разбил, второй год как обезножила. Трое ребят. А меня вот из партии и с работы... Так разве до театров тут? Последнее проживаю здесь, в Москве. Сам я из Запорожья. Наборщик. Печатник старый.

Харьковский директор протягивает ему портсигар:

— Кури, браток. А на шутки не сердись. Юмор висельников. А ты за что?

Рабочий некоторое время молчит, затем, наклонившись вперед, как под бременем невыносимого груза, хлопает себя по голенищам старых сапог и с отчаянием восклицает:

— Через Плеханова пропадаю!

— Как?

— Шел, слышь, у нас политкружок. Партучеба, одним словом. Задали нам про партию нового типа учить... А я... Виноват, конечно, не выучил я. Детишки, понимаешь, а она, жена-то, лежит, понимаешь ты, в лежку. Запарился совсем. До учебы разве? А тут меня и спрашивают на кружке: «Кто, мол, основал партию нового типа?» Мне бы, дураку, прямо сказать: «Простите великодушно, не подготовлен, мол, к ответу, книжку не раскрывал по причине семейного тяжелого положения». А я... Дернула же нелегкая. Послышалось мне вроде кто-то шепчет, подсказывает: «Плеханов»! Ну я взял да и брякнул наотмашь: «Плеханов, мол, основал». Вот с тех пор и пошло. По первости-то было выговор объявили, а потом — дальше в лес, больше дров. Меньшевиком стали называть, поверите? Их, дескать, раньше много среди печатников было, и ты, мол, зараженный. Исключили, с работы сняли. Голодуют детишки. А она...

Лицо рассказчика исказилось гримасой сдерживаемого стона.

— Не вынесет. Помрет...

Он помолчал еще немного и добавил:

— И все через Плеханова...

Его вызвали к партследователю первым, и мы слышали из-за двери обращенный к нему вопрос:

— Признаете ли вы себя виновным в том, что использовали занятие политкружка для пропаганды враждебных партии меньшевистских взглядов?

В какой-то момент показалось, что мне немного повезло на Ильинке. Член партколлегии Сидоров, работник ПУРа, проявил ко мне внимание и сочувствие. Он возмутился формулировкой бейлинского решения, в котором говорилось, между прочим: «запретить пропаганду марксизма-ленинизма».

— Черт знает что! Запретить коммунисту пропаганду марксизма! Ни в какие ворота не лезет! Усердие не по разуму.

Он обнадежил меня, что взыскание будет уменьшено. И действительно, к ноябрю я получила выписку: в которой «во изменение решения парколлегии по Татарии» строгий с предупреждением заменялся просто строгим. Пункт о запрещении преподавания и пропагандистской работы был совсем снят, а мотивировка «за примиренчество к враждебным партии элементам» была заменена более мягкой — «за притупление политической бдительности».

— А затихнет немного обстановка, подайте через годик на снятие, — сочувственно напутствовал меня Сидоров, и по искреннему выражению его лица видно было, что этот серьезный человек с большим партийным прошлым действительно надеется на возможность «затихания» обстановки.

Да, масштабов предстоящих событий не могли предвидеть даже такие умудренные опытом партийцы. Что же удивляться, что такая счастливая обладательница строгого БЕЗ предупреждения, как я, тут же покатила в Казань, почти совсем утешенная.

Увы, иллюзии развеялись очень быстро! Я буквально не успела распаковать чемодан, как принесли посланную мне вслед телеграмму из КПК:

«Новое слушание вашего персонального дела назначено на такое-то. Немедленно выезжайте в Москву. Емельян Ярославский».

Позднее я узнала, что Бейлин, оказавшийся в Москве в момент облегчения моего взыскания, не мог стерпеть такого удара по самолюбию, обратился к Ярославскому с жалобой на Сидорова и с протестом против изменения его, бейлинского, решения. Кроме того, он представил Ярославскому дополнительные обвинения против меня. Я была виновна, оказывается, не только в связи с «ныне репрессированным Эльвовым», но и с «ныне репрессированным Михаилом Корбутом».

И опять бабка Авдотья сказала мне:

— Не езди в Москву-то, Евгенья, пра не езди! В Покровское, да потихоньку...

И опять я ответила:

— Что ты, бабушка! Разве коммунист может бежать от партии?

И поехала. Поехала к Емельяну Ярославскому, который обвинил меня в том, что я «не разоблачила» неправильность статьи Эльвова, который САМ эту статью поместил в редактированной им, Ярославским, четырехтомной «Истории ВКП (б)». Было от чего взяться за голову!

В тот же вечер я снова выехала обратно в Москву.

ГЛАВА СЕДЬМАЯ

СЧЕТ ПОШЕЛ НА МИГИ

С этого момента события понеслись с головокружительной быстротой. Последние два с половиной месяца до момента ареста я провела в мучительной борьбе между доводами рассудка и тем неясным ощущением, которое Лермонтов назвал «пророческой тоской».

Умом я считала, что арестовывать меня абсолютно не за что. Конечно, в тех чудовищных обвинениях, которые ежедневно адресовывались газетами «врагам народа», явно ощущалось нечто гиперболическое, не вполне реальное, но все-таки — думала я — хоть что-то, хоть маленькое, ведь наверняка было, ну голоснули там когда-нибудь невпопад. Но я ведь никогда не принадлежала к оппозиции. У меня ведь не было никогда и тени сомнений в правильности генеральной линии.

— Если брать таких, как ты, то надо всю партию арестовывать! — поддерживал меня в этих умозаключениях муж.

Однако вопреки всем этим доводам рассудка меня не оставляло предчувствие близкой гибели. Казалось, я стою в центре железного кольца, которое все сжимается и скоро меня раздавит.

Ужасной была обратная поездка в Москву по вызову Ярославского. Вот когда я была на волосок от самоубийства!

В купе мягкого вагона нас оказалось только двое: я и знакомая врач-педиатр Макарова, возвращавшаяся из Казани после защиты диссертации.

Это была приятная молчаливая женщина с мягкими движениями и очень внимательным взглядом.

Мне казалось, что я довольно удачно маскирую свое состояние разговором о разных пустяках. Но она вдруг, без всякой видимой связи с темой болтовни, погладила меня по руке и тихо сказала:

— Я очень жалею своих знакомых-коммунистов. Тяжело вам сейчас. Ведь каждого могут обвинить.

Ночью на меня навалилась такая несусветная мука, что я, стараясь не шуметь, вышла из купе сначала в пустой коридор вагона, а потом и на площадку. Мыслей как будто никаких не было, но в непрерывном потоке сознания вдруг откристаллизовалось некрасовское четверостишие:

Тот, чья жизнь безнадежно разбилась,
Может смертью еще доказать,
Что в нем сердце не робкое билось,
Что умел он любить и...

Это выстукивали колеса, это выстукивали молоточки, бившие в моих висках. На площадку я вышла именно для того, чтобы отделаться от этого назойливого стука. В первые минуты ноябрьский ветер, распахнувший легкий халатик, отвлек мои чувства. Стало полегче. Потом снова навалилось.

Я приоткрыла дверь вагона. В лицо брызнул холодный воздух. Взглянула вниз в стучащую тьму колес. Явь окончательно слилась с каким-то мучительным сном. Один шаг... Один миг... И уже не надо будет к Ярославскому. И больше нечего будет бояться...

Кто-то мягко, но сильно взял меня за руку повыше локтя. Ей бы не педиатром, а невропатологом или психиатром быть, этой Макаровой. Не вскрикнула, не посыпала словами, а только властно увела в купе, уложила, погладила по волосам. А сказала одну только фразу:

— Ведь это все пройдет... А жизнь только одна...

...Я никогда не думала, что Ярославский, которого называли партийной совестью, может строить такие лживые силлогизмы. Из его уст я впервые услышала ставшую популярной в 1937 году теорию о том, что «объективное и субъективное — это, по сути, одно и то же». Совершил ли ты преступление или своей ненаблюдательностью, отсутствием бдительности «лил воду на мельницу» преступника, ты все равно виноват. Даже если ты понятия не имел ни о чем — все равно. В отношении меня получалась такая «логическая» цепочка: Эльвов сделал в своей статье теоретические ошибки. Хотел он этого или не хотел — все равно. Объективно, это опять-таки «вода на мельницу» врагов. Вы, работая с Эльвовым и зная, что он был автором такой статьи, не разоблачили его. А это и есть пособничество врагам.

На смену «притуплению бдительности», записанному совестливым и гуманным Сидоровым, пришла теперь новая формулировка моих злодеяний. Она была уже похлеще даже бейлинского «примиренчества». Теперь Ярославский предъявил мне обвинение в «пособничестве врагам народа».

Таким образом, точка над «и» была поставлена. Пособничество врагу — уголовно наказуемое деяние.

Сдержанность оставила меня. Я закричала на этого почтенного старика, затопала на него ногами. Я была способна броситься с кулаками, если бы между нами не сверкала полировкой широкая гладь его письменного стола.

Не помню уж, что именно я там выкрикивала, но суть моих слов сводилась к контробвинению. Да, я была доведена до такого отчаяния, что стала бросать в лицо ему простые вопросы, вытекающие из элементарного здравого смысла. А такие вопросы считались в те времена в высшей степени дурным тоном. Все должны были делать вид, что изуверские силлогизмы отражают естественный ход всеобщих мыслей. Достаточно было кому-нибудь задать вопрос, разоблачающий безумие, как окружающие или возмущались, или снисходительно усмехались, третируя спрашивающего как идиота.

Но в том состоянии аффекта, в котором я находилась в кабинете Ярославского, я позволила себе кричать ему:

— Ну хорошо, я не выступила! Но вы-то ведь не только не выступили, а еще сами отредактировали эту статью и напечатали ее в четырехтомной Истории партии. Почему же вы судите меня, а не я вас? Ведь мне 30 лет, а вам 60. Ведь я молодой член партии, а вы — партийная совесть! Почему же меня надо растерзать, а вас держать вот за этим столом? И не стыдно все это?

На мгновение в его глазах мелькнул испуг. Он явно принял меня за сумасшедшую. Слишком уж дерзкими были мои слова, произнесенные в этой комнате, похожей не то на алтарь, не то на судилище. Но тут же снова накинул на лицо привычную маску ханжеской суровости и квакерской прямолинейности. Потом сказал с почти натуральной дрожью в голосе:

— Никто лучше меня не осознает моих ошибок. Да, я, человек, не мыслимый вне партии, виноват в этом перед партией.

У меня уже висел на кончике языка новый безумный до дерзости вопрос: «Почему же ваша ошибка искупается только ее осознанием, а я почему должна расплачиваться кровью, жизнью, детьми?»

Но я не произнесла этих слов. Аффект прошел. На смену ему пришел ужас. Что это я наговорила? Что теперь со мной сделают? Потом на смену ужасу — беспощадная ясность: все безразлично, все бесполезно. Настало время или умирать, или молча идти на свою Голгофу вместе с другими, с тысячами других.

Когда мне сказали, чтобы я ехала в Казань, куда вскоре будет прислано решение, я заторопилась. Теперь-то я твердо знала, что счет моей жизни идет не на годы и даже не на месяцы. Счет пошел на миги, и надо было торопиться к детям. Что с ними будет, с моими сиротами?

ГЛАВА ВОСЬМАЯ

НАСТАЛ ТРИДЦАТЬ СЕДЬМОЙ

И вот он наступил — этот девятьсот проклятый год, ставший рубежом для миллионов. Я встретила его, этот последний Новый год моей первой жизни, под Москвой, в доме отдыха ЦИК СССР Астафьево, около Подольска.

Вернувшись в Казань после разговора с Ярославским, я застала Алешу, старшего сына, тяжело больным малярией. Врачи советовали сменить климат. Наступали школьные зимние каникулы, и увезти его было можно. Муж достал путевки в Астафьево. Он был очень доволен, что я снова уеду.

— Лучше тебе сейчас поменьше быть в Казани, на глазах...

Теперь мучительная тревога терзала и его. Уже шли аресты. Они уже коснулись очень хорошо знакомых нам людей. Одним из первых был взят директор Туберкулезного института профессор Аксянцев, старый член партии. Следом за ним — директор университета Векслин, чья безоглядная преданность партии вошла в Казани в поговорку. Этот человек в рваной шинелишке прошел всю гражданскую, переходя с фронта на фронт. Герой Перекопа...

Муж стал теперь больше бывать дома. Его измучили заседания, на которых он, как член бюро обкома, сидел в президиуме и должен был молча выслушивать, как склоняли и спрягали эльвовское дело и меня как его участницу.

Ему было непривычно оставаться по вечерам дома. Он молча мерил шагами комнату, время от времени останавливался и произносил:

— Кто его знает, Векслина-то... Человек увлекающийся! Может, и вправду сотворил что-нибудь...

Он стал теперь внимательно присматриваться к детям, с которыми раньше только шутил. Даже заметил, что у Васи вытертое пальтишко. Надо новое.

Но стоило мне начать откровенный разговор о происходящих событиях, как он немедленно становился на ортодоксальные позиции. Мне он, конечно, верил безоговорочно, знал, что я ни в чем не виновата. Но тех оценок положения, которые начинали довольно четко складываться у меня в сознании, он, член бюро обкома, не разделял. Его больше устраивало предположение, что в отношении меня персонально произошла ошибка. Он по-рыцарски вел себя на многочисленных собраниях, где от него требовали «отмежеваться» от жены. Там он заявлял, что знает свою жену как честную коммунистку. Но дома иногда...

— Что же это происходит в нашей партии, а, Паша? — спрашивала я.

— Сложно, конечно, Женюша. Ну что поделаешь! Особый этап в развитии нашей партии...

— Что же это за этап? Что всем членам партии предстоит ехать по этапу? — горько острю я. Он раздражается.

— Ты прости, Женюша, но в таких шуточках нехороший привкус есть. Ты личную свою обиду отбрось. На партию не обижаются.

Иногда между нами возникали на этой почве серьезные конфликты. Помню одну тяжелую сцену поздно вечером, в безлюдном Дядском садике, напротив нашего дома. Мы вышли пройтись перед сном. Против воли разговор сворачивал все в ту же колею. Я сказала что-то злое и насмешливое по адресу Ярославского. Муж вспыхнул:

— Что ты говоришь! С тобой и впрямь в тюрьму попадешь!

— О, будь спокоен! И без меня тоже...

Я вырвала у него свою руку. Он, испугавшись своих резких слов, хотел удержать ее, но я снова рванулась, и так сильно, что мои маленькие золотые часики упали в сугроб, оторачивавший аллейки сада. Мы искали их потом больше часа и не нашли.

В наших позах, когда мы, склонившись над сугробом, разрывали его голыми руками, в наших лицах, взбудораженных ссорой, уже чувствовалась тень вплотную надвинувшейся катастрофы. Самое страшное было в том, что каждый из нас читал на лице другого отчетливую мысль: ведь мы только делаем вид, что расстроены пропажей часов и обязательно хотим найти их. На самом деле — нам не до них. Ведь пропала жизнь. И еще, каждый делает вид, что эта ссора важна для него и волнует. А в действительности, что значит ТЕПЕРЬ супружеская ссора? Ведь мы уже вне жизни, вне обычных человеческих отношений. Но это был только подтекст, невысказанный даже самим себе.

...Астафьево — пушкинское место, бывшее имение князя Вяземского — было в свое время «Ливадией» столичного масштаба. На зимних каникулах там в большом количестве отдыхали «ответственные дети», делившие всех окружающих на категории соответственно марке машин. «Линкольщики» и «Бьюишники» котировались высоко, «Фордошников» третировали. Мы принадлежали к последним, и Алеша сразу уловил это.

— Противные ребята, — говорил он, — ты только послушай, мамочка, как они отзываются об учителях...

Несмотря на то, что в Астафьеве кормили, как в лучшем ресторане, а вазы с фруктами стояли в каждом номере и пополнялись по мере опустошения, некоторые дамы, сходясь в курзале, брюзгливо критиковали местное питание, сравнивая его с питанием в «Соснах» и «Барвихе».

Это был настоящий пир во время чумы. Ведь 90 процентов тогдашнего астафьевского населения было обречено, и почти все они в течение ближайших месяцев сменили комфортабельные астафьевские комнаты на верхние и нижние нары Бутырской тюрьмы. Их дети, так хорошо разбиравшиеся в марках автомобилей, стали питомцами специальных детдомов. И даже шоферы были привлечены за «соучастие» в чем-то. Но пока еще никто не знал о приближении чумы, и пир шел вовсю.

Подошел новогодний вечер. Накрыли в столовой обильный стол. Дамы нарядились. Алеша потребовал, чтобы и я надела новое платье.

— Ну что ты, мамуля. Нельзя в старом. Я люблю, когда ты красивая...

Без пяти 12, когда уже были налиты бокалы, меня вдруг вызвали к телефону. Побежала радостно, думала — муж. В начале января должна была состояться сессия ЦИК. Наверно, приехал в Москву, хочет поздравить.

И вдруг в трубке забасил голос одного случайного, не очень симпатичного знакомого, который почему-то решил поздравить меня.

Пока я выслушивала его приветствия, пока добежала до столовой — Новый год уже наступил. Я вошла в столовую, когда гонг ударял в двенадцатый раз. Алеша, отвернувшись в другую сторону, чокался с кем-то. Когда он повернулся ко мне, уже прошло две минуты тридцать седьмого года.

Мне не пришлось его встретить вместе с Алешей. И он разлучил нас навсегда.

ГЛАВА ДЕВЯТАЯ

ИСКЛЮЧЕНИЕ ИЗ ПАРТИИ

В начале февраля мы вернулись в Казань, и я сразу узнала, что меня вызывают в райком партии. Почему Ярославский решил передать разбор моего «дела» опять в Казань — не знаю. Может, после моих дерзостей ему не хотелось больше со мной встречаться? А вернее всего — было общее решение передать дела об исключениях в низовые организации. Ведь таких дел с каждым днем становилось все больше. КПК уже не справлялся с объемом работы.

Это случилось седьмого февраля. Секретарь райкома — мой бывший слушатель по Татарскому коммунистическому университету Бикташев. Надо было видеть, какой гримасой боли искажалось его лицо, пока зачитывалось «дело». Я почти не помню, какие именно обвинения предъявлялись мне на этот раз, какие формулировки пришли теперь на смену последней московской редакции. Я почти не слушала. И я и все члены бюро райкома знали, что вопрос об исключении предрешен. И мне и им хотелось возможно сократить тягостную процедуру.

— Вопросы?

— Нет.

— Выступления?

— Нет.

— Может быть, вы хотите что-нибудь сказать, Е. С.? — хриплым голосом спрашивает Бикташев, не поднимая глаз, опущенных на лежащее перед ним «дело». Видно, как он боится, что я начну что-нибудь говорить. Неужели неясно, что он сам страдает, что он ничего не может?

Но я понимаю все, и я уже ничего не хочу говорить. Я тихонько иду к двери и только говорю шепотом:

— Решайте без меня...

Все мы знаем, что это нарушение устава, что в отсутствии члена партии нельзя выносить о нем решений. Но разве теперь до устава! И Бикташев только об одном спохватывается:

— А билет... он с вами?

И, точно поперхнувшись, выкашливает:

— Вы оставьте его...

Пауза. Теперь мы с Бикташевым смотрим друг другу в глаза. Перед нами возникают одни и те же картины прошлого... Десять лет тому назад я, молоденькая начинающая преподавательница, учу его, полуграмотного татарского паренька, пришедшего из деревни. В том, что этот паренек стал секретарем райкома, немалая доля и моих усилий. Сколько их было — трудностей, радостей преодоления, исправленных тетрадок! Какими они были веселыми и любознательными — эти узкие монгольские глазки! И какие они тусклые и покрасневшие сейчас...

Все это проносится передо мной и — уверена! — перед ним И голос его уже откровенно дрожит, когда он повторяет:

— Оставьте билет... пока...

В этом коротком «пока» выражена слабая попытка утешить, обнадежить. Оставь, мол, пока, а там получишь обратно. Ведь не навек же все эти дела!

Мне делается жалко моего бывшего ученика Бикташева хорошего, любознательного парня. Ему сейчас хуже, чем мне В этом театре ужасов одним актерам даны роли жертв, другим — палачей. Последним хуже. У меня хоть совесть чиста.

— Да, билет со мной.

Он еще новенький. Только в 1936-м был всесоюзный обмен партбилетов. Как я его берегла, как боялась потерять! Я кладу его на стол.

На улице, у дверей райкома дежурил мой муж. Пошли пешком. В трамвай нельзя было с такими лицами. Полдороги молчали. Потом он спросил:

— Ну что?

— Оставила билет...

Он тихо охнул. Теперь и ему уже было ясно, как близко край пропасти.

34

ГЛАВА ДЕСЯТАЯ

ЭТОТ ДЕНЬ...

Между исключением из партии и арестом прошло восемь дней. Все эти дни я сидела дома, закрывшись в своей комнате, не подходя к телефону. Ждала... И все мои близкие ждали.

Чего? Друг другу мы говорили, что ждем отпуска мужа, который был ему обещан в такое необычное время. Получит отпуск — поедем опять в Москву, хлопотать. Попросим Разумова... Он член ЦК.

В душе отлично знали, что ничего этого не будет, что ждем совсем другого. Мама и муж попеременно дежурили около меня. Мама жарила картошку. «Поешь, деточка. Помнишь, ты любила такую, когда была маленькой?» Муж, возвращаясь откуда-нибудь, звонил условным звонком и вдобавок громко кричал: «Это я, я, откройте». И в голосе его звучало: «Это еще я, а не они».

«Чистили» домашнюю библиотеку. Няня ведрами вытаскивала золу. Горели «Портреты и памфлеты» Радека, «История Западной Европы» Фридлянда и Слуцкого, «Экономическая политика» Бухарина. Мама «со слезами заклинаний» умолила меня сжечь даже «Историю новейшего социализма» Каутского. Индекс расширялся с каждым днем. Аутодафе принимало грандиозные размеры. Даже книжку Сталина «Об оппозиции» пришлось сжечь. В новых условиях и она стала нелегальщиной.

За несколько дней до моего ареста был взят второй секретарь горкома партии Биктагиров. Прямо с заседания бюро, которое он вел. Зашла секретарша.

— Тов. Биктагиров, вас там спрашивают.

— Во время заседания? Что они?... Я занят, скажите...

Но секретарша вернулась.

— Они настаивают.

Он вышел. Ему предложили одеться и «проехать тут недалеко».

Этот арест озадачил и потряс моего мужа еще больше, чем мое исключение из партии. Секретарь горкома? Тоже «оказался»?..

— Нет, это уж что-то чекисты наши перегнули. Придется им многих выпускать...

Он хотел убедить себя, что это проверка, какое-то недоразумение, временное и отчасти даже комичное. А вот в следующий выходной Биктагиров, возможно, будет снова сидеть в

«Ливадии» за столиком и с улыбкой рассказывать, как его чуть было не приняли за врага народа.

Но по ночам было очень плохо. Сколько машин проходило мимо окон нашей спальни, выходивших на улицу! И каждую надо было «прослушать», холодея, когда казалось, что она замедляет ход перед нашим домом. Ночью даже оптимизм моего мужа уступал место СТРАХУ, великому СТРАХУ, сжавшему горло всей страны.

— Павел! Машина!

— Ну и что же, Женюша? Город большой, машин много...

— Остановилась! Право, остановилась...

Муж босиком подскакивает к окну. Он бледен. Преувеличенно спокойным голосом он говорит:

— Ну вот видишь, грузовик!

— А они всегда на легковых, да?

Засыпали только после шести утра. А утром снова новые вести об «оказавшихся».

— Слышали? Петров-то оказался врагом народа! Подумать только — как ловко маскировался!

Это значило, что этой ночью увезли Петрова.

Потом приносили кучу газет. И уже нельзя было отличить, которая из них «Литературная», которая, скажем, «Советское искусство». Все они одинаково выли и кричали о врагах, заговорах, расстрелах.

Жуткие были ночи. Но это случилось как раз днем. Мы были в столовой; я, муж и Алеша. Моя падчерица Майка была на катке. Вася у себя в детской. Я гладила белье. Меня часто тянуло теперь на физическую работу. Она отвлекала мысли. Алеша завтракал. Муж читал вслух книгу, рассказы Валерии Герасимовой. Вдруг зазвонил телефон. Звонок был такой же пронзительный, как в декабре тридцать четвертого.

Несколько минут мы не подходим к телефону. Мы очень не любим сейчас телефонных звонков. Потом муж произносит тем самым неестественно-спокойным голосом, которым он теперь так часто разговаривает:

— Это, наверное, Луковников. Я просил его позвонить.

Он берет трубку, прислушивается, бледнеет как полотно и еще спокойнее добавляет:

— Это тебя, Женюша... Веверс... НКВД...

Начальник секретно-политического отдела НКВД Веверс был очень мил и любезен. Голос его журчал, как весенний ручеек.

— Приветствую вас, товарищ. Скажите, пожалуйста, как у вас сегодня со временем?

36

— Я теперь всегда свободна. А что?

— О-о-о! Всегда свободна! Уже пали духом?.. Все это преходяще. Так вы, значит, могли бы сегодня со мной встретиться? Видите ли, нам нужны кое-какие сведения от этом Эльвове. Дополнительные сведения. Ох, и подвел же он вас! Ну, ничего! Сейчас все это выяснится.

— Когда прийти?

— Да когда вам удобнее. Хотите — сейчас, хотите — после обеда.

— А вы меня долго задержите?

— Да минут так сорок. Ну, может быть, час...

Муж, стоящий рядом, все слышит и знаками, шепотом настойчиво советует мне идти сейчас.

— Чтобы он не думал, что ты боишься. Тебе бояться нечего!

И я заявляю Веверсу, что приду сейчас.

— Может быть, забежать к маме?

— Не надо. Иди сразу. Чем скорее выяснится все это — тем лучше.

Муж помогает мне торопливо одеться. Я отсылаю Алешу на каток. Он уходит, не попрощавшись со мной... Больше я его уже не увидела.

По какому-то странному совпадению маленький Вася, привыкший к моим постоянным отъездам и отлучкам и всегда совершенно спокойно реагировавший на них, на этот раз выбегает в прихожую и начинает настойчиво допытываться:

— А ты, мамуля, куда? Нет, а куда? А я не хочу, чтобы ты шла...

Но мне сейчас нельзя смотреть на детей, нельзя целовать их. Иначе я сейчас, сию минуту, умру. Я отворачиваюсь от Васи и кричу:

— Няня, возьмите ребенка! Я не могу его сейчас видеть...

Да, пожалуй, лучше не видеть и маму. Все равно — совершается неизбежное и его не умолишь отсрочками. Захлопывается дверь. Я и сейчас помню этот звук. Все. Больше я уже никогда не открывала эту дверь, за которой я жила с моими дорогими детьми.

На лестнице встретилась Майка. Она шла с катка. Эта всегда все понимала интуитивно. Она не спросила ни слова, не поинтересовалась, куда мы идем в такое неурочное время. Прижалась плотно к стене и широко раскрыла глаза. Они были огромные, голубые. И такое недетское понимание горя и ужаса было на этом двенадцатилетнем лице, что оно снилось мне потом годами.

Внизу у входа встретилась еще наша старая няня Фима. Она сбежала вниз, чтобы что-то сказать мне. Но посмотрела в мое лицо и ничего не сказала, только мелко перекрестила вслед.

— Пешком?

— Да, пройдемся напоследок.

— Не говори глупостей. Так не арестовывают. Просто им нужны сведения.

— У меня нет никаких сведений.

Долго идем молча. Погода прекрасная. Яркий февральский день. Снег выпал только утром. Он еще очень чист.

— Последний раз идем вместе, Паша. Я уже государственная преступница.

— Не говори таких глупостей, Женюша. Я уже говорил тебе. Если арестовывать таких, как ты, то надо арестовывать всю партию.

— Иногда и у меня мелькает такая безумная мысль. Уж не всю ли и собираются арестовывать?

Я уже жду привычной реакции мужа. Он должен сейчас прикрикнуть на меня за такие кощунственные слова. Но вдруг... Вдруг он разражается «еретической» речью. Выражает уверенность в честности многих арестованных «врагов народа», произносит гневные слова по адресу... По очень высоким адресам. И я рада, что мы опять мыслим одинаково. Я воображала тогда, что поняла уже почти все. А на деле меня ждало еще много горестных открытий.

Но вот и знаменитый дом — Черное озеро.

— Ну, Женюша, мы ждем тебя к обеду...

Какое жалкое лицо у него сразу, как дрожат губы! Вспоминается его старый уверенный хозяйский тон старого коммуниста, партийного работника.

— Прощай, Паша. Мы жили с тобой хорошо...

Я даже не говорю «береги детей». Я знаю, что он не сможет их сберечь.

Он снова успокаивает меня какими-то общими словами, которых я уже не различаю. Я устремляюсь к бюро пропусков, но вдруг слышу срывающийся голос.

— Женюша!

Оглядываюсь.

— До свидания, Женюшенька!

И взгляд... Пронзительный взгляд затравленного зверя, измученного человека. Тот самый взгляд, который потом так часто встречался мне ТАМ.

ГЛАВА ОДИННАДЦАТАЯ

КАПИТАН ВЕВЕРС

Я открыла двери очень смело. Это была настоящая храбрость отчаяния. Прыгать в пропасть лучше с разбега, не останавливаясь на ее краю и не оглядываясь на прекрасный мир, оставляемый навсегда.

Но будничная казенная неторопливость, с какой мне оформляли пропуск, обозначенное на нем время моего прихода и рядом пустое место, на котором должно было быть отмечено время моего ухода отсюда, — все это на какой-то момент вселило в меня мимолетную надежду; может, и впрямь ему надо только расспросить меня про Эльвова?

Поднимаюсь на второй, потом на третий этаж. По коридорам деловито проходят люди, из-за застекленной двери раздается треск пишущих машинок. Вот какой-то молодой человек, где-то виденный, даже рассеянно кивнул и обронил «здрассьте». Самое обыкновенное учреждение!

И я уже теперь совсем спокойно поднимаюсь на четвертый этаж и на секунду останавливаюсь у двери комнаты № 47. Стучу и, не расслышав ответа, переступаю порог. И сразу сталкиваюсь со взглядом Веверса. Глаза в глаза.

Их бы надо в кино крупным планом показывать, такие глаза. Совсем голые. Без малейших попыток маскировать цинизм, жестокость, сладострастное предвкушение пыток, которым сейчас будет подвергнута жертва. К этому взгляду не требовалось никаких словесных комментариев.

Но я еще сопротивляюсь. Я продолжаю делать вид, что считаю себя по-прежнему человеком, коммунистом, женщиной. Я вежливо здороваюсь с ним и, не дождавшись предложения сесть, с удивлением спрашиваю:

— Можно сесть?

— Садитесь, если устали, — пренебрежительно роняет он. На лице его та самая гримаса — смесь ненависти, презрения, насмешки, которую я потом сотни раз видела у других работников этого аппарата, а также у начальников тюрем и лагерей. Эта гримаса, как потом выяснилось, входила в программу их профессиональной подготовки и они ее репетировали перед зеркалом. Но тогда, столкнувшись с ней впервые, я была уверена, что она выражает персональное отношение Веверса ко мне.

Несколько минут проходят в полном молчании. Потом он берет чистый лист бумаги и пишет на нем крупно, медленно, чтобы мне было видно: «Протокол допроса»... потом вписывает мою фамилию по мужу. Я поправляю его, называя мою отцовскую фамилию.

— Что, бережете его? Не поможет...

Он снова поднимает на меня глаза. Сейчас они уже налиты серой, тягучей скукой.

— Ну-с, так как же ваши партийные дела?

— Вы ведь знаете. Меня исключили из партии.

— Еще бы! Предателей разве в партии держат?

— Почему вы бранитесь?

— Бранитесь? Да вас убить мало! Вы — ренегат! Агент международного империализма!

Шутит он, что ли? Неужели такое можно всерьез? Нет, не шутит. Распаляя себя все больше, он орет на всю комнату, осыпая меня ругательствами. Правда, это только политические оскорбления. Ведь это только февраль 1937-го. К июню он уже будет угощать арестованных самой отборной площадной руганью.

Он заканчивает длинный период ударом кулака по столу. Стекло на столе звенит. Под аккомпанемент этого дискантового звука на меня обрушивается как заключительный аккорд двухлетней пытки короткая фраза:

— Надеюсь, вы поняли, что вы арестованы?

Зеленые с золотом круги на обоях веверсовского кабинета понеслись вскачь перед моими глазами. Качнулся и сам кабинет.

— Незаконно! Я не совершала никаких преступлений, — еле ворочая сухим языком, произношу я.

— Что? Незаконно! А это что? Вот санкция прокурора на ваш арест. Пятым февраля датирована. А сегодня пятнадцатое. Все руки не доходили. Мне уже сегодня звонили из одного места. Что это, говорят, у вас враги народа свободно по городу разгуливают?

Я встаю и делаю шаг по направлению к телефону.

— Дайте мне возможность сообщить домой.

Он весело хохочет.

— Уморите вы меня! Да разве заключенным разрешаются телефонные разговоры?

— Тогда сами позвоните.

— Успеется. Аксенова это не так уж и интересует. Он ведь от вас уже отказался. Нечего сказать, пикантно! Член правительства, член бюро обкома — такая жена! Да сейчас не в этом дело. Надо протокол заполнить. Отвечайте на мои вопросы.

Он что-то пишет, потом прочитывает мне вопрос:

— Следствию известно, что вы являлись членом подпольной террористической организации при редакции газеты «Красная Татария». Подтверждаете ли вы это?

— Это бред! Никакой организации не было. Нигде я не состояла.

— Молчать!

Снова удар кулаком и жалобный дискантовый отзвук стекла.

— Вы мне этот дамский тон бросьте! Отгуляли в дамах. Теперь за решетку!

— Разве вы имеете право кричать и стучать на меня? Я требую встречи с начальником управления, с товарищем Рудь.

— Ах, вы требуете? Ну, мы вам покажем требования!

Он нажимает кнопку звонка. Появляется женщина в форме тюремной надзирательницы.

— Обыскать!

Я еще совсем неопытная заключенная. Все мои сведения о тюремных порядках исчерпываются воспоминаниями старых большевиков да книгами о «Народной воле». Поэтому я не только с омерзением, но и с удивлением слежу за движениями этих бесстыдных рук, шарящих по моим карманам, скользкими улиточными ползками пробегающих по моему телу.

Личный обыск закончен. Из орудий террора обнаружены случайно оказавшиеся в сумочке маленькие ножницы для маникюра.

Капитан Веверс нажимает другую кнопку. Появляется конвоир — мужчина. Веверс снова с ненавистью и презрением в упор смотрит на меня своими свинцовыми глазами.

— А теперь в камеру! В подвал! И будете сидеть до тех пор, пока не сознаетесь и не подпишете все!

ГЛАВА ДВЕНАДЦАТАЯ

ПОДВАЛ НА ЧЕРНОМ ОЗЕРЕ

Черное озеро — это, собственно, название одного из городских садов в Казани. Когда-то, до революции, это было излюбленное место разгульных купчиков. Здесь был дорогой ресторан, эстрадный театр. Сейчас территория сада использовалась для различных выставок, а зимой был каток.

Но после того, как областное управление НКВД переселилось на Черноозерскую улицу, прямо против сада, название «Черное озеро» перестали относить к саду. Слово приобрело тот же смысл, что «Лубянка» для Москвы.

— Не болтай, а то на Черное озеро попадешь!

— Слышали, его ночью на Черное озеро увезли?

Подвал на Черном озере. Это словосочетание вызывало ужас. И вот я иду в сопровождении конвоира в этот самый подвал. Сколько ступеней вниз? Сто? Тысяча? — не помню. Помню только, что каждая ступенька отдавалась спазмами в сердце, хотя в сознании вдруг мелькнула почти шутливая мысль: вот так, наверно, чувствуют себя грешники, которые при жизни много раз, не вдумываясь, употребляли слово «ад», а теперь, после смерти, должны воочию этот ад увидеть.

Тяжелая железная дверь скрипит очень громко. Но это еще только преддверие ада. Прокуренное помещение без окна, освещенное лампочкой, висящей под потолком. За столом — бледный человек в форме тюремного надзирателя. У него тяжелые набрякшие мешки под глазами, а глаза оскорбительно равнодушные, как у маринованного судака. Он смотрит на меня как на пустое место. Единственное, что его интересует во мне, — это мои часы. Пояса у меня ведь нет, я женщина. А назначение этого пункта — изъятие часов и поясов у новых заключенных. Чтобы не знали, который час, и чтобы не на чем было повеситься. Часы мои ему нравятся. Они у меня красивые, заграничные. Муж подарил после того, как потеряли тогда в сугробе старые. Он одобрительно разглядывает часы, и в его судачьих глазах мелькают живые искорки. Потом он приступает к заполнению анкеты. Оказывается, анкета требуется даже для входа в ад. Затем они обмениваются короткими репликами, смысл которых сводится, по-видимому, к вопросу о том, в какую камеру меня отвести.

А вот и сам ад. Вторая железная дверь ведет в узкий коридор, тускло освещенный одной лампочкой под самым потолком. Лампочка горит особым тюремным светом, каким-то багрово-красным накалом. Справа сырая, серая, в подтеках стена. Трудно допустить, что это одна из стен того самого дома, где расположен комфортабельный кабинет капитана Веверса... А слева...

Слева двери, двери, двери... Они заперты на засовы и огромные ржавые замки. Висячие, первобытные, какими, наверное, до революции закрывались какие-нибудь купецкие амбары в глухой провинции. И за этими дверьми люди? Конечно же! Коммунисты, товарищи мои, попавшие в ад раньше меня. Профессор Аксенцев, секретарь горкома Биктагиров, директор университета Векслин... И еще многие...

Холодное, разлившееся в груди отчаяние делает меня внешне абсолютно спокойной. Внутренне я подготовлена к одиночке. Поэтому, когда открывается со страшным громом и звоном одна из дверей, на которой написан номер 3, и я вижу силуэт человеческой фигуры внутри камеры, я воспринимаю это как неожиданный подарок судьбы. Значит, я буду не одна? Это уже счастье.

Дверь снова с тем же грохотом закрывается, шаги гулко удаляются в сторону, и я произношу спокойным голосом, обращаясь к стоящей у стены молодой женщине:

— Здравствуйте, товарищ!

Она еще несколько секунд продолжает стоять у стены в той же позе, в которой я ее застала. Она красива, одета в дорогое изящное котиковое пальто, на фоне которого эффектно выделяются ее золотистые волосы. Потом она вглядывается в меня внимательно, тревожно, как бы ища в моем лице ответа на какой-то вопрос, затем грустно улыбается и говорит:

— Здравствуйте. Садитесь вот сюда, на табуретку. Пальто не снимайте. Здесь холодно... Вы так спокойны... У вас, наверное, дома никто не остался?

— Дети... Трое детей. Два родных сына и падчерица. Маленькому четыре с половиной года.

— Несчастье-то какое! Бедная вы моя!

Она стремительно приближается ко мне, приседает на корточки и опять устремляет прямо в мои глаза тот же пытливый взгляд.

— О чем вы хотите спросить меня?

Секунду она колеблется, потом берет меня за обе руки и, смеясь, говорит:

— И спрашивать не буду. Сама вижу. Вы хорошая. Дело в том, что я все время боюсь, как бы ко мне шпионку не подсадили, которая будет меня выспрашивать, чтобы я на себя наговаривала и на папу. Папа ведь мой тоже здесь сидит. И брат... А мама совсем одна осталась. Больная. У нее руки покалечены после нападения хунхузов.

Я пока еще ничего не понимаю. То, что говорит эта молодая женщина, так далеко от моего замкнутого мирка научной и литературной партийной интеллигенции. Заграничница, что ли? Что это она говорит про хунхузов? Но ответное чувство симпатии возникает во мне. Это красивое простодушное лицо, прямо смотрящие карие глаза не могут принадлежать плохому человеку. И я пожимаю протянутые мне тонкие руки. Говорю успокоительно:

— Нет, я не шпионка. Я ни о чем не буду вас спрашивать. Вы можете мне ничего о себе не рассказывать, если не хотите. А я вам о себе расскажу все. Чтобы вы меня не боялись. Ведь мы вместе в таком страшном несчастье... Меня зовут Женей. Зовите меня так, хоть вы и моложе меня. А вас как?

Ее звали Ляма Шапель. Настоящее ее имя было Лидия, но

43

за ней закрепилось то имя, которым она сама называла себя в младенчестве.

— Я кавежединка.

— Кто?

Я явно не знала ни такой профессии, ни такой национальности. Пройдет еще несколько месяцев, и я столкнусь в Бутырской тюрьме с десятками людей, называющих себя этим странным словом. Короче — это были русские люди, по большей части квалифицированные рабочие, служившие на Китайско-Восточной железной дороге и приехавшие на Советскую родину после того, как дорога была нами продана. Многие из них прожили там по многу лет и возвращались на родину с чувством глубокого волнения, любви и желания хорошо поработать. Почти все они были арестованы как шпионы, всем предъявлялись чудовищные обвинения в том, что они якобы «завербованы» японской или манчжурской разведкой.

Ляме было двадцать два года. Она окончила гимназию в Харбине и работала машинисткой в железнодорожной конторе. Отец ее был старым железнодорожником. Брат, старше ее на несколько лет, сочувствовал коммунистам, подвергался репрессиям в Манчжурии, приехал за несколько лет до всей основной семьи в СССР и поселился под Казанью в промышленном городке Зеленодольске. Ляма с отцом и матерью приехали к нему только после продажи КВЖД, несколько месяцев назад. Уже месяц, как ее, отца и брата арестовали. Всех обвиняют в шпионаже.

— Целый роман сочинили! Не переживет папа. Сердце у него слабое. А мама, я уже говорила вам, не сможет себе на хлеб заработать. Ее хунхузы изуродовали, пальцы на руках перебили.

То, что я рассказала Ляме о себе, было выше ее понимания. При всех моих педагогических навыках я никак не могла втолковать этому детищу другого мира, в чем именно меня обвиняют. Все наши «потери бдительности», «примиренчество», «гнилые либерализмы» звучали для нее китайской грамотой, вернее абракадаброй, так как в китайской-то грамоте она как раз неплохо разбиралась. Зато она уже была опытной заключенной и сразу ввела меня во все подробности предстоящего мне существования.

— Сейчас скоро уже ужин, а там и койки спускать будут. Хоть бы ночью на допрос вас не вызвали, дали бы отдохнуть после первого потрясения.

Тут только я заметила, что две железные койки подняты к стене на крючках. Спускать их разрешалось с одиннадцати до шести утра по специальному сигналу. В шесть — подъем и до одиннадцати лежать нельзя. Только стоять или сидеть на табуретках.

— Сегодня хороший дежурный, всегда больше каши дает. А у того, косоглазого, с голоду умереть можно... На оправку сегодня, наверно, после ужина пойдем. Сегодня с той стороны начали.

Скоро из коридора начали доноситься какие-то ритмические постукивания, сливающиеся с грохотом открываемых замков. Постепенно в камеру просочился тошнотворный запах тухловатой вареной рыбы. Даже на фоне всепроникающего запаха сырости и параши эта рыбная вонь вызывала отвращение.

Я с удивлением наблюдала, как изящная, красивая Ляма с аппетитом уничтожила сначала свою, а потом и мою порцию этой рыбы и сухой овсяной каши.

— Я не отказываюсь от вашей порции сегодня, знаю, что в первые дни не едят.

После еды Ляма встала у дверей, и как только раздался краткий возглас «Посуду!» и чуть приоткрылась тяжелая дверь, она поставила посуду прямо на пол.

— Из рук в руки мы им ничего не имеем права передавать.

После ужина повели на «оправку». Идти по коридору надо было гуськом, в абсолютном молчании. Уборная помещалась в самом конце коридора, и мы прошли мимо всех камер. Я жадно впивалась взглядом в каждую дверь, точно можно было через ее толщу увидать томящихся в камерах людей.

Ляма заботливо вводила меня во все тонкости устава этого монастыря и инструктировала насчет способов, которые применялись для обмана надзирателей и следователей.

— Встаньте спиной к двери, быстро! — свистящим шепотом бросила она мне, как только мы остались вдвоем в уборной. Потом мгновенным движением она рассыпала по кургузой деревянной полочке над умывальником немного зубного порошка и так же мгновенно написала зубной щеткой на образовавшемся белом фоне мои инициалы.

— Те, кто пойдет после нас, прочтут и, может быть, догадаются, если они казанцы, что это вы. Передадут соседям. Связь установить — самое главное.

— А как передадут?

— Стучат.

— Вы умеете?

— Учусь. Сосед каждый день учит после обеда, когда смена дежурных. Вот что: когда пойдем обратно в камеру, старайтесь четко и легко отстукивать каблуками, чтобы было ясно, что походка женская. А проходя мимо пятой, покашляйте. Там,

45

кажется, кто-то из крупных казанских партработников сидит. Может, узнает вас...

Окно камеры кроме толстой решетки загорожено еще высоким деревянным щитом, позволяющим видеть только крохотный кусочек неба.

— Темно здесь днем? Читать нельзя?

Ляма улыбается моей наивности.

— Темно, конечно. Подвал, да еще досками окно забито... А насчет чтения не беспокойтесь. Читать здесь не разрешают...

Ляма переходит на самый тихий шепот:

— Посмотрите внимательно на наш щит на окне. Ничего не замечаете?

Нет, я решительно ничего не замечаю. Решетки... Доски... Мир закрыт. Но, оказывается, вот она, крохотная щель в этот мир. Между второй и третьей доской просвет примерно в палец шириной.

— Только бы не заметили они. А так, раз нас теперь двое, мы в эту щель во время прогулок все камеры пересмотрим и узнаем, кто где сидит. А там и связь наладить можно. Это самое главное. Чтобы знать, кого о чем спрашивали и кто что ответил. А то ведь они так врут, следователи, так врут...

И намолчавшаяся за месяц одиночки Ляма долго, до самого «отбоя» горячим шепотом рассказывает мне обо всем: и о коварстве следователей, и о каких-то давнишних пикниках на китайской реке Сунгари, и о том, как жалко пропадающих вещей. «Особенно вот эту шубку. Котик натуральный, теперь век такую не справишь, а истрепала здесь совсем, ведь и парашу носишь, и в сырости сидишь...»

Я усердно слушаю ее, полная сочувствия и даже какого-то странного чувства стыда перед этой милой девушкой из незнакомого мне мира. Хоть я и сижу рядом с ней, но мне еще кажется, что я, как коммунистка, несу ответственность за то, что так горячо ожидаемая страна отцов встретила Ляму, веселую, смышленую, хорошую русскую девушку, вот этой камерой.

Отбой. Потрясающий лязг спускаемых железных коек наполняет весь подвал дьявольской музыкой. Разглядываю свое новое ложе. Я пока еще очень брезглива, и я старательно прикрываю соломенную подушку в серой наволочке своим кашне и носовым платком. Ляма утешает:

— Может, вам передачу разрешат...

Ложимся. Ляма засыпает со счастливой улыбкой. Перед сном она говорит мне:

— Спокойной ночи, милая Женечка! Как я рада, что вы со мной! Только теперь я вижу, как страшно было одной целый месяц. Ой, дура, что я сказала-то! Как глупо! Рада! Не тому, конечно, рада, что вы арестованы, а тому, что попали в мою камеру. Вы ведь понимаете, да?

Я все понимаю. Вернее, я уже ничего не понимаю. Этот день вместил в себя слишком много. Я закрываю глаза, и передо мной несутся видения: то лица моих детей, то затравленный последний взгляд мужа, то раскаленные очи Веверса, то «маринованный судак», разглядывающий мои часы, то китайская речка Сунгари, по которой плывут лодки со странными людьми. Они из племени кавежединцев. Какое нелепое название... Ляма... Еще несколько часов тому назад я не знала о ее существовании. Сейчас она как сестра мне...

Я уже почти погружаюсь в тряский и неверный тюремный сон, полный кошмаров. Но спать в эту первую тюремную ночь мне не было суждено. Снова гром, лязг засовов и замков и чей-то скучный, нарочито тихий голос:

— Приготовьтесь на допрос!

ГЛАВА ТРИНАДЦАТАЯ

СЛЕДСТВИЕ РАСПОЛАГАЕТ ТОЧНЫМИ ДАННЫМИ

Я часто думала о трагедии людей, руками которых осуществлялась акция тридцать седьмого года. Каково им было! Ведь не все они были садистами. И только единицы нашли в себе мужество покончить самоубийством.

Шаг за шагом, выполняя все новые очередные директивы, они спускались по ступенькам, от человека — к зверю. Их лица становились все более неописуемыми. По крайней мере я не могу найти слов, чтобы передать выражение лиц тех, кто стал уже Нечеловеком.

Но все это постепенно. А в ту ночь следователь Ливанов, к которому меня вызвали, выглядел самым обыкновенным служащим с легкой склонностью к бюрократизму. Спокойное сытое лицо, аккуратный почерк, которым он уже заполнил левую сторону протокола (вопросы), немного обывательские, чисто казанские интонации и даже отдельные словечки. Он говорил «ужо» вместо «потом», «давеча» вместо «раньше». Это напоминало няню Фиму и вызывало целый комплекс домашних чувств.

На минуту снова мелькнула надежда, что безумие может кончиться. Оно, безумие, осталось там, внизу, где лязг замков, налитые страданием глаза золотоволосой девушки с реки Сунгари. А здесь — обычный мир нормальных людей. Вон она звякает за окном трамваями, знакомая старая Казань. И окно здесь не с решеткой и деревянным козырьком, а с красивой гардиной. И тарелка, оставшаяся от ужина следователя Ливанова, стоит не на полу, а на тумбочке, в углу кабинета.

Может быть, он вполне порядочный человек, этот спокойный Ливанов, медленно записывающий мои ответы на ничего не значащие, почти анкетные вопросы: с какого года работала там-то и там-то, когда познакомилась с тем-то и тем-то... Но вот страница исписана, и следователь дает мне подписать ее.

Что это? Он только что задавал мне вопрос, с какого года я знакома с Эльвовым, и я ответила «с 1932-го». А здесь написано: «С какого года вы знакомы с ТРОЦКИСТОМ Эльвовым?» И мой ответ: «ТРОЦКИСТА Эльвова я знаю с 1932-го».

— Я так не говорила.

Следователь Ливанов смотрит на меня с таким недоумением, точно дело идет и впрямь о точности формулировки.

— Но ведь он же троцкист.

— Я этого не знаю.

— Зато мы знаем это. Мы установили. Следствие располагает точными данными.

— Но я не могу подтвердить то, чего не знаю. Вы можете меня спрашивать, когда я познакомилась с ПРОФЕССОРОМ Эльвовым. А троцкист ли он и знала ли я его как троцкиста — это уже другой вопрос.

— А вопросы, извините, ставлю я. Вы не имеете права диктовать мне формулировки. Вы только отвечаете.

— В таком случае запишите мой ответ не своими словами, а точно так, как я его формулирую. Кстати, почему нет стенографистки? Это было бы самое точное.

Эти мои рекордные по наивности слова покрываются вдруг раскатами хохота. Хохотал, конечно, не Ливанов. Это в комнату вновь вошло само Безумие в лице лейтенанта госбезопасности Царевского.

— А-а-а... Сидите уже за решеткой? А давно ли в нашем клубе доклад о Добролюбове делали? А? Помните?

— Помню. Это было действительно глупо. К чему вам Добролюбов!

Смысл реплики не доходит до этого взлохмаченного сухопарого парня с лицом маньяка.

— Так, стало быть, стенографистку требуете, ни больше, ни меньше? Юмори-и-стка! Кажется, снова в редакции себя вообразили?

Он быстрыми скачущими шагами подходит к столу, пробегает глазами протокол, потом поднимает взгляд на меня. Его глаза отличаются от глаз Веверса тем, что в них наряду с упоением палачества живет какая-то темная тревога, какой-то подспудный ужас.

— Итак, сидите уже за решеткой? — снова издевательски обращается он ко мне с интонацией такой острой ненависти, точно я убила его ребенка или подожгла его дом. Потом продолжает уже более спокойно:

— Вы понимаете, конечно, что ваш арест согласован с обкомом? Все раскрыто. Эльвов вас выдал. Да и муж ваш, Аксенов, тоже уже арестован и все рассказал. Он тоже троцкист.

Я мысленно сопоставляю это заявление со словами Веверса об отказе Аксенова от «такой жены». Да, Ляма была права. Врут они страшно.

— А разве Эльвов здесь?

— Да! Рядом с вами, в соседней камере. И все подписал против вас.

— Тогда дайте мне очную ставку с ним. Я хочу услышать, что он сказал обо мне. Пусть повторит в глаза.

— Ах, повидаться с дружком захотелось?

И он отпускает гнусную циничную фразу. Впервые в жизни я слышу такое по отношению к себе.

— Как вы смеете! Я требую, чтобы меня провели к начальнику управления. Здесь советское учреждение. Здесь никто не имеет права издеваться над человеком.

— А враги народа для нас не люди. С ними все позволено. Тоже мне люди!

И он снова разражается грязным гоготаньем. Потом он орет на меня во всю силу легких, стучит по столу точно таким движением, как Веверс, грозит мне расстрелом. Он требует, чтобы я подписала протокол.

С удивлением вижу, что спокойный, вежливый Ливанов взирает на это беснование с полным равнодушием. Для него это, видимо, привычное дело.

— Почему вы разрешаете вмешиваться в следствие, которое ведете вы? — спрашиваю я его.

Ливанов улыбается почти добродушно.

— Да ведь Царевский прав. Чистосердечное раскаяние облегчит ваше положение. Запирательство бесполезно. Ведь следствие располагает точными данными.

— Какими?

— О вашей контрреволюционной деятельности в подпольной организации, возглавлявшейся Эльвовым. Подпишите лучше протокол. Тогда к вам будет вежливое, спокойное отношение. Передачу разрешим. Свидание с детьми и мужем.

Пока говорит Ливанов, Царевский выдерживает паузу, чтобы с новыми силами наброситься на меня снова. После трех-четырех часов такой комбинированной обработки я окончательно убеждаюсь, что приход Царевского, принятый мной за случайность, — часть продуманной методики.

Синий февральский рассвет уже холодеет в проеме окна, когда наконец появляется вызванный звонком Царевского конвоир. Вслед мне несутся те же слова, которыми проводил меня накануне капитан Веверс. Только голос Царевского чаще срывается на фальцет.

— В камеру! И будете сидеть до тех пор, пока не подпишете!

Спускаясь по лестнице, в подвал, я ловлю себя на том, что тороплюсь в камеру. Там, оказывается, лучше. Там на меня смотрят человеческие глаза товарища по несчастью. И грохот замков лучше, чем визги исступленных Нечеловеков.

ГЛАВА ЧЕТЫРНАДЦАТАЯ

КНУТ И ПРЯНИК

За неделю я уже так основательно изучила все порядки, что, идя на допрос впереди конвоира, не ждала его указаний, а сама поворачивала все направо, к кабинету Ливанова, где иногда вместо него ждал меня Царевский, а иногда оба сразу. Поэтому я была поражена, когда, дойдя до второго этажа, услышала вдруг позади себя приглушенный, но отчетливый голос конвоира:

— Налево!

Новый кабинет был гораздо комфортабельнее ливановского.

Широкие зеркальные окна были почему-то не задернуты гардинами, и я не смогла сдержать легкого возгласа изумления и восторга, увидав в этих окнах, как на экране, каток Черного озера. Цветные лампочки украшали его праздничными гирляндами. Мне виден был сидящий на возвышении духовой оркестр и мелькающие фигуры конькобежцев.

На секунду я замираю, не в силах оторваться от этого зрелища. Неужели такое еще существует на свете? На этом свете, где есть стоячие карцеры и «особые методы», которыми мне ежедневно угрожают.

— Красиво, правда? — раздается вдруг так называемый «бархатный» баритон.

Только тут я замечаю невысокую коренастую фигуру военного, стоящего у бокового окна.

— Сегодня праздник, День Красной Армии. Большое соревнование конькобежцев, — объясняет он таким голосом, точно мы сидим за чайным столом. И совсем уже задушевно добавляет:

— Ваши старшенькие тоже, наверно, здесь? Алеша и Майя... Они ведь катаются на коньках?

Не галлюцинация ли это? Кто произнес в этих стенах имена моих детей? И я не выдерживаю. Сколько раз давала себе слово, что «они» не увидят моих слез. Но сейчас удар нанесен уж очень неожиданно. И слезы льются градом.

— О-о-о... Простите, расстроил вас. Да вы садитесь, пожалуйста. Вот сюда, в кресло, здесь удобнее.

Мой собеседник совсем не похож на «тех». Скорее он напоминает покинутый университетский мир. Светлые глаза смотрят сочувственно. Он заводит со мной непринужденную беседу, совсем как будто не связанную с моим «делом». О жизненном призвании. Он уверен, что я сделала ошибку, выбрав путь педагога, научного работника.

— Вы же прирожденный литератор. Дали мне вчера вырезки с вашими газетными статьями...

Я еще пока не понимаю, к чему все это. Но скоро все выясняется.

— Такая порывистая эмоциональная натура. Немудрено, что вы поддались на ложную романтику этого гнилого подполья...

Майор Ельшин выжидательно смотрит на меня. Но я уже стала ученая за эту неделю. Я твердо знаю теперь, что никакие страстные оправдания никому ничего не доказывают, только дают пищу для новых издевательств. Поняла, что «молчание — золото», что отвечать надо только на прямо поставленные вопросы, и то возможно короче.

— Да-а... — продолжает майор, — все мы были молоды, все увлекались, все могли ошибиться.

Тьфу ты, черт! Неужели он думает, что я не читала романов и повестей из истории революционного движения! Ведь в них все жандармские ротмистры именно этими самыми словами увещевали молодых студентов-террористов.

— Не курите? — любезно раскрывает он портсигар и продолжает, как бы рассуждая сам с собой: — Романтика... Огюст Бланки... Степняк-Кравчинский... Помните, «Домик на Волге»?

Заметно, что майор очень доволен случаем проявить такую блестящую эрудицию. Он вдохновляется и произносит целую небольшую речь — минут на десять, — смысл которой сводится к тому, что я веду себя неправильно. Я ведь не в гестапо попала. Это там были бы уместны гордое молчание, отказ от подписывания протоколов, нежелание назвать сообщников. А здесь ведь я в своей тюрьме. Он уверен, что в душе я осталась коммунисткой, несмотря на допущенные тяжелые ошибки. Надо разоружиться, стать перед партией на колени и назвать имена тех, кто толкнул порывистую эмоциональную натуру на участие в гнилом подполье. А потом вернуться к детям. Кстати, они мне кланяются. Майор вчера только беседовал по телефону с товарищем Аксеновым. Этот честный коммунист мучительно страдает, узнавая, что его жена все углубляет свои ошибки неправильным, прямо несоветским — уж майор скажет напрямик — поведением...

Молчу как убитая, стараясь глядеть в угол, поверх головы майора. Он неправильно истолковывает мой взгляд, относя его к тарелке с бутербродами, стоящей на тумбочке в углу.

— Простите, не догадался вам предложить. Пожалуйста. Может быть, вы проголодались? Вы немного бледны. Впрочем, это вам идет. Такая интересная женщина. Немудрено, что этот Эльвов потерял голову, не так ли?

Горка бутербродов с нежной розоватой ветчиной и слезящимся швейцарским сыром вырастает передо мной.

Проголодалась ли я? Всю эту неделю я почти ничего не ела, кроме куска черного хлеба с кипятком, — не в силах преодолеть брезгливость к тюремным мискам, к вонючей рыбе.

— Спасибо. Я сыта.

— Ай-ай-ай! Вот и это плохо. Считаете нас врагами? Не хотите из наших рук принимать пищу?

Снова молчу, стараясь теперь не глядеть не только на майора, но и на бутерброды. Тогда он с кротким вздохом убирает их со стола и кладет на их место несколько листов писчей бумаги и автоматическую ручку.

— Напишите нам все. Все, что было, с самого начала. Я пока займусь своими делами, а вы пишите. Как можно подробнее. Оттените главных заправил. Напишите, кто из редакционных и университетских был особенно активен в нападках на линию партии. Да и в среде татарских писателей... Да уж не мне учить вас писать.

— Боюсь, майор, что это не мой жанр.

— Почему же?

— Да вы ведь сами говорили, в каких жанрах я пишу. Публицистика. Переводы. А вот жанр детективного романа — не мой. Не приходилось. Вряд ли я смогу сочинить то, что вам хотелось бы.

Майор Ельшин криво усмехается, но продолжает оставаться любезным. По-видимому, его амплуа строго ограничено «пряником» и кнут ему применять не положено.

— Пишите. Посмотрим, что выйдет у вас.

— Что же писать об университетских? Ведь они все уже арестованы, — пытаюсь я выудить у своего любезного собеседника какие-нибудь сведения.

— Почему же все? Вот, например, профессор Камай. Кто же его арестует? Не за что! Бывший — грузчик, татарин, ставший профессором химии. Преданный член партии.

— Да, это, наверно, последний остался профессор из грузчиков. Теперь вы больше профессоров на грузчиков переделываете.

Терять мне уже нечего — теперь я убеждена в этом — и потому изредка позволяю себе немного дерзить.

— Ай-ай-ай, — по-отечески журит меня майор Ельшин, — ну, сами скажите, разве от этой вашей шуточки не отдает троцкистским душком? Разве не взята она из гнилого арсенала троцкистского оружия?

Пожалуй, бумагу и перо надо использовать. И я пишу. Пишу подряд четыре часа заявление на имя начальника управления НКВД, которого я еще здесь не видела, но с которым познакомилась еще до ареста на одном из партактивов. Пишу о недопустимых приемах следствия, об угрозах и бессонных ночах, о Царевском и Веверсе. Прошу очной ставки с Эльвовым, свидания с мужем. Описываю весь ход своего «дела» сначала в партийных инстанциях, потом в подвале. Заканчиваю заявлением, что я твердо решила не лгать партии и не приписывать себе, а тем более другим коммунистам фантастические злодеяния, измышляемые следователями в не известных мне целях.

Майор Ельшин уже очень устал. Через два примерно часа он звонит куда-то, и на смену ему приходит... все тот же Царевский. Именно ему и приходится сдать написанное мною заявление.

Он приходит в исступление: брызжет слюной, изрыгает ругательства, хватается за револьвер. Но я знаю, что убивать им запрещено, тем более что следствие еще не закончено. Об этом мне подробно рассказала Ляма, мой милый тюремный инструктор.

И я молчу. Молчу и мечтаю о своей камере. Но он держит меня до самого подъема, до шести утра.

Позднее я узнала, какой счастливый номерок мне достался в этой лотерее. Ведь мое следствие кончилось еще в апреле, то есть до того, как Царевские и Веверсы получили право не только изрыгать непотребные ругательства, но и пытать физически, надругаться над телами своих жертв.

ГЛАВА ПЯТНАДЦАТАЯ

ОЖИВШИЕ СТЕНЫ

Меня вдруг перестали вызывать на допросы. Шли дни за днями, тюремные будни обрели некий ритм, определяемый выдачей кипятка, пятнадцатиминутной прогулкой в тюремном дворике под двумя взятыми наперевес штыками, обедом, «оправкой». Следователи как будто забыли о моем существовании.

— Это они нарочно, — говорила Ляма, — меня вот уже три недели не вызывали. Это чтобы человек осатанел от тюрьмы и начал с отчаяния подписывать всякую галиматью.

Но я была так истерзана первым знакомством с черноозерским «правосудием», что была рада этой передышке.

— А мы давайте не осатанеем, Ляма. Давайте используем это время для изучения обстановки. Сами же вы говорили, как важно завязать связи. Ведь он все стучит, правда?

Да, он все стучал, наш сосед слева, каждый день после обеда. Но замученная допросами, я еще как следует не прислушалась к стуку. А Ляма приходила в отчаяние от непостижимости тюремной азбуки.

Постепенно мы установили одну закономерность: в те дни, когда наш сосед слева ходил «на оправку» раньше нас — а это мы безошибочно определяли по шагам в коридоре, — в уборной, на полочке для мыла, по рассыпанному тонким слоем зубному порошку обязательно было выдавлено чем-то тоненьким, может быть булавкой, — «Привет»! И как только мы возвращались в камеру, сосед сейчас же выстукивал нам в стену что-то короткое, лаконичное и немедленно замолкал. Эти стуки отличались от его длительных послеобеденных передач, которыми он старательно пытался обучить нас азбуке.

Так повторялось несколько раз, и наконец меня осенило.

— Привет! Он выстукивает привет! И пишет и выстукивает одно и то же слово. Теперь, когда мы знаем слово, мы ведь можем сообразить, как обозначаются входящие в него буквы.

Подсчитали.

— Поняла! — восторженно прошептала Ляма. — Каждая буква обозначается двумя видами стуков — раздельными и частыми. Всего он простучал шесть букв. Да? Шесть? То есть — п-р-и-в-е-т!

Впоследствии, сидя в тюрьмах долгими месяцами и даже годами, я имела возможность наблюдать, до какой виртуозности доходит человеческая память, обостренная одиночеством, полной изоляцией от всех внешних впечатлений. С предельной четкостью вспоминается все когда-нибудь прочитанное. Читаешь про себя наизусть целые страницы текстов, казалось, давно забытых. В этом явлении есть даже нечто загадочное. Во всяком случае, в тот день, после опознания выстуканного в стену привета, я была поражена той отчетливостью, с какой перед моим мысленным взором вдруг предстала страница книги, читанной примерно в двадцатилетнем возрасте. Это была страница из книги Веры Фигнер «Запечатленный труд». На этой странице приводилась тюремная азбука.

Я взялась за виски и тоном сомнамбулы сказала Ляме, сама поражаясь своим словам:

— Весь алфавит делится на пять рядов. В каждом — пять букв. Каждая буква обозначается двумя стуками — раздельными и частыми. Первые обозначают ряд, вторые — место буквы в данном ряду.

Потрясенные открытием, перебивая друг друга, забыв на минуту об опасности подслушивания дежурным надзирателем, мы составили нашу первую передачу. Она была коротка.

— К-т-о в-ы? — спросили мы своего соседа.

Да! Все было правильно. Мы почувствовали через каменную глыбу восторг нашего адресата. Наконец-то поняли! Увенчалось успехом его беспримерное терпение.

— Там-там-там-там-там! — Этим радостным мотивчиком он отстукал, что понял нас. С тех пор именно этот стук стал условным знаком взаимопонимания.

И вот он стучит нам ответ. Теперь уже не дурочкам, которым надо тысячу раз повторять «привет», а понимающим людям, которым он сообщает свое имя.

— С-а-г-и-д-у-л-и-н!

— Что? Сагидуллин?

Ляме это имя ничего не говорит, но мне... Стучу гораздо смелее:

— Тот самый?

Да, он подтверждает, что он «тот самый» Гарей Сагидуллин, имя которого уже много лет упоминается в Казани только с суффиксом «щина». «Сагидуллинщина». Это был один из разделов программы в сети партийного просвещения. Буржуазный национализм. Султангалеевщина и сагидуллинщина. Но ведь он был арестован в 1933 году. Как же попал сюда сейчас?

За стеной почувствовали мое смятение. Поняли его причину. И вот я принимаю передачу:

— Был и ос-тал-ся ле-нин-цем. Кля-нусь седь-мой тюрь-мой...

А дальше уж что-то совсем непонятное:

— Верьте мне, Женя!

Откуда он знает, что я Женя, откуда через стенку при такой изоляции узнал, кто сидит рядом? Мы переглядываемся испуганно. Слов не надо. И так ясно. Призрак провокации встает перед нами.

И он опять почувствовал, что означает наше замешательство. Терпеливо все объяснил. Оказывается, и у него в оконном щите есть щелка. Давно видел нас на прогулке. Узнал меня, так как знал в лицо, хоть и не были знакомы. Видел меня в Москве, в Институте красной профессуры. Сидит один. Привезли на переследствие. Предъявляют дополнительные обвинения. Пахнет вышкой.

С этого момента наши тюремные дни насытились интересным содержанием, хотя внешне ничто не изменилось. Уже с утра я мечтала о послеобеденном часе смены дежурных, когда они, сдавая один другому свое людское поголовье, несколько отвлекались от подглядывания в глазки и подслушивания. Тогда наступал самый удобный час для стенного телеграфа.

Новый мир раскрывался передо мной в лаконичных стуках Гарея. Мир лагерей, ссылок и тюрем, мир трагических развязок, мир, приводивший попавших в него людей то к полному душевному краху, измельчанию, опустошенности, то к рождению настоящего мужества.

Я узнала от Гарея, что все, кто был арестован в 33-м и 35-м, привезены сейчас на так называемое «переследствие». Никаких новых обстоятельств, требующих пересмотра их дел, нет и не было. Просто надо было, как цинично выражались следователи, «перевести все эти дела на язык 37 года», то есть заменить полученные этими людьми пятилетние и трехлетние сроки заключения более радикальными мерами истребления крамолы. Еще важнее была другая цель — вынудить этих «опытных» оппозиционеров (у некоторых из них вся оппозиция заключалась в какой-нибудь еще не апробированной мысли по вопросам теории, как, скажем, у Василия Слепкова в «Проблемах методологии естествознания») давать свои подписи под сфабрикованными следователями чудовищными списками так называемых «завербованных». Подписи вымогались угрозами, руганью, лживыми обещаниями, карцерами. (К избиениям начали обращаться только начиная с июня-июля, после процесса Тухачевского и других.)

Гарей страстно ненавидел Сталина, и на мой вопрос о причинах всего происходящего кратко и твердо простучал:

— Коба. Восемнадцатое брюмера. Физическое истребление лучших людей партии, мешающих или могущих помешать окончательному установлению его тирании.

Впервые в жизни передо мной встала задача самостоятельного анализа обстановки и выбора линии поведения.

— Вы ведь не в гестапо попали, — звенели у меня в ушах слова майора Ельшина.

Да, насколько проще и легче было бы все, если бы это было гестапо! Я очень твердо знала, как должен вести себя коммунист, попавший туда. А здесь? Ведь надо самой определить, кто они, эти люди, держащие меня здесь. Переодетые фашисты? Или жертвы какого-то неслыханного обмана, какой-то изощренной провокации? И как должен коммунист вести себя в «своей» тюрьме, выражаясь словами того же майора?

Все эти мучительные вопросы я выстукивала Гарею, который был на десяток лет старше меня годами и на пятнадцать — по партийному стажу.

Но то, что он советовал, не подходило мне и вызывало удивление: как может он предлагать такое? До сих пор не понимаю, что толкнуло его, Слепкова и многих других из «ранее репрессированных» вести себя так, как он советовал мне.

— Говори прямо о несогласии с линией Сталина, называй как можно больше фамилий таких несогласных. Всю партию не арестуют. А если будет тысячи таких протоколов, то возникнет мысль о созыве чрезвычайного партийного съезда, возникнет надежда на «его» свержение. Поверь, внутри ЦК его ненавидят не меньше, чем в наших камерах. Может быть, такая линия будет гибельна для нас лично, но это единственный путь к спасению партии.

Нет, так поступать я не могла. Хоть я и чувствовала смутно, еще не зная этого точно, что вдохновителем всего происходящего в нашей партии кошмара является именно Сталин, но заявить о несогласии с линией я не могла. Это было бы ложью. Ведь я так горячо и искренно поддерживала и индустриализацию страны, и коллективизацию сельского хозяйства. А это и была ведь основа линии.

Тем более нечестно было бы называть чьи-то имена, зная,

что одного упоминания имени какого-либо коммуниста в этих стенах вполне достаточно для его гибели, для сиротства его детей.

Нет. Уж если догматические навыки, привитые мне всем воспитанием, пустили в моем сознании такие глубокие корни, что я не могу сейчас дать самостоятельного анализа положения в стране и партии, то буду руководствоваться просто голосом совести. А значит — говорить только правду о себе, не подписывать никаких провокационных выдумок ни о себе, ни о других, не называть ничьих имен. Не верить никаким софизмам, оправдывающим ложь и братоубийство. Они не могут быть нужны той партии, в которую я так верила, которой решила отдать всю свою жизнь.

Все это я — конечно, гораздо короче — перестучала Гарею. В течение двух-трех недель я настолько освоила технику перестукивания, а через неделю так здорово владела ею, что мы с Гареем часто перестукивали друг другу стихи. Мы понимали друг друга с полуслова, давая об этом знать специальным сигналом, что тоже ускоряло наше общение, сокращая слова. Удар кулака означал опасность со стороны надзора, и справедливость требует отметить, что Гарей давал этот сигнал куда чаще, чем я. Я, наверно, попалась бы, если бы не он. Он не терял бдительности даже при самом интересном разговоре.

Я никогда не увидела этого человека. Его расстреляли. Я не имела возможности уточнить его политические взгляды. Со многим из того, что он говорил, я была не согласна. Но знаю одно: с покоряющим мужеством переносил он седьмую по счету тюрьму, одиночку, перспективу расстрела. Сильный, настоящий был человек.

ГЛАВА ШЕСТНАДЦАТАЯ

«ПРОСТИШЬ ЛИ ТЫ МЕНЯ?»

Пошел второй месяц в тюрьме. После первых активных допросов меня продолжали выдерживать без вызовов наверх. Только однажды меня вызвали к следователю Крохичеву, который передал мне записку от мамы, состоящую из двух слов: «Дети здоровы». Потом он сообщил, что мне разрешена передача и, наконец, пристально глядя на меня красными, как у всех следователей, глазами, нечленораздельно буркнул, что был Пленум ЦК, февральско-мартовский Пленум, что, возможно, дела мои еще не так-то плохи, только надо вести себя разумно.

Однако долго питать радостные иллюзии мне не пришлось, так как Гарей на другой же день простучал, что наши местные хозяева сначала было не поняли смысла решений Пленума, наивно прочтя их буквально. Но теперь уже получены дополнительные инструкции. Понимать все надо наоборот, идут новые аресты, а на допросах стали шире применяться зверские методы.

Однажды после обеда, в неположенный час, вдруг загромыхал замок и засов на нашей двери. Вошли два надзирателя. Они поставили посередине камеры кривоногую железную койку.

— Третья! — взволнованно шепнула Ляма.

— Горячий сезон. Путевок не хватает, — мрачно сострила я.

Через десять минут дверь снова прогрохала, и в камеру вошла молодая женщина с красными пятнами на щеках, с расширенными от ужаса глазами. Лицо показалось мне знакомым. Оказалось — это Ира Егерева, аспирантка биофака университета, гидробиолог. Я встречала ее в коридорах университета, знала, что это единственная избалованная дочка из профессорской семьи. Что она могла иметь общего с политическими «преступниками»? Какие извилистые пути привели ее сюда?

Четыре года тому назад она посещала семинар Слепкова и даже немного пококетничала с красивым талантливым профессором. Сейчас она была арестована по обвинению в участии в группе правых. Была она очень беспартийной и понятия не имела, чем отличаются правые от левых, и вообще, с чем все это едят.

Не успела Ира кратко ознакомить нас со своей трагикомической историей, как раздался короткий стук в стену.

— Я не один, — простучал Гарей.

Его новым соседом стал Бари Абдуллин, второй секретарь обкома партии.

Незадолго до моего исключения из партии у меня была с ним неприятная встреча. Я приходила в обком жаловаться, что у меня не принимают членских взносов. Секретарь парторганизации боялся принять их у меченого человека. Как я ни уговаривала его, доказывая, что раз я еще не исключена, то платить взносы обязана, — это не помогало.

Абдуллин принял меня в обкоме. Я спросила его, что мне делать: оставаться в партии на таком положении, когда у тебя не хотят принимать взносы? Или положить билет на стол, дав этим новую пищу для обвинений?

Не поднимая глаз от бумаг, он ответил тоном, категорически пресекавшим возможность дальнейших разговоров:

— Партия имеет основание не доверять вам, особенно после того, как вы отказались признать свои ошибки.

А до этого мы с ним были друзьями, несколько лет жили рядом на даче.

И вот он рядом со мной, в подвале Черного озера, в одной камере с тем самым Сагидуллиным, имя которого он произносил раньше только тоном самого ортодоксального негодования. Секретарь обкома. Человек, которым гордился татарский рабочий класс. Неужели Гарей прав, утверждая, что Сталин решил физически уничтожить весь цвет партии?

К вечеру из тревожного стука Гарея мы узнали, что Абдуллину предъявлено обвинение в пантюркизме, в связях с Турцией, в шпионаже, а также, вероятно, в том, что у алжирского бея под самым носом шишка.

— Следствие полагает, что Абдуллин хотел включить бывшую Казанскую губернию в состав Оттоманской империи, — ехидно комментировал Гарей.

Однако через несколько дней стало не до смеха. Тон передач резко изменился.

— Абдуллина держали на конвейере двое суток непрерывно. А когда он все-таки отказался подписать предъявленный ему бред, увели обратно не в камеру, а в стоячий карцер.

Содержание в этом карцере принадлежало к числу тех «особых методов», которыми мне постоянно грозил Царевский. Помещался этот карцер в «подвале подвала», то есть в самом подполье, куда не проникал ни один луч света. Я прежде думала, что стоячим карцер называется потому, что в нем нет табуреток. Наивность! Стоячий карцер имеет такую площадь, на которой человек может ТОЛЬКО стоять, и то опустив руки вдоль туловища. Сесть там попросту НЕТ МЕСТА.

— То есть человек замурован в стене?

— Вот именно!

Подавленные, мы сидели почти двое суток в полном молчании. Даже Ира перестала спрашивать меня, что такое правый уклон, в котором ее обвиняют. И Гарей не стучал. Настроение не изменилось даже тогда, когда мне принесли обещанную Крохичевым передачу. Я только тупо рассматривала присланный мамой махровый купальный халатик, напоминающий о пляже, о море, о доброжелательных улыбающихся людях. На фоне этих воспоминаний еще рельефнее вырисовывалась фигура замурованного в стене человека. И не просто человека, а Бари Абдуллина, который еще недавно делал на партактиве доклад о международном положении; который бегал по дачным аллейкам, везя на плечах свою дочурку, а по воскресеньям играл в волейбол в одной команде со мной. Наконец раздался стук Гарея.

— Приволокли без чувств. Разрешили опустить койку. Ввели камфару. Сейчас лучше. Просит папирос. Нет ли у тебя?

Да, они были. Две пачки. Не знаю, почему маме пришло в голову положить их в передачу. Я никогда не курила. Может быть, она думала, что в такой обстановке надо курить? Или приняла в расчет моих возможных товарищей? Так или иначе, они были. Но как передать?

Гарей простучал точную инструкцию. Если завтра нас поведут на оправку раньше, чем я, то мы должны захватить с собой папиросы, неся их под полотенцем. Та, что понесет, должна идти первой. Остальные две, идущие гуськом, должны растянуться по возможности дальше. Когда входишь в коридорчик, ведущий в уборную и душевую, надо наклониться и быстро положить папиросы в маленькое отверстие под дверью душевой. Это налево. Та, что пойдет третьей, должна в самых дверях споткнуться о порог и задержать таким образом конвой.

Мы стали напряженно готовиться к ответственной и тонкой операции. Прежде всего возникла дискуссия внутри нашей камеры. Осторожная Ира возражала против передачи целой пачки. Ее могут заметить, она будет высовываться из отверстия. Тогда нас всех сгоняют в карцере. Ляма, наоборот, выдвинула программу-максимум. Что значит несколько папирос для человека в таком состоянии? Обе пачки! И еще мыло впридачу! Да, пусть Женя отдаст ему туалетное мыло, присланное мамой. Пусть он, бедный, хоть умоется дочиста после такого ужаса. А то им ведь, наверно, еще меньше, чем нам, обмылочки дают.

Я заняла среднюю позицию. Или обе пачки папирос без мыла, или одну пачку и мыло. Иначе обязательно попадемся. После долгих споров решили: одну пачку папирос и мыло.

— Тогда давайте еще кусок сливочного масла. У нас ведь его в передаче целых 300 граммов. Знаете, как ему сейчас важно питание. Фосфор. Для мозга. Чтобы не потерять выдержку!

Милая Ляма! Она не сдавала марксистского минимума, как Ира, недавно защитившая кандидатскую. Она была простой машинисткой и массу свободного камерного времени отводила рассказам о своих пропавших заграничных туалетах. Но когда в дальнейшем мне приходилось сталкиваться с подонками человечества, я старалась себя утешить мыслями о Ляме, о ее настоящем бесстрашии, великодушии, размахе.

Упаковка нашей посылки тоже была делом хитрым. Ведь выражение «пачка» папирос — это была чистейшая условность, так как сама пачка была разорвана и выкинута надзирателями. Папиросы передавались только в рассыпанном виде, после тщательной проверки каждой штучки — не спрятана ли в ней записка? Мыло тоже передавалось без обертки и было проткнуто во многих местах перочинным ножом. Масло — в банке. Даже самый ничтожнейший клочок бумаги был здесь тяжелым криминалом.

Чем же связать папиросы? Пробовали волосами. Мы с Лямой надергали друг у друга порядочный пучок. Но волосы скользили и расплетались.

— Ах мы глупые! — хлопнула себя по лбу Ляма. — У нас ведь ниток сколько угодно...

Мой махровый халат... Из него были надерганы отличные прочные нитки. Папиросы туго и надежно перевязаны. К неистово благоухающему земляничному мылу привязали два тонких ломтика хлеба, густо намазанных маслом.

Сама операция была проведена блестяще. Наиболее ответственную и трудную задачу — идти первой и положить передачу в отверстие под дверью душевой — взяла на себя Ляма. Я должна была идти третьей, возможно более растягивая шествие, и главное — натурально споткнуться у порога уборной, задержав этим надзирателя. Ире предлагалось идти между нами, и ей мы отводили, так сказать, негативную задачу: не делать страшных глаз и идти, как обычно.

Все разыгралось как по нотам. Ляма змейкой проскользнула в дверь коридорчика, когда Ира, я и замыкающий шествие надзиратель были еще довольно далеко. Она отлично успела уложить вещи в отверстие и даже проверить — не заметно ли? Я так здорово инсценировала боль в коленке, споткнувшись о порог, что конвоир даже буркнул: «Смотреть надо...»

Семь-восемь минут, которые прошли между нашим возвращением из уборной и приходом наших соседей, тянулись очень долго. Но вот снова грохот замка. Скорей бы уж заперли! Готово. Дежурный надзиратель удаляется в конец коридора.

— Там-там-там-там-там!

Радостно выстукивает Гарей. А потом уже медленно и членораздельно: «Ум-ные! Сме-лы-е! Доб-ры-е!»

У всех нас такое чувство, какое, наверно, испытывают солдаты после боя. Усталость и изумление перед собственным геройством. Быстрее всех отвлекается от героических мыслей Ляма. Она уже расспрашивает, красивая ли жена у Абдуллина и хорошо ли она одевается.

К вечеру стена вдруг заговорила необычным голосом. Кто-то стучал медленно и осторожно, очень неопытной рукой.

— Же-ня! Же-ня! — зовет стена.

Это Абдуллин. Его осторожные стуки складываются наконец во фразу, понятную только мне:

— Простишь ли ты меня?

— За что это он прощения просит? Может, у вас с ним роман был, Женечка?

А Абдуллин, видимо до основания потрясенный всем происходящим, никак не успокаивается. Стучит и стучит.

— Как ты могла пойти на такой риск? В ответ на мое бездушие? Что было бы, если бы вы попались?

— А попадаться не надо. Надо овладевать тюремной техникой. А техника, как известно, в период реконструкции решает все.

ГЛАВА СЕМНАДЦАТАЯ

НА КОНВЕЙЕРЕ

За меня снова взялись. Меня поставили «на конвейер». Непрерывный допрос. Они меняются, а я остаюсь все та же. Семь суток без сна и еды, даже без возвращения в камеру. Хорошо выбритые, отоспавшиеся, они проходили передо мной как во сне. Ливанов, Царевский, Крохичев, Веверс, Ельшин и его «ассистент» — лейтенант Бикчентаев — коротенький розоволицый парнишка с мелкими кудряшками, похожий на закормленного орехами индюшонка.

Цель конвейера — истощить нервы, обессилить физически, сломить сопротивление, заставить подписать то, что им требуется.

В первые дни я еще отмечала про себя индивидуальные особенности каждого из сменяющихся следователей. Ливанов по-прежнему спокоен, официален. Он настаивает на том, чтобы я подписала самую чудовищную чушь, с таким видом, точно это самая естественная и притом незначительная часть некой канцелярской процедуры. Царевский и Веверс всегда орут, угрожают. Веверс при этом нюхает белый порошок — кокаин. Нанюхавшись, он не только угрожает, но и хохочет надо мной.

— Ха-ха-ха! Что стало из бывшей университетской красотки! Да вам сейчас сорок лет можно дать! Не узнал бы Аксенов свою кралю. А еще немного поупрямитесь, так и совсем в бабусю превратим. Вы еще в резиновом карцере не бывали? Ах, нет? Ну, значит, еще все впереди...

Майор Ельшин остается неизменно галантным и «гуманным». Он любит говорить о моих детях. Он слышал, что я хорошая мать. А оказывается, я своих детей совсем не жалею. Осведомившись, почему это я стала такая «бледненькая», и услышав в ответ, что меня допрашивают без сна и еды уже четверо или пятеро суток, он «изумляется».

— Неужели стоит так себя мучить, чтобы не подписать вот этого чисто формального пустякового протокола? Подписывайте быстро и ложитесь спать. Прямо здесь, на диване. Я скажу, чтобы вас не тревожили.

В пустяковых протоколах говорилось, что я по поручению Эльвова организовала при Союзе писателей Татарии филиал редакционной террористической группы, завербовав туда следующих людей. Дальше шел список татарских писателей, начиная с тогдашнего председателя союза Кави Наджми.

— Жалеете Наджми? А он вас не жалел... — загадочно бросает майор.

— Это дело его совести.

— Да что вы — евангельская христианка, что ли?

— Просто честный человек.

Майор снова не упускает случая блеснуть эрудицией и произносит краткую речь на тему марксистско-ленинского учения о морали. Честно то, что полезно для пролетариата и его государства.

— Для пролетарского государства не может быть полезно истребление первого поколения татарской советской творческой интеллигенции, к тому же партийной.

— Мы имеем точные данные, что эти люди — враги народа.

— Тогда зачем же вам в дополнение к этим точным данным еще и мои показания?

— Для документального оформления.

— Я не могу оформлять то, что мне неизвестно.

— Вы не верите нам?

— Как же я могу вам верить, когда вы меня ни за что ни про что держите в тюрьме, да еще применяете незаконные методы следствия?

— Что же мы делаем незаконного?

— Уже много дней не даете мне спать, пить и есть, чтобы вынудить у меня лживые показания.

— Пожалуйста, обедайте. Сейчас принесут. Подпишите только. Сами себя мучаете...

Лейтенант Бикчентаев, который теперь всегда приходит вместе с майором, видимо проходит практику, стоит «на подхвате», повторяя концы фраз, как годовалый младенец, начинающий говорить.

— Сами виноваты, — говорит майор.

—...виноваты, — как эхо откликается лейтенант.

— Только задерживаете следствие... — Это майор.

—...следствие! — подтверждает лейтенант. Однажды майор Ельшин составил протокол о моих отношениях с татарской интеллигенцией.

— Для чего вам, человеку, знающему французский и немецкий, потребовалось приняться за изучение татарского языка?

— Для литературно-переводческой работы.

— Но ведь это язык некультурный...

— Некультурный? А вы тоже такого же мнения, лейтенант?

Индюшонок молчит, смущенно улыбается. После этой прелюдии мне предлагают подписать протокол, в котором сказано, что по заданию троцкистского центра я пыталась наладить беспринципный блок с буржуазно-националистическими элементами татарской интеллигенции. Я еще острю:

— Да, всю жизнь мечтала объединить мусульманский мир для торжества ислама.

Майор похахатывает, но есть и пить мне все-таки не дает и спать не отпускает.

Тогда мне казалось, что страдания мои безмерны. Но через несколько месяцев я узнала, что мой конвейер был детской игрушкой сравнительно с тем, что практиковалось позднее, начиная с июня 1937 года. Мне не давали спать и есть, но я сидела, а не стояла на ногах сутками. Мне давали иногда воду из следовательского графина. Меня не били.

Правда, однажды Веверс чуть не убил меня, но это произошло под влиянием кокаиновых паров, в состоянии невменяемом, и страшно испугало самого Веверса.

Произошло это, кажется, в пятую или шестую конвейерную ночь. Я была уже в полубредовом состоянии. Чтобы оказать «давление на психику», практиковалось усаживание арестованного очень далеко от следователя, иногда через всю комнату. В данном случае Веверс усадил меня у противоположной стены и стал орать свои вопросы через весь большой кабинет. Речь шла о том, с какого года я знаю профессора Корбута, примыкавшего в 1927 году к троцкистской оппозиции.

— Не помню, с какого года точно, но давно, еще до голосования его за линию оппозиции.

— Что-о-о? — Распаленный кокаином и моим упорством, Веверс окончательно сатанеет. — Оппозиция? Вы именуете эту банду убийц и шпионов оппозицией! Ах вы...

Большое каменное пресс-папье с веверсовского стола со всего размаха летит в меня. Только увидев дыру в стене на расстоянии сантиметра от моего виска, я осознала, какая опасность мне грозила.

Веверс испугался до того, что даже подал мне сам стакан с водой. Руки его тряслись. Убивать следственных до смерти им еще не разрешалось. Он немного увлекся.

На седьмые сутки конвейера меня отвели этажом ниже к полковнику, фамилии которого не могу вспомнить. Здесь впервые мне было предложено стоять во время допроса. Я засыпала даже стоя. Тогда по обеим сторонам около меня было поставлено по конвоиру, которые все время расталкивали меня, приговаривая: «Спать нельзя!»

В сознании вдруг всплыла аналогичная сцена из фильма «Дворец и крепость». Точно так допрашивали Каракозова. Так же мучили бессонницей. Потом все помутилось у меня в голове. Как сквозь густую пелену я видела брезгливую мину полковника, заметила револьвер, лежавший на столе, очевидно для устрашения. Очень раздражали меня, помню, кружки на обоях. Такие же, как в кабинете Веверса. Они непрерывно плясали перед глазами.

Совсем не помню, что я отвечала этому полковнику. Кажется, я больше молчала, только изредка повторяя: «Не подпишу!» Он то грозил, то уговаривал, обещал свидание с мужем, с детьми. Потом все смешалось. Я упала.

Глубокий обморок длился, по-видимому, так долго, что они вынуждены были остановить свою машину. Я очнулась в камере, на своей койке. Открыв глаза, я увидела склоненное надо мной, залитое слезами милое лицо Лямы. Она вливала мне в рот по каплям апельсиновый сок, только что присланный в передаче Ире.

Скоро послышались тревожные вопросы в стенку. Гарей и Абдуллин беспокоились.

— Пришла в себя? Отлично. Поцелуйте за нас.

Принесли ужин. Я съела две порции омерзительной похлебки, именуемой у нас в камере «суп-ротатуй». На закуску Ира торжественно выложила два квадратика шоколада из своей передачи.

Я только успела подумать о том, как добры люди, как меня снова вызвали к следователю. Конвейер продолжался.

ГЛАВА ВОСЕМНАДЦАТАЯ

ОЧНЫЕ СТАВКИ

Второй тур конвейера продолжался только пять суток и проводился с ослабленным режимом. Часа на три ежедневно меня стали отпускать в камеру. Правда, это делалось всегда не раньше шести утра, так что, возвращаясь в камеру, я заставала койки уже подвешенными к стене и полежать мне не удавалось. Но даже посидеть спокойно на табуретке, положив голову на Лямино плечо, съесть несколько кусков сахара (а в эти дни мне уступался весь камерный сахар, в количестве шести пиленых кусочков) — все это немного восстанавливало силы. Правда, дежурные надзиратели бдительно следили, чтобы я не закрывала глаз. «Спать днем нельзя», — разъяснялось мне.

В эти дни мы узнали от Гарея о смерти Орджоникидзе. Я так и не знаю, откуда он получал информацию сидя в одиночке, но знаю, что уже в 1956 году, после XX съезда партии, после реабилитации и восстановления в партии, я услышала на партсобрании в зачитывавшемся докладе Хрущева ту же историю смерти Орджоникидзе, которую узнала в 37-м в стенной телеграмме Гарея.

...Второй конвейер тоже не достиг цели. Я не подписала ни ельшинского варианта о «беспринципном блоке с татарской националистической интеллигенцией», ни веверсовской стряпни о террористических актах, замышлявшихся якобы против секретаря обкома.

Не хочу становиться на геройские или мученические котурны. Я далека от мысли объяснять свой отказ от подписывания лживых провокационных протоколов каким-либо особым мужеством. Я не осуждаю тех товарищей, которые под воздействием невыносимых мук подписали все, что от них требовали.

Мне просто повезло: мое следствие закончилось еще до начала широкого применения «особых методов». Правда, в смысле приговора мое упорство не принесло мне никаких выгод. Я получила те же 10 лет, что и те, кто поддался на провокацию и подписал так называемые «списки завербованных». Но у меня осталось великое преимущество — чистая совесть, сознание, что по моей вине или по моему малодушию ни один человек не попал в «сеть Люцифера».

Итак, отказавшись от намерения получить мои «чистосердечные признания», руководители моего следствия поручили как-нибудь закончить все дело лейтенанту Бикчентаеву.

Теперь меня вызывали на допрос только днем. После двух-трех сеансов переливания из пустого в порожнее Бикчентаев с важным видом заявил мне, что так как я ни в чем не сознаюсь, то с завтрашнего дня они начнут «уличать» меня при помощи очных ставок. Это сообщение заинтересовало и взволновало, хотя вообще-то ко всем заявлениям «индюшонка» можно было относиться только смешливо. С такой опереточной важностью восседал он за столом с тремя телефонными аппаратами, так лоснилась и сияла его толстенькая мордочка, из которой глупость сочилась, как жир из баранины.

Но очные ставки? Неужели Эльвов и вправду здесь? Это не исключено. Возможно, такое же «переследствие», как у Гарея. Неужели он будет давать мне очные ставки? Что же он может утверждать? Можно еще понять, что подписывают ложь в отношении самих себя, но как можно говорить ее прямо в глаза предаваемому товарищу!

Однако человек, которого я застала на другой день в кабинете Бикчентаева, был не Эльвов. Это был литсотрудник отдела культуры редакции, которым я заведовала.

Володя Дьяконов? Что ему делать тут? Или он тоже арестован? Независимо от всех этих недоумений, я рада видеть Володю. Старые знакомые. Наши отцы до сих пор на «ты», они учились вместе в гимназические времена. Я способствовала приему Володи на работу в редакцию. Очень охотно, почти любовно учила журналистской работе этого парня, который был моложе меня лет на пять. Много раз он говорил, что любит меня, как сестру. Приятно видеть такое близкое лицо. И, прежде чем Бикчентаев успевает отпустить приведшего меня конвоира, я протягиваю Володе обе руки:

— Володя! Как мои дети? Отвечайте скорее...

Бикчентаев поднимается со стула. Он вот-вот лопнет от охватившего его возмущения. Такое неслыханное нарушение режима! Обвиняемый, бросающийся в объятия уличающему его свидетелю! Ибо, как это ни странно, Володя приглашен сюда в качестве свидетеля моих «преступлений». Он пришел давать мне «очную ставку».

— Порядок очной ставки такой, — разъясняет Бикчентаев, немилосердно коверкая русские слова, — я задаю «вопрус». На него сначала отвечает «свидитил» Дьяконов, потом обвиняемая...

Мою фамилию он произносит с ударением на последнем слоге и неимоверно гортанным Г.

— Как, Володя, это вы даете мне очную ставку? В чем же вы можете уличить меня? Или вы тоже арестованы и не выдержали нажима, подписали разную ерунду на себя и на меня?

Бикчентаев стучит по столу кулаком. Но это не страшно, а смешно. Кулачишко у него пухленький, с ямочками.

— Обвиняемая! (У него получается «авиняема».) Прекратите оказывать давление на свидетеля. А вы, Дьяконов, ведите себя, как положено, а то прикажу вас тоже арестовать и отправить в тюрьму.

Ага! Значит, Володя не арестован? Что же означает этот фарс? Но Володино лицо вытесняет мысль о фарсе. Он изжелта-бледен, веки дергаются, синие губы трясутся. Вместо ответа на мой вопрос о детях он лепечет:

— Я-я-я... Я болен, Женя. Я только что перенес энцефалит.

— Свидетель Дьяконов, — торжественно возглашает Бикчентаев, — вчера на допросе вы заявили, что в редакции газеты «Красная Татария» существовала подпольная контрреволюционная террористическая группа и обвиняемая входила в нее. Подтверждаете ли вы это сейчас, в присутствии обвиняемой?

Страшно смотреть, что делается с Володей. Нервный тик так искажает его правильные черты, что они кажутся уродливыми. Он почти нечленораздельно мычит.

— Это... это... Я, собственно, говорил, что те люди, о которых вы спрашивали, занимали в редакции руководящие должности. А больше я ничего не знаю.

Бикчентаев грозно хмурит то место, где у других людей брови, и поворачивается ко мне.

— А вы подтверждаете это?

— Что же тут подтверждать? Он просто перечислил всех заведующих отделами редакции... О подпольщине и терроре говорите вы, а не свидетель. Он об этом и не заикается.

Бикчентаев зловеще улыбается и пишет протокол. Он записывает сначала свой вопрос, потом ответ Дьяконова в такой редакции: «Да, я подтверждаю, что в редакции «Красной Татарии» существовала подпольная контрреволюционная группа».

Потом подсовывает листок Володе.

— На очной ставке каждый вопрос и ответ подписываются отдельно. Подписывайте!

Володя еле удерживает ручку в дрожащей руке и медлит.

— Володя, — мягко говорю я, — ведь это фальшивка. Вы ничего подобного не говорили. Подписав это, вы убиваете стольких людей, ваших товарищей, которые так хорошо к вам относились.

Бараньи глазки Бикчентаева лезут на лоб.

— Как вы смеете оказывать давление на свидетеля! Я вас

сейчас в нижний карцер отправлю! А вы, Дьяконов, ведь подписали все это вчера, когда были здесь один. А теперь отказываетесь! Я вас сейчас же прикажу арестовать за ложные показания.

И он притворно тянется к звонку, которым вызывают конвоиров. И Володя, как кролик под взглядом удава, выводит подпись, напоминающую письмо паралитика и ничуть не похожую на тот бойкий росчерк, которым он подписывал свои статьи на темы новой морали. Потом еле слышно шепчет:

— Простите меня, Женя. У меня только что родилась дочь. Я не могу гибнуть.

— А о моих трех детях вы и не подумали, Володя? И о детях тех, кого вы тут вписали?

Бикчентаев опять страшно орет и стучит, но я его совсем не боюсь. Карикатурных толстяков нельзя ставить на такие палаческие роли. Получается «снижение плана». Я добавляю:

— Главное, Володя, вы не подумали о себе. Ведь если вы действительно знали, что существует такая группа, и не сообщили о ней куда следует, пока вас не вызвали, то есть с 34 до 37 года, то вы, выходит, ей содействовали. А это ведь уже уголовное дело!

Володя бледнеет и синеет еще больше. Теперь по его щекам катятся откровенные слезы. А окончательно взбешенный Бикчентаев на этот раз действительно звонит и приказывает пришедшему конвоиру увести меня в карцер.

Но увести меня не успевают, так как в комнату входит Царевский, шепотом что-то сообщает Бикчентаеву. Меня выводят из кабинета в коридор, а когда через пять минут меня приводят обратно, я вижу, что Володи уже нет, а на его месте...

Нет, это был действительно день сюрпризов! На его месте моя многолетняя подруга Наля Козлова. Ей я тоже в свое время помогла устроиться в редакции и тоже в моем отделе. В студенческие годы мы были всегда вместе. Шутливое прозвище вечно что-то сочинявшей и писавшей Нальки было — Наташа Козлете. Сколько зачетов и экзаменов подготовлено вместе, сколько стихов вместе прочитано, сколько доверено друг другу «ума холодных наблюдений и сердца горестных замет»! И вот она тоже, вслед за Володей Дьяконовым, пришла сюда, чтобы помочь моим палачам.

У меня перехватило горло. Неужели все демоны сговорились сделать мое тридцатилетнее сердце сразу столетним? Чтобы я только и могла повторять вслед за Герценом: «Все погибло: свобода мира и личное счастье»... А может быть, Наля решила спасти меня и делает какой-то хитрый ход, пока еще непонятный мне? И я с надеждой ловлю ее взгляд. Но она отводит глаза в сторону.

Сейчас лейтенант Бикчентаев вполне доволен. Ему не приходится так нервничать, как со слабовольным, слезливым Дьяконовым. Свидетельница, привыкшая к газетной работе, дает такие четкие формулировки, что Бикчентаеву остается только бодро и торопливо скрипеть пером.

Вот она уже подтверждает своей подписью, что в редакции существовала подпольная террористическая группа и что я активно участвовала в ней. Она даже конкретизирует свои показания. Оказывается, если Кузнецов (секретарь редакции) играл главным образом организаторскую роль, то я в этой фантастической группе выполняла обязанности агитпропа.

Коварно улыбаясь, Бикчентаев задает вопрос, который должен меня доконать.

— Считаете ли вы контрреволюционные связи обвиняемой случайными? Или она имела такие же и в студенческие годы?

И моя подружка Налька — милая, смешная, богемистая Наташа Козлете — отчеканивает как по писаному:

— Нет, ее связи с троцкистским подпольем нельзя считать случайными. Еще в ранней юности она дружила с ныне репрессированным Михаилом Корбутом, Григорием Волошиным. Скорее всего их связывало политическое единомыслие.

Вдруг на столе Бикчентаева отчаянно трещат все три телефона сразу. Наш Юлий Цезарь прикладывает по трубке к каждому уху и, упиваясь собственной ролью в историческом процессе, слушает сразу двух, предварительно крикнув третьему: «Подождите!»

Я пользуюсь моментом. Когда-то в студенческие годы мы обе с Налей Козловой были отличницами кафедры французского языка. И я вполголоса говорю ей по-французски:

— Благородную роль играешь! Как в кино или в романе Дюма-пера! Ты что, рехнулась?

Не поднимая глаз, она сухо отвечает по-французски же:

— Если ты будешь меня задевать, я скажу еще и про Гришу Бердникова.

Гриша был членом партии с февраля 1917 года. Последнее время работал в Свердловске. Сейчас, видимо, был арестован, поскольку Козлова пугала меня им. Наверно, связь с ним казалась Нальке особенно страшной потому, что Гриша работал в «Известиях», когда их редактировал Бухарин. Я была с ним знакома ровно столько же, сколько все остальные в нашей редакции. Но Козлова понимала, что даже простое упоминание еще одного «репрессированного» имени будет отягощать мое положение. Меня захлестнуло раздражение.

— Попробуй, — прошипела я, — тогда я сейчас же меняю свою тактику со следователями. Подпишу все глупости, которые они сочиняют, а тебя объявлю активным участником группы. Скажу — я сама завербовала ее...

В этот момент мой мудрый следователь, оторвавшись от телефонов, уловил звуки чужого языка.

— На каком языке вы оказываете давление на свидетеля?

— На французском.

Снова удар пухленького кулачка по столу, снова вопли о подземном карцере.

— Извините, лейтенант, — говорю я любезно, — я просто привела поговорку. Примерно, «век живи — век учись»... Я никак не думала, что вы не понимаете по-французски.

Свидетельница Козлова взглядывает на меня с испугом. Как можно так издеваться над тем, в чьих руках твоя судьба. Но я-то точно знаю, что ничем не рискую. Я так хорошо изучила умственные способности лейтенанта Бикчентаева, что уверена: он примет мои слова буквально.

Так и есть. Примиренным голосом заявляет:

— Никто не говорит, что кто-то чего-то не понимает. Но официальный язык следствия — русский (у него получается «афисьяльный»), и будьте добры придерживаться этого языка. Эту же поговорку (и тот же пагавурк!) вы могли сказать по-русски...

Хорошее настроение уже не оставляет лейтенанта до конца, и, закончив протоколы, он дает их еще раз подписать свидетельнице Козловой. Я вижу, как слегка разбрызгиваются чернила под такой знакомой с юных лет подписью. Бикчентаев аккуратно промакивает ее тяжелым прессом, потом элегантно вручает Нальке пропуск.

— Вы свободны, товарищ Козлова.

В дверях Налька вдруг мнется, лицо ее покрывается красными пятнами. Потом она протягивает мне свернутую газету.

— Возьми. Сегодняшняя.

— Спасибо. Не надо. В тюрьме газет читать не разрешают. Книги тоже запрещены.

Снова трещит телефон, и Бикчентаев не успевает обрушиться на меня. Он берет трубки и одновременно нажимает звонок, вызывающий конвоира. А Налька все медлит с уходом.

Эта деталь (нельзя читать!), видимо, раскрыла ей что-то, чего она недодумывала.

— Значит, ты не знаешь никаких новостей? — быстро говорит она вдруг, пока Бикчентаев занят телефоном. — Орджоникидзе умер. И еще Ильф...

— Завидую им. Сами умерли. А мне ведь теперь, на основании твоих и Володиных ложных показаний, расстрел...

Глаза Нальки наливаются ужасом. Она пятится к выходу.

Да, только при «индюшонке» Бикчентаеве возможны такие вольности. Веверс или Царевский проморили бы в карцере неделю за одну попытку такого разговора. А этот только повизжал и уже без всякой элегантности предложил Козловой немедленно идти домой, «пока я не аннулировал пропуска»... Даже в карцер забыл меня отправить. Уж очень удачна была «очная ставка»!

Я возвращаюсь в камеру потрясенная и ничего не отвечаю на вопросы Лямы. Не отвечаю и на стук Гарея. Наступает ночь. Нет ничего страшнее тюремной бессонницы. А она пришла ко мне после «конвейера».

Ровно дышат мои соседки, мерно поскрипывают в коридоре сапоги дежурного. Время от времени — грохот замков, шаги, шепот. Кого-то ведут на ночной допрос. Каждый звук отзывается в висках.

Налька! Как мы с ней плавали наперегонки на даче в Васильеве! А как зайцами на симфонические концерты пробирались! Да, нам было по восемнадцати и мы дружили.

Светает. Через решетку, через деревянный щит в камеру пробирается солнце. Малюсенький блик. Он выглядит на грязно-серой стене, как крохотный золотой жучок, заползший в большую навозную кучу.

Ведь уже апрель. Весна. Весна 1937 года.

ГЛАВА ДЕВЯТНАДЦАТАЯ

РАССТАВАНЬЯ

Утро началось, как обычно. Проверка. Оправка. Кипяток. Хлеб. Даже, пожалуй, лучше, чем обычно, потому что Ляма показала сегодня «класс», утащив у старшего надзирателя иголку.

Иголки выдавались для пользования на пять минут не чаще раза в неделю. Выдавал их «старшой», который всегда имел при себе несколько штук, воткнутых в наружный карман гимнастерки. Старшой приходит каждое утро, проверяя свое поголовье и бдительно осматривая нехитрое имущество камеры. Он выдвигал ящик тумбочки, приподнимал за углы соломенные подушки, даже заглядывал в парашу.

Так и в этот день. И когда он заглядывал, наклонившись, в ящик тумбочки, Ляма и ухитрилась каким-то особенно пластичным и молниеносным жестом вытянуть у него одну из торчащих иголок. Мы надергали ниток из моего махрового халата и начали потихоньку штопать чулки, как вдруг в самое неурочное время загремел замок нашей камеры.

— С вещами!..

Меня! С вещами... Значит, совсем. Страшное волнение охватило всех нас.

— Это на волю. Домой, — выпалила Ира, наиболее склонная к иллюзиям. — К нашим зайдите. И пусть они в знак того, что вы были и что они все узнали обо мне, положат в передачу конфеты «Снежинка».

Побледневшая Ляма прикрикнула на Иру:

— Бросьте ерундить! Чего это — после очных ставок да вдруг домой! Не в карцер ли? Или в этап?

Все разъяснил стук Гарея, как всегда отлично информированного.

— Во дворе «черный ворон». Собирают этап из тех, у кого окончено следствие. Отвозят в тюрьму на улице Красина. Здесь нужны места для новых.

В этот день я впервые столкнулась с той разновидностью душевной муки, которую приносят тюремные расставания. Нет более горячей дружбы, чем та, что создается тюрьмой. И вот теперь разрываются эти кровные узы. Те же безжалостные руки, которые отобрали у меня детей, мужа, мать, отнимают теперь милую сестричку Ляму и верного друга Гарея. Уходим друг от друга навсегда, бесследно. Как в смерть. А может быть, и действительно в смерть. Ведь у каждого из нас, кроме, может быть, Лямы, большие шансы на «высшую меру».

— Косыночку на память, Женечка, родная!

Дрожащими руками Ляма сует мне китайский шелковый платочек. Я отдаю ей свое кашне. Бросаемся друг другу на шею с коротким рыданием.

Косыночку — соблазнительную, заграничную — у меня потом, уже в лагере, украли уголовницы. Ляму я больше никогда не встречала и о ее судьбе ничего не узнала. Только в памяти навсегда остались золотые волосы, добрые ловкие руки и глаза — «круглые да карие, горячие до гари».

Волнение Гарея (он снова один, Абдуллина терзают на самом усовершенствованном конвейере) передается даже через толстенную стену. На ней вспыхивают полные дружбы и преданности слова, немного патетические, как всегда у Гарея.

— Прощай, родная! Мужества и гордости! Верю в нерас-

74

торжимость кровных тюремных уз. Помню до смерти. Она, правда, недалеко. А впрочем, кто знает... Вдруг — оковы тяжкие падут, темницы рухнут...

В коридоре идет бурная организационная работа. Формируется этап в старую тюрьму. Хлопают двери, грохочут и скрипят засовы, шепчутся надзиратели. На фоне этого движения удобно отстучать Гарею последние прощальные слова.

...Наша дверь... За мной! Мое имущество — узелок с бельем — галантно выносит конвоир. Мне вдруг неожиданно возвращают часы. Они не заводились с того памятного дня. Они все еще показывают 2 часа дня 15 февраля 1937 года. Дата моей гибели. Ведь все, что шло потом, это были посмертные блуждания в аду. А может, в чистилище? Может, Гарей прав и еще падут тяжкие оковы?

Что было бы со всеми нами, если бы не обманчивый свет этой постоянной надежды?

ГЛАВА ДВАДЦАТАЯ

НОВЫЕ ВСТРЕЧИ

Так вот это, значит, и есть «черный ворон»? Крытая, крашенная темно-синей краской машина для перевозки заключенных. Сколько раз я видела такие на улице, не останавливая на ней внимания. Думала — колбаса, молоко...

Внутри машина разделена на крошечные, абсолютно темные клетки — кабинки. В каждую заталкивается человек. Дышать нечем. Вещи свалили в коридорчике между двумя рядами клеток. Вот и я замурована в такой собачий ящик. Но теперь я уже опытная заключенная, ученица Гарея. И я сразу, не позволяя себе задумываться над ужасом положения, принимаюсь за налаживание связей. Пока сапоги конвойных еще топочут снаружи, стучу направо и налево. Кто? Кто? И слышу слева ответ:

— Ефрем Медведев.

Необыкновенная удача. Знакомый. Ремка Медведев, аспирант Института марксизма.

— Когда?

— 20 апреля.

Совсем недавно. Теперь я узнаю, как там, в городе. Кто взят после меня?

Оказывается, и стучать не надо. Можно просто шептать. Все слышно. А шум мотора заглушает эти звуки для конвоира,

75

сидящего в коридорчике машины. И я слышу живой, настоящий Ремкин голос.

— Здорово, Женя. Аксенова видел на улице в начале апреля. Он вернулся из Москвы. Хлопотал о тебе, ничего не вышло. Ребята твои здоровы. Старшие горюют очень.

— Кто взят после меня?

— Спроси лучше, кто не взят...

И он перечисляет десятки фамилий из числа городского партактива, научных работников, инженеров.

Через другую стенку слышно, как кто-то охает по-татарски. Долго не отвечает на мои вопросы, но наконец, преодолев страх, называет свою фамилию. Не знаю его. Говорит, что он председатель райисполкома одного из сельских районов.

Нас везут довольно долго. Мне очень душно и тяжко, но я отвлекаюсь от своих ощущений, прислушиваясь к голосу Ефрема Медведева.

— Ягода-то тоже сидит, — говорит Рема, — сейчас Ежов. Тот самый, что был заворгом ЦК. Жутковатый, говорят, тип из него вытанцовывается.

«Черный ворон» останавливается. Нас выводят по одному. Каждого проглатывают ощерившиеся черной пастью ворота старинной тюрьмы, видавшей еще пугачевцев.

Опять все, как на Черном озере. Анкета. Новое отобрание часов. (Зря только завела их!) По недосмотру надзирателей происходит «столкновение поездов» — запрещенная встреча заключенных. Я увидела обросшего черной щетиной Аксянцева, директора Туберкулезного института. Поговорить не пришлось: испуганный своей ошибкой конвой буквально растащил нас в разные стороны.

В каждом монастыре свой устав. Здесь отняли не только часы, но и пояс с резинками. Медсестра с ящичком лекарств, по совместительству обыскивающая заключенных женщин, жалостливо морщит веснушчатый носик.

— Какие у нас раньше были женщины и какие теперь! То были девки-воровки да уличные. А теперь все такие дамы пошли культурные, что даже жалко смотреть. Нате вот вам бинтик, чулки подвязать, а то как без резинок-то? Не показывайте только никому смотрите!

Воровато оглянувшись и установив, что мы одни в крохотной тюремной амбулатории, где происходил личный обыск, она торопливо осведомляется:

— Что вас заставило-то, а? Ну, против Советской власти что вас заставило? Ведь я знаю — вы Аксенова, предгорсовета жена. Чего же вам еще не хватало? И машина, и дача казенная, а одежа-то поди все из комиссионных? Да и вообще...

Кажется, ее представления о роскошной жизни исчерпаны. Я устало улыбаюсь.

— Недоразумение. Ошибка следователей.

— Тш-ш... — Она косится на дверь. — А что, может правда, мой отец говорил, будто вы все идейно пошли за бедный народ, за колхозников то есть, чтобы им облегчение?

К счастью, приход надзирательницы освобождает меня от необходимости отвечать. А вообще-то любопытны эти попытки найти хоть какое-то разумное основание происходящего.

Я поднимаюсь с надзирательницей по выщербленной каменной лестнице на второй этаж. Здесь уже не подвал, но запах плесени, грязи, параш еще острее, чем на Черном озере. Я называю составные части этого запаха. В целом же они составляют, в сочетании с еще чем-то неуловимым, запах тюрьмы.

Вони и грязи здесь больше, чем на Черном озере, но сразу чувствуется более слабый режим. Тюрьма долгое время существовала как уголовная и еще не успела перестроиться применительно к потребностям. Разве на Черном озере, с его безмолвными надзирателями, был бы возможен подобный разговор при обыске?

Из камер доносятся довольно громкие голоса. Надзиратель, принявший меня на втором этаже, не выглядит истуканом. Он рассматривает меня со смешанным выражением веселого любопытства и сочувствия.

— В шестую давай! Там вроде почище бабенки, — добродушно тыкает он. Это на Черном озере тоже не допускалось.

Впоследствии я установила совершенно точный закон: чем грязнее тюрьма, чем хуже кормят, чем болтливей и грубее конвой и надзор — тем меньше непосредственной опасности для жизни. Чем чище, сытнее, вежливее конвоиры — тем ближе смертельная опасность.

Двери в камерах здесь не железные, а деревянные, с большими пыльными «глазками». Замки тоже висячие, но не слишком большого размера.

— Принимайте новенькую! — фамильярно провозглашает надзиратель и даже улыбается.

Дверь запирается. Я оглядываюсь. О-о-о! Здесь целое общество. Все устремляются ко мне с расспросами. Из одного угла раздается странный, почти торжествующий возглас:

— Здорово! Да ведь это жена Аксенова!

Худая, немного кособокая, совсем седая женщина с папиросой в зубах почему-то явно довольна, что я в тюрьме. Она встает и протягивает мне руку:

— Дерковская. Член партии социалистов-революционеров. Знаю вашего супруга. Приходила к нему как просительница. Не думал он тогда, что через несколько месяцев его жена будет со мной в одной камере сидеть. Да... Откровенно говоря, я рада, что коммунисты наконец-то сидят. Может быть, практически освоят то, чего не могли понять теоретически. Однако устраивайтесь. Поговорим потом.

Устраиваться оказалось делом не простым. Камера переполнена. Рассчитанная на троих, она вмещала уже пятерых. Я шестая. Вдобавок к трем деревянным топчанам вдоль стен наскоро сколочены еще сплошные нары посередине.

Пока соседки сдвигали свое тряпье, снова загремели двери и в камеру ввели... Иру Егереву. «Черный ворон» совершил второй рейс и привез из черноозерского подвала еще партию людей, чье следствие закончилось или приближалось к концу.

Появление Иры сразу отвлекает общее внимание от меня. Ира еще хорошо одета. Ведущий ее следствие Царевский разрешал ей еженедельные передачи, не то из подспудного обожания изнеженной профессорской дочки, существу из незнакомого ему мира, не то в благодарность за то, что неискушенная в политике Ира быстро сдавалась на его незамысловатые силлогизмы и подписывала всякую чушь.

По ходу устройства на нарах и распаковывания вещей Ира показывает новым соседкам свои платья, рассказывает историю каждого из них. Над вонючей камерой плывут благоуханные слова.

— Вот в этом я в прошлом году, в Сочи, всегда в теннис ходила. Потом стало узко. А сейчас опять впору. Похудела здесь.

Отзывчивей всех на Ирины воспоминания о Сочи и теннисе оказывается высокая, круглолицая, склонная к полноте молодая женщина, с лицом, напоминающим мопассановскую Пышку. Это Анечка. В камере ее зовут Аня Большая, чтобы отличить от Ани Маленькой, расположившейся у противоположной стены.

Аня Большая — москвичка, сейчас работала в Казани, в управлении железной дороги. Ей 28 лет. Детей и мужа у нее нет, но есть некий Вова, из постели которого Аню и вытащил месяц тому назад, на рассвете, следователь, производивший арест. Вова побледнел. «Что ты натворила?» — «Абсолютно ничего», — пожала плечами бесстрашная Пышка и, чмокнув на прощанье дрожащего Вову, смело вышла со следователем. Везли ее сюда на легковой машине.

— Я его спрашиваю: в чем вы меня обвиняете? В чем-нибудь антиморальном или в антисоветском? Отвечает: «В антисоветском». А-а-а, говорю, ну тогда вам придется извиниться... Только хмыкает, змей полосатый! И в чем же дело, как вы думаете? Анекдоты! Два анекдота! Семь лет хотят дать за них. По три с половиной за каждый.

И тут же выкладывает оба. Анин следователь составил два отличных протокола. Один на тему об оскорблении величества (Сталина), другой — о клевете на колхозный строй. Веселая Пышка возмутилась и крикнула в лицо следователю:

— Ну и рассказала, ну и что? Я ведь не на собрании рассказала, а дома, за столом, в узком кругу. А во-вторых, не правда, что ли? Небось вас вот, к примеру, в колхоз калачом не заманишь!

И подписала оба протокола.

Теперь Аня Большая ждала суда. Семь лет были уже ей определенно обещаны. Аня Большая была первым встретившимся мне представителем мощного племени анекдотистов, так называемых болтунов, обладателей «легкой» статьи 58-10, выгодно отличающихся своей беспартийностью от нас, террористов, диверсантов, шпионов и т. д. В тюремном быту Аня Большая оказалась милейшим человеком, легким, уступчивым, склонным к немного циничному, но добродушному юмору.

Когда подавленные горем соседки не хотели с ней болтать, она не сердилась. Тогда она пела. Ее излюбленным номером был «Бананово-лимонный Сингапур» и некая заунывная «Беседка». Когда Аня, переходя со своего натурального сопрано на густейшее контральто, гудела «ты уж не верне-е-ешь-ся», ее ближайшая соседка Лидия Георгиевна стонала, как от зубной боли.

Лидии Георгиевне Менцингер было уже 57 лет. Она была арестована в третий раз. Немка-колонистка, в прошлом учительница немецкого языка, она была фанатично религиозной сектанткой, адвентисткой седьмого дня. Я до сих пор отчетливо вижу ее огромные карие глаза, налитые конденсированным отчаянием. Глядя в эти глаза, я вспоминала рассказ Леонида Андреева о воскресшем Лазаре. В рассказе говорилось, как все сидели за столом и ликовали по поводу чуда воскресения, а Лазарь сидел среди этих веселых людей и смотрел на всех вот такими же глазами, как у Лидии Георгиевны. Потому что он уже познал, что такое Смерть.

Я уже говорила в начале этих записок, что жадное любопытство к жизни во всех ее проявлениях, даже в уродстве, жестокости, глупости, порой отвлекало меня от собственных страданий. Такое же чувство я наблюдала и у многих других моих спутников, шедших по крутому маршруту. Кроме того, у многих были еще и иллюзии. Все происходившее было слишком нелепо, чтобы длиться долго, — думали многие. И это ожидание, что вот-вот развеется какое-то гигантское недоразумение, широко откроются двери и каждый побежит к своему остывшему очагу, — поддерживало бодрость.

У Лидии Георгиевны не было ни любопытства, ни иллюзий. Она отлично знала, что надеяться не на что. Знала также, что ничего особенно любопытного для нее не произойдет. Ведь у нее все уже было.

Я встречала потом массу религиозных самых различных толков. Все они обязательно агитировали за свою веру, вербовали неофитов. Лидия Георгиевна не делала этого. Она молчала сутками, сидя с ногами на своем топчане и глядя поверх наших голов своим взглядом андреевского Лазаря.

Аня Маленькая была женотделкой.

— Я никогда не была беспартийной, — говорила она, все время поправляя падавшую на лоб прядь своих подстриженных по-женотдельски прямых русых волос, — октябренком была, потом пионеркой, комсомолкой, потом коммунисткой.

И правда: вне партии, вне своеобразного стиля жизни, выработанного в партийной среде 20-30-х годов, невозможно было представить себе Аню Маленькую. Аня то и дело забывала, где она находится. То с увлечением начинала рассказывать, как ей удалось перестроить работу среди женщин на ткацкой фабрике, и планировала, что там надо еще предпринять, кого из работниц выдвинуть; то жалела, что не перешла на работу в пригородный райком, куда секретарь ее звал и где перспективы куда шире. А секретарь этот сидел в той же тюрьме, как раз под нами, во втором этаже.

Только после допросов Анечка возвращалась с посеревшими губами, ложилась лицом к стене и молчала до ночи. Ночью она подходила ко мне, ложилась рядом, горячо шептала:

— Тш-ш-ш, Женя... Чтобы не слыхали беспартийные. Такая, понимаешь, разношерстная публика. Даже эсеры есть... Истолкуют еще по-своему. Но ты только послушай...

Ее обвиняли во «вредительстве в партийной работе» и в связях с врагом народа. Этот «враг» был секретарем одного из казанских городских райкомов партии и, кроме того, приходился Ане Маленькой мужем. Любимым красавцем-мужем очень простенькой, даже не миловидной Ани.

— Я и сама-то всегда удивлялась, как это Ваня меня полюбил. Сколько за ним девчат бегало! Но вот уже семь лет живем и все он любит меня, вижу, что любит. Он за душу меня любит, за партийное мое сердце. А следователь...

Аня захлебывается слезами. Следователь, оказывается, говорит ей, что ее брак сам по себе подозрителен. Красавец-мужчина женат на замухрышке. Наверно, скорее всего это фиктивный брак, заключенный по заданию вредительского центра. А как же тогда Борька и Лидочка? От фиктивного, что ли?

Я глажу Аню Маленькую по худенькому, почти детскому плечику.

— Не слушай ты этого ирода! Весь партактив знает, как тебя Ваня любит.

— Тш-ш-ш... Не ругай следователя. Нина может услышать. Беспартийная работница. Скажет — уж если коммунисты следователей ругают, так что же мне тогда?

Но Нина Еременко крепко спала по ночам, только изредка испуганно вскрикивая. Зато днем она очень нервировала остальных обитателей камеры. Поджав ноги калачиком, она мерно раскачивалась на нарах, повторяя все одну и ту же фразу: «Когда же конец-то?»

Никакие принципиальные споры, отвлекавшие нас от тяжелых мыслей, не интересовали Нину. Никакие курортные воспоминания Иры Егеревой не будили в ней ответных чувств. Черноморский пляж и теннис — все это было слишком далеко от разнорабочей фабрики «Спартак», нескладной девчонки с неотмывающимися руками и неистребимым запахом сырой кожи, который шел от Нины вопреки двухмесячной давности.

Нине было 20 лет, из которых пять она проработала на фабрике «Спартак». Погубили ее именины. Да, Лелька рыжая позвала ее на именины, а она и пойди, дура такая! А пошла-то, правду сказать, из-за Митьки Бокова. Он уж сколько раз подъезжал. Да не как-нибудь, а все про семейную жизнь заговаривал. Я, говорит, если что, своей жене работать не дам. Пусть домохозяйкой живет. Ну и пошла, чтобы лишний раз с ним повидаться. Еще брошку Лельке купила в ювелирном. Хорошую, позолоченную. А там, на именинах, ребята выпили. Ну, и кто-то будто на Сталина что-то сказал... Вот лопни глаза — не слыхала! А теперь двенадцатый пункт предъявляют. Недонесение. Ты, говорит, обязана была, как советская пролетарка, на другой день на изменников в НКВД заявить, а ты их покрыла.

И вот уже два месяца сидит Нинка поджав ноги калачиком и твердит: «Когда же конец-то?» И ничто ей не мило. Даже конфет у Иры не берет, когда та угощает из передачи. Когда Аня Большая уж очень надрывно запоет про беседку, Нина начинает рыдать. Главное, она боится, что Митька Боков не дождется ее, на другой женится. И уплывет у Нинки из рук синяя птица — счастливая судьба неработающей домохозяйки.

Иногда мы пытаемся утешать Нину тем, что Митька Боков скорее всего тоже сидит. Ведь и он не донес на кого-то. Но тут лицо занудливой девчонки хорошеет и озаряется внутренним светом, словно далекий огонек сквозит сквозь пепел, и она начинает страстно доказывать, что Митьку Бокова не возьмут, без него в цеху ведь совсем невозможно. Спаси Бог! Пусть уж лучше он на Лельке женится, только бы цел был. Пусть уж одна Нинка пропадает. Так уж, видно, ей на роду написано.

А Аня Маленькая, привыкшая работать именно с такими, как Нинка, пуще всего боится, как бы у Нинки не возникло «нездоровое отношение к партии в целом». Поэтому свои горести после допросов Аня Маленькая поверяет только мне, «как партиец партийцу». Еще больше Аня опасается ушей Дерковской, эсерки.

— Понимаешь, Женя, ведь по сути дела она — настоящий классовый враг. Меньшевики и эсеры. Правда, по учебникам я их иначе представляла. Такая, в общем, славная и несчастная старуха. Но жалости нельзя поддаваться... И материала против партии нашей им нельзя давать.

Да, я тоже поддаюсь жалости, особенно когда речь заходит о Вовке, двадцатилетнем сыне Надежды Дерковской. Вова родился в 1915 году, в одиночке царской тюрьмы. Родители его, оба эсеры, сидели с небольшими перерывами с 1907 года. Февраль 1917-го освободил семью, и двухлетний Вова увидел родину матери — Петроград. Но уже в 1921-м они снова были в ссылке. Отец Вовы умер в Соловках. Странствуя с матерью из ссылки в ссылку, Вова попал в Казань. Здесь он провел последний светлый промежуток своей жизни, и здесь его застал 1937 год. Бог знает в который раз — уж не меньше чем в десятый — была арестована Надежда, мать Вовы. Но на этот раз вместе с ней был арестован и 22-летний Вовка, только что ставший, к великой радости матери, студентом пединститута.

— Вовка виноват только в том, что родился в царской тюрьме, а вырос в ссылке, — говорила Дерковская, — он ничуть не эсер. Аполитичен. Прекрасный математик. Ездил он за мной только потому, что очень меня любит. Нас ведь и всего-то двое на свете...

С необычайной яркостью представляю себе на месте Вовки подросшего Алешу. Непереносимо. Еще можно как-то продолжать жить, внутренне сопротивляясь, когда лично тебя подхватила и закрутила некая злая сила, которая хочет отнять у тебя здоровье, разум, превратить тебя в труп или в бессловесную рабочую скотину. Но когда все это проделывают с твоим ребенком, с тем, кого ты растила и оберегала...

И я жалею Дерковскую едкой щемящей жалостью, хоть она действительно первая живая эсерка, которую я увидала, хоть она и резко высказывает мне в глаза свои мысли.

— Аксенов, муж ваш, мне понравился, как никто из коммунистов, облеченных властью, — рассказывает она, прикуривая одну папиросу от другой, — я приходила к нему, когда меня уволили с работы. По-хорошему, не по-палачески говорил со мной. Лично вас мне жалко. Но вообще-то, не скрою, рада, что коммунисты наконец тоже почувствуют на себе многое, о чем мы им давно говорили...

Мне любопытно дознаться, что же противопоставляют нашей программе современные эсеры. После нескольких бесед становится ясно, что никакой позитивной программы нет. Все, что говорит Дерковская, носит только негативный характер по отношению к нашему строю. Их между собой больше всего связывают старые связи, укрепившиеся в бесконечных ссылках и тюрьмах. В дальнейшем, уже в лагере, я имела много случаев убедиться, как сильны эти связи, принявшие почти кастовый характер.

Однажды у Дерковской кончились папиросы. Привыкшая дымить беспрерывно, она жестоко страдала. Как раз в это время мне снова принесли передачу, в которую мама снова положила две пачки папирос.

— Вот и ваше спасение пришло, — весело сказала я, обнаружив эти пачки.

Но вдруг я заметила, что она, покраснев, отворачивается, говорит «спасибо», но папирос не берет.

— Минуточку. Сейчас.

Подсаживается к стене и начинает стучать. Рядом сидит Мухина, секретарь их подпольного (настоящего!) областного комитета. Дерковская стучит уверенно. Она не знает, что я свободно прочитываю ее стук.

— Одна коммунистка предлагает папиросы. Брать ли?

В ответном стуке Мухина осведомилась, была ли эта коммунистка в оппозиции. После вопроса Дерковской и моего ответа — «Нет, не была» — Мухина категорически выстукивает:

— Не брать!

Папиросы остаются на столе. Ночью я слышу тяжкие вздохи Дерковской. Ей, тонкой как сухое деревцо, легче было

83

бы остаться без хлеба. А я лежу с открытыми глазами на средних нарах, и в голову мне приходят самые еретические мысли о том, как условна грань между высокой принципиальностью и узколобой нетерпимостью, — и еще о том, как относительны все человеческие системы взглядов и как, наоборот, абсолютны те страшные муки, на которые люди обрекают друг друга.

ГЛАВА ДВАДЦАТЬ ПЕРВАЯ

КРУГЛЫЕ СИРОТЫ

Тюрьма, в которой я сейчас находилась, как уже говорилось, впервые за 20 послеоктябрьских лет стала местом заключения политических. До 1937 года они вполне умещались в подвале Черного озера. Зато теперь все три казанские тюрьмы были битком набиты «врагами народа». Однако традиции, сложившиеся в бывшей уголовной тюрьме, — привычка к грязи, грубости и некоторая свобода режима, — еще продолжали существовать по инерции.

Стучать здесь можно было почти беспрепятственно, так как тонкий звук перестукивания тонул в общем гуле этого перенаселенного, знойного, вонючего ада. (На Черном озере гулко отдавался даже тоненький звучок гареевской булавочки.) Замечания по этому поводу делались дежурными как-то вяло и невсерьез. Благодаря вольности мы скоро установили связь чуть ли не со всей тюрьмой. Стекла в ветхом окне были выбиты, а деревянный щит имел несколько иную форму, чем в подвале. Он резко расширялся кверху, пропуская в камеру больше света и являясь в то же время звукоуловителем. Если подойти вплотную к окну и громко сказать что-нибудь прямо в глубь щита, то в нижней камере можно было все слышать.

Однако разговаривать так громко все же опасно. И вот был изобретен так называемый «оперный» метод общения. Инициатором его явился сидящий в камере, расположенной под нами, секретарь пригородного райкома партии. Фамилии не помню, звали его Сашей.

Однажды, на исходе знойного мучительного дня, когда надзиратели были отвлечены раздачей «баланды», мы услышали неплохой баритон, исполняющий арию Тореадора по такому неожиданному либретто:

Сколько вас там, женщины-друзья?
Сколько вас там, спойте вы нам!
Спойте
Фамилии свои подряд,
Здесь все
Вас знать хотят,
Да знать хотя-а-ат,
Да знать хотят, хотят!

Мы быстро поняли, что от нас требуется. На самые различные мотивы были пропеты наши, а потом и их фамилии. Установилась тесная вокальная связь, дававшая возможность своевременно узнавать все новости. А их было много. Ежедневно мы слышали имена новых арестованных, узнавали, какие обвинения им предъявлены, как усиливаются «особые методы» при допросах. Нам удалось даже наладить обмен записками через уборную. Писали на развернутых бумажках от папирос, на самых тоненьких и маленьких клочках, все тем же огрызком карандаша, который Ляма украла у следователя и на прощанье подарила мне.

Саша, секретарь пригородного райкома, вначале был полон «титанического самоуважения». Все происходящее казалось ему маленьким кратковременным недоразумением. В вокальных беседах с Аней Маленькой он даже продолжал приглашать ее после «выхода отсюда» идти на работу «в мой район». С вельможными бархатными интонациями перечислял преимущества этого района сравнительно с тем, где работала до ареста Аня Маленькая. Даже сидя на нарах рядом с двумя беспартийными инженерами и вынося по очереди с ними парашу, он не мог отделаться от покровительственного тона в отношении этих людей.

Я не хочу сказать, что Саша был глуп. Хочу только подчеркнуть силу инерции и гипнотическую власть представлений, полученных в начале жизни.

Отрезвление, как у тысяч таких Саш, началось после применения на допросах «активных методов». Однажды один из беспартийных инженеров пропел нам на мотив арии князя Игоря, что Сашу привели после допроса с рассеченной губой, которая распухла и кровоточит. Нет ли у нас чего-нибудь смягчающего, вазелина например? Потом папирос бы ему...

Есть папиросы, но как передать? Через здешнюю уборную нельзя. Это настоящая клоака, и как возьмешь в рот что-нибудь, побывавшее в ней? Возникла мысль опустить папиросы на ниточке через окно. Из моего уже совсем облысевшего махрового халата были опять надерганы нитки. Папиросы привязали, как червяка на удочку, и все сооружение было спущено через отверстие в нижней части деревянного щита. «Нижние» удачно сняли при помощи деревянной ложки две папиросы. Но третья застряла между окнами двух этажей, и, выйдя на прогулку, мы увидели, как она ярко белеет на солнце. Вернувшись в камеру, мы спели на мотив популярной студенческой песенки:

> Саша, Саши, над твоим окошком
> Папироска белая висит.
> Ты ее достать попробуй ложкой,
> А то всем нам здорово влетит.

Раздавшийся в ответ раскатистый баритон звучал отлично:

> Да, да, я слышал,
> Ах, все теперь я понял,
> Ее достать решился
> Сегодня ж вечерком...

В такие минуты мы чувствовали себя расшалившимися школьниками. Именно в один из таких моментов, когда мы, вопреки всему, весело смеялись, мне и суждено было принять новый удар. Было уже почти темно, когда Саша потребовал меня к окну.

— Ну, как там, как там наша папироска? — шутливо пропела я. Но в ответ услышала не спетые, а сказанные слова:

— Женя, соберись с силами. У тебя новое горе. Твой муж здесь. Арестован несколько дней тому назад...

Я опустилась на нары...

И сейчас не могу спокойно писать об этой минуте. С момента ареста я категорически запрещала себе думать о детях. Мысль о них лишала меня мужества. Особенно страшными были конкретные мысли о мелочах их жизни.

Васька любил засыпать у меня на руках и всегда говорил при этом: «Мамуля, ножки закутай красным платочком...» Как он сейчас смотрит на этот красный платочек, ненужным комком валяющийся на диване?

Алеша и Мая наперебой жаловались мне на Ваську и дразнили его: «Васенка-поросенка! Любимчик! Ябеда!»... Иногда Васька звонил мне на работу и спрашивал:

— Ето университут? Позовите мамулю...

Как точно об этом у Веры Инбер:

Смертельно ранящая, только тронь,
Воспоминаний иглистая зона...

До этого дня, когда эти смертельно ранящие воспоминания подкрадывались ко мне, я отгоняла их короткой формулой: «Отец с ними!» И вот... А я наивно думала, что эта чаша минует наш дом. Ведь по тюремному телеграфу я узнала, что он снят с поста предгорисполкома, но не исключен из партии и даже назначен на новую работу — начальником строительства оперного театра. Это казалось мне признаком того, что с ним будет все хорошо. Ведь других вот не понижали в должности, не снимали с работы, а просто брали сразу в тюрьму. Нелепая была затея — устанавливать какие-то закономерности в действиях безумцев.

Навалилась ночь, душная, непроглядная, провонявшая парашей и испарениями сгрудившихся в кучу давно не мытых людей, пронизанная стонами и вскриками спящих, полная до краев отчаянием.

Напрасно я стараюсь переключить мысли на «мировой масштаб». Нет, сегодня мне не до судеб мира. Мои дети! Круглые сироты. Беспомощные, маленькие, доверчивые, воспитанные на мысли о доброте людей. Помню, как-то раз Васька спросил: «Мамуля, а какой самый кичный зверь?» Дура я, дура, почему я ему не ответила, что самый «кичный» — человек, что именно его надо особенно опасаться!

Я больше не сопротивляюсь отчаянию, и оно вгрызается в меня. Особенно терзает воспоминание о пустяковом эпизоде, произошедшем незадолго до моего ареста. Малыш забрался в мою комнату, стащил со столика флакон хороших духов и разбил его. Я застала его собирающим черепки и источающим нестерпимое парфюмерное благоухание. Он смущенно взглянул на меня и сказал с наигранным смешком: «Я просто хлопнул дверью, духи сами упали».

— Не ври, противный мальчишка! — крикнула я и сильно шлепнула его. Он заплакал.

Сейчас этот эпизод жег меня адской мукой. Казалось, нет на моей совести более черного преступления, чем этот шлепок. Маленький мой, бедный, совсем одинокий в этом страшном мире. И чем он вспомнит мать? Тем, что она так ударила его за какие-то идиотские духи. Как я могла сделать это? И главное — теперь уже ничем, ничем не искупить...

Боль той ночи была так остра, что расплескалась на много лет вперед и дошла до сегодняшнего дня, когда я, спустя больше чем 20 лет, пишу об этом. Но я должна писать. Как у Инбер:

«Без жалости к себе, без снисхожденья идти по этим минным заграждениям».

Конечно, мне никогда не сказать так точно и афористично, как В. Инбер. Но думаю, что нам было страшнее в наши тюремные ночи, чем им в блокадной ленинградской тьме. В их страданиях был смысл. Они чувствовали себя борцами с фашизмом. А мы, терзаемые под прикрытием привычных слов, были лишены даже этого утешения. Зло с большой буквы, почти мистическое в своей необъяснимости, кривило передо мной свою морду. Не то сон, не то явь. Какие-то чудовища с картин Гойи наползают на меня.

Сажусь на нарах и оглядываюсь. Все спят. Только место Лидии Георгиевны пусто. Она стоит около меня. Ее маниакальные глаза устремлены сейчас на меня с простой человеческой теплотой. Она гладит меня по голове и несколько раз повторяет по-немецки слова библейского многострадального Иова: «То, чего я боялся, случилось со мной; то, чего я ужасался, пришло ко мне». Это было толчком. Всю ночь я старалась заплакать и не могла. Сухое горе выжигало глаза и сердце. Сейчас я упала на руки этой чужой женщины из неизвестного мне мира и разрыдалась. Она гладила меня по волосам и повторяла по-немецки: «Бог за сирот. Бог за сирот».

ГЛАВА ДВАДЦАТЬ ВТОРАЯ

ТУХАЧЕВСКИЙ И ДРУГИЕ

Мы уже давно заметили, что ранним утром, в очень ясную погоду, сквозь разбитые стекла нашего окна можно слышать обрывки доносящихся с улицы звуков радио. Репродуктор был, видимо, где-то поблизости, да и деревянные щиты играли роль звукоуловителей.

В это тихое летнее утро мы явственно услышали повторяемые с большой экспрессией слова «Красная Армия», «Вооруженные Силы» в сочетании со словами «враги народа».

— Что-то опять стряслось, — буркнула, протирая глаза, Аня Большая. — Нет, зря я раньше не интересовалась политикой. Довольно забавная штука, оказывается. Каждый день новые фортеля!

— Если неблагополучно в армии — это значит, что расшатаны самые глубокие основы данного государственного строя, — взволнованно заявила Дерковская.

— Думаете, к учредилке, что ли, вернемся, — запальчиво бросила ей Аня Маленькая, а сама потихоньку сжала мне пальцы и тоскливо прошептала: «Неужели и в армии враги народа?»

Все мы замерли у окна. Но ветер доносит только жалкие обрывки слов. Вот как будто «на страже», а вот похоже, что сказали «изменников». И потом, точно назло, совсем ясно два слова: «мы передавали». Потом треск и маршевая музыка. Что случилось? Стучим направо и налево. Все в смятении, никто ничего не знает. Только к вечеру получили более точные сведения. Произошло это при таких обстоятельствах.

В самый разгар дневной жары, когда все мы, изнемогая от духоты и грязи, в одних трусах и лифчиках валялись на нарах, открылась дверь камеры и раздался добродушный басок дежурного по прозвищу Красавчик:

— Ну, девки, потеснись! Принимай новенькую!

Мы зашумели. Это немыслимо. И так уже нас семеро в трехместной камере. Куда же восьмого? Дерковская стала грозить голодовкой, но Красавчик, неискушенный в истории революционного движения, еще добродушнее хмыкнул:

— В тесноте, да не в обиде...

И легонько подтолкнув новенькую в спину, запер за ней дверь камеры наружным замком. Она так и осталась, точно вписанная в рамку двери.

Прошло несколько минут, пока я опознала за гримасой ужаса, исказившей эти черты, знакомое лицо Зины Абрамовой, Зинаиды Михайловны, жены председателя Совнаркома Татарии Каюма Абрамова.

Значит, берут уже и таких, как Абрамов? Член ЦК партии, член Президиума ЦИК СССР.

— Зина!

Нет, совсем невозможно узнать в этой до нутра потрясенной женщине вчерашнюю «совнаркомшу», с ее сановитой осанкой. Она больше похожа сейчас на ту провинциальную татарскую девчонку, торговавшую папиросами в сельской лавке, девчонку, на которой лет за двадцать до этого женился Каюм Абрамов. Выражение ужаса смыло все детали показного грима. Обнажились и классовые (простая крестьянка), и национальные черты. Татарский акцент, с которым Зина яростно боролась, проступил с особой силой в первых же сказанных ею словах:

— Нет, нет, меня сюда только на минуточку!

В ответ раздалась полная яда реплика Ани Большой:

— Ах, на минуточку? Ну, тогда я и двигаться не буду на нарах. Постойте там пока.

Сарказм не дошел.

— Да-да, я постою, ничего.

Я никогда особенно не симпатизировала вельможной Зинаиде Михайловне. Она была куда хуже своего мужа, хоть и любившего выпить, хоть и обросшего немного бюрократическим жирком, но все же оставшегося добрым человеком, не забывшим своего пролетарского прошлого. Зина же, превратившаяся из Биби-Зямал в Зинаиду Михайловну, резко порвала все нити, связывавшие ее с татарской деревней. Туалеты, приемы, курорты заполнили все ее время. Улыбки были дозированы в строгом соответствии с табелью о рангах. Мне, правда, перепадало больше любезности, чем полагалось бы по скромному чину жены предгорисполкома. Объяснялось это пристрастием Зины к печатному слову. Время от времени она любила выступить со статьей то в газете, то в журнале «Работница». Тогда-то и требовалась моя помощь.

Сейчас, однако, все это было неважно. Потрясенную, почти потерявшую от ужаса сознание женщину, стоявшую в дверях камеры, надо было приласкать и успокоить, насколько это возможно. Я отлично помнила, как поддержала меня в мои первые тюремные дни Лямина доброта. И я подошла к Зине, обняла и поцеловала ее.

— Успокойся, Зина. Пойди ляг пока на мое место. А потом подумаем, куда тебя положить...

К моему изумлению, Зина восприняла мой поцелуй как укус ядовитой змеи. Дико закричав, она отпрыгнула от двери, чуть не свернув парашу. У меня мелькнула было догадка об остром психозе, но последующие слова Зины все разъяснили:

— В двери глазок. Часовой увидит... Подумает — старые друзья. А ты ведь... про тебя в газетах писали...

Эти слова сразу вооружили против Зины всю камеру.

— Вот моральный уровень членов вашей партии! — патетически воскликнула Дерковская.

— А вы верите нынешним газетам? — прищурившись, осведомилась Ира. — Там вон и про меня писали, что я «правая», а я беспартийная и до тюрьмы даже не знала, что такое правый уклон.

— Думаю, что для мадам будет отведен лучший диван в кабинете Веверса, так что мы уж на нарах тесниться не будем... — И Аня Большая демонстративно повернулась к стене.

Часа три Зина простояла, как распятая, в амбразуре двери. Никто не предлагал ей места на нарах, да она и сама, поднимаясь на цыпочки, брезгливо озиралась кругом, боясь прикоснуться к чему-нибудь. Ее белоснежная воздушная блузка казалась на фоне камеры нежной чайкой, непонятно зачем приземлившейся на помойной яме.

Потом за Зиной пришли. По ее лицу молнией сверкнул восторг. Ведь ей так и говорили: «Мы вынуждены вас задержать на пару часов». Она даже улыбнулась нам на прощанье.

— Полная кретинка! — резюмировала Аня Большая. — Ведь и впрямь вообразила, что ее на волю повели! Куда же мы все-таки ее положим? На нарах даже воробья не сунешь. А тут такая дебелая сорокалетняя тетя...

Прошло несколько часов. Возвращаясь с вечерней оправки, мы услышали стоны, доносящиеся из нашей камеры. Зина Абрамова лежала на полу, у самой параши. Белая кофточка, смятая и изодранная, была залита кровью и походила теперь на раненую чайку. На обнажившемся плече синел огромный кровоподтек.

Мы застыли в ужасе. Началось! Это был первый случай (по крайней мере, такой наглядный для нас!) избиения женщины на допросе.

Зина была почти без сознания, на вопросы не отвечала. Поднять в такой тесноте ее оплывшее тело на нары нам не удалось. Приложив к ее лбу мокрое полотенце, мы в абсолютном молчании улеглись спать.

— Женечка! — донеслось вдруг из Зининого угла.

Сейчас это звучало уже совсем по-татарски: «Жинишка!»

— Женечка, милочка! Не спи, страшно! Скажи, стрелять нас будут, да?

До сих пор не могу простить себе той мелочной мстительности, с какой я ответила:

— А ты не боишься со мной разговаривать? Обо мне ведь много кой-чего писали в газетах!

Сказала — и тут же почувствовала стыд за сказанное. Такой детской обидой задрожали ее пухлые губы, разбитые бесстыдной рукой.

— Иди ложись на мое место, Зиночка. А я посижу с тобой. Успокойся. Продумай все происходящее. Наша судьба будет зависеть от общего хода событий. Ты утром была еще на воле. Скажи, о чем передавало радио? Что случилось в Красной Армии?

— Ой, Женечка, милочка, страшно! Ой, джаным, нельзя ведь это здесь говорить-та... Ну скажу, не уходи... Тебе только... Тухачевский... Оказался...

— А еще кто?

Но на нее уже снова нашел приступ опустошающего страха. Не отвечая на мой вопрос, она судорожно теребит мои пальцы, повторяя:

— Будут расстреливать? Будут, да?

Аня Большая проснулась и садится на нарах. Она вытаскивает из-под соломенной подушки футляр от очков Лидии Георгиевны, блестящий и глянцевитый. Он заменяет Ане отобранное зеркальце. Это свое первое при каждом пробуждении движение Аня повторяет и сейчас. Она вытаращивает глаза и протирает их уголки, оскаливает зубы и рассматривает их, поправляет безнадежно размочалившийся перманент.

— Хорошо! — говорит она, зевая. — Теперь смена нашей Нинке пришла. Надо их срепетировать на дуэт. Нинка — контральто: «Когда же конец-то?», а новая дама — сопрано: «Женечка, милая, стрелять нас будут?» А потом вместе: «Ах мы, зануды, ах мы, зануды!»

Мне по-настоящему жалко Зину. Кроме того, меня почти физически тошнит от негодования при мысли о том, что некий бандит типа Царевского-Веверса только что бил кулачищем по лицу эту сорокалетнюю женщину, мать двоих детей. Но еще сильнее жалости желание узнать, что случилось сегодня в стране, в армии, в нашей безумной тюремной жизни. И я с холодным расчетом отвечаю на Зинины стоны:

— Чтобы ответить на твой вопрос, надо знать обстановку в стране. Скажи мне, кто еще взят вместе с Тухачевским и за что. Тогда я пойму масштаб событий. Тогда будет яснее, уцелеем ли мы лично или нас убьют.

— Ой, Женечка, милочка! Как говорить-та? Дежурный слушает... Скажет — информацию дает заключенным. Хуже нам тогда будет.

Зина встает с моего места и, кряхтя, снова укладывается на голый пол, у самой параши.

— Спи, Женя! Охота тебе с этой тлей возиться! Завтра мужики все узнают и в окно нам пропоют, — ворчит Аня Большая.

Но не успеваю я закрыть глаза, как Зина снова приподнимается и садится на полу. Она страшна. Распухшая, потерявшая приметы возраста и общественного положения, даже приметы пола. Просто стонущий кусок окровавленной плоти.

— Страшно мне, Женечка, милая. Ты ведь ученая, высшее образование имеешь (у нее получается «бысшее образовани»). Скажи только: стрелять нас будут?

— Послушайте, гражданка, — негодующе вмешивается вдруг Дерковская, — чего же вы лезли в политическую жизнь, если вами так владеет страх за вашу драгоценную жизнь? И почему вы обращаетесь за моральной поддержкой к тому, кому не доверяете? Ведь вы оскорбили Женю, своего товарища по партии, вы оттолкнули ее, когда она подошла к вам с лаской.

Вы не хотели ей ответить на вопрос о том, что происходит на воле. А ведь она сидит уже пятый месяц, и ей так важно знать, что делается за тюремной стеной...

Зина отмахивается от нее, как от жужжащего комара.

— Молчи, баушка. Ты за что сидишь-то? За веру, что ли? Богомолка, видать...

Дерковская пренебрежительно улыбается.

— Новую внучку дарует судьба. Моя фамилия Дерковская. Член обкома партии социалистов-революционеров.

— Член обкома? Врешь ты, баушка. Я обком весь по пальцам знаю. Да и не похожа ты на старую большевичку. Язык у тебя вроде не нашинский.

Да, с Зиной надо, конечно, на другом языке. Я присаживаюсь на корточки возле того места, где рядом с вонючей ржавой парашей лежит бывшая «первая дама Татарстана», и, с напряжением вспоминая татарские слова, выбор которых у меня крайне ограничен, все же слепляю фразу:

— Успокойся. Засни. Не бойся меня. Это ведь все неправда, что про меня там писали. Сейчас вот и про тебя так напишут. Завтра я тебе много расскажу и ты мне все расскажешь.

Я глажу ее по волосам. Потом называю имена ее детей. Ремик... Алечка... Надо сберечь себя ради них.

Да, это был правильный подход. Зина вытирает мокрым полотенцем свое распухшее страшное лицо и вдруг быстрым страстным шепотом рассказывает мне по-татарски обо всем. От яростного желания узнать все мои скудные сведения в татарском языке как-то волшебно расширяются сами по себе. Я понимаю почти все.

Да, теперь-то Зина и сама поняла, что все это была ложь про меня. Ведь вот и про нее выдумали же, что она буржуазная националистка, что Каюм — турецкий шпион. А сегодня с утра по радио... Никто ничего понять не может. Тухачевский, Гамарник, Уборевич, Якир и еще многие с ними... Все начальники военных округов. Как понять-та? И у нас в Казани все взяты. И председатель ТатЦИКа, и первый секретарь горкома, и почти все члены бюро обкома.

Большего Зина рассказать не может. И без того она заметила немало для своего кругозора. Она замолкает, оглядывается вокруг себя и вдруг со всей беспощадностью осознает свое положение, видит крупным планом и парашу, и тараканов на полу, и свою изорванную одежду.

— Эх, Женечка, милочка! Знала бы ты, на каких кроватях я лежала!

Перед ней, видимо, проносятся видения царственных аль-

ковов из дорогих номеров гостиницы «Москва» и правитель-
ственных санаториев.

Спи, бедная Зина! Ты так же мало заслужила те пышные
ложа, как и этот грязный тюремный пол с тараканами и парашей. Быть бы тебе веселой, круглолицей Биби-Зямал из деревни под Буинском. Траву бы косить, печь хлебы. Так нет же,
понадобилось кому-то сделать из тебя сначала губернскую пом-
падуршу, а теперь бросить сюда.

И всех-то нас история запишет под общей рубрикой «и
др.». Ну, скажем, «Бухарин, Рыков и др.» или «Тухачевский,
Гамарник и др.».

Смысл? Дорого дала бы я тогда, чтобы понять смысл всего
происходящего.

ГЛАВА ДВАДЦАТЬ ТРЕТЬЯ

В МОСКВУ

Тюрьма гудела. Казалось, толстые стены рухнут под напором неслыханных новостей, передаваемых по стенному телеграфу.

— Сидит весь состав правительства Татарии.

— При допросах теперь разрешены физические пытки.

— В Иркутске тоже сидит все руководство.

Иркутском казанцы интересовались особенно живо, потому что наш бывший секретарь обкома Разумов был с 1933 года
секретарем Восточно-Сибирского крайкома партии и увез с
собой целый «хвост» казанцев. Звал он много раз и нас с Аксеновым и был очень обижен нашим отказом. Когда я встречала
его как-то в Москве, в период моих предарестных мытарств,
он торжествующим тоном говорил:

— Ну что, убедились, каково жить без своего секретаря?
Были бы у меня — разве я допустил бы, чтобы с вами так раз-
делались?

За все два месяца пребывания в этой старой тюрьме меня
ни разу не вызывали на допрос. Тем более я разволновалась,
когда на другой день после прихода к нам Зины мне велели
приготовиться ехать на Черное озеро.

Кругом только и говорили о кампании избиений и пыток.
Неужели и эта чаша не минует меня?

Дерковская, точно прочтя мои мысли, категорически заявила:

— Абсолютно нечего бояться. Во-первых, сейчас два часа дня и светит солнце. А для всех этих дел у них существует ночь. Во-вторых, ваше дело окончено. Скорей всего, вас и вызывают только затем, чтобы объявить об окончании следствия.

Она была права. Меня вызывали, чтобы я подписала протокол об окончании следствия, а также о том, что злодеяния мои квалифицированы по статье 58, пункты 8 и 11. Дело мое передается на рассмотрение военной коллегии Верховного суда. Объявил мне об этом тот же Бикчентаев.

Он был в прекрасном настроении. Солнце отражалось в графине с водой и в эмалированных кукольных глазах «индюшонка». Он старательно писал, оформляя бумаги, и давал их мне подписывать. Время от времени он взглядывал на меня весело и вопросительно, как бы требуя одобрения своей неутомимой деятельности. Казалось, я должна была восхищаться тем, как здорово все спорилось в его ловких руках.

— Итак, — благодушно заявил он наконец, — дело ваше будет слушаться военной коллегией Верховного суда СССР и, значит, в ближайшие дни вы будете отправлены в Москву.

Он снова выжидательно посмотрел на меня, точно удивляясь, почему я не рада такому известию. И как бы желая все же добиться моего отклика, добавил:

— На меня вам обижаться нечего. Я вел дело объективно. Даже прошел мимо вашей связи с японским шпионом Разумовым. А ведь и об этом можно было неплохой протокол составить.

— С кем? С японским шпионом? Вы имеете в виду секретаря Восточно-Сибирского крайкома партии? Члена партии с 1912 года и члена ЦК?

— Да, шпиону Разумову удалось, обманув бдительность партии, пробраться на руководящие посты. Да, до революции он действительно состоял в партии. По заданию царской разведки...

Сколько раз Царевский и Веверс грозили мне составить протокол о моих попытках «дискредитировать руководство обкома в лице его бывшего секретаря тов. Разумова!». Напрасно я уверяла их, что мы с Разумовым были друзьями и то, что они именуют дискредитацией руководства, было всего только приятельской пикировкой. Они продолжали твердить свое, хотя протокола так и не составили. Он им был не особенно нужен. Материала для передачи дела в военную коллегию, с их точки зрения, и так хватало. А теперь...

Итак, секретари обкомов из лиц, охраняемых и являющихся якобы объектами террористических заговоров, на на-

ших глазах превращались в субъектов, руководящих такими
заговорами. До сих пор мы знали, что в нашей тюрьме сидит
16-летний школьник, обвиняемый в покушении на секретаря
обкома Лепу. А сейчас уже сидит все бюро обкома и сам Лепа.

В камере мое сообщение об отправке в Москву произвело
сенсацию. Все переглядывались молча. Наконец Дерковская
спросила:

— Он объяснил вам, что значит 8-й пункт?

— Нет. Да я и не спросила. Не все ли равно!

— Нет. Это обвинение в терроре. А пункт 11-й — значит
группа. Групповой террор. Страшные статьи. И вас предают военному суду.

Впоследствии я часто думала о том, что мое тогдашнее
поведение могло показаться моим сокамерникам очень муже-
ственным. На деле это было не мужество, а недомыслие. Я никак не могла осознать всей реальности нависшей надо мной
угрозы смертного приговора. Совершенно непостижимо, как я
пропустила мимо ушей, точнее — мимо сознания — объяснение Дерковской насчет того, что по этим пунктам положено
минимум 10 лет строгого тюремного заключения. Минимум. Я
знала, что максимум — это расстрел, но ни на минуту не верила, что меня могут расстрелять.

Настоящий предсмертный ужас пришел ко мне позднее,
уже в Москве, в Лефортовской тюрьме. Здесь же, в ежеминутном
потоке безумных новостей, наводящих на мысль о совершив-
шемся государственном перевороте, все воспринималось как
какая-то нереальная сумятица и неразбериха. Казалось, еще немного — и партия, та ее часть, которая оставалась на воле, схва-
тит безумную руку, сожмет ее железным кольцом и скажет: «Довольно! Давайте разберем, кто же тут настоящий изменник!»

Меня провожала тепло и любовно вся камера в полном
составе, без партийных различий. Пришивали пуговицы и штопали чулки. Давали советы и просили запомнить адреса их родных. Я слушала все как во сне. Меня терзала одна мысль.

Дерковская сказала, что перед отправлением в этап должны дать свидание с родными. И я уже ясно видела жгучие
глаза мамы, растерянные, испуганные личики детей, которые увидят меня через решетку. Надо ли это? Может быть, для
них это воспоминание будет мучением на всю жизнь?

Все эти сомнения оказались лишними. Опыт Дерковской,
вынесенный из царской тюрьмы, не пригодился. Здесь не было
места «гнилому либерализму», а также «ложному гуманизму».
Никакого свидания с родными мне не дали. Я никогда не увидела больше Алешу и маму.

ГЛАВА ДВАДЦАТЬ ЧЕТВЕРТАЯ

ЭТАП

— С вещами!

Какое содержание скрывается за этой короткой формулой! Ты снова между перекладинами чертова колеса. Оно вертится и волочит тебя за собой. От всего близкого и дорогого — навстречу безымянной пропасти. Ты лишена свободы. Тебя волокут, как вещь, куда вздумается хозяевам.

Лидия Георгиевна, адвентистка седьмого дня, использует наконец напряженность момента для пропаганды своих взглядов.

— И всегда-то мы — песчинки, которые несутся с неведомым ветром. А сейчас вам послано испытание, чтобы вы осознали, в чьих руках судьба ваша.

— Но когда вершителями моих дней и судеб становятся негодяи вроде Царевского — это унизительно. Подчиняться им — постыдно. От этого надо бы уйти. Но на это как-то еще нет сил.

— Помилуй вас Бог от такого шага! Убьете душу живую.

Дерковская, забыв об эсеровской принципиальной непримиримости к коммунистам, утирает слезы.

— Скучно теперь будет в камере. Некому стихи почитать. Блока вы меня полюбить заставили.

— Что же это вы плачете обо мне, не спросясь у Мухиной? — шучу я. — Еще разрешит ли она вам плакать о коммунистке, не примыкавшей к оппозиции?

Она сердито отмахивается и громко сморкается в полотенце. А я им читаю на прощание тоскливые стихи О. Мандельштама:

> *Как кони медленно ступают,*
> *Как мало в фонарях огня...*
> *Чужие люди, верно, знают,*
> *Куда везут они меня...*

Этап в Москву на заседание военной коллегии Верховного суда собирали немаленький. Это мы безошибочно различали своим обостренным слухом. «Брали» из многих камер. Из нашей — двоих: меня и Иру. Последнее обстоятельство особенно возмущало всех, в том числе и самое Иру.

— Ну вы-то ладно! — говорила она. — Вы хоть член партии! А я при чем, чтобы меня на военную коллегию?

Мысль о том, что принадлежность к коммунистической

партии является отягчающим обстоятельством, уже прочно внедрилась в сознание всех.

Что же это такое? «Восемнадцатое брюмера Иосифа Сталина»? Или как еще назвать все это?

И вот мы готовы. Пожитки связаны в узел. Выслушаны все последние советы и пожелания, приняты напутствия по стенному телеграфу и по вокальному радио. Мы с Ирой сидим еще на тех же нарах, но нас уже здесь нет. Как сквозь сон слышу причитания Зины Абрамовой:

— Тебе хорошо, Женечка, милочка! У тебя высшее образование, не пропадешь... А я вот...

Если бы она знала, как мало пригодилось мне в дальнейшем образование и как пригодилась физическая устойчивость!

Дверь открывается. Нас выводят в коридор, сводят вниз по лестнице. Что это? Ошибка конвоя? Внизу, у самой двери, переплетенной железными прутьями, сидят на своих узлах две отлично знакомые женщины. Обе наши, университетские. Юля Карепова, биолог, и Римма Фаридова, историк.

Нет, не ошибка. Нас объединили сознательно. Всех нас везут в Москву. Жадно набрасываемся друг на друга с расспросами. Выясняется, что Юля и Ира по одному «делу» — члены слепковского семинара. Теперь их встреча уже не опасна для следователей, ведь следствие окончено.

Мое предположение, что Римма, как бывшая аспирантка Эльвова, вероятно, привлекается по моему «делу», оказывается неверным.

— Нет, — беззаботно говорит Римма, — я татарка, и им удобнее пустить меня по группе буржуазных националистов. Вначале я действительно проходила у них как троцкистка, но потом Рудь завернул дело, сказал, что по троцкистам у них план перевыполнен, а по националистам они отстают, хоть и взяли многих татарских писателей.

Все эти оригинальные глаголы Римма употребляет без всякой иронии, точно речь идет о выполнении самого обычного хозяйственного плана. Как будто она не видит во всем происходящем ничего странного. Вообще Римма выглядит чудесно, лучше всех нас. Только позднее я поняла причины этого. С первого же допроса Римма пошла на все. Десятки людей из татарской интеллигенции и вузовского партактива были принесены в жертву ее относительному тюремному благополучию. Одной из этих жертв оказался и муж Риммы, бывший культпроп обкома, умный, сдержанный, молчаливый человек, похожий на китайца и прозванный в «Ливадии» Конфуцием. Именно показания жены дали основание для вынесения ему смертного приговора. За все это Римма получила тридцать сребреников реальных, в виде постоянных передач, и тридцать — иллюзорных, в виде обещаний дать ей, как «чистосердечно раскаявшейся и помогшей следствию», не тюрьму, не лагерь, а только ссылку, да еще всего на три года.

Юля Карепова поразила меня рассказом о поведении Слепкова. Он, оказывается, тоже был привезен для «переследствия» из уфимской ссылки, где находился после трех лет политизолятора. По рассказу Юли, Слепков пошел на все, чего требовали от него следователи. Дал список «завербованных», свыше 150 человек. Давал любые «очные ставки», в том числе и Юле. Это был какой-то гнусный спектакль, в котором и Слепков, и следователь были похожи на актеров из кружка самодеятельности, произносящих свои реплики без тени правдоподобия.

Глядя Юле в лицо пустыми глазами, Слепков повествовал о том, как он в Москве «получил от Бухарина террористические установки», а приехав в Казань, поделился ими с некоторыми членами подпольного центра, в том числе с Юлей. Она, мол, полностью согласилась с установкой и выразила готовность быть исполнителем террористических актов. Юля, задохнувшись от изумления и гнева, закричала на него: «Лжете!» Он патетически воскликнул: «Надо разоружаться. Надо стать на колени перед партией».

Таким образом, Юлино «дело» выглядело куда лучше оформленным, чем мое. Вместо моих «свидетелей», которые якобы знали о существовании подпольной группы, но сами в ней не участвовали, здесь признания делал сам так называемый «руководитель бухаринского подполья» в Казани. И он же разоблачал «члена группы» — бедную круглоглазую Юльку, ортодоксальнейшую из всех партийных ортодоксов.

До сих пор не понимаю, что заставило Слепкова поступать подобным образом. В жизни он казался обаятельным человеком, привлекавшим к себе сердца не только блестящей эрудицией, но и человеческой добротой.

Неужели это была вульгарная попытка купить себе жизнь ценой сотен других жизней? Или, может быть, это была та самая тактика, о которой говорил Гарей: хитроумное решение — подписывать все, доводя до абсурда, стараясь вызвать взрыв негодования в партии? Это было так же непонятно, как и многое другое в том фантастическом мире, в котором я обречена была теперь жить, а может быть, и скоро умереть.

Мы все четверо должны были предстать перед военным судом по обвинению в политическом терроре. Римма уверяла, что, по ее сведениям, в этом этапе мы — четверо — единственные женщины среди многих мужчин.

Казалось бы, все это должно было вызывать у нас мысли о возможности смертной казни. Это было бы логично. Но нарушение логики, являвшееся законом этого безумного мира, видимо, коснулось и нас. Так или иначе, ни одна из нас не допускала мысли о подобном исходе.

Ира настойчиво твердила о своей беспартийности, дававшей ей, по ее мнению, колоссальное преимущество сравнительно с нами, тремя коммунистками.

Римма верила в обещанную следователями «вольную ссылку», а мы с Юлей успокаивали себя разговорами о массовости происходящего действа, о том, что «всех не расстреляешь», и еще почему-то — судьбой Зиновьева, Каменева и Радека. Уж если им дали по десять лет, так неужто нам больше? Наивность этого рассуждения можно извинить, принимая во внимание, что мы уже полгода сидели в тюрьме и не наблюдали изо дня в день того жуткого процесса, который теперь, после смерти Сталина, получил академическое название «нарушение социалистической законности».

И вот ворота старой тюрьмы снова захлопнулись за нами. «Черный ворон» уже заполнен. Из его закрытых кабинок доносятся покашливания и вздохи. Поскольку мы уже соединены вчетвером, нас можно больше не прятать друг от друга. Поэтому нас размещают прямо на узлах, в узком коридорчике «черного ворона».

Сквозь трещинку во входной дверце можно кое-что видеть. Не простым глазом, конечно, а наметанным, тюремным, скрупулезно наблюдательным и проницательным до неправдоподобия. Обоняние, слух, ощущение оттенков движения тоже помогают.

Вот запахло липой. Это значит — проезжаем мимо памятника Лобачевскому. Большая выбоина в асфальте — заворот на Малую Проломную. Остальное дополняет воображение. Оно фиксирует картины дорогого мне города, моей второй родины, «где я страдал, где я любил, где сердце я похоронил»... Ничего, что сентиментально. В такую минуту можно себе позволить.

Стоп. Запахло горячими рельсами, паровозной гарью. Раздалось деловитое пыхтенье, потом короткие тревожные вскрики паровозов.

— Выходь давай!

Нет, это не знакомый вокзал. Это где-то на отдаленном участке пути. А как же свидание с детьми, с мамой? Ведь Бикчентаев обещал. Нет. На перроне только целый выводок следователей и конвойных. После темноты «черного ворона» в глазах рябит от звезд и блестящих пуговиц. У некоторых из них и ордена. На этом фоне резко выделяется Веверс, одетый в элегантный штатский костюм цвета голубиного крыла. На его физиономии, внимательной и напряженной, знакомая гримаса — смесь ненависти и презрения — та самая, которой их обучают в спецшколах.

— Сюда! Сюда!

Самый обыкновенный жесткий купированный вагон. Четыре места. У двери каждого купе — отдельный часовой. Только дверь среднего купе свободна и открыта. Там едут следователи, сопровождающие в Москву свой ценный груз.

Толчок. Паровоз прицепили. Еще толчок. Поехали... От чего уезжаем — было ясно. От своих детей, брошенных на произвол судьбы (ах, если бы только судьбы! На произвол НКВД — это пострашнее!), от мамы, от университета, от книг, от чистой, светлой жизни, полной сознания правильности выбранного пути. А куда? Ну, это знают только те, кто везет нас.

В купе заходит Царевский. Он разъясняет правила поведения в пути. Как есть, пить, спать, как разговаривать, как в уборную ходить. Я давно не видела его и теперь замечаю в его лице что-то новое. Оно стало землисто-темным и резко выделяется рядом с выгоревшими светлыми волосами. Он кажется старым, хотя ему не больше 35. Голос у него тот же: скрипучий, гнусный, с издевательскими интонациями. Но в глазах его рядом с Подлостью живет теперь Ужас.

Тогда это казалось необъяснимым. Но позднее мы узнали, что в это время уже начинался процесс изъятия первого «слоя» в самом НКВД. «Мавр сделал свое дело — мавр может идти». Под некоторых следователей уже «подбирали ключи», и они, съевшие собаку на делах такого сорта, смутно чувствовали это. В частности, Царевский был арестован вскоре после нашей отправки в Москву и, просидев короткое время, повесился в камере на ремне, который ему удалось спрятать. Рассказывали, что он перестукивался с соседями и давал всем советы «ничего не подписывать».

Получил 15 лет срока и веселый индюшонок Бикчентаев, были ликвидированы и Рудь, и Ельшин, о встрече с которым на Колыме я расскажу дальше.

Но сейчас все это было еще впереди, а пока Царевский, разъяснив нам подробно, что именно запрещается, ушел в следовательское купе жрать свиные отбивные, запах которых разносился по всему коридору, и пить белое вино, бутылки из-под которого все время выносили конвоиры.

Окно купе было густо замазано белой краской. Только выходя на «оправку», мы могли иногда, через неплотно закрытую дверь вагонной площадки, улавливать очертания хорошо знакомых мест на привычной Московско-Казанской дороге.

Запомнился эпизод с малиной. На одной из стоянок мы заметили, что конвойные передают друг другу кулечки со свежей ягодой. У Иры Егеревой было 50 рублей. Ее отец, известный в Казани профессор Строительного института, какими-то правдами и неправдами добился передачи их дочке.

— Попросите следователя Царевского, — сказала Ира дежурному, и когда Царевский явился, Ира обратилась к нему тоном кокетливой дамы:

— Лейтенант, прикажите купить нам малины. Вот деньги...

Не знаю уж, что подействовало на Царевского: смехотворное ли несоответствие этого тона всей обстановке или те смутные предчувствия личной трагедии, которые терзали в это время черноозерского палача, но только он вдруг взял деньги и через несколько минут вернулся со сдачей и двумя кулечками малины.

Она была очень свежей, сухой, с серебристой пыльцой на поверхности. Она благоухала. Ее было жалко есть. Мы пересчитали ягодки и разделили их поровну на 4 части. Мы ели ее полтора часа, смакуя каждую ягодку отдельно, заливаясь счастливым смехом.

Ведь нам удалось урвать последний кусочек со стола великолепного пиршества жизни, в котором нам не суждено больше участвовать.

ГЛАВА ДВАДЦАТЬ ПЯТАЯ

БУТЫРСКОЕ КРЕЩЕНИЕ

С первого момента прибытия в Москву нас охватило ощущение колоссальных масштабов того действа, в центр которого мы попали. Исполнители всех операций были перегружены донельзя, они бегали, метались, что называется, высунув языки. Не хватало транспорта, трещали от переполнения камеры, круглосуточно заседали судебные коллегии.

Мы еще долго оставались в вагоне давно прибывшего в Москву поезда, прислушиваясь к торопливому топоту ног на перроне, к отрывочным возгласам, к таинственным лязгам и скрипам.

Наконец мы погружены в «черный ворон». Снаружи он объемистее казанского и выглядит даже приятно, окрашен в светло-голубой цвет. Безусловно, прохожие уверены, что в нем хлеб, молоко, колбаса.

Но клетки, в которые запирают людей, еще уже, душнее и невыносимее казанских. Клетки выкрашены масляной краской, воздух не проникает в них, и уже через несколько минут начинаешь по-настоящему задыхаться, тем более в этот раскаленный, пахнущий плавленым асфальтом июльский день.

Изнемогая, истекая потом, со слипшимися волосами и открытыми ртами, мы сидим запертые в клетки, терпеливо ждем. Долго ждем, потому что, наверно, не хватает и шоферов. Вокруг машины не прекращается тот же топот торопливых ног, те же перешептывания, стуки, хлопанья каких-то дверей. Нелегкий труд у этих людей.

Каким-то шестым чувством мы догадываемся, что конвоя в нашей машине еще нет, и начинаем переговариваться вслух. Оказывается, вся большая машина полна казанцами. Но женщин, действительно, только четыре. Это мы. А среди мужчин здесь почти все правительство Татарии последнего состава и много членов бюро обкома. Здесь и Абдуллин, которого ждал расстрел. Мы успели обменяться с ним последним приветствием.

Но вот топот тяжелых сапог совсем близко. Захлопываются дверки, шумит оживший мотор. Тронулись... Едем далеко. Значит, в Бутырки. Ведь Лубянка-то близко от Казанского вокзала.

Становится совсем невыносимо. Кто-то кричит: «Откройте, дурно!» Короткий ответ: «Не положено!» Руки и ноги затекли. Сознание затуманивается. Перед глазами бегут странные картины. Вспоминаю, что во время Великой французской революции на гильотину возили в открытых тележках. Не мучили удушьем. А старый Бротто у Франса даже читал, стоя в тележке, Лукреция. До самого последнего момента.

Усилием воли, чтобы не потерять сознания, стараюсь занять его — мысленно воспроизвожу вид улиц, по которым мы едем. Потом все путается.

Я прихожу в себя от резкого запаха нашатырного спирта. Машина стоит. Дверка моей душегубки открыта, и некто в белом халате сует мне в нос едко пахнущий флакончик. Потом методически открываются следующие двери и туда тоже суют пузырек. Значит, и мужчины не выдержали этого пути.

Дорогу от «черного ворона» до так называемого бутырского «вокзала» я прошла, по-видимому, в полубессознательном состоянии, так как я ее сейчас никак не могу вспомнить. Я вспоминаю себя уже сидящей на своем узле с вещами в огромном холле, действительно напоминающем вокзал. Большое, гулкое, довольно чистое помещение со снующими взад и вперед людьми обоего пола в форме, не так уж сильно отличающейся от железнодорожной. Очень много дверей. Какие-то кабины, похожие на телефонные будки. Потом я узнала, что это так называемые «собачники» — закутки без окон, куда заводят заключенного, когда он должен ждать чего-нибудь. Основной закон тюрьмы — строгая изоляция. Условный звонок у дверей сигнализирует приближение новой группы заключенных.

К нам подходит надзирательница и тихо говорит мне:

— Следуйте за мной.

Еще минута — и я в собачнике. Заперта снаружи. Одна. Нас снова разлучили. Я едва успеваю оглядеться. Кабина чуть пошире телефонной будки, выложенная изразцовыми плитками. Вверху лампочка. Табуретка.

Замок снова щелкает, меня опять ведут.

Теперь я в большой комнате, битком набитой голыми и полуодетыми женщинами. Черными галками выделяются надзирательницы в темных куртках.

Баня? Медосмотр? Нет. Массовый личный обыск вновь прибывших.

— Раздевайтесь. Распустите волосы. Раздвиньте пальцы рук. Ног... Откройте рот. Раздвиньте ноги.

С каменными лицами, точными деловитыми движениями надзирательницы роются в волосах, точно ищут вшей, заглядывают во рты и задние проходы. На лицах одних обыскиваемых женщин — испуг, на других — омерзение. Бросается в глаза огромное количество интеллигентных лиц среди арестованных.

Работа идет быстрым темпом. На длинном столе растет гора отобранных вещей: брошки, кольца, часы, сережки, резинки, записные книжки. Это ведь москвички, арестованные только сегодня. Они только что из дома, и у них много всяких милых мелочей. Им еще тяжелее, чем мне. У меня бесспорное преимущество — полугодовой опыт и то, что мне уже нечего терять.

— Одевайтесь!

Ко мне вдруг подходит молодая девушка, почти девочка, с коротко остриженными «под мальчика» волосами.

— Вы член партии, товарищ? Не удивляйтесь, что я спрашиваю об этом здесь. Мне по вашему лицу кажется, что вы коммунистка. Ответьте, мне это очень важно. Да? Ну вот, а я комсомолка. Катя Широкова меня зовут. Мне 18 лет. Я не знаю,

104

как себя вести. Посоветуйте. Смотрите, вон та немка спрятала в волосы несколько золотых вещей. Должна ли я сказать надзирательнице? Я просто теряюсь. С одной стороны, донос — это противно. А с другой — ведь это советская тюрьма, а она, может быть, настоящий враг?

— А мы с вами, Катя?

— Ну, это, конечно, ошибка. Лес рубят — щепки летят. Я уверена, что выпустят. Но страшно трудно решить, как вести себя вообще и вот в данном случае...

Я смотрю на женщину, указанную Катей. Вижу лицо необычайно нежной красоты и обаяния. Потом я узнала, что это была известная немецкая киноактриса Каролла Неер-Гейнчке. Вместе с мужем-инженером она приехала в 34 году в СССР. Два колечка, удачно спрятанные от бдительных очей надзирательницы, были памятью о муже, которого она считала уже мертвым. Ловким движением актрисы, часто снимавшейся в приключенческих фильмах, она сумела спрятать две золотые вещицы в золотом изобилии своих волос.

Милая, забавная мордочка Кати Широковой устремлена на меня с требовательным вопросом.

— Вам хочется получить директиву, Катюша?

— Ну, хотя бы в данном случае. Вот с этой немкой...

— Знаете что, Катя... Поскольку мы голые сейчас, и в буквальном и в переносном смысле слова, то, я думаю, лучше всего будет руководствоваться в поступках тем подсознательным, что условно называется совестью. А она вам, кажется, подсказывает, что донос — это гадость?

Так были спасены два колечка Кароллы Гейнчке. Впрочем, ненадолго, как и сама Каролла. Но об этом ниже.

До глубокой ночи я проходила все этапы бутырской обработки. После обыска — снятие отпечатков пальцев — процедура не менее унизительная, чем обыск. Затем фотографирование в профиль и в фас, а под конец — долгожданная баня, радостная и сама по себе, и как что-то разумное, выходящее хоть на время из круга дантова ада.

Нигде люди не сходятся так быстро, как в тюрьме, особенно в моменты, подобные вот такой «обработке». Общий страх перед ближайшим будущим, общее чувство растоптанности человеческого достоинства. Мы проходили все процедуры этого дня вместе, эти сорок женщин, с которыми меня свели нынче утром, во время личного обыска. Вместе ждали своей очереди, страстным шепотом поверяя друг другу суть наших «дел», имена наших детей, наши боли и обиды. Понимали друг друга с полуслова.

И вот мне уже кажется, что все будет гораздо легче, если меня не разлучат с этой милой черноволосой Зоей из Московского пединститута, о которой я уже знаю столько, сколько можно узнать за десять лет закадычной дружбы. И она тоже бросается ко мне со вздохом облегчения, когда я выхожу из очередного «собачника», где меня фотографировали.

— Вместе будем, Женечка. Наверно, и в камеру вместе поведут. Хорошо бы...

Нет, и эти маленькие утешения нам не даны. Нас разлучают, как на невольничьем рынке. И выйдя из душа, я вижу, что уже нет в коридоре ни Зои, ни Кати Широковой, ни золотоволосой Кароллы.

— Налево! — командует конвойный. Меня ведут одну по сумрачным бутырским коридорам. Потом конвоир передает меня другому, и я слышу шепот: «Спецкорпус». А здесь меня принимает женщина-надзирательница, в темной куртке, со строгим монашеским лицом.

Двери в спецкорпусе обычные, без средневековых засовов и замков, запираются просто на внутренний ключ. Вот он повернулся за мной, и я стою со своим узлом в дверях, озираясь кругом.

Огромная камера битком набита женщинами. Мерный ритм сонного дыхания прорезывается то и дело стонами, вскриками, бормотаньем. Достаточно постоять у дверей минуту, чтобы понять: здесь не просто спят, здесь видят мучительные сны. По сравнению с известными мне двумя казанскими тюрьмами здесь почти комфортабельно. Большое окно. За его решеткой, правда, тоже есть щит, но не деревянный, а из матового стекла. Вместо нар — деревянные раскладушки. Гигантская параша в углу плотно закрыта крышкой. Все места заняты.

Подождав немного, я развязываю узел, вынимаю из него свое байковое домашнее одеяльце (клетчатое, Алешенькино, родное) и стелю его прямо на пол, поближе к окну. С наслаждением вытягиваю ноги. Тело гудит от усталости. Я уже готова погрузиться в сладкое бездумье, как вдруг открывается дверная форточка и в нее просовывается голова надзирательницы.

— Запрещается на полу. Встаньте!

— Но ведь нет мест.

— Посидите до утра. Утром переведем в другую камеру. Скоро уже утро.

Как только дверная форточка захлопывается, на одной из коек поднимается фигура со всклокоченными волосами.

— Товарищ! Идите, ложитесь. Я все равно спать не могу. Не стесняйтесь. Честное слово, посижу с большим удовольствием.

В ее голосе кавказский акцент. «С ба-алшим удоволь-ствием...»

Она торопливо укладывает меня на свою раскладушку. Боже, какая роскошь! Я уже забыла, что можно лежать на чем-нибудь, кроме соломы. От подушки моей новой знакомой пахнет чем-то забытым — чистотой, давнишними духами.

Женщина понимает без слов.

— Это у нас в Армении проявили гнилой либерализм — подушку мне разрешили. И немного белья тоже принесли из дому. Здесь подушку хотели отнять, но следователь заступился. Он меня на данном этапе обхаживает. Думает — подпишу.

От усталости, что ли, но этот голос кажется мне знакомым. Лица разглядеть не могу. Лампочка уже выключена, а тусклый рассвет только еще брезжит сквозь решетку и матовый щит.

— Устроились? Ну вот и великолепно.

Это слово рассеивает мою дремоту. Я напрягаю память. Нет, определенно: кто-то из моих знакомых очень часто и именно так произносил это слово. Вэ-ли-ко-лэпно! И эта кудрявая всклокоченная голова... Я беру женщину за руку.

— Как вас зовут? Имя ваше как?

— Нушик, — говорит она. И в тот же момент я вскакиваю и бросаюсь ей на шею.

— Нушик! Посмотри пристальней! Не узнаешь?

— Женька? Ах я ишак! Женьку не узнать!

Мы с плачем и хохотом перебиваем друг друга воспоминаниями. Восемь лет тому назад, молоденькими аспирантками, мы спали с ней рядом в большой комнате Ленинградского дома ученых.

— Почти такая же комната была? Да?

— Ну, положим...

Это был большой зал в бывшем дворце великого князя Сергея Александровича, на Халтурина, рядом с Эрмитажем. Огромное, во всю стену, зеркальное окно выходило на Дворцовую набережную. Призрачный свет фонарей озарял по ночам эту комнату, в которой жило десять аспиранток.

— А помнишь, как я тебя один раз разбудила ночью?

Еще бы не помнить! С утра Нушик до одурения зубрила диамат. Предстоял экзамен. И вот она разбудила меня ночью, чтобы задать вопрос:

— Скажи, дорогая, кого он с головы на ноги поставил? Гегеля? Вэ-ли-ко-лэпно...

Мы вспоминаем наперебой эти милые времена...

— А хочешь я тебе сейчас за ту услугу отплачу: объясню, кто сейчас все поставил с ног на голову? Или сама догадалась?

Приблизительно догадалась, конечно. Но пусть Нушик скажет. И она шепчет мне в самое ухо:

— Сталин!

Мы еще долго шепчемся, и я засыпаю буквально на полуслове. Просыпаюсь от устремленного на меня взгляда. Рядом с Нушик, в ногах постели, женщина лет 45. На лице — острое страдание. Подсела ко мне, заметив, что я проснулась, сжимая руки, спросила:

— Скажите, процесс уже был? Их уже расстреляли, да?

— Кого? Какой процесс?

— Боитесь говорить?

— Вот что, Женька,— вмешивается Нушик, — тут бояться нечего. Это жена Рыкова. Скажи, что с ее мужем. Ведь мы сидим уже два месяца... Ничего не знаем.

Я стараюсь как можно яснее растолковать, что сижу уже полгода, что меня привезли из другого города, я ничего не знаю о предстоящем процессе Рыкова.

Но она не верит мне: ведь меня только что привезли, а после бани у меня довольно свежий вид. И главное — она не верит потому, что даже за засовами тюрьмы людей не покидает великий Страх. Они уже попали в сеть Люцифера, но им все еще кажется, что можно выпутаться, что у соседа дело страшнее, что надо быть осторожным и ничего не рассказывать.

Много их прошло перед моими глазами, этих тюремных дипломатов, уверяющих, что они уже за год до ареста не читали газет, ничего рассказать не могут. А сколько я видела заключенных, ведущих в повышенном тоне ура-патриотические разговоры, в наивном расчете на то, что надзиратель услышит и доложит, где надо.

Обидно, что меня приняли за одну из них. Но разубеждать некогда. Открывается дверная форточка, снова просовывается голова надзирательницы.

— Подъем! Приготовиться на оправку!

Камера откликается скрипом 39 раскладушек. Все встают.

Жадно вглядываюсь в лица. Кто они? Вот эти четверо, например? Какие-то нелепые вечерние платья с большими декольте, туфли на высоченных каблуках. Все это, конечно, смятое, затасканное. Какая-то «убогая роскошь наряда».

Нушик приходит мне на помощь.

— Что ты, дурочка! Какие там «легкого поведения»! Все четверо — члены партии. Это гости Рудзутака. Все были арестованы у него в гостях, ужинали после театра, и туалеты театральные. Уже три месяца прошло, а передачу не разрешают. Вот и маются, бедняги, в тюрьме с этими декольте. Я уж вон той, пожилой, вчера косынку подарила. Как говорится, хоть наготу прикрыть.

Все 39 человек одеваются быстро, боясь опоздать на оправку. В камере стоит приглушенный гул от всеобщих разговоров. Многие рассказывают соседкам свои сновидения.

— Почти все суеверными стали, — говорит Нушик, — вон там, у окна, старуха. Каждое утро сны рассказывает и спрашивает, к чему бы. А вообще-то она профессор... А вон ту видишь? Ребенок, правда? Ей 16 лет. Ниночка Луговская. Отец — эсер, сидел с 35-го, а сейчас всю семью взяли — мать и трех девочек. Эта — младшая, ученица восьмого класса.

И вот мы все — со мной 39, из которых самой младшей 16, а самой старшей, старой большевичке Суриной, — 74, — находимся в большой, не очень грязной уборной, тоже напоминающей вокзальную. И все торопимся, точно поезд наш уже трогается. Надо все успеть, в том числе и простирнуть белье, что строго запрещено. Но приходится рисковать. Ведь большинству передачи не разрешают и люди обходятся единственной сменой белья.

За Ниночкой Луговской все ухаживают. Ей стирают штанишки, расчесывают косички, ей дают дополнительные кусочки сахара. Ее осыпают советами, как держаться со следователями.

Почти физически чувствую, как сердце корчится от боли, от пронзительной жалости к молодым и старикам. Катя Широкова, или вот эта Ниночка, которая чуть постарше нашей Майки... Или Сурина... Почти на 20 лет старше мамы.

Да, это было большим преимуществом моего положения. Счастье, что мне уже за тридцать! И счастье, что еще за тридцать только. У меня свои зубы, я вижу без очков (а очки у всех отняли и все близорукие и дальнозоркие мучаются страшно!), и желудок и сердце и все другие органы работают у меня отлично. А в то же время я уже окрепла душевно, не сломаюсь, как эти тростиночки — Нина, Катя...

Значит, выше голову! Я еще счастливее многих. Только вот одно. Мне кажется, что я больше всех страдаю от унизительности всего, что со мной, со всеми нами проделывают. Кажется, предпочла бы самые тяжелые физические страдания этому сверлящему чувству растоптанности, поруганности.

А от этого надо избавляться вот как: каждую минуту твердить себе, что они не люди, те, кто все это делает. Ведь я бы не чувствовала себя оскорбленной, если бы в моих волосах рылась свинья или обезьяна, ища там «вещественные улики» моих преступлений!

ГЛАВА ДВАДЦАТЬ ШЕСТАЯ

ВЕСЬ КОМИНТЕРН

Надзирательница не разрешила мне войти вместе со всеми в камеру.

— Подождите.

И заперев двери за вошедшими женщинами (я даже не успела попрощаться с Нушик), она ведет меня дальше по коридору и указывает на открытую дверь:

— Сюда!

Камера, точно такая же, как и та, в которой я ночевала, пуста и открыта. Обитательниц увели на оправку.

— Вот ваша койка, — показывает надзирательница на одну из раскладушек, недалеко от двери, а значит — и от параши.

Но в целом обстановка мне нравится. Сквозь матовый щит просачивается солнце. 35 раскладушек аккуратно застелены. А главное... Не обманывает ли меня зрение? Нет, именно так: на каждой постели — книги. Я дрожу от восторга. Родные мои, неразлучные мои, ведь я не видала вас почти полгода! Шесть месяцев почти я не перелистывала вас, не вдыхала терпкого запаха типографской краски. Беру первую попавшуюся. «Туннель» Келлермана на немецком. Вторую! Томик Стефана Цвейга, и тоже на немецком. А вот Анатоль Франс по-французски, Диккенс — по-английски...

Очень быстро убеждаюсь в том, что все находящиеся здесь книги — иностранные. Обращаю внимание на предметы одежды, разбросанные по раскладушкам. На этих тряпках, помятых и затрепанных, тоже какой-то заграничный налет. Неужели я попала в камеру иностранок?

Поворот ключа. Двери снова открываются, и в камеру входят 35 женщин. Их стайка гудит сдержанным разноязычным гулом. Они замечают меня и окружают плотным кольцом. Доброжелательные лица. Немецкие, французские и ломаные русские вопросы. Кто я? Когда взяли? Что нового на воле? Отвечаю по-русски. Потом тоже спрашиваю:

— А вы кто, товарищи? Вижу, что иностранки, но какого типа — не пойму.

Стоящая впереди худенькая блондинка, лет 28, протягивает мне руку.

— Сделаем знакомств... Грета Кестнер, член КПГ. А это моя... ви загт ман? Другиня? Нихт? А-а... По-друга. Клара. Она бежаль от Гитлера. Долго была гестапо.

Клара очень черная. Скорей похожа на итальянку, чем на

немку. Она выжидательно смотрит на меня и кивком головы подтверждает слова Греты. Еще одна высокая блондинка.

— Член Компартии Латвии, — без всякого акцента говорит она по-русски.

— Коммунисте итальяно...

Улыбающаяся китаянка, возраст которой трудно определить, обнимает меня за плечи и называет себя членом Компартии Китая.

— По-русски меня зовут Женей, — говорит она, — Женя Коверкова. Училась в Москве, в Университете имени Сун Ят-сена. Нам всем там русские фамилии дали. А вы кто, товарищ?

Все страшно оживляются, узнав, что я член Коммунистической партии Советского Союза.

Вопросы, вопросы... Какие подробности о деле военных? На свободе ли Вильгельм Пик? Правда ли, что взяты все латышские стрелки? Когда начнется процесс Бухарина — Рыкова? Верно ли, что был июльский Пленум ЦК и на нем Сталин выступал с требованием об усилении режима в тюрьмах?

Для меня все эти вопросы — новости. Объясняю, что сижу дольше их всех. Привезли из провинции на суд военной коллегии. Постепенно группа вокруг меня рассасывается, и я остаюсь в обществе двух немок — Греты и Клары. Я говорю по-немецки с такими же ошибками в родах существительных, как они по-русски. Тем не менее мы оживленно беседуем на обоих языках сразу, и этот волапюк отлично устраивает обе стороны.

— В чем же обвиняют вас, Грета?

Голубые «арийские» глаза блестят непролитыми слезами.

— О, шреклих! Шпионаже...

В двух-трех фразах она рассказывает о своем муже — «Айн вирклихе берлинер пролет». О себе — с 15 лет юнгштурмовка. Но она-то еще ничего, а вот Кпархен...

Клара ложится на раскладушку, резко поворачивается на живот и поднимает платье. На ее бедрах и ягодицах — страшные уродливые рубцы, точно стая хищных зверей вырывала у нее куски мяса. Тонкие губы Клары сжаты в ниточку. Серые глаза, как блики светлого огня на смуглом до черноты лице.

— Это гестапо, — хрипло говорит она. Потом так же резко садится и, протягивая вперед обе руки, добавляет:

— А это НКВД.

Ногти на обеих руках изуродованные, синие, распухшие.

У меня почти останавливается сердце. Что это?

— Специальный аппарат для получений... это... ви загт ман? а-а-а... чистый сердечный признаний...

— Пытки?..

111

— О-о-о... — Грета горестно покачивает головой, — придет ночь — будешь слышала.

Кто-то на чистейшем русском языке окликает меня:

— Можно вас на минутку, товарищ?

Оказывается, кроме меня здесь есть еще несколько человек советских. Окликнувшая меня женщина — это Юлия Анненкова, бывший редактор немецкой газеты, издающейся в Москве. Ей под сорок. Лицо не из красивых, но яркое, запоминающееся. Похожа на гугенотку. Мрачный пламень в глазах. Она берет меня под локоть, отводит в сторону и доверительно шепчет:

— Вы поступили совершенно правильно, не ответив на вопросы этих людей. Кто знает, которая тут — настоящий враг, а которая — жертва ошибки, как мы с вами. Будьте и дальше осторожны, чтобы не наделать настоящих преступлений против партии. Лучше всего молчать...

— Но ведь я действительно ничего не знаю. Привезена из провинции, сижу уже полгода. Может быть, вы знаете, что творится в стране?

— Измена! Страшная измена, проникшая во все звенья партийного и советского аппарата. Изменниками оказались многие секретари крайкомов и ЦК нацкомпартий. Постышев, Хатаевич, Эйхе, Разумов, Иванов, предсовконтроля Антипов, много военных...

— Но если все изменили одному, то не проще ли подумать, что он изменил всем?

Юлия бледнеет. Секунду молчит, потом резко бросает:

— Простите. Я ошиблась в вас.

Она отходит, а меня перехватывает другая русская — Наташа Столярова. Ей 22 года, она похожа на школьницу со своими русыми косичками и крупинками веснушек на круглом лице. Наташа — эмигрантское дитя. В возрасте 5-6 лет оказалась с родителями в Париже. Там протекло ее двуязычное детство. Несколько лет назад вернулась в Москву, репатриировалась. Бурно вдыхала русский воздух, наслаждалась чистой русской речью. Работала переводчицей. И вот...

Наташа тоже говорит мне об осторожности.

— Вы очень доверчивы. Зачем вы этой Юлии так отбрили? Видите ведь, какой у нее лик иконоборческий. Такие по идейным соображениям сексотами становятся. А зачем вам лишние козыри в следовательские руки?

Наташа уверяет меня, что на ее «свежий взгляд» все понятнее, чем нам.

— Кавказский узурпатор, поверьте, пострашнее своих французских предшественников. Секир башка — и все тут!

— Но неужели он сознательно идет на уничтожение лучшей части партии? На что же тогда ему опереться?

— А вот придет ночь — услышите, на кого он опирается.

— Но ведь я уже провела ночь в соседней камере. Ничего не слышала.

— А это потому, что вас перед самым рассветом привели. А у них время пыток — до трех. Вон немки, побывавшие в гестапо, уверяют, что тут не обошлось без освоения опыта. Чувствуется единый стиль. В командировку заграничную посылали их, что ли?

Жестокие надрывные слова, произносимые Наташей, так не соответствуют ее школьным косичкам. На косичках пляшут коротенькие солнечные блики, притушенные матовым стеклом оконных щитов. Жизнь, свет, доброта то и дело прорезают нависшую над нами тьму.

Вот Грета описывает своей соседке Кларе изумительный фасон платья, в котором она была последний раз на первомайском вечере в Большом театре. И в глазах Клары вспыхивают огоньки любопытства. Она тоже делится какими-то секретами туалета и очерчивает в воздухе линию красивого лифа. Да, очерчивает эту линию своими синими пальцами с раздавленными ногтями.

А вот китаянка Женя Коверкова показывает «отличные упражнения для ног» сухопарой польке Ванде. И обе, воровато озираясь на глазок в двери, ложатся на спины прямо на пол и делают «велосипед», озабоченные сохранением фигуры, которая может пострадать от дневного валянья, от тюремной неподвижности, от питания перловой кашей и овсяной баландой.

Но вот прошли обед и ужин. Вечерняя оправка. Поверка. Отбой. Все ложатся и ждут. Сейчас оно начнется. Неотвратимое, как смерть.

ГЛАВА ДВАДЦАТЬ СЕДЬМАЯ

БУТЫРСКИЕ НОЧИ

В этот вечер общее настроение омрачилось больше инцидентом во время поверки. По бутырским правилам счет людского поголовья велся не по головам, а по кружкам.

Перед поверкой каждый должен был поставить на стол свою кружку. Следила за этим староста камеры. Дежурные надзиратели и корпусные просчитывали кружки и уходили, сделав ряд привычных замечаний, вроде: «Громко не разговаривать!», «Как отбой — все спать!»...

Сегодня дежурный, считавший кружки, был на редкость бестолков. Он пересчитывал несколько раз, переставлял более симметрично, сбивался со счета, начинал сначала, забавно слюнил большой палец правой руки.

Первой фыркнула смешливая Женя Коверкова, за ней другие. А когда церемония поверки окончилась и старшие дежурные со свитой важно удалились, камеру охватил приступ того безудержного смеха, который иногда звучит в тюрьмах. Как бы компенсируя себя за постоянное горе, тоску, тревогу, люди хохочут, придравшись к самому незначительному поводу. Хохочут гомерически, явно несоразмерно комичности случая. Остановить такой приступ смеха нелегко.

И в данном случае призывы к тишине со стороны нескольких благоразумных оставались напрасными.

— Замолчите!

Этот пронзительный выкрик нельзя было не услышать. Юлия Анненкова, с искаженным, побледневшим лицом, подняла руку движением боярыни Морозовой.

— Вы не смеете издеваться над ним. Он здесь представляет Советскую власть. Он исполняет свои обязанности. Вы не смеете, не смеете!

Смех оборвался, точно топором обрубили. Высокая рассудительная немка Эрна быстро заговорила по-немецки, доказывая Юлии, что смех вызван «комичностью этого субъекта, независимо от его общественных функций». Все так же смеялись бы, будь он не надзирателем, а таким же заключенным, как мы.

Чей-то голос из уголка, где сидело несколько полек, явственно пробормотал: «Пся крев!», и нельзя было понять, относится ли это к надзирателю или к Юлии.

А она, не слушая ничего, судорожными движениями стащила с себя одежду, легла и укрылась с головой, как бы демонстрируя свою отъединенность от соседок, в каждой из которых ей, ортодоксальной сталинке, чудился «настоящий враг».

Подавленные, все быстро улеглись. Моей соседкой оказалась латышка Милда, пожилая женщина с наружностью безотказной труженицы. Глубоко сидящие глаза, плоская грудь и выпирающий живот, длинные худые руки, большие кисти с набрякшими венами. Прачка с картины Архипова. Этой женщине предъявлялось обвинение, что она кутила с иностранцами в шикарных ресторанах, соблазняла дипломатов, выуживая у них секретные сведения. Это ведь был июль 1937 года, и никто уже не заботился даже о тени правдоподобия в обвинениях.

Перед тем как лечь, Милда аккуратно причесала свои жидкие желтые волосы и, вытащив из-под соломенной подушки кусочек ваты, старательно заткнула комочками ваты оба уха. Потом протянула такой же кусочек мне. На мой удивленный взгляд пояснила:

— Меня взяли еще зимой. У меня есть зимнее пальто. Я из него выдергиваю вату.

— Но зачем затыкать уши?

Милда устало пожимает плечами.

— Чтобы не слышать. Чтобы спать.

Но я не заткнула ушей. Что я, страус, что ли? Пить, так уж до дна. И я выпила чашу до дна в ту жаркую июльскую ночь 1937 года.

Началось все сразу, без всякой подготовки, без какой-либо постепенности. Не один, а множество криков и стонов истязаемых людей ворвалось сразу в открытые окна камеры. Под ночные допросы в Бутырках было отведено целое крыло какого-то этажа, вероятно, оборудованного по последнему слову палаческой техники. По крайней мере Клара, побывавшая в гестапо, уверяла, что орудия пыток, безусловно, вывезены из гитлеровской Германии.

Над волной воплей пытаемых плыла волна криков и ругательств, изрыгаемых пытающими. Слов разобрать было нельзя, только изредка какофонию ужаса прорезывало короткое, как удар бича, «мать! мать! мать!» Третьим слоем в этой симфонии были стуки бросаемых стульев, удары кулаками по столам и еще что-то неуловимое, леденящее кровь.

Хотя это были только звуки, но реальное восприятие всей картины было так остро, точно я разглядела ее во всех деталях. Они все казались мне похожими на Царевского, эти следователи. А глаза их жертв стояли передо мной, с этим своим выражением... Нет, не могу найти слов, чтобы его передать. Я до сих пор узнаю «бывших» по остаткам этого выражения где-то в глубине зрачка. И до сих пор, до шестидесятых годов, поражаю людей, встретившихся на курорте или в поезде, колдовским вопросом: «Вы сидели? Реабилитированы?»

Сколько это может длиться? Говорят — до трех. Но ведь этого нельзя вынести больше одной минуты. А оно тянется, тянется, то ослабевая, то вновь взрываясь. Час. И второй. И третий. Четыре часа. До трех ежедневно.

Я сажусь на постели. Мне вспоминается какая-то древняя восточная поговорка: «Не дай бог испытать то, к чему можно привыкнуть». Да. Привыкли. И к этому привыкли. Большинство спит или по крайней мере лежит спокойно, закрывшись с головой одеялами, несмотря на страшную духоту. Только несколько новеньких, подобно мне, сидят на койках. Некоторые заткнули уши пальцами, некоторые просто как бы окаменели. Время от времени открывается дверная форточка, появляется голова надзирательницы:

— Всем спать! Нельзя сидеть после отбоя.

— А-а-а! — раздается вдруг крик отчаяния не «там», а совсем рядом.

Молодая женщина с длинной растрепавшейся косой бросается к окну. Все забыв, в исступлении бьется о раму руками и головой.

— Он! Это он! Его голос, я узнала... Не хочу, не хочу, не хочу больше жить! Пусть убьют скорее...

Многие вскакивают, окружают женщину, оттаскивают от окна, убеждают, что она ошиблась. Это не голос ее мужа.

Нет, нет, пусть ее не успокаивают. Его голос она узнает из тысячи. Это его, его там терзают, уродуют, а она должна лежать здесь и молчать. Нет! Она будет кричать и скандалить. Может быть, тогда ее скорее убьют, а ей только того и надо. Все равно ведь после этого жить нельзя...

В коридоре движение. Распахиваются двери. Появляется надзирательница в сопровождении корпусного. Он четким профессиональным движением выворачивает бьющейся в припадке женщине руки назад, потом вливает ей насильно в рот какую-то жидкость из стакана, приговаривая:

— Пейте! Это аверьяновка.

Навряд ли. Навряд ли от валерьянки женщина так быстро упала на койку, закрыла глаза и погрузилась мгновенно в странный сон, похожий на смерть.

Тишина в камере восстановлена. Милда поднимает голову, шуршит соломенной подушкой и снова предлагает мне вату для ушей.

— Не надо. Лучше скажите, кто эта женщина.

— Эта? Одна из полек. Их в том углу семь. Муж ее русский, советский. Молодожены. И ребеночек остался трехмесячный. Ей здесь грудь бинтовали, чтоб пропало молоко. Главное, ее мучит мысль, что мужа взяли из-за нее, за связь с иностранкой...

Время близится к трем. Становится все тише. Вот еще раз грохнул брошенный об пол стул. Вот еще раз гукнуло и отдалось многократным эхом «мать-мать-мать!». Еще одно подавленное мужское рыдание. И — тишина.

Мысленно вижу, как, шатаясь, выходят из камер пыток

окровавленные, истерзанные жертвы. Некоторых выносят. Вижу, как следователи складывают в столы свои бумаги.

— Дайте вату, — прошу я соседку Милду.

— Теперь уже не надо. Больше ничего не будет до завтра.

— Все равно. Дайте.

Она удивленно пожимает плечами, но дает мне комок серой одежной ваты. Я затыкаю оба уха. Натягиваю на голову тюремное одеяло, пахнущее пылью и горем, вцепляюсь зубами в угол соломенной подушки. Вот так как будто легче. Не слышу и не вижу. Если бы можно еще и не сознавать...

Чтобы заснуть, надо десять, нет, сто раз прочесть про себя какие-нибудь стихи. И я твержу:

> *Отрадно спать,*
> *Отрадней камнем быть.*
> *Нет, в этот век,*
> *Ужасный и постыдный,*
> *Не жить, не чувствовать —*
> *Удел завидный!*
> *Не тронь меня,*
> *Не смей меня будить.*

Это написал Микеланджело...

ГЛАВА ДВАДЦАТЬ ВОСЬМАЯ

С ПРИМЕНЕНИЕМ ЗАКОНА ОТ ПЕРВОГО ДЕКАБРЯ

В Бутырках изоляция от внешнего мира была гораздо более полной, чем в казанских тюрьмах. Камеры комплектовались по принципу — «на одном уровне по ходу следствия». Поэтому к нам совсем не поступали люди с воли. Если и приходили новенькие, то у всех, так же как и у меня, следствие или было закончено или приближалось к концу.

И мы жестоко томились, не зная ничего. Тем не менее сложился какой-то быт. Кошмарные ночи сменялись хлопотливыми днями. Хлопот была масса. С самого подъема до отбоя почти не было свободного времени. Церемония выноса гигантской параши, долгие, с очередями, «оправки», троекратная раздача пищи, которая доставлялась в больших ведрах, мытье посуды, починка разлезающихся чулок и лифчиков (передачи

117

здесь почти никому не разрешались), прогулка, запись на «лавочку» тех счастливиц, у кого на наличном счету было немного денег, обмен книг, поверки, переклички — все это заполняло без остатка и даже переполняло наши дни. Днем наша камера была похожа на трюм корабля, застигнутого бедствием и давно уже плавающего по бурным водам. И, так же как на терпящем бедствие судне, люди делились на подчеркнуто-спокойных, экзальтированных и малодушных. Последних, правда, было довольно мало.

Дня через два после моего прихода в камеру произошел инцидент, связанный с кормлением птиц остатками хлеба. До сведения Попова, начальника Бутырской тюрьмы, дошли слухи, что мы каждый вечер разбрасываем крошки из окон, что проведавшие об этом воробьи слетаются на окна тучами, устраивая страшный ералаш, перелетая через стеклянные щиты, наполняя камеру неистовым щебетом и вызывая ответное радостное оживление среди заключенных.

Попов ворвался в камеру в неурочное время, окруженный почетным эскортом надзирателей, и срывающимся от гнева голосом произнес короткую энергичную речь, в которой красной нитью проходила мысль — «вам здесь не курорт». Каждая фраза заканчивалась рефреном: «Не забывайте, что вы в тюрьме, да еще в Бутырской!»

Однако карцеров, лишений прогулки или библиотеки не последовало. Говорили, что Попов — человек не злой, больше склонный к чтению нотаций, чем к расправам.

В дальнейшем жизнь дала ему возможность оценить реальное содержание его излюбленной формулы: «...да еще Бутырская». Через два-три месяца он превратился из начальника тюрьмы в одного из ее узников.

Время от времени кого-нибудь из нас вызывали. Если «с вещами» — все бледнели и по камере летели шелестящие, произносимые пересохшими губами слова: «на суд» или «срок объявить». Мы уже знали, что некоторые получают срок по суду, а другие — по так называемому Особому совещанию НКВД, заочно. Но о содержании приговоров еще ничего не было известно. По этому поводу шли постоянные страстные споры. Кое-кто часто произносил леденящие слова: «вышка», «десятка». Но большинство с возмущением отвергало такие прогнозы. Широко ходил известный силлогизм: «Уж если Зиновьеву и Каменеву, Пятакову и Радеку — по 10, то нам-то, мелкой сошке...»

Когда кого-нибудь вызывали «без вещей», камеру охватывало волнение другого рода. Стоило закрыться двери, повернуться ключу вслед за вызванной, как в разных углах камеры начинались зловещие шепоты:

— Странно. Чего это ее вызвали? Ведь следствие давно закончено.

— Ну что вы! Она порядочный человек.

— Как будто бы... Но все же...

— А я-то, как назло, вчера вечером разоткровенничалась...

Это был точно острый приступ психоза. Хорошие люди, только что по-дружески относившиеся друг к другу, неожиданно начинали видеть в своих соседях потенциальных «сексотов», провокаторов. Часто люди потом стеснялись этих приступов взаимного недоверия, подозрительности, этого ощущения «волка среди волков». Но проходило несколько часов, снова вызывали кого-нибудь без вещей, и снова все цепенели от ужаса. Что, как эта вызванная сейчас выложит следователю все, что говорилось вчера в камере?

И когда в яркий летний день открылась дверная форточка и надзирательница негромко назвала мою фамилию, меня прежде всего охватило чувство неловкости. Без вещей! Чего это! Ведь так и про меня могут подумать в камере...

Любопытно, как в травмированной психике заключенного происходит смещение планов. Я сидела в Бутырках уже три недели, и это был мой первый вызов. Казалось бы, я должна была сразу подумать о суде, о приговоре, о жизни и смерти. Но нет! Одна мысль — не подумали бы обо мне плохо мои соседки по камере. Ведь у них такая мода: как кого вызовут без вещей, так они сразу думают, что...

Почти механически подчиняясь приказам конвоира, шепотом указывавшего мне направление, я шла лабиринтом бутырских коридоров, пока не поняла, что я снова на «вокзале».

— Сюда!

Короткое щелканье затвора — и я опять в «собачнике» — в стоячей, выложенной изразцами клетке. Повезут куда-то?

Снова теряю ощущение времени и не знаю, час или пять минут я стою здесь, прислонясь к холодной стене. Плитки изразца сверкают в лучах сильной лампочки. Если закрыть глаза, то плитки все равно не исчезают, а только становятся темнее. Но ведь не оставят же меня здесь навсегда.

Затвор щелкает. В дверях молодой офицерик.

— Ознакомьтесь! — И сует мне в руки бумагу. Прежде чем успеваю спросить что-нибудь, запирает меня снова.

Обвинительное заключение по делу... Подпись Вышинского. Санкционировано им. Я вспоминаю его в вышитой украинской рубашке. На курорте. Хилая, костлявая жена и дочка

Зина, с которой я ходила каждый день на пляж. Вспомнил ли он меня, подписывая эту бумагу? Или в затуманенном кровавой пеленой взоре все имена и фамилии слились в одно? Ведь мог же он отправить на казнь своего старого друга, секретаря Одесского обкома Евгения Вегера. Так чем же могла остановить его руку фамилия курортной приятельницы его дочки?

Скольжу глазами по «преамбуле» обвинительного заключения. Тут не во что вчитываться. Все та же газетная жвачка. «... Троцкистская террористическая контрреволюционная группа... ставившая целью реставрацию капитализма и физическое уничтожение руководителей партии и правительства».

Повторенные миллионы раз, эти формулировки — которые вначале потрясали, — стерлись и стали восприниматься именно как тошнотворная жвачка, как некая «присказка», вроде «в некотором царстве, в некотором государстве»... Никто уже в эту «присказку» не вслушивался, а ждали, замирая, когда же кончится она и начнется самая сказка, в которой появится Великий Людоед.

После «присказки» в моем обвинительном заключении шел список «членов контрреволюционной троцкистской террористической организации при редакции газеты «Красная Татария». Опять ни тени правдоподобия! В список попали люди, никогда в редакции не работавшие и даже такие, которые давно уехали в другие города и во время «преступлений» отсутствовали. Потом окажется, что те из них, кто уехал вовремя подальше, так никогда и не были арестованы. Дальше, дальше... Ага, вот наконец заговорил и сам Людоед. Это уже не присказка, а сказка. «На основании вышеизложенного... предается суду военной коллегии... по статьям 58-8 и 11 Уголовного кодекса... с применением закона от 1 декабря 1934 года».

Теперь кровь ударяет в виски уже не мелкой дробью, а гулким редким прибоем. Что за закон? Дата его не сулит ничего хорошего.

Офицерик снова распахивает дверь собачника. Теперь я фиксирую его наружность. Под острым носиком — усики мушкой. «Дурачок с усиками», жандармик из пьесы Горького «Враги».

Откуда-то издалека слышу повторенный несколько раз вопрос:

— Ознакомились с обвинительным заключением? Все ясно?

— Нет. Я не знаю, что значит закон от первого декабря.

Офицерик смотрит удивленно, точно я спросила его, что такое земля или море. Пожав плечами, разъясняет:

— Закон этот гласит, что приговор приводится в исполнение в течение 24 часов с момента вынесения.

24 часа. Да еще до суда тоже 24. В камере мне разъяснили, что после вручения обвинительного заключения на другой день обычно везут в суд. Итого — 48 часов. Это мне осталось жить 48 часов.

Была девочка. Женя, Женечка. И мама заплетала ей косички. Была девушка. Влюблялась. Искала смысла в жизни. И были расцветные женские годы — 27-28. И были Алеша с Васей. Сыновья.

В камере мертвая тишина. Здесь это первый случай. Отсюда еще никто не шел на военную коллегию. Все «тройка», «особое», в крайнем случае — трибунал. И никому еще не предъявляли такого обвинительного заключения. Чтобы с оговоркой, что в 24 часа. Сомнений в моей завтрашней судьбе нет ни у кого.

Меня гладят по косам, с меня снимают туфли, мне суют в рот каким-то чудом пронесенный через все обыски порошок веронала. Но он не помогает. Организм не хочет тратить на сон последние часы своего существования.

Всю ночь я сижу за столом в середине камеры, и надзирательница не делает мне замечаний. В людях, окружающих меня, раскрываются «душ золотые россыпи». Трудно поверить, что это те самые, которые подозревали друг друга в черном предательстве. Они заучивают наизусть имена моих детей и адреса родных, чтобы в случае, если сами уцелеют, рассказать им о моих последних часах.

Трудно, почти невозможно, передать ощущения и мысли смертника. То есть передать, наверно, можно, но для этого надо быть Львом Толстым. Я же, вспоминая ту ночь, могу только отметить какую-то странную резкость в очертаниях всех предметов и мучительную сухость во рту. Что касается потока мыслей, то если бы его воспроизвести в точной записи, то получились бы странные вещи.

Успевают ли люди почувствовать боль, когда в них стреляют? Господи, как же теперь Алеша и Вася будут анкеты заполнять! Как жалко новое шелковое платье, так и не успела надеть ни разу... А шло оно мне...

Вот так, или примерно так, текли мысли. На столе лежали какие-то книги. Открыла одну. Баранский. Экономическая география. Это хорошо. Посмотреть еще раз карту. Мир. Вот он. Вот здесь Москва. Я родилась в ней, и в ней же мне суждено умереть. Вот Казань. Сочи. Крым. А вот вся остальная земля. Я ее никогда не видела и не увижу.

На рассвете несколько воробьев, еще не узнавших, очевидно, о том, что «здесь нам не курорт» и что начальник Бутырской тюрьмы Попов категорически запрещает общение птиц с заключенными, бойко взлетели на верхушку стеклянного щита. Их хвостики потешно вздрагивали. Радостными голосами они приветствовали наступление самого царственного месяца в году. Это было утро первого августа 1937 года.

ГЛАВА ДВАДЦАТЬ ДЕВЯТАЯ

СУД СКОРЫЙ И ПРАВЕДНЫЙ

В Лефортовской тюрьме все двери открываются бесшумно. Шаги тонут в мягких дорожках. Конвойные изысканно вежливы. В «собачниках» есть табуретки, можно сидеть, а изразцовые стены так белы и блестящи, что напоминают операционную.

Одиночная камера, куда меня привезли этим утром первого августа, чиста, как больничная палата, а надзирательница похожа на кастеляншу дома отдыха.

Здесь я буду ждать суда. «Чем вежливей и чище, тем ближе к смерти», — вспоминаю я инструктаж Гарея.

Несмотря на это, обстановка вызывает у меня желание подтянуться внешне. Я достаю из своего узла «кобеднишнее» синее платье, долго выравниваю смявшиеся складки, накручиваю локоны на пальцы, пудрю нос зубным порошком. Все это я делаю почти механически. Ничего удивительного. Шарлотта Корде тоже прихорашивалась перед гильотиной. И жена Камиль Демулена. Не говоря уж про Марию Стюарт. Но все эти мысли идут как бы сами по себе, а огромная холодная жаба, распластавшаяся под самым сердцем, тоже сама по себе. Ее не прогонишь ничем.

И вот пришел мой час. За столом военная коллегия Верховного суда. Трое военных. Сбоку секретарь. Перед ними — я. По сторонам от меня — два конвоира. В такой обстановке «широкой гласности» начинается «судебное следствие».

Напряженно вглядываюсь в лица своих судей. Поражает их разительное сходство друг с другом и еще почему-то с тем корпусным на казанском Черном озере, который отбирал часы. Все на одно лицо, хотя один из них брюнет, другой убелен сединами. Ах вот в чем дело! Это выражение глаз делает их одинаковыми. Взгляд маринованного судака, застывшего в желе. Да оно и понятно. Разве можно нести вот такую службу ежедневно, не отгородив себя чем-то от людей? Ну хотя бы вот таким взглядом?

Стало очень легко дышать. Это из открытого настежь окна повеял летний ветер удивительной чистоты. Прекрасная комната с высоким потолком. Ведь есть же такие на свете!

На больших темно-зеленых деревьях под окнами шелестят листья. Этот звук — таинственный и прохладный — потрясает меня. Я, кажется, раньше никогда его не слышала. Это трогательно, когда они шелестят. Почему я раньше не замечала этого?

И часы на стене... Круглые, большие, с блестящими усами стрелок. Как давно я не видела ничего подобного. Отмечаю время начала и конца процедуры.

Семь минут! Вся трагикомедия длится ровно семь минут, ни больше, ни меньше. Голос председателя суда — наркомюста РСФСР Дмитриева — похож на выражение его глаз. Действительно, если бы маринованный судак заговорил, то у него оказался бы именно такой голос. Здесь нет и тени того азарта, который вкладывали в свои упражнения мои следователи. Судьи только служат. Отрабатывают зарплату. Вероятно, и норму имеют. И борются за перевыполнение.

— С обвинительным заключением знакомы? — невыносимо скучным голосом спрашивает меня председатель суда. — Виновной себя признаете? Нет? Но вот свидетели же показывают...

Он перелистывает страницы пухлого «дела» и цедит сквозь зубы:

— Вот, например, свидетель Козлов...
— Козлова. Это женщина, притом подлая женщина.
— Да, Козлова. Или вот свидетель Дьяченко...
— Дьяконов...
— Да. Вот они утверждают...

Что именно они утверждают, председатель суда узнать не удосужился. Прерывая сам себя, он снова обращается ко мне:

— К суду у вас вопросов нет?
— Есть. Мне предъявлен 8-й пункт 58-й статьи. Это обвинение в терроре. Я прошу назвать мне фамилию того политического деятеля, на которого я, по вашему мнению, покушалась.

Судьи некоторое время молчат, удивленные нелепой постановкой вопроса. Они укоризненно глядят на любопытную женщину, задерживающую их «работу». Затем тот, что убелен сединами, мямлит:

— Вы ведь знаете, что в Ленинграде был убит товарищ Киров?

— Да, но ведь его убила не я, а некто Николаев. Кроме

123

того, я никогда не жила в Ленинграде. Это, кажется, называется «алиби»?

— Вы что, юрист? — уже раздраженно бросает седой.

— Нет, педагог.

— Что же вы казуистикой-то занимаетесь? Не жили в Ленинграде!.. Убили ваши единомышленники. Значит, и вы несете за это моральную и уголовную ответственность.

— Суд удаляется на совещание, — бурчит под нос председатель. И все участники «действа» встают, лениво разминая затекшие от сидения члены.

Я снова смотрю на круглые часы. Нет, покурить они не успели. Не прошло и двух минут, как весь синклит снова на своих местах. И у председателя в руках большой лист бумаги. Отличная плотная бумага, убористо исписанная на машинке. Длинный текст. Чтобы его перепечатать, надо минимум минут двадцать. Это приговор. Это государственный документ о моих преступлениях и о следующем за ними наказании. Он начинается торжественными словами: «Именем Союза Советских Социалистических Республик...» Потом идет что-то длинное и невразумительное. А-а-а, это та самая «присказка», что была и в обвинительном заключении. Те же «имея целью реставрацию капитализма...» и «подпольная террористическая...» Только вместо «обвиняется» теперь везде: «считать установленным».

Кажется, он немного гундосит, этот председатель. И как медленно он читает. Перевернул страницу. Сейчас... Вот сейчас скажет: «К высшей мере...»

Опять шорох листьев. На секунду кажется, что это все в кино. Я играю роль. Ведь немыслимо же поверить, что меня на самом деле скоро убьют. Ни с того ни с сего... Меня, мамину Женюшку, Алешину и Васину мамулю... Да кто дал им право?

Мне кажется, что это я кричу. Нет. Я молчу и слушаю. Я стою совсем спокойно, а все то страшное, что происходит, — это внутри.

На меня надвигается какая-то темнота. Голос чтеца сквозь эту тьму просачивается ко мне, как далекий мутный поток. Сейчас меня захлестнет им. Среди этого бреда вдруг отчетливо различаю совершенно реальный поступок конвоиров, стоящих у меня по сторонам. Они сближают руки у меня за спиной. Это чтобы я не стукнулась об пол, когда буду падать. А разве я обязательно должна упасть? Ну да, у них, наверно, опыт. Наверно, многие женщины падают в обморок, когда им прочитывают «высшую меру».

Темнота снова надвигается. Сейчас захлестнет совсем. И вдруг...

Что это? Что он сказал? Точно ослепительный зигзаг молнии прорезает сознание. Он сказал... Я не ослышалась?

...К десяти годам тюремного заключения со строгой изоляцией и с поражением в правах на пять лет...

Все вокруг меня становится светлым и теплым. Десять лет! Это значит — жить!

...И с конфискацией всего лично ей принадлежащего имущества...

Жить! Без имущества! Да на что мне оно? Пусть конфискуют! Они ведь разбойники, как же им без чужого имущества! Мое-то им вряд ли пригодится... Ну книги, ну платья... Даже приемника у нас нет. Ведь мой-то муж — настоящий старый коммунист, ему не нужны были ваши «бьюики» и «мерседесы»... Десять лет... И вы думаете еще десять лет разбойничать тут, судаки маринованные? Вы всерьез надеетесь, что в партии не найдется людей, которые схватят вас за руку? А я знаю — есть такие люди... И рано или поздно — конец вам придет... И ради того, чтобы увидеть этот конец, надо жить. Пусть в тюрьме, все равно! Жить!

Если бы они смотрели в лица своим жертвам, они, наверно, прочли бы в моих глазах все эти немые выкрики. Но они не смотрят на меня. Отчитав, они быстрым шагом направляются «с колокольни долой». Гуськом выходят из комнаты. Теперь у них, наверно, перекур. А там опять... Норма большая.

Я оглядываюсь на конвоиров, все еще держащих за моей спиной скрещенные руки. Каждая жилочка во мне трепещет восторгом бытия. Лица конвоиров кажутся мне симпатичными. Простые парни. Рязанские или курские. Чем они виноваты? По мобилизации, наверно. И руки вот скрестили, хотели поддержать. Но это они напрасно. Я не буду падать.

Я вдруг встряхиваю локонами, закрученными перед судом для того, чтобы не осрамиться перед тенью Шарлотты Корде. Потом дружелюбно улыбаюсь конвоирам, которые с удивлением смотрят на меня.

ГЛАВА ТРИДЦАТАЯ

«КАТОРГА! КАКАЯ БЛАГОДАТЬ!»

— Обедать вы не будете? — спрашивает меня надзирательница, похожая на сестру-хозяйку. У нее тоже опыт. Она знает, что после приговора люди не хотят есть.

— Обедать? Почему не буду? Обязательно буду, — весело отвечаю я и в ожидании обеда оживленно перекладываю вещи в моем узле. Я слышала, что если приговор не смертный, то в Лефортове не держат, а отправляют обратно в Бутырки.

И я с удовольствием жду отправки. Там общая камера. Люди. Товарищи по несчастью.

Приносят обед. Не в жестяных, а в эмалированных мисках. Мясной суп и манная каша с маслом. Манная... Гуманная... Это из гуманных соображений, видимо, такой хороший обед дают приговоренным к казни, которых в этой тюрьме так много. Согласно традициям, оставшимся от гнилого либерала — Николая II.

Я старательно съедаю весь обед. Теперь я буду обязательно все есть, хорошо спать, делать по утрам гимнастику. Я хочу сохранить жизнь. Назло им! Я вся охвачена мощным чувством — желанием дожить до конца этой трагедии в нашей партии. Именно в эти минуты я больше чем когда-нибудь уверена, что всю партию они не уничтожат, что найдутся силы, способные остановить преступную руку. Дожить, дожить до этих дней... Сцепив зубы... Сцепив зубы...

Долго повторяю про себя эти слова, и они вызывают в памяти строки Пастернака из поэмы «Лейтенант Шмидт»:

Версты обвинительного акта...
Шапку в зубы! Только не рыдать!
Недра шахт вдоль Нерчинского тракта!
Каторга! Какая благодать!

Слова эти вдруг потрясают до основания. Настоящая цена поэтических строк проверяется именно в такие моменты. Сердце переполняется нежной благодарностью к поэту. Откуда он узнал, что чувствуют именно так? Он, обитатель московской «квартиры, наводящей грусть»... Читаю дальше:

...Остальных пьянила ширь весны и каторги...

Если бы он знал, как его стихи помогают мне сейчас осмыслить и перенести эту камеру, этот приговор, этих убийц с судачьими глазами.

Темнеет. Окно здесь тоже закрыто не только решеткой, но и щитом. Почему-то долго не зажигают свет. Скорее бы в Бутырки! Здесь, в Лефортове, из каждого угла смотрит Смерть. Я кладу голову на стол и мысленно читаю наизусть «Лейтенанта Шмидта» от начала и до конца. Меня страшно волнуют строки

Ветер гладил звезды горячо и жертвенно,
Вечным чем-то, чем-то зиждущим, своим...

Я повторяю их много раз подряд и лечу в душную темную бездну.

Меня будит все та же сакраментальная формула:

— С вещами!

Уже совсем темно. Из-за решетки и щита видны мерцающие звезды. Те самые, пастернаковские. А свет в камере почему-то так и не зажгли. И изо всех углов, со стен, выкрашенных в темно-багровый цвет, на меня ползет Ужас.

— С вещами!

Да, да, скорее... В Бутырки! Они кажутся мне сейчас родным домом. Я уже представляю себе, как уютно будет в большой камере, полной сочувствующими, своими людьми. Пусть эта камера похожа на тонущий корабль. Но ведь есть все-таки какой-то шанс, что корабль спасется. А здесь, в Лефортове, этих шансов нет. Здесь седьмой круг дантова ада. Здесь только Смерть. И я так хочу скорее уехать от опасного соседства с ней.

На минуту меня охватывает панический ужас. А вдруг они меня зовут сейчас не в Бутырки, а в подвал? В знаменитый лефортовский подвал, где расстреливают под шум заведенных тракторов... Сколько шептались об этом в общих камерах! Стены этого подвала, наверно, тоже выкрашены темно-багровой краской и на них незаметна кровь.

Невообразимым усилием воли, от которого буквально трещит под волосами, беру себя в руки. Что за чушь! Ведь я сама слышала приговор. Десять лет со строгой изоляцией.

— Готовы?

— Да, да.

Меня ведут длинным коридором мимо ряда одиночек. Двери, двери... Вниз! Последний раз екает сердце. Неужели все-таки подвал? Нет! Вот в лицо ударила струя чистого ночного воздуха. Двор. «Черный ворон».

Меня опять запирают в пахнущий масляной краской ящик, в котором можно только сидеть, но нельзя даже слегка привстать. Машина трогается. Значит, «домой», в Бутырки. Смерть, стоявшая у меня за спиной двое суток, разочарованно отходит в сторону. Я осталась в живых.

И теперь, отходя от смертельного ужаса, я теряю власть над собой. Напрасно я снова и снова твержу себе спасительные строки Пастернака: «Каторга! Какая благодать!» Больше не помогает. Комок подкатывает к горлу и душит. И я разражаюсь бурными, неостановимыми рыданиями. Меня охватывает возмущение. Что вы делаете с людьми? С коммунистами? Негодяи!

Оказывается, я кричу это вслух. Я начинаю буянить. Колочу изо всех сил кулаками в запертую дверку своей клетки, бьюсь об нее головой.

Солдатик, открывший мою дверку, как две капли воды похож на того «пскопского», что в фильме «Мы из Кронштадта». Глуповатое добродушное лицо, приподнятые, круглые белесые брови. Слова, которыми он усмиряет меня, сразу выводят из атмосферы Ужаса. Вроде деревенской домашней размолвки.

— Эй, девка! Чо разошлась-то, а? Так реветь станешь, личность у тебя распухнет, отекет... Парни-то и глядеть не станут!

Я счастлива, что он зовет меня на «ты». Значит, мы действительно выехали из зоны смертельной лефортовской вежливости. Я физически ощущаю его доброту, его немудрящее, но такое человечное сердце. И я рыдаю еще громче, еще отчаяннее, теперь уже не без тайной цели, чтобы он меня утешал меня.

— Я не девка вовсе. Я мать. Дети у меня. Ты пойми, товарищ, ведь я ничего, ну ровно ничего плохого не сделала... А они... Ты веришь мне?

— А как же? — удивляется он. — Кабы чего сделала, так рази бы вез я тебя сейчас в Бутырки? Там бы осталась. Да не реви ты, ну! Я, слышь, дверку-то оставлю открыту. Дыши давай! Может, тебе аверьяновки дать? У нас есть... Дыши, дыши, сколь хошь... Никого в машине-то нет... Тебя одну везу, последним рейсом. Забыли бы про тебя, а теперь, ровно царевну, одну волоку через всю Москву...

— Десять лет! Десять лет! За что? Да как они смеют? Разбойники!

— Вот еще на мою голову горласта бабенка попалась! Молчи, говорю! Знамо дело, не виновата. Кабы виновата была, али бы десять дали! Нынче вот, знашь, сколько за день-то в расход! Семьдесят! Вот сколько... Одних баб, почитай, только и оставили... Троих даве увез.

Я моментально замолкаю, сраженная статистикой одного дня. Масштабы работы видны и в том, как плохо инструктирован конвой. Бедняга, ведь за этот разговор ему самому могли бы... Но я нема как рыба.

— Ну, оразумелась, что ли? Вот и ладно. А то расшумелась тут, ровно на мужа...

Я выпиваю из его рук «аверьяновку». Мне сразу безумно хочется спать. Машину ритмично потрясывает. Сквозь внезапно спустившийся сон слышу успокаивающий шепот «пскопского»:

— Ни в жисть десять лет не просидишь. Год-два от силы. А там какое ни на есть изобретение сделаешь — и отпустят. Домой, стало быть, к ребятишкам...

В его ласковой сумбурной голове фантастически переплелись ужасы сегодняшнего дня и старые слухи о досрочных освобождениях изобретателей. Но мне так хочется ему верить.

И вообще, как хорошо трястись вот так в «черном вороне», если дверка клетки открыта настежь, а конвоир такой «пскопской» и так плохо выполняет инструкции по обращению с заключенными. И сейчас мы приедем в Бутырки. Каторга! Какая благодать!

ГЛАВА ТРИДЦАТЬ ПЕРВАЯ

ПУГАЧЕВСКАЯ БАШНЯ

Спецкорпус, с его чистотой и раскладушками, теперь уже не для меня. Я теперь пересыльная и находиться должна в пересылке. Меня ведут в Пугачевскую башню. Да, здесь сидели пугачевцы. Моя соседка по нарам, Анна Жилинская, историк, подробно характеризует архитектуру, узкие прорези окон, витую лестницу.

Я говорю «соседка по нарам», но это не совсем точно. Не соседка, а «напарница». Мы с ней спим на том же кусочке нар «на пару», то есть по очереди. Нары сплошные. Камера набита вдвое плотнее, чем позволяют ее размеры. Те, кто не пристроился на нарах, спят на каменном полу. Даже большой некрашеный стол, стоящий посреди камеры, тоже используется по ночам как ложе.

Август 1937 года в Москве выдался знойный. Духота изводит нас. Мы снова, как в казанской тюрьме, сидим грязные, потные, в одних трусах и бюстгальтерах. Ежедневно прибывают новые, и уже совершенно неизвестно, куда их класть.

Администрацию тюрьмы это ничуть не беспокоит. На то и пересылка... Передач здесь уже окончательно никто не получает. Лавочку тоже не выписывают. Сидим на одной пайке.

Состав заключенных здесь значительно демократичнее, чем в спецкорпусе. Много совсем простых женщин: работниц, колхозниц, мелких служащих. Это по большей части «болтуны», они же «язычники», то есть обладатели 10-го пункта

58-й статьи. Антисоветские агитаторы... Почти все они получили по 5-8 лет лагерей.

Моя цифра — 10 лет, да еще тюремного заключения, да еще со строгой изоляцией, да по военной коллегии, вызывает в камере настоящую сенсацию.

Ведь это было до 1 октября 1937 года, когда были введены 25-летние сроки. Пока еще «десятка» была максимумом, шла непосредственно за «вышкой» и окружала получившего ее человека своеобразным ореолом мученичества.

О таких обычно думали, что они принадлежат к высшим слоям советского общества. Так, обо мне кто-то пустил слух, что я — жена Пятакова, и мне трудно было разубеждать людей в этом.

Кроме меня, с десятилетним сроком была здесь только еще одна — баба Настя, шестидесятипятилетняя старуха из подмосковного колхоза. Каким чудом ей выпал такой крупный билет в этой лотерее, сказать трудно. Даже камерная молва становилась в тупик, не зная, как сочетать зловещие слова о «троцкистской террористической организации» с мягкими чертами морщинистого лица бабы Насти, с ее горестными старушечьими глазами истовой богомолки.

Сама баба Настя недоумевала больше всех и, услыхав, что я — такая же, как она, подтащила к моим нарам свой узелок с вещами и села на него у меня в ногах. И узелок, исконный, сермяжный, уводящий в проселочную Русь, и сама баба Настя, внимательно глядящая на меня, вызывали во мне жгучий стыд, подобный тому, какой я испытывала в коминтерновской камере, слушая немецких коммунисток.

— А что, доченька, слышь-ка, ты тоже, стало быть, трахтистка?

— Нет, баба Настя. Я самая обыкновенная женщина. Учительница. Мать своим детям. Всю эту небыль следователи и судьи выдумали. Они, наверно, вредители. Потерпим, баба Настя. Я думаю, разберутся...

Баба Настя мелко кивает старушечьей головой, до самых бровей обвязанной платком.

— Так-так... Вот и про меня, вишь ты, наговорили. И прописали: трахтистка. А ведь я — веришь, доченька, вот как перед Истинным — к ему, к окаянному трактору, и не подходила вовсе. И чего выдумали «трахтистка»... Да старух и не ставят на трактор-то...

Кто-то из соседок заливается хохотом. Анна Жилинская спросонья бормочет:

— Умри, баба Настя, лучше не скажешь!

А мне не смешно. Мне стыдно. И когда только я перестану стыдиться и чувствовать себя ответственной за все это? Ведь я уже давно не молот, а наковальня. Но неужели и я могла стать этим молотом?

После суда и приговора я стала слезливой. И сейчас, глядя на бабу Настю, чувствую, как слезы подступают к горлу. Моя мама моложе бабы Насти на восемь лет. Но немыслимо представить себе ее в таком положении.

Я не знала тогда, что в это время мои старики тоже были взяты. Их продержали только два месяца, но и их оказалось достаточно, чтобы отец вскоре после освобождения умер, а мама заболела диабетом, сведшим ее позднее в могилу.

...Книг в пересылке не дают. Поэтому разговоров еще больше, чем в спецкорпусе. Рассказы, рассказы... Каждый говорит не только о себе, но и обо всем виденном на тюремном пути. Кроме того, здесь усиленно занимаются географией. Над камерой летят, прорезая общий гул, названия: Колыма, Камчатка, Печора, Соловки... Меня все это не коснется. Ведь благодатная каторга не для меня. Меня ждет одиночка. Некоторые соседки поразительно эрудированы. И меня все же втягивают в занятия географией. У «тюрзаков», то есть у тех, кто получил, как я, не лагеря, а тюрьму, есть свои географические пункты: Суздаль, Верхнеуральск, Ярославль. Бывшие политизоляторы. Одиночки.

Анна Жилинская успокаивает меня. Она слышала, что там неплохо. Дают книги. Чисто. Не голодно.

Но этим иллюзиям вскоре суждено рассеяться. Однажды на рассвете в нашу башню «всыпали» еще новую группу пересыльных.

— Ничего, потеснитесь! Скоро большой этап, — буркнула надзирательница в ответ на возгласы о тесноте.

Среди новеньких была московская партработница Раиса... фамилии не помню. Она имела точные сведения, что недавно был июльский Пленум ЦК. На нем выступил «хозяин». Коснулся режима в наших тюрьмах, вообще в местах заключения. Возмутился тем, что они «превращены в курорты». Особенно политизоляторы. Легко можно было себе представить, с каким исступлением примутся теперь закручивать гайки. Выживем ли? На эту тему мы беседуем втроем: Анна Жилинская, я и Таня Андреева, харбинка. Таня напоминает мне Ляму. Так же активно добра, участлива к товарищам по несчастью. Я с интересом слушаю ее рассказы о Шанхае, где она долго жила, о русских эмигрантах, о приезде Тани в СССР к мужу-коммунисту, об аресте обоих.

Тане дали 8 лет лагерей, но она полна оптимизма.

— Выживу! Я буду начальницам маникюр и педикюр делать. Заграничную прическу...

Таня смеется, прищуривая свои узкие черные глаза, о которых она сама говорит, что они «окитаились».

— Потом у меня много шелковых тряпок. Я буду раздавать их надзирательницам, чтобы меня не мучили. Вот смотрите!

Таня развертывает узел с вещами, и над вонючим адом Пугачевской башни расцветают волшебные цветы китайских шелковых халатиков.

Анна, наоборот, полна ужаса, и пессимистические прогнозы по поводу нашей судьбы так и сыплются с ее уст.

— Это все у вас растащат в этапах, Танюша. Этим не спастись. А замучат нас всех обязательно. Вопрос только в сроках. Вы этого не знаете обе, потому что не сидели на Лубянке. А я была там три месяца.

— Зато я в Лефортове, — отстаиваю я свою тюремную квалификацию.

— В Лефортове последний акт трагедии. Там расстреливают. Почти всех, кроме таких счастливых единиц, как вы, Женя. А на Лубянке — острый период следствия. Если бы вы видели мою следовательницу! Да, это была женщина. Чудовище. Калибан.

Однажды ночью Анна рассказала мне историю своей лубянской сокамерницы — коммунистки Евгении Подольской.

— Послушайте, Женя, я чувствую, что не выживу. Я должна кому-то передать поручение. Я дала Евгении слово — рассказать все ее дочери.

— Евгения умерла?

— Наверно. Но согласны ли вы выслушать? Ежов сказал, что расстреляет каждого, кто будет это знать...

Чтобы выслушать эту историю, мы отправляемся в уборную. В башне на оправку не ходят, уборная здесь же, в маленькой пристройке сбоку камеры. Мы стоим около узкого длинного окошка, украшенного причудливыми переплетами решеток, у окошка, напоминающего XVIII век, пугачевцев и палачей, отрубающих головы на плахе.

И Анна, судорожно торопясь, блестя расширенными глазами, повествует...

Однажды ночью, в двухместной камере Лубянки, она проснулась от какого-то журчащего звука. Это тихонько лилась кровь из руки ее соседки. Образовалась уже порядочная лужа. Соседка Анны — это и была Евгения Подольская — вскрыла себе вены бритвочкой, украденной у следователя.

На крик Анны прибежали надзиратели. Евгению унесли. Она вернулась в камеру через три дня и сказала Анне, что жить все равно не будет. Вот тут-то Анна и дала ей слово, что, если выживет, расскажет все ее дочери.

Когда Евгению вызвали впервые в НКВД, она не испугалась. Сразу подумала, что ей, старой коммунистке, хотят дать какое-нибудь серьезное поручение. Так и оказалось. Предварительно следователь спросил, готова ли она выполнить трудное и рискованное поручение партии. Да? Тогда придется временно посидеть в камере. Недолго. Когда она выполнит то, что надо, ей дадут новые документы, на другую фамилию. Из Москвы придется временно уехать.

А поручение состояло в том, что надо было подписать протоколы о злодейских действиях одной контрреволюционной группы, признав для достоверности и себя участницей ее. Подписать то, чего не знаешь?

Как? Она не верит органам? Им доподлинно известно, что эта группа совершала кошмарные преступления. А подпись товарища Подольской нужна, чтобы придать делу юридическую вескость. Ну есть, наконец, высшие соображения, которые можно и не выкладывать рядовому партии, если он действительно готов на опасную работу. Шаг за шагом она шла по лабиринтам этих силлогизмов. Ей сунули в руки перо, и она стала подписывать.

Днем ее держали в общей камере, ночью вызывали наверх и, получив требуемые подписи, хорошо кормили и укладывали спать на диване.

Однажды, придя по вызову наверх, она застала там незнакомого следователя, который, насмешливо глядя на нее, сказал:

— А теперь мы вас, уважаемая, расстреляем...

И дальше в нескольких словах популярно разъяснил ей, какую роль она сыграла в этом деле. Мало того, что он осыпал ее уличной бранью, он еще цинично назвал ее «живцом», то есть приманкой для рыб, и объяснил, что ее показания дают основания для «выведения в расход» группы не менее 25 человек. Потом она была отправлена в камеру, и там ее теперь держали без вызова больше месяца. Тут-то и пригодилась бритва, унесенная как-то из следовательского кабинета...

— Это была одна из тех, кто без всякой мысли о своей выгоде или спасении, из одного только фанатизма, погубила себя и многих других, — рассказывала Анна, — ее душевные муки были настолько непереносимы, что я и сама поверила в то, что ей надо умереть. Я не отговаривала ее больше. Просто дала ей слово, что все передам ее дочери, если сама останусь в живых.

Теперь Анна передавала этот секрет мне, хотя мой приговор был страшнее, чем ее. Я обещала. Заучила наизусть адрес дочери Евгении Подольской. К сожалению, я не сдержала этого обещания, так как к 1955 году, когда после восемнадцатилетнего перерыва снова приехала в Москву, я начисто забыла не только адрес, но и имя этой девушки. Слишком много наслоений легло за 18 лет на мою довольно сильную память. Они замели, занесли этот адрес.

А может, это и лучше. Надо ли было дочери знать трагедию матери, приведшую к гибели стольких людей?

В Пугачевской башне я пробыла только две недели, но это было тяжелое время. Особенно мучительно было ночью, когда очередь спать была не мне, а Анне, а мне надо было сидеть на краешке нар, у ее ног, борясь со сном. Явь сливалась с полубредовыми снами наяву. Страшное человеческое месиво, стонущее, чешущееся, кряхтящее, казалось в такие минуты гигантской общей могилой, куда свалили недостреленных.

В одну из таких ночей появились корпусной и три надзирательницы сразу. С длинными листами бумаги в руках. Большой этап. Читают список. Люди вскакивают и судорожно хватаются за свои тряпки, точно в них вся надежда на спасение. Большой этап... Большой этап...

ГЛАВА ТРИДЦАТЬ ВТОРАЯ

В СТОЛЫПИНСКОМ ВАГОНЕ

Эти вагоны так и остались непереименованными. Их по-прежнему называли столыпинскими, и это никого не удивляло. Вагоны эти были мрачны, но чисты. Вполне я оценила их только спустя два года, когда больше месяца пришлось ехать от Ярославля до Владивостока в битком набитой теплушке. Но сейчас массивные решетки и усиленный конвой наводили смертную тоску.

Хотя нас везли, конечно, опять в «черном вороне» и подвозили к каким-то особым запасным путям, но все же я успела уловить маячившие на горизонте очертания Северного вокзала. Значит, Ярославль. Это был худший из трех возможных вариантов. Я много наслышалась в Пугачевской башне об одиночном корпусе Ярославской тюрьмы, построенной Николаем II после революции 1905 года для особо важных политических заключенных. И в наше время, продолжая традицию прошлого, Ярославский политизолятор приобрел славу места с усиленным режимом. А я так надеялась на Суздаль. Там политизолятор помещался в здании бывшего монастыря, и я часто тешила себя мыслью, что келья — все же не камера. Да и про Верхнеуральск говорили, что там много легче, чем в Ярославле.

— Ах, геноссин, вир зинд дох беканнт...

Я сразу узнаю золотоволосую немецкую киноактрису Кароллу Неер-Гейнчке, ту самую, которая прятала свои золотые вещички во время того памятного первого бутырского обыска. Каролла за это время очень изменилась. Потускнело темное золото волос, у рта обозначились тонкие скорбные морщинки. Но она стала еще обаятельней, чем прежде. Лицо белое, как слоновая кость, без малейшего намека на румянец, детская улыбка, грустные темно-желтые янтарные глаза.

Приговор Кароллы был повторением моего. Только ей, конечно, было в тысячу раз хуже моего, потому что вдобавок ко всему она еще была без языка. В камере, куда она попала, никто не говорил по-немецки.

И теперь, вспомнив несколько случайных фраз, которыми мы с ней обменялись во время первой встречи, она не нарадуется, что нашла собеседницу, хотя и с ошибками, но говорящую на ее родном языке.

Она ничего не знает о муже. Но точно уверена, что его уже нет. Оно не обманывает, это ощущение неотвратимого вечного одиночества, которое у Кароллы теперь всегда вот здесь... Она показывает не на сердце, а на горло.

— Ты бы подождала по-немецки шпарить. Хоть пока тронемся, что ли... А то еще за фашистку примут...

Это говорит мне наша третья компаньонка по столыпинскому купе — вологодская партработница, имени которой сейчас вспомнить не могу. Голос у нее хриплый. Вологодское «о» выпирает из речи. Губы растрескавшиеся. Худое длинное лицо почернело до того, что кажется обгорелой головешкой. Только легкие северные белокурые прядки у висков отдаленно напоминают, что это была когда-то женщина.

Состояние у нее маниакальное. Она никак не может перестать оправдываться. Все время говорит и говорит. В ее речи пестрят цифры каких-то планов по молокосдаче, возражения какому-то Воскобойникову, который «завысил показатели». Она говорит обо всем этом так, точно мы хорошо знакомы со всеми этими обстоятельствами и людьми. Время от времени прерывает сама себя легким вскриком боли. Ее держали «на стойке» долгими днями и ночами, и сейчас у нее адские боли в ногах.

Четвертой в купе оказалась казанская Юлия Карепова, та самая, с которой мы ехали этапом из Казани в Москву. Она тщетно пытается переговорить вологодскую и перевести разговор на Казань.

Но вот поезд переводят на обычный путь, и перед нами сквозь решетки появляется кусок жизни. Той самой обольстительной будничной человеческой жизни, которую мы так давно не видели. Уголок Северного вокзала. Подошел дачный поезд, и из него вылилась веселая, пестрая толпа людей с букетами цветов, с улыбками, с детьми, с вещами. Нет, не с теми страшными узлами, какие именуются «вещами» у нас в тюрьме, а с теми милыми, трогательными вещами, которые остались там, за стенами. Пакеты с фруктами, чемоданчики, игрушки.

Мы замираем у окна. Конвоир почему-то равнодушен, не отгоняет нас. Нас заметили с платформы. Какая-то девушка в цветном платье испуганно прижимается к руке спутника и с расширенными глазами лепечет ему что-то, показывая на нас. Доносится слово «троцкисты», потом «настоящие живые троцкисты»... Вероятно, она говорит ему, что впервые в жизни увидала «живых троцкистов».

Потом проходит женщина с двумя мальчиками, и я чувствую, что почти умираю не только от острой зависти, но и от изумления. Значит, еще кто-то держит за руки своих детей?

Но вот поезд трогается. Жадно вглядываюсь в проплывающее перед нами Подмосковье. На станциях — лозунги. Красные кумачовые лозунги. И все до одного говорят о вредительстве. «Ликвидируя последствия вредительства на транспорте, обеспечим...» А вот едем мимо сельмага, украшенного лозунгом: «Ликвидируя последствия вредительства в торговой сети, укрепим...» Электростанция. «Ликвидируя последствия вредительства в промышленности, перевыполним...»

— Юлия! Посмотри, что за чудо: вредительство во всех отраслях народного хозяйства.

— Тш-ш... Начальник конвоя... Молчи...

Поезд вырывается в природу. Вторая половина августа. Доносятся полевые запахи. Птицы сидят на проводах, как ноты на линейках. Мы едем в Ярославль, прохладный чистый город, весь светло-голубой. Я была там с мужем в 34 году. Теперь он кажется не светло-голубым, а свинцовым. Стучат колеса. С каждым ша-гом, с каж-дым ша-гом...

Одиночка. Десять лет. Будут идти дни за днями, августы за августами. Мои сыновья превратятся почти в мужчин. Сама я — в старуху. И каждый день я буду слышать только пять слов:

подъем, кипяток, оправка, прогулка, отбой... Я разучусь говорить. Я забуду, какого цвета небо и Волга. В одиночках всегда водятся крысы.

Передо мной мелькают образы Монте-Кристо, княжны Таракановой, младенца-царя Иоанна Антоновича... Гудок весело заливается. Каролла стонет во сне по-немецки.

В Ярославль мы прибыли в золотой закатный час. Наш вагон опять где-то на боковой линии. Платформы нет, и мы спрыгиваем прямо на темно-желтый сыроватый песок, который сладко пахнет детством.

Почему-то «черного ворона» нет поблизости. Нас не встретили. Конвоиры нервничают и перешептываются. А мы, счастливо улыбаясь, усаживаемся на свои узлы и жадно глотаем свежий волжский воздух. Ага, значит, и в тюремной системе не все хорошо организовано! Целых десять минут мы ждем транспорта, алчными глазами впиваемся в высокое небо и замираем от восторга при виде залетевшей с Волги чайки.

Неожиданностям нет конца. Вдруг выясняется, что нас повезут не в «черном вороне», а в самом обыкновенном грузовике с открытым кузовом. В это почти невозможно поверить. Неужели мы, дети подполья, живущие неправдоподобной жизнью застенков, увидим сейчас обыкновенные городские улицы, идущих по ним свободных людей?

Юля торопливо делится своими весьма оптимистическими прогнозами: раз везут в открытой машине, значит — режим будет совсем легкий. Значит, все бутырские слухи о резком усилении тюремного режима были «парашами».

— Грузись давай!

И вот мы едем по улицам Ярославля. Я узнаю гостиницу, в которой останавливалась с мужем за четыре года до того. На набережной много гуляющих. Мы видим Волгу. Стараемся глубже дышать, чтобы надолго надышаться. Каждый вдох возвращает к жизни.

Красота и необычный костюм Кароллы привлекают внимание. На нас с любопытством оглядываются. Кое-кто улыбается нам.

— Привет, девушки! — кричит рослый парень, идущий в группе приятелей.

Они машут кепками. Горячая волна любви к этим незнакомым людям заливает меня. Как хорошо, что их никто не трогает, что они каждый вечер гуляют по набережной!

Машина резко сворачивает вправо. Нас вводят в большой тюремный двор. Это Коровники, знаменитая Ярославская тюрьма.

137

Но мы не простые преступники. Мы особо важные, государственные. И нас провожают в одиночный корпус, отгороженный высокой стеной и массой дозорных вышек даже от остальной, обычной тюрьмы.

Мы перешагиваем порог, за которым нам суждено около двух лет быть заживо погребенными.

ГЛАВА ТРИДЦАТЬ ТРЕТЬЯ

ПЯТЬ В ДЛИНУ И ТРИ ПОПЕРЕК

Я до сих пор, закрыв глаза, могу себе представить малейшую выпуклость или царапину на этих стенах, выкрашенных до половины излюбленным тюремным цветом — багрово-кровавым, а сверху — грязно-белесым. Я иногда могу воспроизвести в подошвах ног ощущение той или иной щербинки в каменном полу этой камеры. Камеры № 3, третий этаж, северная сторона.

И до сих пор помню ту тоску всего тела, то отчаяние мышц, которое охватывало меня, когда я мерила шагами отведенное мне теперь для жизни пространство. Пять шагов в длину и три поперек! Ну, если делать уж совсем маленькие шажки, то получится пять с четвертью. Раз-два-три-четыре-пять... Заворот на одних носках, чтобы не занять этим заворотом лишнего места. И опять: раз-два-три-четыре-пять...

Железная дверь с откидной форточкой и глазком. Железная, привинченная к стене койка, а у противоположной стены — железный столик и откидная табуретка, на которой очень мучительно сидеть, но которую зато хорошо видно надзирателю в глазок. Ничего, кроме камня и железа!

Окно, выходящее на север, высокое одиночное окно, густо зарешеченное еще покойным Николаем II, перепуганным революцией пятого года. Но кто-то испугался еще больше, чем Николай, и закрыл окно сверх решетки страшно высоким и плотным деревянным щитом, обеспечивающим постоянную полутьму в камере.

Кусочек светло-голубого высокого ярославского неба, остающийся сверху, над этим щитом, кажется узеньким ручейком. Но и этот ручеек часто закрывают вороны. Эти зловещие птицы почему-то всегда кружатся здесь в изобилии, точно ощущая близкую поживу. Ни зимой, ни летом не было от них избавленья. И когда я вспоминаю окошко моей ярославской камеры, то вижу его неизменно в обрамлении черного ожерелья, образованного воронами, сидящими на верхушке щита.

Из камеры выводят три раза в сутки. Утром и вечером на оправку. Днем — до или после обеда — на прогулку. Как хорошо, что моя камера далеко от уборной! Приходится пройти почти весь коридор. Он имеет вид галереи, окружившей со всех сторон лестничный пролет. А пролет весь затянут плотной сеткой. Чтобы не самовольничали, не бросались вниз с третьего этажа, чтобы умирали не тогда, когда им это вздумается, а когда будут на это высшие соображения.

Весь коридор устлан чудесным плюшевым половиком, в котором нога тонет и шаги становятся совсем бесшумными. Идя на оправку, стараешься шагать как можно медленнее, инсценируя слабость, такую естественную в условиях одиночки. Стараешься использовать каждую секунду, чтобы охватить своим цепким тренированным взглядом одиночника все окружающее. Ведь коридор — это целый огромный мир по сравнению с камерой.

Вряд ли сам Шерлок Холмс сделал бы большее количество ценных наблюдений, осматривая этот уголок мира, чем делаю их я, после каждой оправки расширяя свое представление о месте, где я нахожусь. Я прекрасно овладела холмсовским «дедуктивным методом».

Вот большой деревянный ящик у коридорного окна. В него бросают остатки хлеба. Да, это вам не Бутырки! Там вызвало бы смех самое понятие «остатки хлеба». Как будто хлеб может оказаться лишним! Но в одиночках не хочется есть. И я регистрирую ежедневный рост количества выброшенных «паек». Некоторые прямо целиком, нетронутые. Может быть, кто-то объявил голодовку!

А вот открытая дверь в камере на противоположной стороне. Обитательница, видно, на прогулке. С завистью отмечаю, что мне досталась худшая доля. Та сторона лучше, та — южная. Туда проникают лучи солнца, хоть и сильно приглушенные щитом. А у меня внизу по стенам — густой узор плесени. Ревматизм здесь обеспечен.

Выход на прогулку — центр и основное событие дня. Оно обставлено такой торжественностью, точно ты по меньшей мере Мария Стюарт. Примерно за четверть часа до вывода открывается дверная форточка и в камеру просовывается голова надзирателя.

— Приготовьтесь на прогулку, — говорит он таким таинственным, еле слышным шепотом, что кажется — кто-то рядом умирает.

Одеваешься и с замиранием сердца ждешь того вожделенного момента, когда раздастся звук поворачиваемого в железной двери ключа. Надзиратель, охраняющий эту часть коридора, ведет меня до следующего конвоира, который доводит до начала спуска по лестнице. А там меня принимает надзиратель второго этажа. Он ведет эту крупную государственную преступницу до нижнего этажа, и уже тамошний надзиратель подводит меня к прогулочному дворику, над которым возвышается тюремная вышка, а на ней еще один надзиратель, не спускающий с меня глаз во все время прогулки.

Таким образом, пять человек, здоровенных молодых мужиков, как бы самой природой созданных для выполнения производственных планов на предприятиях и в колхозах, принимают участие в выводе на прогулку такой крупной террористки, как я. У всех у них непроницаемые лица, полные сознания важности выполняемых функций и гордости от оказанного им доверия. Воображаю, что им говорят о нас на политзанятиях!

Прогулочные одиночные дворики — это, собственно, те же камеры, только без крыши. Залитый асфальтом двор разделен на пять-шесть клеток по 15 примерно метров величиной. Стены грязно-серые, внизу тоже асфальт. Ни травинки.

Руки во время прогулки, хотя ты и гуляешь одна-одинешенька, надо держать за спиной. Потоптавшись в таком дворике минут 10-15, ты снова поступаешь в руки надзирателей, которые, передавая тебя как эстафету из рук в руки, чередуясь в обратном порядке, доводят тебя до твоей камеры.

Но даже такую прогулку я вспоминаю с нежностью. Это был все-таки кусочек жизни, проникший в мою могилу. Прогулки ждешь всегда с нетерпением, ее вспоминаешь вечером. Лишение прогулки — а такие взыскания применяются часто — воспринимаешь как страшное бедствие. Как-никак, а пятнадцать метров — не пять. Да и небо...

До смерти не забуду я это чистое, высокое ярославское небо. В других городах нет такого. К тому же на нем то и дело мелькали залетавшие с Волги чайки.

А пароходные гудки? Разве можно найти слова, чтобы передать чувство, вызываемое в душе одиночника этими гудками? А я еще к тому же волжанка. Я воспринимаю их, как голоса живых друзей. Ведь я знаю их в лицо, эти пароходы. Белые гордые лебеди — бывшего общества «Самолет»... Торопливые работяги-буксирчики, волочащие баржи... Резкоголосые местные пароходики-экскурсовозы...

Конвоирам и в голову прийти не может, как много впечатлений, мечтаний, сладостных воспоминаний можно вынести из пятнадцатиминутной прогулки в этой серой камере без крыши.

После прогулки появляется аппетит, и хоть с трудом, но съедаешь обед. Здесь дают столько еды, что умереть определенно нельзя. Но, с другой стороны, качество пищи такое, что и жить вряд ли можно. Вся пища абсолютно безвитаминная. Утром — хлеб, кипяток и два кусочка пиленого сахара. В обед — баланда и сухая, без всяких жиров, каша. На ужин — похлебка из какой-то рыбешки, тошнотворно пахнущая рыбьим жиром. Каши чередуются: овсянка, перловка, пшено. Чаще всего крупная перловка, которую в Бутырках звали «шрапнель». Зато суп, наоборот, гречневый.

Как видно из правил, вывешенных на стенах, здесь разрешаются книги — по две на 10 дней. Но в первый месяц моего пребывания здесь библиотека как раз закрыта — инвентаризация, — и 16 часов свободного времени предоставляется заполнять по своему усмотрению. Пытаюсь создать какой-то ритм, какой-то режим, чтобы не сойти с ума. Самое главное — не разучиться бы говорить! Конвоиры выдрессированы на полное молчание. Они говорят в день пять-шесть слов: подъем, оправка, кипяток, прогулка, хлеб...

Попробовала заняться гимнастикой перед завтраком. Щелк дверной форточки.

— Запрещено!

Попробовала прилечь после обеда. Опять щелк.

— Лежать только после отбоя. С 11 вечера до 6 утра.

Что же тогда? Стихи... Только они... Свои и чужие...

И вот я кручусь взад и вперед на расстоянии своих пяти шагов и сочиняю:

> *Хоть разбейся здесь, между плитами,*
> *Пресечение всех дорог!*
> *Как ни складывай, ни высчитывай —*
> *Пять в длину и три поперек...*

Нет, не выходит без карандаша... Трудно быть акыном.

На после обеда у меня намечен Пушкин. Я мысленно читаю себе лекцию о нем. Потом читаю наизусть все, что помню. Оказывается, память, освобожденная от внешних впечатлений, вдруг раскрылась, как куколка в бабочку. Чудеса! Даже «Домик в Коломне», выходит, знаю весь наизусть. Хорошо, хватит до ужина.

Самое страшное наступало именно после ужина. Тишина сгущалась, приобретала какую-то осязаемую душную силу.

Тоска начинала грызть не только те места, которые ей положено, то есть сердце и голову. Нет, она теперь впивалась во все тело. Даже волосы, казалось, пружинились от отчаяния. Хоть бы один звук...

Но когда звук раздавался, становилось еще хуже. Вот скользящий шаг надзирателя. Вот еле уловимый звучок поднятого и снова опущенного глазка. Вот мышь скребется. Нет, от этих звуков еще больнее.

Хуже всего, что пытка бессонницей во время следствия нарушила сон. Заснуть почти невозможно. Мысль о том, что истекают положенные для сна часы, а днем спать не дадут, приводит в окончательное отчаяние. Торопишься заснуть, боишься, не пропало бы время. А от этого сон окончательно проходит.

Стихи... Они одни... И я сочиняю в уме, как акын. У меня получаются очень узенькие стихи.

ТИШИНА

Каждый шорох,
Шепот,
Шаг
Жгут, как порох,
И глушат...
Словно пряжа,
Рвется тишь...
Сердце?
Стража?
Или мышь?
Как мембрана,
Вся душа.
Саднит раной
Каждый шаг.
Мо-ло-точ-ки
Бьют в висках...
Нет отсрочки —
Ночь близка.
Ночь, как вата,
Душный ком.
Все утраты
Здесь, рядком.
Как поверить?
Что не ложь?
Каждый шелест
Словно нож.

Звук вдруг смялся,
Как в бреду.
Кто остался?
Что найду?

. . . .

Ночь все шире,
Злее сны...
Сколько ж в мире
Ти-ши-ны?

ГЛАВА ТРИДЦАТЬ ЧЕТВЕРТАЯ

ДВАДЦАТЬ ДВЕ ЗАПОВЕДИ
МАЙОРА ВАЙНШТОКА

Они висят на стене, прямо над моей железной койкой. Книг все еще не дают, и 22 заповеди — пока единственное доступное мне печатное слово. Я штудирую его до одурения.

Весь опус делится на три неравные части: «Заключенные обязаны», «Заключенным разрешается» и самый длинный раздел — «Заключенным запрещается».

Заключенные обязаны были безоговорочно выполнять все распоряжения тюремной администрации, производить в установленные дни уборку камеры, выносить два раза в день нечистоты.

Разрешалось переписываться (в принципе, а конкретно требовалось индивидуальное разрешение начальника тюрьмы) с ближайшими родственниками, к которым причислялись только родители, супруги и дети. Им можно было отправлять 2 письма и столько же получать. От этих же ближайших разрешалось получать не свыше 50 рублей в месяц и на эти деньги выписывать продукты из тюремного ларька. Можно было пользоваться прогулкой, длительность которой устанавливалась начальником тюрьмы, и получать из тюремной библиотеки 2 книги на 10 дней.

Этими благами исчерпывался гуманизм майора Вайнштока. Зато раздел «Заключенным запрещается» был разработан весьма досконально, с похвальным знанием дела. Запрещалось подходить к окну и садиться спиной к двери. Делать пометки в книгах и перестукиваться с соседями. Запрещалось разговаривать (с кем бы это?) и даже петь (!) в камере. И еще многое, многое другое.

В конце разъяснялось, каким наказаниям будут подвергнуты заключенные за нарушение этих запретов. Здесь со вкусом перечислялся весь арсенал тюремных средств. Лишение прогулки, библиотеки, ларька, переписки, заключение в карцер и, наконец, отдача под суд.

Документ был подписан: «Начальник тюремного управления ГУГБ майор Вайншток». В левом верхнем углу значилось: «Утверждаю. Генеральный комиссар гос. безопасности Ежов».

И все хотели только одного — стабильности этих правил. Это выяснилось спустя два года, во время этапа на Колыму. Все мечтали только о том, чтобы «хуже не было», потому что каждый день приносил явственное ощущение нарастания ужаса и беззакония. Чья-то дьявольски изобретательная мысль неустанно работала, кто-то трудолюбиво отыскивал щелочки в наших склепах и старательно заштукатуривал их.

Каждый день приносил новости. Еще вчера окно в конце коридора было просто замазано мелом. А сегодня и на этом окне уже висит мрачный щит. Еще вчера надзиратель не обращал никакого внимания на то, что я сижу спиной к глазку. А сегодня он открывает дверную форточку и зловеще шипит:

— Сядьте прямо!

Прогулка становится все короче, квитанции на выписку продуктов из ларька выдаются все реже. И главное — сменен начальник тюрьмы.

Мне удалось еще застать старого. Он приходил на другой день после приезда моего в Ярославль. Я слышала о нем еще в Бутырках. Это был типичный представитель старого «политизоляторского» стиля. Ведь до 1937 года здесь отнюдь не добивались смерти заключенного.

Добродушный круглолицый человек, чуть приоткрыв дверь, спросил:

— Можно?

А войдя, поздоровался, потом спросил, какие претензии у меня есть, какие просьбы. Успокоил, что библиотека скоро откроется, принял заявление на переписку с матерью и ушел, оставив ощущение порядочности.

Каждым словом, мимикой этот человек как бы говорил: «Я только служу и без всякого воодушевления. А что от меня зависит — рад сделать».

Увы, это была первая и последняя встреча. Решения июльского Пленума об усилении режима в тюрьмах проводились в жизнь.

Через пять-шесть дней дверь моей одиночки резко открылась, и вошел очень черный человек в военной форме. Он поверблюжьи глубоко сгибал при ходьбе колени и смотрел в одну точку, мимо человека, к которому обращался.

Новый начальник тюрьмы.

— Вопросы есть? — отрывисто бросил он.

Типом лица и выражением его новый начальник напоминал грузинского киноактера в гриме злодея. С такими лицами двуногие коршуны Грузинской киностудии клевали и заклевывали насмерть белую голубку — Нату Вачнадзе.

Я сразу окрестила его фамилией Коршунидзе, а после повторных его визитов добавила «урожденный Гадиашвили». В дальнейшем он всегда именовался в наших этапах именно так, и многие стали всерьез считать это его фамилией.

Говорил он, сцепив длинные зубы и выталкивая слова, точно преодолевал глубокое внутреннее отвращение.

— Вопр-р-росы у вас есть?

— Скажите, долго я буду находиться в одиночке?

— Разве вы не знаете своего приговора? Десять лет!

После этого единственного диалога я стала всегда говорить, что вопросов нет. Да и о чем было его спрашивать? Все и так было ясно.

Однако жизнь внесла свои коррективы в двадцать две заповеди майора Вайнштока и в прогнозы из Москвы. Тюрьма трещала по швам, не в силах справиться с новыми задачами. И наперекор духу «заповедей» в одиночки стали вносить вторые койки. Происходило уплотнение.

Нарушая могильную тишь, зазвякали в коридоре железки, зашептались надзиратели. Разгадав значение звуков, я с трепетом ждала, что они принесут мне. Робинзон ждал своего Пятницу. И в один прекрасный день Пятница был обретен. Это было чудо, из тех самых чудес, про которые говорят: «в жизни этого не бывает». Но факт остается фактом. Из всех возможных десятков вариантов осуществился именно этот: ко мне в камеру была подсажена казанская знакомая — та самая Юля Карепова, с которой нас этапировали на военную коллегию в Москву.

ГЛАВА ТРИДЦАТЬ ПЯТАЯ

СВЕТЛЫЕ НОЧИ И ЧЕРНЫЕ ДНИ

Мы говорили по двадцать часов в сутки. Охрипли. Настроение было приподнятое. Переполняло гордое сознание, что ты человек, владеющий связной речью, способный к общению с другим человеком.

За короткое время я изучила до мельчайших деталей не только жизненный путь самой Юли, но и биографии всех ее родственников до третьего колена.

Я по шесть часов в день читала ей стихи. Мы повторно рассказали друг другу основательно зачерствевшие бутырские новости.

Потом наступила реакция. Мы внезапно замолчали, углубились в себя, в мысли о вариантах исхода. Как ни варьируй, а все чаще единственным выходом стала казаться смерть.

Спасение от самой себя приходит совершенно неожиданно. Вдруг открывается дверная форточка, и в нее просовывается какая-то папка, похожая на классный журнал. Вслед за папкой — белобрысая голова надзирателя, прозванного Ярославский. Доброта сейчас берет в нем верх над ежедневной муштрой. Его лицо расплывается в улыбке, и он радостным голосом произносит одно волшебное слово:

— Каталог!

Это был предметный урок на тему о том, как никогда нельзя терять надежду. Мы уже давно пришли к выводу, что библиотека будет «инвентаризироваться» все десять лет, но вот... Да, это был каталог. И неплохой. Богатая библиотека, прекрасный выбор книг.

Это был конец одиночества. Завтра в это время ко мне придут Толстой и Блок, Стендаль и Бальзак. А я думала о смерти, глупая!

Торопясь и ошибаясь, выписываем номера желаемых книг. Завтра нам принесут их по две на каждую. Вот счастье-то, что я не одна больше! Одной дали бы только две книги, а так — четыре. Это уже паек, на котором можно существовать.

Должно быть, мы так и светимся счастьем, потому что Ярославский окончательно не выдерживает. Воровато оглядываясь на обе стороны, он обнажает в широкой улыбке неровные, но очень белые зубы и ободряюще кивает головой:

— Завтра...

И это завтра наступило. Я держу в руках четыре книги и изнываю от жадности, не в силах решить, какую из них мне менее жалко отдать сейчас Юле. Она добродушно предоставила мне выбор. С чего же начну? «Воскресение»! Конечно, с него! Юльке, поразмыслив, отдаю «Избранное» Некрасова. Она сразу начинает издавать изумленные восклицания:

— Всю жизнь считала, что декабристки — непревзойденные страдалицы. А между прочим: «покоен, прочен и легок на

146

диво слаженный возок...» Попробовали бы они в столыпинском вагоне...

Но разговаривать уже некогда. Надо читать. И я вгрызаюсь в затрепанный толстовский томик.

В семье меня всегда считали страстной и неуемной пожирательницей книг. Но по-настоящему раскрылся передо мной внутренний смысл читаемого только здесь, в этом каменном гробу.

Все, что я читала до этой камеры, было, оказывается, скольжением по поверхности, развитием души вширь, но не вглубь. И после выхода из тюрьмы я опять уже не умела больше читать так, как читала в Ярославской одиночной. Именно там я заново открыла для себя Достоевского, Тютчева, Пастернака и многих других.

Там же я элементарно изучила впервые историю философии, добросовестно проработав несколько томов. Как ни парадоксально, но в тюремной библиотеке можно было свободно получать многие книги, давно изъятые из обычных библиотек.

Нет ничего проще, чем объяснить глубокое воздействие книги на одиночника отсутствием внешних впечатлений. Нет, не только это. У человека, изолированного от повседневности, от «жизни мышьей беготни», — создается какая-то душевная просветленность. Ведь сидя в одиночке, ты не гонишься за фантомом жизненных успехов, не лицемеришь, не дипломатничаешь, не идешь на компромиссы с совестью. Ты вся углублена в высокие проблемы человеческого бытия и подходишь к ним очищенная страданием.

И если даже лагерь, с его звериной обнаженной борьбой за существование, сохранил чистыми тысячи душ наших товарищей, то что говорить об одиночной тюрьме. Ее облагораживающее действие несомненно. Конечно, если она длится не особенно долго, если она еще не успевает разрушить основы личности.

Сколько раз в лагере я с нежностью вспоминала свою страшную ярославскую одиночку! Потому что, хоть существование мое в ней было мучительно, но никогда и нигде, ни раньше, ни позднее не раскрывались так лучшие стороны моей личности, как там. Определенно, в течение этих двух лет я была куда добрее, умнее и тоньше, чем во всей моей остальной жизни.

Даже ежедневное ухудшение режима в тюрьме не могло погасить радостного возбуждения, вызванного открытием библиотеки. Только бы не закрыли опять. И мы стоически выдержали такую акцию, как переодевание в тюремную форму, в так называемые «ежовские костюмчики».

Все наши собственные вещи, находившиеся в камере, у нас отобрали и нам выдали серовато-бурые сатиновые юбки и кофты с коричневыми продольными и поперечными полосами, сделанными в стиле бубнового туза, негнущиеся, украшенные такими же полосами бушлаты. Только шапок у них не хватило, и у меня остался цветистый платочек нашей няни Фимы. Ботинок казенных тоже не хватало, и я продолжала ходить в домашних стоптанных красных тапочках. Эти тапочки и платок были теперь единственными светлыми пятнышками среди всего окружавшего нас.

— Отходили в дамском... — издевательски бросил корпусной по прозвищу Сатрапюк, уминая в мешки наши хорошие домашние пальто.

В первые минуты мы отнеслись к этой процедуре трагически. Как-никак, а превратиться в чучело — это чего-нибудь да стоит для тридцатилетней женщины, даже если ее никто не видит. Но потом отвлеклись задачей — как сохранить бюстгальтеры, хоть по одному. В казенное бельевое обмундирование входили только грубые бязевые рубашки и штаны. Лифчиков не полагалось. А ходить распустехой было страшно оскорбительно.

Каждая из нас с цирковой ловкостью спрятала по одному бюстгальтеру и пронесла его через бесчисленные обыски, проводившиеся в этой тюрьме дважды каждый месяц. Бюстгальтеры эти мы стирали над парашей и штопали рыбьей костью, вынутой из вечерней похлебки. Их надо бы сохранить как воспоминание о несокрушимости «эвиг вайблихе». Мой потерялся потом в лагере во время бесчисленных этапов.

Через неделю после первой выдачи книг у нас обеих разболелись глаза. Ведь днем в камере было почти темно: северная сторона, высоченный деревянный щит без трещин и черный бордюр из огромных ворон на нем. Стало ясно, что если продолжать читать по восемь-десять часов ежедневно при таком освещении, то можно ослепнуть. Надо было как-то приспособляться. И мы приспособились.

Хотя начальство тюрьмы заботливо меняло наших коридорных надзирателей, чтобы мы не привыкали к ним и чтобы между нами не завязывалось человеческих отношений, но все-таки время от времени те же дежурные возвращались на наш этаж, и нам удалось разобраться в них. Каждый имел свое прозвище и свою оценку.

В те дни, когда по коридору вышагивал Сатрапюк или неслышными шажками подкрадывался к глазку Вурм — отвратительный узкогубый прыщавый тип, — мы соблюдали режим идеально. Но когда появлялся Ярославский, или Святой Георгий, или миловидная кругленькая Пышка, — мы меняли порядок суток.

Научившись спать сидя, мы садились вполоборота к глазку в таких позах, что нас можно было принять за читающих. Раскрытые книги лежали перед нами, но мы безмятежно спали сидя.

Зато ночью, когда ослепительная электрическая лампа заливала камеру светом, мы научились так класть книгу под одеяло, что можно было незаметно читать чуть ли не до рассвета. Конечно, глаза при этом тоже страдали от ненормальной позы, от недосыпания. Но все-таки это было каким-то выходом. Нам долго удавалось так дурачить дежурных. Лишь изредка открывалась дверная форточка и раздавался голос надзирателя:

— Первое место, скажите второму месту, чтобы ОНО не закрывалось с головой.

Это означало, что ОНО, то есть Юлька, слишком натянула над собой одеяло.

Так и текли эти черные сонные дни и светлые ночи, с мучительно слепящим светом лампы, с подпольным чтением. Так и шло время в физических и душевных муках, в просветленном общении с книгами, в смене надежд и отчаяния.

Небо над прогулочными камерами становилось все серее. Чайки стали залетать реже. Вороны на оконном щите усаживались более плотно. Наступила осень.

ГЛАВА ТРИДЦАТЬ ШЕСТАЯ

«СОБАКА ГЛАНА»

У гамсуновского капитана Глана была собака по кличке Эзоп. Хотя вся наша камерная жизнь была насквозь пронизана духом Эзопа, но Юлька, явно переоценивая образованность надзирателей, боялась произносить вслух это имя.

Зато мы часто употребляли загадочное выражение «собака Глана». И мы проявили подлинную виртуозность в овладении языком и приемами этой собачки. Особенно искусно велась переписка.

Я получила разрешение на переписку с мамой. Юле в этом праве было отказано, ввиду «отсутствия близких родственников». Отправка моего письма — а разрешалась она дважды в месяц — превращалась в волнующее событие, к которому мы готовились заранее, обдумывая каждое слово.

149

Задача была трудная: сделать письмо вполне понятным для мамы и в то же время не возбудить подозрений тюремного цензора, который бдительно стоял на страже и при малейшем намеке на что-нибудь двусмысленное возвращал письмо.

— Отослано не будет! — так объявили мне, когда я вполне всерьез попросила маму привить Васе оспу. Каждое упоминание болезней считалось шифром.

Писали мы карандашами «установленной формы» из пластмассы со вставными графитиками, чтобы не надо было точить карандаш. Ничто острое в руки нам не давалось. В конверты письма вкладывались уже в цензуре.

Надо было сообщить маме как можно больше о себе и узнать от нее все, что можно, о муже, о детях, о всех родных и друзьях. Как сделать это?

И вот мы придумали писать о себе в третьем лице. Была проведена длительная подготовка. Прежде всего надо было придумать для меня второе имя. Что можно придумать от Евгении, кроме Жени? Ага! Ева! Малютка Евочка, сестренка Наташи. И маме было послано письмо с такой загадочной фразой:

«...Не тревожься так много о детях. Я думаю, что нашей Евочке, которая тебя заботит, не так уж плохо. Ведь она теперь не одна, а с тетей, которая относится к ней, я уверена, неплохо».

Моя мама подхватила все на лету. Да, она старается думать, что все будет хорошо с нашей дорогой Евочкой. Вот только не слишком ли замкнутый характер у тети? Пускает ли она Евочку погулять, повидаться с подругами? Мама хотела узнать, какой режим в тюрьме, одиночный ли.

Дальше все пошло как по маслу. Превратив всех в детишек, мы сообщали друг другу самые недопустимые с точки зрения цензора сведения, не вызывая у него ни малейших подозрений. Так, мама сообщила, что «у Павлика еще не было экзаменов», из чего я поняла, что суда и приговора по делу мужа еще не было. В той же форме было сообщено об аресте мужа сестры — Шуры Королева. Сначала мама написала: «Шура переменил службу. Он сейчас работает в гараже». Если принять во внимание, что Шура был профессором русской истории, то подобная перемена «службы» могла означать только исключение из партии. А в следующем письме говорилось: «Шура уехал к Павлику». Это уже не вызывало никаких сомнений.

Так мы переписывались два года. Мама аккуратно сообщала новости о моих детях, и я верила ей. Эти благополучные известия дали мне силу перенести все.

Только много позднее, уже на Колыме, я узнала, что в

то время когда мама писала: «Васе под Новый год сделали елочку», на самом деле Вася был потерян в недрах детдомов для детей заключенных, где перепутали его фамилию. Были такие месяцы, когда наши родные уже отчаивались найти ребенка. И только в 1938 году его дядя по отцу разыскал его в Костроме. Хорошо, что я не знала этого в Ярославле.

Кроме переписки, «собака Глана» широко применялась и в наших записях и в разговорах. Мы имели право покупать две тетради в месяц через ларек и писать в них все, что хотели. Но так как тетради после их заполнения надо было сдавать в цензуру, то фактически использовать тетрадь так, как хотелось бы, скажем, для стихов, было невозможно.

Сейчас я начисто забыла любопытную стенографию, изобретенную нами тогда. Действительно, оказалось, что, попав в положение Робинзона, каждый индивид повторяет развитие вида, проходя через все стадии «технического прогресса».

Мы изобрели иглу из рыбьей кости и нитки из собственных волос. Придумали оригинальную систему стенографии и усовершенствовали до ювелирной тонкости технику перестукивания, которое здесь, в могильной тиши, было занятием куда более опасным, чем в казанском подвале.

Стихи я записывала по этой системе, потом заучивала наизусть, стирала записанное хлебным мякишем, а по стертому сверху писала решения алгебраических задач или спряжение французских глаголов.

Основная задача, стоявшая перед нашей «собакой Глана», то есть перед всей нашей подпольной жизнью в камере, состояла в разрушении, насколько возможно, той строгой изоляции от мира и друг от друга, которая была законом этой тюрьмы. По замыслу администрации, каждый из нас должен был считать себя как бы единственным узником этого дома. Ну, поскольку пришлось уплотнить камеры и сделать их двойными, то разрешалось предположить, что кроме меня на свете осталась еще Юля Карепова.

Прежде всего — кто соседи? Путем тончайших наблюдений за характером звуков и неясных шорохов мы установили, что по обеим сторонам от нас — одиночники, что в тех камерах еще нет «приставной койки». Видимо, наиболее «крупных» старались как можно дольше выдержать в одиночестве. Справа кто-то ходил и ходил. Скрип огромных казенных бутс проникал даже через метровую стену. В ответ на наш вопрос о фамилии и сроке нам был поставлен контрвопрос: «Какой вы партии?» И когда мы ответили — «коммунистки», нам простучали в ответ:

— Среди членов этой партии у меня нет друзей.

Потом раздался удар кулаком в стену, и стена замолчала на все два года.

Было ясно, что там меньшевичка или эсерка типа казанской Мухиной.

Зато с соседкой слева установилась регулярная стенная связь. Мы почти ежедневно обменивались шифрованными телеграммами, составленными так, чтобы содержание их не могло быть понято, даже если бы и обнаружили перестукивание.

Соседкой оказалась Ольга Орловская, журналистка из Куйбышева, жена некоего Ленцнера, сыгравшего видную роль в троцкистской оппозиции. Сама Ольга была преданнейшим членом партии, с Ленцнером уже много лет была в разводе, но все же была арестована за связь с ним.

Ольга уже много месяцев сидела одна и была бесконечно рада установившейся связи с нами. Стучали мы во время раздачи обеда или ужина, когда тишина нарушалась звяканьем черпаков и жестяных мисок. Главной темой наших бесед было обсуждение газетного материала. Мы имели право из собственных 50 рублей, присылаемых родными, выписывать местную газету «Северный рабочий».

Что это была за газета! Если бы ее взял в руки сегодняшний читатель, ему показалось бы, что он бредит. Процесс изъятия «врагов народа» обобщался, систематизировался чуть ли не в схемах и таблицах. Можно было, например, встретить корреспонденцию о нерадивом секретаре райкома, утверждающем, будто в его районе уже «некого брать». Автор корреспонденции негодовал по поводу такого примиренчества к «враждебным элементам» и ставил под сомнение собственную благонадежность секретаря. По нескольку раз в месяц давались развернутые полосы о судебных процессах районных руководителей. Столбцы немудрящей провинциальной газетки пестрели словами «высшая мера», «приговор приведен в исполнение». Они набирались жирным шрифтом.

Наряду с такими материалами шли патетические восхваления «верных сынов народа» и «простых советских людей». Приближались выборы в Верховный Совет, первые выборы на основе новой Конституции, и кандидатом Ярославля выступал первый секретарь Ярославского обкома Зимин, только что сменивший своего арестованного предшественника. В каждом номере давались фотографии Зимина в разных видах, перечислялись его заслуги.

Через несколько месяцев после выборов Зимин был арестован вместе со всем новым составом бюро обкома, и та же газета «Северный рабочий» посвящала полосы разоблачению «матерого шпиона Зимина, обманным путем пробравшегося на руководящую партийную работу».

Выражения «слой», «снимают слоями» приходило в голову еще до того, как Каганович употребил его в положительном смысле. Сказал примерно так: «Борясь с последствиями вредительства, мы сняли несколько слоев...»

Вот обо всем этом и толковали мы с Ольгой через стенку, изъясняясь на языке «собаки Глана». Реплики Ольги свидетельствовали об остром уме, о журналистском умении быстро находить точные формулировки.

Так мы общались с Ольгой два года. И только в 1939 году, уже в колымском этапе, выяснилось, что Ольга боготворит Сталина, несмотря ни на что, и что в этой самой ярославской одиночке она написала ему заявление в стихах, которое начиналось так: «Сталин, солнце мое золотое, если б даже ждала меня смерть, я хочу лепестком на дороге, на дороге страны умереть...»

Поражаться этому, впрочем, не приходилось, так как в лагере оказалось немало людей, странно сочетавших здравую оценку всего происходящего в стране с чисто религиозным культом Сталина.

Юля, склонная к детективу, увлекалась «собакой Глана» настолько чрезмерно, что иногда даже я не могла понять ее сложных намеков. Особенно осторожной она стала после того, как у Ольги случилось несчастье, о котором та сообщила нам через стенку. Ее лишили книг за какие-то «подчеркивания в тексте», которых она не делала. Теперь, прежде чем вернуть надзирателю книгу, мы проводили над ней гигантскую работу, скрупулезно исследуя каждую страницу.

Еще больше «заэзопилась» Юля, когда ей пришла в голову идея, что в углублении стены, которое было над ее койкой, вставлен магнитофон, фиксирующий все наши разговоры. Напрасно я доказывала ей, что такая мера вряд ли нужна с точки зрения наших тюремщиков. Ведь мы уже не следственные, ничего нового дать им не можем. А то, что мы сами «враги народа» — это они считают уже доказанным.

Юля продолжала отчаянно бояться «Прова Степаныча» (так именовалось это углубление в стене) и находила такие анекдотические формы засекречивания наших разговоров, что я иногда от души хохотала над ней, уткнувшись в соломенную подушку, чтобы не привлекать внимания надзирателей.

И все-таки, несмотря на все наши старания и предосторожности, карающая десница тюремного начальства добралась и до нас. Ведь тюремные взыскания, так же как и самые сроки, раздавались не в зависимости от стихийных проступков, а строго по плану, на основе четкого графика. А график подходил к роковой дате третьей годовщины убийства Кирова, к первому декабря.

ГЛАВА ТРИДЦАТЬ СЕДЬМАЯ

ПОДЗЕМНЫЙ КАРЦЕР

Как всегда, несчастье разразилось именно в тот момент, когда мы его совсем не ждали. Наоборот, мы почему-то очень веселились в этот день.

С утра нам принесли из ларька продукты: полкило сахара, двести граммов масла и почему-то несколько огурцов, неизвестно каким путем попавших в тюремный ларек. Огурцы были желтые, корявые и страшно горькие. Хозяйственная Юля, выросшая в столичном городе Царевококшайске, пронесшая через все свои чины и ордена пристрастие к патриархальному хозяйству, загорелась гениальным планом засолки этих трех огурцов.

— Ничего смешного! Попросим по щепотке соли и у дневного, и у ночного дежурного. И у завтрашнего утреннего. Кипятка три дня не брать. Или брать, но выливать в парашу. И в жбане для кипятка посолить. Через три дня будут чудные, малосольные...

— Юлька! Тебя надо в стихах воспевать, честное слово!

— И не мешало бы! А то пишешь неизвестно о чем, а нет чтобы воспеть подругу дней твоих суровых...

Я тут же приступила к делу.

Нет, мне тебя не воспеть ни хореем,
ни ямбом презренным,
Только гекзаметр один будет достоин тебя...

— Пожалуйста, не возражаю!

Пусть же лавины свои вновь прольет
на народы Везувий,
Ты на вершине его все ж посолишь огурцы...

И именно в тот момент, когда мы захлебывались сдерживаемым смехом, ключ в нашей двери вдруг повернулся. Сердце сжалось, свернулось клубком. Каждое открытие дверей в неурочное время несло только горе.

— Следуйте за мной, — сказал корпусной, обращаясь ко мне.

Такие случаи уже бывали несколько раз за время нашего пребывания здесь. Водили «печатать пальцы», то есть брать дактилоскопические оттиски, водили к зубному. Нет, к зубному по предварительной заявке... Что же это такое?

Спускаясь с лестницы, слышу тревожное покашливание Юли, несущееся вслед, выражающее тревогу и солидарность. Вот мы миновали второй этаж, первый. Куда же это? Все ниже и ниже? Уже ясно, что ведут не для пустой формальности. В длительном спуске ощущается что-то зловещее. Сколько же здесь подземных этажей?

Наконец мы останавливаемся в каком-то узеньком застенке. Передо мной вырастает кургузая плечистая фигура старшего надзирателя Сатрапюка. У него очень темное смуглое лицо, на котором почти неправдоподобно выглядят белесые глаза. Говорит он с сильным украинским акцентом.

Осведомившись о моей «хфамилии», он вытаскивает книгу приказов и читает мне приказ начальника тюрьмы о водворении в нижний карцер сроком на пять суток «за продолжение контрреволюционной работы в тюрьме, выразившейся в написании своего ИМЯ на стене уборной».

Провокация явная! Никакого ИМЯ я, конечно, не писала, да и глупо было бы писать. Ведь мы отлично знали, что после каждого нашего выхода оттуда надзиратель, несущий почетную вахту у дверей этого учреждения, обязан заходить туда и проверять, не оставили ли мы там бомбу с динамитом. Кроме того, в его обязанности входила выдача каждой из нас по листочку газетной бумаги, и он осуществлял это дело государственной важности с лицом значительным и непроницаемым.

Все это проносится в моей голове, и я пытаюсь объяснить Сатрапюку: надо быть совсем глупой, чтобы в этих условиях писать что-нибудь на стене. Он, не слушая, предлагает мне расписаться в том, что приказ мне объявлен.

— Нет! Не буду подписывать эту ложь, эту чепуху! И потом, что это еще за «продолжение контрреволюционной работы в тюрьме»?

Как только я произнесла эти слова вслух, мне стало ясно, для чего они написаны. Перед глазами сразу возникли строчки из 22 заповедей майора Вайнштока. Там говорилось, что в случае «продолжения контрреволюционной работы в тюрьме» дело передается в суд. Значит, подписав этот приказ, я как бы признаю факт и даю материал против себя, чтобы меня снова судили и на этот раз уж обязательно убили.

— Не подпишу! Это провокация!

— Ладно. Нэ пышить. Еще поченейше соби зробыти. Давайте роздягайтеся!

— Что-о?

— Роздягайсь, говорю! — переходит он вдруг на «ты». — У карцере другой одяг, по положению... Заходь давай!

Он наступает на меня, и я оказываюсь в каком-то каменном треугольнике. Ни окна, ни лампочки. Свет падает только из открытой пока двери. Веет могильным холодом. Ясно, что застенок этот не отопляется. На высоте двух-трех вершков от пола прибиты узкие нары, заменяющие койку. На них валяются лохмотья, в которые мне надлежит сейчас переодеться. Этот грязный, засаленный обрывок солдатской шинели и огромные лапти. Самые настоящие лапти...

— Не буду...

— Будешь! А то вам еще и не такие местечки покажем, — сатанеет вдруг Сатрапюк, и прежде чем я успеваю опомниться, он САМ начинает раздевать меня. Я чувствую, как его лапищи коснулись моей груди.

— А-а-а!

Неужели это я издала такой дикий вопль? Да, это я. Я сорвалась с петель. Чаша переполнилась. Кричу и бьюсь еще отчаянней, чем в «черном вороне» после суда. Тогда я билась головой о стенку, стараясь причинить боль только себе. Сейчас я обезумела настолько, что вступаю в драку с Сатрапюком, который может меня уложить одним ударом кулака. Я пускаю в ход ногти и зубы, я ударяю его ногой в живот. При этом я выкрикиваю страшные слова:

— Фашисты! Негодяи! Погодите, и на вас придет день!

Вдруг я ощущаю мгновенную, но такую невыносимую боль, что на какое-то время теряю сознание. Это Сатрапюк вывернул мне руки и связал их сзади полотенцем. Как сквозь сон вижу, что на помощь к нему подоспела женщина-надзирательница. Она раздевает меня, связанную, до рубашки, вытаскивает даже шпильки из волос. Потом все сливается, и я проваливаюсь в черную и в то же время огненную бездну.

Прихожу в себя от мороза. Пальцы на левой ноге закоченели настолько, что я не ощущаю их. У меня тогда получилось отморожение второй степени всех пальцев левой ноги. И до сих пор каждую зиму нога распухает и болит.

Все тело мучительно ноет. Я лежу на этих низких нарах, прямо на спине, почти голая, в одной рубашке и накинутой сверху грязной шинелишке. Но руки у меня свободны, не связаны. Это надзирательница, наверно, пожалела, развязала перед тем, как бросить сюда.

Всматриваюсь в темноту. Ни зги. Только бы я не ослепла... Ведь ничего, ничего не вижу. Хоть бы искорку какую-нибудь...

Шаги. Стук солдатских каблуков. Поворот ключа в дверной форточке и... Нет, я не ослепла! Какой ликующий поток света струится из дверного окошечка! Я вижу, вижу его! Теперь легче будет смотреть в тьму. Ведь я теперь знаю, что не ослепла.

— Вода!

Кружка грязная, заржавленная, вода подернута каким-то сальным налетом. Я жадно хватаю ее, выпиваю два глотка, а остальной водой умываюсь. Экономно, аккуратно отмываю руки и лицо, потом вытираюсь верхним краем рубашки. Вот. Теперь я снова человек, а не грязное затравленное животное.

— Хлеб!

— Не буду!

— Почему?

— В такой грязи есть нельзя.

— Доложу начальнику.

Он уходит, но закрывает дверную форточку как-то не так плотно, как было раньше. Теперь по краю ее ясно улавливается узенькая полоска электрического света. Я фиксирую ее взглядом, и это приносит мне бесконечное утешение.

Надо отмечать дни. Чтобы не слились в одно дни и ночи. Сейчас мне хотели дать хлеб. Это был первый день. Я надрываю в одном месте подол рубашки. Каждый раз, когда мне будут предлагать хлеб, я буду делать на рубашке такой надрыв. Когда их будет пять, меня отсюда выпустят. Каким дворцом мне кажется сейчас наша камера! Юлька... Неужели и с ней расправились так же? У нее и так плеврит...

Спать здесь невозможно. Мешают холод и крысы. Они шмыгают мимо меня, и я бью их огромным лаптем. Что же делать? Ах, стихи...

Я читаю себе Пушкина и Блока, Некрасова и Тютчева. Потом сочиняю (акын настоящий, совсем без карандаша!) стихи «Карцер».

Не режиссерские бредни.
Не грезы Эдгара По.
Слышу, как в шаге последнем
Замер солдатский сапог.
В пьяном шакальем азарте
Как они злы, как низки...

Вот он — подземный карцер!
Камень. Мороз. Ни зги!
Вряд ли сам ад окаянней —
Пить, так уж, видно, до дна...
Счастье, что в этих скитаньях
Все-таки я не одна.
Камень взамен подушки,
Но про ночной Гурзуф
Мне напевает Пушкин,
Где-то в углу прикорнув.
И для солдат незримо
Вдруг перешел порог
Рыцарь неповторимый,
Друг — Александр Блок.
Если немного устану —
В склепе несладко живьем —
Вспомним про песнь Гаэтана,
Радость-страданье споем.
Вместе не так безнадежно
Самое гиблое дно.
Сердцу закон непреложный:
Радость-страданье — одно.
Пусть же беснуется, воя,
Вся вурдалачья рать!
Есть у меня вот такое,
Что вы не в силах отнять!

Да, этого они отнять не в силах. Все отняли: платье, туфли, гребенку, чулки... Бросили на мороз почти голую. А вот этого не отнимут. Не в их власти. Мое со мной. И я переживу даже этот карцер.

ГЛАВА ТРИДЦАТЬ ВОСЬМАЯ

КОММУНИСТО ИТАЛЬЯНО...

На подоле моей рубашки уже четыре надрыва. Уже четырежды мне предлагали хлеб, и четырежды я не приняла его. Я уже немного сориентировалась и здесь. Различаю звуки, связанные со сдачей дежурства надзирателей, шаги Сатрапюка и его шепот с придыханием. Поняла, что в этом секторе подвала не меньше пяти таких клеток, как моя.

Поэтому шаги Коршунидзе-Гадиашвили — начальника тюрьмы — я сразу различила. Открылась моя дверь. Я повернулась на своем ложе к стене, чтобы не видеть его. Угадываю его верблюжью, ныряющую походку и презрительную гримасу на его физиономии. Секунду мы оба ждем. Он — чтобы я проявила чем-нибудь, что жива, я — чтобы заорал: «Встать!» Но он начинает свою речь с эпическим спокойствием:

— Вам известно, что в нашей тюрьме голодовки запрещены?

Молчу. Я не хотела разговаривать с этим выродком даже там, в камере. Тем более не скажу ни слова здесь.

— Повторяю: известно ли вам, что в нашей тюрьме голодовка расценивается как продолжение контрреволюционной работы?

Кусаю губы в кровь и молчу.

— Вы не подписали приказа и не принимаете хлеба. Это достаточные основания для передачи дела о вашем поведении в тюрьме в суд. Отдаете ли вы себе в этом отчет?

Хоть лопни, проклятый, хоть пристрели сейчас на месте, не вымолвлю ни слова. Что терять-то? Разве в могиле не лучше, чем здесь?

Коршунидзе выжидает еще минуту, потом поворачивается на каблуках своих сапог (по его ежемесячным визитам знаю, как они блестят!) и выходит из карцера. Двери снова заперты.

Но вот открывается дверная форточка, и я вижу знакомое добродушное лицо Ярославского, колючую поросячью щетинку на его розовых щеках.

— Бери, девка, хлеб-то, слышь! А то и впрямь замордуют вовсе, — торопливым шепотом произносит он и сразу же, прерывая самого себя, захлопывает форточку. Кто-то в коридоре...

Топот многих ног, какое-то шуршанье, будто протащили что-то по каменному полу, глухие возгласы. И вдруг над всем этим отчаянный дискантовый крик. Он долго тянется на одной ноте и наконец неожиданно обрывается.

Все понятно. Кто-то сопротивляется. А его все-таки тащат в карцер. Опять кричит. Замолчала. Заткнули рот кляпом.

Только бы не сойти с ума. Все что угодно, только не это. «Не дай мне Бог сойти с ума. Нет, лучше посох и сума...» А ведь первый признак надвигающегося безумия — это, наверно, именно желание вот так завыть на одной ноте. Это надо преодолеть. Работой мозга. Когда мозг занят делом, он сохраняет равновесие. И я снова читаю наизусть и сочиняю сама стихи. Потом повторяю их много раз, чтобы не забыть. А главным образом, чтобы не слышать, не слышать этого крика.

Но он все продолжается. Пронизывающий, утробный, почти неправдоподобный. Он заполняет все вокруг, делается осязаемым, скользким. По сравнению с ним вопли роженицы кажутся оптимистической мелодией. Ведь в криках роженицы затаена надежда на счастливый исход. А тут великое отчаяние.

Меня охватывает такой страх, какого я еще не испытывала с самого начала моих странствий по этой преисподней. Мне кажется — еще секунда, и я начну так же вопить, как эта неизвестная соседка по карцеру. А тогда уж обязательно соскользнешь в безумие.

Но вот однотонный вой начинает перемежаться какими-то выкриками. Слов разобрать не могу. Встаю со своего ложа и, волоча за собой огромные лапти, подползаю к двери, прикладываю к ней ухо. Надо разобрать, что кричит эта несчастная.

— Ты что? Упала, что ль? — раздается из коридора. Ярославский снова приоткрывает на минуту дверную форточку. Вместе с полоской света в мое подземелье вливаются довольно ясно произнесенные слова на каком-то иностранном языке. Уж не Каролла ли это? Нет, на немецкий не похоже.

У Ярославского расстроенное лицо. Ох, какая это все постылая обуза для мужицкого сына с поросячьей белобрысой щетинкой на щеках! Уверена, что если бы он не боялся проклятого Сатрапюка, помог бы и мне, и той, кричащей.

В данный момент Сатрапюка, видно, нет поблизости, потому что Ярославский не торопится захлопывать форточку. Он придерживает ее рукой и шепотом бубнит:

— Завтра срок тебе. Назад в камеру пойдешь. Перетерпи уж ночку-то. А может, возьмешь хлеб-то, а?

Мне хочется поблагодарить его и за эти слова и, особенно, за выражение его лица, но я боюсь спугнуть его какой-нибудь недопустимой фамильярностью. Но все-таки решаюсь прошептать:

— Чего она так? Страшно слушать...

Ярославский машет рукой.

— Кишка у них больно тонка, у заграничных-то этих! Вовсе никакого терпенья нет. Ведь только-только посадили, а как разоряется. Наши-то, русские, небось все молчком. Ты-то вон пяты сутки досиживаешь, а молчишь ведь...

И в этот момент я ясно различаю доносящиеся откуда-то вместе с протяжным воем слова «коммунисто итальяно», «коммунисто итальяно...»

Так вот кто она! Итальянская коммунистка. Наверно, бежала с родины, от Муссолини, так же как бежала от Гитлера Клара, одна из моих бутырских соседок.

Ярославский торопливо захлопывает дверку и строго кашляет. Наверно, Сатрапюк на горизонте. Нет, много шагов. Хлопанье железных дверей. Это там, у итальянки... Какой странный звук! Ж-ж-ж-ж... Что это напоминает? Почему я вспомнила вдруг о цветочных клумбах? Боже мой! Да ведь это шланг! Значит, это не было фантазией Веверса, когда он грозил мне: «А вот польем вас из шланга ледяной водицей да запрем в карцер...»

Вопли становятся короткими. Она захлебывается. Совсем жалкий комариный писк. Опять шланг. Удары. Хлопанье железной двери. Молчание.

По моим расчетам, это была ночь на пятое декабря. День Конституции. Не помню, как я провела остаток этой ночи. Но тонкий голос итальянки я и сегодня слышу во всей реальности, когда пишу об этом спустя почти четверть века.

Ярославский сменился. Дверь настежь. Еще прежде, чем я различаю, кто стоит в дверях, я с беспощадной ясностью вижу вдруг самое себя, скорчившуюся на этих грязных обледенелых досках, прикрытую грязной хламидой, растрепанную. Вижу свои посиневшие отмороженные ноги в огромных лаптях. Затравленный зверь. Да разве еще можно жить после такого?

Оказывается, можно. В дверях стоит надзирательница Пышка. На ее щеках и подбородочке ямочки. Веселые кудряшки падают на тюремную форму. От нее одуряюще пахнет земляничным мылом и тройным одеколоном. Она что-то говорит добрым голосом. Сначала я воспринимаю ее речь только как мелодию. Человеческий голос. Приятный, доброжелательный. Разве это еще мыслимо? Потом начинаю различать смысл слов.

— Сейчас в камеру пойдете. Скоро ужин... А завтра в душе помоетесь.

— Как ужин? Я думала, утро...

Она помогает мне снять хламиду и надеть серо-синюю ежовскую форму. Форма кажется мне сейчас удобным и красивым платьем. Сразу делается теплее; дрожь, не унимавшаяся все пять суток, прекращается. Я пытаюсь натянуть чулки, но это мне почему-то не удается. Чулки кажутся странно длинными, и потом, я никак не могу сообразить, с какой стороны их натягивают. Пышка опять услужливо помогает мне.

— Идите...

Выхожу на площадку, на которую выходят двери нескольких карцеров. Около каждой стоит обувь. Всем, значит, надевают в карцере лапти. У администрации не хватает казенных бутс, и потому у дверей стоят потрепанные туфли, тапочки. Домашняя обувь. Но что это? Я вижу изумительно изящные, маленькие, не больше 33-го номера, модельные туфельки на высоких каблучках. Она! Это, без сомнения, ЕЕ туфельки! Передо мной вырастает образ грациозной маленькой итальянки, которой могут быть впору такие туфельки. А они... Из шланга...

Меня уже вывели наверх, на ту лестничную клетку, которую я ежедневно прохожу, спускаясь на прогулку во дворик. И вдруг я останавливаюсь в мучительном сомнении. Направо или налево? Делается страшно... Значит, я все-таки тронулась. Ведь каждый день хожу здесь, каждый день... Три с половиной месяца... Почему же я вдруг забыла дорогу?

— Направо, — говорит шепотом Пышка, и я пытаюсь повернуть направо, но вдруг окончательно теряю ориентацию и тихо опускаюсь на ступеньки. Нет, я, значит, все-таки не железная...

Последнее, что стучит у меня в висках, когда я падаю, ныряя в беспамятство, это все тот же пронзительный крик:

— Коммунисто итальяно! Коммунисто итальяно!

ГЛАВА ТРИДЦАТЬ ДЕВЯТАЯ

«НА БУДУЩИЙ — В ЕРУСАЛИМЕ!»

Всему на свете приходит конец. Кончался, кончался все-таки и девятьсот проклятый — тридцать седьмой. Прошел декабрь, начавшийся для нас карцером, болезнями после него. Юлин плеврит резко обострился. Я мучилась отмороженными ногами.

В газетах мы читали сейчас описание первых выборов на основе новой Конституции, нового избирательного закона.

Днем и ночью мучила мысль: неужели наш уход из жизни никем не замечен? Я представляла себе, как идут на выборы наши, университетские. Неужели никто не вспомнит? А редакция? Впрочем, там, наверно, не осталось никого из старых.

И даже сегодня, после всего, что уже было с нами, разве мы проголосовали бы за какой-нибудь другой строй, кроме советского, с которым мы срослись, как с собственным сердцем, который для нас так же естествен, как дыхание. Ведь все, что я имела: и тысячи прочитанных книг, и воспоминания о замечательной юности, и даже вот эта выносливость, которая сейчас спасает меня, — ведь это все мне дано ею, Революцией, в которую я вошла ребенком. Как нам было интересно жить! Как все хорошо начиналось! Что же, что же это такое случилось?

— Юлька! Проснись! А ты не думаешь, что ОН сошел с ума? А? Мания величия ведь часто, говорят, сопровождается и манией преследования... Может, ему и вправду всю ночь мальчики кровавые в глаза лезут.

Юлька нечленораздельно мычит что-то. И зачем только я разбудила ее? Ведь она так плохо чувствует себя после карцера.

Болезнь не мешает ей, впрочем, готовиться к «встрече» приближающегося Нового года. Она копит сахар, откладывая по куску из выдаваемых ежедневно двух пиленых кусочков. Уже вторую неделю она ревниво оберегает граммов 20 масла, оставшихся от 200 граммов, купленных однажды (за три месяца) в тюремном ларьке.

— Новый год надо отметить хорошо. Ведь есть примета: как Новый год встретишь, так он весь и пройдет. И ты обязательно сочини новогодние стихи.

— Подожди ликовать! Еще, может быть, у них день Нового года отмечается не менее торжественно, чем день первого декабря, годовщина убийства Кирова. Может, для этой цели приспособлены еще более усовершенствованные карцеры.

Но Новый год все же приближался, и мы обе ждали его с нетерпением. Суеверно казалось, что кошмары, принесенные тридцать седьмым, могут раствориться в свежем воздухе тридцать восьмого.

Как и перед всякой выдающейся датой, тюремный режим заметно усилился. Чаще обычного щелкал открываемый глазок, чаще раздавался змеиный шепот: «Прекратите разговоры!» Библиотека почему-то снова не работала, и книги, находившиеся у нас уже месяц, были изучены до тонкостей. Помню, что одной из них был все тот же однотомник Некрасова, который Юле не хотелось возвращать.

И опять я думала о том, как раскрывается слово писателя в той ничем не нарушаемой душевной собранности, которая дается тюрьмой, в благоговейной готовности как можно глубже воспринять это слово.

Никогда я не любила людей так проникновенно, как именно в эти месяцы и годы, когда, отгороженная от них каменными стенами, брошенная в царство нечеловеков, я воспринимала каждую писательскую строчку как радиограмму с далекой планеты Земля, моей родины, моей далекой матери, где жили и живут братья мои — люди.

Даже самая хрестоматийная строчка Некрасова превращалась теперь в волнующее письмо далекого друга. Я часами читала Юльке «Рыцарь на час», «Русских женщин». И интересно, что больше всего стучали в сердце самые неожиданные места, мимо которых проходила раньше не останавливаясь. Например, «спи, кто может, я спать не могу...» Это ведь о природе. О той лунной морозной ночи, когда поэт «хотел бы рыдать на могиле далекой»... Когда-то я заучивала эти стихи в школе, и они сливались для меня тогда с десятками других пейзажных строк, почти не задевая сердца. А сейчас...

Вот она, в прорези открытой форточки, — эта морозная лунная ночь. Какой бы мороз ни был на улице, мы с Юлей не закрываем форточку. Ведь оттуда струится тоненький ручеек кислорода, оттуда поступает наш нищенский паек со стола жизни. Мы ведь не дышим теперь, а только жадно подбираем крохи кислорода. И вот с ним-то вместе, с этим ручейком, и входит к нам в камеру некрасовская морозная ночь. И мне кажется, что никто до нас не понимал всего объема этих слов: «Спи, кто может, я спать не могу...»

Кроме Некрасова в эти предновогодние дни на нашем прикованном к стене столике оказался еще томик стихов Сельвинского. И там случайно попались на глаза строчки о судьбах еврейского народа, о его стойкости, жизнелюбии. Приводилось древнее новогоднее приветствие: «На будущий — в Ерусалиме». Под этим заголовком я и сочиняю поздравительные новогодние стихи для Юли.

> *...И вновь, как седые евреи,*
> *Воскликнем, надеждой палимы,*
> *И голос сорвется, слабея:*
> *На будущий — в Ерусалиме!*
>
> *Тюремные кружки содвинув,*
> *Осушим их, чокнувшись прежде.*
> *Ты смыслишь что-либо в винах?*
> *Нет слаще вина надежды!*
>
> *Товарищ мой! Будь веселее!*
> *Питаясь перловкой, не манной,*
> *Мы все ж, как седые евреи,*
> *В свой край верим обетованный.*
>
> *Такая уж вот порода!*
> *Замучены, нищи, гонимы,*
> *Все ж скажем в ночь Нового года:*
> *На будущий — в Ерусалиме!*

164

И вот она пришла, эта новогодняя ночь. Первая новогодняя ночь в тюрьме. Если бы мы знали тогда, что впереди их еще не меньше семнадцати! Вряд ли мы смогли бы, наверно, так терпеливо встретить ее, если бы вдруг на тюремной стене, как на экране телевизора, вспыхнула хоть одна из сцен предстоящей нам в ближайшие семнадцать лет жизни. Но, к счастью, будущее было для нас закрыто, и надежда лгала нам своим детским лепетом. Вопреки логике, вопреки здравому смыслу, мы были уверены, что «на будущий — в Ерусалиме!»

Мы лежим на своих тюремных койках и стараемся уловить движение времени. Это не очень просто. Недаром Вера Фигнер назвала свою книгу об одиночной тюрьме «Когда часы остановились».

Но в эти пограничные, перевальные минуты, когда уходил в глубь веков этот единственный в своем роде год, когда наступал новый (а ему мы приписывали роль справедливого судьи!) — в эти минуты мы стали способны отсчитывать шаги времени по многим неуловимым признакам: по ударам своих сердец, по дыханию надзирателя, заглядывающего в глазок.

Какое-то шестое чувство заставило нас одновременно протянуть руки из-под колючих серых одеял и чокнуться жестяными кружками, в которых была заранее заготовлена сладкая вода.

Нам повезло. Надзиратели не заметили наших незаконных действий, и мы спокойно выпили свой напиток, закусив его куском хлеба, смазанного маслицем. Это было поистине Лукуллово пиршество!

Я торжественно прочла Юле поздравительные стихи, и мы сладко заснули в мечтах о Новом годе. На будущий — в Ерусалиме!

ГЛАВА СОРОКОВАЯ

ДЕНЬ ЗА ДНЕМ, МЕСЯЦ ЗА МЕСЯЦЕМ

Нет, чуда не произошло. Тридцать восьмой не стал справедливым судьей тридцать седьмого. Наоборот, он оказался двойником своего кровожадного брата и даже кое в чем перещеголял его.

Этот год, проведенный от начала до конца в одиночке, показался ярославским узницам вечностью и в то же время — мигом. Каждый отдельный день тянулся невыносимо, но недели, а особенно месяцы летели галопом.

Пробуждение. Дверная форточка хлябает и открывается, точно пасть какого-то сказочного дракона. Пасть произносит:

— Подъем!

И захлопывается, точно лязгают одна о другую металлические челюсти чудовища. Подъем в шесть утра. Зимой еще совсем темно, и кусочек неба в окне над щитом сливается с краями щита.

Подъем. Это значит еще раз осознать, где ты находишься, отдать себе отчет в том, что все ЭТО — правда, не сон. Все на месте: багровые стены, скрежещущие железные койки, вонючая параша, углубление в стене, от которого расходятся какие-то контуры, напоминающие мужское лицо. Это — «Пров Степаныч» — наш предполагаемый соглядатай, за которым, по Юлиному предположению, скрывается магнитофон.

Быстро вскакиваем. Медлить запрещено. Натягиваем свои форменные платья, ежовские формочки. Дрожа от сырости, от вони, от отвращения к жизни, стараемся подшучивать над своим видом в этих туалетах. Любимая шуточная игра. Я говорю Юле: «Хозяйка, вам куфарку не надоть?» Она строго: «А паспорт у тебя есть?» — «Вот пачпорта-то как раз и нет, хозяйка. Уж не обессудьте, чего нет, того нет...»

Первый раз это рассмешило, и мы повторяем игру, чтобы поддержать бодрость, чтобы скрывать друг от друга утреннее отчаяние.

Иногда между подъемом и выводом на оправку проходит больше часа. Но мы должны быть готовы с самого начала, чтобы, как только откроется наша дверь, схватить парашу и идти в уборную. Время ожидания надо как-то убить. Иногда удается задремать, сидя на прикованной к стене табуретке, иногда, загораживая друг друга от глазка, делаем подпольную физзарядку, то есть разминаем затекшие от жесткой железной койки руки и ноги.

По характеру шорохов в коридоре, по шагам и даже по дыханию мы узнаем, кто из надзирателей в коридоре. От этого многое зависит. При Святом Георгии, например, можно делать гимнастику почти открыто. Он сделает вид, что не замечает. У Пышки можно попросить вне очереди иголку и заняться штопкой чулок. А вот если в коридоре Вурм — держи ухо востро! Попробуй-ка при нем хоть руки поднять кверху! Сейчас же откроет дверную форточку и проквакает жабьим голосом:

— Прекратить! Тут вам не институт физкультуры!

А если Сатрапюк... Ну, тот ничего не скажет, но составит акт о нарушении режима — и готово: лишение прогулки, библиотеки, ларька...

Выход в уборную приносит нам некоторые политические новости и расширяет наш политический кругозор. Кусочки газетной бумаги, выдаваемой нам по листочку вместо туалетной, могут оказаться страшно интересными. Сами мы получаем только ярославскую газету «Северный рабочий». А в уборной нам нередко попадаются кусочки «Правды» и «Известий». Мы штудируем их со всех концов, делаем из обрывков предложений разные умозаключения.

Вернувшись с оправки, мы умываемся над парашей, поливая друг другу, и завтракаем кипятком и хлебом. Юля оставляет один кусочек сахара на ужин. Я съедаю оба куска утром, каждый раз однообразно аргументируя: «А вдруг умрем до вечера. Пропадет тогда...»

Потом начинается «рабочий день». Мы читаем и пишем. Пишем и читаем. Увы, мы нередко читаем все одни и те же книги, так как библиотека то и дело «ремонтируется» и «инвентаризируется». А пишем мы только для того, чтобы тут же стереть написанное. Ведь две тетради, которые нам разрешено исписывать за месяц, должны каждое тридцатое число сдаваться в тюремную цензуру, притом без возврата. Я пишу стихи. Массу стихов. Пишу, заучиваю наизусть и стираю написанное хлебным мякишем. Кроме того, я пишу повесть о советской школе первых послереволюционных лет, о школе, в которой я училась. Мой единственный критик, читатель и ценитель — Юля — очень одобряет.

После каждой прочитанной главы мы предаемся сладостным воспоминаниям детства. Ведь оно у нас было такое, какого ни у кого ни до нас, ни после нас не было. Революционное детство. Даже плакат с огромной вошью, призывающий к борьбе с тифом, кажется нам теперь овеянным высокой поэзией.

А первое ученическое самоуправление! А первая демонстрация, когда мы шли с мокрыми ногами, в рваных башмаках, но несли сочиненный нами самими лозунг — «Школа труда и радости приветствует Советскую власть!».

Одно плохо: мы недостаточно активно жили. Если бы знать, что всей нашей жизни только и будет, что тридцать лет, так разве так надо было работать! Тогда успели бы хоть что-то после себя оставить. Да и детей надо было родить не двух, а минимум пятерых, чтобы побольше, побольше от меня следа осталось на моей дорогой земле. Ах, как безошибочно стали бы мы жить сейчас, если бы удалось начать все сначала!

Обед. Если мамалыга — кукурузная каша — это хорошо. К овсу и перловой шрапнели я почти не притрагиваюсь. Я стала уже тоньше, чем была в пятнадцать лет.

167

Прогулка. Распахивается дверь. Зловоние параши смешивается с парфюмерными запахами, струящимися от надзирателя. Их обязательно душат здесь, чтобы компенсировать то зловоние, в котором они работают.

Одетые в фантастические по уродливости бушлаты, мы старательно мечемся по пятнадцатиметровому прогулочному дворику, стараясь исподтишка смотреть на небо. Открыто смотреть запрещено. Голова во время прогулки должна быть опущена.

Потом опять читаем, пишем, решаем задачи по алгебре и подводим итоги своей жизни в бесконечных разговорах.

Ужин. Изо дня в день в один и тот же час коридор наполняется оглушительным запахом вареного рыбьего жира. Меня тошнит не только от вкуса этого супа, но даже от этого запаха. Питаюсь в основном хлебом и кипятком. Юля говорит, что из довольно объемистой брюнетки я превратилась в тоненькую шатенку, потому что от постоянной темноты, в которой мы живем, мои волосы посветлели. Не знаю. Сама я уже второй год не вижу своего отражения в зеркале или хотя бы в стекле, в воде.

Отбой. Снова лязгнула дверная форточка — пасть дракона. Отбой — это хорошо. Это почти счастье. Можно лечь, вытянуться в длину. Можно заснуть лежа, а не скрючившись на табуретке. Это семичасовой отпуск в нирвану, в блаженство небытия. Вместо «спокойной ночи» я говорю Юле из Некрасова: «Уснуть... А добрый сон пришел, и узник стал царем».

Так шли дни. Но это было обманчивое однообразие. Оно было пронизано постоянным ожиданием новых необычайных происшествий. И они действительно происходили. Временами застоявшуюся тишину коридора прорезывали стуки, стоны, удары, чьи-то задохнувшиеся в прерванном вопле голоса. Ведь не только нас тащили в карцер. Некоторые, наверно, сопротивляются. А может быть, не только карцер...

Разнообразие в жизнь вносили также обыски и баня. Баня была тоже одиночная. Душ-клетка, в которой мы едва помещались вдвоем, приносил огромное удовольствие. Что же касается обысков, то они требовали с нашей стороны большого напряжения ума, находчивости, быстроты движений. Казалось бы, что можно найти в камере людей, ничего ниоткуда не получающих, не выходящих никуда, кроме тюремного дворика? И что им прятать, таким людям?

Но нет, нам было что прятать. Лифчики, которые были запрещены, иголки из рыбьих костей, вытащенных из вечернего супа, наконец лекарства, полученные от медсестры, время

168

от времени обходившей камеры. Лекарства, по правилам, полагалось глотать только в присутствии сестры и надзирателя. А нам хотелось иметь кое-что на случай, скажем, приступа малярии, которая нас терзала. И мы делали вид, что глотаем порошки при сестре, а сами прятали порошки хинина и аспирина за лифчиком, чтобы принять их тогда, когда потребуется.

Все эти незаконные вещи мы с акробатической ловкостью спасали при обысках, пользуясь тем, что камеру обыскивали надзиратели-мужчины, а так называемый личный обыск проводили женщины.

Мужчины врывались в камеру как лавина. Неожиданность обыска, видимо по их инструкциям, была особенно важна. Они ворошили соломенные тюфяки и подушки, скрупулезно исследовали каждый миллиметр пола и стен. В это время мы держали все запретные вещи на себе — в чулках или за лифчиками.

Наиболее ответственным был момент, когда мужчины уходили и входили женщины. В этот миг надо было успеть переложить все криминальное под тюфяки, так как женщины вещей уже не трогали. Их задачей было обшарить нас самих, заставляя раскрывать рты, расчесывать волосы, раздвигать пальцы рук и ног и т. д.

...За весь этот год было, пожалуй, одно радостное событие: в начале весны нам удалось получить из библиотеки большой однотомник Маяковского. По-новому мы прочли теперь его ранние, тюремные стихи. О бутырской камере и о солнечном зайчике. «А я за стенного, за желтого зайца отдал тогда бы все на свете».

Чего захотел! Солнечного зайца! Нам такие мысли и в голову не приходят. Хоть бы чуточку дневного света. Хоть бы не так ломило переносье и надбровье, когда читаешь в этих вечных сумерках!

Несколько недель мы живем только Маяковским, и я сочиняю ему стихи, стилизованные «под него». Там есть такие строфы:

...Владимир Владимыч! Вы очень умели
Найти основное в любом важном деле...
Вам, думаю, ясно? Нам здесь не приснится,
Что есть где-то в мире цветочная Ницца...

Долгими вечерами толкуем о той елейной трактовке Маяковского, которую мы еще успели застать на воле, которая теперь в моде. И я пишу, а потом стираю хлебным мякишем:

169

Маяковский, слушайте, наш милый!
Будем живы, так, не поленясь,
Мы отмоем дочиста и с мылом
Эту рассусаленную грязь.

Вы ж тогда, встряхнувшись торопливо,
Растолкав плечами облака,
Двадцатидвухлетний и красивый,
Снова зашагаете в века...

ГЛАВА СОРОК ПЕРВАЯ

ГЛОТОК КИСЛОРОДА

Однажды мы с тревогой услышали в неурочный час повторяющиеся ритмические железные звуки. Камеры отпирались и запирались одна за другой. Что-то опять происходило.

Настроение в этот день и без того было беспокойным. Незадолго до этого мы целый месяц сидели без газеты. Нас лишили права выписки за какое-то воображаемое нарушение режима. Кажется, что-то вроде «громкого разговора в камере». Сатрапюк и его присные особой изобретательностью не отличались. Получив после месячного перерыва газету «Северный рабочий», мы сразу натолкнулись на процесс Бухарина — Рыкова. Вот когда только он начался! А в Бутырках думали, что он уже давно прошел...

Опять исступленные речи Вышинского и таинственные «покаяния» подсудимых. Весь день ломаем голову над поведением подсудимых. Неужели так испугались смерти? Ну, пусть сто раз во всем они не правы, но ведь все-таки это крупные политические деятели. Почему они при царизме не были такими трусливыми? Может, они не в себе, как говорится? Но тогда они вели бы себя, как Ван дер Люббе в Лейпциге: сидели бы и тупо молчали, временами вскрикивая: «нет, нет!» А эти произносят длинные речи, хорошо стилизованные «под Бухарина» и других? А может, это не они? Загримированные под них актеры? Ведь играет же Геловани Сталина так, что не отличишь.

Кроме того, в эти дни мы были подавлены известием о смерти Крупской. Оно просто потрясло нас. Мы смотрим на маленький снимок, помещенный ярославской газетой, и плачем горькими слезами. Кажется, впервые плачем за все ярославское время. Некролог очень сдержанный, скупой. «Хозяин» ведь не любил ее. Вспоминаем анекдот: «Если вы будете дурить, мы другую женщину сделаем вдовой Ленина».

И опять смотрим в добрые выпуклые глаза, смотрим на учительский воротничок, на гладкие седые пряди волос. Все, все в ее облике родное, близкое, понятное. И мы воспринимаем ее смерть как последний акт трагедии: последние честные, благородные, такие, как Крупская, уходят, умирают, уничтожаются.

И опять те же сверлящие вопросы: остались ли еще на воле такие, как Крупская? Понимают ли они, что творится? Почему молчат?

— Такие, как Постышев, например? Ну почему он не выступит?

Юля знала Постышева лично и считала его идеальным ленинцем. О том, что Постышев разделил судьбу многих, мы тогда еще не знали.

— Ну как он может выступить? И что это даст? Только будет столько-то тысяч жертв плюс еще Постышев. В условиях такого террора... Не потому, что они жалеют себя, а просто нецелесообразно. Пусть хоть такие, как он, сохранятся до лучших времен...

Вот в таком настроении мы и уловили, вдобавок ко всему, эти непонятные ритмические звуки. Ну вот... Дошло до нас...

Корпусной — не «малолетний Витушишников», употребляемый для разноски писем, вызовов к зубному и других гуманных процедур, — а другой — Борзой, высокий, поджарый и бесстрастный, — входит в камеру с табуреткой в руках. Он подставляет ее к окну. Потом что-то колдует над форточкой и... хлоп! Он запирает ее наглухо большим железным ключом.

Мы ошеломлены. Настолько, что даже задаем ему вопрос, хотя отлично знаем, что в этих стенах на вопросы не отвечают и задавать их бессмысленно:

— Зачем?

Какая глупость с нашей стороны! Как будто неясно зачем! Чтобы скорее умирали без воздуха. Чтобы было еще больше плесени на стенах, чтобы от сырости еще больше крутило суставы.

Это, конечно, в порядке отклика на процесс Бухарина. Система «откликов» нам ведь была известна. Еще Ильф и Петров сочинили для геркулесовцев каучуковую резолюцию, начинавшуюся словами: «В ответ на...» Поверх многоточий вставлялось, скажем, «на происки Антанты» или «на производственную инициативу коммунальников»... Ну, а это «в ответ на процесс правых». Как, однако, напряженно работает чья-то изобретательская мысль!

Корпусной Борзой, запирая нас, роняет сквозь зубы:

— Будет открываться на 10 минут ежедневно.

Вот когда мы познали вкус воздуха! Одного крошечного глотка кислорода. Порядок установлен такой, что форточка открывается во время нашего вывода на прогулку. Но если дежурит Ярославский или Святой Георгий, то они открывают не в момент вывода, а после предупреждения: «Приготовьтесь на прогулку». И благодаря этим хорошим людям, попавшим на такую работу, перепадают лишние пять минуточек. Мы взахлеб ловим крошечные струйки воздуха, идущие от небольшой квадратной форточки, до которой не достает без табуретки даже длиннущий Борзой. Дни и ночи, проведенные в этой камере при постоянно открытой форточке, кажутся нам теперь каким-то курортом.

Через несколько дней нового кислородного режима сырость в нашей камере, выходящей на северную сторону и никогда не видавшей ни одного лученышка, становится просто невыносимой. Хлеб покрывается плесенью еще до обеда. Стены насквозь прозеленели. Белье всегда влажное. Все суставы болят, точно в них вгрызается кто-то.

Во сне ко мне теперь то и дело приходит назойливое видение. Как будто я сижу на дачной терраске, на берегу Волги, в Услоне, против Казани. И парусина, которой задрапирована терраса, вздувается, как парус, от порывов свежего волжского ветра. Я дышу полной грудью, но почему-то не чувствую облегчения. Сердце колет.

— Подъем! — лязгает железное чудовище.

Открываю глаза и первым делом вижу закрытую на ключ форточку. Любопытные длинноносые вороны, сидящие на щите, заглядывают в нее, свесив головы набок.

ГЛАВА СОРОК ВТОРАЯ

ПОЖАР В ТЮРЬМЕ

— Что это ты раскашлялась? — спросила меня Юля.

— А ты?

— Ну, у меня-то плеврит...

Я уже давно поняла, что едкая, вызывающая кашель щекотка в горле связана с запахом гари, все более отчетливо про-

172

никающим в камеру. Поняла, но молчу. Юлька и так после карцера совсем серая стала, землистая. Что ее зря пугать! Еще может быть случайность. Что-нибудь пригорело на кухне? Впрочем, нет. В этом корпусе кухни, кажется, нет! Еду привозят на тележках откуда-то извне.

Мы кашляем все чаще, но продолжаем читать. Однако и читать становится труднее. Глаза слезятся и застилаются туманом. Потом мы слышим топот многих ног над головой. Бегут по крыше. Шипящие звуки воды, струящейся из шлангов. По коридору тоже бегут. Даже переговариваются громким шепотом.

И наконец — тоненький стук в стенку. Это Оля Орловская, соседка. Она выстукивает то самое слово, которое мы с Юлей не решаемся сказать друг другу.

— По-жар... П-о-ж-а-р...

— Должен вывести, — говорю я, отвечая на молчаливый вопрос, так и прыгающий из округлившихся Юлькиных глаз. — Удушение заключенных в камерах вроде не входит в их планы. По крайней мере, единовременное.

Через несколько минут камера наполнена едким черным дымом настолько, что становится почти невозможно дышать.

— Я позвоню! — решает Юля. — Пусть хоть форточку откроют, сволочи!

И она надавливает кнопку безмолвного звонка, которым разрешается пользоваться только в самых исключительных случаях. Когда надавливаешь эту кнопку, в коридоре, у столика дежурного, зажигается номер камеры.

Через некоторое время отрывисто лязгает дверная форточка и в нее просовывается тонкогубая прыщавая физиономия Вурма.

— Чего вам? — злобным шепотом спрашивает он.

— Хоть форточку откройте... Ведь задыхаемся, — просит Юля.

Он стремительно захлопывает железное оконце, едва не угодив Юльке в лицо. Уже из-за закрытой дверки доносится его свистящий ответ:

— Откроют, если надо будет.

Паника вокруг нас усиливается. Топот солдатских сапог по крыше становится громче. Из коридора доносятся теперь уже не только шепоты, но и какие-то неопределенные выкрики. И главное — нарушилась могильная тишина камер. Некоторые заключенные, очевидно отчаявшись дозваться кого-нибудь при помощи безмолвных звонков, начали стучать в двери.

Ольга Орловская выстукивает нам почти открыто. Сейчас надзирателям не до подслушивания. Считываем со стены:

— Похоже... они решили... оставить в камерах... Задохнемся...

— Полкило сахара! — всплескивает вдруг руками Юля. Накануне был ларек, и нам принесли по выписке полкило сахара.

— Нет, это немыслимо, чтобы им достался, — без тени шутливости говорит Юля.

— Давай съедим...

— Давай!

И мы стали есть его пригоршнями, не ощущая приторности, наоборот, воспринимая его как пищу богов. С краюхой хлеба. Откусывая поочередно то хлеб, то сахар. Хрустя зубами с ожесточением. Отрываясь, чтобы откашляться от дыма. Чтобы им не досталась наша драгоценность. Целых полкило.

Дым стал настолько густым и плотным, что мы уже не видим друг друга.

— Давай сядем рядом, Женька, — говорит Юля и плачет. — Давай простимся.

Мы обнимаемся и целуемся. Потом в нарушение всех правил — терять уже нечего — усаживаемся рядом на Юлину койку. С ногами... Обнимаем друг друга за плечи. Я с ужасом вижу, что Юлины кругловатые, немного несимметричные глаза становятся какими-то выпуклыми. Лицо ее синеет и жилы надуваются, как канаты. Господи, только бы она не умерла первая...

Теперь уже вся тюрьма гудит от криков и стуков заключенных.

— Откройте, откройте! Задыхаемся! Не имеете права! Откройте!

В глазах у меня прыгают разноцветные искры. Не могу понять, настоящие ли это искры пожара, просочившиеся через дверные щели, или это на меня надвигается потеря сознания.

И вдруг я различаю в какофонии звуков, несущихся из коридора, ритмические повороты ключей в замках камерных дверей. Я трясу Юлю за плечи.

— Выпускают! Юля, покрепись еще немного! Слышишь? Нас выпустят сейчас на воздух...

Дым становится черным. Юля уже хрипит на моих руках. Может быть, выбить форточку? Ведь теперь уже все равно. Хочу привстать с постели и... не могу. Видно, конец. Какой страшный и неожиданный. Сколько вариантов смерти перебрали за это время в камерных разговорах. Но от пожара...

— Выходь!

Наша дверь распахивается настежь. Надзиратель Вурм, в смятой и мокрой гимнастерке, весь потный и запыхавшийся, чуть ли не за шиворот выволакивает ослабевшую Юлю. Я выхожу сама.

174

— Вниз!

Нет, они были действительно виртуозами своего дела, этот Коршунидзе и его молодчики. Даже в этой панике они умудрились не нарушить изоляции. Куда они дели всех, мне до сих пор непонятно. Но факт остается фактом: мы с Юлей были выведены вдвоем в закрытый прогулочный дворик. Ни с кем нас не свели, никого мы не увидели.

Но не бывать бы счастью, да несчастье помогло. В этот день мы надышались вволю. Прогулка длилась не меньше полутора часов, и оправившаяся Юлька заговорщицки подмигивала мне, показывая глазами на небо. Дескать, здорово мы оторвали у них такую прогулочку!

На следующий день Ольга простучала нам, что ее тоже не соединяли ни с кем.

ГЛАВА СОРОК ТРЕТЬЯ

ВТОРОЙ КАРЦЕР

В конце мая 1938 года я получила письмо от мамы. «Дорогая Женечка! Папа скончался 31 мая... Жил человек... Имел специальность, работал. Детей имел, внуков... А за гробом шли двое: я да прачка Клавдя».

А ровно через полчаса после этого письма снова открылась дверь и появился все тот же Сатрапюк. И снова:

— Следуйте за мной!

Даже смерть, наверно, была бы не так страшна, если бы она повторялась дважды. Теперь я шла все вниз и вниз, уже определенно зная, куда иду, и не было во мне того, декабрьского ужаса. Наоборот, какое-то совершенно мертвенное равнодушие. В таком состоянии было бы, наверно, не так уж трудно и к стенке встать, и принять в себя пули.

Да, тот же самый карцер. Та же хламида и лапти, те же две доски, на вершок от каменного пола, вместо ложа, та же тьма кромешная. Но я уже не боюсь, не кричу, не сопротивляюсь. Почти равнодушно выслушиваю Сатрапюка, зачитывающего приказ: «Трое суток нижнего карцера за нарушение тюремного режима — пение в камере». Я даже не говорю ему, что никогда никто не пел. Зачем?

Дверь захлопнута. Я одна в этой тьме. Одна со смертью папы.

Сейчас лето. Об этом можно догадаться хотя бы по тому,

что кроме крыс здесь развелось страшно много всякой ползучей нечисти: каких-то жучков, мокриц, сороконожек.

Теперь я уже опытная обитательница карцера, квалифицированная. Я умею следить за течением времени. Я приспособилась к лежанью на двух досках. Только есть здесь я все равно не буду.

Это хороший признак. Брезгливость осталась. Человеческое чувство. Я еще не знала тогда, что впереди меня ждали годы лагеря, когда периодически и это человеческое чувство покидало нас, когда мы ели в любой грязи, чтобы не умереть с голоду.

Ощупью различаю в темноте знакомый во всех деталях карцерный реквизит: и хламиду из солдатского сукна, и лапти, и заржавленную металлическую кружку, стоящую прямо на полу. Но почему-то сейчас в моей опустошенной душе нет того монументально-трагического восприятия всех этих деталей, которое было тогда, зимой. Сейчас мне не хочется ни кричать, ни биться. Наверно потому, что это второй раз. Привычка. Вот так, наверно, там, в Германии, привыкли и к газовым печам, и к виселицам. Ко всему привыкаешь... Ловлю себя на мысли: хорошо, что трое суток, а не пять.

Хорошо еще и то, что это только «нижний» карцер, учреждение второго сорта. За эти месяцы я узнала, что их здесь три категории. Ольге сообщила это ее другая соседка. Оказывается, были карцеры третьего сорта, более легкие, чем мой, где горела лампочка, не отнималась камерная одежда. Но зато был и первый сорт, откуда выходили уже обреченными на скорый конец. К счастью, «первого сорта» испытать мне не довелось. А назначались они по сортам не в зависимости от тяжести «нарушения», а только в зависимости от цвета полос на обложке личного дела. Мы с Юлей принадлежали ко второсортным.

Эти трое суток я провожу преимущественно стоя. Приспособилась стоять на досках, подальше от камня, покрытого каким-то скользким сизым инеем и предназначенным заменять изголовье. Стою часами, до изнеможения, а окончательно потеряв силы, погружаюсь в короткий душный сон.

Просыпаюсь обычно от боли и зуда в отмороженных пальцах ног. Эта боль напоминает обо всем. Да, это все еще я. Это все еще тянется.

Я снова становлюсь на доски, и передо мной встает папа. Живой. Мертвого не могу себе представить. Как, в сущности, мало я знала этого человека, давшего мне жизнь. И в то же время, какая неразрывная кровная связь. Все внутри сжалось в комок сплошной боли. Отец... Мой, мой отец... Это умерла какая-то частица меня. Как хорошо, что я еще не знала тогда, при каких обстоятельствах он умер. Об этом мне написали только через несколько лет, уже на Колыму. Я не знала, что моих стариков тоже «забирали». Ненадолго, правда, на два месяца. Но их оказалось достаточно, чтобы убить отца. Когда они вышли из тюрьмы, их квартира была занята другими, вещи конфискованы. Они бродили в поисках ночлега по этому городу, где отец был честным и уважаемым работником-специалистом, где работали его дочь и зять — коммунисты. Все шарахались от стариков. Никто не пустил их ночевать. Только прачка Клавдя оказалась добрее всех.

Все это случилось с ними, пока я была в Бутырках. Но узнала-то я об этом только через три года.

...Я думаю об отце, и по стенам моего застенка начинают плыть нежные картины раннего детства. Цепочка от часов на папином жилете. Ее так интересно теребить, сидя у отца на коленях... Какие-то смешные греческие слова, которым он учил меня на прогулке, рассказывая про свои гимназические годы... Он ведь родился в прошлом веке, он еще учил в гимназии не только латынь, но и греческий... Не было ближе и роднее его до моих восьми лет. Потом долгие годы отчуждения, взаимных болей, бед, обид. Мне не нравилось «социальное происхождение», завидовала подругам, у которых был «папа от станка». Ему не нравилось многое в моей жизни и поведении.

И вдруг по стене плывут буквы из его последнего письма, полученного здесь, в Ярославле: «Не скрою от тебя, что за последнее время я чувствую себя неважно. Но буду бороться за жизнь. Она теперь нужна моим дорогим внукам — Алеше и Васе».

Для моих детей хотел жить... А я уже никогда не смогу теперь попросить у него прощения.

Скорее бы устать от стояния и снова на какое-то время погрузиться в полудремоту, заменяющую сон. Так быстрее пройдут трое суток.

Я опять, как и зимой, не беру хлеба. Но на этот раз Коршунидзе не приходит объяснять мне, что голодовки запрещены. Видно, и они ко всему привыкли. А может быть, им как раз это и нужно — добиться спокойного, без скандалов, отсиживания положенных сроков карцера. А без еды легче попадаешь в это спокойствие полуобморочного изнурения.

Зимой, сидя здесь, я все думала о внешнем мире. Знают ли там об этих застенках? Пытках?

177

А сейчас я почти не верю в реальность этого внешнего мира. Почти невозможно поверить, например, что сейчас лето и кто-нибудь вот в этот самый момент купается в реке. Потом я сочиняю стихи — о втором карцере.

Все по святым инквизиторским правилам:
Голые ноги на камне под инеем...
Я обвиняюсь в сношениях с дьяволом?
Или в борьбе с генеральною линией?

Тысячелетья, смыкаясь, сплавляются
В этом застенке, отделанном заново.
Может быть, рядом со мной задыхается
В смертной истоме княжна Тараканова?

Может быть, завтра из двери вдруг выглянет,
Сунув мне кружку с водою заржавленной,
Тот, кто когда-то пытал Уленшпигеля,
Или сам Борджа с бокалом отравленным?

Это гораздо, гораздо возможнее,
Чем вдруг поверить вот в этом подвалище,
Будто бы там, за стеною острожною,
Люди зовут человека товарищем...

Будто бы в небе, скользя меж туманами,
Звезды несутся, сплетясь хороводами,
Будто бы запахи веют медвяные
Над опочившими, сонными водами.

ГЛАВА СОРОК ЧЕТВЕРТАЯ

МЫ ВСПОМИНАЕМ ДЖОРДАНО БРУНО

Зной. Страшный зной стоял в Ярославле летом 1938 года. Газета «Северный рабочий» ежедневно подтверждала это. Местные журналисты красочно описывали плавящийся асфальт, приводили цифры средней температуры за последние годы, доказывая, что «такого еще не было».

Форточка нашей камеры продолжала оставаться закрытой. Все вещи от сырости, от плесени, от застоявшегося воздуха стали волглыми. Солома в подушках и тюфяках прела, начинала гнить.

После второго карцера мы совсем расхворались. Хлеб и баланда не лезли в горло. Я уже трижды просила у дежурного надзирателя иголку, чтобы перешить крючки на моей казенной юбке. Вглядываюсь в Юлино лицо, иссиня-черное, с желтыми подглазницами, и догадываюсь, что мы стремительно идем к концу. В довершение всех бед у меня возобновились приступы малярии. Они, видно, провоцировались удушливой сыростью камеры. После приступов сердце совсем отказывалось работать.

Однажды я потеряла сознание. Юля нажала беззвучный звонок и потребовала врача. Должно быть, я была в этот момент здорово похожа на покойницу, так как дежурный — хоть это и был Вурм — не сказав ни слова, тут же привел врача.

Это был первый случай нашего столкновения с ярославской тюремной медициной, если не считать регулярных обходов медсестры с ящичком лекарств. Сестра давала аспирин «от головы», хинин — от малярии, салол — «от живота». Универсальная валерьянка шла от всех остальных болезней.

Придя в себя, я увидела склонившееся ко мне лицо доктора. Оно поразило меня своей человечностью. Настоящее докторское лицо, внимательное, доброе, умное. Оно как бы возвращало к оставленной за стенами тюрьмы жизни, сверлило сердце сотней смертельно ранящих воспоминаний.

За круглые, мягкие черты, за добродушие, струившееся из каждой морщинки, мы потом прозвали этого тюремного доктора Андрюшенцией. Казалось, что именно так должны были его называть однокурсники.

— Ну вот, — смущенно буркнул доктор, вытаскивая шприц из моей худой как палка руки. — Сейчас камфара сделает свое дело, и вам станет хорошо. Будет ходить сестра и дважды в день вводить сердечное.

— Да разве здесь лекарства помогут! — осмелела вдруг Юля, смертельно испуганная перспективой остаться без меня. — Мне кажется, доктор, у нее просто кислородное голодание. Тем более, на дворе такая жара. Может быть, вы дадите распоряжение, чтобы у нас не закрывали форточку, раз такая тяжелая больная?

По лицу Андрюшенции медленно разливается кирпичный румянец. Он слегка косится на стоящего у него за спиной корпусного — «малолетнего Витушишникова» (без сопровождения корпусного врач в камеру не допускается) — и отвечает очень тихо:

— Это вне моей компетенции...

179

Витушишников откашливается и солидно резюмирует:

— Говорить разрешается только про болезнь.

Потом тянутся томительные дни, когда едва теплящаяся во мне жизнь поддерживается только неистребимым любопытством. Увидеть конец. В том числе и собственный конец.

> Бейся, мой шторм, кружись,
> Сыпь леденящей дрожью!
> Хоть досмотрю свою жизнь,
> Если дожить невозможно...

Однако, несмотря на такое оптимистическое четверостишие, я наблюдаю у себя опасные симптомы. Вот, например, я уже несколько раз отказывалась от прогулки. А когда потрясенная этим Юля начинала страстным шепотом уговаривать меня «не терять последних капель кислорода», я устало отвечала:

— Не смогу обратно на третий этаж подняться... Да и метаться по пятнадцатиметровой прогулочной камере тоже не так просто, когда сердце отказывается компенсировать движения.

Шутить тоже становится с каждым днем все труднее. Но временами мы все же пытаемся прибегать к этому испытанному лекарству от всех болезней. Излюбленная шутка-рассказ о неисправимом оптимисте. «Ну раз могила братская, то это уже хорошо». А когда дышать в камере становится особенно трудно, к «братской могиле» добавляется еще:

— А ты подумай-ка про Джордано Бруно. Ведь ему было много хуже. У него-то ведь камера была свинцовая.

После ухода врача мы долго спорим, как расценивать его работу в тюрьме.

— Пари держу: всю ночь сегодня будет во сне тебя видеть. Он ведь добряк, этот Андрюшенция!

— Несомненно! Но тем позорнее для него быть на такой должности.

— А что, лучше было бы, что ли, если бы на его месте какой-нибудь Сатрапюк с дипломом?

И Юля оказывается права. Через два дня Андрюшенция наглядно демонстрирует нам свою полезность.

— На прогулку приготовьтесь!

— Не пойду. Не могу ходить.

— Идите. Вам табуретку там поставили. Сидеть будете 15 минут на воздухе. По распоряжению врача.

И совсем уже теплое чувство возникает к Андрюшенции,

когда надзирательница Пышка, открывая огромным — просто бутафорским каким-то — ключом нашу форточку, ободряюще прошептала:

— Вам не десять, а двадцать минут проветривания. По распоряжению врача.

И хотя раскаленный воздух в квадратной форточке стоит неподвижно, мы все же радостно переглядываемся.

— Вот видишь! А ведь у Джордано Бруно камера была свинцовая...

ГЛАВА СОРОК ПЯТАЯ

КОНЕЦ КАРЛИКА-ЧУДОВИЩА

Весь период с лета 1938-го до весны 1939-го можно озаглавить фигнеровским «Когда часы остановились». Может быть, это острые физические страдания — постоянное удушье, мучительная борьба организма за полноценный вдох и выдох — затянули все это время какой-то паутиной. Но только оно вспоминается мне сейчас в виде сплошной черной ленты, как бы непрерывно струящейся и в то же время застывшей в неподвижности.

Часы наших жизней остановились, и их не могли пустить в ход те бледные отсветы далекого чужого бытия, которые приносил нам ежедневно «Северный рабочий», не ахти какой грамотный, очень развязный и в то же время нестерпимо скучный листок. Мы, правда, по инерции хватали его все с той же жадностью, мы все так же вычитывали эту газету куда тщательней, чем ее корректоры. Но все, что она сообщала, уже воспринималось нами как не вполне реальное.

Бои в Испании. Мюнхен. Гитлер в Чехословакии. Подготовка к восемнадцатому партсъезду. Не во сне ли все это? Разве на свете еще кто-то борется? Разве не всех так сломили, как нас?.. С каждым днем росло это опасное, предвещавшее близкий конец чувство полной отрешенности от всего живого.

Казалось, мы даже внутренне разучились протестовать и ненавидеть. Я с удивлением вспоминала, как в декабре 1937-го, когда меня впервые посадили в нижний карцер, я колотила кулаками Сатрапюка. Такой душевный и физический взрыв казался теперь абсолютно невозможным.

В канун нового, тридцать девятого года, незаметно подкравшегося к нам, я, правда опять по просьбе Юли, сочинила для нее поздравительные стихи, но это уже не было наивнооптимистическое «На будущий — в Ерусалиме». Теперь я выражала опасение...

> *...Чтоб горечь, осев у глаз,*
> *Как плесень на дне колодца,*
> *Не разучила бы нас*
> *Мечтать, пламенеть, бороться.*
> *Чтоб в этих сырых стенах,*
> *Где нам обломали крылья,*
> *Не свыклись мы, постонав,*
> *С инерцией бессилья.*
> *Чтоб в дебрях тюремных лет,*
> *Сквозь весь одиночный ужас,*
> *Мы не позабыли свет*
> *Созвездий, соцветий, содружеств...*
> *Чтоб в некий весенний день*
> *Возможного все же возврата*
> *Нас вдруг не убила сирень*
> *Струей своего аромата.*

Последнее четверостишие было попыткой самовнушения. Идею о «возможном все же возврате» надо было поддерживать в себе любой ценой. На самом же деле надежды почти иссякли, и прежде всего потому, что мы очень быстро слабели физически. Буквально каждый день уносил остатки сил.

— Женька! Открой глаза! Слышишь, открой сейчас же... Или хоть рукой пошевели.

Юля тормошит меня, и я, вяло улыбаясь, отвечаю:

— Знаю, знаю, что похожа на покойницу. Жива, не бойся... Ты и сама-то ведь не краше.

Да, скулы у Юли обтянулись и стали острыми. Вокруг глаз — мертвенные тени. Хорошо, что уже больше двух лет мы не видели своего отражения в зеркале. Но можно себе представить самое себя и свое неуклонное приближение к концу, глядя в лицо товарища по несчастью.

Аппетит совсем пропал. Мы каждое утро выносим почти весь свой хлеб и складываем его в ящик для отходов, стоящий в конце коридора. Иногда кажется, что только два кусочка утреннего сахара еще кое-как и поддерживают наше призрачное существование.

В марте у нас опять взыскание: лишили на месяц права на выписку газеты. За какой-то «след ногтя» на библиотечной книге.

Видимо, в карцер в таком состоянии тащить нас не решались, а план по внутритюремным репрессиям надо же было выполнять.

И вот в довершение ко всему мы еще и без газеты. Порвана последняя нить, связывавшая нас с миром живых. Теперь только и остался, что робкий ручеек Ольгиного стука, который нет-нет да и заструится по багровой стене.

— От-крыл-ся парт-съезд...

Я не ленюсь выстукать в ответ мрачную остроту:

— Съезд уцелевших, да?

— Го-во-рят пе-ре-ги-бах... бу-дут ре-а-би-ли-ти-ро-вать...

Юля сразу загорается радужными надеждами.

— Слышишь, Женька? Реабилитировать будут! Наконец-то! Ну, иначе и быть не могло...

Но я ведь «Пессимистенко» — в противоположность Юле — «Оптимистенко». И я не верю, что реабилитации будут массовыми, что они будут менее случайными, чем аресты. Я слишком хорошо поняла за два с лишним года особенности сталинского стиля. Не надеюсь я и на то, что мне лично может достаться счастливый номерок в начинающейся малой лотерее. И вдруг...

Чувствую, что повествование мое становится однообразным. Уже который раз прибегаю к этому «вдруг». Но ничего. Эта угловатая форма передает суть. Ведь именно так оно и было. В сырость, плесень, застой нашего склепа время от времени ВДРУГ врывались тюремщики, и мы еще раз должны были понять, что кое-чем мы все же отличаемся от обыкновенных, совсем мертвых покойников. Нас можно мучить еще и еще. Физически и морально. Изощренно и грубо. Ночью и днем. Вместе и поодиночке.

Так вот, вдруг снова — повторяющиеся звуки отпираемых и запираемых подряд замков. А это всегда знак какого-то нового мероприятия. И вот тот же Борзой, корпусной, что запирал форточки, входит к нам. На этот раз на его лице, очень похожем на морду постаревшей борзой собаки, какое-то странное выражение, которое можно было бы даже назвать тенью смущения, если бы заранее не было известно, что на такой должности трудно удержаться человеку, умеющему смущаться.

Не говоря ни слова. Борзой протягивает руку к правой стене и... Во сне или наяву мы это видим? Он снимает картонку с тюремными правилами — двадцать две заповеди майора Вайнштока. Снимает и, резко повернувшись на каблуках, блеснув ослепительными сапогами, выходит. И заповеди уносит с собой. Потом мы слышим, как поворачивается ключ в соседней, в Ольгиной камере.

На этот раз не возникает обычного спора между Оптимистенко и Пессимистенко. Сейчас мы обе твердо убеждены, что такой акт может наводить на самые пессимистические прогнозы. Усиление режима. Значит, заповеди сочтены слишком либеральными. Может, дошло до товарища Сталина, что, умирая, мы все-таки читаем книжки? Что нам дают два кусочка пиленого сахара в день? Да мало ли что?

Завтра, наверно, принесут новые заповеди, в которых будет отменено разрешение на выписку газеты, на книги, на письма, на ларек. А может, и на прогулку. Мы долго соревнуемся с нашими начальниками в выдумывании того, что еще у нас можно отнять.

Или еще какие-нибудь новости в графе «Наказания»? В этот день не приносит облегчения даже прогулка, тем более что и во время нее чувствуется что-то странное в лицах и поведении надзора.

Еще несколько унылых, тревожных часов. Наконец, движение в коридоре возобновляется. Снова появляется корпусной. На этот раз не Борзой, а «малолетний Витушишников». Он водружает картонку с заповедями на прежнее место и быстренько уходит. На его лице подобие улыбки и тоже с оттенком смущения.

Изучаем текст заповедей, не пропуская ни одной буковки. В чем же дело? Решительно ничего нового! Но вот...

— Что-о-о?

Мы, остолбенев, смотрим друг на друга, не веря глазам своим.

— Ущипни меня, Юлька! Не сплю?

В левом углу картона ведь была резолюция: «Утверждаю. Генеральный комиссар государственной безопасности Ежов». Была ведь? Ну конечно была! А теперь? А теперь она заклеена белой бумажкой. Аккуратненько так подклеена бумажечка, не сразу и заметишь.

Мы проводим несколько часов, как в горячке. Неужели он пал, этот карлик-чудовище? Ведь его культ был за последние годы доведен до гомерических размеров. Иногда казалось, что он может даже конкурировать с культом Сталина. Официальный его титул был «любимец народа». Все, что проделывалось в тюрьмах и лагерях с миллионами невинных людей, обозначалось веселым фольклорным выражением «ежовы рукавицы». Переводчики среднеазиатских акынов в бесчисленных одах именовали его «батыр Ежов»... Так неужели?..

Мы не смыкаем глаз всю ночь, и теперь в наших обескровленных сердцах начинает действительно брезжить тень надежды на возможность перемен.

184

Утром Ольга, получающая газету, выстукивает нам:

— Снят... Кончен... Видимо, разделит нашу участь.

— Мавр сделал свое дело — мавр может идти, — ликуем мы.

Мы мечемся, как тигрицы по клетке, пока Ольга не выстукивает нам следующую сенсационную новость:

— Бе-рия... Бе-рия...

Я совсем заболела от волнения и разрядку нашла, опять-таки только заняв себя стихами. Написала «Посвящение «любимцу народа».

Карлик-чудовище (он ведь был малюсенького росточка!)

> *...Злодеи прошлого, потупя взоры вниз,*
> *Тебя поют в почтительном дисканте.*
> *Сам Тьер перед тобою гуманист,*
> *А Галифе — мечтатель и романтик.*
> *Но вот теперь, смотри: твои дела*
> *Тебя погубят мощной волей рока!*
> *Ты видишь, гад? Тарпейская скала*
> *От Капитолия совсем не так далёко!*

— Это подражание классикам, Юля! Теперь сочиню про Берию. Это будет в духе пушкинских эпиграмм. А кто он, вообще-то, этот Берия?

Но Юля тоже ничего о нем не знала. И я написала так:

> *Скажи, о Берия,*
> *Открою ль двери я?*
> *Ответь мне, Берия,*
> *Верну ль потери я?*
> *Иль ты, о Берия,*
> *То снова серия*
> *Убийств, безверия*
> *И лицемерия?*
> *Открою ль двери я?*
> *Ответь же, Берия!*

С этого момента остановившиеся было часы наших жизней дрогнули и снова пошли. С перебоями, с хрипом, скрежетом, но все-таки вперед! Теперь было чего ждать!

Внешне все оставалось по-прежнему. Неукоснительное проведение режима, плесень на стенах, вонючий рыбный суп, параша... Но в самой атмосфере, в неуловимых деталях поведения надзора, в оттенках голоса корпусных чувствовалось приближение больших перемен.

А заповеди в ближайший месяц снимали и снова вешали еще дважды. В первый раз заклеили фамилию Вайншток и заменили ее фамилией Антонов. Во второй раз заклеили и Антонова, а на его месте написали: Главное тюремное управление.

— Так-то надежнее, — хохотали мы, — менять не придется.

И наш приглушенный смех звучал так оживленно, как уже не было с самого закрытия форточек.

Итак, в полном соответствии с марксистской теорией, событие со снятием правил, начавшееся как трагедия, повторилось еще дважды уже как фарс.

— Пусть теперь майор Вайншток попробует, каково живется по его заповедям, — высказалась как-то вечерком Юля, и в ее добродушных глазах мелькнула острая искра.

Никак не могу заснуть... Представляю себе Ежова, Вайнштока, Антонова и многих других в нижнем карцере. Хотя нижний наш карцер — это ведь только второй сорт, а им, наверно, дадут попробовать первосортный. Вот уж где — «каким судом судите, таким и вас»...

Однажды, ветреным и тревожно зовущим майским днем мы, вернувшись с прогулки, заметили, что наша форточка продолжает оставаться открытой.

— Забыли?

— Пышка дежурит. Нарочно, наверно, оставила. Добрая...

Но на завтра повторилось то же. Падение карлика-чудовища принесло нам возвращение нашего глотка кислорода. Подул либеральный ветерок весны и лета 1939 года. Газета «Северный рабочий» стала ежедневно печатать статьи, разоблачающие клеветников.

ГЛАВА СОРОК ШЕСТАЯ

ВРЕМЯ БОЛЬШИХ ОЖИДАНИЙ

У нас улучшился аппетит. Мы стали съедать баланду. Возобновили давно прерванные занятия подпольной гимнастикой. Только читали теперь мало. Не хватало времени.

И день и ночь мы говорили, выкладывая друг другу свои предположения, догадки, мечты. Соотношение Оптимистенко-Пессимистенко в этих разговорах целиком сохранялось. Юля уверяла, что, по ее мнению, сейчас будут пересмотрены все дела. Нас или совсем освободят, или, в худшем случае, отправят в так называемую вольную ссылку, где можно будет соединиться с мужьями.

— Если они не расстреляны, — добавлял Пессимистенко.

— Не такие уж они крупные работники были, чтоб их расстреливать, — парирует Оптимистенко.

Долгими часами Юля рисует картины новой счастливой жизни. Может быть, это будет на острове Диксон или на Игарке... И работать будем по специальности, увидишь...

— Преподавать?

— А почему бы и нет? Еще и в партии восстановят. Увидишь. Ведь Ежов-то разоблачен, а это все были его махинации.

Ольга выстукивала в стенку куда более реалистические предположения. Наверно, стало нерентабельно, тяжело для бюджета содержать такие тысячи — а кто его знает, может и миллионы — людей без работы. А колоссальный штат охраны! А ведь большинство заключенных в самом рабочем возрасте — от 25 до 50. И отправят нас, наверно, не в ссылку, а в дальние лагеря, на тяжелые работы.

Ну что ж! И это отлично. Это почти счастье.

Лагеря! Ведь это значит — путешествие в новые края. Пусть суровые края, но ведь там воздух, ветер, а иногда даже и солнце, пусть холодное.

Потом люди! Сотни новых людей, рядом с которыми мы будем жить и работать. Среди них много будет хороших, интересных людей, и мы будем дружить. Да попросту говоря, лагерь — это жизнь! Ужасная, чудовищная, но все-таки жизнь, а не этот склеп. Подумать только — уже третью весну мы проводим как заживо погребенные.

Я читаю Юле строфу из нового стихотворения:

> *Третья весна началась.*
> *Что ж! Если сердце не вытечет,*
> *Фигнер, выходит, сильней в десять раз...*
> *А раньше казалось: в тысячи!*

Так мы старались преодолеть сжигающую нас душевную муку и тревогу разговорами и спорами о предстоящей нам судьбе.

Ощущение больших перемен чувствовалось и в поведении надзора. Впрочем, они, наверно, не только ощущали, но и просто знали о предстоящем этапе из тюрьмы. Наиболее жестокие, как Вурм, Сатрапюк, старались до последнего дня не ослаблять «дух Ярославля». Помню эпизод с цветком.

В конце весны, у входа в одну из прогулочных камер, пробился в трещинку между асфальтовыми плитами чахлый цветочек. Юля заметила его первая, показала мне глазами. Я замедлила на минуту шаг, чтобы полюбоваться на невиданное чудо.

Все это длилось секунды. Но конвоировавший нас Вурм заметил, все понял и с ожесточением затоптал цветочек сапогом. Не удовлетворился и этим. Наклонился, поднял растоптанный, раздавленный стебель, смял в пальцах и отшвырнул в сторону. Всю прогулку я глотала слезы. Не могла сдержаться.

— Это они перед концом, перед концом злобствуют, — утешал меня в камере мой верный Оптимистенко.

Первый, кто перевел наши полуфантастические предположения в реальную плоскость, был наш добрый ярославский гений, так называемый Ларешник. Он два раза в месяц выдавал бумажку, на которой типографским способом было напечатано: «Заказ-требование от зэка... Имея на лицевом счету... рублей, прошу купить для меня...»

Даже после смерти отца мама продолжала высылать мне пятьдесят рублей в месяц, которые разрешались. Так что мы имели возможность купить себе мыло, зубную пасту, полагающиеся тетради и пластмассовые карандаши, а иногда даже сахар. Через день-два после заполнения такой бумажки Ларешник приносил нам то, что можно было в данный момент достать в тюремном ларьке.

Я с самого начала чувствовала какую-то идущую от него волну доброжелательности, хотя лицо его и было прикрыто требуемой маской непроницаемости. Сейчас, к концу второго года пребывания в этой тюрьме, между нами совершенно явственно ощущалась молчаливая внутренняя связь. Впрочем, не всегда даже молчаливая. Были уже у нас и свои секреты.

Так, во время моей болезни, когда форточки были закрыты и стоял страшный зной, я, передавая ему листочек «заказа», тихонько спросила:

— А нельзя вместо сахара немного конфеток? Хоть сто граммов. Самых дешевых. Подушечек... Так хочется...

— Не положено, — отвечал он.

Но когда через два дня он принес мой заказ и протянул мне в дверную форточку жестяную мисочку с сахаром, я увидела, что под ним, на дне миски, лежит горсточка конфет-ирисок.

— Спасибо, — тоном заговорщика шепнула я, возвращая ему пустую миску. Полагалось все пересыпать в камерную посуду.

— Только сразу съешьте, чтобы не оставалось в камере, когда на прогулку пойдете...

Я дружески улыбнулась ему и еще доверительнее пообещала:

— Никогда вас не подведем.

С этого дня Ларешник не был уже чужим, он выделялся даже до сравнению с Пышкой, Святым Георгием или Ярославским. Тем не доставляло удовольствия делать зло, а этот хотел активно делать добро.

В другой раз, когда мы были лишены газеты, я однажды, учуяв шестым чувством одиночника, что дежурного надзирателя в коридоре поблизости нет, отважилась спросить Ларешника:

— Что нового на свете?

В условиях Ярославля это была такая дерзость, такое немыслимое преступление, что я сама испугалась сорвавшихся слов и скорей удивилась, чем обрадовалась, когда услышала в ответ:

— В Испании дело уж к концу идет...

И вот сейчас, в конце мая 1939 года, именно этот тайный Доброжелатель, наш хороший Ларешник и принес нам благую весть. Произошло это так. При очередной выписке из ларька я написала на требовании «Две тетради». И вдруг он, привычно оглянувшись по сторонам, тихонько буркнул:

— Не надо тетрадей. Не потребуется. Уедете скоро отсюда.

Так мечта облеклась плотью. Теперь отъезд был уже не только предчувствием и догадкой. Любопытно, что на этой стадии нашего крутого маршрута мы почти не интересовались или по крайней мере не очень жгуче интересовались вопросом о том, куда же нас повезут. Готовы были пешком, в кандалах, по Владимирке, лишь бы подальше от этих стен.

С нетерпением выжидали мы подходящего момента, чтобы перестучать это потрясающее известие Ольге. Но она, услыхав новость, не удивилась.

— До-га-ды-ва-лась... Вызывали на медкомиссию.

Через два дня и нас вызвали туда же. Оказывается, амбулатория помещалась внизу и мы ежедневно проходили мимо нее, выходя на прогулку, но не знали, что среди нижних камер затесалось такое гуманное учреждение.

Комиссия состояла из трех врачей и неизбежного корпусного. Взвешивали, обмеряли, щупали мышцы.

— Исхудание большое, — пробурчал один из врачей, критически осматривая мои ребра.

— Нет, нет, я чувствую себя совершенно здоровой, я могу работать на любой физической работе, — уверяю я, холодея от ужаса при мысли, что меня, ослабевшую, могут не включить в рабочий этап, оставить здесь.

Прошло еще несколько дней, и однажды, в сумерках, корпусной Витушишников обратился ко мне все с той же сакраментальной формулой:

— Следуйте за мной!

Но его маленькая мордочка с округленным рыбьим ртом выглядела так любопытно-весело, что мысль о новом карцере не пришла мне в голову.

Мы прошли в дальний конец нашего коридора, где я еще ни разу не бывала, повернули еще раз направо — и я оказалась перед дверью, на которой висела табличка «Начальник тюрьмы». Я окинула дверь восторженным взглядом. Деревянная! Выкрашенная масляной краской! Красавица! Без глазка и дверной форточки... И запирается, конечно, изнутри.

Коршунидзе-Гадиашвили сидел под большим портретом Сталина за письменным столом, заваленным папками наших личных дел.

— Садитесь!

Нет, это, наверно, действительно — начало какой-то новой эры, если из уст Коршунидзе вырываются такие слова. Но оказывается, я должна сесть только потому, что мне предстоит подписать кучу бумаг, которые он мне подсовывает одну за другой.

— Ваш приговор изменен, — цедит он сквозь длинные желтые прокуренные зубы. — Десять лет тюремного заключения заменяются заключением в ИТЛ на тот же срок. Распишитесь, что вам объявлено.

Он тычет ногтем в то место, где я должна расписаться, и я даже не прочитываю текста постановления, отвлекшись этим ногтем. Удивительно: у такой гадины такой красивый, овальный ноготь, кажется даже отполированный.

— Вы от нас уедете, — продолжает он.

— Куда? — срывается у меня помимо воли.

О идиотка! Сколько раз повторять самой себе, что им нельзя задавать вопросы. Только нарываться на дополнительные оскорбления.

— Ваши личные вещи и оставшиеся на лицевом счету деньги пойдут вслед за вами, — как бы не слыша вопроса, продолжает он и снова тычет ногтем: распишитесь!

Я возвращаюсь в камеру, а «малолетний Витушишников» уводит Юлю, с которой повторяется слово в слово вся церемония. Щелканье замков и ходьба по коридору продолжаются весь вечер и часть ночи. К Коршунидзе водят еще пока поодиночке, еще на тех же незыблемых основах строжайшей изоляции. Но это уже только инерция.

Одиночный режим пал. Он сломлен. Это ясно и по доно-

сящимся из коридора немыслимо громким голосам заключенных, и по лицам надзирателей, на которых легко прочитыва-
ются невнимание и посторонние мысли. Они, естественно,
обеспокоены предстоящим сокращением штатов. Даже вороны на щите ведут себя менее сосредоточенно, чем обычно.

Близится конец нашего шлиссельбургского периода. В виски
снова со страшной тревогой и великой надеждой стучит пас-
тернаковское: «Каторга! Какая благодать!»

ГЛАВА СОРОК СЕДЬМАЯ

БАНЯ!
ПРОСТО ОБЫКНОВЕННАЯ БАНЯ!

— Приготовьтесь в баню!

В этом возгласе еще не содержалось ничего удивительного.
Так предупреждали каждые две недели.

— Взять с собой бушлаты!

А вот это уже наполнено лихорадочным трепетом последних дней. Бушлаты? В баню? В эту одиночную душевую клетку,
куда мы с превеликим трудом втискиваемся вдвоем в костюмах Евы? Да и что там делать с бушлатами?

Страстно обсуждаем эту новость, применяем шерлокхолм-
совский дедуктивный метод и приходим к потрясающему выводу: баня будет общей! Бушлаты пойдут в дезинфекцию. Это
последние мероприятия перед этапом. Это окончательное крушение шлиссельбургского режима.

И оказывается — мы совершенно правы. Наступает удивительная, незабываемая минута. Нас выводят в коридор и...

То, что мы видим там, потрясает все наше существо. Двери двух соседних камер раскрыты настежь, и около них, в полутьме коридора, вырисовываются четыре темных женских
силуэта в ежовских формочках. Такие же, как мы.

Какие же они жалкие, измученные, прогоркшие от горя...
Такие же, как мы. Исхудалые тела потеряли женственную ок-
руглость, в глазах знакомое выражение — то самое.

Нас уже больше не прячут и не отделяют друг от друга.
Наоборот, нам приказывают строиться в пары по две, и я с
чувством горячей сестринской любви и преданности жму потихоньку руку той, что стоит ближе ко мне. А та, что стоит
немного в сторонке, небольшая, коротко стриженая, делает
шаг мне навстречу и шепчет:

— Ты Женя, да? Я Ольга... Твой собственный корреспондент.

— Стенкор, — шучу я, улыбаясь Ольге. Вот она, значит, какая. Не совсем такая, как рисовалась мне через стенку.

Какими словами передать чувство одиночника, два года не видевшего никого, кроме тюремщиков, при виде своих товарищей по заключению! Люди! Это вы, дорогие! А я уж думала — никогда не увижу вас. Какое счастье — вы снова со мной. Я хочу любить вас и приносить вам пользу.

Нас выводят в незнакомую часть двора. Там еще человек десять женщин. Надзиратели еще шипят: «Без разговоров», но мы уже переговариваемся улыбками, взглядами, рукопожатиями. Нет ли тут знакомых по Бутыркам? Нет, не нахожу. Все лица к тому же как-то унифицированы одинаковой уродливой одеждой и общим выражением глаз.

Да, это была обыкновенная баня, с деревянными скамейками, дымящимися от вылитого на них кипятка, с пышной мыльной пеной в жестяных тазах, с гулким эхом голосов. Но все эти обыденные детали обстановки как бы зачеркивались тем душевным подъемом — не побоюсь сказать: пафосом человечности, которым мы все были тогда охвачены.

Такие моменты не часто бывают в жизни. Подлинная братская любовь царила между нами в этой бане. Наши сердца еще не были тронуты разъедающим волчьим законом лагерей, который в последующие годы — что скрывать! — разложил не одну человеческую душу.

А сейчас, очищенные страданиями, счастливые от встречи с людьми после двухлетнего одиночества, мы были настоящими сестрами в самом высоком смысле этого слова.

Каждая старалась услужить другой, поделиться последним куском. Жалкие тюремные обмылки, выдававшиеся «на баню», были отброшены. Все поочередно мылились огромным куском «семейного» мыла, которое предложила всем Ида Ярошевская. Ей давно уже принес его Ларешник, но она почему-то все берегла, будто чувствовала, что понадобится всем.

Мне отдала свои чулки Нина Гвиниашвили, художница Тбилисского театра Руставели.

— Бери, бери, у меня две пары, а ты совсем босиком, — говорила Нина, разглядывая мои единственные чулки, вдоль и поперек перештопанные при помощи рыбьей кости и разноцветных ниток, — бери, чего стесняешься? Не у чужой берешь.

Ну конечно, не у чужой! Кто сказал, что я сейчас впервые в жизни увидела эти огромные глаза, ласково мерцавшие как два темных алмаза?

— Спасибо, Ниночка!

Мы говорим обо всем и все сразу. Оказывается, в карцерах побывали почти все. И все по юбилейным датам: к Октябрьской, к Первому мая, к первому декабря. Некоторые во время пожара все-таки соединялись с соседями на прогулочном дворике. Сейчас называли фамилии — Галины Серебряковой, Углановой, Кароллы...

Мы так перевозбуждены, что никак не можем закончить одевание, и надзирательница, обслуживающая баню, уже охрипла без конца повторять: «Кончайте, женщины! Одевайтесь, женщины!»

Женщины! Этому обращению суждено было теперь надолго стать нашим коллективным именем.

Всю эту ночь мы не смыкаем глаз. Мы счастливы возвращением к людям, но как же мы смертельно устали от них с непривычки! И где-то подспудно живет невысказанное даже себе самой желание: пусть бы уж не завтра совершилась та решающая перемена, которая предстоит. Пусть еще хоть два-три дня мы пробудем в этой одиночке, в НАШЕЙ одиночке. Ведь в ней остается кусок нашей души. Здесь мы иногда так радостно общались с книгой, здесь мы вспоминали детство. Ведь нельзя же так, сразу. Надо освоиться с мыслью. Перестроить душу, уже сложившуюся в отшельницу.

— Голова болит, — жалуется Юля. — Как это хорошо, но как трудно, когда много народа...

Да, еще год-другой, и мы, если бы не умерли, то превратились бы в джеклондонского героя, который, выйдя из тюрьмы, построил себе в горах одинокую хижину и в ней доживал свои дни.

— Юлька, стихи такие есть... Саши Черного...

> *Жить на вершине голой,*
> *Писать стихи и сонеты*
> *И брать от людей из дола*
> *Хлеб, вино и котлеты...*

Неплохо бы, а?

Мы возбужденно смеемся. Дверная форточка лязгает и рычит голосом Сатрапюка:

— Спать!

До последней минуты! Злится, конечно, безработицы боится. Впрочем, к несчастью, он, кажется, еще надолго будет обеспечен работой — не здесь, так в другом месте.

ГЛАВА СОРОК ВОСЬМАЯ

НА РАЗВАЛИНАХ НАШЕГО ШЛИССЕЛЬБУРГА

Как хорошо, что в наше время все процессы протекают быстро! У тех, кто вдохновлял и осуществлял акцию тридцать седьмого года, просто не было времени и возможности выдерживать такую массу народа по 20 и по 10 лет в крепостях. Это вошло в противоречие с темпами эпохи, с ее экономикой. Примерно в 10 раз. Вместо фигнеровских двадцати — всего два года.

И вот наступил миг качественного скачка в нашем горемычном бытии. Все, что было до сих пор строжайшим запрещением, стало, наоборот, строжайшим приказом. Не было в Ярославской одиночной тюрьме большего преступления, чем попытка вступить в какие-то отношения с другими заключенными. Не это ль и было мотивировкой всех карцеров, всех внутритюремных репрессий!

Теперь, с того июньского дня, когда мы в последний раз переступили порог нашей камеры, мы должны были держаться ТОЛЬКО все вместе. Работа, сон, принятие пищи, мытье в бане, отправление физиологических потребностей — все это было теперь общее, коллективное. Долгими, долгими годами никто из нас не мог теперь и мечтать о том, чтобы остаться хоть на минуту наедине с самим собой.

«Разберись по пяти!», «Стройтесь, вам говорят!», «Задние, подтянись!», «Ногу равняй!», «Направляющий, короче шаг!» — эти возгласы, то хриплые, то визгливые, то злобные, то оскорбительно равнодушные, пришли теперь на смену еле слышному шепоту надзирателей и их крадущимся по ковровой дорожке шагам.

— Подумать только, сколько средств затрачено на поддержание этой строгой изоляции, — вздыхает хозяйственная Юлька. — Ведь пять надзирателей только для вывода меня одной на прогулку были заняты. А теперь...

Это она говорит, взирая на несколько сот ярославских узниц, толпящихся с утра в открытых настежь прогулочных двориках. Нас согнали сюда для прохождения всякой обработки. Нам «печатают пальцы», нас обыскивают уже не по-ярославски, а по-бутырски, у нас отнимают оставшиеся в камерах фотографии наших детей. Большой штат надзирателей, все корпусные и сам Коршунидзе заняты напряженнейшей работой. Просто запарились...

Сейчас для них боевым пунктом программы является борьба с бумагой. Ни клочка бумаги не должно быть пропущено в этап. Чтобы не вздумали что-то писать и бросать по ходу поезда. Ни бумаги, ни картонок, ничего, на чем можно писать. Именно поэтому, видимо, и изымаются с такой жестокостью наши фотографии.

Как сейчас вижу эту огромную кучу фотографий, сваленных прямо во дворе.

Если бы какой-нибудь кинорежиссер вздумал показать эту кучу крупным планом, его бы, наверно, обвинили в нарочитости приема. И уж совсем бестактным нажимом было бы признано поведение режиссера, если бы он вздумал крупным планом показать огромный солдатский сапог, наступающий на гору фотографий, с которых улыбались своим преступным матерям девочки с бантиками и мальчуганы в коротеньких штанишках.

— Это уж слишком, — сказали бы критики такому режиссеру.

А в жизни все было именно так. Кому-то из надзирателей понадобилось перейти в противоположный угол двора, и он, не затрудняя себя круговым обходом, встал сапожищем прямо в центр этой груды фотографий. На личики наших детей. И я увидела эту ногу крупным планом, как в кино. Мои тоже были там. Снятые уже после меня. Последний раз вместе, пока их не развезли в разные города.

На вопрос, вернут ли нам потом эти карточки, никто не отвечает.

— Давай, давай!

Нас строят по пяти. Ноги-палки подымаются, шаркают на ходу, вылезая из огромных казенных бахил. Руки судорожно цепляются за привычную соседку. Не разлучили бы... С непривычки долгое пребывание на воздухе пьянит и обессиливает. Кружится голова. Все кажется нереальным. Хорошо еще, что везут нас налегке, без всяких вещей. Только бушлат в руках. С вещами бы сейчас ни за что не справиться.

Двинулись...

— Передние, короче шаг! Задние, подтянись!

Старые знакомые — «черные вороны» — уже ждут нас. Но сейчас нас не запирают в клетки-одиночки. Изоляция кончилась. Сейчас нас грузят навалом. Чем больше в каждую машину, тем лучше.

Выезжаем из ворот тюрьмы. Час стоит закатный, точно такой же, как в тот летний день, когда мы въезжали сюда два года тому назад.

В неплотно закрытые дверки битком набитых машин нам видно сейчас все здание нашего одиночного корпуса. Вот он, наш Шлиссельбург, в большой перспективе! Трехэтажная, багрово-красная кирпичная могила с высоченными деревянными щитами вместо окон. Неужели я провела здесь два года? И выхожу живая?

Двухлетний срок казался тогда огромным. Масштаб десятилетий был еще непривычен. Колымской шутки — «трудно только первые десять лет» — мы еще тогда не слыхали.

Мы еще не знали, куда нас везут. Но зловещее слово Колыма уже порхало над машинами, прорываясь в тревожных вопросах друг к другу, в воспоминаниях о бутырских разговорах тридцать седьмого года. Правда, это слово еще не особенно пугало нас тогда. Великое дело — неведение.

Товарный состав, ожидавший нас на вокзале, ничем не отличался от обычных товарных поездов. Разве только тем, что на вагонах чьим-то размашистым почерком было написано «Спецоборудование». Белым по красному.

Я успеваю заметить, что вагон, куда меня втиснули, помечен номером семь. Народу натолкали в него столько, что, кажется, негде будет даже стоять. Теплушка. Но от этого настроение улучшается. Ведь закон тюрьмы — «чем теснее, грязнее и голоднее, чем грубее конвой — тем больше шансов на сохранение жизни». До сих пор это оправдывалось.

Так да здравствует же этот телячий вагон и грубые, «тыкающие» конвоиры! Подальше от столыпинских вагонов, одиночных камер, нижних карцеров и вежливых Коршунидзе!

Грохот. Дверь вагона заложили огромным болтом. Толчок... Поехали...

ЧАСТЬ II

ГЛАВА ПЕРВАЯ

СЕДЬМОЙ ВАГОН

Надпись «Спецоборудование» на вагоне я заметила еще во время посадки. На минуту подумала, что это осталось от прежнего рейса. Ничего удивительного. Товарный вагон. Ну и везли в нем какое-то оборудование.

Только после того, как начальник конвоя объявил режим во время этапа, я засомневалась. Догадались и другие.

— Да это мы и есть спецоборудование, — сказала Таня Станковская, карабкаясь на третьи нары, — иначе почему бы такое: на ходу поезда разговаривай сколько хочешь, а на остановках — полное молчание, никаких шумов? Даже за шепот — карцер...

Со спины Таня казалась проказливым юрким подростком. Движения, которыми она прилаживала в изголовье тюремный бушлат, тоже были бесшабашными, мальчишескими. И голос казался молодым, когда она кричала сверху:

— Обратите внимание! Добровольно на верхотуру залезла! Сознательность! Мои-то мослы и здесь не испарятся... А у кого еще мясо осталось, тем здесь не выжить...

Никто не ответил Тане. Никто из нас ее почти не слышал. В седьмом вагоне толкалось, металось и непрерывно говорило человеческое месиво: 76 женщин в одинаковых грязно-серых одеяниях со странными коричневыми полосками вдоль и поперек кофт и юбок.

Ни одна из нас ни на минуту не закрывала рта. Слушателей в этом разговоре не было. Не было и темы беседы. Каждая говорила о своем с того самого момента, как товарный состав тронулся от Ярославля. Некоторые, еще не устроившись на нарах, уже начинали читать стихи, петь, рассказывать. Каждая упивалась звуками своего голоса. Ведь впервые за два года мы были окружены себе подобными. В Ярославской тюрьме всесоюзного значения одиночницы промолчали 730 дней. В течение двух лет употреблялось только шесть слов в день. Подъем. Кипяток. Прогулка. Оправка. Обед. Отбой.

Меня втиснуло общим потоком на нижние нары. Пошевелиться пока не было никакой возможности. Но натренированным чутьем зэка я сразу поняла — удача! Место было отличное. Во-первых, боковое, так что толкать будут только с одной стороны. Во-вторых, близко к высокому, зарешеченному окошку, из которого тонкой струйкой просачивается воздух. И какой воздух! Замолчав на минутку, я подтянулась на локтях кверху и сделала глубокий вдох. Да, так и есть. Пахло полями. За окном сиял июль. Знойный июль тридцать девятого года.

Я снова заговорила вслух. Так же, как все. Хриплым, срывающимся голосом, перебивая кого-то, рассказывая обо всем сразу и делая над собой усилие, чтобы услышать и понять других.

Отдельные фразы мучительно толклись в идущей кругом голове.

— Конечно, счастье! Куда угодно, только бы из этого каменного мешка.

— Десять лет тюремного заключения и пять поражения. Здесь у всех так...

— Неужели вы вечернюю баланду ели? Я не брала... Тошнота такая...

— Не слышали? Говорят, среди нас чапаевская пулеметчица Анка?

— Кормить-то они думают?

Таня Станковская свесила с верхних нар немыслимо тонкие, без икр ноги в тюремных бахилах 43-й номер. И я с удивлением увидела, что если смотреть на Таню спереди — она не подросток, а старуха. Растрепанные седые патлы, костлявое лицо, обтянутое сухой, шелушащейся кожей. Сколько ей может быть? 35? Неужели?

— Удивляетесь? Это натуральных, собственных. Да два ярославских считайте за двадцать. Итого — пятьдесят пять. Да год следственный — уж минимум за десятку... Вот полных 65 и насчитается... Посторонитесь-ка, слезу, подышать маленько...

Таня садится прямо на пол у дверей вагона. Двери закрыты неплотно. В широкую, с ладонь, щель пробивается ветерок. Но подышать не удается. Колеса замедляют свой речитатив. Конвоиры торопливо бегут вдоль вагонов, захлопывая двери до отказа, подвинчивая большой деревянный болт. Его снимают только тогда, когда конвоирам надо войти внутрь вагона. Стоянка! Стоянка!

И сразу — мертвая тишина. Точно вагону воткнули в горло кляп. Возбужденные, растрепанные, потные, еще боящиеся поверить в перемену судьбы, мы замолкаем, все семьдесят шесть, вкладывая все недосказанное во взгляды. Только самые нетерпеливые пытаются продолжить нескончаемый разговор при помощи жестов, мимики, даже тюремной стенной азбуки.

Когда через полчаса поезд трогается снова, оказывается, что у всех нас сели голоса. Все говорят сиплым шепотом.

— Ларингит! Острый ларингит! — смеясь, ставит диагноз врач Муся Любинская, доктор Муська, одна из самых молодых в вагоне. Ее торчащие черные косички многим запомнились еще с Бутырок.

Только мощная уральская девушка Фиса Коркодинова, из Нижнетагильского горкома комсомола, пронесла через эту словесную бурю неповрежденным свое металлическое контральто с басовыми нотками. Теперь Фисин голос солировал, как труба на фоне разбредающегося самодеятельного оркестра.

Может быть поэтому и выбрали старостой вагона именно ее, Фису, оценив и голос, и степенные ухватки, и сочный уральский говорок, и румянец, не слинявший даже в Ярославле.

Из Фисиных рачительных рук все получили по глиняной кружке без ручки — вроде детской песочницы, по жестяной миске и щербатой деревянной ложке.

— Что уж это, курева-то не разрешили? В Ярославле уж на что зверствовали, и то разрешено было, — говорит Надя Королева, сорокалетняя работница из Ленинграда, почти такая же исхудавшая, как Таня Станковская, но гладко причесанная, подтянутая.

Со всех сторон пускаются разъяснять. Это из-за бумаги. Ведь на развернутых мундштуках от папирос можно писать, а ОНИ больше всего боятся, как бы не стали писать и бросать в окошко записки.

Я так и не научилась курить в тюрьме. И я потихоньку радуюсь этому запрету. Чем же тогда дышать, если бы здесь еще и курили!

Появился начальник конвоя. Все с радостью отмечаем, что он непохож на ярославских надзирателей, произносящих шесть слов в сутки, шагающих по ковровым дорожкам бесшумными шагами тигров. Начальник конвоя — это добрый молодец, Соловей-разбойник, с лихо закрученным чубом, с ядреными шуточками.

— Староста седьмого вагона! Встань передо мной, как лист перед травой! — громыхает он, зыркая озорными глазами по нарам и крякает от удовольствия, когда большая, дородная Фиса вырастает перед ним.

— Староста вас слуша-а-ат, гражданин начальник, — по-уральски басит Фиса.

Он обстоятельно и со смаком излагает еще раз все запреты.

— На остановках, стало быть, молчок. Вроде померли... За разговор на стоянках — карцер... Книг в этапе, стало быть, не положено. Поди начитались в одиночках за два-то года? Теперь будя! Ну, а насчет баек запрету нет. Байки одна одной сказывать можете. Насчет пиш-ш-ши, ну, пишша, известно, этапная. Хлеба — та же пайка, а вот с водой, бабоньки, беда! Вода у нас дефицит. Так что, воды вам положено в день по кружке. На все. Хошь пей, хошь лей, хошь мойся-полоскайся!

— Почему вы позволили ему так смотреть на себя? — раздается вслед уходящему Соловью гортанный голос.

Тамара Варазашвили, царица Тамара, еще выше откидывает гордую голову. Она сидит с тридцать пятого. Дочь крупного грузинского литературоведа, обвиненного в национализме. И хотя в этом весь ее криминал, но Тамара считает себя «настоящей политической» и сдержанно презирает «набор тридцать седьмого». За неумение самостоятельно мыслить. За бытовые интонации в разговорах с охраной. За то, что просят, а не предъявляют требования.

— А как он смотрел-то? — удивляется Фиса.

— Откровенно оценивающими глазами. Разве вы не почувствовали? И как вы могли улыбнуться в ответ? Это унизительно.

Семьдесят шесть хриплых голосов одновременно врываются в разговор. И опять все спорят сразу, не слушая никого. Потом побеждает голос Поли Швырковой.

—...И среди них люди есть... А что загляделся-то на Фису, так что же тут такого? Она — девка видная, а по мне и слава богу, что загляделся. Людей, стало быть, в нас видит. Женщин. Да пусть хоть баб! Не лучше разве бабонькой быть, чем номером, а?

От этих слов в седьмом вагоне сразу воцаряется тишина. Сырое дыхание склепа снова проносится над вчерашними заживо погребенными. Над теми, кто только сегодня утром получил обратно свои имена и фамилии взамен номеров.

— Умница Поля! Кем угодно, только не номером!

— Вы уж не обижайтесь... Может, чего не так сказала... Вы тут все ученые, партийные, а я ведь на воле-то простой поварихой была. За родство попала. И не знаю, чего это следователь мне такую статью интеллигентную дал — «КРТД»...

...Несмотря ни на что, кончается своим чередом и этот день. В зарешеченном окошке тоненьким коромыслом повис молодой месяц. Еще два-три раза взвивается вихрь общего разговора и наконец затихает совсем.

Я укладываюсь на своих нарах. Ничего. В такой духоте даже лучше на голых досках. Тем более, что из тюремного бушлата можно сделать почти роскошное изголовье.

— Э-эх! — доносится сверху голос Тани Станковской. — Если бы я была царицей, всю жизнь спала бы на нижних нарах!

Рядом со мной известная украинская писательница, автор исторических романов.

— Давайте познакомимся, — шепчет она мне, — я писательница, Зинаида Тулуб. А вы?

Я отвечаю не сразу. Мне надо собрать мысли, прежде чем безошибочно ответить на этот вопрос. До сегодняшнего утра я была «камера три, северная сторона». Называю себя и свою профессию. Педагог. Журналист.

С удивлением вслушиваюсь в свои слова. Точно о ком-то другом. Педагог? Журналист? Не соврала ли? Сонька-уголовница из Бутырской пересылки говорила в таких случаях: «Это было давно и неправда».

Сон уже почти обволок меня, унося возбуждение этого немыслимого дня. Как вдруг... Что это? Что-то мохнатое мазнуло меня по лицу. Карцер? Крыса? Уж не во сне ли и был красный товарный вагон номер семь с размашистой надписью «Спецоборудование»? «Простите, товарищ, я задела вас косой...» Да, у Зинаиды Тулуб наружность дворянской дамы прошлого века. У нее чудесная (спутанная и грязная) коса.

— Вы испугались, товарищ? Вы плачете?

Нет, я не плачу, только сердце почему-то исходит сладкой болью. Хочется, чтобы соседка еще и еще раз повторила это слово. Товарищ... Есть же на свете такие слова! И так обращаются ко мне — «Камера три, северная сторона»! Значит, не то. Поезд идет на восток. В лагеря. Каторга! Какая благодать!

ГЛАВА ВТОРАЯ

«РАЗНЫЕ ЗВЕРИ В БОЖЬЕМ ЗВЕРИНЦЕ»

Это немецкая поговорка. Она все время приходила мне в голову при знакомстве с окружающими попутчицами, путешественницами из седьмого вагона. Кого только не было тут!

Утро в вагоне началось очень рано. Навыки, привитые Ярославкой, сильнее любой усталости. И когда Таня Станковская села на своей верхотуре, стукнувшись седой, всклокоченной головой о потолок, и гаркнула: «Подъем!» — никто уже не спал.

Возбуждение немного улеглось. Протрезвевшими глазами оглядывались вокруг. Кое-кто узнавал лица, запомнившиеся в Бутырках. Нашлись даже знакомые по воле. Староста Фиса Кордодинова уже раздала хлеб с довесками, аккуратно приколотыми щепочками к основной пайке. Начинал на глазах складываться этапный быт.

В первый день, потрясенные самим фактом движения, мы не замечали, с какой медлительностью ползет поезд. Сейчас почувствовали.

— Точно замедленная киносъемка.

— Вроде кибитка с декабристками продвигается...

Вагон скрипел, выворачивая душу. Колеса тарахтели и, главное, шли не ритмично, толчками, от которых проливалась драгоценная влага в кружках. Останавливались то и дело на станциях, полустанках, а часто и в чистом поле, чтобы конвой мог пройти по вагонам для раздачи пищи, для проверок. Вчерашние одиночницы с радостью восстанавливали памятные по Бутыркам приемы организации камерной жизни. Дежурные, дневальные. Очередь на глядение в крошечное зарешеченное окошко.

Ане Шиловой, агроному из Воронежской области, эту очередь многие уступали. Пусть хлеба посмотрит. Знаете, как у нее сердце по хлебам истосковалось!

Аня из тех, кто не ладно скроен, да крепко сшит, — небольшая, коренастая, сгусток энергии, щурит глаза, снисходительно улыбаясь.

— Ох уж хлеба здешние! Посмотрели бы, что сейчас под Воронежем у нас в это-то время!

А Таня Крупеник, милая Таня, живое воплощение Украины, карие очи, черные брови, — восклицает:

— Подумать только, Анька! Скоро работать будем! Мы с тобой тут самые счастливые — агрономы. Только нам да еще может, доктору Муське дадут работать по специальности. Гуманитариям-то нашим хуже... Не дадут им по специальности..

— Откуда у вас такие точные сведения? Никто из нас еще в лагере не был...

Это Софья Андреевна Лотте — ленинградский научный работник, историк Запада. Она выделяется на общем серо-коричневом фоне своим внешним видом. Единственная из семидесяти шести она не в ежовской формочке. На ней обтрепанная, но собственная, ленинградская вязаная кофточка, черная юбка. Из-за этого к ней относятся настороженно, хотя, казалось бы, что можно подозревать при одиночном режиме?

— Да, конечно, — подхватывает реплику Лотте Нина Гвиниашвили, художница Тбилисского театра имени Руставели, — конечно, никто из нас еще там не был... И вполне возможно что вам, товарищ Лотте, приготовлена там кафедра. Будете белым медведям читать историю чартистского движения в Англии

Нина Гвиниашвили подает ей с полки реплику не менее охотно, чем Таня Станковская. Но Танины словечки все густо приправлены горечью, у Нины же все получается так вкусно легко, по-французски, что никто не сердится, даже те, н кого направлена шуточка. Может быть потому, что Таня худая, лохматая, с обтянутыми шелушащейся кожей скулами а Нина изящная, с достоинством увядающая, интересная женщина. Особенно глаза ярко-зеленые, светятся в сумерках

Гуманитарии, которые действительно составляют большую часть населения седьмого вагона, уже сгрудились вокру Зинаиды Тулуб, читающей свои стихи.

На лице ее почти экстатическое выражение. Читает он старомодно, с пафосом. Она вообще старомодна. Неуловимы привкус старого дореволюционного литературного салона ощущается во всей ее манере читать, говорить. В быту она беспощадна и часто смешна.

— У нее на воле двое осталось, — говорит Таня Станковская. — Муж Шурик и кот Лирик. Она просила начальника Ярославки со своего лицевого счета 50 рублей коту Лирику перевести. Он без мяса не может...

В одиночке Зинаиде Тулуб было легче. Она мечтала, сочиняла стихи. В карцер ее не сажали ни разу. Может, из уважения к литературе? А здесь ее затолкали. Да и по возрасту она старше нас, в основном тридцатилетних.

Но стихи объединяют всех. Сидя в Ярославке, я часто думала, будто это только я искала и находила в поэзии выход из замкнувшегося круга моей жизни. Ведь только ко мне в подземный карцер приходил Александр Блок. Только я одна твердила на одиночной прогулке в такт шагам: «Я хочу лишь одной отравы — только пить и пить стихи...» А это оказалось высокомерным заблуждением, — думала я теперь, слушая поток стихов, своих и чужих. Умелых и наивных. Лирических и злых.

Аня Шилова, отложив вопрос об урожае, усевшись с ногами на вторые нары, повествовала теперь этапницам о печальном демоне — духе изгнанья. Впервые в жизни она выучила наизусть такую длинную поэму. И теперь в каждое слово вкладывала не только оттенки смысла, но и гордость своей соприкосновенностью с таким произведением.

Поля Швыркова, повариха, и та начиталась в одиночке Некрасова и тоже стала рифмовать «боль души» и «в той тиши». Вообще Поля, несмотря на все, была несколько польщена тем, что следователь дал ей такую интеллигентную статью КРТД, ввел ее в такое общество, где все партийные и с высшим образованием. Еще в Бутырках Поля включила в свой лексикон много новых слов, из которых больше всего ей полюбилось слово «ситуация».

— Ну, как, Женя, ситуация-то? После Ежова, я думаю, благоприятствует нам, а?

Но вот в чтение стихов включается моя соседка по одиночке, мой «стенкор» Оля Орловская, и я почти замираю, слушая, что она читает.

Сталин, солнце мое золотое!
Если бы даже ждала меня смерть,
я хочу лепестком на дороге,
на дороге страны умереть...

Это заявление в стихах на имя Сталина. Оля передала его недавно в руки Коршунидзе, начальнику Ярославки...

Таня Станковская спрашивает невероятно скрипучим голосом:

— И что же Коршунидзе? Умилился? Прослезился?

Поднимается страшный шум. Вопреки всему, из 76 путешественниц седьмого вагона по крайней мере двадцать с упорством маниаков твердят, что Сталин ничего не знает о творящихся беззакониях.

— Это следователи, гадюки, понаписывали... А он доверился Ежову. Вот теперь Берия порядок наведет. Докажет ЕМУ, что сидят все невинные. Вот помяните мое слово: скоро домой поедем. Надо больше писать ЕМУ. Иосифу Виссарионовичу... Чтобы знал правду. А как узнает — разве он допустит, чтоб такое с народом? Вот хоть я... С детства на Путиловском...

Надю Кораеву перебивает Хава Маляр, стройная женщина лет сорока с лицом оперной Аиды. У нее дооктябрьский партийный стаж. Белые приговаривали ее к расстрелу.

— Нехорошо, Наденька, — с улыбкой говорит она. — Ты питерская пролетарка... К тому же сейчас тридцать девятый год. А питерские рабочие только до 9 января девятьсот пятого думали, что злые министры доброго царя с толку сбивают. После девятого они уже отлично разобрались, что к чему. А ты, вроде, на уровне зубатовцев, а?

На Хаву сразу набрасываются Женя Кочуринер и Лена Кручинина. Они наперебой подводят научно-теоретическую базу под все происходящее в стране. Над духотой седьмого вагона, над подрагивающими глиняными кружками с остатками мутной тепловатой воды, над ярославскими бушлатами несутся удивительные слова об обострении классовых противоречий по мере продвижения к социализму, об объективном и субъективном пособничестве врагу... О том, наконец, что лес рубят — щепки летят.

И Женя и Лена были на воле преподавателями кафедр марксизма в вузах.

— Эй, начетчики! Что там толкуете? — остервенело кричит с третьих нар Таня Станковская. — Что вы там за рабочий класс расписываетесь, столичные барыни?

— Странно вы себя ведете, Станковская, — сухо обрывает ее Лена, — трудно поверить, что вы в партаппарате работали.

— А вы их видели, наши партаппараты-то, донбассовские скажем? Да вы, кроме Арбата и Петровки, вообще что-нибудь видели? Ладно, короче говоря, довольно нудить! Давайте споем лучше! Благо здесь этого не запрещают...

И Таня затягивает голосом охрипшего пропойцы шуточ-
ную этапную на мотив «Боевого восемнадцатого».

> *По сибирской дороге*
> *ехал в страшной тревоге*
> *заключенных несчастный народ...*
> *За троцкизм, за терроры,*
> *за политразговоры,*
> *а по правде — сам черт не поймет!*

— Лучше грустную, — предлагает Таня Крупеник, — давайте про чоловиков своих заспиваемо, дивчата... Живы ли они?
Из пересохших глоток летит этапная:

> *Мы, подруги, друзья, ваши жены,*
> *мы вам песню свою пропоем...*
> *По сибирской далекой дороге*
> *вслед за вами этапом идем...*

Мужья... Некоторые точно знают, что их мужья расстреляны. Другие не знают ничего. Но на встречу надеются абсолютно все. И песня сменяется страстным шепотом.
— Встретимся... В лагерях изоляции нет...
— А там, может, и разрешат совместное проживание... Вот
ведь Люся говорила...
Эта тема сразу выдвигает на первый план меньшевичек и
эсерок. У них тюремный опыт. Они знают, как бывает и как не
бывает.
Люся Оганджанян, коротенькая, длинноносая, с умны-
ми, насмешливыми глазами, удивительно похожая на Розу Люк-
сембург, охотно рассказывает о самых светлых минутах своей
жизни. Они прошли в Верхнеуральском политизоляторе, где в
начале 30-х годов либерализм доходил до того, что разрешались семейные карцеры.
— Вы вот знакомы с чистой, бескорыстной любовью только по литературе, — говорит Люся и хорошеет, заливаясь румянцем. — А я знала ее в жизни. Не жалуюсь на судьбу, свою
долю радости получила. Эта волшебная одиночка, настоящее
слияние двух душ, обостренная враждебностью окружающего
мира...
Эсерка Катя Олицкая — женщина за сорок, похожая почти мужским орлиным носом и прямыми прядями спадающих
на лоб волос на вождя индейцев Монтигомо Ястребиный Ко-
готь, определенно обещает встречу с мужчинами в транзит-

ном лагере. Правда, мы пока не знаем, куда нас везут. Но если во Владивосток, то там обязательно встретимся с мужчинами.

— Не слушай их, — шепчет мне на ухо Надя Королева, — что они понимают? От царя Гороха остались. Вон что она несет-то? Себя социалисткой называет, а нас... Помню, учили мы про них на политзанятиях, так я думала — они давно вымерли... И вдруг рядом... Вот компания, понимаешь! Чтоб ему ни дна ни покрышки, этому следователю!

От песни про мужей разговор так и клонится к запретной теме. Уж сколько раз, еще в Бутырках, договаривались: про это не надо... Но всегда найдется одна, которая не выдержит.

— Помню, было ему четыре года. Купила я как-то курочку и зарезала. А он: не буду знакомую курочку есть...

Зоя Мазнина, жена одного из организаторов ленинградского комсомола, из своих трех детей чаще всего вспоминает младшего — Димку. И не плачет, когда вспоминает, а наоборот, улыбается. Смешные случаи ей все на ум приходят.

Плотина прорвалась. Теперь вспоминают все. В сумерки седьмого вагона входят улыбки детей и детские слезы. И голоса Юрок, Славок, Ирочек, которые спрашивают: «Где ты, мама?»

Есть счастливые. Они получали в Ярославке письма. Они знают, что их дети живы, у стариков. Есть самые несчастные — такие, как Зоя Мазнина. Она уже третий год ничего не знает о детях. Некому написать. Муж и брат арестованы. Стариков нет. А чужие разве напишут? Опасно... Да по правилам Ярославки и не передали бы письмо от чужих. Переписываться можно было только с кем-нибудь одним из близких родственников, и то по нищенской норме.

Я почти счастливица, если я знаю из маминых писем, что один мой сын в Ленинграде, другой — в Казани. У родственников. Может быть, не обидят. Мама переписала строчки из Алешиного письма: «Дорогая бабушка! Со мной на парте сидит мальчик, у которого мама сидит в том же ящике, что и моя» (адрес Ярославки: почтовый ящик №...).

Я крепко сжимаю пальцы, стараясь не поддаться припадку материнского горя. А припадок уже назревает, уже сгущается над седьмым вагоном. Я помню, как это бывало в Бутырках. Только начни — пойдет...

Вспышка массового отчаяния. Коллективные рыдания с выкриками: «Сыночек! Доченька моя!» А после таких приступов — назойливая мечта о смерти. Лучше ужасный конец, чем бесконечный ужас.

Нет, нельзя давать себе волю. Ведь я в тысячу раз счастливее Зои. Я знаю, где мои дети. И счастливее Милды Круминь, которая получила в Ярославке письмо от своего Яна. Одно письмо за два года. Из специального детдома, где жили дети заключенных. Ян писал: «Милая мама! Я живу хорошо. На 1 Мая у нас был концерт самодеятельности». А внизу торопливыми каракулями было приписано: «Мамочка! Я забыл латышские буквы, напиши мне их, и тогда я напишу тебе по-латышски, как мне здесь плохо без тебя».

Надо научиться вот так же, как Зоя Мазнина, говорить и думать о детях без слез, с улыбкой. Вот сейчас расскажу про Ваську:

— Когда ему было три года, он сочинил стихи: «Вот идет однажды дама, это васенькина мама»...

На этот раз сгустившийся над головами мрак вдруг разрешается не общими рыданиями, а неожиданным скандалом. Писательница Зинаида Тулуб невзначай обронила некстати словечко о своем необыкновенном коте Лирике. И на нее чуть не с кулаками бросилась та самая Лена Кручинина, которая так умело подводила теоретическую базу под события тридцать седьмого года.

— Как вы смеете? — кричала Лена совсем другим голосом, не тем, каким она освещала теоретические проблемы. — Как вы смеете со своими дамскими прихотями! Здесь матери, понимаете это, матери! Их дети насильственно разлучены с ними и брошены на произвол судьбы. А вы смеете оскорблять матерей! Сравнивать наших детей со своими котами и пуделями!

К счастью, остановка. Поднявшийся бешеный шум обрывается на полуслове. «Спецоборудование» снова не дышит. Только Нина Гвиниашвили решается еле слышным шепотом подытожить столкновение.

— Здорово формулируете, Леночка! Очень четкие формулировочки! А как же проблема детей с точки зрения обострения классовой борьбы по мере нашего продвижения к социализму?

...Сквозь окошечко просачивается летний вечер. Близится час, когда в Ярославке бывал отбой. Теперь уже всем ясно: воды больше не будет. А надеялись до последней минуты. Сама Фиса Коркодинова, староста, надеялась.

— Думала, грозится он только, что одна кружка на день. Тут ведь если на нормальный стакан мерить, так больше пол-стакана не будет. А умываться как же?

Тамара Варазашвили опять высоко вскидывает голову и вполголоса говорит:

— Никогда не посмели бы мучить людей жаждой, если бы

мы требовали воды. А мы ведь только просим. Униженно умоляем. А с такими чего же церемониться.

Опять завязывается спор. Уже из последних сил выдавливая саднящие горло слова, Сара Кригер популярно разъясняет, что требования можно было бы предъявлять, если бы дело происходило, скажем, в царской тюрьме. А в своей...

— У вас собственная тюрьма есть? — очень спокойно переспрашивает Нина Гвиниашвили.

Наде Королевой, уживчивой, услужливой, миролюбивой, вдруг становится непереносимо тошно.

— Спите давайте! Хватит уж. Беда мне — с учеными попала. Так и жалят друг друга. Ну, трудно с водой. Что ж теперь делать-то? Перетерпим... Самое главное — работать едем, не в каменном мешке сидеть...

(Пройдет четыре года, и Надя Королева, возвращаясь лиловым колымским вечером с общих работ, упадет на обледенелую землю и этим задержит движение всей колонны. На нее будут сердиться те четверо, которые шагали с ней в пятерке. И часовой будет довольно долго шевелить труп Нади прикладом, приговаривая: «Хватит придуриваться! Вставай, говорю!»

Он повторит это несколько раз, пока кто-то из зэков не скажет: «Да ведь она... Не видите разве?»)

...Почти все уже заснули. Я долго мучаюсь, боясь повернуться, чтобы не разбудить Тулуб. Бедняга так беззащитно плакала, когда Кручинина напустилась на нее. Пусть поспит.

Не спят и на вторых нарах. Там тихонько беседуют кавказские женщины и две коминтерновские немки. Тамара, наверно, страшно довольна, что Мария Цахер, член КПГ, бывшая сотрудница немецкой коммунистической газеты, заинтересовалась Грузией, расспрашивает. В такт постукиваниям колес Тамара мечтательно повествует.

— Высокая культура... Христиане с пятого века... Шота Руставели. Народ мой. Гордый, бесстрашный... Немного эпикуреец...

— Попросту говоря, лентяи порядочные, — вставляет словечко Нина Гвиниашвили.

Легкое хихиканье. Это смеется Люся Петросян, родная сестра легендарного Камо. Об этом сама Люся избегает говорить. Не повредило бы... А когда Нина громогласно призывает ее не скрывать такого брата, а гордиться им, Люся с притворным смирением говорит:

— Я простая, темная горянка.

Да, Люся очень осторожна, потому что ее когда-то лично знал великий Сталин. И каждое утро начинается для Люси надеждой: вот откроется дверь, войдет начальник и вызовет ее с вещами. На свободу... И так уже третий год.

Тамара недовольна тем, что Нина своими репликами снижает романтическую приподнятость рассказа о дружбе.

— Отступница ты... От своего народа... А по глазам все равно видно, что грузинка. Вон как сияют...

(Через шесть лет с зелеными, сияющими глазами Нины Гвиниашвили, изящной, остроумной художницы, случится вот что: в колымском совхозе Эльген, где на силос идет даже самая грубая лоза, неисправная силосорезка дрогнет, сорвется с рычагов, и колкая тугая лозина выхлестнет напрочь Нинин правый глаз.

А когда мы с Павой Самойловой проберемся в лагерную больницу, чтобы передать Нине сахарку, и будем подавленно молчать у ее койки, Нина ласково погладит Паву по руке и скажет: «Не мучайтесь, девочки! На такую жизнь, как наша, достаточно и одним глазом смотреть».)

...Совсем ночь. Не могу заснуть. Лежу еще долго после того, как Мария Цахер закончила беседу о Грузии рядом добросовестных русских предложений, построенных по-немецки, с «вербум финитум».

— Спасибо, Тамара. Это знания, которые для мой знакомств с Советский Союз большого значения иметь будут...

Наутро всем неловко за вчерашнее.

— Подумайте, девочки! Как мы в Ярославке мечтали узнать, кто сидит рядом. Какое бы это было счастье поговорить с соседкой. А теперь спорим, обижаем друг друга. Зачем срывать на других свое горе?

Эти слова очень доходят до всех еще и потому, что их произносит Павочка.

Паву все зовут только Павочкой. У нее круглые карие чистые глаза, по-мальчишечьи стриженые волосы. Она попала в чертово колесо из-за брата. За то, что она сестра Вани Самойлова, когда-то участвовавшего в комсомольской операции. Сама Павочка делит свою биографию на два раздела: школа и тюрьма. В облике Павы есть что-то от тех девушек, которые шли в революцию в дореволюционные времена.

— Давайте лучше даром времени не терять. Пусть каждый рассказывает по своей специальности. Аня — по сельскому хозяйству. Муся — лекции по медицине. Софья Андреевна — по истории. А ты, Женя, читай Пушкина. Ты ведь можешь наизусть...

— Правильно! Давайте классиков. Очень успокаивает.

В этом деле я сразу выдвигаюсь даже на фоне пропитанных стихами ярославских узниц. К тому же читать наизусть очень выгодно. Вот, например, «Горе от ума». После каждого действия мне дают отхлебнуть глоток из чьей-нибудь кружки. За общественную работу. А своя кружка стоит накрытая мисочкой, и я с удовольствием думаю о том, что в ней оставлено порядочно водички на вечер. С четверть стакана определенно будет. Но вот дошла очередь до «Русских женщин». Сколько раз еще в Ярославке мысли обращались к декабристкам. Читаю о встрече Волконской с мужем.

> *Невольно пред ним я склонила*
> *Колени — и, прежде чем мужа обнять,*
> *Оковы к губам приложила!..*

Нет, это для нас теперь не хрестоматийные строки! Это та самая мечта, которая маячит перед каждой из семидесяти шести. Читаю и вижу десятки налитых страданием глаз. А декабристки... Они воспринимаются сейчас как соседки по этапу. Никто не удивился бы, если бы рядом с Павой Самойловой и Надей Королевой здесь оказались Маша Волконская и Катя Трубецкая. Но у них дело было полегче. «Покоен, прочен и легок на диво слаженный возок...» Это вам не седьмой вагон! Да что там вагон...

— Пешком бы, братцы, прошагала до Колымы, кабы знать, что Коля там... — вздыхает сверху Таня Станковская.

Да, Маше Волконской здорово повезло! Вот она и встретилась со своим Сергеем в руднике...

> *Святая, святая была тишина!*
> *Какой-то глубокой печали,*
> *Какой-то таинственной думы полна...*

Читаю все дальше и дальше, и вдруг воцаряется действительно полная тишина. На фоне этой новой тишины я странно громко слышу свой голос. И, наконец, отдаю себе отчет, в чем дело. Колеса давно уже не аккомпанируют мне. Стоянка!

— Что же мы наделали! Забыли... Полное молчание на остановках. Что же будет? «Спецоборудование» заговорило...

Тарахтение отодвигаемого болта, и резкий возглас начальника конвоя:

— Книгу сдать!

На этот раз добрый молодец Соловей-разбойник не улыбается и не ищет глазами Фису Коркодинову, старосту. В нем вдруг проявляется какое-то фамильное сходство с самыми свирепыми ярославскими надзирателями, даже с Сатрапюком, сажавшим всех в карцеры.

— Книгу, говорят вам, сдать! Староста седьмого вагона! Что стоишь? Сдать, говорю! А то такой шмон вам закатим, что небо с овчинку покажется! Эй, Мищенко! Находи давай книгу! А их всех на карцерное положение! Я их выучу, как в этапе режим нарушать, конвой подводить!

— Давай все переходь на одну половину! — командует толстоносый Мищенко, сталкивая всех влево и начиная профессионально точными движениями перетряхивать ярославские бушлаты с коричневыми полосами.

Тамара Варазашвили, которую Мищенко толкнул довольно основательно, возмущенно говорит, не повышая голоса:

— Я протестую. Режима никто не нарушал. Никаких книг в вагоне нет. Товарищ читала стихи наизусть.

Это возражение приводит Соловья-разбойника в бешенство.

— Что вы меня, понимаешь, придурком ставите! Нет книги? Да я сам лично под вагоном битый час торчал и слушал, как вслух по книге читали.

— Это наизусть...

— Вон что! Ну, за такие слова, за нахальное это вранье вы ж у меня до самого Владивостока на карцерном положении поедете, раз так! Я вам покажу, как над начальником конвоя насмешки строить! В остатний раз говорю — отдайте книгу! А то на себя пеняйте!

Выручает все та же степенная, но в то же время расторопная Фиса, староста вагона, бывший заворг Нижнетагильского горкома комсомола.

— Разрешите обратиться, гражданин начальник, — вытягиваясь в струнку, говорит она, по возможности умеряя раскаты своего басовитого голоса. — А вы проверьте сами! Заставьте ее при вас почитать. И сами увидите, что она без книги читать может. У нее память, гражданин начальник... Просто сами удивляемся... Аттракцион. Право, заставьте. Пусть почита-а-ат...

На лице Соловья — борьба чувств. Ему и боязно — не попасть бы впросак, а с другой стороны, уж больно удачно нашла Фиса словечко — аттракцион! Читает без книги! Кто же их, чертей ученых, знает. Может и впрямь...

Побеждает любопытство.

— Ладно, — решает Соловей, — давай, Мищенко, сделаем им проверку, коли так. Котора это у вас может-то? Вон та? Чернявенька? Ну, давай валяй! Вот по часам, смотри, засекаю: полчаса почитаешь без книги, но чтобы складно, да без останову — поверю! Не выдюжишь — на карцерном весь вагон. До самого Владивостока!

Все радостно шумят. У всех отлегло от сердца. Во-первых, в пылу скандала выяснилось, наконец-то, направление транспорта — Владивосток! Это уже что-то определенное. Оттуда, наверное, на Колыму. А там непочатый край возможностей героического труда и досрочных освобождений. Во-вторых, никто не сомневается в успехе аттракциона. Проверенный.

— Начинай! — командует Соловей.

— А вы присядьте, гражданин начальник, — хлопочет хозяйственная Фиса, — на ногах ее не переслушаешь, устанете.

— Ладно! Садись давай, Мищенко... Посмотрим...

Нет, «Русских женщин» я им читать, конечно, не буду. Что-нибудь нейтральное: «Евгений Онегин». Роман в стихах. Сочинение Александра Сергеевича Пушкина.

Читаю и не свожу глаз с конвоиров. На лице Соловья — сначала угроза: сейчас сорвешься, вот тут-то я с тобой и разделаюсь. Потом растущее удивление. Затем почти добродушное любопытство. И наконец, возглас плохо скрытого восторга.

— Ишь, черти, троцкисты-бухаринцы! До чего же, дьяволы, ученые! Ну, ты подумай, Мищенко, — ведь и впрямь без книги шпарит! Постой, а ты что же замолчала? Может, до сих только и знаешь? А? Ну-то дальше, дальше давай!

Читаю дальше. Поезд уже тронулся, и колеса четко отстукивают онегинскую строфу. Кто-то подносит мне драгоценный дар — глиняную кружку с мутной теплой водичкой.

— Глотни из моей, а то пропадет голос...

Толстоносого Мищенко укачало. Он дремлет, временами вздрагивая и встряхиваясь. Но любопытный и озорной Соловей-разбойник воспринимает Пушкина как надо — где надо, смеется, где надо — огорчается. В восторг его приводит описание ларинских гостей.

Скотининых чета седая
С детьми всех возрастов, считая
От тридцати до двух годов...

— Ничего себе! — иронически гогочет он, прерывая чтение и щурясь на Фису. — От тридцати до двух годов! Потрудились! Понаделали ребятишек!

О карцерном положении больше нет речи. Уходя, Соловей обещает:

— В Свердловске баня вам будет. Пропускник там законный... Воды хошь залейся! Там и намоетесь сколько влезет и напьётесь до отвалу. Скоро уж...

...Скоро уж... Этими словами начиналось теперь каждое утро. Но нет. Это было еще далеко не так скоро...

— Честное слово, мне кажется, мы все еще где-то в районе Ярославля, — с отчаянием объявляет Аня Шилова, отрываясь от окошечка. — Посмотрите-ка, Мина...

Мина Мальская с трудом забирается на вторые нары. Ей около пятидесяти. Огромный партийный стаж. За тюремные годы Мина совсем сникла, сгорбилась, стала лимонно-желтой. Часто жалуется на болезни, а этого в седьмом вагоне не любят. Неписаный закон: терпи молча. У каждой своего хватает. Вон Таня Станковская. Смотреть страшно, скелет один, а никогда о болезнях ни полслова.

И никто не обращает внимания, когда Мина Мальская, забравшись-таки на вторые нары, хватается за сердце. Только спрашивают:

— Ну, где едем? Как там, по пейзажу судя?

— Гм... Судя по флоре... Трудно сказать... Принимая во внимание сильный зной...

Рядом с Миной Мальской Аня Шилова выглядит такой молодой, энергичной, полной сил. Ее пьянят перспективы работы. Наплевать, пусть у черта на рогах, лишь бы по специальности.

— Девочки! Вечную мерзлоту руками рыть буду, ей-богу! Все равно ведь и там своя земля! Только бы не сидеть без дела. Подержали бы в одиночке еще год, я бы головой об стенку... Что угодно вытерплю, только не безделье...

(В сорок четвертом жизненные дороги этих, так непохожих друг на друга женщин, двух верных членов коммунистической партии, закончатся почти одинаково.

Аня Шилова умрет в лагерной больнице от болезни почек, нажитой непосильным физическим трудом. Умрет, испытав перед смертью ужас слепоты.

Мина Мальская погибнет от инфаркта месяц спустя. На третий день после ее смерти придет на имя начальника лагеря телеграмма: «Прошу оказать необходимую помощь для спасения жизни моей матери. Военный корреспондент «Известий» Борис Мальский».)

...Теперь-то мы знали: до Владивостока. Там транзитный лагерь. Это точно знают меньшевички и эсерки. Оттуда — говорят они — скорее всего на Колыму. Но это еще далеко, об этом можно пока не думать. Лишь бы кончился седьмой вагон! Лишь бы напиться досыта водички!

Возбуждение первых послеодиночных дней спало теперь окончательно. Кончились споры на отвлеченные темы. Кончились даже стихи. Все беспощадно поняли: больше месяца до Владивостока, если такими темпами.

Душно. Так душно, что кто-то своим умом доходит до слова душегубка, тогда еще неизвестного. Пыль. Пот. Теснота. Но самое страшное — жажда.

— Девочки! — Детское личико Павочки Самойловой полно мучительного удивления. — Почему говорится: «Тот не герой, кто сна не борол». По-моему, правильнее будет: «Тот не мученик, кого жаждой не пытали...»

Почти никто не ест соленую баланду. Она хоть и жидкая, но после нее еще страшнее хочется пить. Селедочные хвосты в ней варятся. Конвоиры выносят почти всю баланду нетронутой.

— Гражданин начальник, — обращается Фиса Коркодинова, староста, к Соловью-разбойнику, — я от всего вагона с просьбой к вам. Ту воду, какая на баланду употребляется, отдайте нам простой водой. Хоть умыться бы! Глаза промыть нечем, гражданин начальник. Ну что это — одна кружка в день! В ней и стакана нет. Совсем доходим... А баланду и так никто не ест. Зря два ведра воды на нее идут. И умылись бы, и постирались этой водичкой... Женщины ведь, гражданин начальник.

Соловей-разбойник сердится.

— Вот что, староста седьмого вагона, это нам с вами никто права такого не давал, чтобы самовольно режим менять. Положено — горячий харч раз в сутки этапникам, ну и обеспечиваем. А вам дай заместо баланды воду, вы же сами потом жалобы строчить в ГУЛАГ начнете. Дескать, нам воду, а наварку — себе... Тем более, вы все шибко грамотные, писать мастера. Так что, режим меняться не будет.

Страшно смотреть на Таню Станковскую. Кожа у нее шелушится все больше. Зубы стали длинными и неровными, вылезают вперед из шершавых губ и торчат, как колья в старом расшатанном заборе. И хотя Таня по-прежнему — ни слова о здоровье, но все видят: у нее страшный понос. Двадцать раз в день она слезает с третьих нар и пробирается, гремя бахилами, — седая, страшная, всклокоченная, — к тому углу вагона, где зияет огромная дыра, заменяющая парашу.

— Муся! Доктор Муська! Обрати внимание на Таню. Ты ведь врач...

Доктор Муська пожимает плечами и трясет косичками.

— Беда с этими филологами! Врач, врач... Просто фетишизм какой-то! А что может врач в седьмом вагоне? Ну ладно, предположим, я назначаю больной Станковской усиленный

подвоз витаминов в организм, внутривенные вливания глюко-
зы с аскорбинкой, постельный режим... Да еще, конечно, обиль-
ное питье... Эх, Женечка, пеллагра у Татьяны, а пеллагра — это
три Д. — Муся шевелит губами, вспоминая. — Тут все перезабу-
дешь, что и знала! Три Д. Одно Д точно помню — это дерматит.
Замечаешь, как она вся шелушится. Второе... Второе Д — это,
кажется, диаррея. Понос. Сама видишь. И ничем этот авитаминозный понос не остановишь.

— А третье Д?

— Третье? Ну, третьего, по-моему, у Таньки еще нет,
это деменция... Слабоумие... Расстройство психики.

Нет, третьего определенно не было. Это я знала точно,
потому что вечерами Таня часто звала меня к себе на верхотуру и там делилась со мной совсем неслабоумными мыслями.

— Ханжей ненавижу, Женька! Вот тебе Оля Орловская
нравится... А я видеть не могу! Как вспомню ее стишата «Сталин, солнце мое золотое». Ну что это! Ведь если там, на воле,
еще, может, можно заблуждаться, то здесь-то, в седьмом вагоне, в седьмом кругу дантова ада, кем надо быть, чтобы продолжать молиться на отца, вождя, творца? Или идиотом круглым или ханжой, притворой!

— Тань, а Тань! Давай заявим Соловью, что ты очень больная. А? Может, у них какой-нибудь захудалый санитарный ва-
гонишко есть?

— Юмористка ты, Женька!

— Нет, правда... Ведь был же в Ярославке врач, и даже
гуманный. Я его Андрюшенцией прозвала. Помнишь, когда в
прошлом году форточки закрыли на ключ?

— Немножко помню. Тогда я в основном такая и стала,
как ты меня сейчас видишь. Кислородное голодание...

— Ну вот, и я тогда болела очень. Сердцем... И Андрюшенция гуманизм проявил. По его распоряжению мне увеличили
срок проветривания камеры с десяти минут до двадцати. Давай
спросим про санитарный вагон, Таня. А вдруг есть?

— Карцер у них в их хвостовом вагоне оборудован, это да!
Фиса говорила. А насчет санитарного вагона — это твои деви-
чьи грезы. Люблю тебя, девка, за доверчивость. Ты да Павка
Самойлова! Чудачки... Из Ярославки взрослыми детьми вышли.
Ладно! Довольно про бренное тело говорить. С ним — дело кон-
ченое. Я тебе хочу одну свою тайную муку сказать. Думаю —
поймешь. Слушай, не могу я на Надю Королеву смотреть. Совесть мучает. Будто это я ее посадила. Коренную питерскую про-
летарку. Будто сама не сижу с ней рядом...

Это понятно мне сразу, без уточнений. То же странное

чувство стыда и личной ответственности я испытала летом тридцать седьмого в Бутырках, попав в камеру к иностранным коммунисткам.

Я глажу Таню по костлявому, совсем неживому плечу и тихонько шепчу:

— Понимаю, Танюша. Мне самой в Бутырках до смерти стыдно было перед Кларой. Немецкая коммунистка... Чудом вырвалась из гестапо. Все мне казалось: я в ответе за то, что она в Бутырках.

Духота сгущается, становится скользкой. Ее можно пощупать. Как назло, июль все жарче. Крыша седьмого вагона раскалена, не успевает остыть за ночь, не помогает и то, что на ходу поезда двери вагона закрыты неплотно и в широкую — с ладонь — щель пробивается ветерок.

Перед каждой остановкой на станциях, когда состав еще больше замедляет свой черепаший ход, конвоиры идут вдоль вагонов (вдвое быстрее поезда), захлопывают до отказа двери, укрепляют дверные болты. Потом, отъехав от станции, поезд снова останавливается в чистом поле и конвоиры восстанавливают спасительную щель в двери. Сидеть у этой щели можно только в порядке строгой очереди.

Остальные, кому не дошел черед ни до оконца, ни до дверной щели, лежат обессиленные на нарах, избегая лишний раз пошевелить растрескавшимися губами.

В головах у каждой — неуклюжая глиняная кружка, похожая на детскую песочницу. Она — источник страшных волнений. Как уберечь воду от расплескивания? При толчках вагона. При неосторожном движении соседок.

Некоторые предпочитают выпить всю дневную порцию с утра. Те же, кто бережет воду, чтобы время от времени пропускать по глоточку до самого вечера, — не знают ни минуты покоя. Все смотрят на кружку, дрожат за нее. То и дело возникают конфликты, грозящие полным разрывом отношений между вчерашними друзьями.

Теоретики седьмого вагона — Сара Кригер и Лена Кручинина — лежат сейчас спинами друг к другу. Не разговаривают. Кровная вражда. Сара полезла в карман своего бушлата, чтобы достать бинтик, выпрошенный еще у ярославской медсестры. У Сары в кровь стерты ноги. Из-за бахил. Она маленькая, ей надо тридцать третий номер, а выдали мужские — сорок четвертый. Полезла, да и толкнула локтем Ленину кружку. Пролила часть воды. Порядочно. Со столовую ложку. Вспыльчивая Лена чуть не ударила Сару. Та округлила глаза, зашелестела громким шепотом, перекатывая во рту картавое «р-р-р»:

— Отдам, завтра же отдам... Замолчи... Не безумствуй! Не теряй лица! Здесь есть беспартийные...

Но Лена не в силах побороть приступ гнева. Ее щеки стали ярко-красными.

— Не только беспартийные! Даже меньшевики и эсеры. Из этого не следует, что надо ворочаться, как бегемот на льду, и проливать чужую воду.

(Лена Кручинина сделает в лагерях карьеру. Ей удастся найти путь к сердцу жестокой Циммерман, начальницы женского лагеря. И Циммерман сделает для Лены исключение — назначит ее в лагобслугу, куда положено назначать только надежнейших бытовиков и уголовников, а никак не «врагов народа». От Лены будет зависеть, кого из товарищей послать на смертельно опасные работы, кого придержать в зоне.

Лена подружится со старостой лагеря, уголовницей Лидой-красючкой, и они вместе будут стоять на разводах, рядом с начальником режима. На них будут аккуратные телогрейки, валенки первого срока, а на руках — теплые варежки, связанные актированными старушками из немецкого барака. Уже через год многие бывшие соседки по седьмому вагону будут называть Лену «чертовым придурком», а те, кто надолго сохранит манеру выражаться по-интеллигентски, — «лукавым царедворцем».)

...Как случилось, что однажды конвой недоглядел, оставил щель в седьмом вагоне во время стоянки? По-человечески понять можно. У конвоя тоже было дел по горло. Одни счеты да пересчеты чего стоят! Считали они свое «спецоборудование» дважды в сутки, хотя куда ему деваться из плотно запертого вагона.

И произошло чудо. Через щель в седьмой вагон стали проникать звуки обычной человеческой жизни: смех, детские голоса, бульканье воды. Это было почти невыносимо.

Не меньше двадцати этапниц приникли к щели, мостясь одна на другой. Маленькая станция, затерянная в уральской глуши. Обыкновенная станция. Босоногие мальчишки торговали яйцами, сложенными в шапки. На ржавой дощечке, прибитой к дощатому строению, было написано: «кипИток».

На этот раз я отчаянно отстаивала свое место под солнцем. И мне удалось занять выгодную позицию — в самом низу. Всем своим существом я жила теперь жизнью этой маленькой станции, твердя про себя:

— Господи, сотвори чудо! Пусть я вдруг стану самой последней, самой бедной и невзрачной из этих баб, сидящих на корточках вдоль платформы со своими ведерками и горшками в ожидании пассажирского. Я никогда не пожаловалась бы на судьбу, никогда — до самой смерти. Или пусть я стала бы вон той дремучей старухой, что палкой нащупывает облезлые грязные доски деревянного настила. Ничего, что ей осталось, может, несколько недель или дней. Все равно она — человек. Не «спецоборудование»...

Самое мучительное было видеть приоткрытый водопроводный кран и струящуюся из него воду. Подошел какой-то парень, голый до пояса, и, нагнувшись, подставил смуглую, в белых расчесах спину под струю.

И кто-то в седьмом вагоне не выдержал. Чья-то рука с глиняной кружкой просунулась в щель вагонной двери.

— Воды!

Потом, когда все это кончилось, многие говорили, что все происшедшее напоминало сцену из «Воскресения».

— А, батюшки! Никак арестантский! — это одна из баб, сидящих на корточках у своих ведерок с огурцами.

— Где? Где?

— Да-к надо милостыньку им! Эй, Даша!

— Яйца-то, яйца давай сюды!

— Пить, вишь, просят... Молока неси, Манька!

Обветренные, заскорузлые руки стали просовываться в щель седьмого вагона с солеными огурцами, с кусками хлеба, ватрушек, с яйцами. Из-под спущенных до бровей платков на этапниц смотрели вековечные крестьянские бабьи глаза. Жалостливые. Налитые благородными слезами. Кто-то плескал в протянутые кружки молоко, а оно разливалось, оставляя круги на «сырой земле».

— Одни бабы, гляди-ко...

— Да, может, в других вагонах и мужики есть. Кто ж его знает?

— Господи, может и Гавриловых Ванятко тут где-кось?

— Пошто же воды-то им не дают, ироды? Подь, Анка нацеди ведерко!

— Да ведь не полезет ведерко — в щелку...

— Дома-то поди ребятишки остались. Ребят-то сколько осиротили...

На минуту мне показалось, что идет не тридцать девятый, а просто девятый год нашего века. Но современность вдруг остро напомнила о себе голосом молодой женщины, торопливо просовывавшей в вагонную щель пучок зеленого лука.

— Витамины нате! Витамины ешьте! Важнее всего!

Все это длилось несколько минут. Каким-то чудом конвоиры, занятые заготовкой воды, не заметили ничего. Поезд тронулся. Староста вагона Фиса и специально избранная комиссия в составе Павы Самойловой и Зои Мазниной начали

218

пересчитывать перышки зеленого лука, чтобы разделить его со всей справедливостью.

Но даже раздел лука не мог погасить вспыхнувшего возбуждения. Водяной бунт назревал. Первой подняла голос Тамара Варазашвили.

— Товарищи! Я хочу сказать несколько слов, — негромко, но с ораторской интонацией сказала она, встав в центре вагона. — Мы должны требовать нормального снабжения водой. Мы изнемогаем. У каждой за спиной два, а то и три года тюрьмы. И какой тюрьмы! Мы все больны цингой, пеллагрой, алиментарной дистрофией. Кто дал этим людям право истязать нас еще и жаждой?

— Правильно, Тамара! — поддержала спокойно Хава Маляр, впервые за все время этапа повышая голос.

— Не говорите от имени всех, — раздалось с верхних нар.

— Я, конечно, не имею в виду тех, кто готов не только всему подчиниться, но и все оправдать, — продолжала Тамара.

— Да еще и подвести под все это теоретический базис!

Хава встала рядом с Тамарой, подчеркивая свою поддержку.

— Потом, объясните, наконец, в чем дело? Куда девалась вода? Разве наш путь пролегает через пустыню Сахару? Почему они не могут набирать воду на станциях три раза в день?

— Что же вы предлагаете? Голодовку? — это из угла, где сидят эсерки.

— Прекратите антисоветскую агитацию! Не мерьте всех на свой аршин! — это Лена Кручинина.

— Я и адресую свои слова не всем, а только тем товарищам, которые не потеряли человеческого достоинства и уважения к самим себе.

— Правильно, правильно, Тамара! — это уже многие, очень многие.

К двери пробилась, стуча бахилами, Таня Станковская.

— Давайте требовать! — резко заявляет она и, не дожидаясь одобрения своих действий, начинает колотить сухими синими кулачками в вагонную дверь.

Поезд уже снова замедлил ход, приближаясь к очередному полустанку.

— Воды-ы-ы!

И уже кто-то: — Негодяи! Мучители! Не имеете права! Нет на вас советской власти?

И чей-то отчаянный вопль:

— Вагон разнесем! Стреляйте! Все равно один конец! Воы-ы-ы!

Топот ног по платформе. Рывок! Дверь настежь! Пять конвоиров во главе с Соловьем-разбойником.

— Молчать! — кричит он, и его глаза наливаются кровью. — Рехнулись, что ли? Бунтовать? А ну, говори, кто застрельщик?

И так как на вопрос, конечно, никто не отвечает, он хватает оказавшуюся ближе всех к дверям Таню Станковскую и совсем незаметную молчаливую Валю Стрельцову. Он приказывает отвести их в карцер, как зачинщиков бунта. Тогда вперед выходит Тамара.

— Мы требуем воды, — спокойно говорит она. — Все требуем. А те, кого вы взяли, ни в чем не виноваты. К тому же Станковская очень больна, она не перенесет карцера.

Хава говорит еще спокойнее и еще тише Тамары:

— Мы не верим, что в Советской стране могут истязать людей жаждой. Мы считаем это произволом конвоя и требуем нормального снабжения водой.

— Я вам покажу требовать! — задыхаясь не только от злости, но и от удивления, гремит Соловей-разбойник. В нем сейчас ничего общего с тем Соловьем, который почти по-человечески воспринимал пушкинский текст.

— Мищенко! На карцерное их всех! А приедем — покажу им, где раки зимуют! Небо с овчинку покажется! — Он делает неопределенное движение в сторону Тамары и Хавы, но после минутного колебания отворачивается от их спокойных взглядов, делая вид, что действительно считает зачинщицами водяного бунта еле стоящую на ногах Таню и безликую молчальницу Валю Стрельцову.

Конвоиры уходят, уводя двух заложниц. Но вагон не усмирен. Вслед конвою несутся удары десятков кулаков по стенам вагона, по дверям. Летит все тот же разъяренный вой:

— Воды-ы-ы!

Теперь уже никто не поднимается с нар. Щель в двери закрыта. Болт закручен наглухо. Хлебные пайки сокращены почти вдвое. Баланды не приносят. Карцерное положение.

Но это все почти никого не расстраивает. Вернее, почти никто не замечает этих ухищрений Соловья-разбойника. Не до того. У всех одна мысль — Таня не выйдет живой из карцера.

У Тамары опустились плечи. Она почти перестала откидывать назад голову. Три дня подряд она заявляет раздающему хлеб конвоиру Мищенко, что произошла ошибка: не Станковская, а именно она, Тамара Варазашвили, первая предложила требовать нормального снабжения водой.

— Второй же была я, а не Стрельцова. Могут подтвердить очевидцы, — тихим голосом добавляет Хава Маляр, и ее лицо оперной Аиды бледнеет.

Но Мищенко пуще всего не любит, когда эти шибко грамотные бабенки начинают балакать на своем птичьем, ученом языке.

— Ничего не бачил! Ничего не чул! — бурчит он флегматично. — Староста, рахуй, давай пайки!

Но Фиса Коркодинова — недаром ее еще в Нижнетагильском горкоме комсомола считали отличным массовиком — чувствует: разве так надо с Мищенко разговаривать?

— Гражданин начальник, — она вытягивается в струнку. — Разрешите обратиться...

Мищенко польщен до невозможности: «Гм... Уважительная девка, ничего не скажешь...»

— Ну, давай, — приосанивается он, — тильки покороче...

— Разрешите, гражданин начальник, мне, как старосте, знать, на сколько суток зэка Станковская посажена? Мне для учета... Когда срок ей?

— Ну, ежели для учету, могу сказать. На пьять... Писля завтра туточки буде...

Но их привели к концу этого же дня. Соловей-разбойник сообразил, что проволочка с оформлением акта о смерти будет немалая. Так уж лучше довезти до транзитки, а там пусть разбираются сами.

Валя Стрельцова, вечная молчальница, и тут остается верна себе — лезет молча на вторые нары к своему месту. Даже не спросила, где ее кружка. Даже не поблагодарила Надю Королеву за то, что Надя ее кружку сберегла целехонькой. Хранила, чтобы не раздавили.

(Только восемь лет спустя, когда Валя Стрельцова смертельно заболеет, простудившись на таежном сенокосе, где до самого колымского ноября спят в самодельных шалашах, — все узнают о причине Валиного упорного молчания, ее отъединенности от людей.

За день до смерти Валя расскажет своей соседке, религиознице Наташе Арсеньевой, что во время следствия она, Валя, поставила свою подпись под десятками смертных приговоров. Была Валя на воле техническим помощником первого секретаря одного из обкомов партии. Вот и заставили ее подписать и на секретаря, и на все бюро, и на многих из областного актива.

Наташа Арсеньева, адвентистка седьмого дня, будет искренне убеждена, что после смерти Вали надо рассказать об этом всем в лагере. Чтобы знали люди, что новопреставленная раба божия Валентина страдала, покаялась и перед смертью у бога и людей прощения просила. Тогда, мол, легче ее душе будет.)

... — Таня, Танюша, прошу тебя, ляг на нижние нары, — умоляет Павочка Самойлова. — Ну, мне ведь совсем не трудно наверх залезть. Я молодая, здоровая, а ты? Куда ты в таком состоянии полезешь?

— Не надо, — хрипит Таня, — мне только ноги вытянуть бы. В карцере все время с согнутыми коленями... Там даже моим мослам поместиться негде. Достижение современной техники карцер этот.

С Тани стаскивают бахилы. Ей жертвуют несколько капель воды на край ярославского полотенца, чтобы обтерла лицо после карцерной грязи. Доктор Муська считает ей пульс.

— Почему у тебя такие руки холодные? — испуганно спрашиваю я, забравшись в гости к Тане на верхотуру. — Такая жарища, духотища, а они у тебя ледяные? Неужели додумались какой-нибудь искусственный холод в карцере делать?

— Нет. Там еще душнее здешнего. Совсем без воздуха. Сама не знаю, что с руками.

Таня смотрит на свои руки, похожие на скрюченные лапы старого ободранного петуха, лежащего на прилавке мясной.

(Только через несколько лет, работая медсестрой в лагерных больничных бараках, я пойму, что эти ледяные руки — верный признак близкого конца для всех «доходяг», гибнущих от дистрофии. Я так привыкну к этому, что, ощутив под своей рукой холод очередной петушиной лапы, уже с вечера буду заготовлять бланк «акта о смерти», чтобы передать его потом в УРЧ для архива «А».)

— Да ты не бойся, Женька, не умру я в этапе. Мне до транзитки обязательно надо добраться. Поняла? И хотя мне другой раз — уж скажу тебе как другу — здорово умереть хочется, но я не даю себе волюшки в этом деле. Вот после транзитки видно будет...

— Муж?

— Нет. Не из тех я дурочек, что мечтают на транзитке расстрелянного мужа встретить. Нет. Но действительно, мне нужна встреча с мужской зоной. Иван Лукич, понимаешь... Наш донбассовский. В тридцать пятом секретарем райкома стал, а до того — в шахтах. Знатный мастер.

— Любовь?

— Да ну тебя! Ему шестьдесят два.

Таня долго кашляет и хрипит, прежде чем начать рассказ. Доктор Муська уже несколько раз говорила, что у Тани начались застойные явления в легких, при этом так озабоченно ка нала головой, что черные косички, завязанные тряпочками, задевали соседок.

Оказывается, когда Таня была арестована — а была она до ареста инструктором культпропа обкома, — рабочие той самой шахты, где и отец Тани работал, и два брата, написали коллективное заявление. Дескать, знаем всю семью как облупленную. Станковские — рабочая династия, потомственные шахтеры. Татьяна все от Советской власти получила: образование, работу, квартиру — все. Ей, мол, никакого резона с контриками якшаться быть не может. Все равно, что против себя самой идти. А работала она отлично. Ни дня, ни ночи не было для нее, если по рабочему делу. Свыше пятидесяти подписей собрали. Ну, и к Ивану Лукичу пошли. А он в это время уже секретарем райкома был.

— Да. Подписал. Ни на что не посмотрел. Он ведь мой крестный, в партию меня рекомендовал в двадцать втором. Взял он это заявление, подписал, да еще добавил сбоку: «Как в двадцать втором ручался, так и теперь ручаюсь».

— Какие люди! А потом?

— Потом посадили их всех до одного, кто подписывал. Ну, и Ивана Лукича тоже. Это я уже потом по пересылке узнала от тamowеньких. Вот и нельзя мне, понимаешь, до транзитки умирать. Эсерки говорят, что там обязательно с мужчинами встретимся. Они знают. Не впервой.

— Поблагодарить его хочешь?

— Что благодарить? Сам знает, что я души за него не пожалела бы. Тут другое. Хочу сказать ему, что напрасно он это сделал. Нерационально. Ты послушай, какая у меня мысль. Понимаешь, верю я, что таких Иванов Лукичей много в нашей партии есть, из тех, кто остался на воле. Но сделать они пока ничего не могут.

— Почему же?

— Не знаю. История скажет. Но только если они сейчас выступят против Сталина, от этого, кроме еще нескольких тысяч покойников, ничего не будет, а вред большой. Ведь настанет время, когда они смогут поднять свой голос. И надо, чтобы они сохранились до тех времен. И так уже нас слоями снимают. Чего же еще самим в петлю лезть? Да главное — без пользы для дела...

Ровная беседа прерывается неожиданным появлением на верхотуре Хавы Маляр. Волосы у нее распущены, и Таня, увидев ее, протягивает свою петушью лапу и поет (да, поет!) шутливым шепотком: «Как смеешь ты, Аида, соперничать со мною?»

— Тише, Таня... Я принесла вам...

Хава всех зовет на «вы», но оно звучит у нее очень доверительно. Я протираю глаза. Не мираж ли? На раскрытой ладони Хавы пять кусочков пиленого сахара. Это еще ярославский. Там выдавали по два кусочка в день. В этапе же сахара не положено. Как догадалась скопить? А после того, как вызвали на медицинскую комиссию, по кусочку в день откладывала, потому что, когда с сердцем плохо, нет ничего лучше, как пососать сахарку. Сразу пульс выравнивается. И Таня должна съесть два кусочка сейчас, сразу, а остальные в ближайшие дни. Сразу пойдет на поправку.

(Хава Маляр, несмотря на больное сердце, доживет до счастливых времен. Она еще успеет прочесть материалы XX и XXII съездов. Она медленным шагом, оглядываясь неверящими, эфиопскими глазами по сторонам, поднимется по лестнице большого дома на старой площади.

Она успеет насладиться горячей водой в одной из квартир Юго-Запада. И только весной шестьдесят второго кучка уцелевших этапниц седьмого вагона побредет следом за мертвой Хавой в крематорий.)

Иногда эшелон останавливался на целые сутки по каким-то высшим соображениям. Это были самые мучительные дни. Неподвижный, раскаленный, вонючий воздух. Закрытая наглухо дверная щель. Приказ: молчать всем, хоть и стоим в чистом поле.

Но вот дожили, дожили наконец! Свердловск. Будет баня! Меньшевичка Люся Оганджанян уже бывала здесь. И она снова и снова, как Шахерезада, повторяет волшебную сказку о свердловском санпропускнике. Какой он чистый, большой, просторный. Ничем не хуже Сандуновских бань. В раздевалке огромное зеркало. Мочалки всем выдают. Можно помыться в свое удовольствие. А уж напиться...

— Только бы торопить очень не стали. Злится, наверно, на нас Соловей-разбойник за водяной бунт.

Но Соловей-разбойник вспыльчив, да отходчив, даже улыбается снова.

— Староста седьмого вагона! — громогласно возглашает он. — Выходь! Стройся по пяти!

На запасном пути, где остановился вагон, нет перрона. Мина Мальская, Софья Андреевна Лотте, да и некоторые другие, никак не могут спрыгнуть. Высоко. Павочка Самойлова и Зоя Мазнина подставляют им скрещенные руки, кое-как стаскивают. Но писательница Зинаида Тулуб боится прыгать даже так. Она стоит на краю вагона и подробно рассказывает нетерпеливым конвоирам с собаками, как осложнился в Ярославке ее давнишний радикулит и как она в молодости была отменной спортсменкой. Тогда такой прыжок, конечно, не составил бы для нее трудности, но теперь...

— Давай прыгай, говорят тебе! Весь строй задерживаешь! — рявкает Соловей. — Мищенко, давай ссаживай ее, как знаешь!

Мищенко покорно подставляет свою бычью шею, и на ней повисает бывшая прелестная, правда, немного старомодная женщина, автор талантливых исторических романов.

— Я вам, право, очень обязана, — говорит она, поправляя ежовскую формочку, когда пыхтящий Мищенко ставит ее на твердую почву.

Толпа серо-коричневых теней у каждого вагона.

— Разберись по пяти! Приставить ногу!

Соловей-разбойник перебегает от вагона к вагону, на ходу делясь с дежурными образчиками фольклора. Немецкие овчарки рвутся из своих ошейников и громко лают. Они тоже застоялись во время пути и выглядят облезлыми, похудевшими.

— Интересно, какая на них положена норма снабжения водой в этапе? — кротким голосом просто в воздух бросает Нина Гвиниашвили. И стоящий неподалеку Мищенко, не искушенный в оттенках сарказма, отвечает почти добродушно:

— От пуза пьют. Скильки влезе...

Население всех вагонов выстроено по пяти. Получается длинная, метров на семьдесят, серо-коричневая шевелящаяся лента. Кто-то от свежего воздуха затуманился, осел на землю.

— Держись, держись! Одна одну поддерживайте. Падать никому не давать...

Конвоиры бегут вместе с собаками, раздраженные тем, что, несмотря на категорический запрет, некоторые все же теряют сознание.

— По пяти, по пяти! Ряды не путать!

— Хвост, хвост загибай! Передние, приставить ногу! Задние, потянитесь! Левее, левее!

Таня Станковская острит хриплым, срывающимся голосом:

— А если левее, то не прибавят за левый уклон по десяточке?

— Остроумная была покойница, — шепчет мне на ухо Нина Гвиниашвили.

В сиянии раннего летнего утра Таня действительно выглядит настоящим трупом. Голова ее бессильно качается на вытянувшейся шее, как увядший плод на стебле.

— Шаг влево, шаг вправо — будет применяться оружие, — предупреждают конвоиры.

Раздевалка санпропускника превосходит самые смелые надежды. Простор. Чистота. А зеркало! Полстены! Но все равно оно не вмещает нескольких сот голых женщин с тазами в руках, толкущихся перед ним. Плывут, плывут в синеватом стекле сотни тревожных горьких глаз, ищущих свое отражение.

Я узнаю себя только по сходству с мамой.

— Павочка, — окликаю я Паву Самойлову, — подумай только: я по маме себя узнала. Больше на нее похожа сейчас, чем на себя. А ты?

— А я, стриженая, еще больше на Ваню стала похожа.

Даже здесь, в волнующий момент встречи с зеркалом, после трехлетней разлуки, Пава ни на минуту не забывает о своем брате. Между ними — большая любовь и дружба.

(Во Владивостоке Паву будет ждать редкостная удача. Ей, единственной из всего этапа, доведется встретить на транзитке того, о ком мечталось. Ее брат Ваня окажется в соседней мужской зоне, отгороженной легким заборчиком. И они встретятся у этого забора. И Ваня передаст на память сестричке случайно сохранившуюся у него маленькую подушечку. И будет повторять: «Прости, прости меня, Павочка, я тебя погубил...» «Да чем же ты виноват, Ванюша?» — спросит Пава. «Да только тем, что — твой брат».

А перед посадкой на пароход «Джурма», который повезет женский этап на Колыму, Пава снова перебросит брату ту же подушечку, потому что больше ей дать ему нечего.

И этим кончится для них все, потому что в сорок четвертом по доносу сексота о «разговорчиках» Ваню расстреляют, и сестра узнает об этом только в пятидесятых годах, после своей и Ваниной (посмертной) реабилитации.)

...Соловей! С ума он сошел, что ли?

Да, начальник конвоя с завидной непринужденностью разгуливал среди сотен обнаженных женщин. Не успели и ахнуть по этому поводу, как заметили, что у всех дверей, ведущих из раздевалки в душевые, стоят по два солдата в полном обмундировании и с винтовкой в руках.

— Что уж это, батюшки! — запричитала совсем по-деревенски Поля Швыркова. — Или уж мы вовсе не люди, что нас нагишом прямо мимо мужиков гонят. Рехнулись они, видно...

— В отношении шпионов, диверсантов, террористов, изменников родины вопросы пола никакой роли не играют. Ты разве не усвоила этого еще в тридцать седьмом от следователя?.. Ну, что же, если так, то и они для нас не мужчины. — И Нина Гвиниашвили храбро шагнула через порог между двумя солдатами.

— Нет, нет, девочки, — страстно зашептала Таня Крупеник. — Нет, видят они в нас женщин и людей, эти солдаты. Присмотритесь к лицам.

Таня говорила чистую правду. Глаза всех караульных, стоящих у дверей, были устремлены в одну точку, вниз, под ноги. Казалось, они пересчитывают только мелькающие мимо них пятки. Все до одного, ни один не поднял любопытствующего взгляда.

Другое дело Соловей-разбойник. Тот даже не отказал себе в удовольствии вызвать перед свои светлые очи старосту седьмого вагона.

— Староста седьмого вагона! Встань передо мной, как лист перед травой! — рявкнул он, так и зыркая озорными, гулящими зенками, так и предвкушая появление голой Фисы.

И она встала перед ним. Общий гул восторга прошел по толпе женщин. В вагоне никто не замечал, что представляют собой Фисины волосы. Гладко зачесанные за уши и туго закрученные на затылке, они совсем не бросались в глаза. Сейчас, расплетенные, выпущенные на волю, они рыжим потоком струились вдоль тела Фисы, прикрывая ее всю до колен. Она стояла с тазиком в руке и казалась одновременно и уральской Лорелеей, и святой Барбарой, у которой чудом выросли длинные волосы, чтобы прикрыть ее наготу от мучителей-язычников.

— Староста седьмого вагона вас слуша-а-ат, гражданин начальник, — пробасила Фиса, придерживая волосы на груди, как держат наброшенную на плечи шаль.

Соловей с плохо скрытой досадой уточнил свои распоряжения, а этапницы седьмого вагона окружили свою деловитую, смышленую старосту кольцом любви и дружбы.

Наслаждение длилось целый час. Конвой, занятый возней в дезокамере, не торопил. Все ожили. Плеск воды перекликался со всплесками смеха. Таня Крупеник, быстрыми, спорыми движениями простирывая рубашку, даже замурлыкала тихонько: «Ой, Днипро, Днипро»...

Запас жизнелюбия и доброты был в Тане неисчерпаем. Ни минуты она не чувствовала себя отверженной из-за того, что она, единственная из всего вагона, имела срока не десять, а двадцать лет. Сама Таня говорила, что ей отвалили столько потому, что ее суд пришелся на пятое октября тридцать седьмого. Тут как раз вышел новый закон, установивший новый максимальный срок тюремного заключения — двадцать пять вместо десяти. Но многие в вагоне шептались: это потому, что Таня в близком родстве с бывшим председателем Совнаркома

227

Украины Любченко. А уж известно: чем ближе к знаменитым коммунистам, тем больше срок...

— Что десять, что двадцать — одно и то же, — отмахивалась Таня в ответ на расспросы. — Никто столько сидеть не будет. Разберется партия. Не может этого быть. Ведь вот слетел же Ежов! И на других вредителей придет срок. Ведь это ясно, что вредители проникли в НКВД. Разоблачат их... А мы выйдем! Уже сейчас к нам относятся лучше, чем при Ежове. Он нас два года в одиночках держал, в крепости. А теперь мы на работу едем. Крайний Север осваивать... Значит, верят, что будем работать по совести.

(Чем отличается десятилетний срок от двадцатилетнего — это Таня почувствует в сорок седьмом, когда ее товарищи (из тех, кто выжил) один за другим будут уходить из лагеря на поселение. В лагере появятся новые люди — зэки военного периода. Среди них Таня, с ее неистребимыми, не убитыми ни тюрьмой, ни лагерем партийными повадками двадцатых-тридцатых годов, почувствует себя одинокой. А в сорок восьмом случится пожар на агробазе колымского совхоза Эльген. И Тане, работающей там заключенным агрономом, будет угрожать новый срок, новый суд, с обвинением в диверсии, в поджоге. И в одну белесую ночь короткого колымского лета Таню Крупеник — карие очи, черные брови — найдут болтающейся в петле в одной из теплиц, где выращивают огурцы и помидоры для лагерного и совхозного начальства. Над головой мертвой Тани будет кружиться и жужжать туча колымских комаров, жирных, омерзительных, похожих на маленьких летучих мышей.)

...Первые дни после Свердловска — прилив бодрости. Возобновляется чтение стихов, лекции по специальности. Зинаида Тулуб читает наизусть по-французски Мопассана. Все восхищаются ее чтением, и даже Лена Кручинина не вспоминает больше о Зинаидином коте Лирике.

Мина Мальская меньше хватается за сердце и согласилась прочесть (нет, не лекцию! Зачем в таком состоянии долго затруднять внимание товарищей!) маленькую заметку о природе Крайнего Севера.

На третий день все замечают, что после великолепия свердловского санпропускника еще более мизерным кажется водяной паек. Снова начинаются ссоры, ленивая переброска репликами.

— О-ох, — вздыхает Поля Швыркова, — брюхо старого добра не помнит! С полведра поди выпила в Свердловске, а сейчас опять... Такая ситуация...

— Хватит ныть, не шумите! — обрывает кто-то из умеющих спать круглые сутки.

— Не злитесь, девочки! И откуда только это зло в людях берется! — тяжело вздыхает Надя Королева.

— Как откуда? Невод широко был раскинут. Ну, и рыбка наловилась разная... — Это Таня Станковская хрипит сверху. Она теперь совершенно не встает, а на мои вопросы о здоровье отвечает:

— До транзитки все равно доеду!

Однажды на рассвете, уже недалеко от Иркутска, все проснулись от сильного толчка.

— Крушение?

— Неплохо бы... Чтобы вдрызг седьмой. Тогда волей-неволей пришлось бы им нас в чистом поле подержать. Вот надышались бы!

— Не мечтайте. Ой, смотрите, кружки летят. Вот это действительно стихийное бедствие. Не то что крушение поезда. Без кружки попробуй до Владивостока. Еще сколько протащимся.

Эшелон остановился. За дверями — топот ног конвойных, перебежки их от вагона к вагону, отрывистые крики, ругательства.

— Как вы думаете, что бы это могло случиться? — вежливо повторяет уже в который раз Зинаида Тулуб и просительно обводит вагон своими томными глазами, годящимися скорее для Анны Керн, чем для этапницы седьмого вагона.

Все молчат. Наконец раздается сверху голос Тани Станковской:

— Одно из двух: или внеочередное извержение Везувия, или получен ответ Сталина на стихи Оли Орловской.

У Нади Королевой от толчков вагона раскололась пополам кружка, и Надя рыдает над ней, как над умершей родной дочерью. Вдруг резко стукнула оттолкнутая вправо дверь. Сразу почувствовалось: это не обычный приход конвоя. Все вскочили. Что еще? Вслед за Соловьем-разбойником подталкиваемые сзади еще двумя конвоирами в седьмой вагон влезают одна за другой женщины. Они слабы. Они держатся за стенки, эти незнакомые женщины в тех же серых с коричневым ежовских формочках. Их много — человек пятнадцать.

— Староста седьмого вагона! Принимай пополнение! — командует Соловей. — Давайте сдвигайтесь маленько на нарах, дайте новеньким места, а то, вишь, развалились! Кумы королю...

— Куда же, гражданин начальник? И так уж по команде на другой бок ворочаемся, — заворчала на этот раз даже Фиса.

— А чего ворочаться? Знай лежи-полеживай! Спокой! — мрачно шутит Соловей.

— Давай, давай! Лягайте, да не вертухайтеся! — инструктирует Мищенко.

Надя Королева, рыдая, расталкивая всех, бросается к Соловью со своим горем. Она ведь не виновата, что крушение. А как же теперь без кружки?

— Другой не дадим. Вы как думаете? Я за них отчитываться должен или как? Во Владивостоке — полная инвентаризация. — И поучительно добавляет: — Беречь надо казенное добро.

Один за другим конвоиры и Соловей спрыгивают на песок. Закладывается дверной болт. Новенькие стоят кучей в середине вагона, у самого парашного отверстия, прижимая к груди бушлаты. Несколько минут длится общее молчание. Среди взглядов, бросаемых нашими коренными обитателями седьмого, есть и враждебные. Подумать только! И так чуть живы, пить нечего, дышать нечем, а тут еще... Куда их девать?

— Кто же это вас так обкорнал-то?

Поля Швыркова первая заметила, что в облике новеньких есть что-то отличное от своих, привычных. Что-то еще более нестерпимое и оскорбительное.

— Волосы!

— Да, нас остригли. Мы ведь не ярославки. Мы из Суздаля. Нас только в день этапа привезли в Ярославль. В двенадцатом вагоне ехали. А потом сломался он. Небольшое крушение.

— Вот нас и разбили на три группы и по другим вагонам рассовали. Но у вас, видать, и без нас не скучно?

Суздаль. Вторая женская одиночная тюрьма всесоюзного значения. В Бутырках многие о ней мечтали. Там бывший монастырь. А келья уж обязательно посуше камеры. И вот...

Да, в отличие от ярославских, суздальские узницы обриты наголо. Ярославки с ужасом смотрят на обритые головы своих незваных гостей. А те бросают полные зависти и восхищения взгляды на наши растрепанные, пыльные, посеревшие косы, локоны, челки.

— Эх, бабоньки, — на весь вагон вздыхает Поля Швыркова.

И это сигнал. Сигнал к тому, чтобы все увидели в новеньких не нахлебников, с которыми надо делить голодный паек воды и воздуха, а родных сестер, униженных и страдающих еще больше, чем мы сами. Волосы! Обрить волосы!

— Идите сюда, товарищ! Здесь можно подвинуться.

— Кладите свой бушлат на мой...

— Снимите бахилы и забирайтесь сюда с ногами. Потеснимся, теперь уже меньше осталось. По Сибири едем.

230

Одна из новеньких узнала меня. Пробирается, прокладывая дорогу свернутым бушлатом.

— Женя!

Но я не сразу узнаю хорошо знакомую по воле, по Москве, Лену Соловьеву. Трудно узнать кокетливую, вечно смеющуюся Лену в этой почти бесполой фигуре, как бы только что поднявшейся после тифозной горячки. Отрастающая белесая щетинка топорщится на несуразно длинном черепе. С острых плеч, как с гвоздиков, свисает ежовская формочка.

По тому, как долго я вглядываюсь в нее неузнающими глазами, по интонации, с которой я восклицаю наконец: «Леночка!», — она, может быть, впервые за все время заключения догадывается, во что превратилась она, бойкая, способная аспиранточка.

Судорожными движениями она вытаскивает из кармана мятую грязную косынку и набрасывает ее на голову.

— А так? Так хоть немного похожа на себя? — спрашивает она, и ее узловатая, костлявая рука тянется к моим волосам. — Счастливая! У тебя локоны! Те же... московские...

Меня охватывает пароксизм острой, непереносимой жалости.

(Ведь это еще только тридцать девятый год. И несмотря на следствие, суд, Бутырки, Лефортово, Ярославку, мне известно еще далеко не все о том, что люди могут проделывать с другими людьми. Поэтому бритье голов суздальских этапниц, а особенно моей старой знакомой Лены Соловьевой, я воспринимаю как предел надругательства над женским естеством. Через два-три года я просто не буду замечать, как выглядит чья-либо женская голова, прикрытая лагерной шапкой, напоминающей головные уборы печенегов-кочевников.)

...Вырастут... Леночка, родная, вырастут! Ты снова будешь красивой. Не завидуй нам. Ведь мы такие же, как ты. И нас они могут так же... Я дотрагиваюсь до своих волос. Нет, уж этого я, пожалуй, не пережила бы...

— Лена, где твой Иван? Где девочки?

В застывшем, как маска, лице Лены что-то вздрагивает.

— Девочки? Не знаю, ничего не знаю. Не разрешили переписку. И Иван — там же, где все порядочные люди.

Лена говорит почти безразличным голосом. Видно, она уже ничего не боится. Ей все равно, если кто-нибудь из вагонных ортодоксов-сталинцев «стукнет» конвою о таких ее речах. Среди суздальских есть все-таки одна с небритой головой.

— Не далась! — объясняет она громким голосом с очень четкой дикцией, по которой я безошибочно угадываю педагога.

231

Это Лиля Итс, Елизавета Ивановна. Директор средней школы из Сталинграда. Высокая, привлекательная, с крупными кольцами русых волос, спускающихся на плечи. Когда-то девчонки обожали ее, но прозвали все же «Елизавета Грозная».

— Я бросилась прямо на ножницы. Била парикмахера, кусала ему руки, — все с теми же учительскими интонациями, точно объясняя урок, продолжает Лиля Итс. — Спасла волосы, но искалечила ногу. Пускай! Это меня меньше травмирует.

Правое колено у Лили багрово-синего цвета. Нога как лоснящееся полено.

— Швырнули в карцер со всего размаха о железную койку. Но остричь все же не успели. Тут как раз этап... Заторопились... Некогда уж им было со мной сражаться.

Тамара Варазашвили порывисто жмет руку Лили.

— Уважаю ваше мужество, товарищ.

В углу, где расположились (и не думая уступать ни сантиметра из своего жизненного пространства) наши ортодоксы, возникает движение.

— А вам не приходило в голову, что стрижка могла быть вызвана чисто санитарными соображениями. Может быть, появилась вшивость? — спрашивает Лена Кручинина.

Все суздальцы наперебой отклоняют этот вариант. Он у них уже много раз обсуждался.

— Откуда вши в одиночках? Там было голо и чисто. Камень, железо и один человек в ежовской форме. Два раза в месяц — одиночный душ. Никаких санитарных соображений. Просто издевательство.

— Ну, едва ли обычную стрижку можно считать издевательством. Вот когда в царской каторге брили полголовы...

Таня Станковская не может больше вытерпеть. Не поймешь, откуда у нее берутся силы, чтобы прокричать на весь вагон:

— Братцы! Давайте составим благодарность товарищу Сталину. Так, мол, и так... Жить стало лучше, стало веселее. Бреют уже не полголовы, а всю подряд. Спасибо, дескать, отцу, вождю, творцу за счастливую жизнь.

— Станковская! Когда слушаешь вашу антисоветчину, просто не верится, что вы были членом горкома.

— Слушая вас, просто не верить, что вы у них не в штате, а просто как вспомогательный состав. Кстати, почему бы вам сейчас не вызвать конвой и не доложить об этой беседе. Может, вам за заслугу эту чистое белье выдали бы. А то от вас воняет что-то сверх нормы...

— Тш-ш-ш... Девочки, да что же это? — умоляет наивный ортодокс Надя Королева. — Разве хорошо так оскорблять друг

232

дружку? У меня вон горе-то какое — кружку разбила, и то на людей не бросаюсь. Что ж поделаешь, терпеть надо. Тюрьма так она и есть тюрьма. Не курорт... Как в песне-то поется. «Это, барин, дом казен-н-най...»

— «А-лек-санд-ров-ский централ», — подхватывает кто-то нараспев.

Стучат и стучат колеса, теперь уже совсем не ритмично, еле-еле. Кажется, пешком скорее дошли бы до Владивостока.

Устал седьмой вагон. Истомили, перегрузили его. И все же идет, пробирается, уходит все глубже в сибирские дали. Заглушая стук колес, из вагона выбивается на воздух вековая каторжная песня, сибирская этапная:

> *...За какие преступ-ле-е-нья*
> *Суд на каторгу сослал?*

Среди суздальских есть популярные люди. Лина Холодова, пулеметчица Щорса. Слух о ней шел по всему этапу. Спорили: среди нас чапаевская Анка. Оказалось — не Анка, а Лина, та, что у Щорса. Следователи говорили ей: «Мало тебе было мужиков в своем селе, так ты на фронт пошла, чтобы в свое удовольствие пораспутничать!»

Известная парашютистка Клава Шахт. Даже после двух лет Суздаля, в ежовской формочке, она сохранила изящество движений, манер. Только пальцы рук у нее деформированы. При последнем прыжке повисла на проводах.

Феля Ольшевская, член партии с семнадцатого, долгие годы работала в польском революционном подполье. Ее сестра — жена Берута.

Знаменитая председательница колхоза из Узбекистана Таджихон Шадиева. Многим ее лицо кажется знакомым, потому что в тридцатых годах лицо Таджихон то и дело мелькало в кадрах кинохроники и на обложках «Огонька», «Прожектора».

За три года тюрьмы Таджихон все еще не привыкла к тому, что забота о народном хозяйстве страны — теперь не ее дело. С азартом и грубыми ошибками в русском языке она все рассказывает о каких-то давнишних пленумах, на которых ей удалось посрамить некоего Биктагирова по вопросу о сроках уборки хлопка. Таня Крупеник и Аня Шилова делятся с ней своими замыслами и агрономическими планами насчет освоения Колымы.

Я не могу наглядеться на Лену Соловьеву. Знакомая по воле, это великая радость. Она знала моего старшего сыночка. Я знала ее девочек. Я сидела с ней рядом в тридцать шестом на Тверском бульваре во время совещания переводчиков. С ней можно вспомнить, как интересно выступали тогда Пастернак, Бабель, Анна Радлова. Я глажу белесую щетинку, покрывающую удлиненный череп Лены, и с трудом отрываюсь от разговора, чтобы слазить на верхотуру, посмотреть, как там Таня Станковская.

— Жива, жива еще, не бойся, — каждый раз говорит Таня.

(Да, она действительно умрет только на транзитке. Но поискать среди заключенных мужчин своего партийного крестного Ивана Лукича ей не придется, потому что в ворота транзитного лагеря Таню уже не введут, а внесут. Ее положат на нары, с которых она уже не встанет.

Она будет лежать, почти бесплотная, не человек, а силуэт человека. Ее не будут трогать даже клопы, которые живут на владивостокской транзитке, организованно, почти как разумные существа, передвигаясь вполне целеустремленно, большими толпами по направлению к новым этапам.

Таня заболеет, вдобавок ко всему, куриной слепотой, и не увидит меня, только за руку будет держать.

В день Таниной смерти по транзитке распространится слух, где-то здесь сегодня умер Бруно Ясенский от алиментарной дистрофии. Я расскажу об этом Тане, а та, оскалив страшные, расползающиеся во все стороны цинготные зубы, засмеется и скажет очень четко своим обычным хриплым голосом: «Мне везет. Когда будешь меня вспоминать, будешь говорить: она умерла в один день с Бруно Ясенским и от той же болезни».

И это будут последние слова девочки из потомственной шахтерской семьи, партийной крестницы Ивана Лукича, самой мужественной пассажирки седьмого вагона — Тани Станковской.)

...По мере приближения к Владивостоку все больше говорили насчет обуви. Уверяли, что этап высадят не в самом городе, а на какой-то Черной речке. Придется пешком шагать несколько километров до транзитки.

— Как же пойдем в бахилах? Кровавые мозоли натрем...

— Давайте у Соловья портянки требовать... Чтобы хоть плотно они на ногах сидели, эти трижды проклятые бахилы.

— Где он вам возьмет их?

— Чтобы этому Коршунидзе ярославскому так до конца жизни топать!

— Он сам, что ли, их выдумал? Деталь туалета, созданного гениальной фантазией товарища Ежова, сталинского наркома, любимца народа...

Бахил в одиночных тюрьмах иногда не хватало. Поэтому на некоторых этапницах была еще собственная обувь, та самая, в которой арестовали. С отваливающимися, перевязанными веревочками подметками, с отломанными каблуками...

...В поведении конвоя тоже ощущалось близкое завершение путешествия. Ежедневно по многу раз считали и пересчитывали, писали и переписывали. Особенно переутомлялся Мищенко. Ему выпала непосильная задача переписать суздальских, перемещенных в седьмой вагон, отдельным списком. К этому делу он приступал уже трижды, каждый раз откладывая его окончание на завтра.

— Як ваше прозвище? — спрашивает он Таджихон Шадиеву.

— Что я, уголовная что ли, чтобы еще прозвища иметь, — обижается бывшая председательница узбекского колхоза. — С меня и фамилии достаточно.

— Ну, хвамилия?

— Шадиева.

— А националы?

— Узбечка.

— Та ни... Ни нация, а националы...

— Инициалами твоими интересуется, — подсказывает догадливая доктор Муська.

— Ах, инициалы? Т. А.

— Полностью, полностью ныцыалы, — требует обескураженный Мищенко.

Не меньше хлопот ему было и с немками.

— Гат-цен-бюл-лер...

— Тау-бен-бер-гер...

Мищенко отирает со лба холодный пот.

— Ныцыалы ваши?

— Шарлотта Фердинандовна...

Час от часу не легче... Эх, не такой бы харч за такую работенку!

...Во Владивосток прибыли ровно через месяц со дня выезда из Ярославля. Собственно, еще не во Владивосток, а где-то поблизости от него. Может быть, на Черную речку или как там еще называлась эта пустынная местность. Был поздний вечер, когда эшелон остановился. У вагонов уже ждал усиленный конвой, которому должен был с рук на руки сдать этап Соловей-разбойник. Оглушительно лаяли немецкие овчарки, прыгая на своих поводках.

— Выходь по пяти! Стройся давай!

Пахнуло близостью моря. Я почувствовала почти непреодолимое желание лечь ничком на землю, раскинуть руки и исчезнуть, раствориться в густо-синем, пахнущем йодом пространстве.

Вдруг стали раздаваться отчаянные голоса.

— Не вижу! Не вижу ничего! Что с глазами?

— Девочки! Руку дайте! Ничего не вижу... Что это?

— Ой, спасите! Ослепла, ослепла я!

Это была куриная слепота. Она поразила примерно треть пассажирок седьмого вагона сразу же при вступлении на дальневосточную землю. С сумерек до рассвета они становились слепыми, блуждали, протянув вперед руки и призывая товарищей на помощь.

Испуг заболевших, их отчаяние передавались всем. Конвой неистовствовал, устанавливая тишину, необходимую для сдачи-приемки этапа при пересчете поголовья.

Ох, как тут пригодилось то, что всего только три года тому назад выучила в медицинском институте доктор Муська.

— Девочки, не бойтесь! — кричала доктор Муська, тряся косичками и размазывая рукавом льющиеся ручьем слезы. — Слушайте меня, девочки, вы не ослепли, это только куриная слепота, авитаминоз А. Это от Ярославки, от седьмого вагона, климат приморский спровоцировал. Резкий переход. Перемена среды. Низкая сопротивляемость организма. Это излечимо. Это пройдет, слышите! Это только от сумерек до рассвета. Надо рыбий жир. Трех ложек достаточно. Не бойтесь, мои дорогие!

...До самого рассвета длится процедура сдачи-приемки. Рассвет. Невиданные оттенки лилового и сиреневого по краю неба. Ярко-желтое, точно нарисованное, солнце.

— Теперь я буду по-настоящему понимать японскую живопись, — говорит Нина Гвиниашвили, глядя на небо и одновременно наворачивая на ноги порванное надвое ярославское полотенце, чтобы дошагать в бахилах до транзитки.

...Опять длинная, шевелящаяся, серо-коричневая лента.

— Трогай давай! Направляющий, короче шаг! Предупреждаю: шаг вправо, шаг влево — будет применяться оружие...

Бахилы задвигались, увязая в песке. Я оглянулась назад. Там под лучами декоративного, великолепного солнца стоял, покривившись, старый грязно-багровый товарный вагон. На нем наискосок, от нижнего левого до верхнего правого угла было размашисто написано мелом: «Спецоборудование».

ГЛАВА ТРЕТЬЯ

ТРАНЗИТКА

Итак, настало утро. Утро 7 июля 1939 года. Мы все шли и шли. Предчувствие знойного дня уже настигало нас. Но пока

236

что нам в лицо бил какой-то удивительный воздух, пахнувший свежевыстиранным бельем. Мы жадно глотали его. Он точно смывал с нас грязь седьмого вагона. Дорога то поднималась, то опускалась, и на всем ее протяжении нам не встретился никто: ни человек, ни машина, ни лошадь. Точно вымер весь мир. И только нас, последних, домучивает иссякающая жизнь.

Мне казалось, что я сплю на ходу. Сплю и вижу во сне запах моря и пустынную дорогу. Только стоны и крики возвращали меня к реальности. Крики, как ни странно, были радостные. Это вчерашние слепцы радостно вопили: «Вижу!» Еще не все усвоили, что с наступлением вечера им предстоит ослепнуть снова.

Суздальские куда слабее нас, ярославок. Со своими бритыми головами они казались все одинаковыми, точно сошедшими с какого-то конвейера, фабрикующего ужасы.

Путь нескончаем. До сих пор не знаю, сколько там было километров. Конвоиры совсем осипли от окриков, овчарки тявкают лениво, как безобидные дворняги. Становится все жарче. Только бы не упасть... Ведь впереди транзитка, вожделенная транзитка, где мужскую зону от женской отделяет только колючая проволока, где мы можем встретиться с мужчинами, с НАШИМИ мужчинами. Впереди, значит, шанс на встречу с мужем... Мы с готовностью верим этой легенде, рожденной безнадежно устаревшим тюремно-лагерным опытом наших эсерок и меньшевичек. Эта безумная надежда и ведет сейчас полуживые тени через непонятные спуски и подъемы нашего пути под все более яростным дальневосточным солнцем.

Вот и ворота транзитного лагеря. Они густо оцеплены колючей проволокой.

— Гав-гав-гав, — оживились конвоирующие нас немецкие овчарки, чуя близкое завершение своей ответственной миссии.

— По пяти, по пяти, проходь в ворота! — неистовствуют конвоиры, подталкивая вперед падающих.

В зоне вдоль проволочного заграждения стоят женщины, масса женщин. На них вылинявшие, заплатанные, рваные платья и кофточки. Женщины худы, изможмены, лица их покрыты грубым пятнистым загаром. Это тоже заключенные, но они лагерницы. Их не коснулось мертвящее дыхание ярославских и суздальских одиночек. Женщины эти напоминают толпу нищих, беженцев, погорельцев. Всего только. А мы... Мы пришли из страшных снов.

И эта мысль отчетливо прочитывается на лицах встречающих нас лагерниц. Ужас. Пронзительная жалость. Братская готовность поделиться последней тряпкой. Многие из них плачут открыто, глядя на нас, наблюдая, как мы серой нескончаемой лентой вползаем в ворота. Доносятся приглушенные реплики:

— Ежовская форма... Бубновый туз...

— По два года и больше в одиночках...

— Тюрзак...

Тюрзак... Страшный зверь по имени тюрзак... Этому зловещему слову суждено почти десять лет висеть на наших шеях, подобно тяжелой гире. Тюремное заключение...

Мы были худшими среди плохих. Преступнейшими среди преступных. Несчастнейшими среди несчастных. Одним словом, мы были самые-рассамые...

Не сразу мы осознали тяжесть своего положения. Только позднее нам стало ясно, что, в отличие от Ярославля, где все мы были относительно равны, в этом новом круге дантова ада не было равенства. Оказывается, население лагерей делилось на многочисленные, созданные дьявольской фантазией мучителей «классы».

Впервые услышали мы здесь слово «бытовики». Это лагерная аристократия — лица, совершившие не политические, а служебные преступления. Не враги народа. Просто благородные казнокрады, взяточники, растратчики (с уголовниками, скрывающимися под тем же деликатным названием, мы встретимся немного позже. На транзитке их еще нет).

Бытовики очень горды тем, что они — не враги народа. Они люди, искупающие свою ошибку преданным трудом. В их руках все командные должности, на которые допущены заключенные. Нарядчики, старосты, бригадиры, десятники, дневальные — все это в подавляющем большинстве «бытовики».

Затем начиналась сложная иерархия «пятьдесят восьмой» — политических. Самой легкой статьей была пятьдесят восемь-десять. «Анекдотисты», «болтуны», они же по официальной терминологии «антисоветские агитаторы». К ним примыкали и обладатели буквенной статьи — КРД (контрреволюционная деятельность).

В большинстве случаев это были беспартийные. По лагерным законам этой категории можно было рассчитывать на более легкий труд и даже иногда на участие в администрации из заключенных. Реже проникали туда заключенные по статье ПЭША (подозрение в шпионаже). Самыми «страшными» до нашего прибытия были так называемые КРТД (контрреволюционная троцкистская деятельность). Это были лагерные парии. Их держали на самых трудных наружных работах, не допускали на «должности», иногда в праздники их изолировали в карцеры.

Наше прибытие влило бодрость в каэртедешников. В сравнении с тюрзаком, прибывшим из политизоляторов, осужденных военной коллегией по террористическим статьям, меркли «преступления» КРТД. Прибыла мощная смена для работы на лесоповале, мелиорации, на колымском сенокосе.

По существу, различие между нами и КРТД состояло в сроках ареста. Они — так же как и мы, в основном коммунисты — были арестованы раньше нас, когда давали еще чаще всего КРТД 5 лет. Мы же, взятые в разгар ежовщины и бериевщины, получали уже по 10, а потом и по 20-25 лет тюремного заключения. Причем получался своеобразный парадокс: так как раньше брали тех, кто хоть как-то был связан с оппозицией, то в составе каэртедешников были люди, некогда голосовавшие неправильно или воздерживавшиеся при голосовании. А среди наших, несмотря на большие сроки и жесткий режим, сложившийся благодаря особенностям времени нашего ареста, преобладали ортодоксальные коммунисты, работники партийных аппаратов, партийная интеллигенция, не состоявшая в оппозициях. Но кто обращал внимание на это несоответствие?

— У патриархальных немок полагалось класть в основу жизни три, даже четыре «К» — Киндер, Кюхе, Кирхе, Клейдер, — шутили на транзитке наши, — а у нас сейчас складывается жизнь на четырех «Т» — троцкизм, терроризм, тяжелый труд.

И еще шутили в связи с медицинскими осмотрами, которые мы проходили на транзитке:

— Дышите, — говорит врач, прикладывая ухо, и спрашивает: — Какая статья?

— Тюрзак... 10 лет...

— Не дышите...

Да, дышать было трудновато. С цинизмом, уже никого не удивлявшим, лагерная медицина «комиссовала» в строгом соответствии со статьями и пунктами. Тюрзакам полагался «тяжелый труд» — первая категория здоровья. И ее ставили. Достаточно сказать, что за четыре часа до смерти «первую категорию здоровья» получила Таня Станковская.

Впервые мы столкнулись здесь с лагерной медициной и нам открылось новое в профессии врача. Во-первых, эта профессия может спасать ее обладателя от гибели потому, что он почти всегда нужен как врач, даже если у него «тюрзак». Во-вторых, врачу в лагере труднее, чем всем прочим смертным, сохранить душу живую, не продать за чечевичную похлебку совесть, жизнь тысяч товарищей. Его искушают ежеминутно и теплым закутком в «бараке обслуги», и кусочками мяса в баланде, и чистой телогрейкой «первого срока». Мы еще не знали, кто из наших товарищей-врачей устоит против соблазнов, кто выстоит (это стало видно уже на Колыме). Но все сразу заметили, что, став членом медицинской комиссии и прикрыв ярославскую формочку белым халатом, а бритую голову косынкой с красным крестом, Аня Понизовская из суздальской тюрьмы сразу перестала горбиться, а в голосе ее зазвучали металлические нотки, пока еще, впрочем, довольно мелодичные.

Транзитка представляла собой огромный, огороженный колючей проволокой, загаженный двор, пропитанный запахами аммиака и хлорной извести (ее без конца лили в уборные). Я уже упоминала об особом племени клопов, населявших колоссальный сквозной деревянный барак с тремя ярусами нар, в который нас поместили. Впервые в жизни я видела, как эти насекомые, подобно муравьям, действовали коллективно и почти сознательно. Вопреки своей обычной медлительности, они бойко передвигались мощными отрядами, отъевшиеся на крови предыдущих этапов, наглые и деловитые. На нарах невозможно было не только спать, но и сидеть. И вот уже с первой ночи началось великое переселение под открытое небо. Счастливчикам удавалось где-то раздобыть доски, куски сломанных клеток, какие-то рогожи. Те, кто не сумел так быстро ориентироваться в обстановке, подстилали на сухую дальневосточную землю все тот же верный ярославский бушлат.

Я никогда не забуду первую ночь, проведенную на транзитке под открытым небом. После двух лет тюрьмы я впервые видела над своей головой звезды. С моря доносилось дыхание свежести. Оно было связано с каким-то обманчивым чувством свободы. Созвездия плыли над моей головой, иногда меняя очертания. Со мной снова был Пастернак...

> *Ветер гладил звезды*
> *горячо и жертвенно...*
> *Вечным чем-то,*
> *Чем-то зиждущим, своим...*

Мелодию этих стихов пела почти на одной ноте телеграфная проволока. Воздушные волны с моря окончательно пересилили терпкий запах хлорки. Делаю над собой усилие — и вот я ощущаю почти счастье. Ведь до утра, когда надо снова начинать жить, еще далеко. А сейчас — стихи и звезды и совсем недалеко море. Я снова напоминаю себе, что Владивосток — это порт, что отсюда ежедневно в далекие неведомые края устремляются пароходы. И, может быть, «Транзитка» — это только название парохода, на котором мы едем...

Закрываю глаза, отдаваясь головокружительной встрече с

природой после такой долгой разлуки. Плывем, плывем... Куда же он, наш Ноев ковчег? Мерцают над ним звезды, мерцают наши жизни — огоньки на ветру, зыбкие, неверные...

Утром, когда в предрассветных сумерках обозначились все цвета и оттенки, я замерла от восторга, увидев в углах двора редкие кустики крапивы и огромные пыльные лопухи. Они ошарашили меня своим зеленым великолепием. Я совсем забыла о ядовитом нраве крапивы, любуясь ее красотой. А доверчивые добродушные лопухи... Они ведь пришли сюда из дальней страны моего раннего детства, попали в такую даль с нашего арбатского переулочного заднего дворика.

— Подъем! Завтрак!

Еду привезли в походных кухнях, и мы сразу выстроились в огромные очереди. Давали очень горячую баланду и даже какие-то смертоносные «пирожки», от которых сразу удвоилось количество так называемых «поносников», составлявших наиболее многочисленный отряд нашего этапа.

Первые три дня, пока шла медицинская «комиссовка», наш этап еще не посылали на работу и время уходило больше всего на новые знакомства. С жадностью недавних одиночников мы говорили и не могли наговориться с лагерницами, большой этап которых находился здесь, на транзитке, уже больше месяца. И снова — судьбы, судьбы... Безумные по неправдоподобности и в то же время доподлинные. Трагические по сути, но часто состоящие из серии комических по своей несообразности эпизодов.

— Где-то мы с вами, товарищ, определенно встречались, — возбужденно говорила Софья Межлаук — жена заместителя Молотова, — на этапе лагерниц, глядя на нашу Таню Крупеник.

— Да, мне ваше лицо тоже знакомо... Одно из двух: или мы видели друг друга в правительственном доме отдыха, или в Бутырской тюрьме...

Все мы старательно разматывали клубок времени в обратном направлении. Каждая начинала с момента ареста и в тысячный раз мы слушали варианты все той же сказки про великого Людоеда. Лагерницы знали куда больше нас. Во-первых, большинство из них были арестованы позднее, во-вторых, их режим, куда более мягкий сравнительно с нашим, допускал некоторое общение с вольными во время работы.

В тот день, когда я сидела в сторонке от всех, потрясенная смертью Тани Станковской, ко мне подошла молоденькая девушка с милым, похожим на крепкое яблочко лицом и сказала тихо:

— Не мучайтесь так о подруге. Здесь умирают слишком

часто, чтобы позволять себе так реагировать на смерть. Переключите мысль на другое. Например, на вашу семью, там, на воле остался кто-нибудь?

— Дети... Родители... Муж взят.

— Так вот. Я работаю за зоной. Пишите письмо. Опущу в ящик. Получат.

Возможность послать маме письмо, не имея в качестве соавтора ярославского цензора! Это уже чего-нибудь стоит... И я усеиваю два крохотных блокнотных листика микроскопическими буквами, чтобы больше уместилось. Блокнот, из которого девушка вырвала эти два листика, сунув его обратно довольно небрежным движением в карман, кажется мне настоящим чудом, как будто она вынула из кармана горсть бриллиантов. И так небрежничать с такой вещью! Окончательно захлебываюсь от изумления и восторга, когда моя благодетельница с такой же небрежностью дает мне конверт... Настоящий конверт с маркой!

Я все еще не верю счастью и отдаю ей готовое письмо с таким чувством, с каким, наверно, потерпевшие кораблекрушение бросают в море бутылки с мольбой о помощи.

Эта двадцатидвухлетняя Аллочка Токарева из лагерного этапа (статья КРД — срок 10 лет), почувствовавшая ко мне симпатию, была в течение всего месяца, проведенного мной на владивостокской транзитке, моим добрым гением. Она очень тактично и доброжелательно вводила меня в новый для меня мир, обучала лагерному «savoir vivre».

— Когда будут всякие документы на вас заполнять, — учила она меня, — говорите, что вы до филологического учились на медицинском и дошли до четвертого курса.

— Зачем? — поражалась я.

— Если на Колыме понадобятся медсестры, это ваше медицинское образование могут вспомнить. Будете медсестрой... В помещении. Не на кайловке, не на лесоповале...

— Так ведь это ложь! Я ведь все равно не смогу работать медсестрой...

— Чего там не смочь! Людям еще лучше, если порядочный человек на такой работе. Будете доходяг спасать. Взяток брать от них не будете...

— А лечить?

— Не смешите... В лагере лечат одним — освобождение от работы на день-два...

— Не могу врать...

— Надо научиться...

Такие речи в устах молодой девушки с круглым ребяческим «яблочным» личиком казались продолжением великого Безумия.

Но на первых порах я была не очень понятливой ученицей и сразу же испортила отношения с личностью, облеченной великой властью, с некоей Тамарой, носившей высокий титул «начальника колонны».

Тамара была первым настоящим лагерным «придурком», с которым меня свела судьба. Как ни странно, она была политическая «пятьдесят восьмая». У нее даже, кажется, было КРТД. И уж если она, несмотря на эту статью, сумела занять такую должность, то значит... Но все это мне стало ясно позднее. А тогда, узнав, что Тамара — бывший комсомольский работник из Одессы, я запросто подошла к ней с вопросом, не прибыли ли вместе с нами и наши личные вещи с Ярославки. Вопрос этот был для меня очень острым, потому что красные домашние тапочки, которыми я измерила сотни километров по одиночной камере, совсем развалились, бахил мне не выдавали, и я оказалась практически совсем босиком. В личных моих вещах находились мои старые, но еще вполне крепкие черные туфли, и я мечтала о них страстно, даже во сне их видела.

Свой вопрос я задала, конечно, в самой вежливой форме, называя Тамару товарищем, как принято было у нас, транзитов.

— Видала малахольную? — обратилась Тамара к своей заместительнице из бытовичек, следовавшей за ней по пятам.

Красивое правильное лицо Тамары, нормально окрашенное в розовый цвет и выделявшееся этим среди наших серожелтых лиц, стало красным от гнева. Как я узнала потом, она принадлежала к типу тех «придурков», которые всегда находятся в состоянии «подогрева» и ждут только случая, чтобы напуститься на кого-нибудь.

— Чемоданы ваши еще не прибыли, мадам-туристка, — издевательски бросила она мне в лицо. — И товарищем меня не зови! Свиней с тобой вместе не пасла... А по делишкам своим обращайся к своему старосте, а не ко мне...

Все это она кричала фальцетом, постукивая кулаком по столу, привлекая к себе и ко мне всеобщее внимание. Ее гнев на меня за нарушение субординации, за тон равной полыхал не меньше пяти минут.

Я углубила инцидент, сказав в ответ:

— Извините, вы действительно не товарищ, — я ошиблась.

Нажила себе ни с того ни с сего могущественного смертельного врага. Это обрело конкретные очертания уже на третий день, когда меня, еле стоящую на ногах от истощения, цинги, дистрофического поноса, направили на работу по разгрузке каменного карьера.

Между прочим, некоторые одесситки, знавшие Тамару «по воле», говорили, что до ареста она была очень хорошей дивчиной, активной комсомолкой, приветливой и доброжелательной к людям. Потом я нередко встречала образцы такого полного смещения личности в условиях лагерной борьбы за существование. Прежнее оказывалось у некоторых вытесненным окончательно. На его месте возникал другой человек, и этот человек был страшен.

Это были как бы деревянные куклы-марионетки, без привязанностей, без душевной жизни и, главное, без памяти. Такие люди никогда не вспоминали о воле, о человеческом периоде своей жизни. Эти воспоминания обременяли бы их.

Одесситки, находившиеся на транзитке, отлично знали это и никогда не подходили к Тамаре как старые знакомые. Став Иваном, родства не помнящим, она этим как бы ограждала себя от осуждения своих поступков, а главное — тех событий, жертвой которых стала и она сама. Ее постоянное состояние «подогрева» и так называемая «раздражительность», то есть готовность скандалить и оскорблять людей, находящихся под ее властью, объяснялись презрением к людям и подспудным страхом перед ними. Своих многочисленных угодников и подхалимов Тамара снисходительно презирала. Тех же, кто молчанием и взглядами показывал, что понимает механизм ее деятельности, она остро ненавидела и преследовала.

Я своим наивным обращением «товарищ» вызвала в ней воспоминания о том прошлом, которое она считала несуществующим, которое мешало ее сегодняшней карьере. Поэтому она и ответила мне таким взрывом. После столкновения с ней я стала догадываться о сущности этого психологического типа, выявленного условиями лагерей. И всегда при встрече с Тамарой вспоминала строки Блока:

> *Как страшно мертвецу среди людей*
> *живым и страстным притворяться!*
> *Но надо, надо в общество втираться,*
> *скрывая для карьеры лязг костей.*

Много таких духовно мертвых людей я встречала потом на своем лагерном пути. В тюрьме таких не было. Тюрьма, особенно одиночная, наоборот, возвышала людей, очищала их нравственно, раскрывала все глубинные алмазы и золотые россыпи души.

...В каменном карьере мне довелось узнать, что такое каторжные работы. Установилась июльская жара. Беспощадные дальневосточные прямые ультрафиолетовые лучи. От камня даже на расстоянии пышет адским жаром. И главное — мы, больше двух лет не видевшие лученышка, отвыкшие в одиночках от всякого физического действия, больные цингой и пеллагрой... После доконавшего нас седьмого вагона. Именно нам предстояло справляться с этими земляными и «каменными» работами, требующими даже от мужчин большой силы и выносливости.

Удивительно, как редки были на этом солнцепеке солнечные удары. Я вспоминаю только два случая. Один раз это была Лиза Шевелева, личный секретарь Елены Стасовой по коминтерновской работе. Она потом умерла в магаданской больнице заключенных, сразу после морского этапа. Другой была Верико Думбадзе, девочка, арестованная за отца в возрасте 16 лет. Их отнесли на тех же носилках, на которых мы таскали камни, в больницу, но уже через два дня обе были снова выписаны на работу.

В уме все время проносились разные книжные ассоциации. Новая Каледония. Жан Вальжан на каторге. Каторжник, прикованный к тачке... Вот как оно, оказывается, выглядит все это в жизни.

Придурки транзитки не уставая твердили нам, что эта работа — сущий рай для наших статей и сроков. Ведь с нас пока не требуют нормы. А еду дают как за сто процентов. Вот на Колыме будет другое. Там норму подай! А здесь так, просто передышка для вас в ожидании морского этапа. Несмотря на такой либерализм, у многих из нас открылись на ногах трофические язвы. По ночам, хоть они и проходили под открытым небом, трудно было заснуть от натруженного дыхания, стонов и вскриков сотен голосов. На зубах все время скрипела каменная пыль.

У многих уже начиналось лагерное отупение. Они уже научились смотреть как-то точно сквозь туман, точно мимоходом и на умиравших, и на больных куриной слепотой, бродящих по вечерам с поводырями, протягивая вперед дрожащие руки, и на орды клопов, ползавших по нарам. У некоторых даже появилась уже страшная нищенская привычка выставлять свои трофические язвы и лохмотья оборвавшейся ежовской формочки напоказ.

Но это было меньшинство. Огромное большинство активно сопротивлялось. Еще любовались и летучими утренними туманами, и удивительными фиолетовыми закатами, горевшими над нами в час возвращения из каменного карьера, еще радовались близкому соседству с огромным флотом, которое ощущалось каким-то шестым чувством. И стихи... Мы все еще читали их друг другу по ночам. Мы все еще жили в том сладостно-горьком мире чувств, которым так щедро дарила нас ярославская одиночка. Я инстинктивно чувствовала: пока меня волнует и этот ветер, и эти пламенные звезды, и стихи, — до тех пор я жива, как бы ни тряслись ноги, как бы ни гнулся позвоночник под тяжестью носилок с раскаленными камнями. Именно в том, чтобы сохранить в душе все эти последние сокровища, и заключалось теперь сопротивление наступающему на нас страшному миру.

Уже появились среди нас люди, затосковавшие по одиночным нарам.

— Честное слово, было лучше. Все-таки было чисто. И были книги. И не было этого отупляющего скотского труда.

— Если бы нас не вывезли, мы бы умерли там все не позднее будущего года от цинги...

— А сейчас! Вы думаете дожить до будущего?

...Однажды на рассвете, когда в разрывах облаков еще трепетали побледневшие звезды, весь наш табор был разбужен Надей Лобициной. Надя была эсеркой и, несмотря на свой тридцатилетний возраст, казалась нам живым анахронизмом. Очки, старомодная прическа и манера говорить — все это были детали образа курсистки девятисотых годов. Но в этот момент Надя вела себя как таежный следопыт или вождь краснокожих из майнридовской книжки. Она приложила ухо к земле и слушала, приподняв палец. Потом вскочила с доски, на которой спала, и свистящим шепотом объявила:

— Идут! Этап идет... огромный... Мужчины, наверно! Мы ведь говорили вам...

Многие с сожалением посмотрели на Надю. Галлюцинации? Психоз? Ничего удивительного...

Но эта фантастика оказалась чистейшей правдой. Этап пришел. Огромный мужской этап, параллельный нашему, тоже тюрзаковский, из Верхнеуральского политизолятора. Тоже одиночки. Тоже в основном коммунисты. Мужчины, НАШИ мужчины!

Так сбылось предсказание эсерок в одной своей части. Только встречи с родными стали теперь, при гигантском масштабе всего действа, почти невозможны. Я уже писала, что одной только Павочке Самойловой посчастливилось встретить брата.

Нас не гонят от проволоки, отделяющей нашу зону от мужской. И мы смотрим, смотрим не отрывая глаз на плывущий перед нами мужской политический этап. Они идут молча, опустив головы, тяжело переставляя ноги в таких же бахилах, как наши, ярославские. На них те же ежовские формочки, только штаны с коричневой полосой выглядят еще более каторжными, чем наши юбки. И хотя мужчины, казалось бы, сильнее нас, но мы все жалеем их материнской жалостью. Они кажутся нам еще более беззащитными, чем мы сами. Ведь они так плохо переносят боль (это было наше общее мнение!), ведь ни один из них не умудрится так незаметно выстирать бельишко, как это умеем мы, или починить что-нибудь... Это были наши мужья и братья, лишенные в этой страшной обстановке наших забот.

— Бедный, и пуговку некому пришить... — вспомнил кто-то эту формулу женской любви из раннего эренбурговского романа.

Каждое лицо кажется мне похожим на лицо моего мужа. У меня уже ломит виски от напряжения. Кругом меня все тоже вглядываются. И вдруг...

Вдруг кто-то из мужчин, наконец, заметил нас:

— Женщины! НАШИ женщины!

Я не умею описать того, что произошло потом. Не нахожу слов. Это было подобно мощному электротоку, который разом одновременно пронизал всех нас, по обе стороны колючей проволоки. Как ясно было в этот момент, что в самом сокровенном мы все похожи друг на друга! Все подавляемое в течение двух долгих лет тюрьмы, все, что каждый поодиночке носил в себе, вырвалось наружу и бушевало теперь вокруг нас, в нас самих, казалось, даже в самом воздухе. Теперь и мы и они кричали и протягивали друг другу руки. Почти все плакали вслух.

— Милые, родные, дорогие, бедные!

— Держитесь! Крепитесь! Мужайтесь!

Кажется, такие или приблизительно такие слова кричали с обеих сторон.

После первого взрыва начались поиски своих. В ход пошла география. Причем партийная география. Так как огромное большинство заключенных мужчин это были арестованные коммунисты, то перекличка, начавшаяся между нами, выглядела примерно так:

— Ленинград — обком партии!

— Из Днепропетровского обкома комсомола есть кто?

— Уфимский горком! Здесь ваш первый секретарь!

Потом начали перебрасываться «подарками». Душевное напряжение жаждало излиться действием. Каждый по обе стороны хотел отдать что-то свое. Но ни у кого ведь ничего не было. И началось такое:

— Возьмите вот полотенце! Оно еще не очень рваное!

— Девочки! Котелок кому надо? Сам сделал, из краденой тюремной кружки...

— Хлеб, хлеб держите! После этапа ведь отощали вы совсем...

Сразу начались бурные романы. Эти человеческие существа, уже почти бесплотные, соприкоснувшись друг с другом, сразу, как по волшебству, приобрели утраченную от безмерных страданий остроту восприятия мира. Завтра их разведут в разные стороны, и они никогда больше не увидятся. Но сегодня они взволнованно смотрят в глаза друг другу через ржавую колючую проволоку и говорят, говорят...

Более высокой, самоотверженной любви, чем в этих однодневных романах незнакомых людей, я не видела в жизни. Может быть потому, что тут любовь действительно стояла рядом со смертью.

Ежедневно мы получали от наших мужчин длинные письма. Коллективные и индивидуальные. В стихах и в прозе. На засаленных листочках бумаги и даже на обрывках тряпок. В трепетной чистой нежности этих писем выливалась их поруганная мужественность. Мы были для них собирательным образом женственности. Они цепенели от тоски и боли при мысли, что над нами, ИХ женщинами, проделывалось все то нечеловеческое, через что прошли они сами.

Я помню начало первого коллективного письма. «Родные вы наши! Жены, сестры, подруги, любимые! Как сделать, чтобы вашу боль переложить на нас?..»

Несмотря на то, что и в мужской и в женской зонах была масса народа, знакомых «по воле» почти не было. Те, кто встретил хотя бы земляков, считались счастливчиками. Из Казани в этом этапе был смешной молоденький татарский поэт, бывший детдомовец, избравший себе увлекательный псевдоним — Гений Республиканец. Но за то, что он из Казани, я прощала ему даже этот псевдоним. Часами мы с ним стояли у разделяющей нас проволоки, без конца перечисляя казанские фамилии. Просто фамилии. Как заклинания. Как подтверждение того, что они не приснились мне, все эти ученые, поэты, партийные работники. Что на свете живут не только жандармы, придурки, вохровцы и доходяги.

Судьба этого мужского этапа была трагична. Их очень быстро, не дав оправиться после поезда, стали грузить на пароход для отправки на Колыму. От транзитки до порта надо было идти пешком сколько-то (порядочно!) километров. В день этапа произошла какая-то задержка с выдачей хлеба, и мужчин погнали голодных. Пройдя несколько километров по солнцепеку, они стали падать, а кое-кто и умирать. Остальные тогда сели на землю и заявили, что, пока не выдадут хлеба, они дальше не пойдут.

Организованные протесты случались не часто среди привычных к дисциплине заключенных — бывших коммунистов. Охрана и конвой обезумели. С перепугу наделали много лишнего. Они толкали мертвых сапогами по методу лекарей бравого солдата Швейка («Уберите этого симулянта в морг!»). Они убили несколько волочивших ноги людей «при попытке к бегству». А остальных все-таки пришлось вернуть на транзитку еще на неделю.

Как всегда после взрыва репрессий, стали немного подкармливать. Участились те самые смертоносные «пирожки», баланда стала гуще. Пирожки эти, как теннисные мячики, летали через проволоку, потому что наши милые товарищи все хотели отдать их нам, а мы не брали, перебрасывали обратно, уверяя, что очень сыты.

Аллочка Токарева, у которой завязался пламенный роман с одним парнем из Харькова, простаивала у проволоки целые ночи напролет. Глаза ее горели фанатичным блеском. От ее лагерного благоразумия не осталось и следа. Она готова была, если надо, броситься с кулаками на «начальника колонны» — самодержицу Тамару. Но та смотрела очень равнодушно на «эту беллетристику». Никакой серьезности она не усматривала в платонических излияниях у проволочного заграждения.

— Пусть их — лишь бы счет сходился при проверке... На то и транзитка...

...Наша бригада по разгрузке каменного карьера становилась все меньше. Авитаминозный понос косил людей, превращал их в тени. В больницу, как правило, попадали только явные смертники, да и то не все. Остальные лежали вповалку на земле или на нарах, вскакивая ежеминутно, чтобы бежать в уборную. Те, кто еще держался на ногах, приходя с работы, подавали больным желтую, пахнущую гнилью воду из бочек, а иногда, придя в отчаяние, бежали за «лекпомом», который совал грязными пальцами в раскрытые высохшие рты таблетки салола.

Сроки пребывания на владивостокской транзитке были очень различны и для отдельных заключенных, и для целых этапов. Для некоторых это был только перевалочный пункт, с которым расставались через несколько дней. Другие находились здесь целыми месяцами. А отдельные «придурки», сумевшие приспособиться к требованиям здешнего начальства, жили здесь годами.

Пути из транзитки шли в разные стороны. Господин УС-ВИТЛ (Управление северо-восточных исправительно-трудовых лагерей) был богатым помещиком. Его экономии расстилались на огромных просторах этого края. Но тюрзаку, как правило, путь лежал только на Колыму. Странная психологическая загадка — это слово, пугавшее всех на воле, не только не пугало, но даже как-то обнадеживало нас, обитателей транзитки.

— Скорей бы уж в этап!

— На Колыме хоть сыты будем!

— Любой мороз лучше этого пекла!

В таких возгласах изливалась сокровенная потребность человеческой души в надеждах. Пусть самых призрачных. Очень влияли на настроение и те слухи о Колыме, которые распространяли по транзитке некоторые бытовики-рецидивисты, уже побывавшие там. Их рассказы, правда, относились к периоду 34- 35 годов, но все равно выслушивались с жадностью. Сдобренные хорошей дозой вранья и хвастовства, эти повествования создавали образ некоего советского Клондайка, где инициативный человек (даже заключенный!) никогда не пропадет, где сказочные богатства, вроде огромных кусков оленины, кетовой икры, бутылок рыбьего жира, в короткий срок возвращают к жизни любого доходягу. Не говоря уже о золоте, на которое можно выменивать табак и барахло.

— Самое главное, не тушуйтесь, девчата! Колыма — она всех примет, накормит и оденет! — так рассказывал желтоволосый молодой «придурок» по имени Васек-растратчик. Васек составлял списки этапов, всегда знал кучу новостей и охотно делился ими. Он бывал на Колыме уже дважды, а сейчас отбывал третий срок за растрату, совершенную в Магадане. Колымскому патриотизму Васька не было пределов.

— Что, жарко? — жалостливо осведомлялся он, проходя мимо нашей бригады каменщиков, изнемогавшей от зноя. — Ничего, скоро на Колыму поедете. Там прохладно.

И Васек запевал пронзительным голосом:

Колыма ты, Колыма, дальняя планета,
двенадцать месяцев зима, остальное — лето...

По складу натуры Васек-растратчик был похож на горьковского Луку. Он не упускал случая утешить страдающего ближнего своего. Даже для больных куриной слепотой он находил слова надежды. И его жадно слушали.

— Ничего, девки, вам только до Колымы добраться бы! Там, знаешь, как морзверя есть будете? Килами! Прямо в зоне, в бочках стоит, вот как здесь вода! Живой витамин А, спроси хоть лекпома! Для глаз, главное дело, лучше нет. Как сжуешь куска два-три — и все! И забудешь про куриную слепоту.

И для пожилых женщин, которых в этапе было, правда, немного, но которые страдали больше нас, молодых, Васек-растратчик изыскивал радостные перспективы.

— Не тушуйся, мамаша, само главное — не тушуйся! На Колыме ты еще не старуха будешь. Там знаешь, как говорится? Сорок градусов — не водка, тысяча верст — не дорога, тысяча рублей — не деньги, шестьдесят градусов — не мороз, а шестьдесят лет — не старуха! Мы тебя, мамаша, еще замуж отдадим, увидишь!

И хотя всем было ясно, что Васьковы рассказы надо, как говорили наши следователи, «перевести на язык тридцать седьмого года», все ж его речи об обетованной земле, стране Колыме, как сладкий яд проникали в сознание многих.

Все чаще стали наши бредовые ночи, наряду со стонами и скрежетанием зубов, прорезываться возгласами:

— Хоть бы уж скорее на Колыму!

И Васек-растратчик, ведавший этапными списками, стал частенько подмигивать нам, шепча своим утешительным голоском:

— Скоро уж!

ГЛАВА ЧЕТВЕРТАЯ

ПАРОХОД «ДЖУРМА

Это был старый, видавший виды пароход. Его медные части — поручни, каемки трапов, капитанский рупор — все было тусклое, с прозеленью. Его специальностью была перевозка заключенных, и вокруг него ходили зловещие слухи: о делах о том, что в этапе умерших зэков бросают акулам даже без мешков.

Нас почему-то долго не принимают на борт, и мы несколько часов качались в огромных деревянных лодках, стоявших на причале, у набережной. Экипаж «Джурмы» неторопливо подготовлял судно к рейсу. Мы видели матросов, гоняющих по палубе тяжелые веревочные швабры, видели капитана и штурмана, бесцеремонно разглядывавших нас в бинокли.

День отплытия был пасмурный, с низкими неподвижными тучами над головой. Только временами в тучах возникали промоины и сквозь них просачивались столбы солнечного света. Куски грязновато-серой пены бились об иллюминаторы. Казалось, даже воздух насыщен тревогой и ожиданием беды. И все-таки ко всему примешивалось еще и любопытство. Ведь как бы то ни было, а мне предстоял первый в моей жизни морской переход.

Сидеть в лодке было очень неудобно и томительно. В тесноте затекали ноги, от голода и морского воздуха кружилась голова и все время поташнивало. Но самое ужасное — это было пение. Даже сейчас, спустя 25 лет, я краснею от стыда при воспоминании об этой «художественной самодеятельности», хотя лично я за нее не в ответе. Ведь это не мне и не моим друзьям пришла в голову идея затянуть задорные комсомольские песни.

Ира Мухина на воле была балериной, сидела по шестому пункту, за какой-то ужин с иностранными поклонниками своего таланта. Вид открывшихся перед нами водных просторов навел ее на мысль о Волге. Она запела:

— «Красавица народная, как море полноводная...»

Несколько голосов подхватило:

— «Как родина, свободная...»

— Замолчите, сейчас же замолчите, — кричала Тамара Варазашвили, — где ваше человеческое достоинство?

— Чего ты хочешь от этой капеллы из края непуганых идиотов? — с гримасой глубокого отвращения перебивала ее Нина Гвиниашвили.

Обиженные хористы демонстративно перешли на фортиссимо. Напрасно Аня Атабаева, бывший секретарь райкома партии из Краснодара, пыталась своим басовитым голосом перекричать их, убеждая, что в этой обстановке такое пение о свободной родине может быть воспринято как насмешка и вызов.

Ах, какой там вызов! Я лично восприняла этот хор как постыдное пресмыкательство. До сих пор с содроганием вспоминаю, как заулыбались капитан «Джурмы» и его штурман, как они зашептались и стали передавать из рук в руки бинокль, чтобы получше разглядеть оригинальных любительниц хорового пения.

Посадка... Посадка... Какие-то подъемы, спуски, карабканье по утлым лесенкам. Кажется, я держусь на ногах только потому, что упасть некуда. Мы движемся плотной массой, я льюсь, как капля этой серой волны. Я больна. Я совсем больна. Еще утром в день этапа у меня был сильный жар и неудержимый цинготный понос. Я скрыла это, чтобы не отстать от этапа, от друзей. И сейчас во время посадки на «Джурму» сознание мое по временам потухает и я живу в отрывочном, не совсем связном мире.

Наконец-то мы в трюме. Здесь плотная, скользкая духота. Нас много, очень много. Мы стиснуты так, что не продохнуть. Сидим и лежим прямо на грязном полу, друг на друге. Сидим, раздвинув ноги, чтобы между ними мог поместиться еще кто-нибудь. Ах, наш седьмой вагон! Как он был, оказывается, комфортабелен! Ведь там были нары.

Но лишь бы скорее отплыть. Нам кажется, что пароход сейчас отвалит. Мы слышим, как корпус его трется о пирс, поскрипывает. Слышим, как снуют возле парохода какие-то лодки, ялики, катера. Вроде весь этап уже погружен. Вот провели мужчин в соседнюю часть трюма.

Но нет, самое страшное было еще впереди. Первая встреча с настоящими уголовниками. С блатнячками, среди которых нам предстоит жить на Колыме.

Нам казалось, что в наш трюм нельзя больше вместить даже котенка, но в него вместили еще несколько сот человек, если условно называть людьми тех исчадий ада, которые хлынули вдруг в люк, ведущий к нам в трюм. Это были не обычные блатнячки, а самые сливки уголовного мира. Так называемые «стервы» — рецидивистки, убийцы, садистки, мастерицы половых извращений. Я и сейчас убеждена, что таких надо изолировать не в тюрьмах и лагерях, а в психиатрических лечебницах. А тогда, когда к нам в трюм хлынуло это месиво татуированных полуголых тел и кривящихся в обезьяньих ужимках рож, мне показалось, что нас отдали на расправу буйно помешанным.

Густая духота содрогнулась от визгов, от фантастических сочетаний матершинных слов, от дикого хохота и пения. Они всегда пели и плясали, отбивая чечетку даже там, где негде было поставить ногу. Они сию же минуту принялись терроризировать «фраерш», «контриков». Их приводило в восторг сознание, что есть на свете люди, еще более презренные, еще более отверженные, чем они, — враги народа!

В течение пяти минут нам были продемонстрированы законы джунглей. Они отнимали у нас хлеб, вытаскивали последние тряпки из наших узлов, выталкивали с занятых мест. Началась паника. Некоторые из наших открыто рыдали, другие пытались уговаривать девок, называя их на «вы», третьи звали конвойных. Напрасно! На протяжении всего морского этапа мы не видели ни одного представителя власти, кроме матроса, подвозившего к нашему люку тележку с хлебом и бросавшего нам вниз эти «пайки», как бросают пищу в клетку диким зверям.

Спасла нас Аня Атабаева, секретарь райкома партии из Краснодара, плотная смуглая женщина лет 35, с властным низким голосом и большими руками бывшей грузчицы. Она размахнулась и изо всей своей богатырской силы двинула по скуле одну из девок. Та рухнула, и в трюме на секунду воцарилась изумленная тишина. Аня воспользовалась этим и, вскочив на какой-то тюк, возвысившись таким образом над толпой, отпустила громовым голосом такую пулеметную очередь отборной ругани, что блатнячки обомлели. Жалкие твари, они были столь же трусливы, сколь подлы. Аня первая из нас поняла, что к ним относится поговорка: «Молодец среди овец, а на молодца и сам овца».

Сила, исходившая от всей Аниной личности, загипнотизировала их. К тому же и форма, в какой эта сила была выражена, оказалась доступной их пониманию.

— Кто такая? — спрашивали они друг друга, со страхом и уважением поглядывая на оригинальную «фраершу». Из разных углов трюма понесся пущенный кем-то из наших ответ: «Староста! Староста!»

Это было им понятно. Староста. Она может дать по морде, а то и упрятать в «кандей».

— Отдать хлеб и барахло! — командовала Аня страшным голосом.

И они отдали. Мат, конечно, продолжал висеть в воздухе, продолжались и визги, и непотребные песни, но активная агрессия против «политиков» была приостановлена.

...Плывем. Кажется, уже третьи сутки. Дни и ночи слились. Открываю глаза и вижу гроздья человеческих лиц. Воспаленные глаза, бледные, грязные щеки. Терпкая вонь. Особенной качки нет, но тех, кто сильно ослабел, все же рвет. Прямо на соседок, на кучи грязных узлов. Впервые на нашем, уже почти трехлетнем скорбном пути появляются вши. Их принесли блатнячки. Жирные белые вши ползают прямо поверху, не давая себе труда прятаться в швах одежды.

Это был один из счастливых, вполне благополучных рейсов «Джурмы». Нам повезло. С нами не случилось никаких происшествий. Ни пожара, ни шторма, ни затопления, ни стрельбы по беглецам. Вот Юля моя, оставшаяся из-за болезни на транзитке на две недели дольше меня, ехала потом на той же «Джурме», и случился пожар. Блатари хотели воспользоваться паникой для побега. Их заперли наглухо в каком-то уголке трюма. Они бунтовали, их заливали водой из шлангов для усмирения. Потом о них забыли. А вода эта от пожара закипела. И над «Джурмой» потом долго плыл опьяняющий аромат мясного бульона.

С нами никаких подобных ужасов не приключилось. Мы просто «шли этапом» на «Джурме». К нам был даже проявлен гуманный подход. Иногда люк оставляли открытым, и мы видели кусок торжественно неподвижного неба над морем. Мы плыли, а оно все стояло над нами. А потом, когда поносников стало уж очень много, нам разрешили даже выходить по лестнице на нижнюю палубу в гальюн.

Однажды я упала на этой лестнице, потеряв сознание. Очнулась через несколько секунд, услыхав над головой волшебные слова:

— Вам очень плохо, товарищ?

Мужской голос. Интонация интеллигентного человека. Это врач, заключенный врач. Он следует на Колыму тем же этапом. Его используют как врача в тюремном изоляторе. Неужели есть такое лечебное учреждение? Кого же туда класть? Разве в этапе есть здоровые? А-а... Оказывается, тех, у кого высокая температура. И, кажется, я как раз отношусь к таким, потому что — по крайней мере на ощупь — доктор считает, что у меня не меньше тридцати девяти.

Еще несколько фраз с обеих сторон, и выясняется, что на воле доктор Кривицкий вовсе не был доктором. Он был заместителем наркома авиационной промышленности. А медицину изучал еще до революции, когда был в эмиграции, в Цюрихе. Что? Я из Казани? Он года три назад был в Казани на открытии авиационного завода. Аксенов? Председатель горсовета? Ну как же, он знает... Позвольте, — замнаркома ведь знакомился с его женой! Такая дама... Это... это были вы?

...Да, Кривицкий не обманул. В больничном изоляторе были нары. А на них впритирочку друг к другу лежали вповалку все больные. ВСЕ! Мужчины и женщины. Политики и блатари. Поносники и сифилитики. Еще живые и те мертвецы, до которых руки не дошли, чтобы вытащить. В углу стояла огромная параша, которой ВСЕ — и мужчины и женщины — пользовались открыто, на глазах у всех.

У меня оказалось сорок и три. Меня втиснули между мужчиной и женщиной на нижние нары. По протекции доктора Кривицкого. Соседом слева оказался рослый бандюга. Он лежал почти голый, в бреду кричал страшное, и мне казалось, что огромный алчный орел, вытатуированный на его груди, сейчас клюнет меня своим клювом, приходившимся как раз на высоте моего носа. Справа стонала Софья Петровна Межлаук, жена заместителя Молотова.

— Если я умру, передайте моей дочери, что я ни в чем не виновата, — повторяла она все время, хватая меня за руки.

Кажется, это был субботний вечер и наверху, в капитанской рубке, веселились. Шаркали ноги танцующих. А фокстрот все время повторяли один и тот же:

Сумерки тихо спускались,
Звезды сплелись в хоровод...
В шумном большом ресторане
Кэтти танцует фокстрот...
Ах, ах, ах...

Мне снова кажется, что я играю роль в каком-то кино-
фильме. Сейчас снимем крупным планом шаркающие ноги
танцующих. Потом — таким же крупным — голые ляжки вот
этого старика, сидящего на параше. Дрожащие, тощие, как у
ободранного петуха, покрытые синей кожей... Нет, этого, наверно, нельзя снимать, это будет грубый натурализм.

Наверху хохочут все громче. Выпили, видно, здорово. И
опять: «Кэтти танцует фокстрот. Ах-ах-ах...» Что у них, других
пластинок нет, что ли?

Мне надо в уборную. Нет, нет, не могу я здесь. Они почти
мертвецы, но они мужчины. Пойду наверх...

Я нечеловеческим усилием подтягиваюсь на локтях, и мое
тело выдавливается из глубины нар. Кривицкий спит в закутке,
отведенном для врача. Как хорошо быть врачом! Он спит на
двух отдельных табуретках... Хорошо, что он спит. Ни за что не
позволил бы мне идти наверх, специально предупреждал, чтобы не смела, что могу умереть на ходу.

Поднимаюсь по крутой пароходной лестнице почти на чет-
вереньках. Долго поднимаюсь. Наверно, час. Наконец вижу над
головой звезды, сверкающие в графитно-черном небе. Тьму прорезают вымпелы дыма от парохода. Вот и палуба. Я вижу воду. На
ней пляшут огни «Джурмы».

И вдруг я сбиваюсь с пути. Я знаю, что уборная где-то
рядом, но я не понимаю, как дойти до нее. Такое уже было со
мной однажды в Ярославке после нижнего карцера. Это очень
страшно. Человек, не знающий, куда ему идти, это уже не
человек. Ощупываю стены, как слепая. Мне кажется, что дым
от парохода застилает мне глаза. Я уже почти ничего не вижу. Но
ведь здесь умирать никак нельзя. Среди моря. Бросят за борт,
акулам. Даже без мешка. Господи, ну подожди до Магадана!
Пожалуйста, Господи, молю тебя... Я хочу лежать в земле, а
не в воде. Я человек. А ТЫ ведь сам сказал: «Из земли взят и в
землю...»

(Недавно, уже в шестьдесят четвертом, я прочла в рассказе Сент-Экзюпери такие слова: «То, что я выдержал, кля-
нусь, не выдержало бы ни одно животное». Это говорил летчик, заблудившийся во время бури на чилийских склонах
Анд.)

Потом я высчитала, что это было на шестой день морского этапа. Подобрал меня все тот же Кривицкий, проснувшийся и заметивший мое отсутствие. Но об этом я узнала много позднее, так как в сознание пришла только через двое суток, в тот день, когда «Джурма» завопила радостным голосом, увидя из-за гряды сопок очертания уже близкой бухты Нагаево.

Доходяг выносили по очереди на носилках. Их выносили и складывали на берегу аккуратными штабелями, чтобы конвой мог отчитаться в количестве, чтобы не было путаницы с актами о смерти. Мы лежали прямо на прибрежных камнях и смотрели вслед нашему этапу, удалявшемуся по направлению к городу, навстречу пыткам коллективной бани и дезкамеры.

Так мы лежали до глубокой ночи, и оставшиеся с нами конвоиры уже крыли недобрыми словами начальников, по-видимому забывших о брошенных доходягах. Потом оказалось, что не было машин. В этот день ушло несколько больших этапов в тайгу, и машины были угнаны.

Стоял август. Но Охотское море все равно отливало безжалостным свинцовым блеском. Я все старалась повернуть голову так, чтобы увидеть свободный кусок горизонта. Но это не удавалось. Лиловатые сопки высились кругом, как тюремные стены. Я еще не знала, что это особенность Колымы. За все годы жизни на ней мне ни разу не удалось прорваться взглядом к свободному горизонту.

Конвоиры, продрогшие и изозлившиеся, развели костер. Над костром клубился черный смолистый дым, подкрашенный багровым заревом огня.

— Вы видели когда-нибудь на карте этот географический пункт? — спросила вдруг обычным будничным голосом лежавшая рядом со мной коминтерновская немка Мария Цахер.

Нет, я не видела его на карте, этот пункт. Я вообще была раньше чудовищно безграмотна. Я не знала ни карты Колымы, ни фокстрота про Кэтти, танцующую в шумном большом ресторане. Я не знала, что людей можно выбрасывать акулам прямо так, без мешков... Теперь я все это знаю.

На небе забрезжили удивительные оттенки лилового и сиреневого. Близился мой первый колымский рассвет. Я вдруг почувствовала странную легкость и примиренность с судьбой. Да, это чужая и жестокая земля. Ни моя мать, ни мои сыновья не найдут дорогу к моей могиле. Но все-таки это земля. Я добралась до нее, и мне больше не угрожают кишащие акулами свинцовые воды Великого, или Тихого, океана.

ГЛАВА ПЯТАЯ

«ВАМ СЕГОДНЯ НЕ ВЕЗЛО, ДОРОГАЯ МАДАМ СМЕРТЬ...»

Нет, это не сон — я действительно сижу в ванне. Я дотрагиваюсь до ее ослепительно белой скользкой внутренности. Какое изобретение человеческого гения! От горячей воды идет пьянящий запах соснового бора. Потому что мне назначена врачом не простая ванна, а хвойная. Да, насчет ванны сомнений нет — она подлинная. Только вот мне ли принадлежит это костлявое тело, просвечивающее сквозь воду?

Уже две недели я нахожусь в стране чудес, именуемой Магаданской лагерной больницей. Меня и других наших здесь лечат, кормят, спасают. И это после того, как я окончательно привыкла к мысли, что все люди, с которыми я сталкиваюсь за последние три года, если только они не заключенные, хотят одного: мучить и убивать.

Первые дни, проведенные здесь, слились в сплошной клубок беспамятства, боли, провалов в черноту небытия. Но в какой-то день, открыв глаза, я увидела над собой склоненное лицо ангела. Да, это был самый настоящий рафаэлевский ангел, сидящий на облаках у подножия Сикстинской мадонны. Только белокурые волосы ангела были тронуты завивкой перманент, а нежный подбородок уже начал чуть-чуть, самую малость, тяжелеть, обличая кончающийся четвертый десяток. Звали ангела подходяще — Ангелиной Васильевной. Доктор Клименко, Ангелина Васильевна, супруга следователя НКВД, ведала женским отделением магаданской больницы заключенных.

— Вот вы и пришли в себя, — зазвенел небесными флейтами голос ангела. — Теперь надо только побольше кушать... Не обращая внимания на понос...

Призыв «побольше кушать» в наших условиях мог прозвучать как самое изощренное издевательство, если бы ангел одновременно не положил на тумбочку около моей койки довольно увесистый сверток.

— Это все вам можно, не сомневайтесь, — говорил ангел, отходя к соседним больным.

Я не сомневалась. Я рвала зубами вареную курицу, принесенную ангелом, так же алчно, как, наверное, мой пращур в сумраке неандертальской ночи свежевал какого-нибудь бизона.

— Что вы делаете? Разве можно есть мясо при таком поносе? — шептала Софья Петровна Межлаук, оказавшаяся и здесь моей соседкой. Сама она считала, что только голодная диета — единственное средство при нашем изнурительном поносе.

А я поверила ангелу, сказавшему мне: «Понос цинготный. Есть надо все». Я еще больше поверила голосу своего замученного, но в основе своей неистребимо здорового и молодого тела. А оно орало, вопило, требовало — еды!!!

Что заставило доктора Клименко не только больше месяца держать меня в больнице, давая отлежаться после этапов, но еще и приносить мне почти ежедневно из дому высококалорийные продукты, — не знаю. Может быть, ее, как врача, увлек процесс воскрешения полумертвой? Ведь потом она несколько раз говорила:

— Когда пришел ваш этап с «Джурмы», то из всех смертников самой безнадежной были вы. Я никогда не думала, что Цахер, Межлаук, Антонова умрут, а вы останетесь живы...

Да, возможно, врачом руководил профессиональный интерес. Но этим все не исчерпывалось. Вокруг ангела-врача ходили странные слухи. Говорили, что десяткам людей она спасала жизнь, то удерживая подольше в больнице, то не пуская на тяжелые работы, то выписывая дополнительное питание. Ощущала я и ее персональную симпатию к себе лично.

Так или иначе, но все шло почти по Диккенсу. Среди злодеев жил ангел, и этот ангел спасал меня от смерти. Но иногда в глубине безмятежных голубых глаз врачихи пробегала какая-то темная тень страдания. И тогда казалось, что дело тут не столько в Диккенсе, сколько в Достоевском, и что таким поведением Ангелина, наверное, старается искупить деятельность своего мужа, которого она любит.

Шли дни. Скоро умерла Софья Петровна. Просто от голода. Никак не соглашалась послушать доктора и есть все, что дают.

— Что вы! — не теряя апломба высокопоставленной дамы даже на смертном ложе, говорила она. — Что вы, доктор! Я лечилась в Осло у профессора Икс, в Париже — у Игрека, и я знаю, что только диета может меня спасти.

Ангелина с поистине ангельским терпением втолковывала ей, что Колыма порождает своеобразные болезни, отличные от тех, какими болеют в Осло и Париже. Но Софья Петровна только снисходительно улыбалась.

Умерла она спокойно. Не проснулась с ночи. Потом умерла Мария Цахер. Перед смертью она вдруг забыла все русские слова, каких и раньше-то знала не густо. Но теперь она не могла даже вспомнить, как будет «вода». Я к этому времени уже стала вставать с койки, а так как в палате другие не понимали Марию, то мне пришлось принять ее последний вздох.

Кончина ее была настолько «литературной», что критика, несомненно, обвинила бы автора, описавшего такую смерть, в нарочитости. Однако все было именно так. Мария лежала совсем бесплотная, почти не возвышавшаяся над уровнем койки. Лицо ее, и вообще-то острое, типично «арийское», стало теперь колючим. Нос, подбородок, контуры синих губ были выписаны готическим шрифтом. Но на этом призрачном лице жили огромные карие глаза, горячие, полные мысли и страдания. Мария до последнего вздоха жила активной душевной жизнью. Умирающего солдата тельмановской армии волновали вопросы коммунистического движения.

— Смогу ли я теперь читать по-русски? Как ты думаешь, почему я вдруг забыла все русские слова?

— Наверное, плохое кровоснабжение мозга. Потом вспомнишь...

За несколько минут до смерти она начала читать наизусть какие-то антифашистские стихи, кажется Эриха Вайнерта. Помню, что там повторялся рефрен: «Дер марксизмус ист нихт тод». Она произнесла эти слова, потом дотронулась до моей руки своими ледяными костяшками и сказала: «Абер вир зинд тод». И умерла.

Умирали ежедневно — и из нашего, и из других — новых и старых этапов. Но это не могло затмить мощного чувства возвращения к жизни, которое охватило всех нас, выздоравливающих. Жить во что бы то ни стало... И каждый день приносил теперь какую-нибудь новую радость. То совсем прошел понос. То прибавка в весе на два килограмма сразу. То румянец на щеках появился и еще больше вырос аппетит. Оказалось, что здесь можно и подработать на дополнительное питание.

— Вышивать умеешь? — таинственно спрашивает меня Сонька-айсорка, санитарка из бытовичек.

— Конечно, — уверенно отвечаю я, вызвав из тьмы времен вид крестиков на канве и уроки рукоделия в приготовительном классе гимназии.

— Вот этот узор сделай на подушку. И будет тебе за это от меня сахар-масло-белый хлеб...

На узоре был букет царственных роз, вокруг которого вилась разноцветная надпись: «Спи спокойно, Гриша, Соня тебя любит». Теперь мои больничные дни были заполнены творческим трудом. Розы получились здорово. Сонька была довольна и ежедневно подкладывала мне на тумбочку что-нибудь съестное. На вопросы, откуда все это у нее берется, Сонька хохотала с присвистом:

— Ох, и дураки же эти контрики! Лежи знай припухай, кантуйся!

Но, очевидно, все-таки у Гриши не было достаточных оснований для вполне спокойного сна; потому что в один прекрасный день Сонька предложила мне распороть его имя над розами.

— Сделай тут вместо «Гриша» — «Васек», — поняла? — говорила Сонька, сверкая своими ассирийскими глазами и кладя мне на тумбочку кусок краковской колбасы.

Так в связи с причудами сонькиного сердца я оказалась еще на два дня обеспечена работой.

Блатняки, лежавшие рядом с нами в больнице, были здесь в меньшинстве и вели себя куда спокойнее, чем на «Джурме». Обстановка располагала к лирическим раздумьям, и они рассказывали по вечерам истории своих жизней, варьируя любовные и воровские приключения, в которых, впрочем, проявлялась довольно убогая фантазия. От нас они все время требовали пересказа «какого-нибудь романа» или чтения стихов Есенина.

А к одной из девок, наглой и красивой Тамарке, приходил тайком на свидания настоящий живой Остап Бендер. Однажды я случайно оказалась в коридоре во время его посещения.

— Чего матюкаешься? — ласково сказала Тамарка. — Не видишь, что ли, женщина стоит рядом, шибко грамотная, пятьдесят восьмая!

— Извиняюсь, мадам, — сказал Остап Бендер с одесским акцентом, показывая в улыбке массу золотых зубов, — извиняюсь. Ученых я сильно уважаю. По натуре я сам — член-корреспондент академии наук. Только здесь не приходится работать по специальности.

— А какая у вас специальность?

— Я по несгораемым шкафам. Высокая квалификация. Может, слышали? По-нашему — медвежатник...

— Кто же его не знал в Ленинграде! — с гордостью добавила Тамарка.

...Ангелина назначила мне курс мышьяковых инъекций, и я поправляюсь, как на дрожжах.

— Телец на заклание, — желчно шутила Лиза Шевелева, на воле личный секретарь Стасовой, — кому только нужна эта поправка? Выйдете отсюда — сразу на общие. За неделю опять превратитесь в тот же труп, что были на «Джурме»... Грош цена этой Ангелининой благотворительности. Одни ложные надежды...

— А у нас, у блатных, знаете, какая поговорка? — вмешалась Тамарка. — Умри ты сегодня, а я завтра!

— Истина посередине, — примирительно подытожила остроумная Люся Оганджян, — не надо каннибальского «ты сегодня». Но не надо и мрачного пессимизма Лизы. Знаете, есть у Сельвинского такие стихи — про кулика, между прочим. «Вам сегодня не везло, дорогая мадам Смерть? Адью-с, до следующего раза!» А в следующий раз, может быть, опять вмешается Господин Великий Случай. Так что мы все-таки выиграли отсрочку. А это уже немало...

...Первое ощущение при возвращении в женскую зону лагеря, так называемый ЖЕНОЛП, при входе в восьмой, тюрзаковский барак, — это ощущение стыда. Мне было стыдно смотреть на синие лица, обмороженные носы, щеки, пальцы, на голодные глаза моих товарищей, вернувшихся этим поздним ноябрьским вечером с общих работ. Я так отличаюсь сегодня, после двух больничных месяцев, от них, от лагерных «работяг». Я стала круглой, упитанной, свежей. Точно предательство какое совершила.

После больницы, с ее отдельными койками, чистыми полами, проветренными помещениями, наш восьмой, тюрзаковский барак кажется настоящим логовом зверя. Он весь искривленный, покосившийся, с двойными сплошными нарами, промерзшими углами, с огромной железной печкой посередине. Вокруг печки, поднимая вонючие испарения, всегда сушатся бушлаты, чуни, портянки.

— С курорта? — ехидно бросила мне Надя Федорович, стажированная оппозиционерка, репрессированная с тридцать третьего и глубоко презиравшая «набор тридцать седьмого».

Общие работы, на которые я попадаю со следующего утра, называются благозвучным словом «мелиорация». Мы выходим из зоны с первым разводом в полной ночной тьме. Идем километров пять строем, по пяти в ряд, под крики конвоиров и ругань штрафных блатнячек, попавших в наказание за какие-нибудь проделки в нашу бригаду тюрзаков. Пройдя это расстояние, попадаем на открытое всем ветрам поле, где бригадир — блатарь Сенька, хищный и мерзкий тип, открыто предлагающий — ватные брюки первого срока за «час без горя», — выдает нам кайла и железные лопаты. Потом мы до часу дня тюкаем этими кайлами вечную мерзлоту колымской земли.

Совершенно не помню, а может быть, никогда и не знала, какая разумная цель стояла за этой «мелиорацией». Помню только огненный ветер на сорокаградусном морозе, чудовищный вес кайла и бешеные удары сбивающегося в ритме сердца. В час дня — в зону на обед.

Опять вязкий шаг по сугробам, опять крики и угрозы конвоиров за то, что сбиваешься с такта. В зоне нас ждет вожделенный кусок хлеба и баланда, а потом получасовой «отдых», во время которого мы толпимся у железной печки, пытаясь набрать у нее столько тепла, чтобы хватило хоть на полдороги. И снова кайло и лопата, теперь уже до позднего вечера. Затем «замер» обработанной земли и чудовищная брань Сеньки-бригадира. Как тут наряды закрывать, когда эти Марии Ивановны даже тридцати процентов нормы не могут схватить! И, наконец, ночь, полная кошмаров и мучительного ожидания рельсы на подъем.

Это зима тридцать девятого-сорокового. Кто-то из наших раздобыл где-то старый, но не очень, номер «Правды». Вечером перед отбоем в бараке сенсация. В «Правде» напечатан полный текст очередной речи Гитлера. И с весьма уважительными комментариями. А на первой полосе фото: прием В. М. Молотовым Иоахима фон Риббентропа.

— Чудесный семейный портрет, — бросает Катя Ротмистровская, залезая на вторые нары.

Катя неосторожна. Ей уже много раз говорили, что, к несчастью, среди нас появились люди, чересчур внимательно прислушивающиеся, о чем говорят в бараке по вечерам.

Пройдет полгода, и эта неосторожность будет искуплена Катей ценой собственной жизни. Катю расстреляют за «антисоветскую агитацию в бараке».

...Через десять дней «мелиорации» трофическая язва у меня на ноге снова раскрылась. Я с удивительной быстротой снова превратилась в «доходягу». Теперь я уже ничем не отличаюсь от тюрзаковской толпы, и причины для укоров совести больше нет. Зря старалась Ангелина.

По воскресеньям мы не работаем. Стираем, чиним свою рвань и ходим в гости по другим баракам, где живут люди с более легкими статьями и меньшими сроками. Не тюрзаки. В тех бараках — запах человеческого жилья от варящейся на железных печках рыбешки, раздобытой за зоной. Там некоторые места на нарах застелены домашними клетчатыми одеяльцами, а подушки покрыты марлевыми накидушками, вышитыми мережкой. Обитательницы этих бараков в большинстве работают в помещении — в прачечных, банях, больницах. У них нормальный цвет кожи и на лицах выражение интереса к жизни.

Я познакомилась с жительницами седьмого барака, захожу туда по воскресеньям. Там живут участницы лагерной самодеятельности. Певица Венгерова поет соло. Бывшие балерины снимают бушлаты и чуни и надевают пачки, чтобы продемонстрировать первому ряду — начальству — свое искусство. Есть и хор. В одно из воскресений я попадаю на такой концерт. Слушаю, как три десятка женщин, разлученных со своими детьми, ничего не знающих о судьбе своих сирот, лирически поют так, точно покачивают ребенка:

Спи, моя радость, спи, моя дочь...
Мы победили сумрак и ночь...
Враг не отнимет радость твою,
Баюшки-баю, баю-баю...

Начальник КВЧ (культурно-воспитательная часть) похвалил их за слаженность хора.

Посреди седьмого барака, на топчане у печки, живет восьмидесятилетняя зэка, «обломок империи», княгиня Урусова. После этого концерта она говорит:

— Когда древние иудеи попали в пленение вавилонское, им приказали играть на арфах. Но они повесили арфы свои на стены и сказали: «Работать в неволе мы будем, но играть — никогда...»

Она трясет своей почти облысевшей головой и добавляет:

— КВЧ на них не было... Да и люди были не те...

В седьмом бараке я слышала разные новости, так называемые лагерные «параши», то есть непроверенные слухи. В восьмом, тюрзаковском, было не до новостей.

— Скоро большой этап в тайгу будет... В Эльген... Совхоз... Штрафная командировка...

— На днях прибудет большой этап из Томска. У кого статья «Член семьи», до сих пор сидели не работая, как в тюрьме. Сейчас работать будут.

— Наверное, тюрзак в тайгу...

Все время надо было помнить, что как бы ни тяжел был сегодняшний день, а завтра надо ждать худшего. Каждый вечер, ложась спать, надо было благодарить судьбу за то, что сегодня ты еще жива. «Вам сегодня не везло, дорогая мадам Смерть...»

ГЛАВА ШЕСТАЯ

НА ЛЕГКИХ РАБОТАХ

Когда в магаданский ЖЕНОЛП пришел этап жен, казанская землячка, врач Мария Немцевицкая, потрясенная моей цветущей цингой и полным моим пауперизмом, подарила мне хорошенькую вязаную кофточку, уцелевшую в ее узле благодаря спасительной медицинской профессии.

Мы сидели на нижних нарах в тюрзаковском бараке, засыпая друг друга фамилиями знакомых и друзей. Фамилии перемежались стандартными возгласами: расстрелян... десять лет... пропал без вести...

В промежутках врачиха со слезами гладила меня по волосам, а я как зачарованная перебирала дареную кофточку. Ее яркие пуговки и цветные разводы гипнотизировали меня.

— Я очень похудела. Она будет мне велика, — говорила я, совершенно не думая о том, как «впишется» эта кофточка в мой общий ансамбль: тряпичные, перевязанные веревочками чуни на ногах, серая с коричневой полосой тюремная ярославская юбка, обшарпанная заплатанная телогрейка.

Легкий шорох и тихие возгласы заключенных возвестили появление в бараке старшей нарядчицы Верки. Цепкий зоркий взгляд моментально фиксировал кофточку в моих руках.

— Конечно, велика тебе! Да куда тебе и надевать-то такую? На кайловку, что ли?

Веркины многоопытные руки смяли тонкую шерсть. Шерсть распрямилась.

— Натуральная. Дай померить...

— Конечно, конечно, Верочка, пожалуйста, померьте, — изо всех сил сжимая мою руку, повторяла хозяйка кофты, врачиха Мария, отлично знакомая с могуществом старшего нарядчика.

Верка небрежным жестом засунула кофточку под свой пуховый платок.

— Не жалейте, Женечка, — возбужденно уговаривала Мария. — Эта кофточка вам, может быть, жизнь спасет. Конечно, есть среди нарядчиков такие, что берут, да не делают, но про эту Верку я слышала, что она за каждую вещь посылает на легкую работу хоть на две недели. А вам сейчас после больницы, да в таком состоянии, так важно не ходить на эту проклятую кайловку. Да и морозы, может быть, спадут за это время.

Прогноз доктора Марии оправдался уже на следующем утреннем разводе. Как всегда, мы стояли совсем окоченевшие, по пятеркам, ожидая вызова. Было пять часов утра. Ничто в темном небе и густом слоистом воздухе не предвещало близкого рассвета. Торопливо выравнивая шаг, я двинулась со своей пятеркой к воротам и вдруг поймала на себе внимательный взгляд Верки-нарядчицы. Она стояла со списком в руках, в своем ладном дубленом полушубочке и пуховом платке, окруженная целым выводком вохровцев.

— Давай, давай, — выкрикивала она через каждые две-три секунды, в промежутках между кокетливыми улыбками, адресованными вохровцам.

Впрочем, иногда Верка останавливала очередную пятерку и «отставляла» из нее какую-нибудь укутанную в тряпки бесполую фигуру.

— Налево! В сторону! — выкрикивала при этом Верка, и у всех замирало сердце.

Потому что такая «отставка» могла быть и к несчастью, и к добру. Могли отставить для очередного этапа в тайгу, по сравнению с которым и магаданский ЖЕНОЛП казался раем. Но могли отставить и для посылки на вожделенную работу «в помещении», где хоть на несколько дней отойдут распухшие ноги где ты встретишь «вольняшек», а с ними и нелегальные отправки писем, «левых» заработков пайки хлеба, а то и миски супа.

— Отставить! Налево! — сказала Верка, когда я ковыляла мимо нее в своих чунях. Так дареная казанская кофточка оказалась для меня в этот момент гриневским заячьим тулупчиком.

Я просто ушам не поверила, когда уже на исходе развода утомленная Верка небрежно бросила мне:

— В гостиницу пойдешь... Бригадир — Анька Полозова.

Вольная гостиница. Это то самое сказочное место, куда посылают только бытовичек, куда нам, контрикам, доступ закрыт. Это та самая счастливая Аркадия, где, закончив мытье полов, заключенные уборщицы могли брать у постояльцев заказы на частную стирку и получать за это большие куски хлеба и даже сахара.

Поистине Верка-нарядчица была глубоко принципиальной взяточницей. Взяв что-либо, она честно расплачивалась Не в пример многим другим.

Магаданская гостиница 1940 года размещалась в большом сером бараке. Только в двух комнатах жили семейные: какие то начальники из средних, квартиры которых еще только строились. Все остальное население гостиницы — это были колымчане первых наборов: проспиртованные экспедиторы приисков, урки, промышляющие в Магадане в промежутка между отбытым и еще неполученным новым сроком, и даже отдельные ловкачи, что смогли, находясь «во льдах», сфабри ковать неплохие документы.

Комнаты были переполнены. Коридоры тоже. В коридора

почти вповалку, по два на каждой железной койке, а местами и на матрацах, брошенных прямо на пол, жили хорошие «материковские» люди. Это были по большей части геологи, отсидевшие с 37-го, в гаранинщину, по два-три года в доме Васькова, а теперь, после «либеральной весны» 1939 года, вынесенные на волю. Здесь в гостинице ждали они весны, начала навигации, возвращения на Большую землю.

— Девки! До трех казенная уборка. С трех — ваше дело... До отбоя... Только не гореть, поняли? Погорите — сами за себя отвечаете, я ничего не знаю, — сказала бригадирша Анька Полозова, обращаясь к своей бригаде, состоявшей из пяти отборных блатнячек и меня.

Сама Анька имела солидную удобную статью — СВЭ. Социально-вредный элемент. Пограничная между политиками и блатарями. С такой статьей можно было по праву занимать выдающийся пост бригадира уборщиц гостиницы.

— Ну, я иду наряды заполнять, — добавила Анька.

— Заполняй давай! — хрипло буркнула Маруська-красючка. — И то сказать — заждался! Ишь, буркалы-то выкатил... Ошалел, ждавши...

Действительно, завхоз гостиницы, мощный кавказец, обладатель точеного подбородка и очень выпуклых глаз, с которым Анька уже целый месяц «заполняла наряды», ждал ее в дверях своей комнаты.

— Сейчас, Ашотик, иду, лапонька, — неожиданно нежно обратилась Анька к завхозу. — Да вот еще, девки! Тут сегодня новенькая, пятьдесят восьмая... Отощала здорово... тюрзак, одно слово... Так вы, того, не шакальте с ней... Покажите, что и как. Тебя как? Женей? Ну и ладно! Иди вон с Маруськой-красючкой. Введи ее в курс дела, Мария. Есть? А то у меня наряды незаполненные. Иду, Ашотик, деточка!

— Та еще деточка! — буркнула опять Маруська-красючка, поводя мечтательными синими глазами. — Его легче похоронить, чем накормить. Как удав жрет... Исполу их обрабатываем...

К вечеру я увидела, как, подчиняясь неписаным законам, привилегированная бригада тащит оброк — половину доходов от своих отхожих промыслов — на прокормление удава Ашотика и его нежной подруги — бригадирши Аньки Полозовой.

Работа состояла в мытье некрашеных затоптанных полов. С тряпкой и ведром я встала в очередь к титану, где заключенный старик-кубогрей бережно наливал каждой из нас полведра кипятку. Остальное полагалось дополнять снегом.

Старик несколько раз окинул меня косым взглядом из-под лохматых бровей и сразу определил статью и срок.

— Тюрзак поди? Та-а-ак... Чуни-то снять надо. Раскиснут от воды. Эй, веселые, дали бы человеку какую обувку для работы. Есть ведь у вас, знаю...

— Дадим, не журыся, дед! Эй, Женька, снимай кандалы-то свои! На вот тебе калошки подходящие, — доброжелательно сказала татуированная с ног до головы Эльвирка, сбрасывая с себя мужские стоптанные галоши, в которых она пришаркала в кубовую.

— Спасибо, Эльвира! А как же вы сами?

— Ой, братцы, лопну! На «вы» она меня! Как ваше здоровье, Марья Ивановна? Приходите ко мне на вторые нары после отбоя... Кипяточку попьем, погутарим за книжечки... Чудные эти контрики... За меня не журысь! Сниму с любого фрайера в номере, босая не буду... — говорила Эльвирка, обезьяньими движениями почесывая правую ступню, на которой красовался лозунг «Не забуду мать-старушку».

Кубогрей остановил меня при выходе. Я шла последней.

— Давайте познакомимся. Вижу, что политическая. Как это вас сюда прислали? Видно, по здоровью, актированы, что ли? Я сам ведь тоже антисоветский агитатор. Пятьдесят восемь-десять. Сам ленинградец с Кировского. Посадили меня на эту блатную работенку, поскольку актирован. Внутренность расходится. Оперирован был в гражданскую. А после трассы да золотишка швы-то и разошлись внутри. Вот и пожалели, посадили тут в тепло. Ну, да ведь и годиков-то мне шестьдесят с гаком. Да не во мне суть. Хочу вас предупредить. Девушка вы молодая, а место тут злачное.

— Понимаю. Мне уже за тридцать. Это я от истощения так помолодела, что девушкой кажусь.

— Все равно — молодая еще. Да и не здешнего сорта. Вижу я людей. Так вот, в номера ни к кому не заходите. Ни ногой. Ашотки особенно опасайтесь. А если что заработать надо, так у женщин. Здесь две семьи живут. Как с полами управитесь, приходите ко мне. Я вас сам к Солодихе сведу. Вчера спрашивали девушку для стирки. Жадна, правда, чертовка, да ведь уж все накормит. Ну, еще тех можете обслуживать, которые в коридоре. Это наши, реабилитированные. Сами, правда, с хлеба на квас, из колеи выбиты, по два да по три года отсидели... Но эти последний кусок пополам разделят. В стирке тоже сильно нуждаются.

Блатнячки закончили казенную работу на два часа раньше меня. Все в длинных шароварах с низко надвинутыми на глаза платочками, завязанными особым блатным узлом, в платьях фантастических расцветок и фасонов, они носились теперь по зданию, наполняя его визгами, хохотом и матерщиной.

Впрочем, это была не ругань. Настроение у девок было мирное, даже приятное. Просто любую свою мысль они выражали именно этими тремя-четырьмя похабными глаголами и производными от них грамматическими формами.

— Амебы! — почти ласково сказал кубогрей, наливая мне очередную порцию кипятку. — Кроме этих слов ничего не знают. Право, одноклеточные... А ведь есть и невредные девахи среди них. Если бы, конечно, за них с малолетства взяться. Да, жили мы на материке и не знали, сколько у нас в стране такой швали.

Мыть пол было не очень трудно, хотя от голода и согнутого положения кружилась голова. Особенно легко становилось, когда вспоминались общие работы, например «мелиорация»: пудовое железное кайло, безнадежно тюкающее насмерть окаменелую землю, и яростные ожоги от мороза, врывающегося под вытертую телогрейку. А это, действительно, легкая, блатная работа. Под крышей, в тепле. Да еще вода горячая. Нежит распухшие руки. Тем не менее до слез обидно, что шмыгающие по коридорам постояльцы оставляли грязные следы на только что вымытом куске.

— Эй ты, Мария Ивановна! Обалдела, что ли? — Переодетая в малиновый халатик с цветами и густо намалеванная, Эльвирка с неподдельным изумлением взирала на мою работу. — Гляньте-ка, девки, на малахольную! Как скоблит, а! Да что ты, к свекрови, что ли, приехала, хочешь показать, какая ты сама из себя работящая?

— А ты не ори, а покажи человеку, как делают! Тюрзак ведь она... А из тюрзака, известно, кровь вся выпитая.

Маруська-красючка говорила баском пропойцы, но синие глаза ее по-прежнему удивляли мечтательным выражением.

— Вот чего, Женька, слушай сюда. — Она потянула меня за рукав. — Первое дело: черного кобеля не отмоешь добела — это раз! Второе — тебе еще надо на себя заработать, а ты все на начальника вкалываешь. Это два. А третье — смотри вот, как надо...

Маруська ловким движением выплеснула всю воду на пол и быстрыми широкими мазками растерла ее по грязному полу.

— Было бы сыро, чтобы Ашотка видел, что мыто. Айда в кубовую чай пить! На мою пайку! Мне фрайер белого дал.

Неописуемое райское блаженство — сидеть у теплого титана, тянуть из стариковой кружки почти крутой кипяток, откусывая время от времени от кусочка пиленого сахара и отщипывая от маруськиной пайки.

...Солодиха оказалась весьма импульсивной дамой.

— Вот эту? Да она на ногах-то еле держится... Доходяга натуральная... Где ей такую кучу перестирать! У меня месяц не стирано.

— Любого не кормить да держать на кайловке — так отощает, — эпически заметил старик. — Смирна зато. Да и возьмет недорого.

Я почти любовно перебирала солодовское белье, сортируя его на кучки. Момент этот представлялся мне переломным и торжественным на моем тюремно-лагерном пути. Во-первых, предстояло впервые за три года самостоятельно и по собственной инициативе заработать себе на хлеб. Во-вторых, привлекал разумный характер предстоящей работы. Это было совсем неплохой целью — переодеть в чистое этих замурзанных ребят, копошившихся в углу номера, заваленного немытой посудой и неприбранным барахлом.

— А ты не заразная какая? — поинтересовалась Солодиха, критически осматривая меня. — Уж больно худа...

— Нет. Цинга не заразная. От голода это...

— Ладно! Схожу вот сейчас в магазин, потом обедать будем.

Перед уходом в магазин Солодиха долго шептала что-то своему старшему — десятилетнему мальчишке, время от времени вскидывая на меня глаза. Вскоре после ухода матери мальчишка улизнул в коридор, на ходу бросив шестилетней сестренке:

— Сама смотри, чтобы она чего не сперла! Мне надоело уж...

...Недаром Юля, моя ярославская сокамерница, шутила, что от ста граммов полноценной пищи я сразу толстею на килограмм. Уже через неделю работы в гостинице я становлюсь неузнаваемой.

— Ишь как быстро на моих хлебах мяском-то обросла, — почти доброжелательно говорит Солодиха, подбавляя мне густо просаленной пшенной каши. За неделю я ликвидировала все самые непроходимые залежи в углах ее жилья, и она оценила это, особенно убедившись, что все добро на месте.

— А ты, оказывается, ничего из себя. Глазастенькая... Недолго поди у меня в уборщицах засидишься. Бабы в Магадане — товар дефицитный. А тут в гостинице шакалье так и рыщет.

Пытаюсь элементарно втолковать Солодихе, что я «честная».

— Ну что же, это хорошо, — одобряет она, — тогда вот подкрепись еще маленько, и мы тебе самостоятельного мужика подыщем. Тут ведь даже экспедиторы с приисков бывают. Масло-сахар-белый хлеб! Да и деньгами даст...

По вечерам возвращаюсь в восьмой тюрзаковский барак

270

ЖЕНОЛПа и в лицах изображаю нашим гостиничные персонажи. Все наши хохочут, и я сама только в плане чистой юмористики воспринимаю заботы Солодихи о том, как бы повыгоднее продать меня самостоятельному экспедитору.

Но однажды во время мытья полов в коридоре (я обрабатываю их теперь быстренько, по Маруськиной методе, чтобы больше времени осталось на Солодиху) я вдруг чувствую увесистый шлепок пониже спины: чей-то осипший, настоенный на спирту и на чефире голос хрипит:

— Пойдем... Полюбимся... Сотнягу даю!

До сих пор с вопросом о проституции мне приходилось сталкиваться или как с социальной проблемой (в связи с ростом безработицы в США), или как с художественным образом (Алиса Коонен под качающимся на авансцене тусклым фонарем). Даже в самых кошмарных видениях бутырских и ярославских ночей не могли мне присниться такие слова и жесты, адресованные мне... мне!

Аффект настолько силен, что я сразу забываю подробные инструкции старика-кубогрея о том, как вести себя в подобных случаях («Прямо тряпкой по морде и шли его подальше на его же языке»). Вместо этого откуда-то из глубины подсознания вырывается:

— Негодяй! Как вы смеете!

Прихваченные морозом, коричневые, облупленные щеки моего покупателя расплываются в улыбке. Он сдвигает шапку набок.

— Ишь ты! Глазки. Красючка... 58-я, что ли? Айда, 200 даю...

Синие от мороза со скрюченными пальцами лапы снова тянутся ко мне.

— Отойдите, — кричу я, хватаясь за ведро, — оболью...

И вдруг чья-то рука (кожаный рукав) поднимает моего питекантропа за шкирку, как котенка, и от сильного удара чьей-то ноги (добротные валенки) он летит в дальний угол коридора, наполняя воздух россыпями отборного мата.

Защитивший меня человек был Рудольф Круминьш, один из реабилитированных коридорных жильцов, только что вышедших после двухлетней отсидки из дома Васькова.

С этого эпизода завязалась моя дружба с коридорными жильцами, ждущими первого корабля для отправки на материк. Я начала торопиться и у Солодихи, чтобы успеть до отправки в лагерь побыть хоть часок в этом секторе коридора. Наскоро простирнуть ребятам бельишко. Пришить пуговицы. Перемыть кружки и миски.

Оазис в пустыне. Человеческие лица. Разговор о сокровенном, волнующем нас всех. Полное доверие. Никто из них не боялся рискнуть отправкой «через волю» моей корреспонденции.

— Женя, да не пришивайте вы так крепко пуговицы к этому кожаному пальто, — говорит смешливый чернявый геолог Цехановский, которого так избивали во время следствия, что остался непроходящий кашель, — право, не старайтесь, все равно он их каждый вечер ножичком отрезает.

Это про кожаное пальто моего защитника Рудольфа Круминьша. Его взяли временно до весны работать в управление, и он одет совсем добротно, не в пример другим.

Милый Рудольф! А я-то думала, почему пуговицы так рвутся. Это для того, чтобы под предлогом благодарности за труд совать мне в карман конфеты и куски сахара.

Энергичное белое лицо Рудольфа краснеет.

— Ты есть один большой звинья! — ворчит он на Цехановского.

Теперь я без привычного чувства острой тоски вскакиваю утром со своих нар. Я даже с нетерпением ждала развода, испытывая каждый раз облегчение, когда ворота лагеря оставались позади. Не отставая от Эльвирки и Маруськи-красючки, неслась я по улицам предрассветного, подернутого сизым туманом окоченевшего Магадана, стремясь поскорее добраться до своей гостиницы. Ведь в этом ковчеге, где наливались спиртом, крали, блудили и сквернословили урки, экспедиторы, девки и мелкие колымские «начальнички», меня ждали добрые взгляды товарищей, которым повезло вырваться из пасти терзавшего меня дракона. Благодаря их бескорыстным заботам я была теперь не только бескорыстно сыта, но и согрета душой.

Я гнала от себя подспудную мысль о возможном скором конце этого лагерного счастья. И настоящим ударом для меня явился тот колкий декабрьский рассвет, когда, проходя в своей пятерке мимо выводка вохровцев, я услышала обращенный к себе возглас Верки-нарядчицы:

— Отставить! Налево!

Все. Ну и то сказать: месяц работы в гостинице — неплохая цена за шерстяную кофточку с яркими пуговицами.

— Пока в барак! Завтра на общие пойдешь...

До самого вечера я неподвижно лежала в пустом бараке. Острая сверлящая боль в сердце относилась не столько даже к мысли о ржавом кайле и удушливой стуже «общих». Страшнее была мысль, что не увижу больше моих новых друзей-реабилитированных из гостиничного коридора, не услышу прерываемых кашлем шуток Цехановского, не буду больше пришивать аккуратно отрезанные перочинным ножиком пуговицы с кожаного пальто Рудольфа.

Вечером, перед самым возвращением наших тюрзаковок, дверь барака открылась, и в клубах белого плотного воздуха, ворвавшегося в барак, я сразу различила франтоватые фетровые валеночки бригадирши уборщиц Аньки Полозовой.

— Т-ш-ш... — заговорщически оглядываясь, сказала Анька. — Само главно — не тушуйся. Они тебя не бросили, фрайера-то твои... Первое дело — вот тебе передача от того, что в кожаном. Все честь по чести — сахар-масло-белый хлеб... Потом деньги, держи... Это главное — вот...

Анька вытащила из кармана своей новенькой кокетливой телогрейки кучку смятых бумажек.

— Верке-нарядчице... Чтобы не на общие тебя... В гостиницу-то, конечно, обратно не попадешь. Ей нагоняй от УРЧа был, что контрика на работу к вольняшкам послала. Но она что-нибудь придумает, чтобы не на общие все же...

— Откуда деньги?

— От твоих фрайеров... Сначала спорили часа два, как спасать тебя, что, мол, этично, а что неэтично... Потом собрали вот... И тебе велели не отказываться. В таком, мол, положении все средства хороши. А то запросто загнешься.

Верка-нарядчица — настоящий гений лагерной стратегии и тактики — на этот раз «отставила» меня на разводе, чтобы отправить на работу в мужской ОЛП, носивший название «командировка горкомхоза». Получив от УРЧа взбучку за то, что я — страшный зверь «тюрзак» — целый месяц пробыла вопреки всем правилам на бесконвойной работе, она устроила теперь так, что я из одной зоны попадала в другую. Но работа все-таки была «блатная». Мне предстояло стать судомойкой в лагерной столовой мужской зоны. Сытость. Крыша над головой. Сомнениям насчет этичности или неэтичности взятки — даже в лагере — мне предаваться не пришлось. Анька сама передала нарядчице деньги.

Горкомхозовской эта мужская командировка называлась потому, что на ней содержались «доходяги», отставшие от этапов по болезни. Эти живые скелеты работали на предприятиях горкомхоза, то разгребая снег на улицах Магадана, то очищая помойки.

...Столовой этой зоны заведовал крымский татарин по имени Ахмет. Его смазливая физиономия с глазами-маслинами искрилась веселой хитростью и лукавством. Повадками, движениями, манерой говорить он напоминал ловкого слугу из классической плутовской комедии. На воле он был тоже пова-

273

ром или, как говорил, «чиф-поваром». Весь день он мелким бесом вился по своей кухне, напевая и аккомпанируя себе стуком ножей. Из лагерного пайка этот ловкач умудрялся обеспечить себе и ближайшему своему окружению довольно неплохое питание, обкрадывая доходяг самым бесстыдным образом.

Проблема женщин на этой мужской лагерной точке стояла очень остро для хорошо упитанных, сытых и наглых «придурков» из бытовиков. Две-три блатнячки-поломойки были нарасхват, не справляясь со своими задачами, хоть и пожирали огромными кусками краденое мясо.

Сочетание зоологических хищных «придурков» с окружающими их со всех сторон еле бродящими призрачными фигурами «доходяг» придавало всей этой командировке зловещий оттенок, и в первый день моего прихода я еле сдерживала слезы, видя, что я окружена здесь, как зверь в загоне, что вряд ли мне удастся продержаться на поверхности хотя бы несколько дней.

Мое появление (женщина политическая!) явилось там сенсацией. Придя с первым разводом, в шесть часов утра, я сидела подавленная, убитая, в ожидании, когда выйдет из своей привилегированной кабинки самодержец Ахмет, его величество хозяин еды. Барак-столовая и кухня были пропитаны насквозь едким запахом баланды из овса и зеленых капустных листьев. Я сидела как приговоренная, а вокруг меня свора нарядчиков, старост и дневальных с гнусными усмешками спорили прямо в моем присутствии о том, кому я достанусь.

Нет, из этого волчьего логова придется бежать хотя бы на общие. Я оглядываюсь с тоской в надежде, не найдется ли здесь заступник вроде Рудольфа. Но здесь весь привилегированный слой заключенных, все «придурки» — бандиты, воры, отпетые уголовники.

— А ну, катитесь подальше! — раздается тонкий, но оглушительно громкий голос Ахмета. — Куда бабу прислали? В столовую... А в столовой заведующий есть или как? Чего набежали!

Ахмет возмущен. Он рассматривает меня как свою законную собственность. Окидывает меня оценивающим взглядом. Затем, приплясывая и напевая на ходу какую-то блатную мелодию, он несет к моим ногам сказочные дары — миску, наполненную пончиками. Их выпекают официально для поощрения лучших ударников из доходяг. Фактически — для насыщения своры «придурков».

Надо быть хитрой в борьбе с волками. Попробую вот что... Совершенно неожиданно для Ахмета я пускаю в ход непредвиденное им оружие самозащиты. Мобилизую все внутренние ресурсы памяти и слепляю довольно сносную фразу по-татарски. Я из Казани. Я почти татарка. Он должен относиться ко мне как к сестре, не давать в обиду. Я тюрзаковка. Очень измучена, истощена. Я уверена, что Ахмет-ага прогонит всех этих...

Ахмет давно не слышал звуков родной речи. Что-то человеческое тенью пробегает в его глазах-маслинах. Мусульман-хатын? Черт возьми! Вот это так удача. Отощала, говоришь? Откормим лучше быть нельзя. Ладно, пожалуйста! Ахмет-ага будет ждать целую неделю. Работай спокойно, отъедайся, никто не тронет. Налегай на пончики! Ахмет-ага сам не любит сухопарых...

Неделя... Ну что ж, это тоже отсрочка. За неделю, может быть, пройдет постоянная режущая боль в сердце. А тогда вернусь на общие.

— Ешь, поправляйся. — Ахмет сует мне большой кусок вареного мяса. — От пуза ешь, а на работу не жми сильно-то. Не медведь — в лес не убежит. Вон напарник твой пусть вкалывает. Бык хороший...

Я поворачиваю голову. Жестяная мойка разделена надвое. Около нее быстро и точно, как автомат, работает мужчина средних лет с интеллигентным заросшим темной щетиной лицом, с плотно сжатыми губами, в низко надвинутом на лоб малахае. Миски, жестяные миски, легкие и звонкие, дождем летят в мойку из проделанного в стене окошка. Сначала в грязное отделение мойки, где смываются остатки баланды, потом в чистое, где споласкивают. Потом миски снова высоченными грудами подаются в стенное окошко и летят на раздаточный стол, где их наполняют баландой. Водопровода, конечно, нет. Судомой каждые десять-пятнадцать минут бросает работу, берет два ведра и выходит во двор, чтобы принести из кубовой чистый кипяток.

Сразу бросается в глаза, как старательно, не по-лагерному делает свою работу этот сумрачный человек. Заученными, быстрыми, точно на конвейере, движениями крутит он бесчисленные миски. Странно, что судомой не доходяга. Он нормально упитан. Каким путем он избежал прииска и стоит тут на типично женской работе?

— Глухарь! — заметив мой взгляд, объясняет Ахмет. — Глух как стена. Хоть из пушки пали... Актирован. Все комиссовки прошел. Немец из Поволжья. Вот пусть и вкалывает за двоих. А ты вставай вон к чистой мойке, споласкивай! Не вздумай воду таскать, пусть сам носит. А ты ешь, поправляйся, потом поговорим с тобой... Никого не бойся!

И он многозначительно подмигивает мне.

— Глухонемой?

— Да нет, глухой только. А языком-то чего-то бормочет по-своему...

Прислушиваюсь к бормотанию глухого и явственно различаю слово «ферфлюхте», адресованное Ахмету. Занимаю место у второй мойки и включаюсь в работу. Она не так легка, как кажется. Миски, как живые, летят в воду без малейшей паузы, и я все повторяю и повторяю однообразное круговое движение рукой. Через два часа деревенеют шея и плечи. Я, конечно, не хочу пользоваться льготами, предоставленными мне Ахметом, и пытаюсь сбегать за водой. Но мой напарник настойчивыми сильными движениями отнимает у меня ведра, бормоча себе под нос немецкие слова.

— Проклятый индюк... Еще женщин будет мучить... — Он бросает на нашего «чиф-повара» гневные взгляды.

Потянулись судомоечные дни. Я даже во сне все время видела летящие на меня грязные миски. Горкомхозовские доходяги работали, а значит, и ели в различное время. Столовая работала почти беспрерывно. Но в часы пик напряжение доходило до крайности. Нельзя было не то что разогнуться, но хоть на секунду оторвать глаза от мойки. Тошнотворный въедливый запах баланды исходил теперь от меня, от моих рук, от моего платья и телогрейки. От горячей воды я была все время потная, а в двери за моей спиной, то и дело открывающиеся, рвался морозный воздух. Кашель мучил меня, не давая заснуть по ночам.

Но если иногда Ахмет, сжалившись надо мной, давал мне подмену, а меня направлял в столовую собирать миски, я страдала еще больше. Вид этой столовой и ее клиентов был непереносим. Ели в бушлатах, вытаскивая ложки из-за голенищ лагерных чуней. Мест не хватало, и многие ели стоя, окружив большую круглую железную печку. Руки их, державшие миску на весу, дрожали. Вонь от дымящихся, просыхающих от жаркого тепла чуней забивала даже запах баланды.

Ах, как они тряслись, эти костлявые, черные, отмороженные пальцы, вцепившиеся в миски... Большой барак гудел. Густой мат перемежался надсадным кашлем, харканьем, стуком ложек. Страшнее всего было слушать, как доходяги шутили.

— За ваше здоровье! Дай бог не последняя! — обычно острили они, перед тем как опрокинуть рюмку экстракта стланика, который раздавался в углу столовой для предупреждения цинги.

Ахмет-ага горой стоял за санитарию, гигиену и благоустройство. Поэтому над кривыми промерзшими насквозь окнами столовой красовались бумажные занавески с вырезанным рисунком, а одно время Ахмет, в содружестве с санчастью, выдумал даже завести умывальник и полотенце, над которыми висел художественно выполненный плакат «Мойте руки перед едой — не будете болеть цингой». В умывальник вскоре перестали наливать воду, так как уж очень безнадежными оказались попытки отмыть руки доходяг. Но плакат остался.

Придурки обедали на кухне в специально отгороженном для них закутке, откуда тонкой струей тянулись в наш судомойный угол волшебные ароматы настоящего мясного супа и знаменитых пончиков, варенных в подсолнечном масле. В первый день моей работы Ахмет пытался усадить меня вместе с ними, но я со слезами на глазах умоляла его оставить меня с «глухарем».

— Я боюсь их, — очень искренне говорила я, так как действительно ощущала страх в этом мире, населенном питекантропами.

Ахмет отнес такое мое поведение за счет чисто мусульманской застенчивости и даже популярно объяснил старосте и нарядчику, что казанская баба никогда не может быть такой шлюхой, как, скажем, московская.

Конечно, если быть по-настоящему принципиальной и честной, то не надо было бы есть этих пончиков, испеченных на краденой муке, выдаваемой на «подливку» баланды. Но до таких вершин в умении побеждать голод я не поднялась. Утешая себя довольно гнусными софизмами насчет того, что доходягам, дескать, не попадет это все равно никогда из рук Ахмета, я несла еду в нашу моечную, ставила на перевернутый ящик, покрытый газетой, на котором уже лежали большие куски хлеба, нарезанные моим напарником.

Потом мы садились друг против друга на перевернутые боком табуретки и хлебали суп из одной миски, строго соблюдая очередность в вылавливании кусочков оленины. Именно из-за этих кусочков мы и не считали возможным разлить суп по отдельным мискам. О брезгливости или даже о разумном опасении — не заразиться бы чем-нибудь от незнакомого человека — все мы начисто забыли.

Впрочем, я чувствовала, что это человек чистый во всех отношениях. Между нами уже со второго дня установилось молчаливое понимание. Мне казалась смешной и трогательной его манера обращаться со мной в этом мире, как с дамой. Он подавал мне бушлат, точно это было котиковое манто. Он вставал, если я стояла, пропускал меня вперед в дверях.

«Глухарь» много говорил вполголоса сам с собой. Гово-

277

рил, конечно, по-немецки. Привыкнув, что к его речам все кругом относились как к бессмысленному и непонятному бормотанию, он не стеснялся высказывать свои мысли вслух. Вслушиваясь в его речи, я быстро поняла, что передо мной ортодоксальный католик из патриархальной фермерской семьи. Со мной он объяснялся жестами и мимикой, не догадываясь, что я понимаю по-немецки.

Я чувствовала себя из-за этого как-то неловко. Точно подслушиваю чужие тайны. Ведь знай он, что я понимаю, наверное, воздержался бы от многих высказываний. И однажды я, оторвав кусок газетного листа, написала на полях по-немецки: «Я понимаю все, что вы говорите, учтите это».

Гельмут (в этот день он назвал мне свое имя) страшно взволновался. Он долго смотрел на меня в упор влажными глазами, потом поцеловал мою разбухшую в мойке руку, насквозь провонявшую баландой, и выразил уверенность, что «гнедиге фрау» не использует во зло его речи. Он видит это по моему лицу.

Вскоре произошел эпизод, еще больше расположивший Гельмута ко мне. Это был драматический для меня эпизод, вернувший мне на время былую остроту восприятия жизни и великого Ужаса, остроту, притупленную лагерной ежеминутной борьбой за существование.

Однажды утром на нашу «горкомхозовскую командировку» пришел этап из тайги. Это были люди, отработанные на приисках, живой человеческий шлак, негодный больше для работы в забое. Во время этапирования они умирали, как... Чуть не написала «как мухи», но остановилась. Ведь гораздо правильнее сказать, что мухи падают, как колымские доходяги. Уцелевших сортировали в Магадане, частично оставляя здесь, но главным образом направляя в такие места, как, например, Тасканский пищекомбинат, где они еще успевали до ухода в лучший мир послужить благородному делу освоения Крайнего Севера на «легких работах». Позднее я узнала, что эти легкие работы заключались в 12-часовом ежедневном пребывании на пятидесятиградусном морозе в тайге, где доходяги рубили ветки стланика — сырья для пищекомбината.

Итак, пришел один из таких обратных этапов. Как всегда в таких случаях, в нашей кухне и столовой начался аврал. Надо было срочно накормить этапников баландой, выдать им хлеб, перемыть груды внеплановых мисок. Я не разгибая спины орудовала у своей мойки в тот момент, когда в окошечко просунулась голова, повязанная поверх шапки грязным вафельным полотенцем.

— Кто тут из Казани? — прохрипела голова.

Я вздрогнула. В сознании понеслись десятки жгучих догадок. Может, в этом этапе умирает мой муж? А может, этого человека прислал кто-то из друзей? Кто же именно?

— У нас там доходяга один ваш, казанский... Совсем доходит. К ночи наверняка дубаря даст. Вот он услыхал, что тут женщина казанская в столовой работает, да и послал меня. Хлеба просит. Хоть перед смертью наесться ему охота. Можете одну паечку земляку отдать? Вы ведь тут около еды...

Голос его дрогнул от смешанного чувства острой зависти и в то же время какого-то униженного преклонения перед теми, кто сумел занять такую позицию в жизни. Около еды!

— Обещал мне за труды полпаечки, — сказал он, утирая задубевшим от вековой грязи рукавом бушлата со лба и щек капли пота, идущего от моей мойки.

— Вот возьмите, — сказала я, протягивая свою пайку. — Привет передайте. Погодите, а кто же он? Фамилия как?

— Фамилия-то? Майор Ельшин. В НКВД там в Казани работал.

Пайка дрогнула в моей руке и упала на пол. Майор Ельшин! Передо мной крупным планом, как на экране, поплыл уютный кабинет с большим окном на бульвар Черное озеро. В ушах зазвучали бархатистые баритональные звуки майорского голоса. «Разоружитесь перед партией!.. Вы романтическая натура... Вас увлекло это гнилое подполье...» Он! Это он квалифицировал мои «преступления» по смертному восьмому террористическому пункту. Это он сделал меня «страшным зверем тюрзаком». Хорошо, пусть он не мог отпустить меня на волю, чтобы самому не угодить под зубцы этого «колеса истории», но ведь мог же он вполне — это было в его власти — дать не десять лет, а пять... Мог не ставить на мне тавро «террор», а ограничиться хотя бы «антисоветской агитацией», которая еще оставляла какие-то шансы на жизнь. А бутерброды? Разве можно забыть эти кусочки французской булки, прикрытые ломтиками нежно-розовой, благоухающей ветчины? Он ставил тарелку с этими бутербродами передо мной — голодной узницей подвала — и искушал: «Подпишите протоколы и кушайте на здоровье!»

— Вы что, знали его? Он, говорят, невредный был. Других-то энкавэдэшников пришили многих на приисках. А этому никто не мстил. Все говорят — невредный. Ну да уж теперь все равно: нынче к ночи обязательно дубаря врежет. Я уж знаю, нагляделся. Как зубы обтянутся да вперед вылезут изо рта, так — все...

В глубине запавших орбит посланца мелькнула темная тень опасения — неужели уплывет из рук эта пайка, такая близкая, из которой ему обещана половина?

Обтянувшиеся зубы... Это была как раз та деталь, которой недоставало, чтобы прекратить мои колебания. Вылезшие из лунок цинготные зубы, обтянутые сухой кожей, и вылезшие вперед... Я видела их у умиравшей на транзитке Тани, друга моего этапного.

— Вот хлеб. Передайте... Постойте! Только скажите ему, что это от меня. Запомните мою фамилию и скажите ему ее...

Ноги вдруг отказались меня держать. Я села на перевернутый ящик, служивший нам обеденным столом.

— Вас ист лоз? — тревожно спрашивает Гельмут-«глухарь», подсовывая мне бумагу и карандаш для ответа.

— Тот, кто прислал за хлебом, это мой следователь.

— О-о-о...

Последовавшие затем дни были для меня страшной мукой. Этап ушел, я не узнала, умер ли Ельшин, бывший блистательный майор, чьей функцией было соблазнять свои жертвы пряником, пока другие хлестали их кнутом. Но меня терзало мое собственное поведение. Как могла я унизиться до такой мелкой мстительности! Зачем потребовала, чтобы ему сообщили мою фамилию, зачем постаралась отравить горечью этот последний в его жизни кусок хлеба? Гнусность какая! Разве в этом аду мы уже не квиты, не заплатили друг другу за все? Счет закрыт. Закрыт самым фактом его смерти, ТАКОЙ смерти.

Но в то время, как я терзалась такими мыслями, «глухарь», наоборот, страшно поэтизировал эту пайку хлеба.

— Вы останетесь живы, слышите? — шептал он мне во время работы по-немецки. — Вы выйдете на свободу. Потому что вы дали хлеб своему врагу... Я ваш друг навсегда. Я готов за вас отдать жизнь.

К несчастью, в самое ближайшее время Гельмуту пришлось делом доказать серьезность этого заверения.

Дело в том, что пришла к концу неделя, которую Ахметага дал мне на то, чтобы отъесться. Все чаще я ловила на себе его плотоядные взгляды. А когда однажды утром он, распустив вовсю свой павлиний хвост, преподнес мне большой пуховый платок (придурки легко добывали такие вещи из дезкамеры, где грабили новеньких под предлогом дезинфекции), я поняла, что передышке пришел конец. Придется снова отправляться на «общие».

— Нет, нет, спасибо, мне не надо этого платка... У меня есть лагерный, он теплый...

Ахмет плотно сжал губы, и рот его стал похож на захлопнувшийся капкан.

— Знаю, что ты культурный... Сказали мне, что раз культурный, нельзя сразу. Ахмет ждал. Кормил. Сегодня — культурный, завтра — культурный... Сколько можно быть культурный?

Он раздраженно отошел от меня. Но через час потребовал, чтобы я зашла к нему в каптерку.

— Возьмешь тряпки для пол мыть...

Я давно просила у Ахмета новую половую тряпку. Предлог был удачный. Но мне все же было страшно идти в темную каптерку. Да нет, не посмеет. Здесь все рядом, все слышно, я закричу, если он... Но на всякий случай торопливо нацарапала Гельмуту записочку: «Ахмет вызвал в каптерку. Следите». Он спокойно кивнул головой, и его глубоко сидевшие глаза зажглись фанатическим огоньком.

Под потолком каптерки тлела красноватым светом маленькая лампочка. Ахмет в позе пресытившегося падишаха развалился на мешках с тряпьем.

— Не хочешь платок, на вот это!

Длинное ожерелье из каких-то нестерпимо сверкавших стекляшек победно позвякивало в его руках. Видимо, его великолепие полностью отражало цветение его шеф-поварского сердца, и теперь он считал свое дельце вполне слаженным. Мой отказ принять подарок пробудил в нем неандертальца. Дверь, к которой я бросилась, оказалась запертой на ключ. Я закричала. На меня надвигался рот-капкан, сверкающие угли крымских глаз.

Вдруг хлипкая дверь каптерки дрогнула, заскрипела, подалась вперед. Рывок — и... Я увидела Гельмута, лежащего на полу с оторванной дверью в руках. Казалось, что он отброшен волной гнева, которым пылало его лицо. Не то раненый гладиатор, не то средневековый охотник, одержавший победу над диким кабаном...

Секунда молчания. Затем — взрыв обоюдных немецко-татарских проклятий. Впрочем, Ахмет быстро перешел на русский.

— Я вам покажу, сукины дети! Стакнулись, значит? Глухарь, значит, лучше Ахмета? Сейчас к нарядчику пойду... Обоих выгоняю! На трассу оба! В такой этапчик у меня загремите оба, что костей не соберете!

Но шеф-повару пришлось отложить на несколько часов свою «кровавую месть». Прибежавший староста возвестил появление на нашей территории еще одного огромного «обратного этапа» с приисков.

— Быстро! Срочно организовать кормежку! А то мрут н
ходу, а ты отвечай за них! Что-о? Снимать с работы! Наше
время! Командуй давай! Всех за полчаса накормить!

Ахмет заметался.

— Глухарь пусть один моет! — скомандовал он. — Нечег
им там рядышком колдовать! А ты — марш на раздачу! Покан
туйся напоследок!

Я стою у раздаточного окошка, методически опуская чер
пак в бачок с баландой, вручаю полные миски каждому и
проходящей передо мной очереди фантастических существ
закутанных поверх бушлатов в мешки, обмотанных тряпка
ми, с черными отмороженными, гноящимися щеками и но
сами, с беззубыми кровянистыми деснами. Откуда они при
шли? Из первозданной ночи? Из бреда Гойи?

Какой-то апокалиптический ужас сковывает все мое суще
ство. Но я продолжаю яростно мешать баланду в бачке, чтобы
налить им погуще, посытнее.

Идут и идут. Нет конца их черной очереди. Берут негнущи
мися пальцами миску: ставят ее на край длинного сколочен
ного из досок стола и едят... Вкушают баланду, как причастие
Как будто в ней вся тайна сохранения жизни. Вдруг один и
них наклоняется ко мне в окошко и просит:

— Погорячей там нельзя ли? Кишки прогреть...

— Очень горячая! Ешьте на здоровье, товарищ, — говорк
я, плача. И вдруг слышу его громкий крик:

— Братцы! Да тут баба! Митька! Подь сюда, баба здесь
право! Господи! Три года из бабьих рук щей не хлебал...

Нет, это не Ахмет, не крымский шеф-повар... Это му
жик, простой русский мужик, отец семьи, уже три года живу
щий на страшном колымском прииске жизнью бесполого вьюч
ного животного. На приисках они не видят женщин годами. И
эта миска из моих рук пробудила в этом человеке совсем было
угасшее человеческое.

— Плесни еще добавочку, голубка! — просит он через не
сколько минут, подходя с другой стороны окошка. — Мила ты
моя бабонька! Скажи что-нибудь своим бабьим ласковым го
лосом, хоть послушать, как оно было раньше-то...

Он протягивает миску своей огромной, когда-то сильной
рукой. Рука земледельца, рука каменотеса с большим черным
ногтем.

— Спасибо, родная, дай тебе бог детишек своих повидать

Я вдруг наклоняюсь в окошко, притягиваю к себе его го
лову и целую его в беззубый, обросший колючей щетиной рот.

...На следующее утро Верка-нарядчица очень часто по-

282

вторяла тревожную формулу: «Налево! Отставить!» Формировался большой этап в тайгу из наших «тюрзаков». Я была «отставлена» одной из первых. Не знаю, приложил ли к этому свою мстительную руку Ахмет-ага. Вернее, просто я попала в общий список отправляемых в знаменитый таежный совхоз Эльген, куда все наши больше всего боялись попасть и куда почти все все-таки рано или поздно попадали.

Я успела нацарапать записочку Гельмуту и сунуть ее с тем, кто шел на «горкомхозовскую командировку». Но получил ли он ее и как сложилась судьба этого судомоя-рыцаря, пожертвовавшего из-за меня спасительной крышей, я так и не узнала.

ГЛАВА СЕДЬМАЯ

ЭЛЬГЕН — ПО-ЯКУТСКИ «МЕРТВЫЙ»

Я упорно писала маме жизнерадостные письма. «Ты ведь знаешь, как я люблю путешествовать. Вот и сейчас я рада, что из Владивостока мы поедем дальше...» Так начиналось мое письмо, отправленное с транзитки «через волю». Из Магадана я тоже посылала ей через своих гостиничных друзей довольно складные описания северной природы, заканчивавшиеся неизменно предположениями, что, мол, наверно скоро поедем дальше. А она, бедная, писала в ответ:

«Все смотрю на карту и удивляюсь: куда же еще можно ехать дальше...»

Эти ее слова я все время вспоминала во время этапа из Магадана в Эльген. Действительно, вроде дальше было уже некуда, а мы все ехали и ехали, вернее, нас, окоченевших, сгрудившихся, как овцы по дороге на бойню, все волокли и волокли в открытых грузовиках. И казалось, не будет конца этим снежным пустыням, этим обступившим нас сахарным головам сопок.

Как всегда, в начале пути кое-кто еще делился литературными ассоциациями. Слышались чьи-то возгласы о Джеке Лондоне и Белом Клыке, об Аляске. Но очень скоро все замолкли, всех охватило оцепенение и от стужи, и от сознания, что случилось, случилось-таки то, чего все боялись, что везут, везут-таки нас в тот самый Эльген, что висел над нами дамокловым мечом все магаданские восемь месяцев.

Было четвертое апреля, но мороз стоял сорокаградусный,

с ветерком. Приближение весны сказывалось только совершенно ослепительным великолепием чистого снега и разноцветного сверкания на нем солнечных лучей. От этого зрелища нельзя было оторвать глаз. Увы, мы тогда еще не знали, что слово «ослепительный» в этом случае надо понимать буквально, что сказочная эта красота коварна, а пресечение ультрафиолетовых лучей на этом снегу слепит по-настоящему. Страшные острые конъюнктивиты и ожоги глаз ждали еще нас впереди.

Ощущение «края света» и удаления от человеческой цивилизации не покидало нас всю дорогу, вызывая страшную тоску.

— Честное слово, я не удивлюсь, если сейчас вон из-за той сопки выйдет мамонт, — шепчет мне, стуча зубами и пытаясь еще больше сжаться в комок, моя соседка по машине.

И я не переспрашиваю. Вот именно, мамонт! Мне тоже кажется, что мы едем не только далеко от наших городов, но и далеко назад от нашей эпохи, прямиком в пещерный век.

Густой слоистый туман стоял над Эльгеном, когда наши машины въехали на его главную магистраль, где разместилось низкое деревянное здание управления совхоза. Был час обеденного перерыва, и мимо нас по направлению к лагерю шли длинные вереницы «работяг», окруженных конвоирами. Белые дубленые полушубки конвоиров мелькали как светлые блики на сплошном сером фоне. Все работяги, как по команде, поворачивали головы в сторону нашего обоза. И мы тоже, стряхивая с себя этапное оцепенение, напряженно вглядывались в лица своих новых товарищей.

— Говорили, что в Эльгене одни женщины. Но вот эти.. Как ты думаешь, не мужчины ли это?

— Гм... Похоже... Впрочем...

Сначала мы подшучиваем друг над другом. Вот дожили: мужчин от женщин отличить не умеем... Ой баба! Ой нет! Как Чичиков о Плюшкине... Но чем пристальнее всматриваемся в проходящие шеренги работяг, тем больше становится не до шуток. Да, они бесполы, эти роботы в ватных брюках, тряпичных чунях, в нахлобученных на глаза малахаях, с лицами кирпичными, в черных подпалинах мороза, закутанными почти до глаз какими-то отрепьями.

Это открытие сражает нас. На многих, вроде давно и окончательно высохших глазах — снова слезы. Вот что ждет нас здесь. В этом Эльгене мы, уже потерявшие профессию, партийность, гражданство, семью, потеряем еще и пол. Завтра мы вольемся в призрачный марш этих странных существ, что проходят сейчас мимо наших машин, хрустя окаменелым снегом.

— Эльген — по-якутски «мертвый», — разъясняет одна из присоединенных к нашему этапу штрафниц. Она уже была здесь, чудом вырвалась назад в Магадан, а теперь вот снова «погорела» на связи с вольным. Она показывает нам агробазу, конбазу, маячащую в отдалении молферму. Но эти веселые энергичные слова так не вяжутся с общим пейзажем, что мы пропускаем их мимо ушей. А вот «Эльген — по-якутски «мертвый» — это напрочно оседает в сознании. Правильно назвали якуты.

Вот она — зона. Колючая проволока, симметричные вышки, скрипучие ворота, алчно разинувшие зев навстречу нам. Ряды приземистых, крытых рваным толем бараков. Длинная дощатая общая уборная, поросшая торосами окаменелых нечистот.

И все-таки мы рады, что приехали. Как-никак становище. От недвижного дыма над отведенным нам бараком тянет жилым, обитаемым. И приходит мало-помалу чувство нестерпимой безоружности и обнаженности, какое охватило всех в этом ледяном этапе, в тисках ослепительной доисторической тайги.

И вот мы уже стоим, сгрудившись, около раскаленной железной «бочки», на которой успокоительно булькает кипящая в огромном баке вода. Пахнет сохнущими портянками и поджариваемыми на печке ломтями хлеба. Жилье... Понемногу разматываем свои тряпки и скрюченными, как бы стеклянными пальцами вцепляемся в полученные пайки хлеба.

В этот тяжелый момент судьба послала нам одного из тех людей, которые для того, наверно, и рождаются на свет, чтобы быть утешением окружающих. Это была дневальная барака. Марья Сергеевна Догадкина. Простая, поворотливая, чернявая пятидесятилетняя женщина, с теми самыми интонациями московской просвирни, которые умиляли еще Пушкина. Нет, она и не думала говорить нам ласковые слова. Наоборот, она все время кого-нибудь поругивала.

— Дверь-то разве так закрывают? — шумела она, ныряя в густое облако морозного тумана, клубящееся у входа в барак. И после ее вмешательства перекошенная обледенелая дверь как-то становилась на свое место, сберегая тепло.

— Да разве так просушишь! Комком сунула... Плохо тебя маманя учила... — упрекала она кого-то и, отняв тряпку, ловким движением расправляла ее и развешивала около печки на веревке, где, казалось, уже невозможно было пристроить что-нибудь.

— Ты чего это хлеб-то такими кусищами глотаешь, как чайка? Разве так будешь сыта? Ишь набросилась, точно нападает на пайку! Дай-ка сюда, я поджарю...

И Марья Сергеевна ловко натыкала кусок чьей-то пайки на специально приспособленный железный вертел, мгновенно опаляла его на раскаленной железной «бочке» и отдавала владелице горячий кусок, благоухающий священным запахом печеного хлеба.

— Вот так-то сытнее будет...

Как вьюн скользила она по бараку, каждого оделяла своим опытом, своим трудом, своим требовательным и доброжелательным материнским словом. И вот уже кажется, что мы все — гости Марьи Сергеевны. Плохое, конечно, жилье у нашей дорогой хозяйки, да и стол небогат. Но зато нам всем ясно, что «чем богаты, тем и рады». И как-то сама она вроде и не заключенная (хоть и статью имеет — антисоветская агитация), настолько хозяйские у нее взгляды и движения, каждое из которых направлено на то, чтобы кому-то сделать легче, переносимее.

— С утра вас ждала, снега-то побольше натаяла. Вкусный кипяточек. Пейте от души, согревайтесь. Кружек у кого нет, баночки вон там на полочке берите. И про уборную не томитесь, на улицу ночью не бегайте. Хватит, намерзлись. Вон я в уголку ведро большое приспособила. Вынесу тихонько утречком, надзор и не заметит. Да не сокрушайтесь сильно-то... Эльген да Эльген... Не так страшен черт, как его малюют. Я вон уж третий год здесь, а жива. Спите себе. Утро вечера мудренее. Поздно уж. Ходит сон по лавочке, а Дрема-то по избе...

Я даже вздрагиваю от радости. Это слова из песенки, которой наша няня Фима баюкала маленького Ваську. И я засыпаю на верхних нарах с каким-то странным чувством покоя и прочности очага. Сквозь сон слышу, как Марья Сергеевна подметает пол, звякает ведрами, чудодейственно превращая барак эльгенской зоны в деревенскую избу. Хоть в грязную, нищую избу, где шуршат черные тараканы, но где все же пахнет домовитостью и печеным хлебом, где близко к вечеру по избе ходит Дрема. Сон сладко наваливается на меня. Я слышу голос няни Фимы, качающей моего младшего сыночка.

Где она его найдет,
Тута спа-а-ть укладет...

Только наутро грозная реальность снова ощеривается на нас. Опять возникает слово «этап». Как? Значит, и отсюда еще есть куда ехать? А как же! А Мылга? Она считается штрафная для Эльгена. А то есть еще Известковая. Так та штрафная для Мылги. А лесоповал? Сколько точек в тайге, по сравнению с

286

оторыми этот барак дворцом покажется! А лето придет — сенокос. По кочкам... Ну, то еще дожить надо...

Марья Сергеевна не из тех, кто любит сказки сказывать. то есть, то есть. Глаза закрывать нечего, надо правду знать. А угаться-то все равно нечего. Везде люди. И на лесоповале живут... Не все бригадиры звери. Есть и ничего...

— Статьи-то у вас больно аховые. Тюрзаки ведь вы... Хуже аэртедешников, говорят. Ничего, обомнется... Привыкнет начальство. Сначала-то и каэртедешникам пикнуть не давали, а еперь вон одну даже завбаней поставили.

Да, мы попали на Эльген, на штрафную командировку, о не за провинности, а просто «по статье», как тюрзаки. А ругие здесь почти все за что-нибудь, чаще здесь самые отъявленные рецидивисты — «оторвы». А еще — мамки.

— Чего-то начальству так подумалось, что здесь самое что ни а есть место подходящее для младенчиков. Право... Деткомбинат остроили... Зона для заключенных деточек. Ну, и мамок тут поло. Которые младенцы выживут, тех уж из ружья не убьешь...

Мамки — этим собирательным именем обозначались все аключенные женщины, пойманные на запретных любовных вязях или «уличенные» в беременности. По отношению к ним трогие меры пресечения сочетались с некоторым даже гуманизмом что ли.

Несколько раз в день раздается специальный сигнал с ахты.

— На кормежку!

И те же закутанные в тряпье бесполые фигуры, «разобавшись» по пяти, торопливо топают под охраной тех же дубеных полушубков в деткомбинат, где каждой выдается на руки е младенец. Перед младенцем стоит замысловатая задача — ытянуть несколько капель молочка из груди той, которая пиается эльгенской паечкой, а работает на мелиорации. Обычо уже через несколько недель лагерные врачи констатируют прекращение лактации», и мамка отправляется в этап на лесоповал или сенокос, а младенцу предлагается отстаивать свое раво на жизнь при помощи бутылочек «Бе-риса» и «Це-риса». Так что состав мамок страшно текуч, все время обновляется возимыми со всей Колымы грешницами.

— Вот это так охрана материнства и младенчества! — восклицает Нина Гвиниашвили, увидав впервые развод мамок в кружении солдат с винтовками наперевес...

Но все подробности насчет детского городка и материнских радостей на Эльгене мы узнаем позднее. А сейчас мы снова, после короткой передышки в бараке Марьи Сергеевны, наэлектризованы до предела слухами об этапах, ползущими и УРЧа (учетно-распределительная часть). Там, говорят, уже полным ходом составляются этапные списки на лесоповал. Слух о том, где всего страшнее, разноречивы. По одним сведениям, на Седьмом километре можно продержаться дольше, чем скажем, на Четырнадцатом или на Змейке, поскольку конвой не очень сволочной. По другим, наоборот, на Седьмом можн скорее «дать дубаря», там только слава что бараки, а холоди на в них, как в лесу...

Галя Стадникова отваживается обратиться с вопросом начальнику режима.

— Скажите, пожалуйста, а не могу я рассчитывать на рабо ту по специальности? Я фельдшер-акушерка...

Режимник криво усмехается и отчеканивает:

— Для ваших статей у нас две специальности: лесоповал мелиорация.

...Мне достался Седьмой километр. Список смешанный Группа наших, тюрзаковок, но есть и эльгенские старожиль Среди них и те, «кто пляшет и поет», то есть блатные, и не сколько человек «православных христианок» — религиозны колхозниц из Воронежской области. Этих везут на Седьмой ка штрафниц, за отказ от работы по воскресеньям.

Целый час стоим у вахты, пока начальство о чем-то ти хонько препирается. На вахте сидит начальник санчасти Куче ренко, меднолицый, коренастый человек с наружностью по жарника Кузьмы. Его почтительно именуют доктором, хот он, как выяснилось в дальнейшем, ротный фельдшер.

— А если падеж в пути? — говорит он громко, так, чт нам слышно. — Посмотрите, тюрзаки-то как одеты...

Да, мы снова хуже всех. На колхозницах какие-то чудом уцелевшие собственные грубошерстные шали. У некоторых блат нячек даже полушубки. А мы полностью казенные, без едино своей тряпочки, и чуни наши разлезаются, а в дыры набивает ся снег.

Позднее мы узнали, что есть-таки такая формула офици ального гуманизма: «Одет и обут по сезону»... И в какие-то пе риоды, когда «падеж» зэка превышал установленные нормы работников санчасти начинали «тягать» по этому поводу. В дан ном случае представитель гуманного ведомства, оказывается переносил неприятности как раз такого типа, почему и возра жал против нашего пешего этапирования.

Больше часа стояли мы у вахты возле ворот, коченея ожидая исхода начальственной дискуссии и слушая пение блат ных. Пританцовывая, они вопили:

288

Сам ты знаешь, что в субботу
Мы не ходим на работу,
А у нас субботка кажный день.
Ха-ха!

Наконец, ура! Гуманное начало одержа́ло верх. Кучеренко удалось доказать очевидное: мы действительно одеты-обуты не по сезону. И вот нас везут, тащат на прицепах к тракторам, поскольку никакой другой транспорт не может пробраться к Седьмому, лежащему в стороне от трассы, в глубине почти нехоженой тайги.

Едем... Через буераки и лесные протоки, через проклятия конвоя и матерщину блатнячек. А Седьмой-то, видно, довольно условно назван. С гаком... Безусловно с гаком, да еще с большим. Навстречу ни человека, ни зверя. И зима, зима... Хоть это и апрель. Апрель сорокового года.

ГЛАВА ВОСЬМАЯ

НА ЛЕСОПОВАЛЕ

Наш бригадир — блатарь Костик по прозвищу Артист — существо довольно просвещенное. В какой-то период своей бурной жизни он подвизался во вспомогательном составе провинциального театра. Поэтому он знает такие замысловатые словечки, как «буффонада», «кульминация», «травести». Это придает его матерщине неповторимо-своеобразный оттенок.

На наш этап смотрит абсолютно безнадежно. Он ходит вдоль нашего строя, как полководец перед боем, и с глубоким огорчением рассматривает этих вооруженных пилами и топорами оборванцев. Н-да. Видно, придется ему по личным делам в Эльген таскаться. Из кого тут выбрать! Блатнячек он не выносит. Человек он чистоплотный, боится Венеры. Монашки — ну, те, известно, тронутые. А тюрзачки эти... Может, когда-то и были они бабами. А нынче никакой от них серьезности, доходяги натуральные... Просто говоря, травести... Костик поправляет челочку на лбу и напевает:

Травести да травести,
Не с кем время провести...

Но завидя приближающегося заведующего всеми лесозаготовками по совхозу, переключается в производственный план.

— С такими доходягами разве такую норму вытянешь? Сплошной архив «А».

Павел Васильевич Кейзин, завлесозаготовками, с одинаковым сокрушением рассматривает и наши пилы — плохие, ржавые, без «развода», — и нас самих. То еще пополнение! Садистских навыков этот человек на своей нелегкой работе не приобрел, но искусством смотреть на людей как на придаток к пилам и топорам овладел в совершенстве.

От наших хибарок до места работы около четырех километров. Гуськом бредем по целине, по проваливающемуся, с каждым днем все более волглому апрельскому снегу. С первых же шагов ноги промокают насквозь, а когда после обеда начинает снова жать мороз, леденеют чуни, острые боли в отмороженных ногах не дают ступить.

Костик, как только остается наедине с нами, без приехавшего на денек Кейзина, без конвойных, частенько курящих группкой у костра, так и начинает неглижировать своими обязанностями. Инструктаж по лесоповальному делу он проводит примерно так:

— Дерево видали? Не видали? Эх вы, Марь Иванны! В сугробе стоит, видала? Ну, стало быть, перед пилкой обтоптать его надо... Вот так...

Ему-то хорошо обтаптывать снег, в его высоких фетровых бурках с франтовски загнутыми голенищами, со свисающими на бурки по блатной моде брюками. А мы с Галей Стадниковой, моей напарницей, пытаемся повторить его движения и сразу набираем полные чуни снега.

— Теперь топором подрубай спереди. А сейчас с двух сторон берись за пилу и тяни. Да вы что, Марь Иванны, пилы, что ли, отродясь в руках не держали? Вот это так буффонада!

— Неужели вы всерьез думаете, что мы с Галей сможем свалить такое дерево?

— Не одно такое дерево, а восемь кубометров на двоих — вот ваша норма, — слышим мы сухой деловой ответ. Не Костик, понятно, отвечает так, а подошедший завлесозаготовками Кейзин. А Костик, которому только что было глубоко наплевать и на нас, и на деревья, гнусным подхалимским голоском добавляет:

— Три дня вам на освоение нормы. Три дня пайка идет независимо. А с четвертого дня — извини подвинься... По категориям, от выполнения нормы... Как потопаешь, так и полопаешь...

Три дня мы с Галей пытались сделать немыслимое. Бедные деревья! Как они, наверно, страдали, погибая от наших неуме-

290

лых рук. Где уж нам, неопытным и полуживым, было рушить кого-то другого. Топор срывался, брызгая в лицо мелкой щепой. Пилили мы судорожно, неритмично, мысленно обвиняя друг друга в неловкости, хотя вслух никаких упреков не делали, сознавая, что ссориться — это было бы роскошью, которой мы не могли себе позволить. Пилу то и дело заносило. Но самым страшным был момент, когда искромсанное нами дерево готовилось наконец упасть, а мы не понимали, куда оно клонится. Один раз Галю сильно стукнуло по голове, но фельдшер нашей командировки отказался даже йодом прижечь ссадину, заявив:

— Старый номер! Освобождения с первого дня захотела!

Мы внимательно наблюдали работу воронежских религиозниц. То, что они делали, казалось нам черной магией. Как аккуратно и быстро получается у них подруб. Какие размашистые, согласованные движения приводили в действие их пилу! Как покорно падало в нужную сторону дерево к ногам тех, кто с детства знал физический труд!

Если бы нам дали немного опомниться и накормили досыта, кто знает, может быть, и мы «схватили» бы когда-нибудь эту неуловимую «норму». Но в это время командира нашей ВОХРы, по общим отзывам не очень сволочного, перебросили на Четырнадцатый, а сюда был прислан тамошний. Этот злодей прибыл сюда с несколькими своими злоденятами. И начался режим на уничтожение.

— Не курорт! — этой уже хорошо знакомой нам формулой он начал свое княжение. — Норму! Питание по выработке! За саботаж карцер!..

В нем было что-то общее с ярославским Коршунидзе. Правда, ничего кавказского не было в его белобрысом, порченном оспой лице. Но привычная «та» гримаса, в которую он, говоря с нами, складывал губы, придавала ему это фамильное сходство. Все заметили.

— Просто брат Коршунидзе. Ну хоть не родной брат, так двоюродный. Кузен...

Так Кузеном и звали его между собой.

...Ранним утром, часов так с пяти, мы поднимались ото сна. Бока нестерпимо ныли. Никаких вагонок здесь не было, а сплошные нары были сколочены не из досок, а из так называемых «кругляшей». Необрубленные сучки впивались в тело. Каждое утро начиналось с ощущения томящей пустоты внутри. Его надо было колоссальным усилием преодолеть, чтобы встать и сделать первое жизненное движение — подойти к железной печке и отрыть в куче наваленных вокруг печки вонючих тряпок свои

291

портянки и рукавицы. Это было не так-то просто. Ведь впервые после «Джурмы» мы находились в одном помещении с уголовными, а это осложняло каждый шаг. Девкам ничего не стоило схватить чужие, более крепкие, портянки или чуни, оттолкнуть от печки, вырвать из рук более острую пилу. А никаких жалоб наш Кузен не принимал.

Он был полностью повернут, так сказать, лицом к производству и очень доходчиво объяснял нам на разводах и поверках, что никакой уравниловки быть не может и бросать народный хлеб на контриков и саботажников, не выполняющих норму, он не намерен. На все же вопросы, связанные с поддержанием нашего существования, у него была в запасе какая-то особо выразительная гримаса и все та же короткая формула: «Не курорт!»

Так вошел в нашу лесную жизнь Великий Голод. Кто его знает, Костика-артиста, может, он и смилостивился бы над нами и стал хоть понемногу приписывать нам проценты. Но Кузен поставил дело научно. Он сам контролировал своих злоденят, чтобы они гоняли нас от костров и проверяли работу бригады. И когда Костик приходил с длинным метром замерять наши дневные достижения, за спиной у него стоял стрелок, так что даже при желании Костик не мог ничего для нас сделать.

— Восемнадцать процентов на сегодняшний день, вот и вся ваша кульминация, — мрачно говорил Костик и, косясь на стрелка, выводил эту цифру против моей и Галиной фамилий.

Получив «по выработке» крошечный ломтик хлеба, мы шли в лес и, еще не дойдя до рабочего места, буквально валились с ног от слабости. Все-таки этот кусочек мы делили на две части. Первую съедали утром, с кипятком, вторую — в лесу, посыпая его сверху снегом.

— Правда, Галя, бутерброд со снегом все-таки больше насыщает, чем пустой хлеб?

— Ну еще бы...

Первую неделю голодного режима мы все еще шутили иногда. Например, практиковалась такая игра. Вот, еле волоча ноги, мы бредем с работы. Сгорбленные, с шелушащимися коричневыми лицами, в немыслимых лохмотьях. Вот тут и начинается сочинение «великосветской хроники». Вроде некий бульварный листок капиталистического мира живописует светские развлечения какой-то группы фешенебельного общества.

— Веселой кавалькадой возвращались дамы со своего увлекательного лесного пикника, куда они отправились минув-

292

шим утром из замка Эльген в долине Таскана. (Эльген считался Тасканского района.) ...Звонкие голоса дам оглашали тенистые уголки парка. Особой элегантностью отличался костюм амазонки, которым поразила всех русская княжна Затмилова (заплаты на ватных брюках Гали Затмиловой действительно превосходили все возможные своим причудливым видом) ...Головной убор баронессы фон-Аксенбург (это сплав двух моих фамилий), скопированный с лучших моделей Пакэна, по-видимому, явится эталоном моды предстоящего весеннего сезона... В замке дам ждал великолепный обед со свежими омарами, сервированный внимательным и опытным мажордомом Кузеном де Коршунидзе...

Как ни странно, но такая болтовня в первые дни нашего голодного режима еще как-то поддерживала, утешала, укрепляла в сознании, что мы — люди.

Но скоро стало не до шуток. Кузен пустил в ход свое второе оружие. Теперь невыполнение нормы расценивалось как саботаж и каралось не только голодом, но и карцером. Прямо из леса нас, не выполнивших норму (а не выполнили, физически не могли выполнить ее почти все наши тюрзаки), вели не в барак, а в карцер.

Трудно описать это учреждение. Неотапливаемая хижина, скорее всего похожая на общую уборную, поскольку для отправления естественных потребностей никого не выпускали и параши тоже не было. Почти всю ночь приходилось там простаивать на ногах, так как для сидения на трех сколоченных кругляшах, заменявших нары, выстраивалась очередь. Нас загоняли туда прямо из леса, мокрых, голодных, часов в восемь вечера, а выпускали в пять утра — прямо на развод и опять в лес.

На этот раз, казалось, уже не уйти от нее, от постоянно настигающей нас Смерти. Еще капельку — и догонит... А мы уже так задыхаемся, убегая от нее. По крайней мере я, увидя свое туманное отражение в куске разбитого стекла, найденного Галей, сказала ей словами Марины Цветаевой:

> Я такую себя не могу любить,
> Я с такою собой не могу жить...
> Это — не я...

И Галя не стала возражать, что, мол, — ты... Только посмотрела сухими глазами и сказала:

— Хоть бы он малыша не бросил!

Это она о своем муже. Он у нее как-то не попал, уцелел на воле.

ГЛАВА ДЕВЯТАЯ

СПАСАЙСЯ КТО МОЖЕТ!

Сначала мы пытались спасаться сами. То есть, собственно, идею подал Костик-артист, у которого, видимо, было все же незлое сердце.

— Доходите? — осведомился он как-то у нас с Галей, воспользовавшись отсутствием конвоира. — Тихонько доплываете, стало быть, и лапки кверху? И вся ваша мизансцена, да?

— А что же можно делать еще, бригадир? Проинструктируйте...

— Соображать надо. Колыма-то, она на трех китах держится: мат, блат и туфта. Вот и выбирай, который кит тебе более подходящий, — загадочно сказал Костик.

Но это была только теоретическая подготовка. Практический урок мы получили от нашей же тюрзачки Полины Мельниковой. Она была в числе немногих, каким-то чудом выполнявших норму. Работала она одна, без напарницы, пилой-одноручкой. Однажды наши участки оказались рядом.

— Смотри, — сказала мне Галя, показывая на Полину, — настоящий памятник Гоголю.

Да, очень похоже. Сгорбившись и закутавшись в свои тряпки, она уже больше часа неподвижно сидела на промерзшем пне, отбросив пилу и топор.

— Когда же это она норму выполняет, если так сидит?

Оказывается, норма у Полины была уже «схвачена». Припертая нами к стене, она, быстренько озираясь, нет ли поблизости конвоя, объяснила нам технику дела.

— Кругом-то ведь штабеля. Ну, старые штабеля, напиленные прежними этапами. Полно ведь их тут и никто не считал, сколько...

— Ну и что же? Ведь сразу видно, что это старые, а не свежеспиленные...

— А что их, собственно, отличает? Только то, что срезы у них потемневшие. А если от каждого бревна отпилить маленький ломтик, то срез будет самый что ни на есть свеженький. А потом — переложить штабель на это же место, только комляками в другую сторону... Вот и норма...

Эта операция получила у нас в дальнейшем название «освежить бутерброды». Она дала нам передышку. Мы немного видоизменили методику Полины: основание штабеля мы делали из «своих», нами спиленных деревьев, затем оставляли пару сваленных, но еще нераспиленных деревьев, чтобы была видимость разгара работы. А потом принимались таскать бревна со старых штабелей, спиливая с них ломтики и укладывая в свой штабель. Таким образом, из трех китов Колымы избрали пока третий — туфту! И чтобы не отступать от принципа полной правдивости, добавлю, что совесть нас нисколько не мучила. Трудно сказать, догадывался ли Костик об источниках нашего трудового подъема, но молчать он молчал.

Передышка кончилась неожиданно. Мы еще не успели хоть немножко окрепнуть от целой стопроцентной пайки, отдохнуть от карцера, как на наш Седьмой нагрянули тракторы для вывоза заготовленных дров. В течение трех дней наши «резервы» для выполнения нормы оказались исчерпанными.

Кузен пришел в бешенство, узнав, что мы опять перешли на 18-20 процентов. Туфта теперь обратилась против нас.

— Ведь могли же, когда хотели, сто процентов вырабатывать! А теперь опять за саботаж! Сгною в карцере...

Много раз за восемнадцать долгих лет наших «страстей» мне приходилось бывать наедине с подошедшей совсем вплотную Смертью. Но привычка все равно не выработалась. Каждый раз — все тот же леденящий ужас и судорожные поиски выхода. И каждый раз мой неистребимый здоровый организм находил какие-то лазейки для поддержания еле теплящейся жизни. И, что важнее, каждый раз возникало какое-то спасительное стечение обстоятельств, на первый взгляд абсолютно случайное, а по сути — закономерное проявление того Великого Добра, которое, невзирая ни на что, правит миром.

На этот раз спасение от неминучей эльгенской лесоповальной смерти первой начала приносить... брусника. Да, именно она, кислая, терпкая северная ягода. Да не та брусника, что появляется, как ей и положено здесь, в конце лета, а брусника подснежная, оставшаяся от урожая прошлого года, отоспавшаяся в сугробах таежной десятимесячной зимы и теперь выведенная из тайников осторожной бледной рукой колымской весны.

Шел уже май, когда я, обрубая сучья на сваленной лиственнице и низко склонившись к земле, впервые заметила на исходящей паром проталинке, возле свежего пня, это чудо красоты, это совершеннейшее творение природы — уцелевшую под снегом веточку брусники. Пять-шесть ягодин, до того красных, что даже черных, до того нежных, что сердце разрывалось от боли, глядя на них. Как и всякая перезрелая красота, они рушились при малейшем, даже самом осторожном прикосновении. Их нельзя было рвать, они растекались под пальцами коралловым соком. Но можно было лечь на живот и брать их прямо с веточки пересохшими, обветренными губами, осторожно раздавливая языком на небе, наслаждаясь каждой в отдельности. Вкус их был непередаваемым. Настоящее старое вино, которое «чем старей, тем сильней». Разве можно было сравнить этот вкус с кислятиной обычной брусники? Здесь была сладость и аромат перенесенных страданий, преодоленной зимы. Какое открытие! Первые несколько веточек я объела одна и только после обнаружения третьей во мне проявился человек:

— Галя, Галя, — закричала я потрясенным голосом, — брось топор, скорее сюда! Смотри... Тут «златистогрезный черный виноград»...

Да, отлично помню. Именно этими северянинскими «изысками» я обозначила свою находку.

Теперь мы шли утром в лес не с отчаянием, а с надеждой. Мы уже установили, что растет брусника больше вокруг пеньков, на кочках. И мы находили ее почти ежедневно. Мы всерьез считали и с горячностью убеждали друг друга, что эта ежедневная горсть «живого витамина» здорово укрепила наше здоровье. И голова вроде меньше стала кружиться от голода, и разрыхленные цинготные десны стали меньше кровоточить.

Очень поддержали нас в ту смертельно опасную для нас весну и те примеры душевной стойкости, которые преподали нам наши полуграмотные воронежские религиозницы. В конце апреля того года была Пасха. Несмотря на то, что именно воронежские всерьез, без «туфты», выполняли норму, что на них главным образом и держался производственный план нашего Седьмого километра, Кузен и слушать не стал, когда они начали просить освободить их от работы в первый день праздника.

— Мы вам, гражданин начальник, эту норму втрое отработаем, только уважьте...

— Никаких религиозных праздников мы не признаем, и агитацию вы мне тут не ведите! С разводом в лес! И попробуйте только не работать... Это с вами там, в зоне, чикаются, акты составляют да опера тревожат. А я с вами и сам управлюсь... По-рабочему...

И этот злодей дал своим злоденятам конкретное указание. Мы увидели все это. Из барака, откуда они отказывались выходить, повторяя: «Нынче Пасха, Пасха, грех работать», их выгнали прикладами. Но придя на рабочее место в лесу, они аккуратно составили в кучу свои пилы и топоры, степенно расселись на все еще мерзлые пни и стали петь молитвы. Тогда конвоиры, очевидно выполняя инструкцию Кузена, приказали им разуться и встать босыми ногами в наледь, в

296

холодную воду, выступившую на поверхность лесного озерка, еще скованного льдом.

Помню, как бесстрашно вступилась тогда за крестьянок старая большевичка Маша Мино.

— Что вы делаете, — кричала она на стрелков, и голос ее срывался от гнева, — ведь это крестьяне. Как смеете вы восстанавливать их против Советской власти! Жаловаться будем! И на вас управу найдем...

В ответ — угрозы и даже выстрелы в воздух. Не помню уж, сколько часов длилась эта пытка, для религиозниц — физическая, для нас — моральная. Они стояли босиком на льду и продолжали петь молитвы, а мы, побросав свои инструменты, метались от одного стрелка к другому, умоляя и уговаривая, рыдая и крича.

Карцер в ту ночь был забит так, что даже стоять было трудно. И тем не менее ночь прошла незаметно. Все время шел спор между нашими. Как расценивать поведение воронежских? Фанатизм или настоящая человеческая стойкость в отстаивании свободы своей совести? Называть их безумными или восхищаться ими? И самое главное, волнующее: смогли бы мы так?..

Спорили так жарко, что почти полностью отвлеклись от голода, изнурения, вонючей сырости карцера.

Интереснее всего, что ни одна из часами стоявших на льду воронежских не заболела. И норму уже на следующий день они выполнили на сто двадцать.

...Иногда в попытках спастись от настигающей нас гибели некоторые наши пытались найти защиту у местного лекаря. Его отношение к медицине отлично укладывалось в слово «коновал», причем не в переносном, а в самом буквальном смысле: на воле он работал санитаром на ветеринарном пункте какого-то совхоза. Такие явления в лагерной медицине были нередки.

Жил наш лекпом в «уютной хавирке», примостившейся к одной из стен рубленой избы, в которой обитали вохровцы. Хавирка именовалась «амбулаторией», но вход в нее нашему брату не разрешался. Услышав стук в дверь, лекарь выходил на крыльцо и совал больному в руки градусник. Так и мерили температуру, сидя на лавке возле «амбулатории». Лекарь был абсолютным единомышленником Кузена в отношении к «контрикам». Он тоже «не чикался», относился «по-рабочему». Освобождение от работы давал, начиная с тридцати восьми градусов и выше. Все остальные заболевания мужественно именовал «туфтой» и «замостыркой». Положенный же ему лимит на освобождение расходовал исключительно на блатнячек, которые расплачивались с ним то продуктами, заработанными у вохровцев, а то и натурой, так как лекпом хоть и был уже лет пятидесяти, но еще вполне бравый мужчина.

И все-таки настоящее спасение пришло ко мне от медицины. Точнее, меня спас заключенный хирург, ленинградец Василий Ионович Петухов, приехавший к нам на Седьмой вместе с начальником эльгенской санчасти Кучеренко уже в июне.

— Комиссовка! Комиссовка! — радостным благовестом повторялось кругом в этот день.

Комиссовка — это значит для некоторых перевод на вожделенную «работу в помещении», для других — перевод в ОПЭ, то есть оздоровительный пункт, а это значит вернуться в эльгенскую зону, которая по сравнению с лесоповалом кажется землей обетованной, и недели две, а то и три получать, не работая, пайку и «усиленную» баланду. Но даже и для тех, кто остается здесь, после комиссовки будет облегчение. Ведь комиссовки бывают неспроста, а именно тогда, когда «падеж» зэка превысил установленные нормы, когда в интересах производства рабочую скотину надо немного подкормить.

И опять мне повезло: Кучеренко, начальник санчасти, с ученым видом знатока ощупав мои «мослы», вдруг вышел из «амбулатории», и я осталась наедине с заключенным доктором Петуховым. Несколько минут мы молча смотрели друг на друга. На фоне лекпомовской «хавирки», с топчаном, заваленным взбитыми вышитыми подушечками, с веерками «художественных открыток» на стенах, я видела умное интеллигентное лицо настоящего врача. Оно воспринималось как сигнал из навеки оставленного разумного мира.

— Не ленинградка? — пользуясь моментом, тихонько спрашивает он.

— Нет. Но там, в Ленинграде, сейчас мой старший сын. У родных.

Через минуту выясняется, что мой ленинградский родственник доктор Федоров, тоже хирург, отлично знаком Петухову.

— Позвольте... Мальчик? Лет 12-13? Алеша, да? Так я же видел его с Федоровым. В начале 38-го... Перед самым моим арестом. Да, действительно, у него ваши глаза...

Я смеюсь и плачу и хватаю этого незнакомого человека за руки. Он мне сейчас ближе всех на свете. Он видел моего Алешу всего два года назад. А я не видела своих детей уже больше трех лет...

— Я спасу вас, — решительно говорит доктор. — Что за чушь! Конечно, честно. Сравните себя хотя бы с местным медиком.

А вы будете людям добро делать. Своим людям. По-латыни читаете, конечно? Ну и все. На Кучеренко это производит неотразимое впечатление. Ждите вызова в зону.

Он выписал мне освобождение от работы на три дня с диагнозом «алиментарная дистрофия». Я испытала волшебное счастье — лежать в пустом бараке на нарах с книжкой в руках. Да, с книжкой! Ее дала мне блатнячка Лелька. Достала у вохровцев. Она симпатизировала мне и знала, чем потешить. Это был школьный учебник истории для пятого класса. Видно, они учились в заочной школе, наши злоденята.

«Боги жили на Олимпе, — читала и перечитывала я. — Они пили нектар и ели амброзию»... Какое счастье лежать! Не пилить! Видеть, что из букв по-прежнему складываются слова. Пили нектар. Он, конечно, напоминал подснежную бруснику. А вот амброзия? Какова она была на вкус? Наверно, вроде жареной картошки... К концу второго дня моего блаженства я услышала треск прибывшего из зоны трактора.

— С вещами!

На этот раз эти зловещие слова прозвучали благовестом. Ведь мы, вызванные, знали, что уезжаем с Седьмого, с лесоповала, от Кузена...

— Ты в детскомбинат едешь. Медсестрой к детишкам... — добродушно сказал мне молоденький конвоир, приехавший за нами. Я готова была поцеловать его.

По дороге наш прицеп отцепился от трактора и перевернул нас в ледяную, несмотря на июнь, протоку. Но разве это могло иметь значение? Ведь я опять удачно убежала от Смерти.

ГЛАВА ДЕСЯТАЯ

ЗДЕСЬ ЖИЛИ ДЕТИ

Детскомбинат — это тоже зона. С вахтой, с воротами, с бараками и колючей проволокой. Но на дверях обычных лагерных бараков неожиданные надписи. «Грудниковая группа». «Ползунковая». «Старшая»...

В первые дни я попадаю в старшую. Это вдруг возвращает мне давно утраченную способность плакать. Уже больше трех лет сухое отчаяние выжигало глаза. А вот теперь (в июле сорокового) я сижу на низенькой скамейке в углу этого странного помещения и плачу. Плачу без остановку, вздыхая, как наша няня Фима, всхлипывая и сморкаясь по-деревенски. Это шок.

Он-то и выводит меня из оцепенения последних месяцев. Да, это несомненно тюремно-лагерный барак. Но в нем пахнет теплой манной кашей и мокрыми штанишками. Чья-то дикая фантазия соединила все атрибуты тюремного мира с тем простым, человечным и трогательно-повседневным, что осталось за чертой досягаемости, что казалось уже просто сновидением.

По бараку сновали, ковыляли, визжа, хохоча и заливаясь слезами, душ тридцать ребят в том возрасте, в каком был мой Васька, когда нас разлучили. Каждый отстаивал свое место под колымским солнцем в неустанной борьбе с другими. Они нещадно лупили друг друга по головам, вцеплялись один другому в волосы, кусались...

Они пробудили во мне атавистические инстинкты. Хотелось собрать их всех вокруг себя, стиснуть покрепче, чтобы ни один не попал под удары молнии. И причитать над ними хотелось... Опять же по-нянькиному. Да вы ж мои касатики... Да вы ж мои головушки болезные...

Выводит меня из этого состояния Аня Шолохова, моя напарница по новой работе. Аня — воплощение здравого смысла и деловитости. Шолохова она только по мужу. А так-то немка, менонитка, с детства привыкшая к пунктуальности. Таких в лагерях зовут «аккуратистками».

— Послушайте, Женя, — сказала она, ставя на стол котел, благоухающий неземным ароматом мясной пищи, — если вас в таком виде заметит кто-нибудь из начальства, завтра же отошлют обратно на лесоповал. Скажут — нервная... А здесь нужны не нервы, а канаты. Возьмите себя в руки. К тому же пора кормить детей. Я одна не справлюсь.

Нет, грех сказать, чтобы их морили голодом. Кормили досыта и, по тогдашним моим понятиям, кажется, даже вкусно. Но почему-то все они ели, как маленькие лагерники: сосредоточенно, торопливо, старательно вытирая свои жестяные миски куском хлеба, а то и просто языком. Бросались в глаза их не по возрасту координированные движения. Но когда я сказала об этом Ане, она горько махнула рукой.

— Что вы! Это только за едой! Борьба за существование. А вот на горшок мало кто просится. Не приучены. Да и вообще их уровень развития... Ну, сами увидите...

Это я поняла на другой день. Да, внешне они все мучительно напоминали мне Ваську в том возрасте, когда его разлучили со мной. Но только внешне. Васька в свои четыре года шпарил наизусть огромные куски из Чуковского и Маршака, разбирался в марках машин, рисовал отличные дредноуты и кремлевскую башню со звездами. А эти!

— Что это, Аня? Они еще не говорят?

Да, только некоторые четырехлетки произносили отдельные несвязные слова. Преобладали нечленораздельные вопли, мимика, драки.

— Откуда же им говорить? Кто их учил? Кого они слышали? — с бесстрастной интонацией объясняла мне Аня. — В грудниковой группе они ведь все время просто лежат на своих койках. Никто их на руки не берет, хоть лопни от крика. Запрещено на руки брать. Только менять мокрые пеленки. Если их, конечно, хватает. В ползунковой группе они все толпятся в манежах, ползают, смотри только, не убили бы друг друга или глаза не выкололи. А сейчас — сами видите. Дай бог успеть всех накормить да на горшки высадить.

— Надо с ними занятия проводить. Песни... Стихи... Сказки им рассказывать...

— Попробуйте! У меня так к концу дня еле сил хватает до нар доползти. Не до сказок...

Работы, действительно, было невпроворот. Таскать воду четырежды в день из кухни — а она в противоположном конце зоны, — оттуда же переносить тяжелые котлы с едой. Ну и, конечно, кормить, сажать на горшки, менять штаны, спасать от огромных белесых комаров... А главное — полы. Чистота полов в лагерях вообще составляла предмет помешательства начальства. Так называемое «санитарное состояние» определялось только белизной полов. Любая удушливая гарь и вонь в бараках, любые окаменевшие от грязи лохмотья проходили мимо взоров хранителей чистоты и гигиены. Но не дай бог, если недостаточно блестят полы. Так же неусыпно блюли «половой вопрос» и в деткомбинате. А полы были некрашеные, и их надо было скоблить ножом до блеска.

Однажды я все-таки попробовала осуществить свой план занятий по развитию речи. Раздобыв огрызок карандаша и кусок бумаги, я нарисовала ребятам классический домик с двумя окошками и трубой, из которой валил дым.

Первыми отреагировали на мое начинание Стасик и Верочка, четырехлетние близнецы, больше всех остальных напоминавшие «материковых» детей. Аня говорила мне, что их мать Соня — чистая бытовичка, не блатная, а какая-то просчитавшаяся бухгалтерша, спокойная хорошая женщина средних лет — работала в нашей лагерной прачечной, то есть на одной из самых привилегированных лагерных работ. Раза два-три в месяц она, пользуясь знакомством с вохровцами, которых она по блату обстирывала, пробиралась в деткомбинат. Здесь она, тихо всхлипывая, расчесывала осколком гребешка Стасику и Верочке волосики и совала им в рот, вынимая из кармана, ядовито-розовые леденцы. На воле Соня была бездетна, а тут, от случайной связи, сразу пара.

— Так что детей своих она обожает. Да вот перед самым вашим приходом погорела, бедняжка. На связи с вольнягой попалась. Так что сейчас она загремела на самый дальний сенокосный этап. С детьми разлучили, — рассказывает Аня своим бесстрастным менонитским голосом.

А я сразу вспоминаю, что Стасик и Верочка — единственные из всей группы знают загадочное слово «ма-ма». А сейчас, когда маму отправили, они иногда повторяют это слово с грустно-вопросительной интонацией и при этом недоуменно оглядываются вокруг.

— Посмотри, — сказала я Стасику, показывая ему нарисованный мною домик, — что это такое?

— Барак, — довольно четко ответил мальчик. Несколькими движениями карандаша я усадила у домика кошку. Но ее не узнал никто, даже Стасик. Не видели они никогда такого редкостного зверя. Тогда я обвела домик идиллическим традиционным забором.

— А это что?

— Зона! Зона! — радостно закричала Верочка и захлопала в ладоши.

Однажды я заметила, что вахтер на деткомбинатовской вахте играет с двумя маленькими щенятами. Они копошились на какой-то подстилке прямо на вахтерском столе, рядом с телефоном. Наш страж почесывал щенят то за ушами, то под шейкой, и на деревенском лице его выражалась такая умиленность, такой добрый юмор, что я решилась:

— Гражданин дежурный! Дайте их мне! Для детей... Никогда ведь ничего, ну как есть ничего не видали... Кормить будем... В группе остается иногда...

Растерянный неожиданностью просьбы, он не успел стереть с лица человечность и натянуть свою обычную маску бдительности. Я застала его врасплох. И он, приоткрыв дверь вахты, протянул мне щенят вместе с подстилкой.

— Недельки на две... Пока подрастут... А там — вернете. Собаки-то деловые!

В сенях, при входе в барак старшей группы, мы создали этот «живой уголок». Дети дрожали от восторга. Теперь самым страшным наказанием была угроза: «Не пойдешь к собачкам!» А самым большим поощрением — «Пойдешь со мной собачек кормить!» Самые агрессивные и прожорливые ребята с радостью отламывали кусочки своей порции белого хлеба для Бачка и Черпачка. Так назвали щенят именно теми словами, которые были хорошо понятны детям, повторялись в их быту. И дети поняли шутливый характер этих кличек и весело смеялись.

Кончилось все это дней через пять. И большой неприятностью. Главный врач деткомбината, вольный главврач Евдокия Ивановна, обнаружив наш «живой уголок», страшно разволновалась.

Очаг инфекции! Нет, недаром ее предупреждали, что эта пятьдесят восьмая на все способна!

Щенят она приказала немедленно сдать охране, а мы несколько дней ходили как в воду опущенные, ожидая репрессий: снятия с этой легкой работы и отправки на сенокос или лесоповал.

Но в это время началась эпидемия поноса в грудниковых группах, и в больших хлопотах, очевидно, главврач забыла про нас.

— Ладно, — сказала Аня Шолохова, — обошлось! Не будем горевать. Тем более, собачки-то действительно были «деловые». Те самые овчарки, которые вырастут и пойдут с нами на развод. А при случае и схватят любого зэка за горло...

Да, но ведь это еще когда вырастут! А пока... Как «по-материковски» улыбались им наши дети! Как оставляли им еды, приговаривая: «Это — Бачку! Это — Черпачку!»

Впервые догадались, что можно думать не только о себе самом...

...Эпидемия поноса упорно не шла на убыль. Грудники умирали пачками, хоть их старательно лечили и вольные и заключенные врачи. Но условия, в каких вынашивались эти дети тюрьмы, горечь материнского молока, да и климат Эльгена — все это делало свое дело. Главная беда в том, что и этого, прогоркшего от горя материнского молока было мало и с каждым днем становилось меньше. Редкие счастливцы пользовались материнской грудью два-три месяца. Остальные все были искусственниками. А для борьбы с токсической диспепсией не было ничего более важного, чем хоть несколько капель женского молока.

Пришлось мне расстаться с моими старшими. Приглашенный на консилиум заключенный врач Петухов посоветовал перевести меня как «культурную сестру» к больным грудникам. Взялся сам меня проинструктировать. Несколько дней я ходила в больницу заключенных, где работал Петухов, и он в спешном порядке обучал меня всему. Я добросовестно проштудировала «Справочник фельдшера». Научилась ставить банки и делать инъекции. Даже внутривенные вливания. Вернулась в деткомбинат законченной «медперсоной», ободряемая похвалами Петухова.

(За доброту, ум и честность выпало доктору Петухову великое, поистине уникальное в те годы счастье: в том же сороковом его вдруг неожиданно реабилитировали, и он уехал в Ленинград. Говорили, что известный летчик Молоков — брат его жены — лично вымолил у Сталина своего родственника.)

...Кроватки младенцев стоят впритирку. Их так много, что если непрерывно перепеленывать всех подряд, то к первому вернешься не раньше чем часа через полтора. А все подопрели, исхудали, извелись криком. Одни пищат жалобно и тоненько, уже не рассчитывая на результат. Другие орут отчаянно и дерзко, активно отстаивают себя. А некоторые уже не кричат. Только стонут, как взрослые.

Мы как заводные. Кормим из бутылочек, вливаем лекарства, делаем уколы и, главное, — перепеленываем. Крутим без конца бязевые, плохо просушенные пеленки. От этого четырнадцатичасового кружения на ногах, от тяжелого смрада, идущего от огромной кучи измаранных пеленок, — перед глазами туман. Даже есть нам — всегда голодным — уже не хочется. Жидкую манную кашицу, остающуюся от детей, мы глотаем с отвращением, чтобы только поддержать существование.

Но самое ужасное — это то, что каждые три часа, с очередным разводом, приходят «на кормежку» мамки. Среди них есть и наши, политические, рискнувшие произвести на свет эльгенское дитя. С тоскливо-вопросительным выражением лиц они заглядывают в наши двери. И не поймешь, чего они больше боятся: того, что младенец, родившийся в Эльгене, выживет, или того, что он умрет.

Однако основная масса мамок — это блатные. Каждые три часа они устраивают погром против медперсонала. Материнские чувства — отличный повод для бесчинств. С непотребной бранью врываются они в группу, проклиная нас и грозя убить или изуродовать в тот самый день, как умрет Альфредик или Элеонорочка. (Они всегда давали детям роскошные заграничные имена.)

...Когда меня перевели на работу в изолятор, я сначала даже довольна была. Там все-таки поменьше детей, только сложные или острозаразные больные. Там будет физическая возможность каждому уделить внимание. Но оставшись впервые на ночное дежурство, почувствовала почти непереносимый приступ тошноты душевной.

Вот они лежат — маленькие мученики, родившиеся для одних страданий. У того годовичка с приятным круглым личиком уже начался отек легких. Он хрипит и судорожно дергает руками с ярко-синими ногтями. Как скажу матери? Это Маруся Ушакова из нашего барака...

А вот этот — за грехи отцов. Порождение проклятого блатного мира. Врожденный люэс.

Те две крайние девочки умрут, наверно, сегодня, при мне. На камфаре держатся. Заключенный врач Полина Львовна, уходя в зону, долго просила меня не жалеть иглу.

— Пусть хоть до девяти утра протянут... Чтобы экзитус не в наше дежурство.

Полина Львовна из Польши. Только два года до ареста успела прожить у нас. Не то с непривычки к нашим порядкам, не то просто по натуре, но только боязлива она, бедняга, до крайности. Боязлива и рассеянна. Прикладывает фонендоскоп к груди двухмесячного и деловито приказывает ему: «Больной, дышите! Теперь задержите дыхание!» Невропатолог она. Непривычна к детской практике.

Особо запомнилась одна ночь в изоляторе. Не простая, а белая. Одна из последних в том году белых ночей. Нисколько она не была похожа на ленинградскую. Никаких золотых небес и никаких, естественно, спящих громад. Наоборот, нечто первобытное, нечто глубоко враждебное человеку ощущалось в этом студенистом белом разливе, в котором как-то колебались привычные формы: и сопки, и растительность, и строения. Звон ввинчивался не только в уши, но и в сердце. И никакой накомарник не спасал от ядовитых укусов этой летучей нечисти, похожей на обычных материковских комаров в такой степени, в какой разъяренный тигр — на домашнюю кошку.

Свет, как это часто бывало, вдруг погас. Только небольшой ночник слабо мигал на столе, и при его колеблющемся свете я каждый час делала уколы умирающей девочке. Эта пятимесячная дочка двадцатилетней матери-бытовички уже давно лежала здесь, в изоляторе, и каждая дежурная при передаче смены говорила: «Ну, эта, наверное, сегодня...»

А она все теплилась. Скелетик, обтянутый стариковской морщинистой кожей. А лицо... Лицо у этой девочки было такое, что ее прозвали Пиковой Дамой. Восьмидесятилетнее лицо, умное, насмешливое, ироническое. Как будто все-все было понятно ей, на короткий миг брошенной в нашу зону. В зону злобы и смерти.

Я колола ее большим шприцем, а она не плакала. Только чуть покряхтывала и в упор смотрела на меня своими всеведущими старушечьими глазами. Умерла она перед самым рассветом, близко к тому рубежу, когда на безжизненном фоне белой ночи Эльгена начинают мелькать неясные розоватые блики.

Мертвая — она опять стала младенцем. Разгладились морщины, закрылись глаза, преждевременно постигшие все тайны. Лежал изможденный мертвый ребенок.

— Светочка скончалась, — сказала я своей сменщице, передавая дежурство.

— Какая Светочка? Ах, Пиковая... — Она осеклась, взглянув на вытянувшееся тельце. — Правда, на Пиковую больше не похожа. А матери нет... В этап, на Мылгу угнали...

Их нельзя забыть, эльгенских детей. Нет, нет, тут даже и сравнения быть не может с детьми, скажем, еврейскими, в империи Гитлера. Эльгенских детей не только не уничтожали в газовых камерах, но еще и лечили. Их кормили досыта. Я должна подчеркнуть это, чтобы не отступить ни в чем от правды.

И все-таки, когда вспоминаешь плоский, серый, подернутый тоской небытия пейзаж Эльгена, то самым немыслимым, сатанинским измышлением кажутся в нем именно эти бараки с надписями «Грудниковая группа», «Ползунковая», «Старшая»...

ГЛАВА ОДИННАДЦАТАЯ

«ВЕТЕРОК В КУСТАХ ШИПОВНИКА...»

Откуда они взялись, эти дети? Почему их так много? Неужели в этом мире колючей проволоки, дозорных вышек, разводов, поверок, отбоев, карцеров, этапов — кто-то еще может испытывать чувство любви или хотя бы примитивного влечения?

Помню, в юности (которая, к счастью, прошла до эпохи сексуальной революции) меня волновало гамсуновское определение любви. «Что такое любовь? Ветерок ли, шелестящий в кустах шиповника, или вихрь, ломающий мачты кораблей?.. Это золотое свечение крови...»

Этому противостоял циничный афоризм одного из ранних эренбурговских персонажей: «Любовь — это когда спят вместе...»

Для Колымы сороковых годов даже и это определение было бы слишком идеализированным. Когда спят вместе... Но ведь это значит, что у них есть крыша над головой, общая крыша. И какое-то ложе, на котором они могут спать, принадлежа во сне только самим себе и друг другу.

Любовь в колымских лагерях — это торопливые опаснейшие встречи в каких-нибудь закутках «на производстве», в тайге, за грязной занавеской в каком-нибудь «вольном бараке». И всегда под страхом быть пойманными и выставленными на публичный позор, а потом попасть на штрафную, на жизнеопасную «командировку», то есть поплатиться за это свидание не чем-нибудь — жизнью.

Многие наши товарищи решили этот вопрос не только для себя, но и, принципиально, для всех, с беспощадной логикой настоящих потомков Рахметова. На Колыме, говорили они, не может быть любви, потому что она проявляется здесь в формах, оскорбительных для человеческого достоинства. На Колыме не должно быть никаких личных связей, поскольку так легко здесь соскользнуть в прямую проституцию.

Принципиально возразить тут вроде бы и нечего. Наоборот, можно только проиллюстрировать эту мысль бытовыми колымскими сценами купли-продажи живого товара. Вот они, такие сцены.

(Оговариваюсь: я веду речь только об интеллигентных женщинах, сидящих по политическим обвинениям. Уголовные — за пределами человеческого. Их оргии не хочу я живописать, хоть и пришлось немало вынести, становясь их вынужденным свидетелем.)

Лесоповал на седьмом километре от Эльгена. Наш бригадир Костик-артист идет по тайге не один, а в сопровождении пары «корешей». Они деловито осматривают наших женщин, орудующих пилами и топорами.

— Доходяги! — машет рукой «кореш».

— Подкормишь! Были бы кости — мясо будет, — резонерствует Костик. — Вон к той молоденькой давай, к пацаночке!

Улучив минуту, когда конвоиры греются у костра, они подходят к двум самым молоденьким девушкам из нашей бригады.

— Эй, красючка! Тут вот кореш мой хочет с тобой обменяться мнением...

«Обменяться мнением» — это формула вежливости, так сказать, дань светским приличиям. Без нее не начинает переговоров даже самый отпетый урка. Но ею же и исчерпывается вся «черемуха». Дальше высокие договаривающиеся стороны переходят на язык, свободный от всяких условностей.

— Экспедитором я на Бурхале. (Один из самых страшных приисков.) Так что даю сахар-масло-белый хлеб. Сапоги дам, валенки, телогрейку первого срока... Знаю, что тюрзак... Ничего, с вохрой договоримся. Дороже, конечно, станет. Хавира тоже есть. Километра три тут... Ничего, притопаешь...

Чаще всего такие купцы уходили несолоно хлебавши. Ну а иногда и слаживалось дельце. Как ни горько. Так вот и выходило. Постепенно. Сперва слезы, ужас, возмущение. Потом — апатия. Потом все громче голос желудка, да даже не желудка, а всего тела, всех мышц, потому что ведь это было трофическое голодание, вплоть до распада белка. А порой и голос пола, просыпавшийся несмотря ни на что. А чаще всего — пример соседки по нарам, поправившейся, приодевшейся, сменившей мокрые расползающиеся чуни на валенки.

Трудно проследить; как человек, загнанный бесчеловечными формами жизни, понемногу лишается привычных понятий о добром и злом, о мыслимом и немыслимом. Иначе откуда же в детккомбинате такие младенцы, у которых мама — кандидат философских наук, а папа — известный ростовский домушник!

Некоторые из тех женщин, у кого были небольшие сроки и кто успел выйти из лагеря еще до начала войны, но без права выезда на материк (часто бывшие коммунистки со статьей КРТД, получавшие в тридцать пятом всего по пять лет!), перешагнув порог лагеря, стремительно вступали в колымские браки, абсолютно не стесняясь мезальянсов. Помню такую Надю, которая накануне своего освобождения вызывающе швыряла в лицо своим барачным оппоненткам:

— Ну и засыхайте на корню, чистоплюйки! А я все равно выйду за него, что бы вы ни говорили! Да, он играет в подкидного дурака, да, он говорит «моё фамилиё»... А я кончила иняз по скандинавским языкам. Только кому они теперь нужны, мои скандинавские! Устала я. Хочу свою хату и свою печку. И своих детей. Новых... Ведь тех, материковских, больше никогда не увидим. Так рожать скорей, пока еще могу...

Иногда вместо трагического надрыва возникала чистая юмористика. Вот, например, новелла о том, как Соня Больц «вышла замуж не отходя от кассы».

Тихая непритязательная Соня, швейница из белорусского городка, умудрилась отхватить солидную статью — КРТД, чему сама она не переставала удивляться. Из восьми назначенных Соня отсидела уже пять, когда вдруг из Москвы прибыла бумага, в которой Сонины преступления переквалифицировались с «контрреволюции» на «халатность» и срок, соответственно, сокращался до трех лет.

Обезумевшая от радости Соня не обратила никакого внимания на то, что бумага шла ровно два года. Главное заключалось в том, что она должна была сейчас же, незамедлительно ехать в Ягодное, где освобождали. Там производилось священное «оформление» так называемой «формы А», переводившей заключенного в разряд «бывших заключенных», вольноотпущенников.

В Ягодном, в управлении лагерей, открывалось по определенным дням окошечко, вроде кассового. Именно из этого окошечка и принимал дрожащими от счастья руками бывший (уже бывший!) зэка благословенную «форму А». На окрестных приисках всегда знали, когда предстоит освобождение группы женщин с Эльгена, и к этому времени съезжались женихи.

Когда Соня Больц, сложив «форму А» вчетверо, благоговейно увязывала ее в платок, к ней подошел рослый детина в лохматой меховой шапке и хрипловато сказал:

— Я извиняюся, гражданочка... Вы освободились? Ну и лады... Сам-то я с Джелгалы. Человек, хошь кого спросите, самостоятельный. Желаю обменяться мнением...

Соня критически осмотрела претендента и задала несколько неожиданный вопрос:

— Скажите, а вы — не еврей?

— Нет, гражданочка, чего нет, того нет... Врать не стану... Сами-то мы сибирские, с-под Канску...

— И чего это я спрашиваю, — вздохнула Соня, — откуда взяться вольному еврею на этой проклятой земле! Еще хорошо, что вы не этот... каракалпак... Я знаю?

И после небольшой паузы исчерпывающе добавила:

— Я согласна.

Смешнее всего, что эта пара прожила потом долгие годы в добром согласии, а в пятьдесят шестом, после реабилитации, супруги вместе выехали в Канск.

Вот такое — и смешное, и трагическое — окружало нас в нашем странном первозданном быту.

Ну а любовь? Та самая, гамсуновская, которая «золотое свечение крови»? Я утверждаю, что и она порой появлялась среди нас. Сколько бы ни отрицали возможность чистой любви на Колыме наши ригористы (а их было особенно много среди меньшевиков и эсеров), а любовь была. Поселялась иногда в наших бараках, поруганная, оскверненная, захватанная грязными лапами, неузнанная окружающими, но по сути она, все равно ОНА, та самая, «ветерок в кустах шиповника».

Вот, например, одно из ее таинственных появлений.

...Поверка. После пересчета наличного состава нам читают приказ начальницы лагеря Циммерман о взысканиях. Сама Циммерман — особа просвещенная, но ведь она только подписывает приказы, а редактирует их начальник режима. Мелькают формулы: «Пять суток карцера с выводом на работу», «Пять суток карцера без вывода на работу»...

И наконец мы слышим пункт приказа, который вызывает смех даже в наших рядах, среди людей, униженно слушающих с замиранием сердца, кому из них не дано на сегодняшнюю ночь блаженство барачных нар, для кого эта ночь обернется вонючими мерзлыми досками карцера.

«За связь зэка с зэкою, — читает дежурный вохровец, — выразившуюся в простое лошади сроком два часа... пять суток без вывода»...

Позднее это выражение «связь зэка с зэкою, выразившаяся в простое лошади», станет ходовым словцом в нашем лагере. Но сейчас смех быстро стихает, гаснет, сменяясь ужасом. Пропали ОНИ теперь...

ОН — в прошлом актер, мейерхольдовец, ОНА — балерина. Их бывшие профессии создали им на какое-то время привилегированное положение в лагере. В Магадане они оба были включены в состав так называемой культбригады. Этот крепостной театр, поставлявший зрелища начальству, скучающему в глуши, и кормил своих заключенных актеров и под разными предлогами давал им относительную свободу бесконвойного хождения.

Им удается встречаться вне лагеря. Счастье! Счастье особенно острое, может быть, от сознания его шаткости, ежеминутной уязвимости. Оно — счастье — длится ровно пять месяцев. Потом обнаруживается ЕЕ беременность. А для забеременевших в лагере — путь проторенный: этап в Эльген, поближе к «мамкам», к деткомбинату.

Разлука. Штрафница-мамка получает теперь чуни и бушлат третьего срока вместо «пачки» и балетных туфель. Маленький сын умирает в деткомбинате, не дожив до полугода.

Для того чтобы встретиться с НЕЙ, ОН симулирует потерю голоса. Играть на сцене ОН больше «не может», и знакомый нарядчик, обозвав ЕГО ослом, все-таки «устраивает» его в этап на Бурхалу, прииск, расположенный неподалеку от Эльгена.

Теперь, вместо привольной жизни актера крепостного театра, ОН добровольно переносит все ужасы смертоносной Бурхалы. «Вкалывает» в забое. Болеет, «доходит». Через некоторое время ему удается попасть в таежную культбригаду Севлага, которая время от времени приезжает к нам в Эльген и тешит эстрадным репертуаром погибающее от зеленой скуки эльгенское начальство. В задние ряды допускаются в виде поощрения и зэки из придурков и ударников производства.

Встретились! Встретились! Задыхаясь от жгучего горя и от счастья, ОНА стоит рядом с НИМ за кулисами эльгенского лагерного клуба. Постаревшая в свои двадцать шесть, изможденная, некрасивая, единственная, наконец-то вновь обретенная.

Задыхаясь, она повторяет все одно и то же: как похож был на НЕГО маленький сынок, даже ноготки на пальчиках точь-в-точь папины. И как маленького в три дня скрутила токсическая диспепсия, потому что у НЕЕ молоко совсем пропало и малыш был чистый искусственник. ОНА все говорит и говорит, а ОН все целует ЕЕ руки с неотмываемыми, обломанными ногтями и умоляет ЕЕ успокоиться, потому что у НИХ будут еще дети. И ОН сует ей в карманы бушлата куски сэкономленного хлеба и кусочки пиленого сахара, вывалянного в махорке.

У НЕГО большие связи во влиятельных кругах придурков. ЕМУ удается пристроить ЕЕ на «блатную», по эльгенским понятиям, работенку — возчиком на конбазу. Это почти счастье. Без конвоя ведь! ОНА стала поправляться. Опять похорошела. Записки от НЕГО получает регулярно. И на что надеются? У обоих по десятке и по пяти — поражения. А разве надо обязательно надеяться? Перечитает записку сто раз — и смеется от счастья.

Почему же вдруг «пять суток без вывода»? Оказывается, ОН при помощи каких-то знакомых лагерных чинов, покровительствующих искусству, сумел получить фиктивную командировку в Эльген и подстерег ЕЕ с ее лошаденкой около Волчка, в четырех километрах от зоны. И конечно же, они привязали к дереву эту лошаденку, кривоногую низкорослую якутку. А какая-то тварь засекла их и настучала по начальству. Вот и получилось происшествие, караемое карцером: «связь зэка с зэкою, выразившаяся в простое лошади сроком на два часа».

Поверка окончена. Сейчас явится конвоир, чтобы вести наказанных в карцер.

— Только бы ЕГО не тронули, — говорит ОНА, натягивая на себя лохмотья в предвидении промозглой сырости карцера, — только бы не ЕГО! Ведь у него после прииска хронический плеврит...

— Где ОНА? Вот записка!

Катя Румянцева, бесконвойная, возит воду на бычке. Молодчина: сумела-таки пронести записку через вахту!

— Слава богу! Все в порядке! — радостно восклицает ОНА, пробегая записку. — Завтра и послезавтра у них выступление для ягоднинского начальства. Поэтому в карцер его не берут, только выговор объявили... Нужен он им! А я-то что... Я выдержу...

И ОНА первая изо всех карцерных идет к дверям барака, направляясь на пять суток в преисподнюю своей изящной походкой балерины.

Завидуйте им, люди!

ГЛАВА ДВЕНАДЦАТАЯ

МЕЖДУ УРЧЕМ и КАВЕЧЕ

Год работы в деткомбинате — это период лагерной передышки. Каждое утро я благословляю судьбу и доктора Петухова, сделавшего меня «медперсоной». На мне чистая телогрейка. По утрам я выхожу из центральной эльгенской зоны со вторым разводом. И не в колкий туман окоченевшей декабрьской или январской тайги, а в барак деткомбината, теплый и успокоительно пахнущий замаранными пеленками. Ежедневно я получаю солидную порцию манны небесной — жиденькой манной кашки, остающейся от детей. Наконец, я живу в бараке, где дневальной милая Марья Сергеевна Догадкина, где по вечерам гудит железная бочка и булькает в большом чане кипяток. У меня всегда есть возможность укрыться от стужи, а перед сном я могу даже позволить себе роскошь — почитать стихи, всласть начитаться, забравшись на вторые нары в гости к Лене Якимец.

Вот сегодня, например, мы заговорщическим шепотом ВЫДАЕМ друг другу Гумилева. Как он утешает здесь! Как отрадно вспомнить здесь, на Эльгене, что далеко-далеко, на озере Чад, изысканный бродит жираф. Так и бродит себе, милый, пятнистый, точно ничего не случилось. Потом, перебивая друг друга, вспоминаем от начала до конца стихи о том, как старый ворон с оборванным нищим о ВОСТОРГАХ вели разговоры. Это самое главное: уметь помнить о восторгах даже на верхних эльгенских нарах...

> *Старый ворон в тревоге всегдашней*
> *Говорил, трепеща от волненья,*
> *Что ему на развалинах башни*
> *Небывалые снились виденья...*

Лена работает кровельщиком. Целый день кроет бараки финской стружкой. Она очень ценит свою работу. Не то что на общих. Главное — жилье всегда рядом. Всегда можно забежать в барак, когда уж очень сведет руки-ноги. Не в тайге. Но все-таки так намерзнется за день, бедняга, что уже почти сквозь сон добормотывает:

> *Что в полете свободном и смелом*
> *Он не ведал тоски их жилища*
> *И был лебедем, нежным и белым...*

Лена засыпает, а я договариваю:

> *Принцем был отвратительный нищий...*

...Мне-то хорошо: я со вторым разводом. А Лене — с первым. Это в половине шестого утра. Свинцового эльгенского утра. С первым идут кровельщики, работники агробазы, конбазы. А деткомбинат, больница, управление совхоза — это со вторым. На целый час позднее. И какой же он сладкий, этот утренний час дремоты, когда уже все слышишь, но в то же время каждой клеточкой угревшегося под бушлатом тела смакуешь минуты зыбкого покоя.

— Первый развод! — провозглашает Марья Сергеевна. — Вставайте, девушки, кто с первым разводом!

Вот они уже, кряхтя, наворачивают портянки, вот звякают черпачками, наливая в кружки кипяток. А мы поворачиваемся на другой бок, и смутный стыд за эту привилегию не может пересилить великой радости — смежить веки и еще на целый час отсрочить начало нового дня.

Есть еще и третий развод. Но это уже для аристократии, живущей не у нас, а в бараке обслуги. Там придурки: нарядчики, старосты, работники столовой и хозчасти. У них в бараке вместо нар — отдельные топчаны и тумбочки у каждого спального места. Стол в середине барака покрыт промереженной скатертью из чисто вымытой мешковины, а лампочка над столом светит так ярко, что по вечерам вполне можно читать и вышивать.

Самое страшное — когда злодейство входит в повседневность, становится бытом. У нас уже выработалась привычка к этому, с позволения сказать, жизненному укладу, и мы говорим о деталях нашего существования как о чем-то нормальном. Все дальше в прошлое уходят картины прежней, дотюремной жизни, все чаще с искренней убежденностью повторяется остроумная поговорка блатарей: «Это было давно и неправда!»

Никто уже почти не вспоминает о том, кем была, например, на воле Елена Николаевна Сулимова, жена бывшего председателя Совнаркома РСФСР. Научный работник, врач, она воспринимается теперь всеми только как доходяга. Даже не доходяга, а настоящий фитиль. Она не расстается с задубевшим от грязи бушлатом, прячется от бани и ходит по столовой с большим ведерком, в которое она сливает изо всех мисок остатки баланды. Потом садится на ступеньки и жадно, как чайка, глотает эти помои прямо из ведра. Уговаривать ее бесполезно. Она сама забыла себя, прежнюю.

Зато Маруся Острейко, староста зоны, умудряющаяся даже здесь поддерживать перекисеводородный цвет локонов, бегает по зоне в кокетливом меховом тулупчике и звонко кричит: «Женщины, давайте! Давайте, женщины!» Маруся — существо явно высшее, независимо от того, кем она была на воле.

Как ни странно, но и здесь сложилась категория номенклатурных работников. Те, кто уже побывал в нарядчиках, старостах, работниках КАВЕЧЕ, обычно снова попадают в придурки, даже если по какой-либо провинности и были временно сняты с должности.

Наш седьмой барак, где дневальной Марья Сергеевна, предназначен для лагерного третьего сословия. Не для придурков, но и не для «работяг», не вылезающих с общих наружных работ. Здесь живут те, кто имеет уже определенную лагерную специальность и ценится на производстве. Тепличницы с агробазы, возчики и конюхи с конбазы, санитарки, медсестры, уборщицы.

Марья Сергеевна строго требует, чтобы каждая ежедневно приносила с работы хоть по маленькому полешку дров. Вот где хошь, там и бери! Хоть и трудно порой это полешко украсть и пронести под бушлатом через вахту, но все же требование справедливое.

Зато у нас в бараке всегда тепло. И есть котелки — раздобыла Марья Сергеевна, — чтобы вечерами варить потихоньку от надзора удивительные кушанья из мороженого турнепса. И пайки с вечера аккуратно сложены на фанерном подносе и довесочки приколоты щепочками, а на горбушку соблюдается железная очередь. За ночь Марья Сергеевна встанет не раз, чтобы перевернуть сохнущую у железной печки обувь. Так что к утру у нас все сухое.

Хорошо у нас в бараке! Особенно по вечерам, когда так мирно пахнет вареным турнепсом, постирушкой, а иногда даже рыбьим жиром, который умудряются потаскивать работники больницы.

Но весь этот уют расположен на вершине дремлющего вулкана. Потому что существует УРЧ — главная исполнительная власть нашего фантастического государства. И в любой момент может хлопнуть барачная дверь, может войти нарядчик с длинными полосами бумаги в руках. Это списки этапов, составленные в УРЧе. Особенным этапным голосом, беспощадным и заранее отвергающим все вопросы, он будет выкликать фамилии отправляемых на точки командировки. И все будут сидеть на нарах, неподвижные как изваяния, а те, кто услышит свою фамилию, будут тихо охать и скрючиваться, точно в них попала пуля.

Многие считали, что потрясение от вызовов на этап нисколько не легче первого ареста. Даже, пожалуй, тяжелее. Там еще была надежда на ошибку, на недоразумение. А здесь недоразумений быть не может, потому что так решил сам УРЧ. Безошибочно и точно тебя выталкивают из закутка, где ты притаился в надежде, что тебя забудут. Нет, вспомнили. И вот выталкивают тебя снова в ледяную мглу.

Особенно болезненно воспринимали появление в бараках урчевских гонцов и приказных те заключенные, кто находился в Эльгене еще в тридцать седьмом-восьмом, пока мы, тюрзаки, сидели в ярославских одиночках.

— Хоть вы, тюрзаки, и считаетесь самыми-рассамыми опасными политическими преступниками, а ведь, пожалуй, главного-то ужаса вы и не видали, отсиделись от него в своей Ярославке, — говорят нам старые эльгенские жительницы, обладательницы статьи КРТД — Соня Тучина, Маша Ионович, Люся Джапаридзе, дочь расстрелянного бакинского комиссара.

С их слов мы знаем, что означало появление в бараке гонца из УРЧа в тридцать седьмом, в разгар «гаранинщины». Особенно если гонец являлся к ночи.

— На Серпантинку! А оттуда еще никто не возвращался...

Полковник Гаранин, наместник Сталина на этой окоченевшей колымской земле, император и самодержец всеколымский в конце тридцатых годов. Полковник был всем сердцем предан интересам производства. Он так болел за план добычи золота, что не в силах был сдержать праведный гнев, если видел, что какой-нибудь враг народа, симулируя болезнь или слабость от голода, вяло управляется со своей тачкой. И так как полковник Гаранин был натурой порывистой и пылкой, то он нередко выхватывал свой револьвер и сражал симулянта наповал прямо в забое, у рабочего места.

Впрочем, чаще полковник проявлял похвальную выдержку и предварительно заносил фамилии саботажников в записную книжку. Уже потом, на другой день, он издавал приказ: таких-то и таких-то за контрреволюционный саботаж, выразившийся в систематическом невыполнении плана, — к высшей мере наказания.

Такие списки читались на разводах и поверках. Прочтут и добавят: приговор приведен в исполнение.

Иногда люди попадали в гаранинские списки и без личных столкновений с полковником, очевидно просто по характеру своих следственных дел. И снова в бараке появлялся гонец УРЧа, окруженный вохровцами и режимниками.

— Такая-то — с вещами! Еще такая-то — с вещами!

Люди вскакивали с нар и начинали судорожно, с маниакальной настойчивостью разыскивать свои мокрые портянки, сушившиеся у печки. Урчевцы торопили их, довольно прозрачно намекая, что портянки вряд ли понадобятся.

Среди имен невернувшихся мне особенно запомнилось имя старой коммунистки Нушик Заварьян. О ее поступке уже несколько лет передавали из уст в уста. Наша Марья Сергеевна рассказывала историю Нушик каждой новой квартирантке своего барака.

— Видно, надоело ей жить... Гордая была... Голод-холод терпела, а вот унижения-то ей обрыдли. Взяла да и написала начальнику Дальстроя заявление. До каких, мол, пор такой произвол и беззаконие! А самое интересное — это адрес. Как она свое заявление адресовала! «Генерал-губернатору Колымы от заключенного большевика-ленинца Нушик Заварьян»... Ну и увезли на Серпантинку...

Отдельным счастливчикам из попавших в сферу гаранинского правосудия удавалось ограничиться новым сроком. Так и называлось — гаранинский срок. В нашем бараке, например, такой новый десятилетний срок вдобавок к старому получила Лиза Кешви, родственница Николаева, официального убийцы Кирова.

Мы, тюрзаки, прибывшие на Колыму в тридцать девятом, Гаранина уже не застали. Судьба его нам неизвестна. Но позднее мы узнали, что на Печоре существовал некто Кашкетин — двойник Гаранина по стилю и методам работы. Так что ясно: такие «превышающие власть» раздражительные темпераментные полковники, помогающие сталинской юстиции справляться с огромными массами саботажников, не были чем-то исключительным, а составляли часть хорошо разработанного общего плана.

Теперь, после тридцать девятого, деятельность этих людей уже вроде бы отошла в прошлое. В наше время набеги из

УРЧа могли означать всего-навсего отправку на такие работы, где почти невозможно выжить. А новые дела, с расстрелами в итоге, заводились теперь индивидуально, по сексотовским материалам, через оперуполномоченного.

Кроме того, теперь, наряду с УРЧем, нами усердно занималась и КАВЕЧЕ — культурно-воспитательная часть. Это уже само по себе было явлением прогрессивным, так как работа КАВЕЧЕ, очевидно, исходила из допущения, что оголтелые враги народа могут все-таки поддаваться благотворным воспитательным усилиям.

КАВЕЧЕ вывешивала плакаты и лозунги. В столовой: «Мойте руки перед едой!» и «Стланик предохраняет от цинги!». В лагерном клубе: «Через самоотверженный труд вернемся в семью трудящихся». У ворот зоны: «Выполним и перевыполним производственный план совхоза за такой-то квартал!»

Политическое просвещение сводилось в основном к громкой читке газет полугодовой давности. Но у нас, в деткомбинате, заключенные врачи и медсестры допускались на политзанятия, которые проводила с вольняшками главный врач Евдокия Ивановна.

Врачом Евдокия Ивановна стала уже после срока, начав с санитарки. Сейчас ей было за пятьдесят, но она все еще не переставала внутренне удивляться и своей прическе «перманент», и своему волшебному умению писать рецепты по-латыни. Безгранично преданная строю и фанатически верующая в марксизм-ленинизм, она без тени сомнения приняла на веру все, что ей говорили о террористах и диверсантах при ее оформлении на работу в системе Дальстроя. Однако крестьянское чувство реальности заставляло ее порой как-то пристально приглядываться к нам и даже пускаться в туманные рассуждения насчет коварных агентов международного империализма, сумевших обойти и втянуть в свои гнусные дела молодых и в общем-то вроде бы неплохих бабенок.

Исходя из этой своей теории, Евдокия Ивановна и предложила нашему КАВЕЧЕ допускать нас — заключенных работниц деткомбината — на ее политзанятия. Старательно подавляемое чувство человечности и сочувствия нам вылилось у нее в горячее желание перевоспитать нас, врагов народа, непостижимо оказывающихся при повседневном общении добросовестными работниками и даже, черт возьми, славными людьми. Главврач твердо решила помочь нам вернуться в семью трудящихся. Именно для этого она и включилась в число добровольных активистов нашего КАВЕЧЕ.

Мои чувства к главврачу были совершенно такие же. Мне тоже ужасно хотелось заняться ее воспитанием. Потому что, несмотря на все ее пространные речи о величии Сталина и злодействах врагов, пробравшихся на командные посты в нашей партии, несмотря на весенний эпизод со щенятами, я чувствовала симпатию к этой типичной рабфаковке и женотделке, научившейся писать рецепты по-латыни. Почему-то мне казалось, что и мои когдатошние усилия вложены в дело превращения санитарки Дуси в главврача Евдокию Ивановну. Иногда я так ясно представляла себе эту Дусю преданно слушающей мою лекцию, сидя на первой скамейке большой рабфаковской аудитории.

Но поскольку мне, заключенной медсестре, вряд ли пришлось бы теперь заняться ее воспитанием, я охотно согласилась пойти послушать, как она будет перевоспитывать меня. Пусть в непосредственном человеческом общении начинает помаленьку мучиться: если, мол, это враги, то кто же тогда порядочные люди? Лиха беда — начало. Одним словом, я аккуратнейшим образом, даже после ночной смены, посещала политзанятия у Евдокии Ивановны, тем более что она все же давала хотя бы отрывочные сведения из недоступных нам свежих газет.

Отчетливо помню одно такое занятие. Мы изучали доклад Молотова. В докладе говорилось о прогрессивном значении гитлеровского режима для укрепления германской экономики. Ликвидирована безработица. Построены новые автострады. За восемь лет национал-социалистского руководства Германия из страны нищей, раздавленной Версальским договором, превратилась в одно из ведущих европейских государств.

Евдокия Ивановна немного понизила голос и конфиденциально посоветовала нам на данном этапе наших отношений с мощным соседом не употреблять термин «фашисты», а пользоваться выражением «немецкие национал-социалисты». При этом она хитро и добродушно подмигнула нам, давая понять, что такая форма учтивости приносит нам сейчас большие выгоды, о которых наивные гитлеровцы поди и не догадываются.

...Так и прошел этот год, самый, пожалуй, спокойный в моем лагерном существовании. В изнурительной, но все-таки выносимой работе. В вонючем волглом тепле нашего великолепного седьмого барака. В ночных страхах перед этапами. Под эгидой двух решающих сил: УРЧа и КАВЕЧЕ.

А время бежало все стремительней. Приближался июнь сорок первого.

ГЛАВА ТРИНАДЦАТАЯ

ВОЙНА! ВОЙНА! ВОЙНА!

Весть о ней распространилась, как пожар в тайге.

— Немцы! Фашисты! Границу перешли...

— Отступают наши...

— Не может быть! Сколько лет твердили: «Своей земли ни пяди не отдадим!»

До утра не спят, гудят эльгенские бараки. Мы точно пробудились от нелепого мучительного сна. Нежданный удар как бы протрезвил нас, и мы оглядываемся вокруг с недоумением.

Почему мы здесь? Зачем с серьезным видом играем в эту дьявольскую игру? Повторяем на поверках: «Статья, срок...» Выстраиваемся в очередь, чтобы пройти через вахту? И как это случилось, что мы так измельчали? Так всерьез стали устанавливать порядок получения пайки с горбушкой?

Нет, сейчас мы уже не пильщики, не возчики с конбазы, не няньки из деткомбината. С необычайной яркостью вдруг вспомнили «кто есть кто»... Спорим до хрипоты. Стараемся уловить перспективы. Не свои, а общие. Люди поруганные, истерзанные четырьмя годами страданий, мы вдруг осознаем себя гражданами своей страны. За нее, за нашу родину, дрожим мы сейчас, ее отвергнутые дети. Кое-кто уже раздобыл бумагу и огрызком карандаша выводит: «Прошу направить меня на самый опасный участок фронта. Являюсь членом Коммунистической партии с шестнадцатилетнего возраста...»

Точно и не лежит между нашими колымскими бараками и Землей Людей тринадцать тысяч километров и тонны злобы, клеветы, мучительства...

— Может быть, ОН опомнился? Ведь сказал «Братья и сестры»... Никогда раньше этого не было... Может, дрогнуло наконец сердце?

— Вряд ли ТАКОЕ сердце может дрогнуть... Но рассудок... Рассудок ему подскажет, что нет толку гноить в тюрьмах миллионы людей, готовых голыми руками на фашистов кинуться. Ведь в глубине души знает, кто мы...

В эти лихорадочные дни и ночи все больше всего завидовали Маше Миронович. Ее пятилетний срок кончался буквально на днях. И конечно же, Маша поспешит на фронт. Только тревожились, удастся ли ей добраться до своей охваченной пламенем Белоруссии.

— Пробьюсь... Я тамошняя... Где лесом, где бережком...

Но однажды вечером, вернувшись с работы, мы застали

319

Машу Миронович лежащей на верхних нарах. Глаза ее были воспалены и устремлены в одну точку. Марья Сергеевна, дневальная, делала всем отчаянные знаки: не выспрашивайте, молчите, пусть отойдет человек...

Потом мы узнали: Машу вызвали в УРЧ и дали ей расписаться в том, что она оставлена в лагере до конца войны. Маша оказалась номером первым в списке нового лагерного сословия — так называемых пересидчиков. В течение ближайших шести лет число их все увеличивалось. Сначала они пересиживали свои сроки «До окончания войны», потом просто «До особого распоряжения».

А еще через день на разводе раздался властный голос начальника режима. Команда его на этот раз была не сразу понята нами.

— А ну, все, кто на БЕРГИ, на БУРГИ, на ШТЕЙНЫ всякие — влево давай! Которые вообще там разные Гин-ден-бур-ги или Дит-ген-штейны,..

Организовывался немецкий барак с усиленным режимом. Началась паника. Начались, как всегда, курьезно-трагические недоразумения. Кричали на Аню Шолохову. Как она посмела укрыться под русской фамилией! Раз она фашистка! Какой там русский муж! Хорош русский — на фашистке женился!

Одна из блатнячек билась в истерике, клянясь, что фамилию Шифмахер она приобрела с последним украденным паспортом. Черт же его знал, что война начнется! Она и выговорить-то путем никогда эту фамилию не могла и всегда говорила просто Шахермахер. А так-то, в натуре, у нее установочные данные — Карякина Ольга Васильевна. Только тот паспорт еще давно был похерен... Еще когда первый раз загремела... Чего ж вы меня, землячки, в фашистский барак толкаете?

Поскольку режимник сформулировал четко: «Все, кто на БЕРГИ и на БУРГИ», то я механически подпадала под этот странный признак. Дежурный вохровец-казах, не шибко просвещенный «по-национальному», привязался вплотную:

— Давай, ГинзБУРГ (нещадно ударяя на криминальное окончание!), давай с вещой в немецкий барак!

Хорошо, что удалось убежать в УРЧ, уговорить инспекторшу «поднять дело», установить гражданство и национальность. Еле-еле отбилась.

Первый раз в мировой истории оказалось выгодно быть еврейкой!

...Наш главврач Евдокия Ивановна, рискуя репутацией, умоляла УРЧ повременить хоть с недельку с нашим снятием с работы. Тщетно! Было уже ясно, что вопреки нашим розовым иллюзиям о всенародном (в том числе и нашем) единстве в защите родины, врагов народа не только не причисляли к народу, но наоборот — в военных условиях режим мест заключения резко ужесточался. Нам, по нашим статьям, полагалось работать только на общих подконвойных тяжелых наружных работах. Главврачу предлагалось обходиться услугами уголовных. Напрасно Евдокия Ивановна со слезами доказывала, что этих бандиток к детям нельзя подпускать на пушечный выстрел. Вольные? Да ведь всего три вольных медсестры на весь деткомбинат...

Но УРЧ твердо стоял на своем. Террористов, диверсантов, шпионов — под неусыпный конвой! Неужели главврач не понимает? Война ведь, война!

Прощай, деткомбинат, моя тихая заводь! Уже на третий день войны нас всех снимают «по статьям». Срочно, до оформления этапов на отдаленные лесные точки, из нас создают полевую бригаду. В производственном смысле она никому не нужна, и Полевой Стан не знает, чем занять нас. Но это неважно. Важна подконвойность. Бдительность конвоиров возросла на сто процентов. Нас непрерывно пересчитывают, переставляют «по пяти!», проверяют установочные данные. В промежутках мы что-то такое пропалываем или окучиваем под неистовыми таежными лучами, отражая атаки комариных полчищ.

— Накомарники выдайте! Сил больше нет!

— Где их взять-то! Ничего, обойдетесь... Не до вас теперь... Сколь сейчас лучших людей кажный день ни за что пропадает, а уж вы-то...

И Федя-татарин, конвоир, раньше славившийся своим добродушием, смотрит на нас таким взглядом, точно это именно мы пустили гитлеровские шайки на поля Белоруссии.

Через несколько дней такой, с позволения сказать, работы на Полевом Стане наши руки и лица превращаются в сплошной расчес, в страшные опухоли, нагнаивающиеся от пыли, зудящие до того, что хочется выть вслух.

По ночам — обыск за обыском. Только успеешь сомкнуть воспаленные веки, как хлопает барачная дверь и врывается, заполняя собой все пространство, зычный голос Лидки-помстаросты.

— Встать! Строиться! — и уже потише, как бы с ремаркой «в сторону»: — Давайте, бабы, давайте быстро... Шмон, шмон, великий шмон...

Мы выстраиваемся шеренгой вдоль нар, а вохровцы и блатнячки из старостата бросаются на наши нары, нижние и верхние. Погром! Можно бы сказать — пух летит! Но пуха нет. Уже четыре года мы спим только на узлах и на соломе. Зато беспощадно изымаются так называемые личные вещи, и даже те, что официально получены в посылках. В помойку летят все изобретения нашего технического гения: самодельные котелки и сковородки. Еще чего выдумали — стряпать тут! До основания разрушается та кустарная оседлость, которую с такой неистребимой женской изобретательностью создала себе каждая на своих трех досках.

— Фотографические карточки? Запрещено! Вышивки на мешковине? Не разрешается! Собственная ложка? А откуда вы ее взяли? Нет тут у вас ничего собственного!

Так сталкивались в неразрешимом конфликте два встречных потока мыслей и чувств, два типа реакции на войну.

Мы готовы все забыть и простить перед лицом всенародного несчастья. Будем считать, что ничего несправедливого с нами не сделали. Только дайте нам хоть теперь не сидеть здесь на потеху садистам, на ублажение параноиков. Пустите на фронт! Ведь война! Ведь фашисты!

Наши тюремщики: закрутить режим! На уничтожение! Какие сейчас могут быть церемонии с врагами народа! Ведь война! Ведь фашисты!

Тут действует, видимо, инерция клишированных формул, вбиваемых в головы с детства. «В ответ на вылазку того-то усилим то-то» или: «Никакой пощады врагам...» А каким врагам — потом выяснится... По непостижимой схоластической аргументации ненависть, адресованная гитлеровцам, проливается на нас. Ведь тех врагов, которые все глубже с каждым днем врезаются в просторы России, отсюда, с Колымы, не видать. А эти, доморощенные «враги народа», под рукой. Раззудись же, плечо, размахнись, рука!

КАВЕЧЕ почти свернуло работу. Нам сейчас не передают писем из дома, не читают даже прошлогодних газет. Да, нам ничего не сообщают, но удивительно — откуда-то мы все равно узнаем о событиях. И самое страшное в нашей страшной жизни — это названия городов. Они поджидают нас в бараке, когда мы, полуживые, возвращаемся с Полевого Стана.

Смоленск. Минск. Киев. Господи, неужели Ростов? Не может быть! Но оно есть. Тоже безумие. Другой аспект безумия, которым так щедро одаряет нас этот выпавший на нашу долю век.

По ночам мы с Леной все-таки продолжаем читать друг другу стихи. Шепчемся на верхних нарах, хоть на нас и покрикивают. Теперь чаще всего повторяем Блока:

И век последний, ужасней всех
Увидим вы и я.
Все небо скроет черный грех,
На всех устах застынет смех...
Тоска небытия...

Блок предчувствовал. А нам выпало — увидеть. Наряду с правдивой информацией, проникающей в лагерь неизвестно откуда, возникают и фантастические слухи-выдумки, так называемые «параши».

— Слыхали? Колыму продают Америке!
— С людьми или без людей?

Возможность торговли людьми — в частности, нами — никого не поражает.

— Хорошо бы с людьми!
— Бросьте чуть молоть!
— Почему чушь? Китайскую железную дорогу ведь продали... Без людей, правда.

И уже готов страстный спор между теми, кто мечтает о спасении любой ценой, и теми, кто, черт с ним, хоть подохнуть, да дома... Подытоживает голос скептика:

— Не спорьте! Разве непонятно: если бы такое и было, то перед такой акцией нас всех выведут в расход... Мы слишком много знаем, чтобы нас продавать за границу...

Кроме общего горя страны, которое мы, отверженные, переживаем еще острее, еще изумленнее, чем другие, у каждого теперь есть еще свой собственный ужас. Дети! Наши дети! Ведь в этой обстановке растопчут прежде всего их, наших сирот...

У многих семьи в тех городах, которые уже заняты фашистами. Пройдет некоторое время, и мы узнаем, что гитлеровцы расстреляли в Ростове четырнадцатилетнюю Ларочку, дочку нашей соседки по нарам. Фотографией этой удивительной красавицы мы всегда любовались, а когда мать читала нам вслух ее письма — заслушивались. Надо же, при такой наружности еще и душа такой редкостной красоты. Ларочку — полукровку, полуукраинку, полуеврейку — расстреляли по доносу ее школьной подруги, ревновавшей Лару к однокласснику.

Теперь все чаще между названиями городов я слышу слово, которое откликается во мне самым кровным, самым раздирающим. Ленинград. Алеша. Первенец мой.

Нет, это мне не кажется задним числом. Я знала, что потеряю его. Никогда не говорила себе этого словами, но всегда ощущала безошибочностью инстинкта. Он был еще жив в эти первые месяцы войны, а я уже стыла от отчаяния и сверлила темноту ночного барака бессонными глазами. Не в силах была от этой угрозы пальцем пошевельнуть. Коченела, как мертвая. Знала.

Днём я стараюсь быть, что называется, разумной. Ведь нам всегда кажется, что разумно именно то, что заглушает единственно верный нутряной пророческий голос. Я выслушивала утешения товарищей. Конечно, он не успеет попасть на фронт. Ведь ему еще нет и шестнадцати. Война кончится. И от себя добавляла вслух, что мои ленинградские родственники, приютившие Алешу, хорошие, солидные люди. Они, конечно, сделают все, чтобы вовремя эвакуировать мальчика. Так говорила и старалась думать днем. Но по ночам твердо знала, что еще и эта главная казнь моей жизни уготована мне, и вот он настанет, час ее исполнения.

...Однажды мимо Полевого Стана, где мы что-то пропалывали, прошла вольная медсестра из деткомбината. Эта Анечка — колымский вариант людоедки Эллочки Щукиной — прибыла сюда за «длинным рублем», чтобы в дальнейшем посрамить своими туалетами если не дочку Вандербильда, то уж во всяком случае всех модниц своего родного города Бузулука.

В либеральные довоенные времена Анечка иногда приходила ко мне на мое ночное дежурство в изоляторе деткомбината и с пристрастием расспрашивала, как, мол, там, на курортах, ответственные дамы одевались-то? Поскольку сама Анечка дальше Бузулука нигде не бывала. При всем том Анечка была очень добра, чувствительна, легко плакала от жалости к больным детям и их злополучным матерям, совала кормящим «мамкам» куски сахара и конфеты. Мне она всегда оказывала неоценимую услугу: переправляла мои письма к маме «через волю». (Мама была моим единственным адресатом. Детей, сестру я не хотела компрометировать «связью с репрессированной».) Я оглянулась. Конвоир далеко. Бросилась к Ане.

— Анечка, родная! Дайте маме телеграмму! Ведь она там сейчас умирает от тревоги. И спросите ее, где Алеша. Анечка!

— Что вы! — Жест древнеримской матроны. Возмущенное подрагивание мочальных крашеных кудряшек. — Что же я несоветский человек, что ли! Такая война, а я буду врагам народа помогать...

Но пройдя мимо меня всего несколько шагов, Аня вдруг оборачивается, возвращается ко мне и... Простецкая бузулукская деваха берет-таки верх над римлянкой, только что получившей на занятиях по политграмоте урок высоких гражданских добродетелей.

— Не плачьте! Пошлю! Адрес помню. Беда мне с вами... Сам черт не разберет, кто тут плохой, кто хороший...

...У вахты, на разводе, блатнячка Лелька, которую толкнул и, не рассчитав удара, сбил с ног молодой здоровенный конвоир, закричала, истерически взвизгивая на верхних нотах:

— Служишь Советскому Союзу, падла? Там люди кровь проливают, а ты тут баб лупишь да бабьи подолы стережешь, вояка! Ишь ряшку-то отъел, падлы кусок!

Лельку тут же утащили в карцер. Но конвоир просто дрожал от оскорбления. Лицо его пошло пятнами. Он даже испытывал потребность оправдаться перед такими никчемными свидетелями этой сцены, как мы.

— Подтянись, говорю! — зверским голосом вопил он, шагая вдоль нашего строя. — Подтянись, говорю, бес вас навязал на мою шею. Сдались вы мне, чтобы я стерег вас, выродков! Сто разов просился на фронт, так ведь не пущают!

Приближалась осень, начинался сезон лесоповала. Если до войны при отборе на эту тяжелую работу еще могла играть какую-то роль лагерная медицина, спасавшая иногда самых ослабленных, цинготных, то теперь забирали поголовно всех, только «по статьям».

Мне выпала на этот раз отдаленная таежная точка Сударь. Говорили, что там валят не обычный лес, а строевой. Рассказывали, что там у женщин из прежних этапов от непосильных подъемов тяжестей выпадение матки стало самой повседневной болезнью, вроде легкого гриппа. Но был среди этих толков и один хороший слух: командиром ВОХРы туда назначен Артемов, добрый человек.

— Это вохровец-то добрый?

— А что, не бывает разве?

Но споры теперь увядали, не разгоревшись. Не седьмой вагон. Уже нет сил языком шевелить. Помалкиваем. Бредем своим строем загробных теней именно так, как я сочиняла в своих стихах о Колыме:

> И я бреду в толпе других невольниц,
> Как персонаж с картины Кете Кольвиц,
> Сутулая спина и мертвый взор...

ГЛАВА ЧЕТЫРНАДЦАТАЯ

СОРОК ДЕВЯТЬ ПО ЦЕЛЬСИЮ

Сорок девять — это самое худшее, что только может быть. Потому что только начиная с пятидесяти вводится в действие официальный гуманизм санчасти. Пятьдесят градусов мороза — это уже актированный день, на работу в лес идти не надо. Но попробуй добиться у вохровца по прозвищу Веснушчатый признания того, что да, это именно пятьдесят, а не сорок девять!

Градусник висит на черной бревенчатой стене вохровского барака. Он кажется анахронизмом. Как будто общая мировая катастрофа уже произошла, а на земле — снова первобытной, изначальной — случайно уцелел этот обломок погибшей цивилизации.

— Ну посмотрите! Вот с этой стороны взгляните! Ясно видно — пятьдесят, — говорю я, поднося спичку к мерцающему ртутному столбику. Веснушчатый, хрустя новым белым дубленым полушубком, подходит ближе, высекая огонь из зажигалки.

— Аккурат сорок девять!

Ноябрь. Декабрь. Январь. Февраль... Ежедневно жизнь начинается для меня именно с этого диспута: сорок девять или пятьдесят? А пайки все меньше и меньше. Уже по первой категории, по самой высокой лесоповальной выработке, четыреста граммов. А кто ее выработать может, первую-то категорию? Еле на ногах стоим.

Мороз и голод. Голод и мороз. Пожалуй, это была самая черная, самая смертная, самая чумная из всех моих лагерных зим.

А ведь мне еще сравнительно с другими здорово повезло. При отправке нашего сударского этапа из центральной эльгенской зоны, уже в самый последний момент, когда Марья Сергеевна со слезами провожала нас, прибежала Лидка-помстаросты и передала мне от УРЧа, что я там буду только на половинной норме. Дров напиливать только полдня, да и то для отопления бараков, помещения охраны, кухни и амбулатории. А вторую половину дня — лечить. Поскольку больше никаких медперсон среди нас нет, а я за год работы в деткомбинате с врачами уже наверняка выучилась на лекпома. Вот и пусть по вечерам больных принимает. Да пусть спасибо скажут, поскольку она тюрзак, а время военное, кантоваться да рассиживаться в амбулаториях не приходится.

Вот почему я и допущена к ежедневному препирательству с Веснушчатым. Акт о невыводе зэка на работу по случаю актированного дня должен быть подписан вохрой, бригадиром и представителем медицины. А погодой в нашей усиленной вохре, состоящей из семи солдат, ведает как раз Веснушчатый. Командир наш (его мы называем настоящей фамилией — Артемов, потому что он действительно добрый парень) сам знает, что для такого дела он малость мягковат. Вот и назначил Веснушчатого. А уж тот признает пятьдесят не раньше, чем увидит минимум пятьдесят три.

Сударь в восемнадцати километрах от эльгенской центральной зоны. И он сказочно красив, этот уголок девственной тайги. Величественный строевой лес, устремляющий кроны прямо к звездам. Таежная река, своевольно опрокинувшаяся против высокого неба, сильная даже под сковавшим ее льдом. Сопки как изваянные. По ночам небо пламенеет созвездиями, какими-то нестерпимо древними, переносящими в начало начал.

И главное — он полон топлива и пищи, наш Сударь, где мы умираем от голода и холода, где мы подыхаем, доходим, догораем, доплываем, дубаря даем... То и дело мимо нас пробегают, переваливаясь, ослепительно белые куропатки, с деревьев доносится уханье глухарей. Река полна рыбы местных пород: хариусы, каталки, даже омули. Стоят в снежном убранстве непроходимые заросли смородинных и малиновых кустов, кедровых орешков. Если бы уметь, если бы сметь принять ту пищу что предлагает тайга.

Но мы не умеем и не смеем. Даже вохровцам недосуг заняться охотой или рыбной ловлей. У них дел по горло. Им надо гонять, таскать, пересчитывать, отчитываться, бояться приездов начальства. Да и как не бояться! Ведь не угадаешь! Если застанут теплонатопленные бараки, а в них жилые съедобные запахи, — могут скривить губы и зловеще бросить: «Уютно устроились! На фронтах лучшие люди гибнут, а тут... курорт!» Но с другой стороны, не исключено, что, застав ледяные оползни в углах бараков, несколько человек больных доходяг, стонущих на нарах под грудой лохмотьев, могут вдруг заорать совсем в другом ключе: «Как мухи мрут тут у вас! Архив «А» разводите! Интересно, кто план выполнять будет, если все передохнут? Пушкин?» И тут же опять-таки помянут тех лучших людей, гибнущих на фронтах, теперь уже с явным намеком на тех, «кто окопался тут баб сторожить», отсиживаться от войны в теплых вохровских бараках...

Впрочем, о бараках здесь можно говорить лишь очень условно. Только вохровская хата еще на что-то похожа. А наше жилье — это две хижины, обросшие льдом, засыпанные снегом, покосившиеся, с дырами в потолке. Каждый день затыкаем эти дыры заново лохмотьями от старых списанных бушлатов. Трясущаяся от всякого порыва ветра хавирка — это кухня. Что касается «амбулатории», то она прилепилась сбоку к бревенчатому вохровскому домишке, тоже основательно продувному. Вот и вся сударская командировка, становище печенегов...

В амбулатории я провожу только три вечерних часа, когда работяги возвращаются из леса. Смазываю йодом ссадины, выдаю аспирин «от головы» и салол — «от живота», накладываю ихтиоловые повязки на фурункулы и повязки с рыбьим жиром на отмороженные места. Кроме того, выдаю по ложке рыбьего жира внутрь. Выдаю из собственных рук, вливаю собственноручно в благоговейно раскрытые рты. Я священнодействую, замирая от страха — не пролить бы хоть каплю вожделенной жидкости, в которой материализованы все наши надежды на жизнь.

Эта процедура — источник нескончаемых сомнений и мучительных раздумий для меня. Дело в том, что рыбий жир выдается только на «резко ослабленных», примерно на половину состава. Но как отобрать? Как будто здесь есть не резко ослабленные! И я решаю этот вопрос вопреки партийным установкам о недопустимости уравниловки. Пусть по неполной ложке, но всем! На сколько уж хватит. А там... Загадывать даже на день вперед нам не приходится.

Этим моя медицинская практика исчерпывается. А весь день, с шести утра, я работаю пильщиком. На свежем воздухе при температуре по Цельсию и по Веснушчатому — сорок девять. Пилю, пилю, пилю... Даже во сне передо мной продолжают мелькать баланы, толстые и тонкие, тяжеленные и полегче, сучковатые и гладкие. Дров надо много. Особенно для вохры. Они тепло любят.

Но разве можно сравнить мою пилку с той, что в тайге! Во-первых, у меня козлы, крепко придерживающие балан. Во-вторых, мне только распиливать, не валить с корня, не складывать штабелями. А главное — у меня жилье рядом. В любой момент могу зайти в барак и погреться не у костра, клубящегося черным смолистым дымом, а у железной печки.

Да, я привилегированный человек. Он действительно спас меня, милый доктор Петухов, сделав медперсоной. Дай ему бог забыть, что есть на свете Колыма!

Тем острее ощущение моральной ответственности, долга перед моими товарищами, которые в данный момент несчастнее меня. До спазм в глотке сражаюсь с Веснушчатым за актировку дней.

— Пятьдесят!

— Аккурат сорок девять!

— Пятьдесят! Буду жаловаться в санчасть...

— Хо-хо... Напужала! Вот подам рапорт, так сама на общие загремишь.

На освобождение работяг от работы по болезни лекпому

спущена строгая норма. **Ко мне уже дважды приезжал с инспекцией начальник санчасти Кучеренко, и между нами происходили удивительные диалоги.**

— Который лекпом превышает норму бюллетеней, тот недолго прокантуется в санчасти, — многозначительно говорит Кучеренко, поднимая на меня свои тяжелые, обожженные морозом веки. — Сейчас «Все для фронта» — лозунг (с ударением на У.)

— А от полумертвых людей какая фронту польза, гражданин начальник? Только архив «А» разводить. А за него ведь тоже не похвалят.

— Гм... А диагноз зачем всем пишете «алиментарная дистрофия»? Или других болезней у вас тут нет?

— А я вообще мало диагнозов знаю, гражданин начальник, — с подкупающей доверительностью отвечаю я, — по-моему, это все от голода. Ну, а по-латыни это называется алиментарная дистрофия.

Странно, но это так и было. Других болезней почти не наблюдалось. Ни воспалений легких, ни острых бронхитов, ни гриппов, казалось бы таких естественных при двенадцатичасовом рабочем дне на морозе. Никаких тифов... Только фурункулы и трофические язвы. Только шатающаяся, почти без центра тяжести, походка. Только воспаление десен и зубы, которые можно вынимать изо рта просто пальцами.

И я действую примитивно, исходя все из той же уравниловки. Нам она сейчас больше всего подходит. В порядке очереди — и все тут. Каждый вечер, после отбоя, я захожу в барак и, соблюдая строгий порядок и последовательность, наклоняюсь то к одной, то к другой скрючившейся на нарах фигуре.

— Надя, завтра вы не работаете. Вы завтра больны. И вы, Катя, тоже.

Потом несу бумажку со списком освобожденных от работы на завтра в вохру, к командиру Артемову. Он, оглянувшись на своих служак, притворно строго покашливает.

— Многовато что-то освобожденных-то...

Потом набрасывает на плечи полушубок и так же строго добавляет:

— Пройдемте по баракам. Санитарное состояние проверим...

Мы выходим с ним из духоты их жилья, провонявшего махоркой, овчиной, грубым жирным варевом. Мы выходим под волшебный звездопад зимней таежной ночи. В целомудренную белизну ее снегов. Идем тихонечко по дорожке, протоптанной от вохровского домика к баракам работяг. И начинается разговор, в котором только обращения «командир» и «лекпом» напоминают о том, где мы находимся.

— Беда, лекпом! Под Москвой ведь Гитлер-то!

— Но не пройдет ведь, а? Скажите, командир, не пройдет?

— А бес его знает! Не должны бы вроде пустить... А вот проснусь среди ночи — да так и захолону весь. Мыслимо ли? Ведь двадцать пять лет советской власти... Как думаешь, лекпом, союзникам-то доверять можно?

Его тревога, смятение, боль рвутся наружу, и нет им выхода в обществе Веснушчатого или вечно гогочущего Монгола. И происходит неслыханное, подрывающее все основы: делится он своей неизбывной тревогой с женщиной из загадочного племени «врагов народа». В великом своем страхе за страну, перед угрозой крушения незыблемого, он, простой, умный и добрый человек, доверяет теперь своей интуиции больше, чем казенным инструкциям.

Мы тихонько шагаем по узкой тропке между высоких ослепительных сугробов и вдруг замечаем, что небо над нами пылает.

— Смотрите! Северное сияние!

Оно оказалось совсем некрасивым жидким красноватым заревом. А на фоне его — сполохи, сполохи, беспорядочно пульсирующие огни.

Перед тем как зайти в барак и натянуть на лицо непроницаемую маску, командир вохры Артемов задумчиво резюмирует:

— Я так думаю: кто эту зиму перезимует — хоть здесь, хоть там, под Москвой, — тот уж жив останется. Верно?

Не знаю. Сама каждый день консультируюсь на эту тему — можно ли пережить такую зиму — с настоящим квалифицированным врачом, с Ольгой Степановной Семеняк. Она недавно этапирована сюда, к нам, на общие работы. Сурово покарала ее начальник ОЛП Циммерман. За то, что, являясь врачом центральной эльгенской зоны, Ольга Степановна тайком посещала молитвенные собрания религиозниц в лагерной кипятилке. Это были сектанты, адвентистки седьмого дня.

Ассистент Харьковского мединститута, Ольга Степановна в практической лагерной жизни — дитя малое. Ей и десятой доли сударской лесоповальной нормы не выполнить. А это — голодная смерть. Спасаем ее все вместе, как можем. Крохами хлеба, частыми «бюллетенями».

— Ну как, Ольга Степановна? Выживем?

— Гм... Вообще-то... Трофическое голодание... Расстройство всех функций... Глубокое нарушение белкового обмена...

— А все равно не похожи на умирающих. Послушайте, как разговаривают, как мыслят...

Ольга Степановна в ответ цитирует библейское — о немощной плоти и бодром духе. Да, как это ни странно, но дух если не бодр, то во всяком случае деятелен. Вопреки разрушению организма, внутренняя жизнь шла активно. Писали интересные содержательные письма домой, пряча их под соломенные матрацы до лучших времен, когда представится возможность отослать не через лагерь. Жадно ловили обрывки вестей с фронтов, доходившие через вольных — бывших зэков — трелевщиков леса и возчиков. Читали наизусть и даже сочиняли стихи. Шутили!

— Девочки! Загадка! Чем отличается от всех нас Катя Кухарская? Не знаете? Ну присмотритесь внимательней! Мы все похожи на русских нищих, на калик перехожих, а Катя — на чехословацкого нищего. (У Кати была какая-то фантастическая душегрейка-жилеточка, придававшая ей, видите ли, «западноевропейский вид».)

...Голод. Хлебная пайка с каждой неделей становится миниатюрнее и соблазнительней. Если оставить половинку на утро (а пайки выдают вечером), то не заснешь всю ночь. Не даст она заснуть, будет жечь тебя из-под соломенной подушки. Точно на динамите лежишь. Все будешь ждать — скорей бы утро, чтобы уже можно было ее съесть. А если съесть всю с вечера, то как утром, голодная, дотащишься до своей пилы.

Некоторые из нас как-то приноровились к постоянному голоду. Точно ссохлись. Другие переносят более мучительно, находя разрядку в страстных скандалах по поводу «неправильного веса пайки», а то и в судорожных попытках найти нечто съестное на стороне.

Иногда происходило страшное. Помню один непроходимо темный беззвездный вечер. Вдруг рывком открылась дверь «амбулатории» и ввалилась, упав сразу на деревянный топчан, женщина с потемневшим искаженным лицом. Я еле узнала ее. Одна из наших. В руках у нее было чудо — буханка черного хлеба. Она с размаху бросила ее на сбитый из трех досок стол.

— Ешь! Не могу я... Хоть ты наешься один раз досыта!

— Откуда? Что с тобой? — расспрашивала я, уже догадываясь о чем-то непоправимом.

Долгие сотрясающие рыдания. Потом истерический хохот.

— Ах, вот беда с интеллигентщиной-то, вот беда! Ведь и трагедии-то никакой нет, верно? Другие ведь так зарабатывают свой хлеб. Ну и я заработала... Чем? А тем, чем тысячи других женщин зарабатывают, когда ничем другим нельзя. В общем, шел мужик тайгой. А я одна пилила, напарница больна, ты знаешь. И конвой как раз далеко был. Какой мужик-то? Не знаю, не заметила. Я все на хлеб смотрела. Он вынул из мешка и показал мне. На снег прямо положил буханку. Глаз отвести не могла. А теперь вот почему-то не могу есть.

Я вливаю ей в рот огромную дозу брома. Глажу ее по голове. А сказать ничего не могу, точно онемела. Вспоминаю ее в этапе, в седьмом вагоне. Веселая была, кудрявая, все радовалась, что успела до ареста кандидатскую защитить.

Обнимаю ее за плечи и веду в барак. Надо уложить ее поскорее, пусть забудется. После истерического взрыва она ослабела, еле бредет. Тропинка от амбулатории к бараку очень узенькая. А по бокам, как стены, синие окаменевшие снега. Мы скользим, сбиваемся с шага.

Тучи над нашими головами вдруг расступаются, и мы видим далеко в вышине окоченевшие, продрогшие звезды. Звезды Сударя.

Мороз... Сорок девять по Цельсию...

ГЛАВА ПЯТНАДЦАТАЯ

И СВЕТ ВО ТЬМЕ

На лесных командировках кроме повара, завхоза, дневальной и лекпома было еще одно влиятельное лицо. Очень привилегированное. Инструментальщик!

Обычно он жил в отдельной хавирке, где всегда гудела раскаленная докрасна печурка. Работал инструментальщик без нормы, по мере надобности, а в основном по своему усмотрению. Получал добавки на кухне.

Как правило, инструментальщики вербовались из инвалидов, из людей, уже отработанных и выплюнутых прииском. Все они бывали радехоньки теплому местечку. Иные отъедались около поварих настолько, что начинали даже брать взятки у работяг. Ведь от остроты пилы, от правильности ее «развода» в значительной мере зависело выполнение лесоповальной нормы.

Наш сударский инструментальщик Егор или, как сам он произносил, Ёгор, был исключением и вел себя нетипично. Место свое он ненавидел, поскольку попал сюда как штрафник. Его засекли на вахте центральной эльгенской зоны с ведерком кислой капусты, украденной кем-то из заключенных на совхозном квашпункте. Ёгор, как лицо бесконвойное, имевшее «свободное хождение через вахту», взялся пронести ценный груз.

Как на грех, дежурил в тот день красавчик Демьяненко, рослый румяный хохотун, самый ушлый из всей эльгенской вохры.

— А шо это у тебя пузо дуже справное при такой тощей личности? — заинтересовался он, высовываясь из своего окошечка в проходной. — А ну, распахни бушлат! Швыдко!

В тот же вечер на поверке был зачитан приказ о водворении Ёгора на пять суток в карцер без вывода на работу и с последующей отправкой его на Сударь.

На общих работах Ёгор выдюжить не мог, так как от правой ступни у него осталась только небольшая культяпка, а пальцы левой — гнили, разлагались и издавали трупный запах, всегда сопровождавший появление Ёгора. Так он стал инструментальщиком режимной тюрзаковской голодной командировки на Сударе.

Все это происшествие повергло Ёгора прямо-таки в безысходное отчаяние. Уж больно с большой высоты он упал! Ведь в центральной эльгенской зоне он был не кем-нибудь, а могильщиком.

Каждый вечер, приходя ко мне в амбулаторию на перевязку ноги, он живописал сказочные картины своей привольной жизни в этой бесконвойной должности! Шутка ли! Свободный выход через вахту в любое время! Пойдешь в поселок, дровишек хозяйкам напилишь, расколешь — хлебца вынесут. Которые бабенки так даже в избу запущали, щей миску ставили. Да и в зоне... Придешь, бывало, к Поле-поварихе — нальет полнехоньку кружку дрожжей. Да и каши всегда от пуза. В бараке обслуги жил. А работенка, что ж... Непыльная... Сильно-то не надрывались.

Чтобы утешить его, начинаю возражать: дескать, покойников у нас много, а могильщиков всего трое, да и земля-то ведь — вечная мерзлота, покопай-ка такую...

Ёгор хитро ухмыляется и подмигивает. В каждом деле ведь сноровка нужна. Оказывается, туфта царит даже в таком деликатном вопросе, как погребение усопших зэков. Зима-то ведь чуть не круглый год, снегу хватает. Зароют в снежок поглубже, не докапываясь до окаменелой землицы, а весной, как растает, тут и всплывут с полыми водами покойнички, царство им небесное. Заразы от них никакой, потому почитай одни косточки, просто сказать — чистые мощи.

— И не стыдно тебе, Ёгор? — огорченно говорю я, снимая

333

пинцетом зловонную марлевую салфетку с его отмороженных гангренозных пальцев, — вот так стараешься, лечишь тебя, а умри — так в снег зароешь. И поплыву весной мертвая... «И мертвец вниз поплыл снова за могилой и крестом»...

— Что ты, Евгенья Семеновна! — дрогнувшим голосом восклицает разжалованный могильщик. — Да неужто уж мы вовсе без совести, чтобы лекпома своего не закопать... Уж кого-кого, а лекпома... Зароем за милую душу, прямо в землю, будь в полной надёже...

Он доверчиво и бесхитростно смотрит на меня своими очень светлыми северными глазами без ресниц. Хмурит белесые брови. Вспомнил, что ведь он уже в отставке, что лишен своих высоких похоронных полномочий. Тяжко вздыхает.

— Не тужи, земляк! Понадобится им опытный могильщик — возьмут обратно...

А он и впрямь почти земляк мой.

— Татарской мы республики. Но сами-то православные. По-старому писали — Казанской губернии, Елабужского уезда.

Статья у Ёгора — пятьдесят восемь-два, вооруженное восстание. Специально колхозная. О своем аресте Ёгор говорит спокойно, эпически, как о пожаре или эпидемии. Обижается только на неправильную разверстку арестов по селам.

— Сколько (ударяет на последнее «о») у нас дворов-от, а сколько в Козловке! Почти втрое у их супротив нашего, а народу забрали, вишь ты, поровну. Это рази дело?

Похоже, что снятие с поста лагерного могильщика он переносит тяжелей, чем самый арест и приговор. Я узнаю все новые и новые подробности о его райской жизни в центральной зоне.

— Бывало-ча идешь с работы, так сам нарядчик с тобой здравствуется, не то что... Я ему: здравствуйте, мол, Сергей Ваныч! А он мне обратно: здорово, Ёгор! Ну как она, жисть? Норму-то на покойников выполняешь ли?.. Смеется... И надо же мне было с той капустой связаться! Этакая через нее беда в дому...

Чтобы отвлечь Ёгора, задаю ему разные вопросы.

— Где это ты, Ёгор Петрович, ноги-то отморозил? В этапе, что ли?

— Не, не в этапе, — спокойно отвечает Ёгор. — А это когда я в первый раз помер...

Дело было на прииске Золотистый. Лежал Ёгор в лагерной больнице. Вот как-то утром пошел фершал с обходом и видит — кончился Ёгор, дуба, стало быть, врезал. Ну и велел санитарам в морг снести. Это, конечно, сам-то Ёгор ничего не помнит, а уж опосля ребята сказывали. А сам-то он очухал-

334

ся вот от этой самой ноги, что сейчас оттяпана. Закряхтел от боли. Как огнем жгло. Ну и оклемался, стало быть, опомнился. Выходит, живой еще?

Сторож в морге услыхал — как заверещит по-дурному. Из турков был сторож Чулюмбей какой-то, не то Кулюмбей... С ума с тех пор стронулся. Страшно, конечно. Знает человек, что сам штабелем сложил с вечера мертвяков-то, а тут вдруг покойник с самого споднизу и голос подает. И заорал тут Чулюмбей этот, турок, стало быть, и до того доорался, что вохра услыхала, набежала.

Поскидали с Ёгора мертвяков-то. Телогрейку ему кинули. И давай на него ругаться. Чего, дескать, в морг забрался, коли живой? А он что? Он ведь не придуривался. При чем тут Ёгор, ежели фершал обмишулился? Обошлось, однако. Ругать ругали, а бить не стали и в кандей не посадили, нет. В барак отправили.

Ёгор очень тяжело переносил голод. Истощен был до крайности. Даже на благословенной должности могильщика он не смог добиться того, чтобы угловатые тяжелые кости его крупного тела хоть немного обросли мяском. Разрушения, произведенные тремя годами прииска Золотистый, были необратимы.

Психологический голод мучил его еще сильней, чем физический. Он постоянно думал и почти всегда говорил о еде. Только страдания, причиняемые ему гангреной, заставляли его временами отвлекаться от этих мыслей.

Ежедневные встречи, связанные с перевязками, сблизили нас. Ложка рыбьего жира, которую я каждый вечер вливала ему в рот (он сам боялся взять ложку в руки. Расплещешь еще, оборони бог, трястись чего-то стали руки-то...), вносила оттенок материнства в мое отношение к нему, хоть и был он лет на десять старше.

...Декабрь катился к середине. Близился конец девятьсот проклятого — сорок первого. Как-то мимоходом сказала я Ёгору, что вот, мол, двадцатого декабря — день моего рождения. Вспомянет ли кто меня в этот день? Есть ли еще на свете кому вспомянуть? По лицу Ёгора пробежала тень внезапной мысли. В ближайшие дни с ним что-то стряслось, что-то вывело его из круга обычных идей. Теперь он не засиживался в амбулатории после перевязки, был чем-то озабочен, а раза два произнес даже слово «некогда», немыслимое в его устах.

Двадцатого декабря он долго не являлся на перевязку. Я уже составила на полочку все свое оборудование и собиралась идти в барак, как вдруг привычный запах распада сигнализировал появление Ёгора. В руках он держал большой закоптелый котелок, из которого легкой струйкой поднимался теплый пар. Лицо Ёгора было благостным, просветленным.

— Вот, Евгенья Семеновна, — сказал он торжественно, ставя котелок прямо на амбулаторный топчан, — стало быть, я тебя поздравляю с ангелом, желаю доброго здоровья, а в делах рук ваших скорого и счастливого успеха... А еще сынов твоих повидать тебе... А вот, стало быть, и подарок от нас.

В котелке был овсяный кисель. Это кулинарное изделие сопутствовало нам в совхозе Эльген в наиболее счастливые минуты бытия. Рецепт его изготовления был известен здесь еще задолго до нашего приезда. Он был очень сложен. Овес, которым кормят лошадей, должен был пройти ряд замысловатых химических превращений, прежде чем стать киселем. Овес замачивали, отжимали, растирали, ждали, пока начнется брожение, заквашивали, варили... Наградой всех этих трудов был густой, сытный, красивого светло-кофейного цвета студень. Все мы единогласно утверждали, что вкус его напоминает миндальное печенье. Но откуда здесь, на Сударе, эта немыслимая роскошь?

Оказывается, маленький мешочек с овсом, украденным на эльгенской конбазе еще в славную эпоху погребальных трудов, Ёгор сумел-таки спроворить при сборах в этап. Ладно, что не Демьяненко на вахте был. Тот бы беспременно надыбал. Ну, а Луговской, тот, известно, скушно работает, без старанья, ему лишь бы день прошел. А вот овес как раз, гляди, и сгодился на именины лекпому. Вместо пирога, стало быть.

Глаза Ёгора блестели. От них шло светло-голубое сияние. Руки тряслись от волнения сильнее обычного. Он желал, чтобы я съела кисель тут же, при нем. А он посидит, порадуется...
— Вот спасибо-то, Ёгор Петрович! Давай вместе, держи ложку!

Но он с негодованием отверг предложение. Сказал только «нет», но было ясно, что за этим скрывается. Я поняла. Он израсходовал свой последний продовольственный запас, три дня трудился над сложной технологией превращения овса в это бархатистое, дышащее теплом варево — и все разве для того, чтобы съесть самому? Нет. Этот елабужский мужик, о приближении которого узнавали по запаху тления, идущему от его «здоровой», еще не ампутированной ноги, — он хотел дать радость другому обездоленному человеку.

Я больше не возражала. Я глотала овсяный кисель, зачерпывая его кривой оловянной ложкой, пропахшей рыбьим жиром, а он смотрел на меня глазами, в которых светились доброта и счастье. Да, он счастлив был в эти минуты, лагерный могильщик Ёгор, у которого впереди были четыре последовательные ампутации (по кусочкам) обеих ног и смерть в том участке преисподней, который именуется «инвалидная командировка».

ГЛАВА ШЕСТНАДЦАТАЯ

МОЛОЧНЫЕ РЕКИ, КИСЕЛЬНЫЕ БЕРЕГА

Ранней весной, когда по плану совхоза заканчивались лесоповальные работы, мы получили приказ этапироваться снова в центральную зону Эльгена. Там должна была произойти новая сортировка (термин «селекция», применяемый к людям, до нас тогда еще не дошел) рабочей силы, с учетом умерших и искалеченных. Потом предполагалась отправка на летний сезон в полевые бригады.

И тут неожиданно выяснилось, что сударцы — самые передовые из всех лесных работяг. Самые что ни на есть прогрессивные.

Эту нечаянную славу доставил нам тот факт, что мы осилили обратный пеший этап. Вернулись в зону на своих ногах, пройдя по тайге тридцать два километра. При этом без падежа, то есть без смертных случаев в пути. И это в то время, когда лесорубы Теплой долины, Змейки, Двенадцатого километра и многих других лесных точек так подвели начальство, проявили такую черную неблагодарность! Ведь их пришлось выволакивать из лесов волоком, да еще и закапывать дорогой тех, кого уже и волоком было не дотянуть. А ведь каждого закопанного надо еще и актом оформить. Так не бросишь! Государственное имущество, за него отвечать надо.

Год усиленного военного режима давал свои плоды. Резкая вспышка болезней, смертей и, как неизбежное следствие, провалы хозяйственных планов совхоза Эльген.

И тут маятник снова качнулся в другую сторону. Раздался зычный окрик сверху: «А план кто будет выполнять?» А после окрика — акции официального гуманизма, отмененные было в связи с войной. Снова открылся барак ОПЗ (оздоровительный пункт). Доходяги помоложе, которых еще рассчитывали восстановить как рабочую силу, получали путевки в этот лагерный дом отдыха. Там царила блаженная нирвана. И день и ночь все лежали на нарах, переваривая полуторную пайку хлеба.

Но и тем дистрофикам, которые не попали в ОПЗ, стали щедрее давать дни передышки. В обеденный перерыв снова стали выстраиваться перед амбулаторией очереди доходяг с протянутыми оловянными ложками в руках. В ложки капали эликсир жизни — вонючий неочищенный жир морзверя, эрзац аптечного рыбьего жира.

Теперь наш начальник санчасти Кучеренко начисто забыл свои недавние угрозы («Который лекпом зря бюллетени дает, тот сам загремит на общие»). Наоборот, сейчас он шумно умилялся бодрым видом моих сударских пациентов и одобрял меня за «сохранность рабсилы».

Тут-то и произошло нечто фантастическое: меня послали на месяц заменять заболевшую лекпомшу молфермы.

— Не соглашалась сначала начальница Циммерман, — доверительно сказал мне Кучеренко, — нельзя тюрзаков на бесконвойную командировку. Ну да я упросил на месячишко. Это тебе получше ОПЗ будет, а то вид-то у тебя тоже цинготный... Так что валяй, лови момент, хватай калории! А там опять в лес пойдешь, на Теплую долину.

(Про Кучеренко говорили, что он такой же самодеятельный медик, как и мы грешные. Кажется, он прибыл на Колыму в качестве пожарника, но потом почему-то стал начальником санчасти в Эльгене. Он был предельно неотесан и по наружности, и по поведению. Но за ним довольно твердо установилась репутация «невредного». Наоборот, при случае охотно делал добро.)

Молферма... Самое слово звучало для эльгенских узников как обозначение волшебной страны. Молочные реки, кисельные берега... Ферма стоит на отшибе, в получасе ходьбы от центральной зоны. И бараки там не огорожены, и вахты нет, а вохра там только для вида. Там передвигаются без конвоя из бараков в коровники, телятники, птичники, в инкубаторий. Там кормят телят и кур роскошными концентратами, шротом, рыбьим жиром и обратом. А телята и куры великодушно делятся этими деликатесами со своими заключенными воспитательницами.

Фермой руководят вольные зоотехники Рубцов и Орлов, которые никогда не называют людей террористами, шпионами, диверсантами. Они говорят — «наши доярки, наши скотницы, наши птичницы».... Они первыми здороваются с заключенными женщинами.

Молферма — после лесоповального Сударя! Это все равно, как, скажем, Лазурный берег после Камчатки или сливочный торт после нашей баланды. И я буду там целый месяц?

Я — существо из неприкасаемой касты тюрзаков? Жить в отдельной комнатке и спать на стоящей в углу железной койке?

Мысль о том, что я буду спать не на нарах, а на совершенно отдельном ложе, как-то возвращает человеческое достоинство. И оттого, что счастье было послано судьбой ненадолго, оно воспринималось еще острее.

Помню первую ночь на молферме. Впервые за последние несколько лет я осталась в комнате одна. Смолкли отдаленные голоса и шаги за маленьким сизым окошком. Тишина. Как давно я ее не слышала! Как запустела моя душа в мучительном чередовании автоматизма общих работ с пытками лагерного лексикона! Кажется, я уже не читаю про себя стихов. Но здесь я отойду. Стану снова собой. И стихи вернутся в тишине... Благословенное уединение, особенно неоценимое после ужасного одиночества насильственной непрерывной совместимости...

> *Тишина, ты лучшее*
> *Из всего, что слышал...*

На молферме работали главным образом украинки и латышки, которым посчастливилось иметь не только навыки крестьянского труда, но и «сходные» для бесконвойности статьи. Или легкие политические, такие, как КАЭРДЭ, ПЭША, пятьдесят восемь-десять. Или легкие бытовые, граничащие с политическими, вроде СОЭ или СВЭ (социально опасный элемент, социально вредный элемент). Уголовных туда не брали, знали, что их к скоту подпускать нельзя. Зато все «элементы» работали почти неправдоподобно по напряженности и самозабвенности труда. Многие спали не больше четырех часов в сутки. И не только потому, что обетованная земля молфермы спасала от жизнеопасных, голодных наружных работ, но и потому, что молфермовский труд — разумный, связанный с уходом за живыми тварями — давал иллюзию человеческой жизни, заставлял переключаться с лагерных комплексов на заботы, достойные разумного существа.

Лекпому здесь было особенно хорошо. Ему не надо было каждый день выбирать, кому из двух умирающих с голода отдать последнюю ложку рыбьего жира и как распределить кученковские «бюллетни», чтобы никто не умер на работе. Наоборот, здесь все боялись забюллетенить, все норовили перенести легкое нездоровье на ногах, чтобы ни на час не расставаться со своими телятами и цыплятами, чтобы не прослыть нерадивой работницей.

По вечерам моя главная работа — это массажи рук доярок, накладывание повязок на их отекшие, растрескавшиеся до крови пальцы. С доярками в комнатешку входили теплые запахи коровника, тихие сетования на перебои с кормами, смешные имена новорожденных телок и бычков. (Их надо было весь год называть на одну букву. Вот и изощрялись. Помню, например, бычка Вельзевула и прелестную телочку Вакханку.)

Тикают ходики на стене. Доярка Августина Петерсон распаривает в жестяной ванночке свои онемевшие пальцы и степенным латышско-фермерским голосом повествует о своей любимой корове, что осталась где-то около Елгавы. Точно и не идет второй год неслыханной войны, точно не пылают печи Освенцима, точно в получасе ходьбы от нас не находится центральная зона Эльгена, а в ней Циммерманша, УРЧ, режимная часть, карцеры всех сортов.

Счастливые молфермовские дни озарились для меня еще одной нечаянной радостью — страстной дружбой, вспыхнувшей почти мгновенно при первой же встрече, напомнившей о чем-то юном и почти забытом, давшей возможность пустить на полный ход уже основательно заржавевшую душевную машину.

Вилли Руберт. Вильгельмина Ивановна, как ее звали все на молферме, где она занимала почти немыслимое для заключенного место учетчика, а по сути — экономиста.

Вилли здорово посчастливилось во время следствия. Почему-то ее, работника «теоретического фронта», коммуниста с подпольным латышским стажем, жену секретаря Сталинградского обкома партии, решили «пустить» не по предназначенным для людей этого круга тяжелым тюрзаковским пунктам, а просто «по национальной линии», как любую из латышских молфермовских доярок. Всего-то ей и отвалили пять лет по сиротской статье ПЭША (подозрение в шпионаже!). Это и дало ей возможность осесть на благословенной ферме, тем более что старший зоотехник Рубцов, зорко приглядывавшийся к окружающему, различил в ней светлую голову.

В год нашей встречи ей было под сорок, и лицо ее еще дышало не только умом и добротой, но и женской прелестью. Особенно примечательны были глаза, очень точно отражавшие душу. «Круглые да карие, горячие до гари».

Объединила нас не только общая страсть к книгам. Мы сразу почувствовали друг в друге тревожное мучительное стремление размышлять над жизнью, несмотря на ее явное безумие. Приглядываться, сопоставлять, обобщать...

— И о чем это вы до самой полуночи? — дивилась Августина Петерсон, до которой через стенку доносились нескончаемые наши разговоры.

И в самом деле — о чем? Да обо всем сразу. О войне, о фашизме. О Бухенвальде и об Эльгене. О судьбе трех поколений: наших родителей, нас самих и наших детей. О великих загадках Вселенной и неисчерпаемости человеческого гения. А в промежутках о том, как весело, бывало, хрустит снег под ногами, когда бежишь по вечерней Москве. Или даже по Казани и Сталинграду. Или о том, как нравилось в юности шагать рядами на демонстрациях. И не знали, как это страшно, когда надо идти обязательно по пяти в ряд.

Мы очень торопились высказать друг другу все. Понимали: скоро расставаться. Противоестественное пребывание тюрзачки на блатной бесконвойной работе не могло длиться долго.

И вот уже на пороге милой комнатешки с отдельной железной койкой стоит конвоир. И ружье у него за плечами. Он пришел за мной, чтобы этапировать меня на Теплую Долину. Этим идиллическим именем обозначен глухой болотистый уголок тайги, километров за двадцать пять от центральной зоны, где зимой — лесоповал, а летом — сенокос, где нет даже бараков, а живут в самодельных шалашах и кривых продувных хавирках, где, главное, не будет ни минуты покоя, потому что там содержатся одни блатные, масса блатных.

Идем, пробираемся по весенним таежным тропкам. Опять узел за плечами. Опять тяжело хлябают по топи неотступно следующие за мной сапоги вертухая. Я остро завидую этим сапогам: ведь они не промокают. Мои-то чоботы с первых шагов — насквозь, и суставы снова, как в Ярославке, стреляют невыносимой острой болью. Впрочем, что значит невыносимой? Выношу ведь...

Этап, этап... На этот раз одиночный, так что даже словом переброситься не с кем. Вертухай какой-то попался — вроде глухонемой. Даже «давай, давай!» не говорит. Только хлябает и хлябает ножищами да сверлит спину своим автоматическим истуканским взглядом.

Да полно, был ли мальчик-то? Может, приснились мне эти тихие молфермовские вечера, отдельная койка, книги, откуда-то раздобываемые Вильгельминой, ее горячий доверительный шепот?

Перед самой Теплой Долиной конвоир вдруг произносит первую за всю дорогу фразу. Первую, но зато какую точную!

— Пришли, — говорит он, — влево давай! Туда, слышь, где звери ревут...

Они и вправду ревели. Дикий вой и мат столбом поднимались над долиной, куда была согнана толпа уголовных девок. Всплески этого мата, взрывы истерических воплей, обезьяньи

341

взвизги разносились далеко по тайге, служа ориентиром путникам.

Здесь по воле УРЧа и начальницы ОЛП Циммерман мне предстояло обширное поле деятельности в том же остроумном варианте: половина рабочего дня медицинское обслуживание этого «производственного коллектива», другая половина — на общие работы.

Трудно себе представить что-нибудь более мучительное, чем подобное сочетание. Положение лекаря среди уголовников и так ужасно. А тут их расправа со мной облегчается еще тем, что я должна косить в их компании сено.

Утро начиналось с того, что добрая половина девок сбегалась к тому закутку, где на пеньке были расставлены мои пузырьки. Все они требовали одного — «бюллетней». За отказ давать здоровым освобождение от работы они, изрыгая фантастические ругательства, угрожали всеми казнями, какие только могло изобрести их патологическое воображение. Больше всего отпечаталось у меня в памяти обещание «полоснуть бритвой по гляделкам». Мне очень ярко представилось, как я стою слепая, окровавленная, с протянутыми вперед руками, окруженная гогочущим зверьем.

Но проявить свою устрашенность — смерти подобно. Обмирая от ужаса и отвращения, надо было спокойно, даже с улыбкой, говорить:

— Ну что вы, девчата! Разве вы не знаете норму на бюллетени? На нашу командировку не больше двух-трех в день, а вас вон сколько! Давайте по очереди. Сегодня вы, Лида, у вас температура повышенная, и вы, Нина, из-за фурункула под мышкой.

(Говорить с ними вежливо и обращаться на «вы», невзирая на все, что они изрыгают, было моим правилом. Необычность такого обращения иногда в какой-то степени охлаждала их.)

Новый взрыв проклятий, угроз, сквернословия. Появление вохры, водворение «отказчиц» в карцер. А после амбулаторного приема — на работу, на общие сенокосные работы, рука об руку с теми же милыми пациентками.

Но теперь мне легче было переносить все это. Я знала, что где-то, не так уж далеко от Теплой Долины, есть земля обетованная — молферма. И время от времени мне приходили оттуда ободряющие сигналы: записки от Вилли, передачи с хлебом и сахаром. Сигналы эти прибывали с оказией: то с завхозом командировки, то с новыми маленькими этапами. В записках Вилли обнадеживала: зоотехники хлопочут за меня перед УР-

Чем, перед Циммерманшей. Просят направить меня на ферму. Не лекарем, а птичницей. Не знаю уж, какая у них для этого аргументация, но надежда есть. Надо только запастись терпением.

Терпения у меня было немало. Его хватало на непосильный труд, на голод, на жизнь в рабстве. Но вот к существованию среди уголовных я никак не могла притерпеться.

Это были существа, чуждые и непонятные мне в такой, скажем, степени, как нильские крокодилы. Никакой «обратной связи» у меня с ними не получалось. Иногда я даже начинала упрекать себя. Надо почаще вспоминать о том, что привело их к такому падению. Думала о Достоевском. Старалась внушить себе, что через оболочку этих порочных людей должны же сквозить черты «несчастного брата». Но мне так и не удалось вызвать в себе не только просветленного сочувствия к ним, но даже простейшего понимания их душевных переживаний. Преобладала боль не за них, а за себя, за то, что чьей-то дьявольской волей я обречена на пытку более страшную, чем голод и болезнь, — на пытку жить среди нелюдей.

Особенно потрясали меня их так называемые «замостырки», то есть членовредительство, связанное порой с ужасными мучениями. И все ради того, чтобы не работать, «припухать» на нарах. Помню девку Зойку, по прозвищу «психованная». Уродлива, вся в черных рябинах, она вызывала острое физическое отвращение даже у своих соседок по нарам. И вот однажды она вдруг сваливается с температурой сорок. Мечется в жару, впадает в беспамятство, а я извожусь, не зная, как отправить ее из таежной глуби в больницу, опасаясь, не тиф ли у нее, который пойдет косить в этой тесноте и грязи.

Только на третий день я обратила внимание на ее ступню, обмотанную тряпками. Она оказала бешеное сопротивление моим попыткам размотать тряпки и взглянуть на ногу.

— Точно тебе говорю, лекпом: замостырка! — воскликнул командир вохры, наблюдавший эту сцену.

Он неожиданно резко рванул тряпку и обнажил Зойкину ступню. То, что мы увидали, заставило побледнеть даже вохровца. Большой палец ноги был пробит насквозь ржавым толстым гвоздем, торчавшим по обе стороны черно-синего распухшего пальца. Вокруг гвоздя — зловонное нагноение.

Этот случай был, конечно, из ряда вон. Но искусственные нарывы, сделанные впрыскиванием керосина под кожу, гнойные конъюнктивиты от порошка (соскобленного с химического карандаша), засыпанного в глаза, — все это были повседневные явления моей медицинской практики на Теплой Долине.

Минутами я опасалась за свой рассудок. К счастью, в это время в эльгенской зоне объявилась еще одна медсестра с более легкой, чем моя, статьей. И ее прислали на Теплую Долину вместо меня, а меня перебросили на общие работы, на другую точку таежного сенокоса.

Сенокосная точка, названная Новая Теплая Долина, располагалась еще дальше в глубине тайги. Собственно, и точкой-то ее пока нельзя было назвать. Нам предлагалось самим построить себе шалаши. В помощь нам были выделены две кривоногие белые лошаденки-якутки. И эти лошаденки, и характер окружающего пейзажа — все напоминало нашу планету во времена, непосредственно следовавшие за всемирным потопом. И все-таки я была рада. Здесь не было блатных. Были только нормальные хорошие люди: шпионы, диверсанты, террористы.

Косу я взяла в руки впервые в жизни. А косьба по кочкам — дело сложное даже для опытного косаря-мужчины. Косили мы босиком. Двигались рядами, размахивая косами, пыхтя и задыхаясь, брели по болотам, хромая на кочках. К ночи возвращались в самодельные шалаши. Все мы были мокрые и вымазанные тиной до пояса. Плотно намокшие юбки били по ногам. Те, у кого были «справные» чоботы, пытались сначала уберечь ноги от ледяной воды. Но обутые ноги еще хуже увязали в студенистой трясине.

Через полмесяца такой работы я снова ощутила ту странную легкость в теле и постоянную пелену перед глазами, которые я знала уже и раньше как признаки приближения смерти. Норму выработать нам было не по силам. Пайка уменьшалась. Правда, мы топтали ногами несметное богатство — лиловеющие нежным бархатом заросли таежной ягоды — жимолости. Но мы так ослабевали к концу рабочего дня, что не в силах были наклоняться для сбора ягод. К тому же ударили ранние морозы, и мы пропадали теперь от холода в наших самодельных шалашах.

Однажды утром я очень испугалась, когда почувствовала, что почему-то не могу поднять голову. Потом разобралась — ничего страшного, просто моя коса накрепко примерзла к соломенному изголовью, потому что в щели шалашной самодельной двери намело за ночь много снега и мокрой измороси. В ужасе, что опаздываю на развод, я стала отрывать волосы по прядкам. И в этот самый момент в шалаш вошел веселый женолюбивый вохровец Колька, по прозвищу Вологодский, засланный в глубину тайги за провинность — сожительство с заключенными женщинами.

— С вещой, — весело сказал он, явно радуясь за меня. —

Спецнаряд на тебя пришел. На молферму пойдешь! Птичницей...

И с уважением добавил:

— Ты что, на воле-то по этому делу, видно, была? Лично тебя требуют. А то, вишь ты, поголовье кур у них уменьшилось... Только, слышь ты, транспорта нет. Пешком топать! Дойдешь? Сам тебя поведу. Мне тоже в поселок позарез надо. Так как, дойдешь? Километров тридцать с гаком...

Дойду ли? О Господи! Ползком доползу... Так, говорите, уменьшилось там куриное поголовье? Ну конечно, кто же, кроме меня, в силах остановить такое бедствие! Дорогая моя Виллечка! Золотые вольные зоотехники Рубцов и Орлов... Чем вы взяли неподкупную Циммерманшу?

Увязываю в узел мое окончательно обтрепавшееся барахлишко. Тороплю Кольку Вологодского. Вологодский конвой вообще самый лучший, это общеизвестно. Не сравнить же его с украинским или ташкентским. Так что если начну совсем падать с ног, то Коля и отдохнуть разрешит, парень славный...

А впереди — молферма. Земля обетованная. Молочные реки, кисельные берега...

ГЛАВА СЕМНАДЦАТАЯ

БЛЕДНЫЕ ГРЕБЕШКИ

Я стою в центре огромного сарая-птичника с полным ведром в руках и в отчаянии поднимаю его над головой. Ведро тяжеленное, в нем комбикорм, так называемая «мешанка». Ее надо равномерно рассыпать по кормушкам.

Но птицы совершенно как люди — не отличают друзей от врагов и так же готовы убить друг друга за то, чтобы лишний разок клюнуть. Я еле открыла дверь в курятник, потому что в ожидании кормежки все поголовье сгрудилось у дверей. Потребовалось все напряжение сил, чтобы протиснуться. И тут... Тут они все бешеной сворой в несколько сот голов кинулись с кудахтаньем на меня, на ведро, на мешанку.

В один миг рушились все мои хрестоматийные представления о курах как о самых безобидных существах на свете. Дескать, «оробей, загорюй — курица обидит». А что вы думаете? Еще как обидит! Про петухов уж и говорить нечего. Они с диким гоготом и кукареканьем клюют мои голые, без чулок, икры, с лету вспархивают на ведро, грозя перевернуть и опрокинуть

345

его. Один огромнейший петушина, похожий на царского генерала, взлетел ко мне на плечо и осыпает меня оттуда нестерпимыми оскорблениями. А другой, попроще, вроде пьяного разухабистого мужичка, взобрался мне на голову и тоже сыпет отборной бранью. Ох, идиоты! Ведь я иду кормить вас... Что же вы делаете?

Не знаю, как бы я совладала с этой стихией, но подоспевает спасение в лице старшей птичницы Марии Григорьевны Андроновой. Она спокойно берет у меня ведро и за две минуты распределяет его содержимое по кормушкам, предварительно ответив на петушиные выпады не менее колоритными образчиками русского фольклора. Меня она посылает на кормокухню принести еще пару ведер.

В мрачнейшем настроении возвращаюсь я, неся еще два тяжеленных ведра. Все пропало. Вилли предупреждала меня, что самое важное — ужиться с Андронихой. А это будет не так-то просто, поскольку она пуще всего не терпит этих интеллигенточек, которые омлеты жрать умеют, а ручки боятся пометом выпачкать. Она, колхозный агроном, еще на воле этих барынек не переваривала. Потому что, хоть она и отсидела пять лет, да и сейчас на материк не выпускают, но все равно за бездельников она заступаться не станет. Может, кто думает, она задается, что по вольному найму сейчас работает уже полгода? А вовсе и не потому. А просто ведь это — живые твари и с ними надо по-настоящему обращаться, хоть они и порядочные гады, эти итальянские лекгорны. Не сравнить их с нашей русской курицей, у наших совесть есть. Но все равно! Это тебе не лесоповал и не мелиорация. Там знай себе, тюкай помаленьку, не надрывайся, лишь бы день прошел. А здесь работать надо, как на материке. Какая ни на есть, а живая тварь...

Все это я уже слышала в передаче Вилли. Знала, что кого-то уже сняли отсюда за неважное отношение к курам, а главное — за неумение ужиться с Андронихой.

И вот стою как убитая и сквозь слезы смотрю на угомонившееся поголовье, азартно клюющее теперь, как положено, из кормушек, выстроившись в стройные ряды. Не сладила я с ними... Неужели опять лесоповал? Или сенокос?

— Ну чего расстраиваться-то? — вдруг отрывисто бросает Андрониха, грозная Андрониха. — С этими сволочами и каждый не сразу сладит. Ведь это не простая птица, а колымская. К ней подход надо особый. И хоть природа у них благородная, итальянская, но только осатанели они тут на Колыме. Известно, заграничники условий наших не выдерживают. Да и вправду несладко им тут. Обратите внимание на гребешки. Замечаете?

346

....

Только тут я и заметила. Так вот почему все куриное стадо выглядит каким-то блеклым, лишенным своей обычной веселой расцветки. Раньше я подумала: это оттого, что они все белые, нет среди них ни курочки-рябы, ни петушка-пеструна! А оказалось, главным образом оттого, что гребешки у всех — и у кур, и у петухов — не красные, как им положено, а еле розовые, с бледно-желтым мертвенным оттенком.

— Авитаминоз! — хмуро бросает Андрониха. — Такие и яйца от них: желток от белка не отличишь. Тут если кое-как работать, так они за неделю все окочурятся.

Того же опасается и ветврач Колотов, тоже бывший зэка, но уже давненько освободившийся и живущий тут же, при ветпункте молфермы. Почти ежедневно он заходит к нам на птичник, и вместе с Андроновой они чего-то колдуют над птицами и вместе убиваются.

— А ну-ка, покажь того, что с глазом, — говорит ветеринар.

Дальше происходит нечто, явно относящееся к черной магии. Андронова с минуту смотрит на толпу птиц своими цепкими, круглыми, тоже немного птичьими глазами и потом ловким безошибочным движением хватает за хвост и подает Колотову именно того единственного петуха, у которого болит глаз. Того самого! Одного из нескольких сот, белого, как и все, с таким же бледным гребешком, как у всех.

Оказывается, у петуха на глазу образовалось нечто вроде бельма, и это тоже авитаминозное явление. И птичница, и ветврач страшно беспокоятся: не пошло бы такое поветрие по всему птичнику. Врач назначает больному мазь. Потом они с Марией Григорьевной долго толкуют о том, как еще можно изменить к лучшему рацион, режим дня птиц, освещение птичника.

— Э-эх, на травку бы их... Да под солнышко!

Чтобы приучить меня к делу исподволь, Андронова предлагает мне работать первую неделю в ночной смене, когда куры спят. Ночью всего две заботы: температуру держать, то есть таскать дрова и топить печи, а второе — следить, чтобы не было отхода. Как же за этим следят? А заходить почаще с кухни, где ты печи топишь, в корпус, где куры маются. Как заметишь, что которая-нибудь задумалась, загибаться начинает, сразу — топор в руки и голову ей долой!

Я еще никогда в жизни никому, в том числе и курам, не сносила голов, и слова моей «старшой» приводят меня в ужас. Но тут же возникает яркое воспоминание о лесоповале, о сенокосе, о блатнячках с «замостырками» — я начинаю подобострастно улыбаться, понимающе кивать головой. Вроде бы для меня нет ничего более простого и естественного, чем рубить головы тем, кто «начинает загибаться».

В первую же ночь произошла катастрофа. Хоть я и не присела ни на минуту, все время обходя свое воинство, мирно дремлющее на длинных насестах, но уловить то роковое мгновение, когда кто-то из них «задумывается», мне не удалось. Я услыхала только короткий стук падающего тела. И еще... И еще... Они валялись теперь на засыпанном опилками полу, неподвижные, холодеющие.

Отход. Страшное слово. Андронова славилась именно тем, что в ее владениях не было отхода. И вот за мою первую ночь — три головы. Я опозорила Марью Григорьевну, опозорила Вилли, которая ручалась за меня, добиваясь с таким трудом моего назначения на эту спасительную для жизни работу. И себя я погубила. Не вылезти мне теперь с общих работ.

Я сидела на корточках, застыв в скорбной позе над мертвыми курицами. Отчаяние мое было такой примерно степени, как если бы покойницы приходились мне тремя родными сестрами.

И вдруг... Вдруг скрипнула дверь, и крупными, быстрыми, почти мужскими шагами вошла Андронова.

— Так и знала! Вот не могу заснуть — и все! Хоть и устала как собака. Дай, думаю, схожу посмотрю... Скорее! Кипяток есть?

Да, он был. Я вскипятила большой бачок, собираясь мыть пол на кухне.

— Снимайте бачок с печки! На пол его! — командовала Андронова, подбирая мертвых кур.

Через секунду в ее руках был топор, а еще через несколько мгновений все три покойницы были обезглавлены. Теперь Андронова держала в каждой руке по курице, вцепившись в хвосты, и изо всех сил трясла их. Я схватила третью и начала копировать движения моей начальницы. Мы выбились из сил, но наконец достигли цели: с тушек медленными струйками начала стекать кровь.

— Еще! Еще! Чем больше стечет, тем лучше. Счастье, что трупное околение еще не успело наступить. Точно чуяла я... А теперь — в кипяток!

Через полчаса тушки были очищены от перьев и лежали на табуретке, имея самый пристойный съедобный вид и напоминая давно забытый прилавок мясной лавки.

Андронова вытерла рукавом лоб и присела на скамейку.

— Ну, что молчите? Думаете небось своими интеллигентными мозгами, что, мол, Андрониха — чудище? Дохлятину сдает за первосортное мясо. А вы-то подумайте, что ведь они не от болезней падают, а от авитаминоза. Чистенькие, здоровехонькие, только жить у них больше сил нет. Сами начальству в суп просятся. И ничего нашим начальничкам с них не сделается, сожрут за милую душу и косточки обглодают. Проверено. А теперь, если с другого боку подойти: ведь наша дирекция совхоза только цифру понимает. Им само главно — чтобы в графе «отход» прочерк стоял. Нету, мол, у нас его, отхода, потому как мы самые передовые и преобразуем колымскую природу. И не поставь мы этого прочерка, а поставь правдивую чистую цифру, так тут погром пойдет, люди пропадут. Всех заключенных птичниц на общие работы погонят, а нас, бывших зэка, вроде меня грешной, во вредительстве обвинят и опять в кутузку. Да и курам тоже беда. Потому что, если выгонят нас, кто по совести работает, а поставят каких-нибудь бессовестных вольняшек, так у них не по три в ночь, а все подряд передохнут. Вот так-то... Ну, теперь вы знаете, как в случае чего. Сама я виновата, намеком только вам объяснила, а вы не поняли... Ну, я пошла. Устала как собака. Да и голодна как шакал.

Это была ее излюбленная триединая формула: набатрачилась как вол, устала как собака, голодна как шакал... Она любила «резать правду-матку», не признавала «никаких экивоков» и «сантиментов с сахаром». Все свое горькое сердце вымещала она на курах и петухах, ради которых, впрочем, готова была работать круглые сутки.

— Хотите научиться, так присматривайтесь, — сказала она наутро после первой моей трагедийной куриной ночи.

И я не пошла спать после ночной смены, а весь день ходила за ней по пятам, изучая каждое ее движение. От того, научусь ли я управляться на птичнике, зависела сейчас моя жизнь. И я научилась.

Я поняла, каким приемом надо взваливать на плечи пятипудовый мешок с зерном, чтобы он не свалился. И как передвигать огромные ящики с яйцами, чтобы не перебить их. И как рациональнее выскабливать полы птичника, очищая их от помета, а потом выносить мешки с пометом во двор и сваливать в кучу на удобрение. И как быстрее таскать ведра с водой, чтобы не матерился водовоз Филька. И многое, многое другое.

Рабочий день начинался и кончался в темноте, длился с пяти утра до десяти вечера. Спала я теперь только на спине, с руками, закинутыми за голову. Руки обязательно должны были лежать свободно, чтобы хоть немного отойти за короткую ночь. Вот когда я впервые по-настоящему поняла, что означают слова народной песни: «Болят белы рученьки со работушки!»

К птицам я тоже пригляделась. Научилась отбивать их атаки на ведра с мешанкой, равномерно распределять корм по кормушкам, собирать яйца из гнезд (руки мои были вечно исклеваны в кровь), научилась даже отыскивать в птичьей толпе пациентов ветеринарного врача Колотова.

Все я делала добросовестно, даже сверхдобросовестно, хотя никакой симпатии к своим подопечным не испытывала. Куры без конца склочничали как с птичницами, так и между собой. Они занимались именно мелкой домашней перебранкой, высовывая головы из своих гнезд, как бранчливые соседки из окон коммунальной квартиры. А петухи — те устраивали разухабистые пьяные драки, разбивая друг другу головы в кровь. И еще долго после драки они воинственно махали крыльями и выкрикивали из разных углов гнусные ругательства. Так что любить их было абсолютно не за что.

Только когда выпадало работать в ночной смене, когда я видела их спящими, иногда возникало к ним чувство жалости. Я обходила корпус, разглядывая их жалкие нахохлившиеся на длинных насестах фигурки и свесившиеся набок бледные гребешки, и вспоминала о том, что они лишены солнца и зеленой лужайки, что нет у них ни масляной головушки, ни шелковой бородушки, как у их материковских собратьев. Что-то в этих насестах напоминало наш барак ночью, наши сплошные нары. В этих живых существах, спящих тревожным сном, определенно улавливалось нечто общее с нами. Тоже невольники. Тоже авитаминозники. Тоже — всегда топор над головой.

Однажды я так углубилась в это странное чувство, что не заметила, как открылась дверь и вошла Андронова. Она частенько прибегала среди ночи, видно не очень-то надеясь на мою понятливость. Обычно она сразу засыпала меня вопросами. Все живы? А рыбьего жира добавляла в мешанку? А Колотов больше не приходил? Кормушки-то с содой мыла или так?

Но на этот раз она как-то внимательно посмотрела на меня и вдруг спросила:

— Жалеете их, сволочей, да? Стоят они того, подлюки! Все руки исклевали...

И вдруг ни с того ни с сего начала рассказывать про Клаву, которая тут до меня работала. Наверно, мол, я слышала, что Клаву эту отсюда из-за нее, из-за Андроновой, сняли? Ну да уж чего там! Знает она отлично, что интеллигенточки из тюрзака ее за это и фурией, и еще по-всякому честят... А того они не знают, как эта Клава над птицами издевалась. В немытые кормушки мешанку сыпала, поилки отродясь не мыла, а в ночь, бывало, только кухню топит, чтобы самой-то тепло. А

ти пусть там в корпусе на насестах мерзнут. Ей лишь бы дрова
 носить! Сама, понимаете, спасается, а живая тварь пусть
бе загибается, благо сказать ничего не может... И пусть эти
нтеллигенточки как хотят ее, Андрониху, обзывают. Фурия
ак фурия! Она, конечно, человек простой, агроном колхоз-
ый, в университетах лекций не читывала. А над скотиной или
ам над птицей она издеваться не позволит.

А еще через несколько дней, когда я попросилась сбегать в
агерную столовку пообедать, Андронова заворчала:

— Чего там пустую баланду хлебать! Возьмите вон горшо-
ек да принесите свою порцию сюда. Мы ее тут простоквашкой
уриной забелим, да яичко битое туда толкнем. Вот и будет у
ас суп-ротатуй первый сорт. И мне в столовку не бежать. В
ольной-то столовке для бывших зэка та же баланда, только
ще деньги за нее плати!

С того дня мы начали обедать вместе, хлебая, как это при-
ято в лагере, из одной миски. Мы поливали лагерную кашу
ыбьим жиром, позаимствованным у кур. Варили овсяный ки-
ель из птичьего овса. Наконец ежедневно съедали три яйца на
воих — одно в суп и по одному в виде натурального деликате-
а. (Больше брать мы не хотели, чтобы не снижать показате-
ей яйценоскости. По ним судили о нашей работе.)

К лету я настолько физически окрепла на этом питании,
то могла уже снова, отвлекаясь от собственной участи, заду-
ываться над общими вопросами. Что будет со страной? Ведь в
то лето сорок второго года германские фашисты стоят на
Волге. На Волге! Но все эти общие тревоги ложились на глу-
инную, самую страшную: уже год, как я ничего не знала о
оем старшем сыне.

Грозная Андрониха, привязавшаяся ко мне вопреки моей
ринадлежности к ненавистному ей племени «интеллигенто-
ек», утешала меня в своей обычной манере. «Как пришли,
ак и уйдут!» — это о фашистах. «Никуда не денется, письма не
оходят...» — это о моем сыне. Но в душе она тоже беспокои-
ась и, чтобы утешить меня, даже доставала мне из вольной
иблиотеки книги и не возражала, если я на ночных дежур-
твах выбирала иной раз часок, чтобы почитать.

— Глядите только, не засните над книгой! — предупрежда-
а она. — А то сейчас наш старший зоотехник, говорят, бро-
ит по ночам, ловит, не спят ли люди на дежурстве.

И действительно, в одну из ночей зоотехник Рубцов как
арун аль Рашид неожиданно предстал передо мной на пороге.

Уже больше шести лет мне не приходилось общаться с
быкновенными свободными людьми, не тюремщиками. По-

351

этому я разволновалась, когда этот вольный человек, специа лист, член партии, приехавший на Колыму по договору, усел ся на табуретку с явным намерением побеседовать со мной.

— Что читаете?

Я читала мемуары мадам де Севинье, рваную пожелтев шую книжонку из приложений к «Ниве» за какой-то допотоп ный год. Рубцов скользнул по ней глазами. Нет, ему хотелос поговорить о другом.

— Ну как, скажите, довольны вы сейчас жизнью, рабо той? По-моему, здесь вам неплохо. И тепло, и сытно, и во даже на чтение можно выкроить часок.

Интонация у него была тревожная, как бы требующа ответа на какие-то другие, невысказанные, но куда более важ ные вопросы. Было ясно, что человек отнюдь не бахвалитс своим либеральным отношением к рабам, а наоборот, опасае ся, не похож ли он сам на рабовладельца.

(Я употребляю эти термины без всяких претензий на оп ределение общественно-экономической формации. Просто тому времени слово это уже вошло в колымский быт. Я сам как-то слышала, как вольный бригадир кричал в телефонну трубку: «Пришлешь там рабов человек семь-восемь». Правда потом он засмеялся и сказал, что «раб» — это сокращенное о «работяга».)

Зоотехник Рубцов был, как говорили, не из тех людей что на все закрывают глаза. Вилли рассказывала мне о его час тых столкновениях с директором совхоза Калдымовым (о ко тором речь будет впереди). А человечность Рубцова по отно шению к заключенным мы ощущали ежедневно на себе Поэтому я с искренним уважением ответила ему:

— Спасибо вам! Здесь, на молферме, точно на другой пла нете. Я рада, что вы член той партии, в которой и я состояла раньше, до того, как стала тем, чем вы меня сейчас видите. Я просто очень рада, что там еще остались такие люди, как вы

— А кем я вас вижу? Птичницей! Почетная работа!

Тут я не выдержала.

— Конечно! Если бы это было моей настоящей професси ей. А так — нерационально вроде. Сначала учить, давать учены звания.... Потом отправлять на лесоповал или в виде величай шей милости — на птичник. Кстати, если помните, крепост ник прошлого века Фамусов, прогневавшись на свою крепост ную девку, грозил ей птичником как репрессией. «Изволь-ка избу, марш, за птицею ходить!» Прошло больше ста лет. И сей час я, научный работник, таскаю мешки куриного помета чувством, что мне оказано большое доверие, и со страхом — не выгнали бы опять на лесоповал. Но это, так сказать, в широком плане. А в частности-то, я бесконечно благодарна вам. Давно бы уж дошла в тайге, на сенокосе.

Рубцов смотрел на меня все внимательней. На его суховатом умном лице отражалось и напряженное внимание, и одновременно какое-то смущение.

— Да, нелепостей много. И непонятностей тоже. — Он помолчал. — Но по сравнению с общими работами ведь здесь и вправду лучше вам?

— Еще бы! — Я засмеялась и быстро зашелестела страницами мемуаров мадам де Севинье. — А-а-а... Вот это местечко! О судьбе инсургентов. Вот она пишет: «Несчастные так устали от колесования, что повешение казалось им чистейшим отдохновением...» Недурно?

Старший зоотехник коротко хохотнул. Потом протянул мне руку.

— До свиданья. Извините, я нарушаю приличие. Дама должна протягивать руку первая.

— Это в данных обстоятельствах несущественно. Важнее, что вы нарушаете режим. Вольные не должны протягивать руку заключенным.

Он крепко сжал мою ладонь и, быстро повернувшись, вышел. Иногда на ночное дежурство заглядывал и второй зоотехник — Орлов. Этот был беспартийный, много повидавший в жизни и, как говорили, поторопившийся приехать на Колыму в качестве вольного, чтобы не пришлось поехать иначе. Был он костромской, страшно жал на букву «о», цитировал наизусть Пришвина и весь загорался, когда речь заходила о деревне. Похоже, что колхозные боли волновали его даже сильнее, чем все то, что он видел здесь, в совхозе Эльген.

— А ведь это неплохо, что вы поработаете у нас на птичнике, — сказал он мне как-то, — вот освободитесь скоро (он вечно твердил, что скоро всех выпустят), так по крайней мере будете знать, что такое колхозный труд.

Он был прав. Я сама нередко думала об этом, сгибаясь под тяжестью очередной многопудовой ноши. Было у меня, в моей прошлой жизни, одно постыдное воспоминание. Как-то, году в тридцать четвертом, я была в газетной командировке в одном татарском селе. Однажды мне пришлось что-то брать из рук в руки у моей ровесницы, молодой колхозницы по имени Мансура. Кажется, яйца она мне продавала и вот отсчитывала их. Только вдруг на какой-то момент наши руки оказались вплотную одна к другой. И Мансура сказала: «Э-эх, ручки! Красота!»

Сказала она это без всякой задней мысли. Просто ей действительно понравились мои тоненькие, беленькие, наманикюренные пальцы. Они так рельефно вырисовывались на фоне ее большой разработанной красно-коричневой руки, с набрякшими венами, с потрескавшимися пальцами и обломанными ногтями. Она-то не хотела меня обидеть, но я сама вдруг увидала эти две руки — мою и ее — крупным планом, как в кино. И испытала жгучий стыд. С этими ручками я приехала поучать ее, как коммунизм строить. Много раз потом, в одиночке, когда мысленно тысячекратно составляла свой некролог, это воспоминание возникало и мучило.

А сейчас... Прав зоотехник Орлов. Сейчас у меня руки точно такие, как были у той Мансуры. За год работы на эльгенском птичнике я впервые по-настоящему поняла, что такое крестьянский труд. Именно крестьянский, а не просто каторжный, как на лесоповале или сенокосе.

Как осмысленно и человечно могли бы мы жить теперь, если бы можно было выйти отсюда! Отказавшись от всех незаслуженных привилегий... Согласуя дела с мыслями...

Да нет, это тоже иллюзия. Мы вообще, наверно, уже не смогли бы жить. От усталости. Перетянул бы «бледный гребешок» — та обесцвеченная авитаминозом и страданиями часть души, которая так и тянет свалиться с насеста, коротко стукнуться об пол и застыть в блаженстве небытия.

ГЛАВА ВОСЕМНАДЦАТАЯ
В ЧЬИХ РУКАХ ТОПОР

Иногда приходится слышать от людей, переживших сталинскую эпоху на воле, что им было хуже, чем нам. В какой-то мере это верно. Во-первых — и это главное, — мы были избавлены судьбой от страшного греха: прямого или косвенного участия в убийствах и надругательствах над людьми. Во-вторых, ожидание беды бывает порой мучительней, чем сама беда. Но в том-то и дело, что стрясшаяся с нами страшная беда не освободила нас от постоянного изматывающего ожидания новых ударов.

Особенность нашего эльгенского ада заключалась в том, что на его двери не было надписи «Оставь надежду навсегда». Наоборот, надежда была. Нас не отправляли в газовые камеры или на виселицы. Наряду с работами, обрекавшими на гибель, у нас существовали и работы, на которых можно было уцелеть. Правда, шансов на жизнь было много меньше, чем на смерть, но они все-таки были. Призрачная, трепещущая, как огонек на ветру, а все-таки брезжила надежда. А раз есть надежда, то есть и страх.

Так что не было у нас преимущества бесстрашия, не могли мы сказать, что уже не прислушиваемся к шагам, не приглядываемся к теням, не могли чувствовать себя как люди, которым окончательно нечего терять... Ого, еще как я боялась потерять своих кур с бледными гребешками, и свою Марию Андронову, и свою Вилли, и возможность батрачить от зари до зари, но не на открытом воздухе, а в помещении.

И не я одна. Все, особенно те, кому удавалось вырваться хоть ненадолго с общих работ, жили в вечном страхе. Этапы. Карцеры. Доносы «оперу». Заведение новых дел с возможными смертными приговорами. Было, было чего ждать и чего бояться.

Больше года длился мой птичник, и каждый день сжималось сердце при виде появлявшихся на ферме официальных лиц: нарядчика из центральной зоны, режимника, работников УРЧа. Ох, что-то, кажется, посмотрел на меня очень пристально! Вот сейчас скажет: «С вещами»! О Господи, пронеси! Идет мимо... Значит, не в этот раз. И пятипудовый мешок за плечами кажется легкой и радостной ношей. Пронесло. А назавтра — опять...

Андрониха дает мне отличные производственные характеристики. Благородные зоотехники уже дважды премировали меня «за показатели яйценоскости» телогрейкой первого срока и крепкими чоботами. Но все равно... Ведь не в их руках наша судьба, не они вольны в наших «животе и смерти». Не в их руках занесенный над нашими головами топор. А в чьих же?

В течение почти всего многолетнего эльгенского периода фактическими хозяевами наших жизней были двое: начальница эльгенского лагеря Циммерман и директор совхоза Эльген Калдымов.

Калдымов, как это ни странно, был философом. Философом по профессии. Он окончил философский факультет и преподавал где-то диамат. На Колыму он приехал добровольно и, как говорили, в связи с деликатными семейными обстоятельствами. Его дочь, четырнадцатилетняя школьница, неожиданно родила ребенка. Захватив юную мамашу с младенцем, Калдымов якобы решил уехать подальше, спасаясь от злых языков.

Был он высок, плечист, с густым малиновым румянцем, с несокрушимыми белыми зубами. Во всем его облике, в движениях, в походке, в том, как он скакал по совхозным полям на коне (обязательно — на белом), чувствовалась закваска крестьянской мордовской семьи, в которой он принадлежал к первому поколению, получившему образование. В работу он, что называется, вникал лично, и если судить по выполнению планов, то вроде и неплохо руководил этим таежным колымским совхозом с его заключенной «рабсилой», которую правильнее было бы назвать «рабслабостью», поскольку все едва волочили ноги.

Он отдавал себе в этом отчет и вел свое хозяйство именно как экстенсивное, основанное на рабском ручном труде, на частой смене «отработанных контингентов». Когда ему докладывали об очередных вспышках «падежа» заключенных, он отвечал: «Новых получим. Поеду в Магадан. Добьемся». Он считал, что куда эффективнее поехать в Магадан и добиться там свежих этапов, чем возиться с полумертвецами из политических эшелонов тридцать седьмого года, укладывая их в ОПЗ и выдавая бездельникам повышенные пайки хлеба. Особенно выгодны были «свежие контингенты» в эти военные годы, когда вместо подыхающих московских и ленинградских интеллигентов можно было запросто «добиться» западных украинцев, молодых, здоровых, знающих сельскую работу, или, на крайний конец, девок-«указниц», арестованных за самовольный уход с производства.

Он не был садистом. Никакого удовольствия от наших мучений не получал. Он просто НЕ ЗАМЕЧАЛ нас, потому что самым искренним образом НЕ СЧИТАЛ НАС ЛЮДЬМИ. «Падеж» заключенной рабсилы он воспринимал как самую обыденную производственную неполадку, вроде, скажем, износа силорезки. И вывод в обоих случаях был один: добиваться новых!

Жестокости своей он не осознавал, она просто была для него обиходным делом. Вот, например, диалог между ним и зоотехником Орловым, случайно подслушанный нашей тюрзачкой, которая кайлила навоз в районе молфермы.

— А это помещение почему у вас пустует? — спрашивает Калдымов.

— Здесь стояли быки, — отвечает Орлов, — но мы их вывели сейчас отсюда. Крыша течет, углы промерзли, да и балки прогнили, небезопасно оставлять скот. Будем капитально ремонтировать.

— Не стоит на такую рухлядь гробить средства. Лучше пустите под барак для женщин...

— Что вы, товарищ директор! Ведь даже быки не выдержали, хворать здесь стали.

— Так то — быки! Быками, конечно, рисковать не будем.

356

Это не было ни шуткой, ни острословием, ни даже садистским измывательством. Это была просто глубокая убежденность рачительного хозяина в том, что быки — это основа совхозной жизни и что только крайнее недомыслие зоотехника Орлова позволяет ставить их на одну доску с заключенными женщинами.

В своем «сангвиническом свинстве», в постоянном ощущении твердости и незыблемости заученных тезисов и цитат он был бы, я думаю, страшно удивлен, если бы его в глаза назвали рабовладельцем или надсмотрщиком над рабами. Та «лестница Иакова», в основании которой стояли заключенные и которая увенчивалась Великим и Мудрым, а где-то посередине, ближе все-таки к вершине, находился и номенклатурный директор совхоза, казалась ему абсолютно незыблемой и существующей от века. Твердое убеждение в неизменяемости этого мира, с его иерархией, с его вошедшими в быт формами, чувствовалось в каждом слове, в каждом поступке директора. Все, что не входило, не вмещалось в этот мир, в котором он вырос, выучился и по ступеням дошел до нынешнего положения, было от лукавого. Хозяином ходил он не только по вверенному ему совхозу, но и по всей земле.

Иногда он, видимо, начинал скучать по оставленным на материке абстракциям. Они органически входили в его мироощущение. Поэтому он охотно читал время от времени вольняшкам совхоза лекции на теоретические темы. Когда Вилли Руберт освободилась и стала работать уже в качестве вольнонаемной экономистом совхоза, ей довелось слушать эти лекции.

Они были ничем не хуже других. У директора была хорошо натренированная память, и временами он даже отрывал свой веселый голубой взор от бумажки. С терминологией тоже все было в порядке. «Гордость» всегда шла с эпитетом «законная». «Слава» была, конечно, «неувядаемая», «патриотизм» — «животворный». Управлялся он и с философскими понятиями. «Теоретизированье» всегда шло с разоблачительным эпитетом «голое». «Риторизм» был «трескучий», а «эмпиризм», естественно, «ползучий».

Разным уклонистам, вроде вульгарных механистов, меньшевиствующих идеалистов и прочих деборинцев, пощады на этих лекциях, конечно, тоже не было. Но когда кто-то из лагерной администрации подал реплику в том смысле, что и у нас на Эльгене есть кое-кто из этих философских злоумышленников, Калдымов посмотрел пустыми глазами и оставил реплику без внимания. Ровно ничего не отразилось на его высоком челе. Никак не связывались в его сознании серые фигуры работяг, бредущих с разводом, и те «разработки», на основании которых ему предлагалось «бороться» с невидимыми идейными противниками, разоблачение которых было четко пронумеровано по пунктам и подпунктам и входило в состав экзаменационных билетов, по которым он проводил, бывало, вузовские экзамены.

Топор, который был в руках Калдымова и который всегда был занесен над нашими головами, разил не личности, не индивидуумы, а группы заключенных, целые отряды. Никогда он не давал команду: «Иванову — на лесоповал!» или «Петрову — на сенокос». Топор опускался сразу на большую группу. Распоряжения звучали так: «Снять пятьдесят человек с агробазы и послать на Теплую Долину!» или: «Семьдесят душ с закрытых работ — на кайловку!»

Его не интересовало, есть ли в том углу тайги хоть подобие жилья, хоть самое примитивное укрытие от колымских стихий. Все с тем же малиновым румянцем на щеках, все с той же улыбкой, обнажавшей несокрушимые зубы, он «списывал» тех, на чьи головы опускался его топор, и ехал в Магадан «добиваться» новых этапов.

Любопытно, что блатные, награждавшие всех начальников нецензурными прозвищами, очень долго называли Калдымова его настоящей фамилией. Только однажды Ленка Рябая, иногда читавшая книжки и любившая в бараке «тискать романы», заявила во всеуслышание:

— Его настоящая фамилия не Калдымов, а просто Дымов. А КАЛ — это его имя...

С тех пор так и пошло.

Что касается начальницы лагеря Циммерман, то блатные иногда звали ее Щукой (из-за вылезавших вперед и лежащих на нижней губе верхних зубов), а иногда просто Циммерманшей. По крайней мере, абсолютно непотребная частушка, сочиненная той же Ленкой Рябой и распевавшаяся блатным миром, начиналась со строк:

Сел Кал Дымов на машину,
Циммерманша у руля...

Валентина Михайловна Циммерман была старым членом партии не то с восемнадцатого, не то с девятнадцатого года. Некоторые наши, из тех, кто постарше, даже узнавали в ней своего бывшего товарища, вспоминали ее на партсобраниях начала двадцатых годов. Узнавание, правда, было односторонним. Сама Циммерманша абсолютно никого не помнила. Она, например, ни разу не остановилась при своих обходах бараков около задыхающейся в страшных сердечных приступах Хавы Маляр, с которой на воле была близко знакома и состояла в одной парторганизации.

Было эльгенской начальнице тогда лет за сорок, и она сохраняла стройную подтянутую фигуру. Так что когда она в военной форме, окруженная вохровцами и режимниками, шла по баракам, то в ней проглядывалось некоторое сходство с красавицей Эльзой Кох.

До сих пор, до самых семидесятых годов, дожила в нашей среде дискуссия о Циммерманше. Среди эльгенских последних могикан, еще доживающих свой век, находятся люди, питающие к Циммерман некоторое уважение за то, что она была ЧЕСТНАЯ. Да, просто честная в самом буквальном смысле этого слова. Она не воровала продуктов из столовой зэка, не брала взяток за освобождение от смертельно опасных работ, не делала никаких комбинаций с лагерной казной, чем и выделялась как некое инородное тело из среды своих коллег, очень ее недолюбливавших.

Кроме честности ей был свойствен даже некоторый аскетизм. Было известно, что безмужняя Циммерманша живет с двумя сыновьями, не участвует ни в каких попойках и колымских начальнических увеселениях. Были даже слухи, что и самые высокие севлаговские чины ее терпеть не могут. Забулдыги, взяточники и развратники нюхом чуяли в ней что-то чужое и отскакивали от нее, как, говорят, отскакивает волк от хищников другой породы.

А я (хоть знаю, что многие сочтут это ересью) задумывалась тогда, а тем более теперь, над этой проблемой. Какую ценность имеют такие добродетели, как честность, умеренность личных потребностей и даже неподкупность, когда всеми этими качествами одарена личность, выполняющая по отношению к другим людям палаческие функции? И кто более человечен: сменивший впоследствии Циммерман начальник Пузанчиков, отнюдь не страдавший аскетизмом, но умевший иногда смотреть сквозь пальцы, если заключенный утащит с агробазы спасительный капустный лист, или Циммерманша, убивавшая и убившая многих совершенно бескорыстно, исходя из самых, с ее точки зрения, идеальных побуждений?

Она разговаривала со всеми отрывисто и беспощадно, но называла всех на «вы». Она выбрасывала в парашу обнаруженные при обыске в бараке «левые» котелки с кашей, но следила, чтобы все жиры, положенные на зэковскую норму (из расчета ноль целых и еще сколько-то сотых на душу) попадали в котел, минуя хищные лапы придурков.

В противоположность Калдымову, она различала в толпе заключенных отдельные фигуры, и ее топор часто опускался не только на группы людей, но и на отдельные индивидуальные шеи. В частности, на мою. При этом она исходила, очевидно, опять же из самых, по ее мнению, благороднейших принципов — из борьбы за честность, целомудрие и соблюдение режима.

Надо сказать, что по вопросу о воровстве в нашей среде сложилось довольно единодушное мнение. Кражей считалось и соответственно осуждалось общественным мнением только присвоение чьей-то ЛИЧНОЙ собственности. Что же касается пользования продуктами, к которым мы получали доступ по роду работы, то мы были убеждены в своем полном праве пользоваться ими, беря потихоньку, поскольку открыто не разрешалось.

— У меня больше украли, — говаривала моя Андрониха, разбивая яичко, чтобы забелить нашу лагерную баланду. — Уж не считая того, что трудилась бесплатно пять лет, так еще и имущество конфисковали, а ведь ни за что ни про что. Девчонка бы могла хоть продавать да жить, пока родители в тюрьме. Так нет, всю мебель повывезли. Еще как назло, только что шифоньер купили... Полированный!

— Знаешь, — мечтательно говорила Вилли Руберт, — мы с тобой могли бы хоть по десятку яиц в день воровать. На нас никто не подумает. Такие интеллигентные...

И если мы этого не делали, ограничиваясь только «забеливанием», для которого выбирали разбитенькое, то исключительно боясь не за свою совесть, а за «процент яйценоскости». Ведь им определялась наша работа.

Циммерман не пропускала ни одного случая, ставшего ей известным. Возмущаясь «попустительством» производственного начальства, она подписывала несчетное количество приказов о водворении в карцер за «хищения» на производстве. И рука у нее не дрожала. И не приходили ей в голову беспринципные соображения о том, что люди, посягнувшие на священную социалистическую собственность, были голодающими. Ведь она сама была ЧЕСТНАЯ. Не воровала, не брала взяток. И ей ли, с высоты этих добродетелей, не покарать дерзкую, осмелившуюся во время работы на овощехранилище сжевать своими выпадающими цинготными зубами казенную сырую картофелину?

В царствование Циммерман Еве Кричевой оформили новый срок за «кражу помидоров с агробазы». Когда заключенный врач Марков подавал начальнице рапорты с ходатайствами о применении сульфидина для зэка, больных тяжелой формой крупозной пневмонии, она почти всегда накладывала своим четким почерком резолюцию «Отказать». После такой резолюции умерла Ася Гудзь, талантливый литератор, обаятельная женщина. Так погибла совсем еще молодая — двадцатипятилетняя — Ляля Кларк, арестованная студенткой. В последнем случае Циммерман написала свое «отказать» еще решительней, устно разъяснив Маркову, что Кларк не только враг народа, но вдобавок еще полунемка-полуангличанка. А сульфидин, как известно, на Колыме дефицитен и надо хранить запас на случай болезни ценных для фронта и тыла людей.

Начальница изо всех сил охраняла принцип честности и сохранности народного добра.

Еще суровее боролась Циммерман за целомудрие. Когда она отправляла в этапы, сажала в карцеры за «связь зэка с зэкою» или, что еще хуже, «за связь зэка с вольнонаемным», на ее лице можно было прочесть не только начальственный гнев, но и откровенное презрение к развратникам. Они оскорбляли белизну ее вдовьих одежд. А в том, что в основе всех связей лежит только разврат, она никогда ни на минуту не усомнилась.

Может быть, именно в этой прямолинейности суждений и было заложено то зернышко, которое, разросшись, показало нам фанатичную большевичку первых революционных лет, «кожаную куртку», в образе начальницы лагеря, одетой в военный мундир, скроенный по модели, созданной Эльзой Кох.

Эволюция Циммерман должна бы стать темой особого исследования историка, социолога, большого писателя. Мне не под силу.

Тогда мне порой казалось, что она не может не осознавать трагичности своего положения, что для нее наша эльгенская зона — тоже зона. Иногда мне казалось, что в один прекрасный день она вдруг может увидеть себя со стороны и полезть в петлю.

Но это были, наверно, только интеллигентские домыслы, потому что конец ее жизни вполне благополучен. Говорят, что даже сейчас наша Циммерманша, награжденная медалью «За победу над Германией» (без выезда из Эльгена!), доживает, так сказать, «на заслуженном отдыхе», получает персональную пенсию и пользуется столовой старых большевиков в Риге, где она нередко встречается с теми, над чьими бесправными, истерзанными головами она годами держала топор. И не только держала, но и опускала его.

ГЛАВА ДЕВЯТНАДЦАТАЯ

ДОБРОДЕТЕЛЬ ТОРЖЕСТВУЕТ

Живя годами в трагедийном мире, как-то смиряешься с постоянной болью, научаешься даже иногда отвлекаться от нее. Утешаешь себя тем, что страдание обнажает суть вещей, что оно — плата за более глубокий, более близкий к истине взгляд на жизнь.

В этом смысле моя судьба в лагере была завидной. Точно некий Редактор обдуманно направлял меня для сбора материала на самые различные круги преисподней, где я могла видеть столкновения характеров, поступков, мыслей в наиболее резком свете.

Невыносимо становилось только тогда, когда страдания делались скучными, когда снова повторялись уже осмысленные ситуации, когда оставалась мука как таковая, без отвлекающей и облагораживающей возможности размышлять. А случалось это всякий раз, когда меня снова и снова заталкивали на уголовную командировку в качестве медсестры.

Так было и на этот раз. Новая командировка называлась игриво — Змейка. Снова голод, от которого уже отвыкла за год, братски деля с курами их роскошный рацион. Снова таежное комарье, кривые бараки со сплошными нарами и, главное, снова плотное кольцо одиночества. Не с кем слова молвить. Девки-уголовницы, все точно снятые с одной колодки, да вохровцы, обходящиеся тремя десятками клишированных фраз.

Теперь я стала похожа на сударского инструментальщика Ёгора. Тот тосковал по центральной эльгенской зоне больше, чем по родной деревне. Вот и я сейчас ловила себя на том, что тоскую по молфермовскому птичнику больше, чем по Казанскому университету. Это пугало как признак запустения души, и я судорожно искала ей пищу. Может, в природе?

Укрытая от ветра Змейка заросла высокими развесистыми лиственными деревьями. Прелесть здешнего пейзажа отличалась от сударской. Там красота была сумрачная, типично колымская, а на Змейке был оазис. Такие места встречаются изредка на Колыме, в стороне от зловещих скал и болот, окаймляющих центральную трассу. Пользуясь относительной свободой передвижения вокруг «командировки», я облазила окрестности Змейки и обнаружила удивительные, просто сказочные уголки. Помню островок, поросший серовато-розовой замшевой вербой. Казалось, что где-то в этих зарослях прячется пряничный домик.

Домика не оказалось. Зато Баба-яга прочно обосновалась на Змейке в должности завхоза. Гаврилиха была кривобока. При разговоре она брызгала слюной. Вылезшие вперед длинные верхние зубы лежали на нижней губе. Этот штрих делал ее, безобразную, чем-то похожей на красивую Циммерман. Гаврилиха была как бы карикатурой на нашу стройную начальницу.

Всего какой-нибудь год назад Гаврилиха еще стояла по ту сторону черты: она была сотрудницей УРЧа магаданского женского лагеря, а муж ее был начальником того же УРЧа. Потом эту даму, как говорится, бес попутал: не то она потеряла какую-то секретную бумагу, не то разболтала ее содержание. Только дали ей три года срока за легкомысленное отношение к служебным тайнам.

Попав в качестве заключенной под руководством Циммерман, она сумела понять характер начальницы, угодить ей, получить ответственный пост в лагобслуге. Увы, Баба-яга, сумевшая притвориться, не сумела все-таки преодолеть основных свойств своей натуры и быстро попалась на каком-то жульничестве. Лагерная ее карьера стремительно покатилась вниз и довела ее до Змейки. Правда, пока еще не работягой, а завхозом, но уже вдалеке от центральной зоны, на гнусной, голодной, уголовной точке.

Ненависть девок к Гаврилихе была до того остра, что я все время опасалась: не привели бы они в исполнение свои ежедневные угрозы, не зарезали бы Бабу-ягу. Я даже пробовала было осторожно намекнуть ей, что в этой обстановке надо бы умерить хищность повадок. Напрасно. К недоеданию недавняя сотрудница УРЧа была непривычна, и с каждым днем обменные операции с казенными продуктами становились все смелее и неосмотрительней. Иногда глухой ночью я просыпалась от сладострастного чавканья, несущегося с Гаврилихиных нар. Только под покровом ночной тьмы она рисковала проглотить свой нечестивый кусок. Ведь шел сорок четвертый. Лагерный паек и без того скудел с каждым днем, с каждой неделей. И те десять граммов, которые при развеске хлеба зажуливались с каждой пайки, вырастали в грозную причину бунта. Народом в данном случае были блатные «оторвы» и «шалашовки», и бунт грозил стать кровавым. Уже шатались вокруг Змейки блатари-мужчины, которым девки дали знать о своем бедственном положении.

Мы с бригадиром Клавой Батуриной пытались говорить об этом с охраной. Но вохровцы, сытые, обленившиеся, жили по принципу «день да ночь — сутки прочь», отсиживались тут от войны и не хотели конфликтов.

И кончилось бы все это очень плохо, если бы не скрутила Бабу-ягу лихая желудочная хворь. Я сказала командиру, что надо, мол, ее в больницу, а то, кто знает, не брюшняк ли. И командир сам отвез ее на попутном тракторе в центральную зону, а вернувшись, распорядился, чтобы хлеб до ее возвращения развешивала я.

Мы с бригадиршей Клавой принесли Гаврилихины весы, которые она держала в темном закутке, так называемой «кладовой», и водрузили их на стол в середине барака. Я резала хлеб и развешивала его на глазах у девок. Первая же, честно взвешенная пайка была явно больше обычной, Гаврилихинской.

Эта неслыханная демократизация снабжения вызвала восторженное умиление девок. Профессиональные воровки были до слез тронуты самой возможностью увидеть честного завхоза.

— Дешевка буду, коли до Циммерманши не дойду! — иступленно кричала Ленка Рябая и тут же «забожилась по-ростовски», что Баба-яга вернется на свой пост только через ее, Ленкин, труп.

Они давно собирались идти к начальнице. У них даже лежала припрятанная Гаврилихина пайка. Пусть перевесят, ну там усушку учтут, конечно, но пусть Циммерманша сама посмотрит, сколько с каждой пайки воруют. А теперь вот для сравнения еще захватят с собой ту безобманную пайку, что Женька-лекпомша дает.

Не знаю, как все это осуществилось, но через несколько дней меня вызвали к Циммерман. Впервые грозная начальница посмотрела мне в лицо спокойными и, пожалуй, даже доброжелательными глазами. Ведь я проявила как раз то качество, которое она ценила выше всего, — честность. Честность в прямом и узком смысле слова. Не воровать!

— Я назначаю вас завхозом Змейки.

Я похолодела. Материальная ответственность в этой обстановке! Да еще в сочетании с моим арифметическим кретинизмом! Сознаться в этом вслух я не смела, но ведь про себя-то я знала: для того, чтобы, скажем, вычесть из семидесяти шести двадцать пять, я шептала про себя: «если отнять десять, будет шестьдесят шесть, потом еще десять — пятьдесят шесть, а если еще пять отнять, то будет...» В общем, недаром я получила среднее образование в тот период, когда молодая советская школа экспериментировала в направлении ранней дифференциации обучения, и мне, тринадцатилетней, было разрешено полностью посвятить себя гуманитарным наукам.

— На любые общие работы! — молила я Циммерманшу. —

На самые тяжелые! Только не это... Я просчитаюсь, провешусь, меня будут нещадно надувать кладовщики...

И вдруг, в ответ на этот вопль отчаяния, случилось почти невозможное. Начальница как-то странно взглянула на меня и произнесла немыслимые слова:

— А что если я назначу вас медсестрой к врачу Герцберг, в амбулаторию центральной зоны?

Не может быть. Ведь это один из наивысших придурочьих постов. Неужели это возможно для меня? Ходить в чистом белом халате? Жить в бараке обслуги, где стоят отдельные топчаны, а по вечерам лампочка горит так ярко, что можно читать, сидя за столом в середине барака? Работать в тепле, под начальством доброй, мягкой Полины Львовны, памятной мне еще по деткомбинату?

...Все эти дерзновенные мечты осуществились. По вечерам в амбулатории центральной эльгенской зоны мирно потрескивает глиняный подтопок. И халат у меня чистый. И топчан с двумя бязевыми простынями в бараке обслуги.

...Но все это ничуть не касается того манекена с механическими движениями и застывшими глазами, который теперь существует под моим именем. Разве это еще я? Разве я могу еще быть живой после того, как свершилась надо мной самая страшная моя кара? После того, как погиб мой сын, мой первенец, мое второе «я»?

Это сорок четвертый. Предчувствовала... Заклинала... «Господи, да минует... Пусть любая другая чаша, только не эта, не эта...» Не миновала.

Я ожесточилась. В тысячный раз смотрю на строчки маминого письма и не замечаю, что буквы скрючились от непереносимой боли. Только спустя шесть лет, когда пришла следующая похоронная — на маму, — я снова вытащила это письмо и, сопрягая две непереносимые боли, впервые поняла, каково ей было выводить неповинующейся рукой буквы, втыкать дочери нож в сердце. Но это только через шесть лет. А тогда — никакой жалости к матери, овдовевшей, потерявшей меня, а теперь еще и старшего внука. С таким же отупением вчитываюсь в ее телеграмму: «Переживи. Сохрани себя ради Васи, ведь отца у него тоже нет». Почти равнодушно прохожу мимо содержащегося здесь косвенного известия о гибели мужа. Никого, никого мне в это время не жалко. Эгоизм страдания, наверно, еще более всеобъемлющ, чем себялюбие счастливых.

Не будь я в те недели под конвоем... Сколько их было кругом — бурных, ледяных, громкоголосых таежных рек и речушек. Любая могла погасить бедную израненную память...

Но меня не оставляют ни на минуту наедине с собой. Меня конвоируют, заставляют работать. Вокруг меня десятки, сотни людей. Я ставлю им банки, вскрываю фурункулы, капаю капли в глаза и нос, бинтую обмороженные пальцы рук и ног. На Сударе я делала все это любовно, с глубоким состраданием к людям. Сейчас все мои движения автоматичны. Я часто забываю, что банки пора уже снимать, и Полина Львовна укоризненно качает головой. Спохватываюсь. Вспоминаю. Ведь на вид я все еще живая.

По утрам, открывая глаза, я осознаю себя в живых по чувству острого страдания, щупальцами впившегося в грудную клетку. В юности мне нравилось повторять: «Мыслю — значит, существую». Теперь я могла бы сказать: «Страдаю — значит, жива».

. . . .

От барака к бараку движется процессия. Впереди начальница лагеря, за ней начальник режима, командир взвода вохры, начальник КАВЕЧЕ, нарядчик, староста. Шествие замыкает медицина. Иногда Полина Львовна посылает меня вместо себя. Это ежедневный обход. В каждом бараке дневальная рапортует. На работе — столько-то, выходных — столько-то, больных — столько. Иногда, куда реже, чем на отдаленных таежных точках, попадаются «отказчики». Скажем, тетя Катя из немецкого барака. Ей семьдесят, и у нее ревматизм. Вообще-то она крепкая жилистая старуха, и ее заставляют хоть на два-три часа выйти на работу. На снег! Расчищать снег, хотя бы только в зоне. А тетя Катя не хочет. Она сидит целыми днями в бараке и вяжет носки из ниток, которые с великой тщательностью надергивает из американских мешков из-под муки. Мы едим теперь белый, как вата, маисовый американский хлеб, а мешки по блату добывают в каптерке, с них счищают остатки муки, их стирают, кипятят, а потом вышивают, мережат или вяжут из них любые предметы туалета: носки, рукавички, разные воротнички и косынки. Тетя Катя — первый специалист.

— Работать надо! — объясняют ей начальники.

— Драусен? — возмущенно восклицает тетя Катя, делая вид, что не умеет говорить по-русски. Потом она быстро и сердито говорит на немецко-колонистском диалекте, что сначала надо кормить, а потом уж гнать на работу. Что за паек ей дают! Воробью не хватит! Она уже ходила жаловаться в сельсовет и еще пойдет. Тетя Катя упорно именует наш УРЧ сельсоветом, и объяснить ей разницу невозможно.

От нее отступаются. Все-таки семьдесят. К тому же сейчас

не до нее и вообще не до старых этапов. Идет бурный и нелегкий процесс освоения новой рабсилы. В сорок третьем-сорок четвертом эльгенскую зону пучит и распирает от новых этапов.

С этими этапами впервые дошли до нас отголоски войны. Западные украинки. Вчерашние «заграничницы». Молодые, кровь с молоком. Просто чудо, во что превратился под их трудолюбивыми руками отведенный им второй барак! Дощатый пол засветился, как яичный желток. Засверкали хрустальным блеском зачуханные, склеенные из обломков стекла окон. На столбах вагонок появились зеленые веточки стланика. С соломенных подушек свисают трогательные вышитые рушнички. А производственные планы! Что сотворили эти кудесницы с нашим совхозным планом! Они его просто выполнили! Всерьез, без туфты.

Единственное, с чем приходится начальству трудновато, — это с верностью «западнячек» церковному календарю. Вроде бы самый обычный вторник, а второй барак целиком не вышел на работу. Усекновение главы святого Иоанна Предтечи. Процессию обхода встречают слаженным пением молитв.

— Что же вы не на работе? Больны? — вежливо интересуется начальник режима.

— Ни, громодянин начальнику. Хворых не мае. Але сьогодня свято...

Начальству не хочется прибегать к репрессиям. Целый барак не потащишь в карцер. К тому же эти дивчины — ударницы производства. На передний план выдвигается начальник КАВЕЧЕ.

— Вот ведь до чего вы народ несознательный, — огорченно произносит он, подергивая плечом. — Девушки вы все работящие, честные, а в такую ерунду верите.

— От зато ж мы и честни, що в Бога веруемо.

...Почему-то эти крепкотелые поворотливые дивчины с южным колером лиц до смерти любят лечиться. На вечерний прием они битком набиваются в нашу амбулаторию.

— По пид грудями дуже пече, — напевно повествует двадцатилетняя Марийка, поводя своими иконописными очами. — А писля у кишки як вступе, як вступе... Ажно у роти солодко робиться...

Пытаюсь перевести разговор в конкретную плоскость.

— Просишь освобождение от работы?

— Та ни... Робити можу... Але прошу дать якись капли...

Неслыханное в лагерном быту явление — не нуждается в освобождении от работы. Тогда, наверно, красочное описание болей «по пид грудями» — это форма проявления тоски по личному, по участливому вниманию к себе.

367

— Тебя за что взяли, Марийка? — с опаской спрашиваю я, накапывая в мензурку ландышевые капли.

Ведь уже семь лет прошло с тридцать седьмого. Как же это выглядит теперь, на фоне войны, гитлеризма, безмерного всеобщего страдания? Неужели все так же? По плану? По разверстке? Так за что же, Марийка?

— Дуже дякую за капли.

— Не хочешь говорить? Ни за что, наверно?

Марийкины очи темнеют, щурятся, теряют иконную невозмутимость.

— Як це — ни за що! Коли мене на горячем дили заарештували! Листивки по заборах клеила!

Я вроде даже рада этому. Пусть за листовку, пусть за какое-то неосторожное слово. Пусть сурово, непропорционально деянию. Лишь бы не просто так! Не чохом! По профессии, по национальности, по родству... И кто знает при этом, какую категорию начнут выбраковывать завтра! Может, по цвету волос? Разве не подозрительны, скажем, рыжие уже одной пламенностью расцветки!

Увы! Скоро я узнаю, что вокруг одной Марийки с ее листовками арестовано человек тридцать за то, что жили с Марийкой в одной местности. И еще сотня за то, что были знакомы с этими тридцатью. Нет, принцип оставался все тот же, незыблемый.

Кроме западных украинцев на Колыму прибывают сейчас большие этапы так называемых «указников». Тоже продукт военного времени. Главным образом молодежь, осужденная по указу за самовольный уход с предприятий. В нашей центральной зоне эти девчушки, почти школьницы, ходят табунками. Охотно рассказывают, как это все стряслось с ними. История у всех одна и та же, с небольшими вариациями. Очень было трудно, холодно, голодно, ну не вытерпела да к маме и уехала.

— А очень было голодно? Как в лагере, да?

— Что вы! Если бы как в лагере, я бы не сбежала. Здесь вон хлеб-то какой белый!

Нам, старым опытным зэка, совсем не нравится этот заморский маисовый хлеб. Никакой в нем серьезности. Наша отечественная черная горбушка куда основательней была. Но указниц чарует именно белизна этого хлеба. Они любуются им как полузабытым видением нормальной жизни. И вообще, оглядевшись, указницы приходят к выводу, что в лагере не так уж плохо.

— Здесь хоть женщиной себя чувствуешь, — милым, чуть охрипшим голоском говорит девятнадцатилетняя Зина Пчелкина.

Она лечится от простуды. Я поставила ей банки. Она лежит на амбулаторном топчане, прикрытая какой-то хламидкой, и объясняет, чем ей нравится Эльген. Ну хоть сравнительно с Ульяновском, где она жила с мамой и сестрами. Ведь там, в Ульяновске, теперь одни бабы. Другой раз кажется, что весь мир из одного бабья состоит. Приехал вон Мишка Воробьев с фронта, ногу ему там оттяпали, по чистой вернулся. Так вокруг него все ульяновские красотки так и вьются. А он, этот Мишка, и с двумя-то ногами чучелом был. Кто на него смотрел в школе! В Эльгене — другое дело. Зона-то женская, но ведь только шагни за вахту — куча мужчин! Колыма, наверно, последнее место на земле, где мужиков вдвое больше, чем нас, где еще ценят нашу красоту.

Зиночка заговорщически улыбается и предлагает мне сунуть руку в карман ее бушлата. Какие у нее там записки от парней! Она гордо хихикает, и банки на ее спине мелодично позвякивают, цепляясь одна за другую. Подрагивают от смеха беленькие перевязанные лямками косички. Точно такие же были у нашей Майки, моей падчерицы.

— Не торопись, девчонка! Слыхала, здесь есть словцо «шакалы»? Так вот проверь, не шакалы ли писали. А записки сожги. А то попадешься с ними на обыске — в карцер запрут.

Пустые, конечно, речи. Уже через несколько месяцев чуть ли не все указницы, мамины дочки, беременны. Ведь статья их считается легкой, допускает бесконвойную работу среди вольных.

Но беременность — еще полбеды. Уже совсем поздно вечером, после отбоя, я делаю секретные уколы. У Клавдюшки М. еще цело ее школьное форменное платьишко. Ее в нем арестовали. Она поднимает коричневую юбчонку в бантовую складочку, обнажает розовую детскую ягодицу, и я вкалываю ей большой шприц с жидкостью, напоминающей густой помидорный сок. От люэса.

...Бегут месяцы. Все больше отстаивается мой быт. Вроде так и положено от сотворения мира. Подъемы. Разводы. Обходы. Проверки. Отбои. Должность зонной медсестры приближает меня к администрации. Когда наступает тихое время — между утренним обходом и обеденным перерывом — в амбулаторию заходят надзиратели, а иногда и их жены. У надзирателя-татарина четверо малышей. Они болеют. Его жена зачастила ко мне. Она выводит меня за вахту, ведет в свою комнатешку, где пахнет лапшой и теплым бараньим салом. Мы лечим ее смуглых малышей по забытым патриархальным рецептам моего детства: растираем грудку скипидаром, ставим на животик согревающий компресс. Я слепляю сносные татарские фразы, и мы беседуем про Казань. Про Сенной базар и магазин ТУМ. Про Арское поле и новые маршруты троллейбусов.

Помаленьку все вахтеры привыкают ко мне, и теперь мне достаточно заглянуть в окошечко и сказать: «Разрешите?», как длинный железный болт скользит влево и дверь вахты раскрывается передо мной. Только красавчик Демьяненко спрашивает: «Далеко собралась?» Но и он удовлетворяется стандартным ответом, что, мол, в больницу, за медикаментами.

Я иду улицей нашего совхоза, привычно маневрируя между окаменелыми грядами черной грязи, навоза, мусора. Мимо конбазы и управления, мимо бани и больницы. Торопливо иду, чтобы успеть вернуться в зону к дневному приему больных в обеденный перерыв. С оглядкой иду, чтобы не нарваться на какого-нибудь начальника, на окрик: «Куда? Без конвоя?»

И все-таки эта прогулка — какая-то отдушина. Как-никак, и я иду одна. Иду туда, куда мне хочется: на молферму, к друзьям в гости. Всех повидаю, душу отведу. Ну и молочка выпью, съем краденое яичко, снесенное моими дорогими бледными гребешками.

Я привыкла к Эльгену, и он уже не кажется мне мертвым. Вот на речке, у бани, стоя на мостках, какие-то бабенки-вольняшки полощут белье. Останавливаюсь на минуту, со жгучей завистью наблюдая их движения. Вон та, коротышка с толстыми икрами, отжимает тяжеленные мужские порты из чертовой кожи. Она умаялась, побагровела. Выпятив нижнюю губу, сдувает кверху упавшую на глаза прядь. Вот отстирается, сложит белье в таз и пойдет домой, в собственную свою хавиру, где у нее свой собственный борщ томится в глиняном подтопке. А муж придет на перерыв, и они будут из одной миски хлебать этот борщ. И он будет ей рассказывать, как бригадир — собака — плохо закрыл ему наряд. Надо, мол, ему, собаке, опять в лапу дать...

Вспоминаю нашу Надю Ильину — бывшую специалистку по скандинавским языкам, которая освободилась из лагеря без права выезда на материк и вышла замуж за грузчика из раскулаченных. Счастливица! Правда, он разбавляет спиртягу растопленным снегом и хлещет его прямо из консервных банок. Другой раз, говорят, спьяну вспомнит свою пропавшую молодость и двинет Надюху кулачищем. Но ведь другой раз и пожалеет же...

Ну вот, слава Богу! Успела вовремя добежать обратно. Опять заглядываю в окошечко вахты: «Разрешите?»... И стараюсь так держать большую бутыль с марганцовкой, чтобы Демьяненко не сомневался: ходила за медикаментами.

— Давай заходь! — Железный болт легко скользит в сторону.

...Сейчас, на третьем году войны, режим в лагере несколько ослаб, особенно здесь, в центральной зоне. Ведь самые опасные элементы — на точках, на пунктах и командировках. А здесь опять КАВЕЧЕ вошла в силу, перевоспитывает, читает вслух газеты. Даже добилась показа кинофильмов лучшим производственникам. Поощрение за хорошую работу.

Мы сидим в огромном студеном бараке, именуемом «клуб». Кутаемся плотнее в бушлаты, шевелим ледяными пальцами ног во влажных чунях и жадно следим своими отрешенными глазами, как Любовь Орлова, играющая знатную текстильщицу, вся в крепдешинах и локонах, очень натурально «переживает». Сейчас ей на грудь прикрепят орден. Это сделает Всесоюзный староста Михаил Иванович Калинин. (Его жена тоже где-то в лагерях, и доходили до нас слухи, что ее там прозвали «старостихой».)

Фильм называется «Светлый путь». Я не отрываю глаз от экрана. Вот сейчас героиня выйдет на улицу, и мы увидим Москву. Меня знобит при мысли, что вот сейчас, сию минуту, передо мной встанет Охотный или площадь Революции. Но действие все время развивается или в цехах, похожих на дворцы, или во дворцах, похожих на фаланстеры из снов Шарля Фурье.

И все-таки лестно. После семилетнего перерыва я снова вижу фильм. Нам, детям тьмы, показывают картину о чьем-то светлом пути.

Вот так восторжествовала добродетель. Вот каким отменным житьем в центральной зоне наградила меня наша строгая, но справедливая начальница. За то, что я оказалась честной. Не воровала хлеб у голодных.

Целый год длилась моя работа в амбулатории центральной зоны, до тех пор пока...

ГЛАВА ДВАДЦАТАЯ

ПОРОК НАКАЗАН

Преступление, которое я совершила, было беспрецедентным в истории лагеря. Я залезла в карман к начальнице. Я взяла из этого кармана бумагу и сожгла ее в печке. Спрошенная в упор, я созналась в этом неслыханном деянии. Впрочем, все было не так просто.

Уже за неделю до этого происшествия я места себе не находила с тоски. Не могла забыть один ночной вызов.

— Швидко давай! Одягайсь! На агробазу! Там страпилось... — свистящим шепотом приказывал мне вахтер, появившийся глухой ночью в нашем бараке.

Что могло стрястись на агробазе в ночной смене? Никаких машин или механизмов, которые могли бы повредить человеку, там нет. Ночные работницы только топили огромные печи в теплицах или мастерили торфоперегнойные горшочки, уже вошедшие тогда в моду на Колыме.

А случилось, видно, что-то важное, потому что со мной вместе на агробазу быстрыми шагами шел, освещая наш путь электрическим фонариком, сам начальник режима, а с ним еще двое незнакомых мужчин в штатском.

— Врача бы надо, а не сестру, — сказал один из них. Но режимник возразил, что, мол, врачу там все равно уже делать нечего, а для составления акта эта сестра еще лучше пригодится, поскольку она помоложе и поразбитнее зонной врачихи.

У входа в теплицу толпились женщины из ночной смены. Дежурный по агробазе вохровец не пропускал их в дверь. Но как-то неуверенно, не очень категорично не пропускал. Я успела уловить всхлипывания и имя Полина, летавшее над этим скопищем серых теней с неразличимыми лицами.

— Давай вперед, лекпом! — скомандовал режимник.

Меня протолкнули в низкую дверь. Большая печка потрескивала, плевалась и шипела сырыми, плохо разгоравшимися дровами. Тени от этого неверного огня бежали по темным стенам, как бегут на исходе ночи очертания предметов в окне движущегося вагона. Теплица и впрямь точно ехала, вся шатаясь и раскачиваясь.

Я схватилась за косяк, чтобы не грохнуться. Прямо над высоким стеллажом с капустной рассадой тихонько свисало с потолка что-то длинное и тонкое. Это что-то заканчивалось лагерными бутсами. Они намертво промерзли и сейчас оттаивали. С них сочилась на стеллаж грязная сукровица. Голова, страшная, черная, с вывалившимся языком, была похожа на старый памятник Гоголю. Тонкий нос, спускающаяся на лоб прядь волос, расчесанных на прямой пробор. Полина Мельникова!

— Давненько, видать, висит. Захолодала совсем, — объяснил дежурный по агробазе вохровец.

— А не сняли чего же?

— Да мы когда заметили, уж поздно было. Все равно уж кончилась. Раз так, думаю, пущай висит уж по инструкции... До начальства...

На стеллаже, под самыми Полиниными ногами, лежал обрывок бумаги, закрепленный на месте двумя торфяными горшочками. Тут же валялся синий обгрызенный карандаш... Если закрыть глаза, я и сейчас вижу — эти два синих разъезжающихся слова. «Хватит... надоело...»

Ровно ничего не случилось, что могло бы ускорить решение. Была ночь как ночь. Обычная лагерная ночная смена на эльгенской агробазе. Вот только, может, тени от печки, перемещаясь по стенам, сложились в какие-нибудь особенно зловещие химеры? Кто знает, почему человеку вдруг становится ясно, что хватит...

Вот уже обрезана веревка, и Полина лежит на стеллаже среди этих полуобгорелых горшочков, точно слепленных кретинами из специального детдома. Полина Мельникова. Пассажирка седьмого вагона. Бывшая переводчица-китаистка. Бывшая женщина. Бывший человек.

Нет, уж если кто тут бывший человек, так не она, утвердившая свое право человека таким поступком, распорядившаяся собой по-хозяйски. Это я, я бывший человек. Я, которая, вместо того чтобы рыдать над ее трупом, выкрикивая проклятия палачам, пишу на краешке стеллажа «Акт о смерти». Живу. Живу даже после Алеши, хотя уже ясно, что ничего и никогда не будет больше для меня. Держусь за это унизительное существование, за эти дни, каждый из которых — плевок в лицо.

А ведь она приходила в амбулаторию незадолго до той ночи. И я перевязывала ей палец на руке. Здесь так часты панариции. Еще спросила ее, как, мол, живешь, Полинка, и тюкает ли еще в пальце. А ведь не спросила, почему у нее не только нос и волосы, но и глаза стали похожи на гоголевские, на старый памятник Гоголю. А может, если бы спросила ласково, не как лагерная медсестра, а как настоящая сестра, как сестра милосердия, так она бы еще и подождала брать в руки этот синий карандаш.

Через несколько дней после Полины умерла Аня Гудзь. От крупозной пневмонии. Врачиха хотела отправить ее в больницу на лошади или хоть на бычке. Но добиться этого не удалось, и я повела ее пешком. Я вела ее под руку, и нам обеим казалось, что врачиха ошиблась. Не может быть, чтобы это была пневмония. Правда, щеки у Аси пылали, но она улыбалась и, немного задыхаясь, шутила. Ася была из тех, кто сохраняет женственность в любом возрасте и положении. Сколько раз видела: на поверке или разводе вдруг вытащит Ася огрызок зеркальца из кармана, взглянет, спрячет зеркальце и оглядится кругом веселыми глазами. Дескать, есть еще порох в пороховницах! А пока женщина привлекательна, еще ничего не потеряно.

И в морге она лежала красивая, моложавая...

— Двое друг за дружкой. Третьей не миновать, — суеверно шептала дневальная тетя Настя.

И не миновало. Третьей оказалась Ляля Кларк. Полине и Асе было лет по сорок. А Лялечке — двадцать пять. И такая крепышка. Циммерман не хотела оставлять ее на сносных работах: Ляля полунемка, полуангличанка. Как только начальница дозналась, что Ляля на молферме (была она там скотницей и ворочала за троих мужиков), сейчас же услала ее завхозом на очень отдаленную лесную точку. Ехала Ляля одна, глухой тайгой, заблудилась, еле выбралась живьем. Пришлось вытаскивать сани с продуктами, свалившиеся в сугроб. Взмокла, простыла. Крупозная пневмония.

Заключенный врач Марков дважды просил у начальницы разрешения на сульфидин. Отказала. Еще утром Ляля говорила: «Выдержу. Я молодая». А к обеду уже лежала в морге.

На другой день после ее смерти я побежала на молферму. Все здесь говорили о Ляле. Не было человека — вольного или заключенного, — кто бы не жалел ее. По дороге обратно мне встретился зоотехник Орлов. Он сунул мне в руку письмо. Оно было о Ляле. В самых горьких, искренних, человечных словах он говорил о покойнице. Без всяких обиняков называл Циммерман убийцей.

Я прочла письмо на ходу, восхитилась смелостью зоотехника, а письмо сунула в карман бушлата, чтобы прочесть его друзьям в зоне.

За последний год меня ни разу не обыскивали на вахте, и я, как говорится, потеряла бдительность. Поистине, если Бог захочет наказать, то отнимет разум. Какой легкомысленной надо было быть, чтобы так обращаться с таким документом!

— Разрешите? — сказала я, как обычно, заглядывая в окошко вахты.

Болт отодвинули. Но не успела я пройти через проходную, как раздался голос Демьяненко:

— А ну, зайди на вахту!

Нет, конечно, не политической крамолы решил искать в карманах моего бушлата румяный красавчик, самый «ушлый» из вахтеров. Просто до него дошел слух, что лекпомша бегает на молферму, и он полез с обыском в надежде найти контрабанду в виде бутылки молока или пары яиц. Обшарив меня, он был глубоко разочарован, не обнаружив ничего похожего. Письмо Орлова, написанное не очень разборчиво, он покрутил без особого интереса и, кажется, уже готов был вернуть его мне, приняв, может быть, за выписку лекарств для амбулатории. Но в этот момент дверь проходной скрипнула и на вахту вошла начальник ОЛП Циммерман.

— Что тут такое? — спросила она. Потом взяла из рук Демьяненко отнятое у меня письмо Орлова, небрежно сунула его в карман своей меховой куртки, а мне сказала: «Идите в амбулаторию, я скоро приду на перевязку».

Дело в том, что организм начальницы тоже реагировал на колымский климат. Она болела фурункулезом, хоть, конечно, и не в такой степени, как все мы. В данный момент у нее был порядочный фурункул на животе, и она предпочитала лечить его не в вольной больнице, а в нашей зонной амбулатории. В часы, когда не было приема заключенных, она заходила, и мы делали ей перевязки с ихтиолом или риванолем. Поначалу это доверялось только Полине Львовне. Но у той от страха так тряслись руки, что вскоре процедура была передоверена мне.

Как только — минут через десять после обыска на вахте — Циммерман зашла в наш темный коридорчик, я поняла, что она еще не читала письма. Лицо ее было спокойно, почти приветливо. Все-таки привыкаешь к людям, которые ежедневно бинтуют тебе живот. Она сняла меховую куртку, повесила ее на гвоздь в коридорчике и прошла в ту часть барака, что гордо именовалась у нас «кабинет врача». Полина Львовна куда-то ушла. Мы были наедине.

— Сделаем перевязку, — сказала начальница, садясь на топчан.

Я видела, что она благоволит ко мне, как мы всегда благоволим к тем, кому мы когда-нибудь сделали добро. А ведь она перевела меня со Змейки, где я обязательно «дошла бы» от голода и тоски, на такую первоклассную работу. Я прочла на ее лице: если в письме окажется что-нибудь незначительное, она не будет поднимать историю. Она опять облагодетельствует меня. Если это даже и окажется какое-нибудь любовное приключение, она, возможно, даже не даст мне пять суток карцера с выводом на работу.

Но ведь я знала, что в кармане меховой куртки лежит бомба. Там гневное письмо вольного человека против тех, кто убил Лялю и еще многих. Мне ясно виделась вся картина последующих событий. Нашего доброго молфермовского зоотехника выгонят с работы. Потом его начнут терзать на собраниях, а может, и не только на собраниях. Затем будут исследовать связи политических зэка с вольными специалистами. Пострадают многие. Закрутят снова режим. И все из-за меня.

Отчаяние толкнуло меня на нелепость. Я стала страстно умолять начальницу вернуть мне письмо не читая. В это время мне было уже лет тридцать семь. Но я, как шестнадцатилетняя дурочка, исходила в этом разговоре из того, что если постараться и хорошо разъяснить преимущество доброго поступка, то можно уговорить, унять злого человека в его стремлении делать злое.

Чего я только не говорила! Сейчас и то стыдно вспомнить! Каким-то книжным языком прошлого века я объясняла ей, что тут интересы третьего лица. Дескать, я убеждена, что она не захочет врываться в чужие тайны. Пусть я одна несу всю тяжесть последствий.

— Разрешите порвать в вашем присутствии.

Наверно, Циммерман подумала, что я рехнулась. Кроме того, весь мой страстный монолог необычайно повысил ее интерес к письму. Ничего не отвечая на мои словоизвержения, она легла на топчан, открыла место, где у нее был фурункул, и бесстрастно сказала:

— Так сделаем перевязку.

Инструменты и лекарства стояли в так называемой процедурной. Пройти в нее надо было через темный коридорчик, где висела сейчас меховая куртка начальницы. Проходя, я сунула руку в карман куртки. Письмо Орлова спокойно лежало там. Я смяла его и бросила в топящуюся печурку. Оно обуглилось вмиг. Потом я вернулась в кабинет врача и молча сделала эту перевязку.

— Что-то сегодня больнее, чем обычно, — морщась, сказала начальница.

Она спокойно ушла, не проверив карманов. Но через несколько минут в амбулаторию ворвалась Нинка, курьер УРЧа, «перековавшаяся» блатнячка. Она посмотрела на меня так, как смотрят на увозимых в Серпантинку, и, задыхаясь от волнения, крикнула:

— К Циммерманше! На цирлах!

Потом она с сокрушением добавила, что мне, видать, не сидится на теплом месте и что начальницу всю бьет от злости.

Циммерман действительно даже побледнела от гнева, от неслыханного оскорбления. Папироса тряслась в ее пальцах не хуже, чем в моих — только что дрожал пинцет.

— Отдайте письмо! — выбросила она мне в лицо сквозь свои длинные зубы.

Конечно, можно бы сказать: не знаю, может выронили? Но я почему-то делаю ставку на пристрастие начальницы к честности.

— Я сожгла его.

— Как низко вы пали! В чужой карман... Как блатнячка... Ступайте!

Полина Львовна выслушивает мой рассказ чуть не в обморочном состоянии. На глазах ее слезы от страха, от жалости ко мне. Но упрекает она меня почти теми же словами, что Циммерман.

— Это ужасно! В чужой карман... Как уголовная...

Я просто сатанею от злости.

— Да ведь письмо-то мое! И не я первая в чужой карман полезла!

— Мы заключенные. Вас просто обыскали.

Самое страшное! Не только начальники убеждены в своем праве топтать в нас все человеческое, но и мы помаленьку свыкаемся с растоптанностью. Вроде так и надо. Вроде для этого нас и Бог создал.

Только на короткую минуту и моя вспышка. А вот уже охватил, охватил липкий ужас. Обливает тело унизительным рабским потом. Что она со мной сделает, эта женщина, которой дано право выворачивать мои карманы, распоряжаться моей душой и телом? Хорошо, если только карцер. Не хочу, не хочу, не хочу! Не могу больше... А оказывается, могла. Еще много-много...

Расправа начинается этой же ночью.

— С вещами!

Нарядчица, которая спит со мной в одном бараке (прощай, барак обслуги, квартира лагерных царедворцев!), тихонько объясняет, куда меня поволокут.

— На Известковую! Ничего нельзя было поделать. Уж больно ты ее разъярила.

Вспоминаю школу штрафников, известную еще с Магадана. Эльген — штрафная для всей Колымы, Мылга — штрафная для Эльгена, Известковая — штрафная для Мылги. Судорожно сую в мешок вещи — задрипанные мои, замызганные по этапам тряпки. С ужасом осознаю, что у меня нет ничего подходящего для такого пути: ни ватных брюк, ни крепких чуней. Бегала здесь по зоне в старых ботинках из маминой вдовьей посылочки сорокового года. А на дворе конец ноября. Больше сорока бывает.

— На чем ехать-то? — шепчет испуганная тетя Настя, дневальная. — Туда, говорят, на тракторе только.

Нет. Наша справедливая, но строгая начальница определила за мои преступления более строгую кару. Меня повели пешком. Семьдесят пять километров. Тридцать — до Мылги и сорок пять — от Мылги до Известковой. Девственной, мало хоженной тайгой. Конвоиры менялись на стоянках, а я все шла и шла. Может, и не дошла бы, если бы вахтер-татарин, у которого я детей лечила, не сунул мне при выходе из вахты узелок с едой, которую, видно, принес с собой на суточное дежурство. Хотел еще денег дать, даже повторял по-татарски: «Тукта, тукта, акча бар»... Но в это время на вахту зашел красавчик Демьяненко, который только что сдал смену. Он весело закричал мне вслед:

— Отгулялась, стало быть, в лекпомшах, а? Ну, другой раз будешь знать, как по карманам лазить!

Великолепные у него были зубы! И хохот звонкий. Вроде футбольный болельщик ликует при удачном ударе.

В узелке оказался хлеб, сахар и большой кусок холодной оленины.

ГЛАВА ДВАДЦАТЬ ПЕРВАЯ

ИЗВЕСТКОВАЯ

Конвоир, который вел меня до Двенадцатого километра, был, наверно, из блатных. Об этом свидетельствовала и его особая, с подшаркиванием, походка и те ругательства, которыми он меня осыпал. Они были на уровне последних достижений уголовного диалекта.

Я молчала-молчала, потом огрызнулась. Неужто он думает, что я нарочно иду медленно! Не видит, что ли, — на каблуках по обледенелым кочкам шагаю. Да еще мешок за спиной!

Он посмотрел на мои ноги и, без всякой паузы, посыпал ругательствами в Циммерман. В таком виде, Щука чертова, шлет на пеший этап! Какого ни на есть, а все же человска. Потом задумался и деловито спросил, цела ли у ботиков подметка.

На Двенадцатом, где у нас был первый привал, выяснилось, что тамошняя бригадирша, бытовичка со статьей «притон», давно хотела «заиметь» что-нибудь на каблучке, и конвоир мой, которого она звала Колей, знал про это. Совершилась выгодная для меня мена. За поношенные материковские ботики, только потому, что они на каблуках, мне дали бурки, хоть и подшитые, но вполне еще крепкие. Ступни ног, позноблен- ные еще в ярославском карцере, доведенные до пузырей, до отморожения второй степени на лесоповале, были теперь защищены.

Я куда бодрее шагала теперь дальше, размышляя по дороге о том, какое счастье для всех нас русский национальный характер. К этому времени мы уже знали о зверствах гитлеровцев. Я содрогалась при мысли о том, как страшно сочетание жестокости приказов с тупой стопроцентной исполнительностью. То ли дело у нас! У нас почти всегда остается лазейка для простого человеческого чувства. Почти всегда приказ — пусть самый дьявольский! — ослабляется природным добродушием исполнителей, их расхлябанностью, надеждой на пресловутый русский «авось».

Еще раз убедилась в этом, добравшись до Мылги. Там царствовал некто Козичев. О нем ходили разноречивые слухи. Говорили, что мог растерзать, но мог иногда, без видимых причин, и помиловать. Лицо у него было насмешливое, с набрякшими веками и заметным нервным тиком. Он пожелал увидеть штрафницу, следующую на Известковую пешим этапом.

— Так что случилось-то у вас? — с любопытством глядя на меня, спросил он, а выслушав краткий ответ, аппетитно расхохотался. Не любил он свою непосредственную начальницу Циммерман. Настолько не любил, что позволил себе фамильярно хохотать в моем присутствии над ее неприятностями.

Старая истина: противоречия между угнетателями всегда на руку угнетенным. Так и тут. Отхохотавшись, Козичев вдруг сказал:

— В сопроводиловке сказано, чтобы отправить дальше без ночевой. Ну да ладно, ночуйте! Кстати, и конвоя свободного сейчас нет. Идите в барак, отдыхайте. Обед и хлеб получите в столовой.

Нечаянная радость. Тем более, что в столовой выясняется: здесь поварихой Зоя Мазнина, наша, спутница моя по седьмому вагону. Двойную порцию овсяной каши она щедро поливает мне постным маслом. Оно пахнет подсолнухами, оставляет во рту воспоминание о когдатошнем жарком дне, о чьем-то палисаднике, поросшем травкой.

Зоя отдает мне свои, совсем еще незаплатанные ватные брюки. Потом она плачет над моей горькой участью. Говорят, что Известковую обычный человек выдержать никак не может, тем более если сидит уже восьмой год и силенки на исходе.

На рассвете мы выходим из Мылги — я и конвоир. На этот раз попался хмурик, служака. Никаких разговоров с этапированной штрафницей. Он поведет меня четырнадцать километров, потом сменится.

Скрип-скрип... Дзинь-бом... Слышен звон кандальный... Как хорошо, что еще до кандалов не додумались! Интересно, заковывали ли женщин при царе? Оказывается, я не знаю этого...

379

Что бы еще придумать оптимистическое, ободряющее? Ну вот, хорошо, например, что родители наделили меня таким выносливым организмом! Другая бы уж давно рассыпалась вдребезги...

— Левее давай, — командует конвоир, и мы сворачиваем на какую-то обочину, где идти гораздо труднее. Приходится на каждом шагу лавировать между кочками, скользить по непробиваемой коре льда над застывшими осенними водами. К тому же начинает мести поземка, будет метель. Успеем ли пройти до нее четырнадцать километров до ближайшей точки, где будет смена конвоя?

Вдруг обжигает острая мысль. Ведь вот сейчас, вот сию минуту, можно все это очень легко закончить. Резко повернуть с этой обочины — и вправо... Да бегом! Выпукло, как на экране, вижу все, что произойдет вслед за этим. Только вот не уверена, предупредит ли этот служака, прежде чем выстрелить. Или сразу пульнет по инструкции — «Шаг вправо, шаг влево — применяется оружие». Как ни странно, эта мысль несет мне какое-то утешение. Захочу — и распоряжусь своей жизнью сама. А захочу — подожду еще немного, посмотрю, что дальше будет.

За поворотом дорога становится ровнее, шаги ритмичнее. Под такой шаг можно и стихи себе читать. И я читаю...

(Однажды, уже в Москве шестидесятых годов, один писатель высказал мне сомнение: неужели в подобных условиях заключенные могли читать про себя стихи и находить в поэзии душевную разрядку? Да да, он знает, что об этом свидетельствую не я одна, но ему все кажется, что эта мысль возникла у нас задним числом. Этот писатель прожил в общем-то благополучную жизнь, безотказно издавая книги и посиживая в президиумах. К тому же, хоть он и был всего на четыре года моложе меня, но все-таки плохо представлял себе наше поколение.

Мы были порождением своего времени, эпохи величайших иллюзий. Мы приходили к коммунизму не «низом шахт, серпов и вил». Нет, мы «с небес поэзии бросались в коммунизм». По сути, мы были идеалистами чистейшей воды при всей нашей юношеской приверженности к холодным конструкциям диамата. Под ударами обрушившегося на нас бесчеловечия поблекли многие затверженные смолоду «истины». Но никакие вьюги не могли потушить ту самую свечу, которую мое поколение приняло как тайный дар от нами же раскритикованных мудрецов и поэтов начала века.

Нам казалось, что мы свергли их с пьедесталов ради некой вновь обретенной правды. Но в годы испытаний выясни-

ось, что мы — плоть от плоти их. Потому что даже та самозаб-
енность, с какой мы утверждали свой новый путь, шла от
их, от их презрения к сытости тела, от их вечно алчущего
уха.

«А мы, мудрецы и поэты, хранители тайны и веры, уне-
ем зажженные светы в катакомбы, в пустыни, в пещеры...»

Нет, мы далеко не были мудрецами. Наоборот, с вели-
им трудом пробивалась наша отягощенная формулами мысль
 подлинному живому свету. Но тем не менее наши «зажжен-
ые светы» мы все-таки сумели унести в свои одиночки, в
араки и карцеры, в метельные колымские этапы. И только
ни, только эти светильники, и помогли выбраться из кро-
ешной тьмы.)

...Еще три конвоира сменилось. А я все иду и иду. И не
омню уж на который день, только поздно вечером, уже при
вездах, я увидела окруженную сопками котловину, различи-
а очертания кривых чернушек-бараков, услышала знакомый
ой, клубившийся над этим жильем. Даже мелодию блатной
есни узнала.

Прибыли. Известковая. Штрафная из штрафных. Остров про-
аженных.

А вот и сами они, чьи имена даже среди уголовных произ-
осятся с суеверным трепетом. Вот Симка-Кряж, ожившая ил-
юстрация из учебника психиатрии. С отвисшей нижней губы
янется слюдяная нитка. Надбровья резко выступили над ма-
енькими мутными глазками. Длинные тяжелые руки болта-
тся вдоль неуклюжего коротконогого тела. Все знают: Сим-
а — убийца. Бескорыстная убийца, убивающая просто так,
отому что ей «не слабо». Сроку у нее уже лет сорок, но ей все
обавляют. Потому что для «вышки» всегда не хватает улик. Со-
щники боятся ее как огня и выгораживают, беря вину на
ебя. Лишь бы не навлечь на себя гнев Симки-Кряжа. Все зна-
т, что именно она убила недавно в карцере зоны молодень-
ую указницу — мамину дочку, посаженную в карцер на пять
уток за опоздание на развод. Просто так убила. Потому что ей
ыло «не слабо». Удушила своими бармалеевскими ручищами...

А вот отвратительная пучеглазая маленькая жабка — лес-
иянка Зойка. Вокруг нее трое так называемых «коблов». Гер-
афродитского вида коротко остриженные существа с хрип-
ыми голосами и мужскими именами — Эдик, Сашок и еще
ак-то...

Некоторых девок я узнаю. Их привозили на короткое вре-
я в зону для противосифилитического лечения, и я вкалыва-
а им биохиноль.

Эти человекообразные живут фантастической жизнью, которой стерты грани дня и ночи. Большинство совсем не выходят на работу, валяясь целый день на нарах. А те, кто выходит, так только для того, чтобы развести костер и, сгрудившись вокруг него, орать свои охальные песни. Почти никто из них не спит по ночам. Они пьют какие-то эрзацы алкоголя (до сих пор не знаю, что представлял из себя «сухой спирт», которым травились многие из них. Наверно, нечто вроде денатурата), курят что-то дурманящее. Откуда берут это зелье — непонятно. Огромная железная «бочка» раскалена докрасна. На ней эти исчадия все время что-то варят, прыгая вокруг печки почти нагишом.

Под стать девкам и здешняя вохра. Далеко они тут от начальства! И не только от материка, но и от Магадана. И кормят их отменно, довольствие повышенное, так как «контингент», с которым им тут надо управляться, считается трудным. А ежедневное общение с этим «контингентом» пробуждает в темных тупых солдатах самые звериные инстинкты.

И девки и вохровцы единодушны в органическом отталкивании от меня — существа другой планеты. Отдохнуть после пешего этапа мне не дают. Сразу кайло в руки (еле удерживаю его!) — и — давай, давай! — в известковый забой. В первый день выполнила норму на четырнадцать процентов, и хлеба мне не дали. На второй — каким-то чудом начислили этих процентов двадцать один. Но и за них хлеба не полагалось.

— Не положено, — буркнул конвоир. — Командировка нас штрафная. Пайка идет только со ста процентов.

Первые несколько ночей я просиживала на узле в углу барака. На нарах мест не было, и девки вовсе не собирались тесниться из-за фраерши, из-за контрика, из-за какой-то задрипанной Марьиванны... Только спустя какое-то время Райка-башкирка вспомнила, что я ее лечила в зонной амбулатории, и, подвинувшись маленько, позволила мне положить рядом с ней мой узел.

...Я лежу всю ночь с открытыми глазами, и меня до спазм тошнит от отвращения к моей благодетельнице. Нос у Райки башкирки совсем провалился. И хотя я твердо знаю, что люэс в этой стадии не заразен, но все равно — идущий от Райки густой запах гноя душит меня.

На Известковой, как в самом настоящем аду, не было не только дня и ночи, но и средней, пригодной для существования температуры. Или ледяная стынь известкового забоя, или инфернальная жарища барака.

Я первая политическая, попавшая в этот лепрозорий. И

382

том есть скрытый смысл. Недаром Циммерманша воскликнула: «В чужой карман! Как блатнячка!» Вероятно, по ее замыслу, я должна была осознать, что своим неслыханным поступком я поставила себя на один уровень с уголовниками. Лишь через год я узнала, что она сослала меня сюда ТОЛЬКО на один месяц. Так сказать, в чисто воспитательных целях.

На третий день моего пребывания на Известковой, когда мне все на свете уже было почти безразлично и перед глазами плыли золотые и лиловые круги, мне вдруг выдали кусок хлеба. Невзирая на то, что с выполнением плана кайловки дела у меня шли все хуже.

— На пробу даю. Може за ум возьмешься, — буркнул командир вохры, искоса глядя на меня с какой-то непонятной тревогой.

Потом выяснилось, что в эти дни где-то, сравнительно недалеко от Известковой, рыскало начальство из Севлага. Не исключалось, что заглянет и сюда. Наше воинство, очумевшее от глухомани, от жратвы и спирта, от постоянной перепалки с девками, совсем потеряло ориентацию и не очень соображало, за что именно ему может влететь. Во всяком случае, акт о смерти им был к приезду начальства ни к чему. Так мне перепало хлебушка и еще немного отодвинулась развязка, казавшаяся неизбежной.

Но начальство, к счастью, проехало, не заглянув в эту котловину, не затруднив себя встречей с беспокойным «контингентом». Теперь можно было снова зажить так, как они тут привыкли.

В субботний вечер, уже после отбоя, дверь барака вдруг распахнулась настежь, чуть не сорвавшись с петель, и появилась вся известковая вохра в полном составе, а была она усиленная, человек десять. Ватага пьяных солдат ввалилась в барак так неожиданно, что я подумала: обыск. Но нет. В данном случае они явились по личным делам. Для смрадного, страшного, свального греха. Такого я еще не видела за свои восемь тюремно-лагерных лет.

Густой, пахнущий раскаленным железом жар валил от печки и смешивался с вонью от спиртного перегара. Визг голых девок вливался в непотребщину и гоготанье пьяных озверелых мужиков. В них сейчас нельзя было узнать ни солдат, ни вчерашних крестьян. Какие-то сатиры, какие-то маски из театра ужасов.

Я натянула на голову ватный бушлат, съежилась, пытаясь раствориться, стать невидимой. Но вот — рывок... Чья-то звериная лапа срывает с меня бушлат, и я лежу, как овца на плахе, а

над моим лицом нависла широченная багровая лоснящаяся морда. В углу переносицы, у глаза, — темная родинка и из нее — дв
волоска.

Человек плохо знает себя. Рассказали бы мне про мен
такое — не поверила бы. Но факт: порой случалось. В ярослав
ском карцере я полезла драться с Сатрапюком, хватая его з
чугунные кисти рук. Так же случилось и здесь. Я с диким кри
ком, теряя контроль над собой, бросилась на зверюгу. Как
бреду. Кусалась, царапалась, толкала его ногами. Как получилось, что я смогла выскользнуть от него, — не знаю, не по
мню. Наверно, случайно ударила его в чувствительное место
он от боли отпустил на минуту руки.

Дальше начинается чудо. Это событие моей жизни я и д
сих пор не могу объяснить при помощи обычной житейско
логики. Я выскочила в полуоткрытую дверь барака и завернул
за угол строения. Там стоял большой обледенелый пень. Я сел
на него как была, в одной рубашке. Бушлат упал на пол, когд
я соскочила с нар, и поднять его я не успела.

Надо мной стояло огромное черное небо с яркими круп
ными звездами. Я не плакала. Я молилась. Страстно, отчаянно
все об одном. Пневмонию! Господи, пошли пневмонию! Кру
позную... Чтобы жар, чтобы беспамятство, чтобы забвение
смерть...

За моей спиной содрогались стены барака. Оттуда все до
носились бесноватые вопли и звон стекла от разбиваемых бу
тылок. Меня не разыскивали, никто не вышел вслед за мно
из барака. Как мне потом поведали девки, мой зверюга долго
изрыгал ругательства, выл, даже плакал, а потом свалился н
пол и заснул. Остальным не было до меня никакого дела.

Сколько секунд или минут провела я сидя на пне — н
имею ни малейшего представления. Помню только, как вдру
возник тонкий ритмичный звук, доносившийся со стороны до
рожки, ведущей в тайгу. Кто-то идет... Кто-то приближается...
Спокойно и ровно шагает. А вот и силуэт его стал проясняться
на фоне сугробов. Теперь уже ясно видно: мужская фигура
лагерном бушлате, с мешком за плечами. В руке — узел. Подо
шел ко мне.

— Кто это тут? Батюшки, да это никак ты, Евгенья?

Это был голос человека одного со мной измерения. Это
человеческий голос так потряс меня, что, еще не осознав
кто передо мной, я бросилась к неожиданному спасителю.

— Да неужто ж тут так штрафуют? — взволнованно ра
сспрашивал он. — На мороз? Голую?

Все было повседневно. Просто самое обыкновенное чудо. У

ангела-избавителя все было нормально: и статья, и срок, и «установочные данные». И я теперь узнала его. Дядя Сеня из мужской эльгенской зоны, которую я тоже одно время обслуживала как медсестра. У дяди Сени статья легкая, СОЭ — социально опасный элемент. Он из раскулаченных. Большой мастер всякий инструмент ладить. Его начальство держит в зоне, чтобы был под рукой, но иногда посылает по точкам кой-чего подточить, подправить. А поскольку статья легкая, то и ходит дядя Сеня без конвоя. До Мылги вот сейчас на тракторе добирался, потом на попутных, а последний-то перегон — просто пёхом...

Он взял меня на руки и закутал своим бушлатом. Понес меня вверх, на горку, где стояла хавирка для инструментальщика. Знал он ее, бывал уже тут в прошлом-то годе...

Дядя Сеня растопил крохотную железную печурку, вскипятил в своем чайничке растаянного чистого снега. Дал мне большой кусок хлеба и кусочек сахара. Он погладил меня по голове, назвал местных вохровцев сукиными котами, а Циммершу — проклятой щукой. Под эти нежные слова я сладко заснула на двух досках, оставшихся от сломанного топчана. Не только пневмонией, а даже насморком я после этой ночи не заболела.

ГЛАВА ДВАДЦАТЬ ВТОРАЯ

ВЕСЕЛЫЙ СВЯТОЙ

Когда известковая вохра отоспалась после оргии, дядя Сеня передал командиру свой наряд на ремонт инструментов, а попутно, не теряя почтительности, растолковал ему: дескать, вот будет неприятность, ежели эта штрафная политическая при объезде какого-нибудь начальства возьмет да и брякнет про то, что тут, мол, вохра... ну, сами знаете что... Оно, конечно, контрикам веры нет, а все же зачем тень на плетень наводить?

Чумовой, распухший с похмелья командир сперва матюкнулся и велел дяде Сене налаживать кайла, а в чужие дела не соваться. Но к вечеру вдруг вызвал меня и дядю Сеню к себе и, глядя в сторону, объявил, что с завтрашнего дня я больше не буду работать в известковом забое, а буду на подсобной работе — лес валить. При этом он назвал меня на «вы», а когда говорил обо мне в третьем лице, то даже на «они».

— Дашь ИМ пилу получше и пущай пилят... Поскольку ОНИ сильно отощавшие и в забое не выдюжат...

Лесоповал считался здесь легкой работой. И действительно, все познается в сравнении. После известкового забоя я почувствовала себя в тайге как в отпуске, тем более что дядя Сеня снабдил меня замечательно наточенной пилой-одноручкой.

Через две недели дяди Сенин наряд кончился. Наточив кайла и пилы, он потопал себе потихонечку, на попутных, обратно в эльгенскую зону, унося в мешке мои записки к друзьям с отчаянными призывами на помощь. Позднее выяснилось, что друзья действовали уже и до моих SOSов. Можно сказать, был организован комитет по спасению. В него входили и заключенные, и вольные. Случай был трудный. Отменить решение Циммерман мог только Севлаг. Кроме того, существовать дальше, после всего случившегося, и в пределах Циммерманшиного королевства было уже невозможно. И мои друзья добивались не только отмены штрафного пункта, но и перевода в другой лагерь.

Пошла в ход сложная цепочка связей. Искали знакомых с такой высокопоставленной особой, как домработница начальника Севлага. Посылали подарки каким-то третьим и даже четвертым лицам, ища подхода к влиятельным.

На двадцать пятый день, уже еле держась на ногах, я прочла записочку, которую умудрился передать мне проезжий тракторист из бытовиков. Записка была обнадеживающая. Друзья просили меня продержаться еще немного: уже выписан на меня спецнаряд — медсестрой в Тасканский лагерь, в больницу заключенных. Это всего двадцать два километра от Эльгена, но другой ОЛП, вне власти Циммерман. Да, наряд есть, но Циммерман не выполняет приказа Севлага. Она опротестовала его в Магадан, в Главное управление колымских лагерей. Разъяренная вмешательством в ее священное право на мою жизнь, она пустилась в конфликт со своим начальством из Севлага.

«Коса на камень нашла, — разбирала я мелкие буковки записки, — надеемся, все будет хорошо. Вряд ли Селезнев допустит, чтобы Циммерманша над ним верх взяла. Так что держись...»

Я старалась изо всех сил. Тем более, что продержаться на лесоповале было возможней, чем в известковом забое. Правда, шел уже декабрь, но, к счастью, здесь почти не было ветров. Мороз стелился тихим, густым молочно-кисельным туманом. В двух шагах ничего не разглядишь. Тем острее я вслушивалась в окружающее, и слух все утончался, почти как в одиночке.

Что же я хотела услышать? Да прежде всего вполне реальное: скрип снега под ногами благого вестника — гонца Севлага, вдруг превратившегося в моего благодетеля. Но кроме этого, вполне разумного, прислушивания, было и другое. Вот заухала какая-то таежная птица. Раз, два, три... Если еще три раза ухнет — значит, спасусь отсюда. Чуть потрескивает полешко в догорающем костре. Если погаснет до того, как успею спилить это дерево, — значит, не спастись мне...

Вот так, наверно, и рождались приметы — в окоченелом одиночестве, среди загадочных лесов...

Это случилось двадцать девятого декабря, почти под Новый год. В конверте, прибывшем из Севлага, лежало три ослепительных счастья. Первое — я ухожу с Известковой. Второе — я больше не раба Циммерманши. Меня отдают другому, по слухам доброму, барину — Тасканскому пищекомбинату. Третье — меня направляют прямиком в рай — в больницу заключенных при этом самом комбинате!

Вот я и в раю. И ничего удивительного в том, что рядом со мной, в роли непосредственного начальника — святой. Удивительно только, что это очень веселый святой. Так и сыплет анекдотами, острыми словечками, поговорками.

Можно подумать, что доктор Вальтер — благополучнейший частнопрактикующий доктор, похожий на того балагура, что некогда приходил ко мне, семилетней, и, нажимая чайной ложечкой на язык, говорил: «А-а-а... Что же это вы, барышня, вздумали хворать перед самой-то елкой?»

А между тем Антон Яковлевич Вальтер сидит уже десять лет, с тридцать пятого. И срок у него — третий. Второй он получил в тридцать восьмом, в ссылке. Третий, свеженький, уже в лагере, в сорок третьем. Дело в том, что у доктора серьезное отягчающее обстоятельство: он немец. Крымский фольксдойч из Симферополя. В начале тридцатых годов в этот город приезжала за фольклором немцев-колонистов некая лингвистка из Берлина. Ей посоветовали обратиться к доктору Вальтеру. Действительно, он знал кучу шутливых и сентиментальных местных песенок и поговорок. С его чувством острого слова, с его умением слышать оттенки речи он был просто кладом для приезжей ученой дамы. Лукаво улыбаясь, сверкая своими неправдоподобно белыми зубами, он исполнил главные шлягеры своего репертуара, а лингвистка записала их.

Последствия этого интересного вечера сказались года через три, когда доктор Вальтер был арестован и обвинен в том, что он является членом некой контрреволюционной группы, возглавляемой ленинградским филологом-германистом, которого симферопольский врач отродясь не видывал и с которым его роднило только знакомство с той самой берлинкой, собиравшей фольклор.

Приговор был мягок. Всего три года ссылки в Восточную Сибирь. Но тут подоспел тридцать седьмой. Все ссыльные были повторно арестованы, и к тридцать восьмому году Антон Яковлевич получил второй срок, теперь уже на десять лет, по статье КАЭРДЭ, то есть контрреволюционная деятельность. Эта деятельность, по мнению следствия, заключалась в том, что врач настраивал больных против советского строя. Так, например, такого-то числа, проводя прием в районной больнице, сказал туберкулезному больному: «Вам не так нужны лекарства, как усиленное питание».

На Колыме, куда по второму приговору был отправлен Вальтер, сначала все было относительно терпимо. Врачи были нужны, и он работал по специальности. Но пришла война. Она зачеркнула для Вальтера и профессию, и стаж, и все личные его качества. Теперь важно было одно: он немец. Три года, проведенные на золотых приисках, на общих работах в забое, сломили этот крепкий организм. После ожога роговицы доктор потерял зрение на один глаз. Приисковые надсмотрщики переломали ему несколько ребер. Голод привел к острой дистрофии.

И все это еще было счастьем, личной его фортуной. Потому что остальные немецкие врачи, отбывавшие заключение на Колыме, были в это время уничтожены. Кто по суду, кто просто так, «при попытке к бегству». В том числе погиб известный одесский хирург профессор Кох, которого благословляли тысячи спасенных им людей.

А Антон Яковлевич легко отделался: всего только новым десятилетним сроком. Против него свидетельствовали лагерные сексоты. Конечно же, ему приписывались разговоры о нашем возможном поражении в войне. В дальнейшем выяснилось, что одним из «свидетелей» на этом третьем «процессе» был тот самый Кривицкий, что работал врачом на пароходе «Джурма» и спас меня от смерти во время морского этапа. Но об этом ниже.

За год до моего появления на Тасканском пищекомбинате полуживого Вальтера извлекли со страшного прииска Джелгала и поставили снова врачом. Я увидела его уже не доходягой. За год он отъелся, отлежался и, главное, быстро, с готовностью повеселел. Только мешки под глазами да вечно отекшие ноги говорили о необратимых сдвигах в организме. Во время нашей встречи ему было сорок шесть лет.

Мы идем с обходом. Честь-честью. Как в настоящих больницах. Доктор Вальтер, фельдшер Григорий Петрович по прозвищу Конфуций и я — новая медсестра. Из палаты в палату. От больного к больному. И с каждым доктор шутит. Сначала я недоумеваю и даже немного злюсь. Что это он делает вид, будто тут все нормально, будто эти еле закрытые от колымских стихий мрачные норы — действительно больничные палаты? Будто эти человеческие обломки и впрямь имеют какие-то шансы на излечение?

Вот мы у постели Бриткина. После второго инсульта он потерял речь. Вальтер улыбается ему с таким видом, точно тут дело пустяковое. Пей таблетки, слушайся медиков — и все пройдет.

— Здорово, друг! Ну, что нам сегодня скажешь?

— Бу-бу... ндра... л-ы-ы...

— Ну что ж! Хоть еще не Цицерон, но уже лучше вчерашнего. Он, видите ли, на воле был председателем колхоза. Так что к речам ему не привыкать... Не горюй, Бриткин! Скоро заговоришь! Только тренируйся больше. Ну-ка, поздоровайся вот с новой сестрицей. При-вет... Попробуй, скажи так!

Бриткин рычит и стонет. Просто корчится в усилиях. А доктор улыбается и говорит нам с Конфуцием:

— Когда-то я своим дочкам Маршака читал... Про то, как девочка учила котенка разговаривать. «Котик, скажи «э-лек-три-че-ство...» А он говорит: «мяу!..»

Я не выдерживаю и тихонько дергаю Вальтера за халат. Нельзя так... Вдруг обидится больной...

Но, видно, доктор лучше знает своих пациентов. Бриткин преданно смотрит на врача и старается еще больше. Его рот и щеки в мучительных судорогах пытаются преодолеть непреодолимое. Он багровеет и наконец выкашливает какие-то слоги, вроде «ы-йет...»

— Ну вот видишь! — радуется Вальтер. — Вот ты и поздоровался с новой сестрой. «При-вет» — это у тебя уже выходит. А «э-лек-три-че-ство» — это в следующий раз...

У Кузовлева, бывшего матроса, пергаментная кожа так обгянула кости, что хоть костный скелет по нему изучай. Живот точно прирос к позвоночнику. Но матрос не потерял живости нрава, природной общительности. Подолгу рассказывает соседям разные истории, начинающиеся стереотипно: «Шли это мы тогда Татарским проливом»... И абсолютно не догадывается, что ему в самые ближайшие дни предстоит отплытие в неведомый мировой океан. Наоборот, он весь в земных делах и заботах, а свою затянувшуюся агонию именует недомоганием.

— Как самочувствие, Кузовлев?

— Да так-то ничего, доктор... Хотя еще есть, конечно, недомогание... Вот ноги чего-то ноют... Да и понос... Сегодня уж разов шесть в гальюн бегал. И с чего бы?

— Это у тебя все от жира, — пресерьезно объясняет Вальтер, щупая пергаментную, присохшую к костям кожу.

Кузовлев щерится. Понимает шутки. Радуется им.

У койки Березова врач становится серьезным и очень ученым. Он долго толкует с больным о новейших методах лечения туберкулеза, о спасительном действии пневмоторакса, который мы и здесь сможем применить, как только спадет температура.

Березов — бывший дипломат, один из близких сотрудников Литвинова, много лет прожил в Англии. Он слушает Вальтера, боясь пропустить словечко. Как мы доверчивы! Господи, как мы доверчивы, когда нам подают надежды! Хорошо, что Березов годами не видел зеркала. Иначе никакие докторские сказки о чудесах пневмоторакса не обнадежили бы его. Если бы он видел свое лицо — щека щеку съела, — свою ввалившуюся грудь и эти глаза, горящие не только от высокой температуры, но и от маниакального желания выжить.

Идем дальше. Обход полон для меня жгучего интереса. Эти люди — отходы золотой Колымы. Они выжаты, пережеваны и выплюнуты приисками. Большинство из них — политические мужчины с теми же «первосортными» трудными статьями, что и мы, эльгенские женщины. Я не видела этих НАШИХ мужчин, интеллигентов, вчерашний актив страны, с самой транзитки. Ведь те, что были на Эльгене, — другой сорт, то есть другой социальный слой и, соответственно, более легкие статьи. А эти — наши. Вот Натан Штейнбергер, немецкий коммунист, берлинец. Рядом профессор-филолог Трушнов, откуда-то с Поволжья, у окна — Арутюнян, бывший инженер-строитель из Ленинграда. Господи, во что они превратились!

Каким-то особым чутьем они сразу определяют, что я своя, и дарят меня теплыми заинтересованными взглядами. Они тоже жгуче интересны мне. Таких людей я знала там, в обычной жизни. Теперь, после всех пройденных кругов, каждый из них стал точно непрочитанная книга, и я жадно рвусь прочитать ее. Плохо только, что все эти книги будут с трагическим эпилогом.

А может быть... Может, и спасем кого-нибудь? Может, та активная деятельная доброта, которая движет каждым словом, каждым поступком этого удивительного доктора, окажется сильнее хозяйничающей в этих стенах смерти? Пересилит и голод, и истощение, и недостаток лекарств?

Кстати, о лекарствах. Я растерянно осознаю, что впервые слышу многие названия, которые доктор диктует Конфуцию, а тот записывает в книжечку, кивая своей круглой азиатской головой. Что же это такое? Мне казалось, что я здорово поднаторела в лагерной медицине, а тут что ни слово — то загадка... Справлюсь ли? Конфуций замечает мое смущение.

— Не пугайтесь, что не все назначения вам понятны, — шепчет он, — потом разберетесь. Он ведь, доктор-то наш... — Конфуций оглядывается и, точно доверяя мне страшную тайну, объявляет: — Гомеопат он!

Гомеопатических лекарств на Таскане, конечно, не было, но Вальтер сам изготовлял разные микстуры из таежных трав, применял в малых дозах кое-что из обычных средств, по-своему сочетая их. Всю эту аптекарскую кухню они с Конфуцием держали в строгом секрете. Санчасть Севлага пришла бы в священный трепет, узнав о подобном негл́ижировании всеми медицинскими догмами. О некоторых чудесах доктора Вальтера слухи до сануправления доходили, но никто не вдумывался в причины. Например, все слышали, что эпидемия дизентерии, недавно прогулявшаяся по лагерям и унесшая сотни жертв, почему-то миновала Тасканский пищекомбинат. Один только Конфуций знал, что врач подливает в официальный противоцинготный напиток из стланика раствор сулемы в каком-то тысячном, а может, миллионном разведении.

— Охота головой рисковать! — ворчал добряк Конфуций. — Не дай Бог, пронюхают — расстрел вам! Тем более, она сулема! Втолкуй им, что яд в микродозах может лечить! А вы немец! Убеди их, что вы не фашист, не убийца...

В конце больничного барака — две крошечные комнатешки. В задней спят они оба — Вальтер и Конфуций. В передней — процедурная.

— И лаборатория! — гордо объявляет доктор, показывая мне помещение.

Действительно, я замечаю на утлом столике какое-то странное, почти сказочное сооружение из металла и стекла, увенчанное длинной трубкой, похожей на подзорную трубу Паганеля.

— Микроскоп! — с гордостью объясняет Вальтер. — Да-да, не удивляйтесь. Вы знаете, конечно, что имя изобретателя микроскопа — Антон? Антон Лёвенгук! Ну а данный микроскоп изобрел и самолично смастерил тоже Антон. Антон Вальтер!

Из каких-то отходов, подобранных на соседнем крохотном ремонтном заводике, он соорудил это трогательное неуклюжее чудо.

— Смейтесь, смейтесь! А кто, кроме нас, может в лагерной больнице сделать анализ мочи? Или определить РОЭ?

В этом я убедилась в ближайшее время и прониклась преданным уважением к нашему микроскопу, напоминающему своих фабричных собратьев примерно в такой степени, как тряский автомобиль Макса Линдера — современную машину. Но вслух я подтруниваю над этим инструментом и его автором. Автор отбивается и в свою очередь поддразнивает меня.

— Вот, скажем, после третьей мировой войны уцелеем мы с вами и еще несколько человекообразных обезьян. Я сразу примусь за просветительную работу. Объясню обезьянам двигательную силу пара, принцип электричества, радио... А вы, интересно, что передадите им из своего довоенного опыта? Стихи Блока?

Ослепительные зубы доктора, чудом сохранившиеся от всех авитаминозов, задорно поблескивают. Они — в смешном контрасте с его абсолютно лысой, как биллиардный шар, головой. Он сам говорит об этом так: «Когда Бог раздавал зубы, я стоял первым в очереди, а когда перешли к волосам, меня оттеснили...»

На вечерний амбулаторный прием я попадаю впервые в качестве наблюдателя. Мне велят присматриваться к работе Конфуция, которого я должна буду потом дублировать.

Присматриваюсь... Перед доктором стоит большой жестяной бачок, над которым он производит свои манипуляции. Он, точно мясник, вооружен каким-то примитивным орудием, которое, оказывается, называется у врачей «кусачки Люэра». Этими «кусачками» он быстро «откусывает» отмороженные пальцы рук и ног, а Конфуций на ходу обрабатывает операционное поле и перевязывает культяпки. Это считается здесь легкой амбулаторной процедурой. К концу приема бачок, наполненный гнилой вонючей человечиной, выносят два санитара.

Поздно вечером усталый доктор моет руки и куда-то собирается. Его свободно пропускают через вахту в любое время.

— Тут один вольняшка обещал бутылку портвейна дать. Детей я у него лечу. Для Березова очень важно. Кроме того, Кальченко... Помните его? Нет? Как же, тот прощелыга, что в самом углу лежит. Умрет завтра еще до обеда. Сегодня вздыхал: хоть бы хлебнуть еще разок перед смертью! Последнюю волю надо уважить...

Уже перед самым сном забегает из барака дружок доктора — берлинский коммунист Натан Штейнбергер. Он так красиво говорит по-немецки, что Вальтер готов часами слушать его.

Сегодня у Натана беда. Снова отморозил два пальца на ноге, уже было залеченные, зажившие.

— Так дело не пойдет, — ворчит доктор, развертывая на ноге Натана протертые лагерные портянки. Затем с полной непринужденностью доктор стаскивает со своих собственных ног шерстяные носки — дар благодарной вольной пациентки — и сует их отбивающемуся Натану. Совершив этот классический евангельский акт, доктор еще рассказывает парочку анекдотов, подтрунивает над Натаном по поводу того, что на воле тот очень боялся своей грозной жены. И Натан почти всерьез упрекает доктора: нельзя так спекулятивно использовать признания, сделанные в задушевных беседах. Потом, натянув на свои многострадальные ноги докторовы носки, Натан уходит, а доктор перед сном еще несколько минут потешает нас с Конфуцием веселыми происшествиями из дотюремной жизни «этого марксиста-теоретика и отъявленного подкаблучника». Кстати, жена Натана тоже, конечно, сейчас в лагере, только не на Колыме.

Кроме лечения доходяг, на обязанности врача еще и вскрытие многочисленных трупов, патологоанатомическая документация.

Вальтер стоит над секционным столом, режет (анатомию он знает артистически!) и диктует нам с Конфуцием. Мы пишем протоколы вскрытий.

— А где же бессмертная душа? — задумчиво спрашиваю я однажды, после того как обработка трупа закончена.

Доктор внимательно вскидывает на меня глаза, становится непривычно серьезным.

— Хорошо, что вы задаетесь этим вопросом. Плохо, если вы думаете, что бессмертная душа должна обязательно локализоваться в одном из несовершенных органов нашего тела.

Конфуций тихонько подталкивает меня под локоть, кивает на доктора и таинственно шепчет:

— Католик.. Ортодоксальный католик...

Веселый святой стал потом моим вторым мужем. Среди зловещих смертей, среди смрада разлагающейся плоти, среди мрака полярной ночи развивалась эта любовь. Пятнадцать лет шли мы рядом через все пропасти, сквозь все вьюги.

Сейчас весь его необычный и яркий мир, все богатства, вместившиеся в этой душе, прикрыты бедным холмиком на Кузьминском кладбище в Москве. Или, может быть, я снова делаю ошибку, против которой он меня предостерегал? Опять ищу бессмертную душу там, где лежит только несовершенное, рассыпавшееся в прах тело?

ГЛАВА ДВАДЦАТЬ ТРЕТЬЯ

РАЙ ПОД МИКРОСКОПОМ

Насчет того, что Тасканский пищекомбинат — это рай для заключенных, — не было двух мнений. Особенно для женщин. Их здесь мало, в пять раз меньше, чем мужчин, и все они на хороших работах. В больнице, в яслях, в теплицах, свинарнике. Одним словом — в помещении! Не на свежем сорокаградусном воздухе!

Женский барак стоит вне зоны, охраняется только одним дежурным вохровцем, который смотрит сквозь пальцы, если бабенки пойдут в вольный поселок постирать, полы вымыть, одним словом — подработать.

А для мужчин уже тем хорошо, что Таскан не прииск, не забой. Таскан считается полуинвалидным ОЛПом. Все на легких работах!

Я еще остро помню Известковую. Поэтому я шумно восхищаюсь Тасканом, и это смешит доктора, даже немного злит его.

— Вижу, что вам надо взглянуть на наш рай попристальней. Под микроскопом. Хотя бы под таким самодельным, как наш...

Захватив Конфуция, мы все втроем отправляемся «на производство». Это отнюдь не значит, что мы идем в цеха пищекомбината. Нет, в цехах работают вольняшки или бывшие зэка, освободившиеся из лагеря и осевшие на Колыме. А мы идем на большую сопку, которая и есть производственный объект наших доходяг. Вооруженные небольшими топориками, перекинув за плечи мешки, они ходят попарно по склонам сопки, рубят ветки низкорослого кедра-стланика. Потом сваливают ветки в мешки и тащат их на приемный пункт пищекомбината. Там эти ветки — сырье. Из них варят противоцинготные напитки и пасты.

Работают доходяги без конвоя. Куда им бежать-то? Да и само понятие о побеге не вяжется с этими странными, почти потусторонними фигурами, ползающими по сопке, точно какие-то неведомые насекомые, перемещающиеся движениями членистоногих.

— Итак, вот перед вами основное население рая. Берем один экземпляр, наводим на него микроскоп... Как дела, Балашов?

Оказывается, обход работяг «на производстве» входит в наши обязанности. Он именуется «профилактическим» и рассматривается как проявление гуманизма. Фактически он направлен на предотвращение смертей во время работы. Почему-то в этом вопросе начальство проявляет крайнюю щепетильность

Умирать положено на больничной койке, в крайнем случае в бараке, на нарах, но отнюдь не на сопке. А то свалится где-нибудь в сугроб, ищи его потом, объявляй в побеге, отчитывайся...

Вальтер очень умело используют эти опасения начальства, чтобы ежедневно превышать установленную норму на «бюллетни».

— Не тошнит тебя, Балашов? — спрашивает доктор.

— Вроде есть маленько, — почти беззвучно бормочет Балашов, приближаясь к нам этой удивительной, почти без центра тяжести, походкой.

Вальтер берет его за руку, отыскивая пульс. Я вдруг вижу всю фигуру Балашова крупно, точно действительно навела на него микроскоп. Он похож на марсианина, со своей огромной, обмотанной кучей тряпья головой, с выпуклыми глазами и лиловыми кругами подглазниц.

— Иди в барак! Не слышишь? В барак, говорю, иди, ударник производства! Скажи на вахте, что я освободил. Полежи до вечера, а вечером придешь в амбулаторию...

Покрытые болячками губы раздвигаются, обнажая черные обломки зубов. Он рад! Он улыбается!

— Как думаете, сколько ему лет? — спрашивает меня доктор, глядя вслед ударнику производства.

— Не знаю. Сто? Пятьсот? Разве у него еще есть возраст?

— А как же! По крайней мере по установочным данным ему тридцать четыре года. Восемь лет назад, когда его арестовали, он был студентом Киевского университета. Спортсмен. Боксом увлекался. На прииске пробыл почти пять лет. Рекордный срок!

— А какой диагноз вы бы ему поставили? — спрашивает Конфуций, ударяя на последний слог ученого слова. Он любил подчеркнуть, что он-то настоящий фельдшер, не то что я, медсестра лагерной выучки. Впрочем, быстро убедившись, что я знаю свое место и не конкурирую с ним, он добродушно учит меня всем премудростям.

— Диагноз? Алиментарная дистрофия, наверно? Уж это-го-то ли главного нашего диагноза мне не знать?

— Голод! — подытоживает доктор. — Трофический голод. Распад белка.

Если посмотреть не на отдельного ударника, а на весь производственный процесс в целом, то кажется, будто это какой-то мультипликационный фильм. Так по-кукольному сгибают доходяги свои локти и колени, точно они вырезаны из фанеры.

Психика у доходяг тоже нарушена. Все слезливы и обидчивы, как дети. Многие совсем потеряли память.

Изо дня в день разыгрывается на поверке потеха с Байгильдеевым. Никак он не может запомнить свою статью, по которой сидит уже девять лет. Не может — и все тут! Срок помнит, пожалуйста, — десять лет и пять поражения, а вот статью — хоть убей! И то сказать — статья у него трудная... АСЭ-ВЭЗЭ (антисоветский военный заговор).

— Байгильдеев! — кричит вохровец по прозвищу Зверь, поднося к близоруким глазам учетную карточку военного заговорщика.

— Абдурахман Юакирзянович! — бойко рапортует бывший казахский колхозник. — Год рождения одна тысяча девятьсот десятый! Статья... Статья...

Он трет лоб. От напряжения жилы на его висках вздуваются желваками. Несколько секунд внутренней борьбы — наконец отчаянное признание:

— Забыл статью... Опять забыл...

Зверь ругается по матушке. Надоела ему эта петрушка! Каждый день мерзни тут из-за такого ишака, что собственных своих установочных данных запомнить не может. Ну вот, слушай, черт нерусский! Остатний раз тебе говорю, запоминай: Асевезе! Понял? Русского языка не понимает!

Услыхав сигнальные звуки, такие знакомые, но никак не ложащиеся на память, Абдурахман радуется как малое дитя. Он точно обрел потерянную игрушку.

— Асевезе! Асевезе! Ай, спасибо! Ай, спасибо!

Зверь грозится, что если завтра опять забудет Байгильдеев свою статью, то ночевать ему в карцере... Никто не верит этим угрозам, потому что Зверь, несмотря на свое прозвище, особо доходяг не обижает, матюкается только... Все смеются. Только Вальтер велит Байгильдееву зайти в амбулаторию.

— У него сердце на ниточке висит. А после этих ежевечерних потех у него приступы пароксизмальной тахикардии. Вчера до ста пятидесяти пульс доходил. Гипнозом, что ли, ему эту проклятую статью внушить!

...В отличие от настоящего рая, небесного, на Таскане ни на минуту не отвлекаются от мысли о хлебе насущном. О царице Пайке. Ее нежат, холят, о ней тоскуют и спорят. Ее завещают перед смертью друзьям... Я много раз присутствовала при этих завещаниях и даже являлась вроде нотариуса при выражении последней воли умирающего.

— Смотри, сестрица! Ежели до обеда кончусь, пайку мою — Сереге! А то шакалья-то в палате много. Неровен час — цапнут...

Завещания соблюдались строго. Шакалов, норовивших цапнуть пайку умершего, подвергали общему презрению, а иногда и кулачной расправе. Если, конечно, в палате находились такие, кто еще владел кулаками. Когда кто-нибудь умирал не в больнице, а в бараке, то смерть эту старались возможно дольше скрывать от начальства. Чтобы паечка шла и шла покойничку. Иногда даже поднимали мертвеца на поверку, ставили его в задний ряд, подпирая с двух сторон плечами и отвечая за него «установочные данные».

И все-таки все, даже самые доплывающие доходяги, так называемые фитили, считали Тасканский пищекомбинат раем. Искренне считали. Потому что это был не прииск, не забой. Потому что здесь лечили и часто давали «бюллетни». Потому что здесь почти не сажали в карцер. Одним словом, потому, что это была полуинвалидная командировка, на которой можно было использовать все преимущества, предоставленные умирающим нашей гуманной санчастью.

Я полной грудью вдыхаю райские вольности. Меня поселили прямо в больнице. Сплю на топчане в процедурной. За вахту выпускают свободно. Едим по-семейному, все вместе: доктор, Конфуций, санитар Сахно и я. Повар подбрасывает медикам лишнюю ложку каши. Доктор по-братски отдает в общий котел перепадающие ему от вольняшек кусочки сала или кулечки с крупой.

Пищу духовную мы получаем тем же путем и по такому же скромному рациону. Доктор приносит немудрящие книжонки, пылящиеся на этажерках вольных граждан поселка Таскан. После обеда, когда у больных мертвый час, мы читаем вслух, и Конфуций оправдывает свое прозвище, поигрывая разными аргументами для доказательства недоказуемого. Например, что, мол, горе и радость это, в сущности, одно и то же, так как и то и другое проходит. Хлебом его не корми, дай только пофилософствовать. Ужасно бедняга огорчается, обнаружив у нас с доктором тенденцию уединяться. Санитар Сахно не спорит с его философскими построениями. Он просто мирно дремлет под них.

Настало лето. Мы часто отправляемся с Вальтером в тайгу, собирать лечебные травы. Краткое цветение тайги великолепно. Оно пробуждает потерянную было нежность к миру, к оттаявшему тальнику, к стройным цветам иван-чая, похожим на лиловые бокалы с высокими ножками. Доктор то и дело наклоняется, срывает растение и называет его на трех языках: по-русски, по-немецки, по-латыни. Вечером мы будем колдовать над кирпичной печкой, варить лекарства, а потом раздавать: столовую ложку отвара и пуд несбыточных надежд.

С каждой прогулкой крепнет наша дружба, сокровенней становятся разговоры. Он единственный, с кем я могу говорить об Алеше, и уже этим одним он для меня не такой, как все. Он как-то так повертывает руль разговора, точно нет разницы между ушедшими и нами, еще оставшимися пока на земле. Точно все мы — живые и мертвые — капли единого потока. И у меня возникает тревожное, но целительное ощущение, будто я еще могу сделать что-то для Алеши, даже обязана сделать что-то для него. Странно, но это смягчает неотступность боли. Иногда доктор вдруг неожиданно связывает с этой моей болью самые повседневные наши дела.

— Вы должны иногда и ночью подходить к Сереже Кондратьеву. Во второй палате... Совсем мальчик. Очень боится смерти. Я и сам к нему подхожу по ночам, но важно, чтобы это была женщина. Просто подойти потихоньку. Ну, руку на лоб, одеяло поправьте. Ради Алеши...

Доктор идет на сближение обстоятельно и нежно, как в доброе старое время. Рассказывает о детстве. Излагает свои научные гипотезы. Терпеливо переносит поток стихов, который я на него обрушиваю. И в любви признается, когда больше уже нельзя молчать, не устно, а в письме.

Для этого пригодилась поездка на недалекую командировку, куда доктор был направлен, чтобы «комиссовать» тамошних доходяг.

Шла уже вторая зима моей работы на Таскане. Теперь я была не амбулаторной, а настоящей больничной сестрой. Научилась всем премудростям: и скальпелем орудовала, и внутривенные вливания делала. И в это утро я вливала хлористый кальций Сереже Кондратьеву (просто чудо — пошел он у нас на поправку!), когда в больницу вошел зэка Заводник, бывший заместитель Микояна по Министерству пищевой промышленности. Он работал в лагере завхозом и постоянно разъезжал по точкам.

— Я привез вам письмо от доктора Вальтера, — сказал он с оттенком таинственности.

— Положите на полку. У меня руки заняты.

— Гм... По-моему, оно важное и личное. Доктор просил отдать непосредственно вам. Лучше я подожду, пока вы освободитесь.

В письме было признание. Удивительное. Можно сказать, уникальное. Потому что оно было написано по-латыни. Позднее Антон, смеясь, объяснял мне, почему он прибег в таком случае к языку Древнего Рима. Настоящего конверта не было, пришлось заделать лист бумаги в виде порошка, край в край. Не было и уверенности в рыцарской скромности гонца. Очень расторопный был товарищ. По-немецки он, скорее всего, понимал. Тогда-то Антон и надумал обратиться к латыни.

Я никогда не учила латыни, но по аналогии с французским кое-что понимала. (Антон потом шутил по этому поводу: «Добываешь творог из ватрушек».) И теперь, отвернувшись от Конфуция и от санитара Сахно к окошку, где сверкал синеватый колымский снег, я вглядывалась, волнуясь, в острый готический почерк доктора, разбирая приподнятые, почти патетические слова: Амор меа... Меа вита... Меа спес...

Судя по тому, с каким живейшим интересом Заводник наблюдал за мной, не торопясь уходить, можно было предположить, что этот ученый еврей кумекал кое-что и по-латыни.

— Доложите герцогу: ответа не будет. Точнее, ответ будет вручен ему лично по возвращении. Доброй ночи, виконт!

(Я долго сомневалась, уместно ли писать о таком личном в книге мемуаров, посвященных нашей общей боли, нашему общему стыду. Но Антон Вальтер так плотно вошел в мое дальнейшее колымское существование, что было бы просто невозможно продолжать рассказ, не объяснив, откуда и как Вальтер появился в моей жизни. А главное, мне хотелось на его образе показать, как жертва бесчеловечности может оставаться носителем самого высокого добра, терпимости, братского отношения к людям.)

...Но, конечно, высокий стиль Антонова письма мне не под силу. И я прибегаю к спасительной шутке, маскируя свое отношение к нему самодельными стишками. В них я изображаю нашу с ним прогулку по Риму. «...Как прекрасен Капитолий, сколько в небе глубины! День прекрасный, день веселый, мы свободны, мы — одни. Все тяжелое забыто в свете голубых небес, вы шепнули: меа вита, амор меа, меа спес... Я в восторге. И отныне я прошу вас вновь и вновь только, только по-латыни говорить мне про любовь...»

...Громкий стук в дверь. Санитар Сахно, дрожа спросонья, судорожно зевая, тревожно шепчет:

— Вставай-ка, сестричка! Фершалу одному не управиться... Происшествие! Начальства в коридоре — навалом...

Господи, да они уморят всех наших больных! Наружная дверь распахнута настежь, и молочный кисель декабрьского морозного тумана вползает прямо в наши палаты. У больничного барака стоит грузовик. Наверху различаю фигуру заключенного. Вохровцы стаскивают его с машины. А в коридоре действительно полно начальства: и режимник, и командир вохры, и еще двое расторопных молодых парней, видно, оперативники.

— Шприцы! — командует мне Конфуций. — Это термошок! Будем вливать глюкозу и физиологический...

Мы хлопочем вокруг замерзшего, приводя его в чувство, а начальство почему-то не уходит. Наоборот, пристально следит за нашими манипуляциями, и режимник время от времени повторяет:

— Чтобы жив был! Чтобы не подох раньше времени!

Вот наконец больной открыл глаза. Они очень светлые и совсем пустые, стеклянные.

— Как фамилия? — допытывается у него Конфуций.

Но больной молчит. Только длинный тонкий рот корчится в беззвучных конвульсиях.

— Кулеш — его фамилия, — говорит начальник режима. — Он Кулеш. А вот его ужин.

Режимник протягивает мне черный закоптелый котелок, до краев наполненный какой-то пищей.

— Дайте медицинское заключение, какое это мясо.

Я заглядываю в котелок и еле сдерживаю рвотное движение. Волоконца этого мяса очень мелки, ни на что знакомое не похожи. Кожа, которой покрыты некоторые кусочки, топорщится черными волосками.

Кулеш — бывший кузнец из Полтавской области — работал на пару с тем самым Центурашвили, что лежал целых полгода в нашей больнице. Сейчас Центурашвили — бывшему секретарю райкома партии одного из сельских районов Грузии — оставался всего один месяц до освобождения из лагеря. Уже в УРЧе лежали на него бумаги, а из дома шли полные нетерпения письма семьи. Антон, что называется, глаз не сводил с этого человека, которого удалось спасти от, казалось бы, неотвратимого конца, вечно вызывал его в амбулаторию, давал освобождения от работы, вместе с ним считал оставшиеся до отъезда дни.

И вдруг, на удивление всем, Центурашвили исчез. Вохровцы побродили по сопкам, записали показания напарника — Кулеша, — что, мол, в последний раз он видел Центурашвили у костра. Кулеш пошел работать, а Центурашвили остался еще маленько погреться. А когда Кулеш вернулся к костру, Центурашвили, дескать, там уже не было. Да кто ж его знает, куда задевался. Может, свалился где в сугроб да и дал дубаря. Слабак был...

Вохровцы поискали еще денька два, а потом объявили Центурашвили в побеге, хотя между собой диву давались: чего это бежать, когда сроку-то оставалось всего ничего...

В присутствии всего начальства я ввожу Кулеше в вену

глюкозу. Он не морщится от укола. Прямо на меня в упор таращатся его пустые белесые глаза.

— Что на лекпомшу-то уставился, выродок? — брезгливо говорит начальник режима. — Из нее, браток, котлетки-то поди вкуснее были бы, чем из Центурашвили...

Людоед! Я ввожу глюкозу в вену людоеда. По приказу начальства мы с Конфуцием должны спасти ему жизнь, чтобы он мог предстать перед судом. Начальники жалеют, что врач в отъезде. Обязательно надо гада до суда дотянуть... Чтобы другим неповадно...

Я еле удерживаюсь на ногах от физической и душевной тошноты. Спасать, чтобы потом расстреляли? Спасать по-человечески этого нелюдя? Да пусть бы он умер вот сейчас же, исчез, испарился, как болотное чудище, как нетопырь какой-то. Ловлю себя на том, что впервые за все эти годы я в эти минуты вроде бы внутренне ближе к начальству, чем к этому заключенному. Меня сейчас что-то связывает с этим начальником режима. Наверно, общее отвращение к двуногому волку, переступившему грань людского.

— А кто довел-то? Кто голодом заморил? — чуть слышно бормочет Конфуций.

Да, конечно, но все же... каков тот, кого можно довести до ЭТОГО!

...С недавнего времени в бараке, где жил Кулеш, стали замечать: что-то колдует он по ночам у железной печки. И вроде вареным мясом тянет от печки-то. Подтвердилось: глухой ночью, когда все спали, он варил свой бульон. Прижали: откуда мясо? Да раздобыл, мол, у корешей с соседнего прииска кусок оленины. Возненавидели: хоть бы раз хлебнуть дал, собака! Стукнул кто-то режимнику. И дознались...

Картина преступления была такая. Подойдя к гревшемуся у костра Центурашвили, Кулеш убил его ударом топора по шее. Потом снял с мертвого одежду, сжег ее на костре. Затем методично разрубил труп на куски и зарыл в разных местах в снег, пометив каждую свою кладовку каким-нибудь знаком. Только вчера бедро убитого нашли в сугробе под двумя перекрещенными короткими бревнышками.

...Наутро вернулся из командировки наш доктор. Он уже знал о случившемся. Бегло поздоровался и сразу пошел в палату, где лежал Кулеш. Весь этот день Антон промолчал. Даже обход провел почти молча.

Поздно вечером, когда мы остались одни в процедурной, он внимательно посмотрел на меня и положил руку на мою.

— Это был страшный день, дорогая. Но не отчаивайтесь.

Да, зверь живет в человеке. Но окончательно победить человека он не может.

Впервые он назвал меня на «ты».

ГЛАВА ДВАДЦАТЬ ЧЕТВЕРТАЯ

РАЗЛУКА

Фантастичнее всего, что на фоне этого безумного мира складывался все-таки какой-то быт. Утро начиналось с домашнего шарканья тряпичных тапочек санитара Сахно.

— Завтрак! — возвещал он торжественно. — Вставайте, доктора! Кушать подано!

— А что там на завтрак? — сонным утренним голосом спрашивал Григорий Петрович (Конфуций) с такой искренней любознательностью, точно меню нашего завтрака могло и впрямь изменяться.

— Суп и чай! — с готовностью докладывал Сахно. И было очень приятно, что баланду он называет супом, а кипяток — чаем.

На все уже было свое определившееся время: и на работу, и на чтение, и на писание писем материковским адресатам. Читали всегда вслух, так как книг нам перепадало не много. Письма писали тоже сообща, потому что формулировки надо было придумывать изощренные. Чтобы было понятно родным и приемлемо для цензора. Особенно много обсуждений требовали письма Сахно, поскольку его жена, доярка воронежского колхоза, была хоть и первейшей работягой, но зато «насчет умственности до ужасти тупая». Сахно всегда просил «намекать ей попонятнее». Он настойчиво объяснял это, и губы его подрагивали от нежности и боли, на что никак нельзя было намекнуть. Впрочем, на свою инвалидность, на то, что в свои сорок он выглядит шестидесятилетним, он никогда ей не намекал.

По вечерам мы с Антоном даже ходили иногда в гости. Да, в гости! К тому единственному человеку, который имел право если не пригласить, то во всяком случае вызвать нас к себе на квартиру, — к начальнику нашего лагеря Тимошкину.

Оригинальный это был начальник! В блюстители закона он перековался из бывших беспризорников. В голове его царил самый немыслимый ералаш, но сердце было добрейшее. Всю систему наказаний он полностью передоверил режимнику, так как не мог перенести, если кто-нибудь из доходяг заплачет. Сам же он с увлечением занимался хозяйством лагеря, старался подбросить лишний кусок в лагерный котел, пускал ради этого в ход всю свою изворотливость, используя опыт молодых лет, когда он состоял в других отношениях с Уголовным кодексом, чем на теперешней должности.

Антон лечил и самого Тимошкина, и его бело-розовую вальяжную жену Валю от подлинных и воображаемых болезней, и оба они души не чаяли в обходительном докторе. Вечерком Тимошкин то и дело звонил на вахту и строго приказывал немедленно прислать врача для оказания семье начальника медицинской помощи. Через час после ухода врача на вахте снова трещал телефон. На этот раз к начальнику требовали медсестру. Да чтобы шприцы не забыла с собой взять для уколов. Я оставляла в тимошкинской прихожей никому не нужные шприцы, а сама усаживалась за чайный стол, где меня уже ждали.

От Тимошкина и Валентины мы не скрывали наших отношений, и эти люди, сохранившие вопреки всему простые человеческие чувства, старались делать все, чтобы облегчить наше положение.

В долгих застольных беседах Антон удовлетворял детскую любознательность начальника, проведшего свои школьные годы у асфальтовых котлов Москвы. Разнообразные сведения, получаемые в этих беседах, вызывали у нашего хозяина то радостное изумление: «Ишь ты!», то скептические возгласы — «Скажешь тоже!» Услышав однажды от доктора, что Земля — шар, вращающийся вокруг своей оси, наш начальник именно так и отреагировал: «Скажешь тоже!»

Меня он тоже уважал за ученость. По должности ему приходилось немало возиться с бумагами, и он решил подучиться грамматике, поступив на какие-то заочные курсы. Выполняя письменные работы для этих курсов, он вечно мучил меня вопросами о правописании разных слов. При этом он хитро щурился, прикрывал ладонью страничку учебника грамматики для пятых классов и откровенно сверял мои ответы с учебником. Не обнаружив расхождений, он победно взглядывал на Валю. Дескать, видала, какова лекпомша-то!

В медицине, кстати, я основательно продвинулась вперед. Теперь я смело вскрывала фурункулы и абсцессы, вливала физиологический раствор, а по части внутривенных — перегнала и врача и фельдшера, поскольку оба они уже нуждались в очках, а я еще была тогда довольно зоркая и в вену попадала почти безотказно. Приспособил меня Антон и к ведению историй болезни.

Его ужасно угнетала эта часть его обязанностей. По приемам работы и по своему душевному складу он был типичным домашним или земским врачом. Готов был тратить долгие часы на уход за больным, на уговоры и утешения. Но всякая канцелярщина казалась ему непереносимой. К тому же, хоть он и говорил по-русски почти без акцента, но в письменной речи явно обнаруживал свое немецкое происхождение: громоздил тяжелые фразы с вспомогательными глаголами на конце, тратил массу лишнего времени, методично вырисовывая островерхие, похожие на готические, буквы. А пренебрегать документацией было никак нельзя, потому что многочисленные начальники и ревизоры только по ней и судили о работе больницы. Зарывать наших пациентов под сопку мы были обязаны не как-нибудь, а «в строгих правилах искусства».

Обнаружив мои первые опыты в заполнении историй, Антон обрадовался.

— Здорово получается, Женюша! Давай так и сговоримся: я буду лечить, не отвлекаясь на эту канитель, а ты уж... Ладно? Чего вам, гуманитариям, стоит лишнюю страничку общими словами исписать! Тебе это легко дается...

Действительно, я в пять раз быстрее Антона вписывала в листки историй различные комбинации принятых железных формулировок. Но нельзя сказать, чтобы это давалось мне легко. Особенно эпикризы и протоколы вскрытий. Рука автоматически строчила — «И в 12 часов 17 минут скончался при явлениях нарастающей сердечной слабости», — а перед глазами стояла реальная картина этого мгновения, так академически описанного. Застывшие в последней судороге черные провалы ртов. Каменеющий в глазах смертный ужас. В ушах звучали последние слова умирающих.

Я всегда старалась запомнить эти последние произнесенные человеком слова. Ведь может статься, когда-нибудь о них будут, содрогаясь от любви и боли, расспрашивать те, для кого это лагерное койко-место было дорогим Ванечкой.

Правда, что-нибудь значительное — о жизни, о несправедливости, свершенной над ним, о своих близких — человек говорил обычно раньше, когда смерть еще не вплотную подошла к изголовью. А при последнем грозном ее появлении люди, заторопившись в дальний путь, почти всегда вспоминали что-нибудь мелкое. Один спрашивал, скоро ли обед, в безумной надежде успеть перехватить еще несколько ложек густой больничной баланды. Другой вдруг судорожно принимался искать мешочек с запасными портянками.

Так что совсем это было не так просто — документировать лагерные болезни. Иногда мелькали безумные мысли: а что, если зачеркнуть сейчас слова «История болезни» и написать сверху «История убийства»? Но духу на это, конечно, не хватало. Да и кому это помогло бы?

Больница наша вечно была переполнена. Люди лежали не только в так называемых палатах, но и в кривом коридоре, где свистели все колымские ветры. Ежедневно приходилось решать мучительный вопрос: кого из прибывших больных принять, кого отправить в барак, снабдив вожделенным освобождением от работы. Тем, кто болел в бараке, повышенный паек не выдавался. Поэтому все жаждали лечь в больницу.

Именно с этого трудного вопроса о приеме больных «на койку» и начался роковой для меня день. Антон и Конфуций с утра выехали на точки. Я осталась в качестве единственной медицинской власти.

— Нету местов! — отбивался за меня санитар Сахно, не пропуская в дежурку напирающих больных. — Нету — и все тут. Куды вас девать-то! Есть, правда, местечко в женской палате... Дак ведь не в женскую же вас ложить!

Тут меня и осенило. А почему бы, собственно, и не в женскую? Женщин в нашем лагере было мало, болели они реже, и одно-два места в женской палате часто пустовали. А что, если положить туда ну хоть вот этого Мизинцева?.. Почему бы нет? Разве у этой загробной тени есть еще пол?

Наметанным глазом сразу вижу: умрет к вечеру. Так пусть хоть на койке, а не на нарах, в грязи и холоде. И морфий ему меньше введу... Меньше мучиться будет.

— Положи его в женскую, Сахно. У двери...

— А не нагорит нам? — усомнился наш опытный санитар. — Ну, да и то сказать — шкилет... Поди разберись, какая в ём стать...

Но начальство разобрало. И надо же было именно в этот день нагрянуть комиссии из Ягодного! Да чтобы сразу им в глаза метнулась облысевшая синюшная голова этого Мизинцева!

— Мужчина в женской палате?

Священное негодование вспыхнуло на упитанном лице начальника. Он, оказывается, уже давно слышал, что здесь, на Таскане, притон разврата. Да и чего ждать, когда заключенные женщины живут за зоной и разгуливают по поселку без конвоя!

Не слушая моих объяснений, он прошел в дежурку, где выявился еще один потрясающий факт: медсестра, несмотря на свой явно женский пол, живет рядом с врачом и фельдшером, отделенная только фанерной перегородкой... И после этого

405

еще удивляются, что деткомбинат ломится от незаконнорожденных...

Начальник был оперативен. Уже на другой день пришел приказ, положивший конец всем традиционным тасканским вольностям. В неустанной заботе об укреплении нравственности жителей вольного поселка Севлаг предлагал немедленно водворить заключенных женщин в зону, ликвидировать зазонный женский барак, строго конвоировать женщин при выводе на работу. Преступную же медсестру предлагалось немедленно этапировать в Эльген. Само преступление было сформулировано с предельной четкостью: «Пыталась создать условия для разврата путем госпитализации зэка мужского пола в палату для зэка обратного пола».

— Дай мне яду, Антоша! Пожалуйста, дай... На всякий случай... Я зря не приму... Только в том случае, если Циммерманша придумает что-нибудь уж совсем невыносимое...

Антон с негодованием отвергает просьбу. Не я дала себе жизнь, и не мне ее гасить. И каждый обязан пройти через то, что ему назначено. Но об этом говорить еще рано. Сначала он пойдет хлопотать.

Некоторые возможности для хлопот у доктора были. Кроме начальника лагеря Тимошкина он лечил и директора Тасканского пищекомбината — Нину Дмитриевну Каменнову. Поддержка со стороны Тимошкина была обеспечена. Конечно, совсем не выполнить приказа Севлага он не может, но затянуть мою отправку на несколько дней — это в его силах. Антон пошел к Каменновой. Это была женщина лет сорока пяти, типичная женотделка, самоучка, возмещавшая отрывочность образования здравым смыслом и деловитостью. Она умело вела свое предприятие, минуя рифы и утесы «колымской специфики». Тот же здравый смысл подсказывал ей, что лишняя жестокость не помогает выполнять производственные планы. Именно так она и мотивировала свои добрые поступки. «С покойниками плана не выполнишь». Не чуждо ей было и чувство благодарности. К Антону, лечившему всю ее семью, она относилась как к другу. В одной из откровенных бесед она заявила ему «раз и навсегда», что немцем его не считает, поскольку «такой хороший человек не может быть немцем».

Ее-то и умолял сейчас Антон поехать в Ягодное и использовать там для моего спасения свои многочисленные связи. Если уж никак нельзя оставить здесь, то пусть хоть пошлют в любой другой лагерный пункт, только не в Эльген... Ведь это равносильно смерти — попасть снова в руки Циммерман!

Связи у Нины Дмитриевны действительно были большие.

Время было военное, с продуктами, даже для вольных, туговато, а пищекомбинат выпускал не только витаминные настойки, но и такие соблазнительные вещи, как сгущенное молоко, яичный порошок...

Она сделала это для своего доктора. Поехала. Добилась отмены приказа об отправке меня на Эльген. Правда, оставить меня на Таскане начальники не согласились: уж очень нашумели они насчет «мужчины в женской палате», очень гордились сделанным разоблачением и принятыми мерами. Но по просьбе Каменновой, с которой ссориться им не было никакого смысла, дали спецнаряд. Я направлялась медсестрой в центральную больницу Севлага, в поселок Беличье.

Вопреки логике, это назначение было вроде бы даже повышением по лестнице лагерной «карьеры»: из таежной «глубинки» я попадала теперь в районный центр. Беличье — всего в четырех километрах от Ягодного. Спасало меня это назначение и от угрозы Эльгена и Циммерманшиной мести. Но разлука с Антоном стала непреложным фактом.

Глядя на нас, утирают слезы не только наши больные, не только Конфуций и Сахно. Сам начальник ОЛП Тимошкин проникновенно, хоть и шепотком, матерится по адресу ягоднинских начальников и клянется при первой же возможности непременно выменять меня на кого-нибудь. Пусть на печника или даже на электрика. Он не пожалеет... Лишь бы время прошло и забылась маленько вся эта история.

...Всю ночь мы сидим на топчане в дежурке и вспоминаем. Подробно рассказываем друг другу, как мы впервые встретились и что тогда каждый подумал о другом. И как Заводник привез мне латинское письмо. А как мы искали в тайге лечебные травы. Мы даже смеемся, вспомнив, как я растопила шприцы — все шприцы до одного! — не заметив в пылу увлекательной беседы, что вода в стерилизаторе давно выкипела. И как мы были сначала в полном отчаянье — где взять здесь, в тайге, новые шприцы? А потом Погребной с ветпункта выручил. У него, оказывается, большой запас был, не в пример нам. И как доктор потом долго острил на тему о причинах моей рассеянности.

В этих воспоминаниях прожитый год кажется нам волшебно счастливым. Мы были удивительно сильными. Ведь все переживалось вместе...

— С вещами!

Уже прибыл за мной конвоир. Специально из Ягодного. Эта формула («С вещами!») — нечто вроде голоса Рока. Чья-то неумолимая равнодушная рука снова переставляет пешку на шахматной доске.

Санитар Сахно плачет совершенно открыто, всхлипывая по-бабьи. В коридоре сгрудились все больные, держащиеся на ногах. Сквозь глубокое отчаяние у меня пробивается мысль: выходит, они привязаны ко мне, выходит, не зря прошел этот лагерный год — была нужна людям.

Последний момент. Сейчас я перешагну порог моего горького, голодного, страшного и восхитительного рая. Прощайте, дорогие! Прощай, Антон!

— Нет, не прощай! До свидания! И помни: мы всегда с тобой...

Мы обнимаемся прямо на глазах больных и ягоднинского конвоира. Становится очень тихо. Даже пришлый конвоир, конечно, не раз таскавший в карцер «за связь зэка с зэкою», поддается этой тишине. Он терпеливо стоит, прислонившись к притолоке. Ни разу не сказал: «Давай, давай!»

ГЛАВА ДВАДЦАТЬ ПЯТАЯ

ЗЭКА, ЭСКА И БЭКА

На первый взгляд усадьба центральной больницы Севлага — Беличье — воспринималась как дом отдыха или санаторий. Дорожки между строениями были расчищены и посыпаны гравием. Даже клумбы здесь были. Клумбы, обложенные дерном. Правда, в августе, когда я впервые появилась здесь, цветы были уже прибиты первыми заморозками, их белесые, иссушенные стебли уже распластались по земле, готовые смешаться с ней. Но сама мысль, что здесь сажают цветы, вселяла какие-то странные надежды.

Два двухэтажных корпуса ослепили меня своим материковским видом. Остальные строения — хоть они и были бараками привычного типа — все-таки резко отличались чистотой и ухоженностью от того, к чему я привыкла на Эльгене или на Таскане.

— Ну что, осмотрели нашу жемчужину Колымы? Рады небось, что из таежной глухомани вырвались? — приветливо осведомился местный нарядчик.

— А здесь разве не тайга?

— Тайга-то тайга... Только Федот, да не тот... Наше Беличье — оазис в пустыне. Особенно для женщин. Заключенных женщин здесь всего двое. Вы третья будете. Сами понимаете, каким вниманием вас окружат. Пойдемте, провожу вас к главврачу, а заодно покажу всю территорию: дом дирекции, лабораторию, аптеку, морг...

Он подхватил меня под руку жестом радушного помещика. Этот длинноносый сухопарый человек с лицом фавна и ёрнической манерой говорить носил фамилию — Пушкин и имя — Александр. На воле он был каким-то периферийным хозяйственником, крупно проворовался и прочно сел на десять лет еще в тридцать шестом. Он тут же начал рассказывать мне об этом, шумно восторгаясь собственной сообразительностью и дальновидностью. Получалось так, что он вроде обдуманно сел «вовремя и по отличной бытовой статье». Промешкай он со своей хозяйственной махинацией до тридцать седьмого, подсунули бы ему как пить дать террор или вредительство. А разве тогда мог бы он мечтать о портфеле нарядчика на Беличьем? Должность большая, но он не заносчив и всегда рад по мере сил помочь политическим. Чем возможно, понятно. Особенно дамам, в которых он понимает толк, и врачам, в которых нуждается: язва желудка.

— А почему в глазах мировая скорбь? — обратил он наконец внимание на мой подавленный вид. — А, позвольте, что-то слышал... Любовная разлука? Немецкий доктор с Таскана? Гм... Сразу видать непрактичную даму: война с Германией, а вы себе немца нашли... Разве не благоразумнее взять русского человека? Ну, пусть хоть и зэка, но такого, чтобы мог питание обеспечить... Что же вы морщитесь? Питание в наших условиях — кардинальная проблема. Но между прочим, если ваш новый избранник будет из заключенных, то он сможет обеспечить и единомыслие, и, так сказать, совместную скорбь...

Это был изощренный пакостник, вроде капитана Лебядкина. Он вел меня окружным путем, чтобы длить эту светскую беседу. Впрочем, он не догадывался взять у меня мой тяжелый деревянный чемодан — изделие эльгенского могильщика Ёгора. Пушкин так и сыпал сальными остротами, именуя их фольклором, который, дескать, так ценил его великий тезка.

Но вот, наконец, и дом дирекции. Пушкин самолично доставил меня к начальнице, пред ее испытующие и грозные очи. В официальных бумагах местная властительница именовалась очень прозаично — главврач центральной больницы Севлага. Но она являлась одновременно и начальником лагпункта. Власть ее над телами и душами вверенных ей заключенных была абсолютна еще и потому, что самый главный хозяин провинции — начальник северного горного управления Гагкаев — был земляком и другом нашей главврачихи. Оба они были из Осетии.

(Ее звали Нина Владимировна Савоева. Забегая вперед, надо сказать, что судьба оказалась милостивой к этой женщине: ее жизнь сложилась так, что выявились лучшие стороны ее натуры и, наоборот, оказались подавленными те первичные инстинкты властолюбия и самоуправства, которые были ей свойственны. Полюбив заключенного лаборанта, она стала позднее его женой и после смерти Сталина работала уже рядовым врачом в Магаданской больнице. Встречаясь на магаданских улицах со мной и Антоном, она приветливо здоровалась и говорила что-нибудь обыденное. Дескать, сегодня в кино «Горняк» идет хорошая картина... Трудно было поверить, что всего за несколько лет до этого она казнила и миловала, выходила из внутренних апартаментов походкой царицы Тамары, говорила отрывистым гневливым голосом, приказывала приближенным рабыням мыть себя в ванне и умащивать свое довольно грузное и бесформенное тело разными ароматическими веществами.

Снова возвращаюсь к банальной мысли: абсолютная власть разлагает абсолютно. Незлая по натуре, Нина Савоева совершала немало постыдного под крылом Гагкаева, этого районного Сталина, о жестокости которого ходили постоянные слухи. Как хорошо, что благодаря любви к мужчине судьба Савоевой переломилась! Еще несколько лет беличьинского владычества — и она окончательно погибла бы, превратившись в палача.)

В тот момент, когда я предстала перед ее грозным ликом, она была еще в полном блеске величия. Ее черные кавказские глаза метали молнии. Широкая короткопалая рука, вся в кольцах, то и дело поднималась в повелительном жесте.

— Отведете ее в туберкулезный, — сказала она Пушкину так, точно меня тут не было. — Там и жить будет, в кабинете. Посуду отдельную. Предупредите: больные остро заразные. Пусть будет осторожна...

Эти гуманные слова главврач произносила так оскорбительно, что мне вдруг захотелось заплакать. Очевидно, таков был местный ритуал: к мелкой рабыне вроде меня не могли быть обращены непосредственные слова владычицы. Я с тоской вспомнила наши вечерние чаепития у тасканского начальника Тимошкина, идиллические просветительные беседы с ним насчет вращения земного шара. (Нелегко было дяде Тому привыкать к плантациям мистера Легри после доброго Сент-Клера и его дочери...)

Туберкулезный корпус стоял на пригорке, в отдалении от остальных строений. Это был барак, разделенный на две палаты. В одной лежали носители бацилл Коха — «палата бэка». В другой — те, у кого «бэка в поле зрения не обнаружены» — «чистая». Деление это было довольно условным, состав больных подвижным, потому что лабораторные анализы были, мягко выражаясь, несовершенны и жители «чистой» палаты порой перегоняли «бэков» по проценту смертности. Женской палаты здесь не было.

Каморка, предназначенная мне, тесно примыкала к палате «бэков», отгороженная от нее фанеркой, не доходящей до потолка. Я с трудом отделалась от Пушкина, многословно и узористо разъяснявшего мне, что этот опасный корпус имеет свои преимущества: охрана, боясь заразы, сюда заглядывает редко, начальство — тем более.

На довольно устойчивых топчанах, покрытых не очень тощими матрацами, лежали мужчины. Не доходяги, не фитили, не «шкилеты», а нормальные с виду, преимущественно молодые мужчины. Они резко отличались от наших тасканских пациентов, обессиленно и обреченно доплывавших к неизбежному берегу. Здесь лежали люди, еще вчера здоровые, привыкшие к активному сопротивлению силам смерти. Они были сломлены сейчас не многолетним голодом и непосильным трудом, а острым, быстро текущим заболеванием. Заключенные в прежнем значении этого слова составляли здесь меньшинство. А большинством были люди нового послевоенного колымского сословия, так называемые «эска» — спецконтингент.

Это была моя первая встреча с людьми, вынесенными сюда из другого ада — из ада войны и гитлеризма. Среди них были самые различные категории. Некоторые на вопрос «за что?» отвечали: «За то, что не покончил самоубийством». Другие — латыши, эстонцы, литовцы — были мобилизованы в германскую армию при оккупации Гитлером Прибалтики. Третьи бежали из плена или были вывезены из освобожденных нами районов.

Эска делились на срочников, имевших шесть лет, и бессрочников — «до особого распоряжения». Считалось, что режим эска мягче нашего, зэковского. Однако те, кто лежал сейчас в туберкулезном корпусе, прошли через знаменитый прииск Бурхала, где молодые заболевали сначала воспалением легких, потом скоротечным туберкулезом. Особенно быстро протекал этот процесс у рослых прибалтов, которым требовалось много калорий.

Первые дни здешней жизни были для меня острой пыткой. Ночью я не могла уснуть, ворочаясь до одури на коротком топчане. (Тот, что подлиннее, не влезал в кабинку.) Непрерывные кашли — сухие и влажные, осторожно сдерживаемые и отчаянно пароксизмальные — сотрясали воздух. Разноязычные стоны, хриплые проклятия, а иногда и просто плач самых молоденьких — ко всему этому предстояло привыкнуть.

С утра я начинала вливания хлористого кальция всем больным подряд. Я садилась на край койки, ища вену. Я входила в близкое, почти родственное соприкосновение с этими латышскими мальчиками, в каждом из которых я видела своего Алешу. Они были почти его ровесниками, года на два-три постарше. Такие же высокие, как он, с такими же пушистыми ресницами и доверчивыми, еще пухлыми мальчишескими губами. Они должны были жить. А они умирали. Ежедневно, еженощно умирали, отчаянно отбиваясь от смерти, но терпя поражение. И на смену им привозили все новые транспорты мальчишек, и они снова умирали. Погибали, то отчаянно отбиваясь от гибели, то уже сдавшись и зовя перед концом маму. Потом я пыталась подсчитать, сколько человек умерло на моих руках, сколько последних вздохов я приняла. Получалось что-то близкое к тысяче...

Туберкулезное отделение вел заключенный врач Баркан. Похожий на обедневшего остзейского барона, весь какой-то обесцвеченный, с симметричными мешочками под глазами, он был погружен в себя и не очень реагировал на внешние раздражители. Ему оставалось досидеть всего несколько месяцев, и он умел говорить и думать только об этом.

Я долго не могла привыкнуть к его стилю работы. Не то чтобы он был недобросовестен. Нет. Он аккуратно совершал дневные и вечерние обходы, выслушивал, выстукивал, делал назначения, исходя из скудных возможностей нашей аптеки. Но никто из больных не догадывался, что он тоже заключенный, и все называли его «гражданин доктор». Когда я однажды в первые недели моей работы здесь прибежала за ним ночью с возгласом: «Андрис умирает! Андрис! Тот мальчик, что у самой двери...», он спокойно ответил: «Да, я так и полагал, что сегодня...» И даже не подумал встать. Я вспомнила, как Антон бегал по всему поселку, разыскивая глоток вина для бродяги, которому перед смертью уж очень хотелось выпить, или как врач сидел по ночам у койки молодого парня только потому, что тот боялся темноты... Вспомнила, сказала: «Извините, гражданин доктор». И ушла. Больше я его никогда не будила.

Санитаров в нашем туберкулезном отделении было двое. Старший — Николай Александрович — на воле был бухгалтером и умудрялся даже здесь сохранять какой-то счетно-финансовый вид. Он носил очки, был крайне деловит и организован в работе. На его обязанности были все внешние сношения. Он

риносил из кухни еду на всех, из аптеки — лекарства, от наальства, избегавшего нашего корпуса, — приказы и распоряжения. Работой своей он очень дорожил, считал себя умным и
итрым за то, что так ловко сумел устроиться: паек идет как за
редную работу с заразными, а фактически он с больными поти не соприкасается.

Настоящую санитарскую работу — грязную, тягостную, бесонную — нес младший санитар Грицько. Ему было тогда всего
осемнадцать, но жизненного опыта хватило бы на троих. В соок втором, когда гитлеровцы стояли в их городке, Грицько
ыл еще подростком, правда таким высоченным, что ему «со
пины» давали на пять лет больше.

— Хиба ж я знав, що таке страпится, — огорченно говорил
н всякий раз, начиная рассказ о своей одиссее.

Та ж мамо ему говорили, щоб не выходив с хаты. Так не
ослухав же! Змия як раз хлопцы пускали, ну и вышел побаити... А тут нимцы... Пидйихали на таким великим крытом груовике и легонько так пидманили: «Ком, юнг, ком хер!» И
атолкали Грицька в машину, така гарна крыта машина, та и
овезли. Мамо и доси не знають, де сынок подивався... А уж
ин пойиздив...

Малолетнего Грицька таскали для прифронтовых работ
ю всей Европе. Свои путевые впечатления он излагал всегда в
трогой последовательности, руководясь при этом как главым критерием в оценке любой страны качеством тамошней
баланды.

— У Польши, сестрица, баланда дуже погана... Зовсим пута... У Чехословакци — трохи гарнийша... Але у Италии! О це
краина! Такий баланды, як у Италии, мы з вами, сестрица, в
життя не побачим...

В наш туберкулезный корпус Грицько попал прямым маршрутом Рим-Колыма. По правде говоря, в Италии, невзирая
на такую удивительную баланду, Грицько все же тосковал по
дому. И как только в районе их работ появились советские офицеры и стали звать домой, Грицько не раздумывал.

Вони, ти офицеры, плакат до нас принесли. Така гарна
жинка намалевана. Рука протягае: иди, сынку, до дому, бо витнизна-мать тебе кличе... Правда, балакали там ризно, что, мол,
посадят до лагеря за то, що у нимцев служив. Та Грицько не
поверив. Сам он, что ли, к нимцам подался? Силком ведь сцапали...

— Эх, сестрица, кабы вы побачили, як нас з Италии провожали! Духовой оркестр грал! Наши радяньски офицеры промовы говорили... Ну, а як дойихали до нашего кордону, так —

пересадка. Усих перегрузили в товарны вагоны, та двери зачинили замкам... Музыка? Ни, музыка бильш не грала!

В туберкулезное отделение Грицько попал по той же схеме, что и прибалтийские мальчики: прииск Бурхала, воспаление легких, туберкулез... Но тут Грицько наглядно проиллюстрировал правильность поговорки «Что русскому здорово, то немцу — смерть». В тех же условиях он умудрился выздороветь. Каверна у него зарубцевалась, бэка «в поле зрения» н обнаружились. Он уже был почти готов для новой отправки на Бурхалу, но тут судьба его нежданно-негаданно повернулась к счастью.

Дело в том, что, став ходячим больным, Грицько нача добровольно помогать санитарам. Никакие турне по Европе н могли зачеркнуть навыков, привитых с детства. Заметив непролазную грязь в туберкулезном корпусе, Грицько проявил инициативу. Каким-то таинственным образом ему удалось выменять пайку на ведерко сухого мела. Он смастерил из мочаль кисть и пустился наводить чистоту на стены барака. Как раз это время главврачу сигнализировали, что уже выехала автори тетная комиссия, которая будет обходить все корпуса больни цы, не исключая и заразного. Вспомнив мерзость запустения царившую в туберкулезном, Савоева бросилась сюда, взволно ванная, гневная, готовая покарать первого попавшегося под руку «виновника» грязи. И вдруг...

— Что ты делаешь? — воскликнула она, застав Грицька уже домазывающим стены палаты «бэка».

— Та вот... Трохи хату пидбеливаю... Бо дуже замурзана була, — эпически объяснил Грицько.

Савоева помолчала и отрывисто приказала Баркану:

— Не выписывайте его! Останется тут санитаром...

Так привычка, рожденная когда-то «в садке вишневом коло хаты», спасла парубка от Бурхалы, от новой пневмонии, от верной гибели.

Больные — и зэка, и эска, и бэка, и не бэка — дружно обожали молоденького санитара. Он был нужен всем. Тому ночью подаст водички, другому поможет встать и проводит «до ветру», с третьим просто посидит и потолкует «за жизнь» в минуту острого отчаяния. Свести бы его с доктором Антошей Идеальное получилось бы лечение...

Единственная лагерная черта в характере Грицька была жадность на хлеб. Хлеба у нас, в туберкулезном, было много: умирающие ели плохо, а пайки выдавались усиленные. Но все равно Грицько сушил, копил, прятал хлеб, комбинировал какие-то обмены и вечно подбивал меня подавать сведения о ювых покойниках не сразу, а только после получения на них дневного довольствия.

— Та шо вы, сестрица! Та придурки сожруть... И им и так хватае... Хай у нас трохи в запасе буде...

Даже когда умер Андрис, с которым Грицько обменялся клятвой вечной дружбы, он все равно, обливаясь слезами, попросил:

— Та не спешить до конторы, сестрица! Вот получимо хлиб та баланду на Андриса, тоди и пойдете...

К Грицьку не приставала лагерная грязь. Он был приветлив, никогда не произносил гнусной ругани, вошедшей в обиход даже у многих бывших интеллигентов. Только однажды я видела его в приступе неукротимой ярости. Это тоже было связано с Андрисом, с его смертью.

У того на указательном пальце левой руки было массивное кольцо с камеей. Он пронес его через все обыски и не расставался с ним, считая талисманом. Перед смертью он снял кольцо и отдал Грицьку, попросил переслать матери в Даугавпилс, в Латвию.

Мы с Грицьком долго шептались, как быть. Сами мы, конечно, никакого доступа к почтовой связи не имели. Хранить кольцо долго у себя было опасно: могли отнять. И мы решились обратиться к нарядчику Пушкину. У него вольное хождение и тысяча связей. Ему ничего не стоит отправить кольцо Андрисовой маме.

— Хучь он и дуже охальный, цей Пушкин, але мабуть на таку мельку речь не позарится, — задумчиво соображал Грицько.

Пушкин охотно взял красивую вещицу, небрежно сунул в карман, но сказал, что сделает обязательно, что мать — это дело святое. Прошло недели две, и вдруг Грицько обнаружил Андрисов перстень на грязном заскорузлом пальце заключенного-бытовика, торговавшего в нашем продуктовом ларьке.

— За полкила масла та две банки бычкив в томати, — прошипел Грицько, и я не узнала его голоса.

Когда через несколько дней нарядчик Пушкин зашел в наш корпус, чтобы переписать прибывших-убывших, я не удержалась и с притворным спокойствием спросила, отослал ли он уже кольцо в Латвию.

— Как же! Давно уже! — с готовностью ответил Пушкин.

— Брешешь, гадюка! — воскликнул вдруг Грицько и, бросившись на худого, тщедушного нарядчика, начал всерьез душить его. Еле отняли ходячие больные.

Целую неделю после этого я вздрагивала от всякого звука открываемой двери. Не за Грицьком ли? Но Пушкин не стал

жаловаться. Может быть, с учетом собственной омерзительно
роли в этом деле, а может быть потому, что за последнее время его язва сильно обострилась. Она терзала его и отвлекала о
дел внешнего мира, заставляя все время прислушиваться
тому, что происходило у него внутри.

С наступлением зимы мы начали сильно страдать от холо
да. Туберкулезный корпус еще больше, чем Тасканская боль
ница, продувался всеми ветрами, а дров нам давали совсем
мало. Почему-то дрова в тайге были остро дефицитны. Их дава
ли в главные корпуса — хирургию и терапию. Нас же разумн
считали сегодняшними или завтрашними покойниками, кото
рым холод повредить никак не может.

Но мы сорганизовались на защиту своих больных и сами
себя. Под руководством старшего санитара — бывшего бухгал
тера — действовало левое обменное бюро. Какие-то бродяги
прохвосты по ночам осторожно сгружали у задней стены на
шего барака явно ворованные баланы и баклашки, унося вза
мен мешки с сухим хлебом и ведра с остатками баланды. Ран
ними утрами, до обхода, в полной темноте, мы с Грицьком
распиливали дровишки и складывали их в секретное место.

О голоде при здешней усиленной пайке не могло быть
речи. К тому же время от времени я получала с оказией пере
дачки от Антона. Так что, казалось бы, все шло терпимо, тем
более что до конца моего десятилетнего срока оставался (есл
верить приговору!) уже вполне обозримый отрезок — полтора
года. Но несмотря на все это, именно здесь, на Беличьем, на
меня часто находили приступы необоримой тоски.

Я не могла выдерживать этих ежедневных агоний, этих схва-
ток со смертью, в которых она всегда побеждала. И еще мен
мучил цинизм, с каким внешняя респектабельность и благо-
пристойность нашего учреждения маскировали скрытый в нем
ужас. Аллейки, клумбочки... Новая рентгеноустановка... Чистая
кухня и повара в белых колпаках... Даже научные конференции
заключенных врачей! А наряду с этим ежедневно выписывали
полуживых людей и отправляли их на ту же смертоносную Бурхалу. И ежедневно, еженощно работал беличьинский морг, все
повышавший свою пропускную способность.

В морге хозяйничали блатари. Отъявленные урки. Им лень
было зашивать трупы после вскрытий, лень копать длинные,
по росту трупов могилы. И они свежевали, рубили трупы на
куски, чтобы свалить их потом в поверхностную круглую яму
за бугром, поросшим лиственницами.

Однажды я встретила этот похоронный кортеж на рассвете, когда побежала в неурочное время в аптеку. На длинных

416

кутских санях трое блатарей тащили рубленую человечину. Бесстыдно торчали синие замерзшие окорока. Волочились по снегу отрубленные руки. Иногда на землю выпадали куски внутренностей. Мешки, в которых было положено зарывать трупы заключенных, благоразумно использовались блатными анатомами для разных коммерческих меновых операций. Так что весь ритуал беличьинских похорон предстал предо мной в обнаженном виде.

В первый и единственный раз в моей жизни приключился тут со мной приступ, похожий на истерический. Мне вспомнилось выражение мясорубка, которым часто определяли наши исправительно-трудовые лагеря. При виде этих груженых якутских саней иносказательный смысл слова вдруг заменился объемной вещественной буквальностью. Вот они — приготовленные для гигантской мясорубки нарезанные куски человеческого мяса! С ужасом и удивлением я услыхала свой собственный удушливый смех, свои собственные громкие рыдания. Потом меня стало отчаянно рвать. Не помню уж, как доплелась до своего корпуса.

И как раз в тот же день к нам нагрянула комиссия очень высокого ранга. Не только чины из Сануправления, но и сам начальник Севлага полковник Селезнев. Окруженный большой свитой, он прошел прямо в заразную палату, где в этот момент Грицько мыл пол, старательно залезая тряпкой под топчаны.

— А здесь у вас палата зэка или эска? — спросил Селезнев.

Я не успела рта открыть для ответа. Меня перегнал Грицько. Выжимая половую тряпку спорыми, почти женскими движениями, он громко вздохнул и непринужденно заявил:

— Ох, хиба ж тут до того, щоб разбиратися: чи зэка, чи эска! Якщо туточки навалом одни чисты бэка!

— Что? Что? — Брови начальника высоко поднялись от изумления.

— Бэка — бациллы Коха, — торопливо разъяснила я, боясь, как бы он не прогневался на Грицька и не отправил его на Бурхалу. — Санитар имеет в виду, что палата укомплектована не по установочным данным, а по медицинским показателям. Здесь остро заразные, выделяющие палочки Коха...

Начальник резко оттолкнулся от дверной ручки, за которую только что держался, суеверно посмотрел на свои ладони, точно боялся увидеть на них прыгающих бэка, и сердито сказал, обращаясь к нашей главврачихе:

— Зачем же было беспокоить таких тяжелых больных? Покажите лучше вашу новую рентгеноустановку...

ГЛАВА ДВАДЦАТЬ ШЕСТАЯ

MEA CULPA

Является ли потребность в раскаянии и исповеди подлинной особенностью человеческой души? Об этом мы много шептались с Антоном в нескончаемых тасканских ночных беседах. Вокруг нас был мир, опровергавший, казалось бы, самое воспоминание о том, что не хлебом единым... Хлебом, хлебом единым, единой царицей Пайкой дышали здесь все живые, полуживые и даже совсем умирающие. Да и мы сами, наверно, еще ведем эти разговоры по старой интеллигентской инерции, а по сути и мы уже морально мертвы. И я разворачивала перед Антоном цепь аргументов в доказательство того, что мы вернулись к обществу варваров. Правда, новые варвары делятся на активных и пассивных, то есть на палачей и жертв, но это деление не дает жертвам моральных преимуществ, рабство разложило и их души.

Антон ужасался таким моим мыслям, страстно опровергал их. И я была счастлива, когда ему удавалось разбить мои доводы. Ведь я и швыряла в него такими жестокими словами, часто отвратительными мне самой, с единственной целью — чтобы он разуверял меня еще и еще, чтобы и на мою душу упал отсвет той удивительной гармонии, которой он был пронизан насквозь.

Здесь, на Беличьем, мне довелось столкнуться с фактами, подтверждавшими мысли Антона. Тяжкие, но в то же время утешительные это были встречи. Я сама видела, как из глубины нравственного одичания вдруг раздавался вопль «Меа максима кульпа!» и как с этим возгласом к людям возвращалось право на звание человека.

Первой такой встречей был доктор Лик. Ледяными январскими сумерками у дверей туберкулезного корпуса постучались двое здоровых. Одного из них я узнала, Антон знакомил меня с ним на Таскане. Это был тоже врач, но уже вольный, освободившийся по окончании срока. Сейчас он работал по вольному найму на каком-то прииске, выглядел полным благополучником. В своем «материковском» зимнем пальто с мерлушковым воротником и с черной кудрявой бородой, тоже похожей на мерлушку, он всем своим видом как бы подчеркивал жалкое положение своего спутника. Тот напоминал страуса из-за высокого роста, маленькой головы и махристых лагерных чуней на длинных ногах. Исхудание его было уже в той степени, когда даже самые старательные начальники санчасти все же пишут «легкий труд».

Это и был доктор Лик, при содействии которого Антон пять лет назад, в первый год войны, потерял зрение на правый глаз. Тогда все немцы, в том числе и врачи, были только на тяжелых общих работах. Защитных очков не хватало, и неистовый дальневосточный ультрафиолет, отраженный белизной первозданных снегов, опалил Антону глаз. Освобождения от работы не давали. Началась язва роговицы. Зрение в пораженном глазу все меркло. Антон пошел еще раз в амбулаторию приискового лагеря. Врачевал там заключенный доктор Лик. Трудно сказать, почему его оставили на медицинской работе, хоть он и был чистокровным немцем. Был ли это недогляд или имел Лик особые заслуги, но только факт: в то время как шло массовое гонение на врачей-немцев, он продолжал ведать больницей заключенных на этом прииске.

Да, сказал он Антону, — да, это язва роговицы. Но положить его в больницу Лик не может. Потому что Антон Вальтер тоже немец и тоже врач. И Лика могут обвинить, наверняка обвинят, в желании спасать своих.

Антон помолчал, потом сдержанно спросил, понимает ли коллега Лик, что возможно парасимпатическое заболевание второго глаза и в результате — полная слепота. Да, Лик понимал это. Бешеным шепотом он ответил по-немецки, что при альтернативе — жизнь Лика или зрение Вальтера — он выбирает жизнь Лика.

Я давно знала все это от Антона. И все это повторил мне сейчас с абсолютной точностью и почти в тех же выражениях мой неожиданный гость. Он говорил почти спокойно, с той медлительностью, какая вообще характерна для дистрофиков. Иногда он повторял одну и ту же фразу, как бы боясь, не упустил ли он что-нибудь важное. Его давно небритое, покрытое рыжеватыми колючками лицо сохраняло искусственную неподвижность.

— Почему вы решили рассказать все это мне?

— Потому что я не могу спать. Мне еще нет сорока, а у меня неизлечимая бессонница. Конечно, надо пойти к самому Вальтеру. Но я подконвойный, мне туда не добраться. Сюда меня под конвоем привели на конференцию врачей. Встретил вот здесь освободившегося коллегу, и он сказал мне про вас. Я хочу, чтобы вы передали Вальтеру...

— Нас ведь разлучили. Я тоже подконвойная. Не знаю, увижу ли его еще в жизни.

— Вам осталось сроку год с небольшим. Вы его увидите. А у меня сроку — двадцать пять. Впереди еще шестнадцать с половиной. Так что я прошу вас сказать ему...

Тут обманчиво спокойное лицо Лика отчаянно задерга
лось в нервном тике. Но я вспомнила плотное бельмо на пра
вом зрачке Антона и неумолимо переспросила:

— Что именно сказать ему?

И тут он закричал.

— Скажите ему, что я дерьмо! Что большего дерьма не
даже среди палачей. Те хоть прямо убивают... Что меня над
было лишить врачебного диплома... Еще скажите ему, что я н
сплю. И что наяву тоже вижу кошмары...

У него оказался очень неприятный петушиный фальце
И гримаса, искажавшая его лицо, была просто отталкиваю
щей. Но такая сила страдания и самоосуждения была в его воп
ле, что я вдруг дотронулась до его рукава и сказала:

— За последний год бельмо уменьшилось в диаметре. О
лечится гомеопатическими средствами. Теперь уже немног
видит этим глазом.

...Другая беличьинская встреча, похожая на эту, была дл
меня еще тяжелее. На этот раз дело шло о человеке, которы
помог мне в тридцать девятом, а два года спустя стал «свиде
телем» по новому «делу» Вальтера.

Я уже писала о нем. Это Кривицкий, работавший врачом
на этапном пароходе «Джурма». Тот, который положил меня
тюремный изолятор, сдал в Магадане в больницу и этим спа
от смерти. А в сорок первом, на прииске Джелгала, он ста
сексотом и под диктовку оперуполномоченного Федорова под
писал протоколы, в которых излагались «факты антисоветско
агитации Вальтера в бараке». Это послужило основанием дл
нового суда и нового — третьего! — срока. На суде Кривицки
бесстыдно произносил свою провокаторскую стряпню прям
в лицо Антону и очень облегчил суду решение о свежем деся
тилетнем сроке. Вообще этот несчастный, видимо, скатился
очень далеко на своем страшном пути, потому что уже в шес
тидесятых годах, в Москве, я натолкнулась на имя Кривицко
го, читая лагерные записки Варлама Шаламова. Кривицкий фи
гурирует там в той же омерзительной роли.

Не знаю, жив ли он сейчас. Вряд ли. Ведь уже тогда, зимо
сорок шестого, его привезли на Беличье после инсульта,
параличом руки, ноги и частично языка. Узнав, что я здесь, о
прислал мне с санитаром записку. Странными каракулями, на
писанными, видимо, левой рукой, он звал меня навестить его
О том, что я имею отношение к Антону Вальтеру, он, конеч
но, не знал. Не предполагал, очевидно, и того, что мне извест
ны его иудины подвиги.

Больше недели я не шла к нему, только пересылала че-

ез Грицька свой сахар. Потом доктор Баркан, которого вызы-
али туда на консультацию, сказал мне с кривой усмешкой:

— Что же это вы ускоряете смерть Кривицкого? Просто с
ма сходит, что вы к нему не идете. А после такого инсульта
алейшее волнение...

Я пошла. За несколько дней до того к нему вернулась речь.
Косноязычная, неразборчивая, но все-таки вернулась. Он был
 состоянии острого возбуждения. Говорил непрерывно. Это было
бличительное слово. Он клеймил меня позором за черную не-
лагодарность. Если бы не он, разве я выжила бы тогда, на
Джурме»? А теперь, когда он в беде, я не хочу даже навестить
го. Вот, явилась на двадцатый день...

Что было отвечать? Объяснять причину моей черной не-
лагодарности — значило спровоцировать ухудшение его бо-
езни. Молчать? Невыносимо. Он вызывал во мне скользкое
увство брезгливости не только тем, что я знала об его про-
лом, но и своим нынешним видом. Его мутные, уже готовые
студенеть глаза все еще источали хитрость и ложь. Рот был
ерекошен не только параличом, но и великой злобой. Я по-
ожила на тумбочку сверток с едой и молча вышла.

Прошло несколько дней, и я узнала, что у Кривицкого —
торой удар. Теперь он опять без языка и почти неподвижен.
олько левая рука еще жива, и вот он написал мне записку.
Передавая мне ее, наш старший санитар сказал:

— Наболтали там ему новые больные, что вы знаете, кто
ал доктору Вальтеру третий срок.

Мы втроем разбирали записку. Она была довольно простран-
ная, но в иероглифах этих почти невозможно было разобраться.
Смогли мы прочесть только слова «Простите» и «Умру завтра»...

Да, его левая рука еще была жива. Она судорожно хватала
еня за полу халата, она метушилась по одеялу, в ней была
акая-то особая сила выразительности. Именно по руке я по-
яла, что он просит прощения... Глаза его были закрыты.
 села на табуретку, наклонилась к нему и шепотом сказала:

— Вы мне сделали добро. Я помню это. А остальное...
 рада, что вы просите за это прощения. Я уверена, что Валь-
ер простит, когда я расскажу ему о ваших мучениях. Я про-
линаю тех, кто воспользовался вашей слабостью.

Один его глаз открылся. Из него лились слезы, и он был
ивой, не злой, несчастный.

...И еще раз пришлось мне наблюдать на Беличьем, как
ожет корчить человека от мук угрызений совести и как срав-
ительно с этой пыткой ничего не стоят ни тюрьма, ни голод,
и, может быть, и сама смерть.

Больного Фихтенгольца доставили с последней партией бурхалинцев. Примерно тридцатилетний, он был красив ангельской, белокурой, нежнолицей красотой. По документам значилось, что Фихтенгольц — эска, получивший поселение на неопределенный срок, до особого распоряжения, что он житель города Тарту, эстонец. Но странно было, что по-эстонски он объяснялся с большим трудом.

— Какой он эстонец? — недружелюбно ворчали наши старые эстонские пациенты. — Хлеба по-эстонски попросить не может!

По-русски он и совсем почти не понимал. Вскоре выяснилось, что Йозеф Фихтенгольц эстонец только по отцу, которого он потерял в раннем детстве. По матери он немец, и родной его язык — немецкий.

Болел он очень тяжко. Температура никак не снижалась. По ночам задыхался, бредил, отчаянно метался на своем топчане.

Наш доктор Баркан, чем ближе подходило к сроку его освобождение, тем все более отрешенно взирал на мир своими остзейскими глазами. Он не очень-то затруднял себя дифференциальным диагнозом. Все поступившие к нам больные заранее считались туберкулезниками, всех одинаково лечил вливаниями хлористого кальция. Но однажды, в выходной день Баркана, обход за него провел доктор Каламбет, как две капли воды похожий на Тараса Бульбу, умудрившийся даже в лагере остаться толстячком. С его появлением в наше преддверие морга как бы входила сама жизнь. С прибаутками, забавными ужимками и украинскими поговорками Каламбет уточнил диагнозы, приободрил многих больных, а про Йозефа Фихтенгольца сказал:

— А это ведь не ваш больной, а мой. У него крупозная пневмония. Скажите Баркану, пусть к нам, в главный терапевтический, его переведет.

Но Баркан ударился в амбицию. Его диагноз не мог быть ошибочным. И он продолжал назначать Йозефу все то же бесцельное лечение.

Однажды ночью Грицько разбудил меня.

— Идить, сестрица, до того херувимчика... Бо вин, наверно, сдае концы...

Фихтенгольц весь выгнулся в жестоком приступе удушья. Голубые глаза вылезли из орбит. По лицу катился холодный пот.

— Ихь канн нихьт мер... Битте... Люфтэмболи... Махен зи люфтэмболи, ум готтесвиллен...

422

Я не сразу поняла, что такое «люфтэмболи». Поняв, содрогнулась. Я слышала, что такой способ убийства применяется в гитлеровской медицине. Введенный в вену наполненный воздухом шприц, говорят, вызывает воздушную эмболию и смерть. И он хочет, чтобы я сделала такое!

— Вы сошли с ума! Мы не фашисты! Мы не убиваем, а лечим больных!

Да, но его уже нельзя вылечить. Так пусть же сестра не длит его агонию, он не в силах больше страдать...

Что делать? Бежать за Барканом бесполезно. Каламбет тоже не пойдет, не захочет осложнять отношений с Барканом. И тут я поставила перед собой вопрос, который уже не раз выручал меня здесь, на Беличьем. А что сделал бы в этом случае Антон?

У больного отек легкого... Надо дать отток крови. В лагерных условиях старинный метод кровопускания не раз спасал людей в Тасканской больнице. Терять нечего... Я подставила тазик, ввела в вену большую иглу. Медленными крупными каплями, похожими на ягоды красной смородины, кровь стала капать в таз и тонкими струйками растекаться по его белому дну. Сердце у меня отчаянно колотилось. Не путаю ли? Сколько граммов крови спускал таким образом Антон?

Больной вдруг перестал стонать и даже словно задремал. Дрожащими руками я ввела ему камфару. Что еще надо? Ах да, горячий сладкий чай, покрепче...

В общем, я спасла его. И на утреннем обходе Баркан насмешливо сказал мне:

— Ну вот видите? Вы с Каламбетом сомневались в моем диагнозе. А смотрите, как улучшилось состояние больного от хлористого кальция.

Не знаю, понял ли Фихтенгольц эту реплику, но во всяком случае между мной и им было решено — без всякого сговора, одними взглядами — не говорить Баркану ни о ночном кровопускании, ни о том, что хлористого кальция я ему не вводила.

Он стал мне дорог, как всегда нам дороги плоды наших усилий. И когда он перешел в разряд выздоравливающих, а температура его нормализовалась, я нарочно писала ему в истории болезни тридцать семь и пять, чтобы он успел получше окрепнуть, чтобы подольше пробыл вдали от прииска Бурхала. Я отдавала ему половину своей еды. Это было совсем нетрудно, потому что от тяжелого труда и спертого воздуха я почти совсем потеряла аппетит. А он ел с жадностью возрожденного к жизни смертника и на глазах наливался здоровьем.

На мои заботы он отвечал безмолвным обожанием. Он вообще был молчалив и ничего о себе не рассказывал, даже если я задавала ему вопросы по-немецки. Но вот однажды наш старший санитар Николай Александрович, получая обед на кухне, где сходились все беличьинские новости, принес об Йозефе Фихтенгольце неважные сведения.

— Гитлеровский офицер он! Подумать только! А его наравне с нашими, кто честно сражался, а виноват только в том, что попал в окружение...

Это был удар для меня. Выходит, я спасала убийцу, может быть, эсэсовца?..

— А откуда узнали?

— Все говорят...

Это было еще далеко не точно. Известно, как разрастаются при передаче из уст в уста лагерные слухи. Я ничего не сказала Фихтенгольцу, но стала придирчиво присматриваться к его поведению. Оно было безупречно. Он изо всех сил старался быть полезным для корпуса. «Аккуратист!» — одобрительно отзывался о нем Грицько, которому он помогал в уборке. Особенно старательно он мыл пол в моей кабинке, натирая неструганые доски до зеркального блеска. Кроме того, он дарил мне деревянные фигурки своей работы. Каким-то чудом у него сохранился маленький перочинный ножик, и он вырезал им из кусочков дерева удивительные вещицы, неуклюже-грациозные, полные мысли и таланта. Однажды он принес мне двух маленьких ангелов, подобие тех, что в подножии Сикстинской мадонны.

— Это вам, — сказал он, преданно глядя на меня, — потому что вы сами ангел.

Мы были наедине. Тут-то у меня и сорвались страшные слова, которых, наверно, не надо было говорить.

— Я ангел? Что вы! Обыкновенный человек. И если бы вы меня встретили года три назад и в другой обстановке, вы бы сожгли меня живьем в газовой камере или удушили на виселице...

— Я? Вас? — Его красивое лицо пошло багровыми пятнами. — Но почему?

— Потому что я еврейка. А вы, кажется, фашистский офицер?

Он резко побледнел и упал на колени. Мне показалось, что он испугался разоблачения, и я удвоила удар.

— Не бойтесь! Если о вас не знают, то я доносить не пойду...

Он вскрикнул, как будто в него попала пуля. И я поняла, что ошиблась. Не страх, а именно муки совести терзали его. Те самые корчи, которые ломают почище любой телесной боли. До сих пор не знаю, служил ли он гитлеровцам и как именно служил. Но ясно, что было ему в чем каяться.

Сраженный неожиданностью удара, он забыл свою обычную сдержанность и осторожность. Стоя передо мной на коленях, он рыдал во весь голос, как ребенок, хватал мои руки, пытаясь целовать их, и без конца повторял одно и то же: «Я верующий человек... Разве я хотел? Разве я хотел?»

И такая глубина отчаяния была во всем этом, что я на какую-то секунду пожалела, что так боролась за его жизнь. Может, лучше ему было умереть, чем жить с таким грузом? Не знаю, может, он и был фашистским зверем, а может, только слепым исполнителем зверских приказов. Во всяком случае сейчас, в этой своей неизбывной муке, он стал человеком.

Мне могут возразить, что гораздо чаще встречаются люди, громко вопящие о своей невиновности, перекладывающие свою вину на эпоху, на соседа, на свою молодость и неискушенность. Это так. Но я почти уверена, что такие громкие вопли призваны именно своей громкостью заглушить тот тихий и неумолимый внутренний голос, который твердит тебе о личной твоей вине.

Сейчас, на исходе отпущенных мне дней, я твердо знаю: Антон Вальтер был прав. «Меа кульпа» стучит в каждом сердце, и весь вопрос только в том, когда же сам человек услышит эти слова, звучащие глубоко внутри.

Их можно хорошо расслышать в бессонницу, когда, «с отвращением читая жизнь свою», трепещешь и проклинаешь. В бессонницу как-то не утешает сознание, что ты непосредственно не участвовал в убийствах и предательствах. Ведь убил не только тот, кто ударил, но и те, кто поддержал Злобу. Все равно чем. Бездумным повторением опасных теоретических формул. Безмолвным поднятием правой руки. Малодушным писанием полуправды. Меа кульпа... И все чаще мне кажется, что даже восемнадцати лет земного ада недостаточно для искупления этой вины.

ГЛАВА ДВАДЦАТЬ СЕДЬМАЯ

СНОВА ПРЕСТУПЛЕНИЕ И НАКАЗАНИЕ

В тридцать девятом, когда мы досиживали второй год в Ярославской сдвоенной одиночке, Юля как-то вычитала мне вслух двустишие из незапомнившейся книги: «А пока мы здесь разговариваем, десять лет и пройдут сизым маревом...» Мы засмеялись. Тогда десять лет, записанные в наших приговорах, еще казались нам фантастикой, ценой с запросом. За это время, по нашим ученым расчетам, должно было обязательно случиться одно из двух: или Шах умрет, или ишаки сдохнут.

Мы ошиблись. Десять лет оказались реальными. Вот они близятся к концу. Уже настало 15 февраля 1946 года. До конца моего официального срока оставался ровно один год, а все было вполне стабильно: и наш обожаемый Шах, несмотря на потрясающие исторические события, все еще был живехонек, и ишаки все еще волочили по тропинкам преисподней свои грузы.

Я не очень-то надеялась, что меня освободят с наступлением календарного срока. Ведь вокруг меня все увеличивалось количество пересидчиков, расписавшихся до особого распоряжения. Но все-таки мысль о том, что я разменяла последний год, как-то поддерживала. Теперь было важно не попасть за этот год на жизнеопасные работы, продержаться тут, около своих бэка. Тем более, что я оказалась удивительно устойчивой по отношению к туберкулезной инфекции. Доктор Каламбет ежемесячно смотрел меня рентгеном — все было в порядке.

Увы! Весна принесла нашему Беличьему большие перемены, рикошетом больно ударившие и в меня. Не знаю уж, по каким высшим соображениям, Савоеву от нас перевели. А место главврача заняла дородная дама по фамилии Волкова по прозвищу Волчица. В день ее прибытия нарядчик Пушкин сказал мне зловещим шепотом:

— Женщин ненавидит! Не одну уж заключенную со свету сжила... Еще Савоева мамой родной нам покажется...

— Почему именно женщин! За что?

— Кто ж ее знает! Только факт. С мужчинами по-хорошему, а бабенок... Может, оттого, что у нее один глаз стеклянный...

Как ни странно, но нарядчик оказался прав. Женщинам-заключенным надо было держать при этой начальнице ухо востро. Неизвестно, какие навязчивые сновидения заставляли нашу новую главврачиху вставать посреди темной ночи и отправляться на охоту за подпольными любовниками. Почему она находила какое-то утешение в том, чтобы так яростно бороться за целомудрие? Почему ей нравилось ссылать на верную смерть заключенных женщин, имевших в лагере романы? Мужчин миловать, а женщин обязательно карать? Кто ж ее знает... Но тяжесть ее подозрительного, недоброжелательного взгляда я сразу остро ощутила при первом же знакомстве с ней. Не только живой, но даже стеклянный глаз, казалось, пронзал насквозь.

Однажды ночью меня разбудили бешеные удары в дверку моей кабины.

— Отворите! Немедленно! Иначе взломаем дверь!

Спросонья я не могла сразу попасть в тапочки и халат.

— Ах так!

Раздался треск сухой фанеры, из которой была сколочена самодельная дверка, — и передо мной оказались два вохровца, предводимые новой главврачихой Волковой по прозвищу Волчица. Волосы ее были растрепаны. Лицо, когда-то миловидное, оплывшее книзу жидковатым жиром, было бледно.

— Ищите под топчаном! — скомандовала она.

Вохровцам было неловко. Они знали меня уже целый год и уважали за то, что я «подкованная по науке». Я не раз помогала им выполнять задания для заочной школы, в которой многие из них учились. А однажды я поразила их воображение тем, что прямо-таки без всякого промедления ответила на их вопрос: когда и где Сталин впервые встретился с Лениным. Сейчас они отворачивали от меня глаза и крайне лениво заглядывали под топчан.

Когда действо было окончено и я снова осталась одна, зашел перепуганный Грицько. Он доложил мне, что слышал, как, уходя, один вохровец сказал Волчице про меня: «Сурьезная, шибко грамотная баба... Никаких, стало быть, хахалей за ей не замечено...»

Тем не менее через недельку Волкова предприняла еще один налет. Такой же безрезультатный... Но однажды ночью...

Было уже часа два, когда кто-то тихонько постучался в мое оконце. Я вскочила и при слабом лунном свете различила лицо Антона. Да, это был он! Наш благодетель, начальник Тасканского лагеря, наш добрый барин Тимошкин, видя, как сохнет с тоски его придворный лекарь, нашел предлог, чтобы дать ему возможность повидаться со мной. Это было совсем не так просто — оформить заключенному врачу бесконвойную командировку. Но Тимошкин сделал это. Сто километров, лежащих между Тасканом и Беличьим, Антон одолевал целые сутки, пристроившись к знакомому шоферу, возившему по трассе неповоротливый, тяжеленный, полученный по ленд-лизу «даймонд». И хоть было уже начало апреля, но в нашем северном управлении еще жали сорокаградусные, с ветерком морозы, Антон закоченел в своем тоненьком бушлате. Часть пути он шел пешком рядом с «даймондом», перегоняя его.

Могла ли я не впустить его? Я понимала, что в любой момент может нагрянуть Волчица. Я могла спрятать Антона в каморке санитаров или в палате под видом больного. Но разве

427

думаешь об опасности, разве можешь хладнокровно рассуждать, когда свершается чудо, когда человек, о котором ты думала каждую минуту в течение года, вдруг стоит за твоим окном, точно упавший с небес, и говорит: «Это я, Женюша!»

Здорово повезло на этот раз Волчице! Она вошла как раз в тот момент, когда мы целовались. Ее лицо озарилось радостью. Какая удачная охота! Волчица похорошела, оживилась.

— Я главврач больницы Беличье, — торжествующе провозгласила она, глядя на Антона.

— Простите, коллега, за нарушение правил. Я тоже врач. Заключенный! Прошу вас понять: это моя жена. И мы не виделись целый год.

— Составьте акт, — обращаясь к вохровцам, приказала Волчица. — Заключенная застигнута на месте преступления. Принимает мужчин по ночам, используя для разврата служебное положение.

Таким образом, я все ниже скатывалась по торной дорожке разврата. С Таскана меня отправили за то, что «способствовала разврату» («зэка мужского пола в палате обратного пола»!). Сейчас речь шла уже о собственном моем развратном поведении. Именно так и было записано в постановлении о водворении меня снова в Эльген — неизменное вместилище всех колымских штрафниц, а уж блудниц-то в первую голову. Верная себе, Волчица ничего не сделала Антону. Никаких рапортов о нем в его лагерь не отправила.

Кончилось Беличье. Я снова стою с котомкой за плечами у алчных эльгенских ворот. Возвращаюсь на круги своя.

Но первая же местная новость вселяет добрые надежды. Оказывается, Циммерманши здесь больше нет. Начальником теперь майор Пузанчиков. О нем общее мнение: жить можно. Потому что он ни злой, ни добрый. На зэка ему наплевать. Ему главное — отслужить свое, заработать стопроцентные северные надбавки и вернуться на материк.

В бараке меня встретили, как в родной семье. О, это чувство тюремного родства! Самая, пожалуй, крепкая из человеческих связей. Даже теперь, спустя много лет, когда я пишу эти воспоминания, мы все, вкусившие «причастие агнца», — родственники. Даже незнакомые люди, которых встречаешь в дороге, на курорте, в гостях, сразу становятся близкими, как только узнаешь, что человек был ТАМ. Был... Значит то, что недоступно не бывшим, даже самым благородным и добрым.

Два года я не была в Эльгене. Два года не видела своих спутниц по Ярославке, по Бутыркам, по этапам. Жадно глотаю новости. Вилли Руберт освободилась. Мина Мальская умерла. У Гали Стадниковой уже двое родившихся в лагере ребят растут в комбинате. Группу пересидчиков освободили. Нарядчиком сейчас Аня Бархаш, политическая...

Все это важно для меня, все волнует, огорчает или радует. А вечером — давно не испытанное счастье сокровенного разговора с людьми своего круга интересов, общей одержимости литературой. Беличьинская Волчица, наверное, сочла бы меня ненормальной, увидав, как мы с Бертой Бабиной, только встретившись, уже уселись за печкой читать друг другу стихи. А как разъярилась бы Волчица, увидав, каким теплом был наполнен для меня этот первый вечер на страшном Эльгене. Каждую возвращавшуюся с работы еще у дверей встречали возгласом: «Женя вернулась!»

Наутро, по совету Ани Бархаш, я встала в очередь к новому начальнику лагеря. За столом Циммерманши сидел статный красивый блондин лет тридцати пяти, немного похожий короткими бакенбардами, прозрачностью светлых глаз и блеском мундира на литографию императора Николая I. Но в отличие от императора, Пузанчиков явно не чувствовал особого аппетита к своей работенке.

Он скользнул по моему лицу рассеянным взглядом, пропуская мимо ушей не только мои слова, но и рекомендацию Ани Бархаш, которая, по заранее обдуманной тактике, должна была говорить обо мне скучным голосом. Вот, дескать, прибыла с Беличьего — почему прибыла — ни полслова, и Пузанчиков не любопытствует — опытная медсестра, но у нас сейчас медицинских мест свободных нет, срок-де остается небольшой, последний год разменяла... Пожалуй, на агробазу послать?

Аня проводит свою роль отлично. Мы так с ней и решили: после того, как я «погорела» на Беличьем, лучше всего побыть в тени, на общих работах. Пузанчиков равнодушно кивнул в знак согласия — на агробазу.

Это были общие, но вполне выносимые работы. На таких можно было продержаться. Агробазовцы жили в центральной зоне, им меньше угрожали дальние этапы. На агробазе можно было постоянно жевать какие-нибудь вершки и корешки, а значит — бороться с цингой. Меня поставили на пикировку капусты. Теперь я уже начисто забыла, что именно мы делали. Помню только какие-то автоматические однообразные движения рук над стеллажом и ноющую боль в ногах, сильно отекавших к вечеру. С непривычки мне было довольно трудно выстаивать на ногах двенадцать часов кряду, так что я даже обрадовалась, когда кусок стекла с крыши теплицы, упав под большим давлением, вонзился мне в руку, как кинжал, вызвал артериальное кровотечение и обеспечил мне освобождение от работы на три дня.

Я лежала на нарах, наслаждаясь блаженным ничегонеделаньем, когда нарядчица Аня Бархаш вошла в пустой барак и взволнованно спросила, могу ли я с этой раненой рукой быстро собрать свои вещи.

— Этап?

— Вроде... Да не бледней ты! На Таскан едешь, к своему доктору! Повезло! Выменяли тебя на печника. Только быстро! Конвоир уже ждет.

Мы расстелили прямо на полу старую фланелевую шаль нашей няни Фимы, — уже десятый год она служила мне верой и правдой на всех этапах! — и стали быстро скидывать туда мое барахло. Потом связали большой узел. Боль в руке и гулкие удары сердца заглушали Анин сбивчивый рассказ, но основное я все-таки уловила. Наш благодетель, наш добрый тасканский барин сдержал свое обещание.

— Входит он в УРЧ, — рассказывала Аня, — а там, как наудачу, дымище, печку растапливают! «Что это, — говорит он нашему Пузанчикову, — неужто дельного печника у тебя нет? Хочешь, своего дам? Все печи наладит... Только дай мне за него в обмен одну бабенку...» А Пузанчиков ему: «Да бери хоть пяток, у меня их навалом... Право, возьми трех, а то мне вроде совестно: неравноценный обмен». В общем, договорились! Сам Тимошкин уехал, а конвоира своего тут оставил. Очень торопит конвоир... Беги на вахту!

Все было как в сказке. Исполнялись самые дерзкие мечтания. И вот я уже сижу в кузове тряского грузовика на своем узле и полной грудью вдыхаю испарения обнажившейся, снявшей зимний покров земли. Весна. В записке Антона, переданной самым патриархальным образом — через конвоира! — сообщается, что сегодня третий день католической Пасхи.

Капель, капель... Большая сосулька рухнула с крыши управления совхоза. Стукнула прохожего по фуражке. Прохожий чертыхается, смеется, отряхивает блескучие льдинки. Мы с конвоиром тоже смеемся. У конвоира отличное настроение. Он закуривает, мурлычет «Катюшу», всматривается в несмело синеющую колымскую даль. О чем думает? Наверно, о том же, о чем и я. Что вот все-таки довелось еще одну весну встретить... И то сказать: при такой войне у него шансов на жизнь было, пожалуй, не больше, чем у меня. И вот выжили оба. Брызги от колеса, угодившего в колдобину, пятнают мою телогрейку и его шинель. Мы отряхиваемся, чистимся, и эта общая неприятность еще больше внутренне сближает нас...

430

На трассе «голосует» человек. Берем его в кузов! День чудес! Он оказывается знакомым. Это бывший московский молодой литератор Иван Исаев. Теперь он уже не очень-то молодой, срок — восемь лет — отбыл и стал в качестве вольного каким-то экономистом тут, в тайге. На материк не едет, ждет невесту. А невеста его — Галочка Воронская, дочка того самого Александра Воронского, — пересидчица, расписалась «до особого».

Потолковав про последние лагерные новости, мы вдруг углубляемся в обсуждение литературных событий десятилетней давности. Исаев, видать, страшно соскучился в обществе колымских экспедиторов. Он рад такой беседе, и мы говорим без умолку, пока наш конвоир не подытоживает задумчиво:

— Черт-те что! Люди вы вроде русские... И по-русски гутарите... А вот же ни бум-бум понять невозможно! И что за слова у вас за птичьи...

Прибыли! Вот они, заветные ворота тасканского рая! Меня вводят в зону. Как раз посреди двора стоит начальник Тимошкин.

— О-о-о... — притворно изумляется он, — опять к нам? А я и не знал, что вас направили...

Это для тех, кто проходит мимо. А для меня — летящие из узких глаз заговорщические чертики. Тимошкин сияет. Приятно делать добрые дела.

С крыльца больницы уже бежит навстречу Антон, полы его белого халата надуваются весенним ветром.

Если бы все это могла видеть беличьинская Волчица, поборница высокой нравственности!

ГЛАВА ДВАДЦАТЬ ВОСЬМАЯ

ОТ ЗВОНКА ДО ЗВОНКА

Насколько из года в год возрастали беззакония в нашем мире отверженных, можно было судить хотя бы по тому, как изменился смысл этого ходячего лагерного выражения: от звонка до звонка.

Раньше так говорили в отрицательном смысле. Дескать, не подпал человек ни под какие льготы: ни амнистии, ни зачеты за хорошую работу, ни досрочное освобождение на него не распространились. Просидел весь срок, как записано в приговоре, — от звонка до звонка.

Сейчас, на десятом году моего маршрута, после войны и победы, именно тогда, когда ждали мы все от правительства небывалых милостей, выражение «от звонка до звонка» стало употребляться наоборот, в смысле положительном. Человека освободили вовремя, как записано в приговоре, ему повезло, его не расстреляли за «саботаж», не дали нового срока, не сделали пересидчиком.

А их, пересидчиков, с каждым днем становилось все больше, поскольку календарь все ближе придвигал нас к десятилетию массовых репрессий тридцать седьмого. Никто не мог понять, по какому принципу попадают в пересидчики, почему одних (меньшую часть) все же выпускают из лагеря, хоть и со скрипом, как бы через силу, а других, наоборот, загоняют в эту страшную категорию людей, оставляемых в лагере «до особого распоряжения».

В бараках спорили на эти темы до хрипоты, но установить закономерностей так и не удалось. Только что кто-то блестяще доказал: до особого оставляют тех, у кого есть в деле буква «т», троцкизм, клеймо дьявола. Но тут вдруг освобождается Маруся Бычкова с этой самой роковой буквой. А Катя Сосновская — без этой буквы — расписалась «до особого». Ага, значит, не выпускают тех, кто бывал за границей! Но на завтра игра начальственных умов разрушает и это предположение.

Я внутренне давно поняла, что в нашем мире обычные связи причин и следствий разорваны. Ни Кафку, ни Орвелла я тогда еще не читала, поэтому логики этих алогизмов еще не угадывала. С замиранием сердца отсчитывала месяцы и недели до моей заветной даты — пятнадцатого февраля 1947 года, я не подводила под свои страхи и надежды никаких закономерностей. Что можно предсказать, когда играешь в шахматы с орангутангом?

И я просто гадала по принципу — орел или решка? Чаще казалось: не выпустят. Я уже почти не могла представить себе волю, она была чем-то расплывчатым, неконкретным. Мысль об отъезде с Колымы даже в голову не приходила. Я была абсолютно уверена, что Сталин никогда не простит тех, кому он сделал такое страшное зло, знала, что всякий, попавший в это колесо, никогда из него не выберется. Речь могла идти только о передышке, о временном послаблении, о выходе хотя бы за проволочную ограду. И я жадно мечтала об этом.

Некоторые наши, выходя из лагеря, сейчас же направлялись на материк, не задумываясь над тем, что вместо паспортов у них волчьи билеты. Я отговаривала многих. Лучше вызывать детей сюда. Там, на Большой земле, даже в самой глубокой провинции, новый арест неизбежно последует, как бы тихо и

432

незаметно ты ни таился в своей норе. Многие называли меня за такие прогнозы пессимисткой, но жизнь показала, что я была, наоборот, чрезмерно оптимистична, надеясь, что хоть здесь-то, на Колыме, нам дадут спокойно дожить на положении ссыльных. Через несколько лет повторные аресты дошли и до Колымы, чего я не предвидела.

Во всяком случае, я твердо решила на материк пока не возвращаться. Правда, меня мучило сознание, что я не увижу больше маму. Но Ваську, последнюю мою уцелевшую кровиночку, я надеялась добыть сюда. Вершиной счастья мне казалась комнатешка в вольном поселке Таскан, где мы с Васькой будем ждать освобождения Антона. Ждать надо было еще шесть лет.

А пока что я мирно досиживала свои последние лагерные месяцы, охраняемая от бурь покровительством Тимошкина. Он направил меня в вольный детский сад на должность медсестры.

Недостаток солнечных лучей и витаминов наложил печать и на маленьких колымских вольняшек. Они были не по возрасту медлительны, недостаточно резвы, часто болели. Но все-таки это были домашние дети, которых приводили и уводили мамы и папы, которые не разрывали сердце так, как дети заключенных в эльгенском деткомбинате.

Среди персонала этого детсада я была единственной заключенной. Остальные были комсомолки, прибывшие на Колыму по велению сердца, для освоения Крайнего Севера. Правда, как они сами говорили, у многих были еще и дополнительные соображения насчет выхода замуж. После войны женихи на материке стали на вес золота, а здесь их было сколько угодно, наоборот, все еще ощущалась нехватка женщин, особенно вольных. Комсомолки с редкостной быстротой повыходили замуж за вохровцев, режимников, администраторов лагерей и приисков. Некоторые, строптивые, презрев прямые запреты, сразу заработали выговоры, а то и исключение из комсомола за романы с бывшими заключенными.

Те девушки, с которыми я столкнулась в тасканском детском саду, первые дни приглядывались ко мне с опаской. Но потом победило здоровое чувство реальности: они больше поверили своим глазам, чем тому, что слышали на специальных инструктивных собраниях. А видели они, что я работаю не ленясь, всегда готова подменить любую из них. Ведь спешить мне было некуда: конвоир приводил меня к восьми утра и приходил за мной к восьми вечера. Прежние тасканские вольности так и не восстановились, теперь режимник строго следил, чтобы заключенные женщины не ходили по поселку без конвоя.

Заведовала детсадом жена начальника взвода вохры, женщина лет тридцати пяти, очень гордая тем, что она окончила дошкольное педагогическое училище. Она говорила об этом каждое утро, на летучке, причем подробно рассказывала, как она выбилась в люди «из простых». Прежде, мол, она и говорить-то правильно не умела. Все, бывало, говорит не «физика», а «хвизика», не «Федор», а «Хведор». Заведующая мило смеялась над своей тогдашней темнотой и добавляла горделиво, что теперь-то она знает твердо: не хвизика, а физика, не хризантема, а ФРИзантема...

Ко мне заведующая отнеслась сперва недоброжелательно. Я даже слышала, как она громким шепотом жаловалась поварихе на выходки Тимошкина. Тоже придумал: контрика к детям приставить! Неохота только обострять с ним, поскольку он мужу начальник...

Завоевать сердце заведующей мне помогло пианино, стоявшее до моего прихода запертым на ключ, под плотным суровым чехлом. Заведующая не подпускала к нему комсомолку Катю, игравшую по слуху. Нет, бренчания заведующая не допустит. Пианино откроется только для того, кто сумеет сыграть по нотам то, что напечатано в сборнике «Песни дошкольника». Я предложила свои услуги. Лед был сломлен. А через месяц меня признали настолько, что я стала сочинять от имени заведующей планы детских утренников к торжественным датам. В районе ее очень хвалили. А вольное население поселка Таскан с умилением взирало на своих детей, поющих под аккомпанемент фортепиано и разыгрывающих драматизированные сказки.

(Я с удивлением обнаружила попутно, что Антон до смерти любит декламирующих малышей и не может без волнения видеть, что я «обучена на фортепьянах». Пользуясь своими докторскими привилегиями, он не пропускал ни одного такого утренника и комично умилялся вместе с родителями ребят. Эти патриархальные, наивные краски придавали его образу какие-то новые трогательно-смешные оттенки. Было удивительно, что к вечеру того же дня он снова становился, как всегда, проницательно умным и часто отвечал на вопросы, которые я еще не успела задать. Эти вечерние тасканские немногословные беседы остались одним из самых сокровенных воспоминаний, каким-то воплощением мечты о том, чтобы «без слова сказаться душой было можно...».)

Близился сорок седьмой. Уже можно было сосчитать не только месяцы, но даже недели и дни, оставшиеся до моего «звонка». Антон предложил устроить встречу Нового года в его больничной кабинке. Но режимник категорически сказал, что ночью он женщину, то есть меня, в мужскую зону не пустит.

Тогда Антон нашел такой выход: встретим Новый год в восемь утра по местному времени. По-материковски это и будет как раз полночь. А нам ведь важен именно материковский, а не колымский Новый год.

Встреча состоялась. Я сварила на больничной плитке заготовленные загодя пельмени с олениной. Конфуций торжественно водрузил на процедурный столик бутылку портвейна, ждавшую этого случая уже давненько. Санитар Сахно расставил мензурки для вина и жестяные мисочки для закуски. Зимний колымский рассвет еще не брезжил, и мы включили для подъема настроения яркую лампочку, временно взятую в морге, где она сияла над столом для вскрытия трупов.

Нас было шестеро за этой новогодней трапезой: Антон, Конфуций, Сахно, бывший дипломат Березов, ставший теперь медстатистиком нашей больницы, профессор-химик Пентегов, наш вольный гость, бывший зэка, а сейчас инженер пищекомбината. Я была за этим столом единственной женщиной. Сейчас, больше двадцати лет спустя, я единственная, кто еще остался в живых из этих шести. Очень точно сказано в стихах Слуцкого: «То, что гнуло старух, стариков ломало». Правда, мы не были тогда стариками, но формула эта вообще годится для женщин и мужчин любого возраста.

Бедные наши спутники! Слабый пол... Они падали замертво там, где мы только гнулись, но выстаивали. Они превосходили нас в умении орудовать топором, кайлом или тачкой, но далеко отставали от нас в умении выдерживать пытку.

Мы подняли свои мензурки за свободу. Мы жаждали ее алчно, страстно, неутолимо. Именно это общее томление по свободе и делало нас собратьями.

А на другой день — именно в день первого января! — снова пришлось ощутить себя вещью, перекладываемой кем-то из мешка в мешок. Как гром среди ясного неба прозвучал для нас приказ Севлага о ликвидации в Тасканском лагере женского отделения и об отправке всех восемнадцати женщин-заключенных... Куда же? Конечно, на Эльген!

— Всего полтора месяца, Женюша, — заклинал Антон, сжимая мои руки. — Шесть недель. Они пройдут незаметно... А там — пятнадцатое февраля и твое освобождение. Потерпим... Ведь теперь Циммерманши там нет. А я уже договорился по телефону с Перцуленко — это главный врач эльгенской вольной больницы — ты будешь у него работать медсестрой. А я тем временем подыщу тебе здесь на Таскане комнату. И ты сразу после освобождения приедешь снова сюда.

Он старательно перечисляет разные бытовые подробнос-

435

ти нашего будущего устройства, чтобы поглубже упрятать в них страх перед призраком пересиживания.

Нас грузят, всех восемнадцать тасканских женщин, в кузов грузовика. Двадцать два километра пути, которые птицей пролетели, когда я ехала сюда весной, теперь, при направлении к Эльгену, кажутся бесконечными. Январская стужа сковывает все тело, склеивает ресницы, колет щеки. К тому же знаменитые эльгенские ворота не открывались перед нами добрых полчаса: кто-то в УРЧе задержался с оформлением наших списков, и мы коченели в кузове до беспамятства.

Намучившись, я не могла уснуть ночью и, лежа на вторых нарах, металась в каких-то полубредовых видениях наяву. Назойливо привязалась мысль, что моя судьба похожа на игру в крокет, любимую в детстве. Вот уже вроде бы пройдены трудные воротца, а тут вдруг тебя крокируют и угоняют из-под ноги твой шар. Он стукается о колышек — и все! Начинай сначала! Вот и опять я стукнулась об эльгенский колышек. Но ведь до пятнадцатого февраля — только шесть недель. Даже шесть недель без одного дня...

Доктор Перцуленко, знакомый Антона и его почитатель, сдержал свое слово. Я стала медсестрой в вольной больнице. Работала судорожно, не давая себе отдыха. Прослыла сразу трудягой. Напряженная, без малейшей передышки работа была тем единственным способом, каким можно было удерживать себя в каком-то равновесии при постоянных метаниях от надежды к отчаянию.

Едва вернувшись в зону с работы, я мчалась в барак обслуги, где жила нарядчица Аня Бархаш. Что нового? Какие сегодня списки? На освобождение или на пересидку? Обычно такие списки приходили из управления лагерями дней за десять до окончания календарных сроков. Аня, терпеливо вздыхая, рассказывала мне все новости, и мы начинали вместе проникать в высшие соображения начальства. Мы пытались постичь их своими жалкими пятью чувствами. Конечно, мы давно отбросили самую мысль о законе или справедливости. Теперь мы судили, только становясь на ИХ точку зрения, прикидывая, как будет выгодней для НИХ. И все равно получались те же шарады. Таню выпускают, хоть она и жила долго во Франции. А Нину задерживают, хотя она вообще нигде, кроме Саратова, не бывала. Катю выпускают, хоть у нее буква «т», а ее сестру, без всякого «т», оставили «до особого».

Чем ближе подходила моя дата, тем больше я теряла власть над своими нервами. Меня просто лихорадило от постоянной смены предчувствий.

Но вот однажды... ранним утром, еще до развода, дверь барака взвизгнула с какой-то необычной интонацией. Аня Бархаш задыхалась от бега. Так и не совладав с дыханием, она сумела выкрикнуть мне одно только слово:

— Пришло!

Пришло мое освобождение. Очередной список на выпуск из лагеря, и в нем есть мое имя.

Почти не помню, как прошли эти последние две недели. Остались в памяти только телефонные звонки Антона во время моих ночных дежурств в больнице и его уговоры — держать себя в руках и, сохрани Бог, не напутать чего-нибудь в процедурах с больными.

И вот настал этот день. Еще накануне, на вечерней поверке, мне объявили, чтобы я завтра на работу не выходила, а к девяти утра явилась в УРЧ.

Было еще совсем темно. Косые секущие струи мелкого снега схлестывались в луче прожектора, идущего с дозорной вышки. Ноги разъезжались на грязном льду, изузоренному обильными подтеками из уборных.

Передо мной в очереди к начальнику УРЧа Линьковой стояла уголовница-рецидивистка. Линькова была не в духе. Ее хорошенькое стандартно-блондинистое личико отекло, веки распухли. Наверно, «переживала» что-нибудь семейное.

— Ну как? Надолго от нас уходишь? — скучным голосом спросила она уголовницу, показывая ей своим ярко-красным полированным ногтем, в каком месте та должна расписаться об освобождении из лагеря. — С новым-то, говорю, сроком скоро ли тебя ждать?

— А кто же его знает, — так же равнодушно отвечала девка, выводя непривычной рукой каракули под бумажками. — Как пофартит... С навигацией думаю на материк податься. Ну а там, ежли и погорю, так, может, все не на Колыму, а куда ни то... На Потьму, аль в мариинские...

Моя очередь. Тот же равнодушный взгляд Линьковой. Она позевывает с закрытым ртом, и от этого на ее кукольных глазах навертываются слезы.

— Вот тут распишитесь. Пятьдесят восьмой статье «форма А» выдается не у нас, а в Ягодном. А вам пока временная справка для милиции. Еще здесь распишитесь...

Я с благоговением складываю справку вчетверо, как складывала документы наша няня Фима. Куда положить эту драгоценность? Мой первый документ за последние десять лет. Мандат на выход за ворота эльгенской зоны. После некоторого раздумья кладу его — бережно, осторожно — на грудь, за лифчик.

437

Дневальная тетя Настя, старая знакомая еще по Бутыркам, уже собрала мои вещи, пока я ходила. Она мелко крестит меня.

— С Богом! Давай подсоблю вещи-то до вахты... Где ночуешь? Поди в вольной больнице?

— Что ты! Я сейчас же, сию же минуту еду на Таскан. Антон Яковлевич уже снял мне комнату в вольном поселке.

— А ему-то скоро ли освобождаться?

— Еще шесть лет...

Тетя Настя мрачнеет.

— Глуповата ты, девка! Десятку отмахала да еще шесть хочешь своей волей у вахты отстоять? Мало ли мужиков-то! Вольного найди, пока не старая!

На вахте сегодня дежурит Луговской. Он знает меня с сорокового года и всегда хорошо ко мне относился. Сейчас он удивленно глядит на меня сквозь свое окошечко.

— Куда это с вещами?

— На волю. Совсем ухожу.

— Да ну? Как так?

— Очень просто. Десять лет кончились. От звонка до звонка. Он просто-таки разволновался от моего сообщения. Привыкают люди друг к другу, несмотря ни на что. А это хороший человек. Один из тех, о которых писал когда-то Короленко: «Добрые люди на скверном месте...»

Луговской выходит из дежурки в холодную проходную, где я стою со своим узлом, деревянным чемоданом и волшебной бумажкой, отворяющей эти двери.

— Ну, коли так — поздравляю, — говорит он и протягивает мне руку. Потом огорченно покачивает головой и произносит в святой своей простоте вполне серьезно известную фразу из пьесы Погодина: — Лучшие люди, понимаешь, уходят... Скоро один рецидив останется. С кем только работать будем! Ну да ладно! До свиданьица, значит, вам...

— Что вы! — в ужасе восклицаю я. — Что вы, разве можно так говорить! Не до свиданья, а прощайте! Прощайте навсегда!

— Кажись, не обижали, — оскорбленно ворчит он и нехотя отдергивает большой железный болт.

Я выхожу за вахту. Анемичный синюшный рассвет смешивается с поблекшими лучами прожекторов. Откуда-то издалека доносится лай овчарок. По дороге плетется возчик воды на бычке.

— Эй, давай сюда, с вещами-то! Довезу хоть до бани, — добродушно предлагает он.

Нет, нет! Разве мыслимо так тащиться, как этот дурацкий бычок!

И я припускаю, перегоняя бычка намного. Я почти бегу, не чувствуя ни тяжести вещей, ни стужи, спирающей дыхание. Всему на свете приходит конец. Даже Эльгену.

ЧАСТЬ III

ГЛАВА ПЕРВАЯ

ХВОСТ ЖАР-ПТИЦЫ

В сорок седьмом году освобождения из лагеря вовсе не были массовыми, как, казалось бы, должно быть. Ведь это было десятилетие тридцать седьмого года, и у тысяч людей кончался календарный срок заключения, назначенный Военной коллегией, Трибуналом, Особым совещанием и многими другими судами. И тем не менее...

Правда, щелочка, через которую можно было протолкнуться за ворота лагерной зоны, немного расширилась, но все же количество освобождаемых составляло лишь ничтожный процент тех, кто с трепетом ждал своего «звонка», все еще уповая на незыблемость Закона.

Высшие соображения, которыми руководствовалось начальство, были абсолютно непостижимы даже для наиболее «подкованных» теоретически заключенных-марксистов, сохранивших, так сказать, навыки диалектического мышления. Почему одни попадали в списки на освобождение, а другим — большинству — предлагалось расписаться «до особого распоряжения» и оставаться в лагере теперь уже лишенными даже такого иллюзорного утешения, как подсчитывание месяцев и недель, оставшихся до конца законного, назначенного судом срока? Это оставалось загадкой, недоступной простому человеческому рассудку.

Казалось бы, в этой атмосфере произвола, чинимого над нами, у остающихся в лагере могло возникать недружелюбное чувство к освобождающимся. А между тем я с полной ответственностью свидетельствую: освобождавшимся никто не завидовал! Я не хочу никакой идеализации. Смешно было бы, если бы я стала уверять, что заключенные были человечнее вольных. Сколько раз я наблюдала, как искажались злобой лица тех, кто не прощал своим товарищам по несчастью лишних десяти граммов хлеба или менее изнурительных условий труда. Я видела самую черную зависть к каким-нибудь чуням первого срока или к месту на нижних нарах... И все эти чувства отражались на лицах. Ведь лица здесь были голые, не защищенные условными масками.

А вот освобождавшимся не завидовали! Все темное, кромешное исчезало, как по волшебству, когда дело заходило о ВОЛЕ, пусть даже о куцей, худосочной колымской «вольнонаемности» (ведь и на тех, кто выходил из лагеря, распространялись высшие соображения: одним разрешался выезд на материк, другие оставлялись в тайге).

Да, именно здесь, в заключении, я встретилась с этим талантом СОРАДОСТИ, гораздо более редким и трудным, чем талант СОСТРАДАНИЯ. Парадокс? А может, не такой уж парадокс? Я всегда, еще с детства, обращала, например, внимание на то, какими прекрасными становятся лица людей, когда они наблюдают за каким-нибудь лесным зверьком, затесавшимся случайно в город. Ну, скажем, еж или белка... Как преображаются лица! Как сквозь раздраженную городскую угрюмость проступает какая-то детская чистота! Удивительный появляется отсвет на лицах. Он просвечивает через маску зла.

Вот такими становились и лица заключенных, когда кто-нибудь освобождался, складывал вещи в последний раз. Не в этап, а за зону! Это было выражение бескорыстной радости. Наверно, людям свойственно просветляться, когда они соприкасаются с естественным достоянием человека. Увидели белку или ежа, чудом затесавшихся в пыльный городской сад, — прикоснулись к природе. Увидели человека, выходящего из-за колючей проволоки, — прикоснулись к свободе. И перед ее появлением стихали все низменные страсти. Человеку, который в данный момент воплощал СВОБОДУ, нельзя было завидовать. Его надо было благоговейно проводить до ворот, чтобы он не расплескал вновь обретенного великого дара.

Студеным утром 15 февраля 1947 года этим драгоценным сосудом — вместилищем СВОБОДЫ — была я.

Не успела я показаться на пороге эльгенской вольной больницы, где проработала свои два последних зэковских месяца, как меня обступили все заключенные, обслуживающие эту больницу. И я увидела на их лицах то самое выражение. Они любили меня сейчас за одно только то, что я воплощала для них сегодня мысль: все-таки МОЖНО выйти!

Все хотели оказать мне какую-нибудь услугу. Тетя Марфуша, шестидесятилетняя санитарка, сектантка, адвентистка седьмого дня, вытаскивала из-под полы халата мисочку с

440

овсяной кашей. Она совала мне ее в руки и требовала, чтобы я ела кашу тут же, на ее глазах. С интонациями сказительницы она причитала при этом, что вот, мол, и дожила я до великого преображения, до двунадесятого дня, до какого дай Боже и всем дожить.

Лаборантка Матильда Журнакова критически осматривала мою телогрейку, пожимала плечами, находя такой вид абсолютно невозможным для вольной жизни, и вела разговор к тому, чтобы я без всяких предрассудков взяла у нее платье и чулки. О пальто подумаем после... Гардероб Матильды славился по всему Эльгену, потому что у Матильды каким-то чудом сохранился на воле муж и она постоянно получала из дома посылки. С той же одержимостью, с какой Марфуша вещала о двунадесятом дне, Матильда твердила теперь о возвращении к научной работе. Это был ее пунктик. Все годы заключения она мучилась по своей диссертации, которая к моменту ареста была совсем готова и даже день защиты был назначен.

Истопник Гариф, сидящий по статье 59-3 — бандитизм, стал настойчиво требовать, чтобы я, как получу паспорт, сразу ехала в Азербайджан к его кунакам. А уж они, узнав, что я делила горе с их братом, достопочтенным Гарифуллой-оглы Гусейном, будут кормить и холить меня до конца моей жизни.

Все были настолько наэлектризованы, что даже фельдшер Коля, тяжелый заика, без малейшей запинки выкрикнул несколько фраз подряд.

— Быстро! К телефону! Таскан на проводе! Третий раз уже звонит... С ума сходит... Икру мечет...

Трубка вибрировала, трепетала, захлебывалась тревогой, не решалась выговорить роковой вопрос. Только твердила с вопросительной интонацией: «Это ты? Это ты?»

— Да, да, да! Да, освободилась! Да, расписалась, что мне объявлено об освобождении...

От волнения трубка вдруг переходит на немецкий. А я — тоже от волнения — вдруг утрачиваю способность связать в смысловое целое все эти ум, аб, нах, геворден верден...

— Говори по-русски! Сегодня я забыла все слова, кроме русских. Скажи, когда ты выезжаешь за мной?

У нас уже давно было сговорено: сразу после освобождения и выхода за зону лагеря я иду в вольную больницу, жду здесь звонка из Таскана, подтверждаю свое освобождение (до последней минуты мы в нем сомневались, ведь бывали и такие случаи, что отменяли в последний момент), и тогда Антон выезжает за мной. Лошадь и санки обещал расстараться начальник Тасканского лагеря Тимошкин.

Антон переходит на русский, но я все равно почему-то не понимаю, что он хочет сказать. Что-то все о погоде...

— Десять баллов... При температуре... Прогноз на ближайшие три дня... Придется...

— Ничего не понимаю! Метеосводка какая-то... Очень плохо слышно! Говори скорей, когда выезжаешь! Громче!

Трубка воет и ухает, трещит и булькает. Наконец затихает совсем.

Битых полчаса мучаюсь с деревянным допотопным аппаратом. Кручу ручку, отчаянно взываю к станции... Но вот в дежурку входит главный врач вольной больницы Перцуленко. Он из тех вольняшек, что всегда пристально присматривались к жизни заключенных. Из тех, кто не побоялся вступить в отношения личной дружбы с заключенным немецким доктором. Он жмет мне руку, поздравляет, сулит какие-то немыслимые успехи в новой жизни. А главное, он предлагает мне гостеприимство на три дня.

— С погодой вам не повезло. Доктор Вальтер только что прорвался по моему домашнему телефону. Просит передать вам: начинается буран, южак идет. Прогноз на ближайшие три дня ужасен. Лошади не проехать. Пешком опасно. Мы с женой предлагаем вам пожить эти три дня у нас. Так и с доктором Вальтером договорились. А как только стихнет непогода, он за вами приедет...

Слова главврача, эти любезные слова, не имеющие никакого отношения к моему душевному состоянию, доходят до меня как сквозь толщу воды. Из всего сказанного я усвоила только одно: Антон советует мне пробыть в Эльгене еще три дня. ДОБРОВОЛЬНО остаться еще на три дня в Эльгене!

Нестерпимость оскорбления жгла меня. Господи, как я несчастна! Второй час, всего только второй час длится моя новая, моя вольная жизнь — и уже такой удар. И кто его наносит! Самый близкий человек! Да как у него язык повернулся сказать такое! Чтобы я по своей воле осталась в Эльгене! На три дня! На три часа! На три минуты!

Перцуленко делает еще раз попытку воззвать к моему здравому смыслу. Всего три дня. Чего они стоят сравнительно с десятью годами! И ведь не в лагере ждать, а в вольной квартире... Ведь это смешно: пережить все, чтобы потом замерзнуть на трассе. Колымские бураны — не шутка. Уж я-то должна это знать.

Я, конечно, знала. Мне ли не знать... Сколько историй о гибели целых этапов и отдельных людей наслышалась я за свой срок! Но ведь всего-то двадцать два километра. Что мне, таежному волку, эти несчастные двадцать два, да еще по прямой трассе, не сворачивая в сторону! А потом — неизвестно, когда именно разыграется этот буран... Ошибки в прогнозах могут измеряться сутками. Знаем мы точность наших метеорологов!

Накинув телогрейку, я выбежала на больничный дворик. Ну так и есть — все выдумки. День как день. Вот и градусник. Всего-то тридцать пять. Отличный просто день. Даже солнце пробивается.

Решение созревает сразу. Только надо уйти так, чтобы никто не заметил. Истопник Гарифулла колет дрова у крыльца. Он ничего не знает ни о предсказании бюро погоды, ни о моем разговоре с Перцуленко.

— Гарифулла, будь другом, вытащи из тамбура мое барахло. Пойду я.

— Куда?

— Да на Таскан иду. Там меня берут в детсад работать. По вольному найму.

От моих собственных слов меня охватывает острый приступ тоски. Какой серостью обернулся сразу этот взлелеянный в мечтах, годами вымаливаемый первый день свободы! Торчать в Эльгене еще три дня? Пугаться какого-то там бурана, еще неизвестно кем предсказанного? Останавливаться в бессилии перед двадцатью двумя километрами после того, как я отмахала такие расстояния через вьюги, через злобу, через Эльген, Мылгу и Известковую... И это совет Антона!

В этот момент раздражение мое против него не знает границ. Где же наше пресловутое взаимопонимание? Где те вечера, когда он отвечал мне на невысказанные вопросы, на мысли, только что пронесшиеся в моем сознании?

Итак, я иду на Таскан только для того, чтобы там работать? Ну, конечно. Ведь работать надо. Надо посылать деньги Васе и маме. И буду работать. Только бы не в Эльгене. Здесь слишком много меня растаптывали. Здесь самый воздух пропитан зловонным дыханием тюремщиков. В течение семи лет все человеконенавистническое, все сатанинское, все смертоносное воплощалось для меня в этом слове — Эльген. И пускай, пускай буран сметет с меня его следы, пускай я очищусь в потоках ветра и снегопада...

Гариф ничуть не удивляется, что я потащу одна свой чемодан и узел целых двадцать два километра. Он пригляделся за свой срок к женщинам, таскающим трехметровые баланы, валящим строевой лес. Он совсем запросто помогает мне вскинуть узел на плечи.

— Ну, айда, с Богом! Работай мало-мало до навигации, а

443

весна придет — в Азербайджан езжай! Письмо дам — как сестру встретят. Ну, ни пухам, ни перам!

Гариф любит русские поговорки с тюркскими суффиксами. И вот я на трассе. Позади остались эльгенские строения. С каждым шагом все дальше от зонных вышек. Я иду. Снег скрипит под ногами очень сухо и категорично. Под этот скрип хорошо выговаривать по слогам: «ни-ког-да, ни-ког-да...» Я полна решимости забыть, что существует под луной такая земля — Эльген. Вспоминаю, как одна из маминых вещевых посылок, посланных мне в войну, потерялась. А мама, бедная, все спрашивала меня потом в письмах: «Может быть, я перепутала адрес? Может быть, есть еще один Эльген?» А я отвечала ей: «Нет, мамочка, к счастью для человечества, Эльген у нас только один...»

С полчаса я иду очень хорошо и легко. Привычная. Сколько их оттопано, этих таежных километров! Сударь. Теплая Долина. Змейка. Мылга. Известковая. По нехоженой тайге ходила. А здесь что! Здесь трасса...

Ходьба успокаивает. Мысль, что я все-таки вольная, иду куда мне заблагорассудилось, никого не послушалась, необычайно мне льстит. Двадцать два. Всего двадцать два километра. Если таким темпом, то засветло буду в Таскане. И я торжествую, представляя себе, как ахнет это чудовище, увидев меня. «Ну, как тут у вас с метеослужбой?» — спрошу я и, не дожидаясь ответа, гордо направлюсь к месту своей службы. Пусть бежит за мной и просит прощения по-русски и по-немецки.

Вот только вещи... Пальцы, сжимающие грубую железяку — самодельную ручку деревянного чемодана, затекли, одеревенели. Почему бы не сделать привал? Тем более, что самой-то мне пока совсем не холодно. Только руки, а их я сейчас разотру снегом.

Я присела на чемодан, оттерла пальцы рук, вытащила из кармана промерзшую горбушку — прощальный дар истопника Гарифуллы — и принялась было за нее, как вдруг...

Вдруг что-то просвистело у меня в ушах пронзительным захлебывающимся свистом, и я всем телом, всем натренированным чутьем таежника поняла: начинается. Нет, эту мысль надо гнать. Мало ли что могло свистнуть! Может, от резкого поворота головы? Ведь вот небо-то совсем чистое, серовато-голубое. И ветер не сильнее обычного.

Так я успокаивала себя, но внутри уже все напряглось. Снова вглядываюсь в небо. Какая-то свинцовость в очертаниях пока еще небольших тучек уже, несомненно, появилась. И снежная пыль, обдувающая лицо, с каждой минутой становится все бо-

444

лее колкой. А главное — на трассе абсолютная тишь и безлюдье. Неужели все, кроме меня, поверили в прогноз погоды?

Да, рассиживаться тут на чемодане, конечно, не стоит. Надо жать и жать, чтобы как можно скорее, засветло, дойти хотя бы до Тасканской электростанции. Там уж в крайнем случае можно и заночевать.

Я решительно зашагала дальше. Только теперь мои валенки уже не выскрипывали «ни-ког-да, ни-ког-да». Теперь получалось что-то другое. «Все было мрак и вихорь... Все было мрак и вихорь...» Только почему «вихорь», а не «вихрь»? Да потому, что это из «Капитанской дочки»... Мрак и вихорь... Мрак и вихорь... А ведь и вправду потемнело.

Поземка мела уже вовсю, да и снегопад усиливался. Все мое лицо было теперь заляпано снежными колючками. Они становились все более острыми и въедливыми.

Колымская вьюга отличается от других вьюг не только своей интенсивностью. Главное ее отличие в том, что она несет с собой ощущение первобытной незащищенности человека. Вот уж поистине разные бесы кружатся в ней. Как будто крутит, воет и норовит сбить тебя с ног почти одушевленная дьявольская сила. Она будит в тебе какую-то прапамять, какую-то неандертальскую тоску. Ты — воистину голый человек на голой земле.

Я знала это давно. Еще в сорок первом, шагая в одном из местных коротких этапов, сочинила стихи «Подражание Лонгфелло», где ставились риторические вопросы. «Что вы знаете о снеге?», «Что вы знаете о ветре?»

...Он несется, злопыхая, разрушитель первозданный,
И трепещут адской рябью все моря и океаны,
И в тоске дрожат вершины от Тянь-Шаня до Ай-Петри...
Разве вы слыхали это? Что ж вы знаете о ветре!

И дальше:

...Вы не шли сквозь стон и ужас, дикие, как печенеги,
Вы не знали этой стужи... Что ж вы знаете о снеге!

Сейчас я вспомнила эти стихи и задохнулась от усилия, от принятого мной решения выстоять, обязательно выстоять под напором ледяного ветра и растущей внутренней тревоги.

Трудно сказать, сколько времени прошло с момента моего выхода из Эльгена. Часов у меня, конечно, не было. Сколько же километров позади? Сколько еще осталось? Если бы не этот проклятый чемодан! Уж не бросить ли его? В нем в общем-то одна рвань. Нет. Эту рвань прислала мама. Голодная, несчастная, героическая моя мама. Сидела там где-то в эвакуации, в рыбинской убогой каморке, и штопала эти старые варежки, пришивала суровыми нитками пуговицы к этой доисторической жакетке. Нельзя бросить чемодан!

Светлые островки в разрывах туч уменьшались с трагической быстротой. Все с большей яростью нагнеталась скорость ветра. Чем дальше я шла, тем больше меня охватывало ощущение враждебности стихий и полного одиночества. Я отчаянно цеплялась за спасительную мысль: ведь с каждым шагом я удаляюсь от Эльгена. Но тем не менее я начинала выбиваться из сил.

Вперед, вперед... Ах, если бы знать, сколько еще осталось! Пожалуй, я сейчас на половине пути. Я снова поставила чемодан на землю и стала растирать окоченелые пальцы. И тут-то...

Сначала мне показалось, что это мираж в снежной пустыне. Силуэт человека, идущего навстречу мне. Издалека откуда-то. Он то исчезал совсем из поля моего зрения, то снова вырисовывался в белой мгле.

Сложное чувство испытывает путник, идущий по колымской трассе, увидав человека, идущего навстречу. Первый импульс — радость. Ты больше не один на один с враждебной природой. Рядом существо твоего вида, и ты испытываешь облегчающее чувство локтя.

Но это лишь в первую секунду. Не успеешь обрадоваться, как тебя с ног до головы обдает унизительным страхом. Человек... Не простой, а колымский. Мужчина. Это может быть беглец-уголовник, который зарежет тебя и возьмет в дальнейшую дорогу на мясо. Может быть это солдат, вохровец, осатанелый от мужских командировок, от таежной глухомани, от однополой жизни. Он бросится диким зверем и изнасилует. Может быть, наконец, шакал-доходяга. Этот ограничится тем, что отнимет хлеб и теплые вещи.

Однако — думай что угодно, а выхода нет. Свернуть с трассы — это значит захлебнуться в снежном океане, сбиться с пути. Назад? Но он догонит... К тому же позади Эльген. Итак, вперед, и, может статься, прямо в пасть волку.

Теперь уже не было ни малейшего сомнения: навстречу мне шел человек. Иногда он кренился набок под ударами метели, иногда резко поворачивался спиной ко мне и к ветру — делал передышку. Ему трудней, чем мне. Мне ветер в спину.

И только совсем уже вблизи, за несколько метров, мне

впервые почудилось что-то знакомое в походке одинокого путника. Господи! Да неужели?

Да, это был он! Доктор Вальтер собственной персоной, в бушлате и в бурках. Даже варежки я узнала. Отличные кожаные варежки. Это ему начальник Тимошкин пожаловал с собственной руки.

— Так я и знал! Так и знал! Вот что значит, девочка в свое время не получила немецкого воспитания! Способна на любое сумасбродство!

Он вырывал у меня из рук злосчастный чемодан и одновременно вытирал мне слезы прямо своей роскошной кожаной варежкой. Слезы примерзали к ней на ходу.

— Покажи руки! Ну, конечно, поморожены... Стой!

Он поставил чемодан и, набрав в руки снега, принялся отчаянно тереть им мои пальцы. Это было адски больно, и теперь у меня была уважительная причина реветь во весь голос, причитая:

— Неужели трудно понять, что Эльген не то место, где можно оставаться добровольно! Да пусть хоть и на три дня! Подумаешь, плохой погоды испугались!

Это было упоительно сладко: после такого космического одиночества сознавать, что теперь есть кому меня жалеть, бранить, разоблачать мои необдуманные поступки. Да и мне есть на кого кричать и возводить обвинения одно другого несправедливее.

— Конечно, тебе не к спеху, — повторяла я тоном домашней хозяйки, — я должна сидеть на Эльгене, а ты боишься выйти из барака в неважную погоду...

— Погода действительно неважная, — юмористически воскликнул он, и я вдруг как бы впервые увидела его обындевевшую фигуру. Против ветра шел...

— А ведь это наша первая супружеская сцена! Даже приятно. Запахло устойчивостью домашнего очага. Абер беруиген зи зихь, гнедиге фрау...

И тут же, на этом дьявольском ветру, под свист всех стихий он читает шуточные немецкие куплеты, каждый из которых завершается рефреном: «Ихь хабе цу филь ангст фор майне фрау»...

И вот мы уже хохочем. Ах, как нам легко стало идти!

— Совсем другое дело, когда ветер в спину! — говорит он.

— Без этого чемодана я чувствую себя просто как на прогулке, — говорю я.

Мы идем рядом. По направлению к свободе. Уходим все дальше от Эльгена. И вдруг я всем своим существом ощущаю

447

острый пароксизм счастья. Не радости, не удовольствия, а именно счастья. Такого безудержного полета души, когда все, даже самые глубинные, тревоги, опасения, страхи покидают тебя и ты несешься, несешься, точно прицепившись к хвосту неведомой Жар-птицы. Наконец-то тебе удалось уцепиться за него! И этот момент остается в памяти на всю твою дальнейшую жизнь.

В моей судьбе, как и в любой другой, были, конечно, радости. Рождение сыновей. Удачи в работе. Увлечения, романы. Чтение.

Но то были именно радости, всегда сдобренные изрядной дозой ожидания предстоящих огорчений. А вот когда я прикидываю, встречалась ли я когда-нибудь с настоящим безумным счастьем, то только и могу вспомнить два коротких эпизода. Один раз это было в Сочи. Совсем беспричинно. Просто мне было двадцать два, и я танцевала вальс на открытой террасе санатория с профессором по диамату, который был старше меня лет на двадцать пять и в которого весь наш курс был влюблен. А вот вторично мне удалось ухватиться за хвост Жар-птицы именно в тот день, который я сейчас описала. Пятнадцатого февраля 1947 года, на трассе Эльген — Таскан во время бурана.

Мы почти летели, уносимые ветром. Иногда мы останавливались и целовались обледенелыми губами. Мы цепко держались, и она, Жар-птица, преданно несла нас по своему удивительному маршруту.

Рассвет еще не брезжил, и вьюга все еще не унималась, когда мы вошли наконец в покосившийся деревянный барак, где почти всегда находили себе приют зэка, только что вышедшие из лагеря.

— Вот, — сказал Антон, ставя чемодан прямо в сугроб, — вот здесь я снял для тебя комнату. У тети Маруси.

Барак был двухэтажный. Сейчас казалось, что его верхний этаж шатается и того гляди рухнет под напором ветра. Лохматая, ободранная дверь долго сопротивлялась, как живая, не поддаваясь нашим усилиям. Исторический момент моей жизни. Вхожу в первую собственную вольную квартиру. После десяти лет, проведенных в казенных домах.

— Живые? — хрипло осведомляется тетя Маруся, тоже бывшая зэка, отсидевшая десятку за убийство из ревности.

— Ну, кум Део! — торжественно произносит Антон.

Так он говорит всегда перед началом операции, которые ему, терапевту, приходится здесь делать, поскольку он работает в лагерной больнице, что называется, «одной прислугой».

448

Рабфак. Евгения Гинзбург – вторая слева во втором ряду.

Казань. 30-е годы.

Евгения Гинзбург с сыном Алешей.

Антон Вальтер

*Евгения Гинзбург в 50-е го-
ды. Магадан.*

*Бухта Нагаево. Во время
приезда Василия в Магадан.*

Евгения Гинзбург и Антон Вальтер. Магадан. 1952 г.

Магадан. 1954 г.

орой приезд Василия Аксенова в Магадан.

Евгения Гинзбург с В. Аксеновым. 60-е годы.

зьминское кладбище. На могиле Вальтера. 1960 г.

Переделкино. 1975 г.

ГЛАВА ВТОРАЯ

СНОВА АУКЦИОН

Наш друг по ссылке Алексей Астахов, инженер, в котором пропал незаурядный писатель, иногда баловал нас сочными устными новеллами из колымского быта. Между прочим, в его репертуаре был рассказ о том, как ведет себя, смакуя свободу, только что вышедший из лагеря какой-нибудь приисковый Колька Карзубый (он же Ручка, Москва, Золотой).

За две пайки он заказывает себе фанерный чемодан с железной ручкой (так называемый «гроб»), обзаводится вольной подушкой, сделанной из четырех цветных накомарников и старой телогрейки. Потом он одевается во все вольное, то есть в новый лагерный бушлат, обшитый по горлу бурундучьим мехом, и кубанку, сделанную из полы старого вохровского полушубка. Затем Карзубый блаженно и бесцельно гуляет по тропинке между вольнонаемной столовой и вольнонаемным ларьком, неизменно при встречах здороваясь (за руку!) с самим комендантом лагерной вахты.

Смешно сказать, но, видимо, в этом уникальном положении действуют какие-то общие психологические законы. Хоть и с иронической оглядкой, но почти все приметы карзубовского вольнонаемного поведения я обнаруживала в первые дни внелагерной жизни и у себя. Чемодан мой как две капли воды был похож на его «гроб». Подушка моя, вернее наволочка на нее, была сшита именно из четырех цветных накомарников. На лагерную телогрейку первого срока я приспособила если не бурундучий, то какой-то кошачий меховой воротничок. И главное, так же как Карзубый, я испытывала блаженное чувство при каждом посещении так называемого магазина (ларек, насквозь провонявший керосином), столовой, а особенно почты.

В магазине торговала моя квартирная хозяйка тетя Маруся, добродушная толстуха с хриплым голосом. Глядя на нее, почти невозможно было себе представить, что она убила своего мужа из ревности.

Маруся ужасно смеялась, видя, что я совсем не ориентируюсь в ценах и вообще ничего не смыслю в торговом деле.

— Слушай сюда, — снисходительно разъясняла она, — слушай, я тебе плохого не желаю. Бери вот эти мужские брюки. Без ордера тебе устрою, по блату. Распорешь их, перекрасишь в черный цвет и выйдет тебе такая юбка, что на все твои пять поражения хватит. До материка в ней дотянешь. Верно говорю, я тебе плохого не желаю.

Оказалось, что продукты выдают по карточкам. Тетя Маруся чуть не лопнула со смеха, когда выяснилось, что я не понимаю значения популярного среди вольного населения глагола «отоварить».

— Горе ты мое! — говорила она сквозь приступы хриплого хохота. — Ну, слушай сюда! Вот, к примеру, у тебя здесь талон сорок три-бе. Что он сам из себя, к примеру, стоит? Грош ему цена в базарный день! И вдруг я вешаю на двери магазина объявление: «Талон сорок три-бе отоваривается полкилом сечки ячневой» или там «макаронных изделий». Вот тут-то этот самый сорок три-бе становится ценный. Его тут и сменить и продать можно, а то самой все полкила получить и сжевать. Поняла?

Меня вдохновляли такие детали вольнонаемного быта. Ведь и они были атрибутами свободного существования, включали в себя элемент личного волеизъявления. Хочу — сменяю сорок три-бе, хочу отоварю его и буду варить на своей печке-железке эти самые макаронные изделия.

Особенно нравилось мне ходить на почту. В нашем Таскане своего почтового отделения не было, надо было идти за четыре километра на так называемый Второй Таскан. И я шла туда, чтобы прицениться, сколько будет стоить, если перевести в Казань столько-то рублей для Васьки и в Рыбинск, где осталась после эвакуации из Ленинграда моя мама. Деньги — первую зарплату — я должна была получить только через месяц. Но ведь надо было подготовиться к этому великому дню, когда я смогу открыто и свободно послать моим родным свои собственные заработанные деньги.

А пока я сдавала заказные письма на материк, с наслаждением выписывая на конверте обратный адрес. Не почтовый ящик с дробью, а просто — улица такая-то, дом такой-то... Сдав письма, я еще долго стояла у конторки, делая вид, что жду кого-то или чего-то, а на самом деле просто радуясь запаху чернил и жженого сургуча. С почты было вроде ближе к материку, меньше ощущалось наше острожное одиночество. (Все знали, что Колыма не остров, но все упорно называли ее островом, а Большую землю — материком. И не только называли — убежденно считали, что так оно и есть.)

Работа в детском саду ничем не отличалась от той, какую я вела здесь раньше в качестве заключенной. Но была несказанная радость в том, чтобы идти на работу без вертухая или бежать в обеденный перерыв домой, в свою комнату, заставать там уже пришедшего Антона, а потом вместе есть суп и кашу, сваренные с вечера. Это давало иллюзию семьи, и я стала как-то забывать, что вольная-то, собственно, только я, а Антон все еще зэка, а до конца его срока (третьего по счету!) все еще оставалось больше шести лет. Он и сам как-то отвлекался от этой мысли, тем более, что его положение на Таскане было исключительным: он свободно ходил по поселку без конвоя, посещал вольных больных. Даже в Марусин магазин заходил. Только ночевать обязан был в зоне.

В общем, я переживала тот удивительный период, когда каждая мелочь обыденной жизни — даже такой убогой, как тасканская! — радует и рождает благодарность. Только месяца через два я впервые обратила внимание на то, что моя комната совсем не держит тепла, дров на нее уходит чертова прорва, а по утрам — мороз. Потом заметила, что довольно трудно таскать воду на второй этаж и, главное, что здесь как-то страшновато по ночам, когда остаешься одна. Моя дверь совсем особняком от тети Марусиной, а между тем уголовники, которые освободились и ждут начала навигации для выезда на материк, стали пошаливать. Впрочем, что у меня воровать-то!

Из этих освободившихся уголовников у меня бывали двое. Один из них, старик-сибиряк, похожий на Распутина, слыл гадальщиком. Впервые его привела ко мне тетя Маруся, и с тех пор он время от времени заходил один. И я привечала его. Почему? Да потому, что он, нацепив на нос очки в железной оправе, долго и пристально вглядывался в линии моей левой руки и затем говорил:

— Вот как хошь, а не вижу я на твоей руке смертности твоих детей. Вот помяни мое слово, затерялся где-то твой старший сынок... А жив... Не вижу его смерти... Нет, не вижу...

Этого бормотания было достаточно, чтобы перевесить все точные телеграммы, сообщения и справки, которые я к тому времени уже, к несчастью, имела. Фантастические отчаянные варианты Алешиной судьбы и его чудесного спасения посещали меня по ночам. Даже Антону я ничего об этом не говорила. Это была наша тайна. Моя и этого полубезумного старика, похожего на портреты Распутина. И я подкармливала старика, презрев все старательно проконспектированные в юности университетские премудрости и сдавшись невозможной мечте.

Что ж, пусть осудят мои суеверия те, кого Бог миловал, кто никогда не терял своих детей.

Второй мой визитер-уголовник был «поставщиком дрова» — он носил мне дрова, и эта вязанка была самым крупным расходом в моем ежедневном бюджете. Но я была довольна аккуратностью поставщика и не торговалась с ним. Наоборот, еще делала ему ценные подарки, например подарила деревянную ложку и жестяную миску. Он прослезился от умиления, о: того, что я догадалась: ведь и впрямь не из чего ему похлебат варева, ежели попадется. Нередко я даже угощала его супом кашей. Он садился прямо на порог, хлебал алчно, забывая пре ложку, прямо через край, и уходил, осыпая меня благодарнос тями. Иногда, глядя на его доверчиво устремленные на мен: глаза, я даже ощущала какие-то смутные угрызения совести з: то, что в течение всего своего долгого лагерного пути всегд: испытывала к уголовным только отвращение. Ведь вот разны: же есть и среди них. Разве вот этот может сделать мне что нибудь злое?

Но вот однажды в детском саду срочно потребовался суль фидин для заболевшего ребенка. На медпункте сульфидина н было, но он был у меня дома. И я срочно побежала за лекар ством домой в необычное, неурочное время.

Ключ почему-то застрял в скважине и не поворачивалс: ни туда, ни сюда. Досадливо мучаясь около двери, я вдруг не ожиданно спиной почувствовала подстерегающую меня опас ность. Оглянулась — и застыла от ужаса. За моей спиной стоя: с поднятой рукой с занесенным над моей головой тяжелен ным поленом мой поставщик двора, мой дровяной доходяга Еще секунда — и я упала бы, оглушенная ударом.

Я с криком оттолкнула его и пустилась вниз по лестниц зовя на помощь. Но прежде чем прибежали люди, мой довер чивый приятель успел скрыться.

— Как его фамилия? Или хоть имя? — допытывался Анто: этим вечером.

Но я не знала. Только живописала особые приметы. Тон кий синий нос чайником. Прихрамывает.

— Это Киселев, — безапелляционно решил Антон. Ведь о постоянно лечил и «комиссовал» всех уголовных. — Иду чи нить суд и расправу.

Напрасно я его просила пренебречь этим делом. Второй ра он уже не полезет, этот Киселев... Но Антон твердо держалс своего принципа в общении с уголовниками. А принцип бы такой: по начальству никогда не жаловаться, но не пропускат безнаказанно ни одной наглой выходки.

— Отлуплю самолично, — пообещал Антон. И это были н пустые слова. Кулаки у доктора были пудовые. Видно, эти же лезные лапы достались ему в наследство от нескольких поколе ний гроссбауэров. А интеллигентность профиля — от единствен ного затесавшегося в родню не то химика, не то алхимика.

На другой день доктор шумно ввалился в прихожую дет сада, волоча за собой избитого доходягу.

— Этот? — громовым голосом вопрошал доктор, держа свою жертву за шиворот.

— Н-н-нет, — сказала я сперва нерешительно, а услыхав голос подсудимого, уже с ужасом: — определенно не тот!

— Ды Господи! — зарыдал невинно наказанный, сморкаясь в меховую ушанку, — за что лупите, Антон Яковлич? Подлец буду — не я! Свободы не видать! Это Топорков...

— Что ж ты говорила нос чайником? — раздражался Антон, перекладывая свою судебную ошибку на меня. — Ну ладно, не беда! Рассчитаемся и с Топорковым... А тебя, Киселев, зато сактируем и поплывешь на материк...

Он сдержал свое обещание. После расправы с Топорковым оба голубчика были «актированы». Это были типичные представители колымского племени «шакалов». Они уже еле держались на ногах от истощения, но неуклонно воровали, а при случае не зарекались и от мокрого дела. Теперь исполнялась заветная мечта обоих: по состоянию здоровья оба подлежали отправке из тайги сначала в Магадан, а затем и на вожделенный материк. Перед отъездом оба заходили прощаться и очень благодарили доктора за науку, а главным образом, за актировку.

Из чистосердечного признания Топоркова выяснилось, что соблазн его ввела моя ватная подушка в наволочке, сшитой из четырех накомарников. Уж больно ему захотелось поспать на мягоньком.

После этого происшествия Антон задался целью сменить квартиру. И вскоре он перевез меня в благоустроенный домик, где жил экономист пищекомбината Яроцкий. Он отбыл свои восемь лет и теперь жил как вольнонаемный, по-семейному, выписал с материка жену с дочкой.

У меня просто дух захватило при виде этой квартиры, а главное, моей новой комнаты. Давно я не сталкивалась с таким уровнем цивилизации: даже уборная была здесь не на улице. Но главное — Яроцкие дали мне в пользование письменный столик и кучу книг. И теперь, возвращаясь с работы, я входила в комнату и подолгу стояла на пороге, зачарованная волшебным видением — стопкой книг на письменном столе.

И совсем, совсем мы забыли, что Антон все еще заключенный. Пока в один несчастный день...

— Тимошкина снимают! — объявил, входя к нам в комнату, Яроцкий.

Это был удар с неожиданной стороны. Не ждал этого и сам Тимошкин, начальник Тасканского лагеря, который так хорошо относился к заключенным вообще и к нам с Антоном в частности. Впрочем, его увольнение с Таскана не было формальным снятием с работы. Просто его вдруг решили откомандировать на какие-то годичные курсы повышения квалификации в Магадан. Но от директора пищекомбината Каменнова шли слухи, что это не случайно, что кто-то, видимо, все-таки уведомил магаданское начальство о тасканском рае и о гнилом либерализме Тимошкина.

Прощание было трогательным. Больше всего наш разорившийся добрый помещик тревожился о том, в какие руки попадут его приближенные люди, которым он, в отличие от помещиков прошлого века, не в силах был дать вольную.

— Нам-то что! — говорил он преувеличенно бодрым голосом, огорченно оглядывая свою обжитую квартирку. — Нам-то что! Мы-то не пропадем, верно, Валюха? Нам год в Магадане прокантоваться — милое дело... Как-никак дом культуры, баня, два кино... А вот за доктора сердце болит. Не обидели бы без меня...

Потом он жал мне руку и высказывал надежду, что я буду «верным другом жизни», а не какой-нибудь там трали-вали, что меняет мужей на каждой командировке... И что ежели, не к ночи будь сказано, новое начальство наладит доктора на прииск, то я поеду с ним. Ладно хоть я-то освободиться успела...

В день отъезда он перепил с расстройства, и Антону пришлось в последний раз отхаживать его.

— Как только без тебя жить будем, — бормотал он, тряся кудрявой головой, в которой столько было забубенности, кутерьмы, неразберихи и в то же время столько благородных, размашистых, чисто русских добрых порывов. — Верно, Валюха? Привыкли, ровно к отцу...

Бело-розовая Валя и впрямь, как дочка, бросилась на шею доктору вся в слезах. Мы помогали им укладываться, грузиться и поехали провожать их до Второго Таскана. На прощанье Тимошкин заговорил со мной на «ты».

— Так я на тебя, девка, в полной надёже. Не брось друга в беде!

Обратно мы шли четыре километра пешком, молчаливые, угнетенные разлукой с этими добрыми людьми, одолеваемые тягостными предчувствиями.

Когда мы узнали, что новым начальником Тасканского лагеря назначен Пузанчиков, знакомый мне по Эльгену, стала успокаивать Антона. А также и себя самое. Уравновешенный человек. Без садистского азарта. Просто служит, все равно как в промкооперации. Лишь бы надбавки шли. А как легко согласился тогда выменять меня на печника. Деловой руководитель!

И действительно, первые дни, даже недели нового царствования не внесли существенных перемен в наш быт. Антон по-прежнему свободно выходил за вахту, посещал вольных больных в поселке, приходил ко мне ежедневно обедать и ужинать.

Только месяца через полтора появились первые тучки, предвещавшие нам грозу. Дело в том, что у Пузанчикова была жена Евгения Леонтьевна, врач, ставшая теперь начальником тасканской лагерной санчасти, то есть прямым командиром Антона. Это была невысокая энергичная женщина лет тридцати с миловидным лицом и маникюром на пальцах (а это было не так-то просто обеспечить в тайге). Она называла Антона по имени-отчеству, соглашалась с его диагнозами и назначениями. Но когда заболел внук директорши пищекомбината Каменновой и та позвонила, как обычно, в санчасть лагеря, прося прислать Вальтера, Евгения Леонтьевна любезно ответила, что придет сама.

Она назначила мальчику лечение, но болезнь затянулась, и Каменнова стала настаивать, чтобы прислали все-таки Вальтера, который лечил всю семью уже несколько лет. На это доктор Пузанчикова, мило улыбаясь, разъяснила, что доктор Вальтер действительно неплохой диагност, но, сидя уже двенадцать лет в лагере, естественно, не может быть в курсе новых достижений медицины.

— Надо мне пореже ходить к вольникам, — озабоченно говорил Антон, — но как это сделать, не обижая людей?

Прошло еще несколько недель, и однажды я встретила в магазине нашу докторшу, только что вернувшуюся из Ягодного с какого-то совещания.

— Как живете? — ласково спросила она меня. — Неплохо? А я, к сожалению, должна вас огорчить. Доктора Вальтера от нас забирают. На прииск Штурмовой. Там открыт новый лагпункт, врач нужен до зарезу, и сануправление просто аукцион объявило. Кто хочет получить новое оборудование и кредиты за одного хорошего заключенного врача? Я долго сопротивлялась...

— Но все-таки продали его с молотка?

Она сделала вид, что приняла мои слова как шутку.

Антон был настолько убит известием, что мне пришлось взять на себя роль оптимиста.

— Послушай, ведь и на приисках люди живут... Ты жив-здоров... И я поеду за тобой... Ведь этого-то они мне запретить не могут...

Увы, именно это они и запрещали. И Антон уже знал об этом. Полет административной фантазии наших начальников был несопоставим с куцым воображением тюремщиков прошлого века. Система все усовершенствовалась. И оказалось, что новый лагпункт прииска Штурмовой организовывался по особому принципу: он будет заселен только заключенными и начальством, лагерным и производственным. Обычные вольняшки, тем более бывшие заключенные, в этом спецпоселке не прописывались и работа им там не предоставлялась. Таким образом, я была лишена права последовать за Антоном и поселиться в вольном поселке этого прииска, как мы вначале планировали.

Рухнула наша иллюзорная семейная жизнь. Только что мы посиживали вместе с нашими квартирными хозяевами за чайным столом, шутили, беседовали о книгах, чувствовали себя людьми. И вот снова — невольничий рынок, прииск, разлука, неизвестность, черная яма.

Яроцкие были потрясены нашим несчастьем. Особенно Мария Павловна, материковская жительница, впервые столкнувшаяся с колымскими нравами. Она не могла без слез смотреть на нас и все повторяла изумленно:

— Да как же так? Да ведь этого же не может быть...

...Увозили Антона одного, без этапа, по спецнаряду. Тасканский конвоир должен был доставить его до Эльгена, а там передать другому для дальнейшего этапирования.

Я попробовала было пройти в лагерную зону, чтобы помочь ему собраться, но теперь, без Тимошкина, меня не пропустили.

— Вольным нельзя!

— Да какая же я вольная...

— А как же... На довольствии у нас не состоите... Ну и все!

Мы простились в половине двенадцатого ночи. Не позднее двенадцати он должен был быть в зоне. На этот раз мы не говорили друг другу обнадеживающих слов, как делали это прежде, когда меня увозили от него. Теперь перед нами была пропасть — шесть лет, остававшихся ему до конца срока. Без свидания. Может быть, даже без переписки.

Он ушел, а я как села за стол, так и просидела до утра. Шел июнь, и ночь была белая. К пяти часам очертания предметов потеряли ночную размытость, стали четкими. И я вдруг увидала в моем окне резко очерченную руку и рукав военной гимнастерки. Рука стукнула, и чей-то голос с украинским акцентом скомандовал: «На выход давай!»

Я выскочила на крыльцо. У дома стоял грузовик. В кузове, на каких-то ящиках, сидел Антон. Знакомый тасканский вохровец, по прозвищу Казак Мамай, отрывисто распорядился:

— Сидай у кабину, жинка! А як на трассу выедемо, так перейдешь у кузов, та и побалакаете один з одним...

Я беспрекословно повиновалась. И вправду: как только машина миновала наш поселок, Мамай остановил шофера и самолично помог мне вскарабкаться наверх к Антону.

В этих неожиданных проводах, в доброте Казака Мамая, давшего нам еще раз увидеться после последнего навечного прощанья, мы суеверно усмотрели доброе предзнаменование. Вот и не ждали, а нашелся хороший человек. И так же будет дальше. Добро встречается и там, где его совсем не ждешь. Увидимся, обязательно увидимся. А пока я должна переезжать в Магадан, к Юле.

Юля, моя ярославская сокамерница, мой верный одиночный Пятница, жила теперь, после освобождения из лагеря, в Магадане, работала бригадиром какого-то игрушечного цеха. Она уже не раз писала мне в Таскан, хвалила свою комнату и работу, звала к себе, обещала устроить «в колымской столице». Не считая Антона, Юля была моей единственной родной душой на этой земле. Мы считали себя сестрами, крещенными в общей ярославской купели.

Грузовик еле тащился, частенько буксуя. Ящики, наваленные горой, тряслись, тарахтели и колотили нас по ногам. Но нам хотелось, чтобы это последнее наше свиданье длилось как можно дольше, и мы радовались путевым неполадкам. Время от времени Казак Мамай открывал дверку кабины, высовывался из нее, поглядывал на нас. Ему явно было нас жалко, и чтобы скрыть недозволенные чувства, он снимал фуражку, протирал ее внутри платком, а потом этим же платком тер свой крутой лоб и коротко стриженую смоляную голову с чубчиком, за который он и получил свое прозвище.

Мы прощались всю дорогу, бестолково повторяя снова и снова Юлин магаданский адрес, который становился теперь для нас единственным ориентиром во тьме непроглядной разлуки.

Самый момент окончательного расставания пришел както неожиданно быстро и длился просто один-единственный миг. Оказалось, что машина с заключенными, этапируемыми на прииск Штурмовой, уже давненько торчала около эльгенского управления и не могла тронуться только из-за того, что Антон опаздывал и у конвоя не сходился счет. Чужие конвоиры ругались. Они грубо отстранили меня, мгновенно затолкали Антона в свою крытую брезентом машину, в которую уже было натолкано человек пятьдесят мужчин. Увидеть его я уже больше не смогла. Сквозь пыхтенье готовой тронуться машины я еще успела различить только его последний возглас.

— Жди меня! Обязательно жди! — крикнул он по-немецки.

...Моя тасканская начальница — заведующая детским садом — долго сопротивлялась моему увольнению. Сначала она упрашивала меня, суля выдать вне очереди ордер на пять метров бязи. Потом стала грозить. Дескать, не хочу добром, так она мне устроит в Магадане ту еще жизнь. Ей стоит только позвонить Марьиванне, а та мужу скажет — и век мне в Магадане на работу не устроиться.

В конце концов, перед лицом моего тупого упорства заведующая сдалась, и мы покончили компромиссом: она отпустит меня, но только не сейчас, а через месяц. А за этот месяц я должна выучить комсомолку Катю играть на пианино весь репертуар сборника «Песни дошкольника». Катя поймет с пальцев, у нее — слух.

Нескончаемо тянулся этот месяц. Я шла на работу и с работы, оглядываясь кругом и недоумевая: неужели это тот самый тасканский рай, к которому я стремилась годами, о котором мечтала на Беличьем и на Эльгене... Какая, оказывается, тусклая таежная дыра! Тучи комаров и гнуса. Болотные топи вокруг поселка. Заросли ядовитого тростника. Антон говорил, что в этом тростнике содержится страшный яд — цикута.

Теперь все мои мысли рвались в Магадан. В столицу! В центр колымской цивилизации. Правильно говорил Тимошкин: дом культуры, баня, два кино... А главное — там Юля. И Юлин адрес, который известен Антону. И по этому адресу может прибыть треугольничек, исписанный русскими буквами, похожими на готические. Маленькое «в» — точно журавль, опустивший нос в колодец.

Тасканские вольняшки сыпали соль на мои раны. Стоило мне показаться на улице поселка, как кто-нибудь обязательно подходил и спрашивал, не знаю ли я, чем тогда доктор вылечил так быстро рыжего Ивана? Или парикмахера Володьку? Может, оставил он мне эти рецепты? Нет? Вот горе-то! Какого человека угнали! Кто теперь спасать-то нас будет!

Все они высказывали мне сочувствие: «Семью разбили...» А шофер пищекомбината, бывший вор «в законе» Федька-Чума, ныне перековавшийся на передовика производства, сказал мне:

— Слышь, довезу до Магадана-то... Собирай барахло! Имею сознание. Кабы не твой Вальтер, лежать бы мне теперь под сопкой лицом на восток, с биркой на ноге. Либо на деревяшке ковылять... Знаешь, каким диагнозом болел-то?

И с гордостью, точно графский титул, безошибочно выговорил:

— Об-ли-те-ри-ру-ю-щий эн-до-ар-те-рит...

458

ГЛАВА ТРЕТЬЯ

ЗОЛОТАЯ МОЯ СТОЛИЦА

По пути в Магадан мне обязательно надо было заехать в Ягодное. Временная справка об освобождении из лагеря, выданная эльгенским УРЧем, давно была просрочена. Ее надо было сменить на так называемую «форму А», по которой спустя какое-то время должны были выдать годичный паспорт. Получить эту форму можно было только в Ягодном.

Шофер Федька-Чума, благодарный пациент Антона, согласился заехать и туда, хотя для этого приходилось делать большой крюк. Денег с меня он брать ни за что не хочет.

— На кой мне бес твои бумаги? — меланхолично замечает он. — Мне и тратить-то их не на что. Доктор-то твой, знаешь, на прощанье чего мне говорил? Учти, говорит, Федор, тебе кажный шкалик али там кажная закурка — это, говорит, просто-таки гвоздь в крышку гроба. Вон как! Это, говорит, не шутка у тебя, а облитерирующий эндоартерит...

Федька горделиво косится на меня...

Едем... Можно сказать, летим. Федька — великий знаток колымской трассы. Знает все прижимы и повороты, знает, где нельзя, а где можно расположиться на привал.

— Устала? А вот сейчас до распадка доедем — и перекур. Припухай себе!

Мы выходим из машины, располагаемся в безмолвном, выстланном мхами распадке, раскладываем на газете пирожки с картошкой — подорожники, заботливо припасенные Федькиной женой. Она у него не блатная, наоборот, фраерша, самостоятельная женщина со статьей «Указ». От пирожков веет домовитой слободской жизнью. Покарали же Федькину жену за какие-то колоски или кочерыжки, относящиеся к сектору государственной собственности. Попутал ее нечистый в голодный военный год. Вот и угодила на Колыму.

Но как она хлебный квас варит! Артистка! Федька наливает мне его в мою кружку из закоптелого котелка, обмотанного чистым рукавом от старой рубашки.

— Нет, недаром я завязал, — говорит, утираясь, Федька, — с такой хозяйкой по шалману не затоскуешь.

Одно только утомительно: в пути Федька непрерывно требует, чтобы я ему тискала романы. До Ягодного еще полпути, а я уже успела изложить ему извилистые биографии Атоса, Портоса и Арамиса. Теперь перехожу к злоключениям и победам славного виконта де Бражелона.

Примерно каждые пять-шесть километров мой рассказ прерывается очередным дорожным постовым, требующим документы. Каждый строго допытывается, почему просрочена справка, почему нет «формы А». И я скучным голосом объясняю, что меня задерживали на работе и поэтому я не могла выехать в Ягодное за «формой А». А сейчас вот как раз именно за ней и еду. Постовые записывают номер машины, номер справки, номер моей чистенькой трудовой книжки. Потом неохотно отпускают. А Федька-Чума удивляется.

— Такая ты баба башковитая... Ишь, сколько романов знаешь? А чего ж ты лягавым напрямки так вот всю правду и режешь? Закосить не можешь, что ли? Сказала бы: а я, мол, гражданин постовой, не сильно тороплюсь насчет «формы А», потому как со дня на день ожидаю полной ребелетации... Дескать, сам товарищ Ворошилов, аль там Молотов, мое дело разобрал и аж лично товарищу Сталину доложил. А тот сказал, что семь шкур с того спустит, кто над невинной гражданкой издевался... Чтобы лучше в делах разбиралися...

Федька-Чума гогочет, обнажая свои желтые лошадиные зубы. Верхний клык справа у него золотой, и Федька гордится им только разве немного поменьше, чем облитерирующим эндоартеритом.

В Ягодном, возле небольшого домика, выкрашенного в идиллический розовый цвет, толкутся приисковые мужчины. Здесь управление Севлага. Налево от входа, в кассовом окошечке, выдаются вожделенные «формы А».

Федька объясняет мне, что я должна войти в дом с ним вместе и лучше всего под ручку. Тогда всем будет ясно: место уже занято. Иначе все шакалье набежит. Вишь, дожидаются... Это ведь кто тут толчется? Это ведь приисковые женихи тут толкутся, норовят заполучить вольную бабу. С «формой А» даже загс регистрирует.

Я много слышала (и уже немного писала) об этой колымской ярмарке невест. Забавно увидеть все это воочию. В сущности, если вдуматься в это явление и присмотреться попристальней к тем, кого Федька назвал шакальем, то, пожалуй, в этом стремлении к семье раскроется именно человеческое, а вовсе не шакалье начало. У каждого из этих женихов за плечами тернистый путь. И характерно: все эти бывшие уголовники, раскулаченные крестьяне, растратчики и расхитители казенных кочерыжек и даже самые отъявленные урки хотят именно жениться, а не просто вступить в связь. Хотят, чтобы все было честь по чести, с загсом и переменой фамилии.

Вдруг я замечаю на одном из стоящих поодаль грузовиков

надпись «Прииск Штурмовой». И, пренебрегая всеми правилами колымского хорошего тона, бросаюсь в самую гущу женихов с возгласом: «Кто тут со Штурмового?»

Нет, я все-таки родилась под счастливой звездой! Подумать только, какая удача! Он вчера — вчера! — видел Антона, этот экспедитор со Штурмового. Он стоит передо мной в штанах полугалифе, подвязанных вместо пояса веревкой, и, почесывая волосатую татуированную грудь, обстоятельно рассказывает мне, в каких условиях живет сейчас Антон.

— Вообще-то он на закрытой, на режимной стало быть командировке. Семь километров от центрального участка. Никого туда не пущают. Но слух есть, что пайка там даже вроде больше нашей на сто граммов. Так что не тушуйся! Перезимует за милую душу...

— Где же вы его могли увидеть, если командировка закрытая? — недоверчиво переспрашиваю я.

— А на центральном! Тут кто-то из начальства стал загибаться. Ну, доктора и привезли его откачивать. Потому, говорят, сильно ученый доктор, всех откачивает. И теперь, пока тот лягавый не отдышится, доктора вашего, гражданочка, еще не раз привезут на центральный. Так что давай строчи ксиву. Передам, подлец буду, передам! Есть у меня там кореш, санитаром работает... Не тушуйся, говорю, гражданочка! А он тебе какой муж-то? Колымский аль материковский?

Пока я пишу, он с любопытством заглядывает мне через плечо. Но я перехитряю его. Расправляясь самым отчаянным образом с артиклями и падежами, я слепляю немецкое послание, полное оптимизма. Еду в Магадан, «форма А» почти в руках, есть письмо от Юли, она уже почти нашла для меня работу в Магадане. Пусть только он бережет себя. Увидимся обязательно.

...Окошечко, из которого выдают документы, такое глубокое, что сидящего там человека видишь как будто через перевернутый бинокль. Он долго копается, перелистывая бумаги, мычит что-то нечленораздельное в ответ на мои вопросы о порядке получения паспорта. Потом вдруг четко произносит:

— Руку!

— Что?

— Руку давайте!

Ничего не понимаю. Неужели введен такой гуманный ритуал, чтобы поздравлять освобождающихся пожатием руки?

Я несмело, бочком просовываю в туннель правую ладонь, хотя ей явно не пробиться через такую толщу.

— Десять лет просидели, а порядку не научились! — рявкает чиновник. — Куда тянете руку? Не видите разве? Направо!

Меня заливает краской стыда и гнева. Да, я не заметила, что направо от окошечка стоит столик. За столиком — военный. На столике — вся аппаратура для снятия отпечатков пальцев.

— Поиграй напоследок на пианине, — мрачно острит стоящий в стороне Федька-Чума.

И чему я, дура, удивляюсь! Ведь даже у покойников снимают эти оттиски. Горло перехватывает острый спазм. Свободной себя вообразила! Да просто временно расконвоированная! Навеки, навеки с ними, с тюремщиками! Даже сейчас, после таких десяти лет, им снова нужны отпечатки моих пальцев, чтобы травить и преследовать меня до самой смерти. Так и будешь крутиться в этом треклятом колесе, пока не размелет оно тебя до самых мелких косточек.

Военный, не глядя на меня, прокатывает чистый лист бумаги специальным красящим катком. Потом привычными движениями прижимает каждый мой палец к бумаге.

Недаром блатари называют этот процесс «играть на пианине»... Пальцы становятся черными и липкими.

— А где же теперь руки вымыть? — спрашиваю я, не в силах сдержать раздражение. Военный равнодушно пожимает плечами.

И вот она у меня в руках, долгожданная «форма А». В перепачканных черных моих пальцах. Я держу ее осторожно за краешек и читаю. Бумага подтверждает, что я находилась десять лет в исправительно-трудовых лагерях (об одиночной тюрьме — ни слова!) за такие-то и такие-то государственные преступления (член подпольной террористической организации, ставившей себе целью и т.д.) и освобождена из лагеря по отбытии срока наказания с поражением в гражданских правах еще на пять лет. Кроме того, внизу сказано: «При утере не возобновляется». Справа, вместо фотографии, оттиск моего большого пальца.

Завидный документ! Ничего не скажешь, вольная гражданка, перевоспитанная в исправительно-трудовых лагерях и возвращенная в монолитную семью трудящихся.

Выходим из розового домика. Я наклоняюсь над канавкой, и Федька — верный мой водитель — льет мне на руки оставшийся в котелке хлебный квас. Потом дает пропахшую бензином тряпку, и я вытираю руки.

— Поехали! Э-эх, с ветерком! — говорит Федька, нажимая на все педали и в то же время кося на меня свой выпуклый воспаленный глаз. Похоже, что он понимает мое состояние, сочувствует, хочет утешить быстрой ездой, дающей иллюзию свободы, своеволия.

— На семьдесят втором, не доезжая Магадана, кореш у меня есть. На стекольном заводе... Второй год как вольнягой стал. И баба ему попалась — во! Из образованных. Маникюрша. У них привал сделаем. Там искупаешься, ручки дочиста отмоешь, причепуришься. В столицу явимся — красючка будешь на все сто...

Его душевная деликатность так велика, что он не замечает моих слез, обильно текущих по пыльным щекам.

— Ну, давай опять романы тискать! — бодро предлагает он. — Что там виконт-то? Ну, Дебаржелон этот самый? Расквитался ли со своими лягавыми? А неохота романы — так давай песню споем...

И он затягивает невообразимым, настоенным на чистом спирту голосом: «Дорого-а-я моя столица...»

Он имеет в виду не Москву, а Магадан. Он поет так: «Но всегда я привык гордиться, выполняя на двести свой план, дорогая моя столица, золотой ты, ах, мой Магадан!»

— Это кто же так слова переделал?

— Кто, кто? А коль хошь знать, я сам и переделал...

Вообще-то к сорок седьмому году этот, так сказать, романтический эпитет «столица золотой Колымы» уже прочно вошел в состав большого набора клишированных фраз, которыми пестрела газета «Советская Колыма». Это было, с одной стороны, поэтично, с другой — давало некий намек на производственное лицо края. Потому что прямо упоминать о золотых приисках газете не разрешалось, и в передовицах, посвященных выполнению производственных планов, вместо слов «прииск» и «золото» употреблялись слова «предприятие» и «продукция», позднее — «металл».

Федьке слова о столице нравятся, и на вопросы бесчисленных постовых (по мере приближения к Магадану их становится все больше) он торжественно рапортует: «Машина следует в столицу золотой Колымы».

На семьдесят втором километре все оказалось именно так, как сулил Федька. Его кореш со своей образованной маникюршей приняли нас с радушием, которое так часто встречается у людей, долгими годами скитавшихся без своего очага и наконец-то заживших своим домком. Нас потчевали домашними пирогами со свежей морошкой, мне налили полную кадушку горячей воды, и я всласть, неторопливо смыла с себя всю грязь нашей центральной трассы. А когда мой шофер рассказал хозяевам, как я расстроилась из-за печатанья пальцев, маникюрша воскликнула:

— Да кость им в глотку, чтобы из-за них еще слезы лить!

Парь чище руки! Я тебе сейчас на страх врагам еще и маникюр сделаю. Приедешь в Магадан — от полковницы тебя будет не отличить.

...Трасса непосредственно переходит в главную улицу Магадана. Табличка на доме — Колымское шоссе. Я замираю от удивления и восторга. После семи лет таежной глухоманной жизни я въезжаю в почти настоящий всамделишний город. Многоэтажные дома, легковые машины, оживленное движение. По крайней мере мне все видится именно так. Только через несколько недель я заметила, что дома эти можно пересчитать по пальцам. Но сейчас это для меня и впрямь столица.

Загадочно человеческое сердце! Ведь я всей душой проклинаю того, кто выдумал строить город в этой вечной мерзлоте, прогревая ее кровью, потом и слезами ни в чем не повинных людей. И в то же время я явно ощущаю какую-то идиотическую гордость... Как он вырос и похорошел за семь лет моего отсутствия, наш Магадан! Просто неузнаваем. Я любуюсь каждым фонарем, каждым куском асфальта и даже афишей, извещающей, что в доме культуры состоится спектакль — оперетта «Принцесса долларов». Наверно потому, что нам дорог каждый кусок нашей жизни, даже самый горький.

Сворачиваем на вторую центральную улицу. Она выглядит еще роскошнее Колымского шоссе и называется, понятно, улицей Сталина. Вот дом номер один, пятиэтажный, каменный, чуть ли не первый каменный дом в городе. Он построен нашим этапом. Я тоже носила сюда по шатким стропилам мерзлые кирпичи. Неподалеку дом культуры... Выглядит как настоящий театр... Ну, средняя школа была еще при мне. Но тогда она казалась гигантом на фоне низкорослых кривых бараков. Теперь она выравнялась, оперлась на соседние новые дома.

— Ну что, какова столица золотой Колымы? — спрашивает Федька-Чума тоном тароватого хозяина.

— Хорошо... Только...

— Чего только-то?

— Да по краям-то все косточки русские...

— И-и-и... Про это ты меня спроси! Ты еще в Москве чимчиковала по бульварчикам, а я уж тут мантулил. Все видал. Русские, говоришь, косточки? А вот и нет, не одни русские! Всяких полно. Как сказать, сердечная дружба народов...

И наклонясь к моему уху, добавляет:

— Своих ведь и то не миловал! Кацо этих, генацвале, тут тоже полегло, дай Боже...

Юлина улица называется Старый Сангородок. Здесь уже ничто не напоминает двух центральных магистралей, по кото-

464

рым мы только что проехали. Здесь прежний, старый, криво-барачный, немощеный Магадан. Я узнаю его. Это тот самый квартал, где прежде была больница заключенных, где я отлеживалась полумертвая после морского этапа. Теперь все эти бараки превращены в жилые корпуса, на них прибиты таблички с номерами. Вот и Юлин номер.

Полутемный грязный коридор дверей на двадцать. У каждой двери — кучи тряпья, ящики, помойные ведра, метелки. Оглушительный чад от подгорелого постного масла.

— Эй, люди! — громко взывает Федька.

И сейчас же почти из каждой двери головы:

— Кого вам?

Юлю знают все. Заочно знают и меня. Как же, наказывала: «Бегите за мной сразу, как приедет!» На работе Юля. А работа-то рядом. Вон прямо-то вывеска «Мастерская коммунхоза».

Федька бросается за Юлей. Хочет быть благим вестником, хочет сдать меня с рук на руки, чтобы можно было при случае доложить Вальтеру.

Юлька вбегает с шумом, с возгласами, с раскрытыми объятиями. С места в карьер отдается воспоминаниям.

— А помнишь — в Ярославке? Думали ли мы, что доживем до такого дня? Как мечтали свободно пройтись по улице! Вот сегодня же пойдем в кино. Билеты уже есть... А помнишь, как хотелось съесть чего-нибудь овощного? Пойдем скорей в комнату, я борща наварила.

Юлька в своем репертуаре! Верный мой Пятница, неиссякаемый Оптимистенко...

— Пусть же лавины свои вновь прольет на народы Везувий, ты на вершине его все ж посолишь огурцы, — смеясь, вспоминаю я свои тюремные гекзаметры.

Федька-Чума растроганно улыбается.

— Ишь, свиделися, красючки! Сколь годов не видались-то?

— Восемь! — дружно отвечаем мы.

Да, с того дня, как «Джурма» увезла меня на Колыму, а больную Юльку отставили от этапа и она пошла потом по другим, не по моим, точкам... Миновал ее Эльген. Была она на Сусмане и еще где-то. Потом попала в золотую столицу. До меня доходили слухи, что Юля организовала в Магадане какой-то цех с фантастической продукцией, нечто вроде конторы по заготовке рогов и копыт. Но так или иначе многие заключенные и бывшие зэка находили в этом цехе спасение от смертельных наружных работ, от стужи и голода. Немало людей спасла моя предприимчивая Юлька.

Сейчас, ведя меня по коридору к своей двери, она уже успела разъяснить мне, что предприятие именуется «утильцех», что она добывает с других производств разные отходы и мастерит всякую мелочь: игрушки, абажуры, коврики.

— А вице-председателем у тебя кто?

Юлька хитро подмигивает, давая понять, что все в порядке. Дверь в свою комнату она распахивает таким королевским жестом, точно я должна быть потрясена видом раскрывшейся передо мной роскоши. При этом она произносит ужасно торжественные слова. Я, мол, должна чувствовать себя такой же, как она сама, хозяйкой всего этого великолепия.

В узенькой семиметровой клетушке уже поставлена для меня раскладушка, а стол накрыт выглаженной белой тряпкой (утильцех!), и на нем все приготовлено к трапезе. Какое счастье приехать туда, где тебя так заботливо ждали!

Мы хлебаем втроем борщ, густой до того, что ложка в нем стоит, наперченный так, что даже Федька от него чихает. После обеда мой верный водитель сразу начинает прощаться. Ему надо за грузом для пищекомбината. Мне жалко с ним расставаться. Пожалуй, впервые за десять лет встретила блатного волка (бывшего, правда!), в котором не умер человек.

После его ухода мы с Юлей садимся в те самые позы, в каких обычно сиживали в Ярославской одиночке: каждая на своей койке, друг против друга. И, так же как тогда, говорим обо всем сразу. За восемь лет лагерных скитаний у каждой накопился целый ворох больших мучений и крохотных удач, героической обороны от наступающей Смерти и чудесных спасений.

Замечаю, что о чем бы ни зашла речь, Юля обязательно сводит разговор на свой цех. Вот чудеса! Да ведь она по-настоящему живет этой работой! И не только тем, что благодаря этому цеху ей удается помогать людям, спасать от гибели многих людей, сильных духовно, но немощных физически. Нет, как ни странно, но Юльку вдохновляет и сама эта, казалось бы, дурацкая работенка. Ей нравится проявлять хозяйственную инициативу, добиваться эффекта в почти безнадежных положениях, перехитрять наших хозяев и, сохраняя почтительный тон, оставлять их в дураках. Короче говоря, дух предпринимательства и частной инициативы, генетически запрограммированный в Юльке ее предками — оборотистыми волжскими торговцами, — вдруг проснулся здесь, в этих непредвиденных условиях.

Грешница, я любуюсь Юлькой в ее новой магаданской роли Вассы Железновой и мысленно сравниваю ее теперешнее оживление, бурную энергичность, высокий жизненный тонус с тем

466

унылым видом, какой она имела в последний год перед арестом, в университете. Теперь она смела, иронична, ее речи брызжут веселым лукавством. А тогда ее несчастные бакалавры дохли со скуки, пока она разжевывала им очередную дозу философской ортодоксии, опасаясь каждого вымолвленного словечка, с испугом озираясь вокруг себя. Ведь со всех сторон подстерегали ее ехидны меньшевиствующего идеализма, гиены плоского механицизма и змеи ползучего эмпиризма.

...Весь вечер мы гуляем по главной улице Магадана, нашего золотого города. Юля показывает и объясняет мне все, минутами впадая в покровительственный тон столичной жительницы, принимающей кузину из глухой провинции. Я не обижаюсь. Ведь я и впрямь одичала за семь лет в тайге. На каждом шагу делаю ошибки: то не в ту очередь встала, то не в тот ряд села... Юльке хочется, чтобы я восторгалась всем, и она даже огорчается, что я не проявляю достаточного энтузиазма в кино, где нам показывают нечто весьма невразумительное про шпионов.

На улице мне куда интереснее, чем в кино. В этот летний вечер по улице Сталина прогуливается весь магаданский бомонд. Главные хозяева жизни курсируют почему-то только по правой стороне — от дома культуры до поворота на Колымское шоссе.

По календарю — июль, но воздух остро прохладен, дует колкий пронизывающий ветер с моря. При этой погоде все сильные мира сего одеты, как в униформу, в серый габардин. Топорщатся ватные плечи. Они придают осанке заметное величие, делая мужчин похожими на свергнутый памятник Александру III в Ленинграде. Что касается дам, то они, из-за неумеренного пристрастия к меху черно-бурой лисы, напоминают мне картинку из немецкой хрестоматии, где изображен охотник, увешанный шкурками убитых лисиц. Под охотником подпись: дер егер.

Те, кто прогуливается по левой стороне улицы — от школы до угла, — лишены респектабельности и единообразия правосторонних. Другой классовый состав. Здесь незнатные договорники, так сказать, разночинцы, бухгалтеры, техники с авторемонтного завода, медсестры-комсомолки. В общем — мелкая сошка. Порой мелькают даже бывшие зэка. Те, которые уже подкормились, приоделись. Но все равно я их безошибочно узнаю по преувеличенной развязности движений, по тому, как они время от времени все-таки втягивают голову в плечи. Непривычно еще им прогуливаться по главной городской магистрали.

В одном из больших окон каменного дома — квартиры начальства — я вдруг вижу свое отражение. Ну и вид! Дернула же меня нелегкая еще обшить телогрейку у ворота этой драной кошкой! За версту видать вчерашнюю каторжанку. Ну и черт с ними! Пусть душатся своими чернобурками, а мы и с кошкой проживем! Юля читает мои мысли.

— Вообще-то наплевать, конечно, но в таком виде тебя никто на работу не возьмет. Так что завтра с утра — первым делом на барахолку. Пальто тебе купим...

Вдруг до меня долетает какая-то странная мелодия. Хоровое пение. Давно знакомая песня звучит как-то непривычно. Оглядываюсь. По мостовой стройными рядами, военным маршем, движутся колонны низкорослых мужчин в необычной одежде — не то военная, не то лагерная. Со всех сторон их конвоируют наши солдаты с винтовками наперевес.

— Пленные японцы, — объясняет Юля, — очень хорошо работают. Уже несколько больших домов построили. Сейчас достраивают новый кинотеатр. А поют-то что, слышишь? «По долинам и по взгорьям...»

Юля смеется и рассказывает, что японские офицеры иногда ходят по городу в одиночку и занимаются отхожим промыслом: торгуют теплыми варежками и носками, которые искусно вяжут сами. Где достают такую отличную шерсть — не поймешь. Наверно, какие-нибудь свои шерстяные кальсоны распускают. Один даже приходил к Юле в цех, предлагал свою продукцию и очень забавно высказывался по-русски насчет магаданского быта. «Японская салдата идет — русская салдата охраняй — моя понимай: война! Русская мадама идет — русская салдата охраняй — моя не понимай». Это так он отреагировал на многочисленные женские этапы, бредущие по улицам нашей столицы, все прибывающие и прибывающие морскими транспортами, точно неисчерпаемо количество преступниц в наших городах и селах.

Да, много нового в Магадане за семь лет моего отсутствия, но основное незыблемо — этапы идут и идут.

Некоторые уличные сцены волнуют меня почти до слез. Например, подростки и старики. Их не было здесь раньше. В тайге их нет и до сих пор. По крайней мере я уже десять лет не видела ни тех, ни других. Из заключенных до старости никто не доживает. А начальство раньше не привозило в такой край своих родителей. Дети на Колыме раньше были только те, что родились уже здесь. Подростков почти не было. А вот сейчас в колымский центр уже навезли подросших ребят с материка.

Жадно вглядываюсь в каждого мальчугана-школьника,

сопоставляю его со своими сыновьями. Вот этому, наверно, уже четырнадцать. Таким я Алешу уже не видала. Да и Васе сейчас уже пятнадцать. И я не могу себе представить, как он выглядит.

А вот старушка ведет за руку девочку. Какая приятная старушка, круглолицая, опрятная! Как наша няня Фима. И девочка на нее похожа. Наверно, бабушка и внучка. Когда я видела такое? В каких снах?

Еще умиляют меня собаки. В тайге я было возненавидела весь собачий род. Там одни немецкие овчарки — верные слуги тюремщиков. Лютые наши враги. И как-то забылось, что на свете живут еще веселые безобидные дворняги, чудаковатые таксы, кокетливые болонки. Я радостно смеюсь, когда у дверей Юлиного барака нас приветствует хриплым лаем Юлин цеховой сторож Кабысдох, потомственный безродный дворняга. Пес, не рвущий вас за горло, а добродушно виляющий хвостом. Право же, в этом есть что-то человеческое. И он, бедняга, так же мало повинен в злодеяниях своих родственников, несущих службу у колючей проволоки, как мы — двуногие дворняжки — в волчьих повадках двуногих овчарок. Я треплю Кабысдоха по свалявшейся шерсти и внутренне примиряюсь с собачьим родом.

— Ох, а за хлебом-то и забыли, — спохватывается Юля, и мы сворачиваем в так называемый первый магазин.

Хлеб выдается по карточкам. На простых полках — пачки кофе «Здоровье». На стенах — красочные плакаты. На них — румяные окорока, брусья сливочного масла, головы голландского сыра. И надписи: «К 1950 году на душу населения будет приходиться столько-то мяса, масла, сахара».

Меня охватывает неловкость. Что же это я? На Юлькину пайку приехала?

— Ах да, у меня пироги есть, — радостно вспоминаю я дар, полученный от маникюрши с семьдесят второго километра. — Хорошие, из сеяной муки...

— Вот, видала нашу торговлишку? — огорченно говорит Юля и добавляет: — А у тех-то, у габардиновых, заметила, какие ряшки?

— Так ведь у них закрытые распределители... Смотри, а водки полно!

— Это не водка. Ее ввозить сюда нерентабельно. Это чистый спирт. И хлещут его тут почти неразведенным.

На улице, у магазина, как трупы валяются пьяные. Среди них немало женщин.

Я вдруг чувствую какую-то непомерную усталость.

— Пойдем домой, Юль! Я что-то уже сыта магаданскими пейзажами по горло...

У бани, где по-прежнему, как в наши времена, расположен санпропускник для заключенных, наталкиваемся на огромный, только что прибывший с корабля мужской этап. Люди сидят прямо на мостовой, на корточках, окруженные конвоем и овчарками. Точно и не проходили эти семь лет. Все та же она, золотая моя столица. Принарядилась снаружи, наманикюрила окровавленные пальцы, напялила чернобурки на ожиревшие шеи. А по существу — все та же...

И меня обжигает непереносимым стыдом за ту идиотическую гордость, которую я испытала при въезде в город, залюбовавшись многоэтажными домами и афишами оперетты.

Что уж говорить о тех, кто не имеет нашего опыта! Как легко, наверное, втирать им очки, если даже нам, все знающим изнутри, порой застит глаза помпезными фасадами этих новостроек...

Часа в три ночи Юлька вдруг проснулась, зажгла свет и внимательно посмотрела на меня.

— Так и знала. Лежит с открытыми глазами и мировой скорби предается. Ну и характерец! Погоди, я тебе сейчас верональчику дам, сразу заснешь...

Веронал помогает. Понемногу я засыпаю. Во сне вижу Федьку-Чуму, крутящего руль, и слышу его песню. Патриотически-блатную песню: «Но всегда я привык гордиться, выполняя на двести свой план, дорогая моя столица, золотой ты, ах, мой Магадан».

ГЛАВА ЧЕТВЕРТАЯ

ТРУДЫ ПРАВЕДНЫЕ

Юля припасла для меня место в своем цехе. Уже все согласовала с начальством, а это было совсем не так просто при моих-то документах. И Юля очень горда, что вот я приехала в Магадан на все готовое: и жилье, и работу — все она мне обеспечила.

Поэтому я долго не решалась даже заикнуться Юльке, что совсем мне не улыбается перспектива целыми днями гнуть спину в пыльном полуподвале, превращая крашеную стрептоцидом марлю в роскошные абажуры для колымских идиллических домашних очагов.

470

Я вынашивала другую, почти неосуществимую мечту — снова попасть на работу с детьми. Почему? Да потому, что это было убежище, неповторимое убежище от колымской туфты, от всепроникающего духа уголовщины, даже в какой-то мере от унижений. Ведь дети были теми единственными людьми, которым не было никакого дела до того, что там обо мне написано в моем личном деле. Они отвечали только на мое отношение к себе. Кроме того, при всей казенщине, царившей в детских учреждениях, они все-таки в какой-то мере противостояли окружающему тюремно-лагерному миру. Плохо ли, хорошо ли, но здесь вместо целей мучительства и уничтожения людей ставилась цель их вскармливания и выращивания.

И еще одно было. Тайное от всех, даже от Антона. Даже плохо формулируемое для себя самой. Почему-то, когда я была среди детей, несколько смягчалась моя неотступная раздирающая боль об Алеше. Нет, совсем не так обоснованно и последовательно по-христиански, как это получалось у Антона, когда он говорил мне: «Сделай то-то и то-то для такого-то больного. Ради Алеши». Просто то, что я делала в детском саду, как бы возвращало меня к другому, к тому, что было так беспощадно оборвано в тридцать седьмом. Даже повторяемость и механичность элементарных повседневных забот давали какую-то обманчивую компенсацию моему поруганному и растоптанному материнству.

Я понимала, что надежды на получение работы в детском учреждении очень мало. Юля уже подробно объяснила мне, что в столице Колымы не может быть таких патриархальных нравов, как в глубине тайги, где природная доброта таких людей из администрации, как Тимошкин или Казак Мамай, перебарывает иногда бесчеловечные статьи и пункты. Здесь отделы кадров почище, чем на материке, — объясняла Юля.

А я все-таки решила с утра сбегать в сануправление, ведавшее детскими учреждениями, и дерзко предложить свои услуги. А вдруг отличная характеристика, данная на прощанье тасканским начальством, перетянет мои статьи и сроки. И даже красные полосы на личном деле...

Но сказать об этих замыслах Юле — значит, проявить черную неблагодарность.

Неожиданное происшествие облегчило мою задачу. Было еще совсем темно, рассвет едва занялся, когда раздался робкий отрывистый стук в нашу дверь. Это оказалась Елена Михайловна Тагер, знакомая нам по этапам и лагерям.

— Что случилось? Почему так рано?

— Освободилась! — потрясенным голосом ответила наша

гостья и обессиленно опустилась на табуретку. Мы начали было поздравлять, но вдруг заметили, что Елене совсем плохо. После ландышевых капель и холодного компресса на голову мы узнали наконец, в чем дело.

— Друзья мои, милые друзья... Не удивляйтесь тому, что я сейчас скажу. И не возражайте... Это ужасно, но это факт. Дело в том, что я... Я не смогу жить на воле. Я... я хотела бы остаться в лагере!

Елена Михайловна действительно могла считать нас своими друзьями. Правда, по возрасту она была ближе к поколению наших родителей, чем к нам. Да и не видели мы ее уже несколько лет. Но на разных этапах тюремно-лагерного маршрута наши пути пересекались, и тогда мы общались с ней очень глубоко и сокровенно.

Ленинградский литератор, человек высокого строя души и редкостной житейской беспомощности, она всегда нуждалась в опекунах. И многие из нас, тогдашних молодых, с радостью опекали ее. А она оказывала нам куда более неоценимую услугу. своими беседами она поддерживала в нас едва теплившуюся жизнь духа. Где-нибудь на верхних нарах до глубокой ночи рассказывала она нам о своих встречах с Блоком, с Ахматовой, с Мандельштамом. А с утра мы буквально за руку ее водили, втолковывая, как ребенку, где сушить чуни, куда прятать от обысков запрещенные вещи, как отбиваться от блатарей.

Много раз Елена Михайловна доходила на мелиорации и на лесоповале. Но вот за последние три года она достигла лагерной тихой пристани. Ее актировали, то есть признали за ней право на легкую работу по возрасту, по болезням. И перед ней открылась вершина лагерного счастья — она стала дневальной в бараке западных украинок. Привыкла к несложным обязанностям, одинаковым изо дня в день. Печку топить, полы подметать. Полюбила девчат. Тем более, что к тому времени все родные ее умерли в ленинградскую блокаду. И девчата ее полюбили. Особенно тяжелого делать не давали. Дрова сами кололи, полы мыли. Многие даже стали кликать Елену Михайловну «Мамо»...

— Это редкостные девочки... Вот уже месяц, как я расписалась в УРЧе и, значит, уже месяц, как пайка на меня не выдается. А я и не почувствовала. Девочки кормят...

— Как, уже месяц? Почему же вы до сих пор там?

— А куда же деваться? Ведь за последние три года самый мой длинный рейс был от барака до кипятилки. А этот город... Он пустыня для меня. Он наводит ужас...

История, поведанная Еленой Михайловной, выглядела так. Дважды за этот месяц она рискнула выйти за зону и поискать

ебе пристанища в этом непонятном вольном муравейнике, где
е дают человеку каждое утро его пайку, где нет у человека сво-
го места на нарах. Ничего не нашла, никого из бывших товари-
цей по заключению не встретила. Вернулась измученная в лагерь.
Вахтер по старой памяти пропустил. Девочки отхаживали ее всю
ночь, бегали в амбулаторию за ландышевыми каплями. За этот
месяц ее уже не раз предупреждали, чтобы она уходила из зоны.
Нельзя вольным в лагере жить...» И вот сегодня... Впрочем, теперь уже вчера. На поверку пришел сам начальник режима и категорически приказал Елене Михайловне немедленно покинуть
лагерь. Девочки плакали, просили оставить их названую мать. Пусть
без пайки! Они ее сами прокормят. Елена тоже не сдержала слез.
И тут режимник расчувствовался, доказал, что и у него в груди
не лягушка, а сердце. Оставить старуху он, конечно, не мог, но
зато все объяснил по-хорошему. «Послушайте, гражданка, — сказал он, — вы десять лет жили, правда? Жили. И никто вас не
трогал. А почему? Потому что было можно. Вот. А сейчас — все.
Нельзя больше. Не положено. Не положено». Тут-то одна из девочек и подсказала Елене Михайловне Юлин адрес. Слава про Юлин
цех, где устраивают на работу в помещении с самыми трудными
статьями, широко шла по заключенному миру.

— Все будет в порядке, Елена Михайловна, — заявила
Юлька с такой уверенностью, что наша гостья сразу стала
смотреть на нее преданным детским взглядом и безропотно
выполнять все Юлины распоряжения. Приняла из Юлиных рук
все тот же чудодейственный порошок веронала, послушно улег-
лась на раскладушку и быстро заснула. Во сне она по-детски
всхлипывала и охала, а мы с Юлей, лежа теперь уже вдвоем на
узкой железной койке, никак не могли больше заснуть, хотя
настоящего рассвета все еще не было.

— Помнишь, Женька, твои ярославские стихи «Опасение»?
Подумать только, Юлька до сих пор помнит мои самодельные тюремные стихи!

> *...чтоб в этих сырых стенах,*
> *где нам обломали крылья,*
> *не свыклись мы, постонав,*
> *с инерцией бессилья...*

— По-моему, Елена Михайловна отойдет... Вот увидишь,
Юлька, отойдет она.

(К счастью, мои надежды оправдались. Елена Михайловна оправилась от инерции бессилья. Она дожила до реабилитации, вернулась в Ленинград. Она еще успела написать пронзи-

тельную книжку о Мандельштаме. Куски этой книжки вошли предисловие к двухтомнику Мандельштама, изданному в Ам рике. Умерла Елена Михайловна в начале шестидесятых годов

Теперь я могла уступить свое место в знаменитом утили цехе, не боясь обидеть Юлю.

— А ты как же?

— Пойду в сануправление. Попробую посвататься в де ский сад.

Юля скептически качает головой.

— Это ты все по-таежному судишь. Там, в стороне от н чальства, такое было возможно. А здесь, в столице... К том же сестер этих медицинских как собак нерезаных... Не тольк бывших зэка с легкими статьями, но и комсомолок, догс ворниц.

Юля была права, как всегда. Но тут вступило в действи мое невероятное счастье. Оно уже не раз прихотливо проявля ло себя на путях моих скитаний и выручало из самых безнадеж ных положений.

Не успела я войти в сануправление — одноэтажное разл пистое здание, выкрашенное все в тот же излюбленный ядови то-розовый цвет, — как сразу в полутемном коридоре натолк нулась на доктора Перцуленко, главврача эльгенской вольно больницы. Под его командой я проработала свои последние пол тора месяца в лагере. Приятель Антона.

Он взял меня под руку и прямиком провел в кабинет на чальника детских учреждений. Им оказалась доктор Горбато ва, сорокалетняя красивая блондинка с милым усталым взгля дом. Перцуленко рекомендовал ей меня в таких выражениях что пришлось глаза отводить. И такая-то, и сякая-то.

— А воспитательницей вы не пошли бы? — спросила Гор батова, дружелюбно глядя на меня. — Медсестры у нас в из бытке, а вот с педагогами просто беда. Острый недостаток кад ров. Не идут. Очень нервная работа. Состав детей у на специфический.

Пошла ли бы я! Да это предел моих мечтаний. Но я пони мала, что иллюзии этих двух добрых вольняшек разобьются прах при самом беглом взгляде на мои документы. С тяжки вздохом положила я на стол Горбатовой свою «форму А» отпечатком большого пальца вместо фотографии. Она долг сокрушенно разглядывала ее, но потом, решительно встав сказала: «Пойду в отдел кадров».

Отдел кадров был рядом, и через тонкую дощатую пере городку мы с Перцуленко различали обрывки диалога Горба товой с начальником кадров Подушкиным.

474

— Буб-бу-бу... с высшим образованием педагог, — убеждала Горбатова.

— Бу-бу-бу... Идеологический фронт... Групповой террор... — представлял свои резоны начальник кадров.

Наверняка у него белесые брови и пухловатые руки с часами на толстом золотом браслете.

— Бу-бу-бу... В 3-м саду троих не хватает... Хоть временно оформите...

— Бу-бу-бу... Если бы хоть не тюрзак! На свою ответственность не могу. К Щербакову? Пожалуйста! Если он прикажет...

Скрипнула дверь, раздались шаги.

— Это они пошли к начальнику сануправления Щербакову, — прокомментировал Перцуленко и, заметив мой унылый вид, добавил: — Сидите здесь, а я тоже пройду к Щербакову. Мужик умный! Уговорим...

И совершилось очередное чудо. Через полчаса я вышла из розового здания, унося с собой бумажку, в которой говорилось, что я направляюсь на работу воспитательницей в круглосуточный детский сад номер три.

Детские сады в Магадане сорок седьмого года резко различались по своему классовому составу. Был детский сад для детей начальства. Холеных мальчиков и девочек привозили на саночках няни или домработники (мужская прислуга из заключенных была бытовым явлением). Ребенку из семьи бывших зэка вход в этот сад был довольно прочно закрыт. Были и другие детские сады для более демократических слоев магаданского населения.

Зато 3-й детский сад, куда я получила назначение, представлял собой в сущности дошкольный интернат или детский дом. В нем жили только дети бывших заключенных. Многие родились в тюрьме или в лагере, начали свой жизненный путь с эльгенского деткомбината.

Помещался этот 3-й детсад неподалеку от нашего с Юлей дома в двухэтажном деревянном здании барачного типа, выкрашенном все в тот же розовый цвет. Рядом с этим зданием торчала труба котельной. Она пыхтела, чадила, извергала копоть прямо на прогулочный дворик, обволакивала лица детей клочьями едкого дыма. Зимой эта труба окрашивала снег прогулочного дворика в черный цвет.

Меня сделали воспитательницей старшей группы. Моим заботам было вручено тридцать восемь детей шести и семи лет. Понадобилось провести с ними всего два часа, чтобы понять, почему сануправление испытывало острый недостаток в педагогах, почему им пришлось прибегнуть даже к услугам такой криминальной личности, как я, террористка, осужденная Военной коллегией.

Это были трудные дети. Тридцать восемь маленьких невропатов, то взвинченных и возбужденных, то подавленно молчаливых. Некоторые из них были болезненно худы, бледны, с синими тенями под глазами. Другие, наоборот, как-то непомерно растолстели от мучнистого безвитаминного питания. Они были трудны и каждый в отдельности, и все вместе.

— Состав детей у нас специфический, — повторила слова Горбатовой заведующая детсадом, — я советую вам с самого начала принять с ними совершенно бесстрастный тон. Излишняя строгость и требовательность могут вызвать эксцессы, излишняя мягкость и ласковость сразу распустят их, потом не соберете.

Скорее всего, она была права и основывалась на опыте других воспитателей. Но она не знала, не могла знать, что именно бесстрастное отношение к этим детям для меня невозможно. Потому что я не могла воспринимать их как чужих. Это были подросшие эльгенские младенцы, мои спутники по крутому маршруту. Разве я могла быть бесстрастной и педагогически расчетливой (пусть из самых благих побуждений!) с этими маленькими мучениками, познавшими Эльген?

Эти ребята не знали многого, что знают их материковские ровесники. Они были, что называется, недоразвиты. Зато они догадывались о многом (не умея назвать по имени), доступном только старикам. От таких детей можно было отчаянно уставать, на них можно было гневаться, опускать руки в бессилии. Только равнодушной к ним оставаться было нельзя. Наверное, то чувство, которое я испытывала к ним, нельзя назвать любовью в точном смысле этого слова. Пожалуй, точнее было бы определить его как солидарность, как единокровность, что ли...

Кроме меня, все воспитательницы были договорницы, многие совсем недавно с материка. Среди них были милые люди, и я была благодарна им за душевный такт, за то, что не подчеркивают моего изгойства. Но дружить с ними я не могла. Они все казались мне больше детьми, чем наши воспитанники. Несмотря на то, что у них за плечами была война, эвакуация, голод, они кроме этого ничего не знали. Наивная доверчивость их по отношению к официальной пропаганде была так сильна, что они попросту не верили глазам своим, наблюдая колымские явления жизни. Напечатанное в газете было для них убедительнее увиденного на улице. Почти с религиозным экстазом обучали они детей популярной песне: «Один сокол —

Ленин, другой сокол — Сталин». Во всяком случае, чувства реальности у них было значительно меньше, чем, скажем, у Лиды Чашечкиной, родившейся в Эльгене, уже дважды насильственно разлучавшейся с матерью и перевидавшей за свои шесть лет жизни много метров колючей проволоки, десятки собак-овчарок и вахтенных вышек.

Мое радостное возбуждение по поводу высокого назначения сильно сникло после того, как я ознакомилась с программой детских садов, по которой надлежало воспитывать детей. От нас требовалось глубокое изучение этой программы и регулярное составление планов воспитательной работы — квартальных, месячных, недельных, ежедневных. Руководили нами в этом деле методисты из дошкольного методкабинета. Итак, я читала и перечитывала довольно увесистую программу воспитания маленького гражданина нашей страны.

В разделе «Патриотическое воспитание» от педагога требовалось, чтобы он выращивал не только чувство любви к Советской родине, но и чувство ненависти к ее врагам.

По развитию речи надо было изучить стихи «Я маленькая девочка, играю и пою. Я Сталина не видела, но я его люблю».

На музыкальных занятиях, которые вела сама заведующая садом Клавдия Васильевна, разучивали, кроме уже упомянутых «Двух соколов», еще несколько песен на ту же неисчерпаемую тему. «Если к нам приедет Сталин...» Потом песню юных моряков: «Дорогой товарищ Сталин, пусть пройдет немного дней...»

Узнав, что я играю, Клавдия Васильевна обрадовалась, велела мне присматриваться к методике ее занятий. Когда она будет занята административными делами, я смогу иногда заменять ее у инструмента.

Посещение дошкольного методкабинета было обязательным.

На первом же семинаре я услышала содержательный доклад методистки Александры Михайловны Шильниковой. Она давала оценку первомайскому утреннику в одном из детских садов и приводила отзывы детей, связанные с этим праздником.

— Мы любим товарища Сталина больше папы и мамы, — так, оказывается, говорили дети. Потом дети кричали хором:

— Пусть товарищ Сталин живет сто лет! Нет, двести! Нет, триста!

А один мальчик Вова оказался настолько политически подкован, что воскликнул:

— Пусть товарищ Сталин живет вечно!

В этом месте методистка Шильникова сделала паузу и взглянула на свою аудиторию победным и вместе с тем растроганным взглядом. Воспитательницы дисциплинированно и торопливо записывали все, что она говорила, в аккуратные общие тетради.

Вот такими непредусмотренными сторонами повернулась вдруг работа с детьми, которой я так добивалась. За десять лет моего отсутствия в нормальной повседневной жизни все процессы ушли очень далеко: и обожествление бессмертного Отца Народов, и проникновение Его в каждую щелочку, где еще маячила живая жизнь. А главное, стала совершенно непреодолимой проблема СОУЧАСТИЯ в его свершениях. Даже в таком, казалось бы, невинном деле, как выращивание маленьких детей.

Что делать? В первые дни работы у меня часто совсем опускались руки и мелькала мысль: не покаяться ли во всем Юльке и не попроситься ли все-таки в ее знаменитый утильцех? Может быть, за изготовлением пресловутых абажуров меня оставит это невыносимое ощущение вины и соучастия?

Но в это время я заметила, что дети называют меня «Евгеничка Семеночка». И не только в глаза, но и за глаза, когда говорят обо мне в третьем лице и думают, что я не слышу. Это был их способ отличать любимых воспитателей от постылых. Если «Анночка Иваночка» или «Тамарочка Петровночка» — значит, любят. Если «Зойка Андрейка» или «Еленка Василька» — значит, не пришлась им ко двору.

Перед «Евгеничкой Семеночкой» я не устояла. Ведь к этому времени я уже больше десяти лет не видела никого из своей семьи. А тут еще начала делать для них теневой театр «Кот в сапогах». И видела, сколько радости это доставляет им. Успокаивали и частые прогулки на сопку, собирание брусники, оживление детей, когда я читаю им Корнея Чуковского, Маршака. Читала, конечно, наизусть. В детсаде такой литературы не было. Осуждала я себя и за то, что у меня не хватало хладнокровия, умеренности, объективности. У меня появились любимцы, и мне стоило большого труда скрывать это. Например, я сразу выделила из общей массы детей Эдика Климова. Это был якутский мальчик. По крайней мере, мать его была якуткой. Отец, как у большинства этих детей, вообще терялся во мраке неизвестности. Вполне возможно, что Эдик был гибридом, потому что его смышленое румяное лицо с раскосыми монгольскими глазами было по краскам куда светлее, чем лицо его матери. Да и волосы у Эдика были русые. Мать его, отбывшая лагерный срок, как многие якуты, «за оленя», работала теперь шофером грузовика, возила технику на прииски и поражала своей физической силой, неотесанностью всех форм и каменной неподвижностью лица. Она была похожа на изваяние, стоящее на великом монгольском тракте, ведущем ко дворцу богдыхана. К сыну она приходила редко, а придя, степенно садилась в коридоре на стул, развязывала мужской носовой платок, вынимала оттуда леденец или пряник и без улыбки вручала Эдику. На все вопросы, которыми он ее засыпал, она громко откашливалась и так же степенно отвечала: «Будешь большой — узнаешь». И снова застывала в неподвижности.

А Эдику не хотелось ждать, пока он будет большой. Его узенькие глаза просто искры метали от любопытства.

— А кто строил этот дом? — спросил он, когда мы во время прогулки проходили мимо только что выстроенного кинотеатра «Горняк».

— Ну, тут понадобились люди разных профессий: и каменщики, и кровельщики, и монтажники, и столяры...

— Да я не про это, — досадливо отмахнулся Эдик, — я спрашиваю, кто строил: зэкашки или япошки?

Исчерпывающий ответ он получил от переростка Володи Радкина. Тому было уже за семь, и он успел всякие виды повидать, потому что по воскресеньям его брала к себе мама, хриплая пожилая блатнячка, перековавшаяся на продавщицу в продуктовом ларьке.

— Разве зэкашки могут такое кино отгрохать, — снисходительно сказал Володя, — на баланде-то! А япошки сытые... Им от пуза дают. Ну да и работать они здоровы.

Цепкий глаз Эдика то и дело падал на разнообразные явления окружавшего его мира и улавливал то и дело противоречия, требующие выяснений.

— А это кто?

Это он про портрет Энгельса, сверкающий красными лентами и огнями электроламп. Ясно, что спрашивает неспроста.

— Про кого ты?

Это я, чтобы выиграть время.

— Да вот второй-то. Первый — Маркс, третий — Ленин, четвертый — Сталин. А вот этого, второго, я забыл.

— Энгельс...

— А он... А он...

Эдик мнется, не зная, как выразиться поделикатнее. Что-то он слышал неважное про Энгельса. И никак не может связать это с лентами и лампочками.

— А он... русский?

— Гм... Он из Западной Европы...

Эдик догадывается, что я тоже избегаю произнести ругательное, неприличное слово «немец» по отношению к человеку, чей портрет висит рядом с Лениным и Сталиным. Не успокоиться, не докопавшись, в чем же тут дело, не может..

— А бывают разве такие немцы, что за нас? Энгельс, он ведь за нас, да?

— Безусловно. Он определенно за нас.

Тяжелый вздох. Нет, мучительный вопрос так и не решен.

— Евгеничка Семеночка! Наклонитесь, я вас на ухо спрошу.

Он обнимает меня за шею своими еще младенчески пухлыми руками и горячо шепчет прямо в ухо.

— А Володька на Энгельса глупости сказал... Что будто он немец. Не надо глупости повторять, да? Ведь мы всех немцев убили, правда? А Энгельс за нас, значит он русский, да?

Моя сменщица Анна Ивановна, отличная воспитательница, любящая детей, все-таки посоветовала мне:

— Вы не очень-то с этим Эдиком Климовым в беседы вступайте! Всю душу вымотает. Да и сам выскочкой станет.

Но я была уверена, что он не станет выскочкой, что все вопросы, которые он задает, интересуют его по существу. Он не красовался, не затирал других. Просто человек хотел определить свое отношение к жизни, к различным ее сторонам. Шестилетний человек стремился к гармонии и не мог успокоиться, когда видел что-то не укладывающееся в тот разумный мир, который рисовали ему воспитатели.

Однажды мы гуляли в нашем засыпанном копотью дворике. А рядом, на улице, пленные японцы копали какие-то канавы. Эдик высоко подбросил оловянного солдатика. Тот перелетел через забор и скрылся на дне глубокой канавы. Молодой верткий японец легко прыгнул в канаву и протянул Эдику через рейки забора спасенного солдатика.

— Скажи дяде спасибо, — посоветовала я.

— А он не дядя. Он япошка.

— Японец. Но ведь и у японцев бывают мужчины и женщины. А раз он не тетя, значит — дядя.

Под ударами этой неотразимой логики Эдик сначала призадумывается.

— А он с нашими воевал...

— Правильно! Но в этом были виноваты его командиры. Ему приказывали, и он побоялся не послушаться. А сам-то он скорее всего не хотел воевать. У него дома такой же мальчик, как ты, и ему жалко было с ним расставаться.

Эдик поколебался еще немного, потом влез на перекладину забора и закричал:

— Дядя! Дядя японец! Спасибо тебе, что ты моего солдатика спас. А другой раз ты своего командира не слушай и с нами не воюй! Лучше поезжай домой к своему мальчику!

Пленный понял ходовое слово «Спасибо». Он подошел вплотную к забору, часто-часто заговорил по-японски, показывая большие желтые зубы. Потом просунул руку между рейками и робко погладил Эдика по рукаву.

— Ты, наверно, похож на его мальчика, — сказала я и вдруг заметила, что и впрямь — раскосые азиатские глаза Эдика точь-в-точь такие же, как у пленного японского солдата.

Во время вечернего дежурства я должна была находиться в спальне, пока дети не заснут. Надо было тихонько бродить в тапочках по комнате, следить, чтобы дети не болтали после звонка на сон, чтобы правильно лежали подушки, а руки были поверх одеяла. Я полюбила этот вечерний час. В постелях они сразу становились обычными ребятишками, их жестокий жизненный опыт отходил куда-то в сторону. Раздавались полусонные вздохи, кто-нибудь еще раз — уже в третий или четвертый — говорил «Спокойной ночи»... Эти тихие минуты возвращали к далекому, навеки утраченному. И я, нарушая все установки методкабинета, гладила то одного, то другого по голове, говорила: «Спи, деточка...»

Многие из них никогда не слышали такого обращения к себе, и оно действовало гипнотически даже на самых отчаянных озорников. В этом материнском обращении они улавливали отблеск какого-то иного, не знакомого им мира. Они затихали, иногда прижимались на минутку щекой к моей руке и потом спокойно засыпали.

Мне всегда очень хотелось присесть на кровать к Эдику, поцеловать его на ночь. И было очень жалко, что этого делать нельзя. Но он, хитрец, догадался. Выждав, когда большинство ребят заснет, он садился на кровати и шепотом говорил:

— А у меня горло болит...

Он знал, что при жалобе на болезнь воспитательница обязана подойти. И когда я, подоткнув одеяло, присаживалась на краешек кровати, он со смехом шептал мне прямо в ухо:

— Это я понарошке... Ничего не болит... Я просто хотел вас спросить...

Дальше шли бесчисленные, почти всегда замысловатые для ответа «почему?» и «отчего?». Он был чертовски наблюдателен, этот малыш! Ему не давало покоя расхождение между теми правилами, которые прививаются в детском саду, и тем, что он видит в жизни.

— А воспитательницы всегда говорят, что садиться на землю нельзя, можно простудиться и испачкаться...

481

— Да, конечно, — отвечаю я, уже смутно чувствуя стоящий за невинной фразой подвох. И не ошибаюсь. А как же вот, Эдик сам видел на улице, как конвой кричал зэкашкам из нового этапа «Садись!», и все садились прямо на землю. А еще как раз дождик перед этим шел. И некоторые зэкашки прямо в лужи плюхнулись. Ведь они простудятся? Ведь это плохой конвой, да?

Чаще всего я уклонялась от ответов на такие вопросы. Переводила разговор на другие темы. Помнит ли, например, Эдик, что вчера он спрашивал меня, какие деревья растут в Африке, и можно ли научить обезьяну разговаривать, если очень долго и старательно с ней заниматься... Иногда моя хитрость удавалась, мысли мальчишки перескакивали на другой предмет. Но тут он настаивал.

— Это был плохой конвой, да?

И я не выдержала.

— Да уж, конечно, хороший человек не будет сажать других людей на холодную землю, прямо в лужи. Конечно, могут простудиться... А самое главное — ведь это очень обидно людям. А теперь спи, не спрашивай больше!

Обхожу еще раз полутемную спальню. Что я наделала! Завтра же он повторит где-нибудь мои слова...

И в дополнение к первому ляпсусу делаю второй, еще более запретный. Подхожу к Эдику и совсем тихо прошу его:

— Никому не рассказывай об этом нашем разговоре. Ладно?

— Конечно! Что ж я, глупый, что ли? — восклицает Эдик с интонациями тридцатилетнего...

...А методкабинет продолжал неуклонно продвигаться вперед по своему плану повышения квалификации педагогов. Мы прорабатывали тему за темой, проводили «обмен опытом». Каждое такое занятие лишний раз доказывало мне, каким анахронизмом являюсь я, человек тридцатых годов, среди новых людей и нравов. На примере крохотного мирка дошкольной педагогики я с ужасом убеждалась, как далеко мы продвинулись в искусстве лжи и фальсификации за десять лет моего отсутствия.

Запомнилась особенно тема «Творческие игры». Между полдником и ужином отводился час на так называемые творческие игры. Детям предоставлялась свобода играть во что и как хотят, а воспитатели, сидя в сторонке, должны были только утихомиривать, регулировать пользование общими игрушками, а главное — потом писать в графе «Учет», во что играли

482

дети и как проявлялись в их играх чувства советского патриотизма, ненависти к врагам и прочее...

В порядке «обмена опытом» я была направлена в группу Елены Васильевны, официально признанной лучшим педагогом детсада. Все восхищались ее умением добиваться тишины и полного послушания. Меня интриговало, почему же при всем том дети зовут ее за глаза Еленка Василька.

Действительно, боялись ее они здорово. Поэтому творческие игры велись шепотом. Но я все-таки различила, что играют они в баню. Городская баня, только что переоборудованная из части старого санпропускника, была одним из семи магаданских чудес и очень высоко котировалась у населения.

В детсаду детей мыли в тазах, страшно экономя воду, которую надо было таскать со двора. Поэтому дети, которых матери брали по субботам домой и водили в баню, надолго оставались под впечатлением горячих кранов, душей и хлебного кваса в предбаннике.

Девочки, исполнявшие роль мам, деловито мылили воображаемым мылом своих дочек, натуралистически поддавая им часто шлепки, наливали воду в тазы, изображая шипение кипятка, и при этом, увлекаясь, переходили иногда с шепота на громкий спор.

— А мы всегда ходим в баню. Потому что там наша тетя Зина кассиршей.

— И врешь! Как тетя Зина может быть кассиршей! Она зэкашка! А в кассы только вольняшек берут.

— И нет! Тетю Зину везде возьмут. Потому что у нее дядя Федя на вахте...

Елена Васильевна, польщенная тем, что я пришла перенимать опыт, протянула мне свою идеально разлинованную тетрадь для планов и учета воспитательной работы.

— Вот прочтите, как надо записывать творческие игры. На этой странице записана сегодняшняя.

— Как? Уже? Да ведь они еще играют!

— А я никогда не запускаю учет. Пишу его с утра, вместе с планом.

В графе «План» за сегодняшнее число значилось: «С пяти до шести часов пятнадцати минут — творческие игры по инициативе детей». В графе «Учет» тем же каллиграфическим почерком было написано: «Сегодня дети играли в военный госпиталь. Мальчики изображали раненых, девочки — медсестер. Девочки бинтовали мальчикам раны (использован подготовленный воспитателем игровой материал) и говорили, что воины — их защитники и спасли родину от немецких захватчиков, а мальчики отвечали, что они служат Советскому Союзу».

— Поняли, как надо писать «учет»? — с той же милой снисходительностью спросила меня Елена Васильевна.

О да, поняла вполне. Елена Васильевна хотела объяснить мне еще что-то, но в это время ребята, изображавшие купанье под душем, слишком расфыркались и расхихикались. И Елена Васильевна произнесла тихим леденящим голосом:

— Котов, встань к столу! Дорофеева, подойди ко мне! Резниченко, выйди за дверь!

Сразу воцарилась мертвая тишина. Елена Васильевна взглянула на часы.

— Шесть пятнадцать... Группа, строиться парами!

Ребята моей группы тоже часто играли в баню, в 1-й магазин (причем некоторые очень похоже изображали пьяных, валяющихся у дверей этого магазина). Играли, конечно, в музыкальное занятие, в школу, в магаданский парк культуры и отдыха, где детей больше всего привлекала клетка с медведями. Бурого Мишку и белую медведицу Юльку колымские пьяницы спаивали, принося им разведенный спирт в бутылках и потешаясь тем, что он пришелся медведям по вкусу. Первый раз, когда я подвела ребят к этой клетке, меня просто сразил вопрос, заданный кем-то из детей: «А почему медведям нельзя пить шампанское?» Потом оказалось, что на клетке висит объявление администрации, не сразу замеченное мной: «Приносить медведям шампанское строго воспрещается».

Я бывала очень довольна, когда дети в своих играх обращались к тем персонажам, о которых узнали от меня, когда они играли в Мойдодыра, в храброго Ваню Васильчикова, в ленинградского почтальона.

Однажды играли в «Кем быть». Разыгрались очень весело. Все кричали: «А летчиком лучше!» Всем хотелось быть летчиками, которых они знали здесь, в Магадане, как самых главных героев. Ведь именно летчики отвозили людей на сказочный «материк».

И вдруг сумрачная Лида Чашечкина провозгласила:

— А я, когда вырасту, буду Никишовым. Все меня будут бояться...

Имя начальника Дальстроя Никишова было им всем известно. На прогулке, проходя мимо большого квартала, обнесенного высоким забором, охраняемого часовыми, дети обязательно объясняли мне, что тут живет сам Никишов.

— Как ты можешь быть Никишовым, если ты девчон-

а! – это Эдик Климов отреагировал на Лидино дерзкое са‐
мозванство.

– И буду! – настаивала Лида.

– Нет, не будешь, – отрезал Эдик, но так как у него было
доброе сердце, добавил: – В крайнем случае, ты можешь стать
товарищем Гридасовой.

Александра Романовна Гридасова была молодая и краси‐
вая жена старого генерала Никишова. Ради нее он оставил свою
прежнюю семью, пережил некоторые неприятности в Моск‐
ве, но зато теперь именно эта красотка жила с ним в отгоро‐
женном высоким забором доме. Те зэкашки, которым посчас‐
тливилось попасть в штат некоронованной колымской королевы,
вечно рассказывали разные истории о ларцах с драгоценнос‐
тями, о пышных пиршествах, о том, что у Александры Рома‐
новны больше платьев, чем у покойной императрицы Елиза‐
веты Петровны.

Все эти и многие другие разговоры доходили до детей. Ма‐
маши, забирая их на воскресенье из стерильной жизни под ру‐
ководством методкабинета, вели их не только в общежития, но
и в шалманы, где жили сами. И уже многие дети, кто был по‐
умней или посовестливей, вроде Эдика, начинали догадывать‐
ся о какой-то большой лжи.

С каждым днем становилось труднее решать, что и как
говорить детям, как согласовать сведения, идущие из метод‐
кабинета, с картинами магаданской улицы. Как умудриться в
этих условиях привить им хоть крохи человечности, научить
отличать плохое от хорошего.

Моя Юля примечала, что со мной не все ладно, и время
от времени возобновляла свое приглашение в утильцех.

– Ну как твои труды праведные? – спрашивала она, вгля‐
дываясь в мое лицо по вечерам. – Каждый день мясной суп
ешь, а что-то все худеешь... А мы сейчас с абажуров на носо‐
вые платки перешли. Мережим и обвязываем... Может, соблаз‐
нишься?

Но при одной мысли о расставании с ребятами мне ста‐
новилось тошно. Может быть, попроситься в младшую груп‐
пу, к трехлеткам? Все равно, и там раздел «Патриотическое
воспитание» с подразделом «воспитание ненависти к врагам»...
Я отшучивалась от Юлиных расспросов, но все хуже и хуже
спала по ночам. Грызли меня, конечно, и личные мои боли.
Но немалую роль в этой бессоннице играли и мои теперешние
труды праведные, мои колымские педагогические проблемы,
которые наверняка не могли прийти на ум ни Ушинскому, ни
Песталоцци, ни Яну Амосу Коменскому.

ГЛАВА ПЯТАЯ

ВРЕМЕННО РАСКОНВОИРОВАННЫЕ

Почти каждый день я встречала на улицах Магадана зна комых. По Казани и Москве. По Бутыркам и Лефортову. П Эльгену и Таскану.

В сорок седьмом многим жителям нашего гулаговског царства, несмотря на все ограничения и задержки с освобож дением, удалось все-таки выйти за лагерную зону, заполучит «форму А» и таким образом перейти из класса рабов в клас вольноотпущенников. Многие устремились в Магадан. Для од них это был трамплин к возвращению на материк, для дру гих — место, где можно устроиться на лучшую работу и вы рваться из таежной дикости.

Встречи со старыми знакомыми радовали и одновременн ранили. Радовали потому, что это было живое воплощение мое го прошлого. Самим фактом своего существования эти люд отвечали на вопрос «Да был ли мальчик-то?». Да, да, он был Были и материк, и университет, и семья, и друзья. Были кни ги, концерты, мысли, споры... Вот я стою и разговариваю человеком, знавшим моих родителей. А эта женщина была с мной вместе в аспирантуре. Ведь они-то уж доподлинно зна ют, что я не родилась на нарах и что не всегда к моей фамили добавлялось звериное слово «тюрзак».

Но как беспощадно изменились все их лица! Обломки кру шения. Щепки, гонимые неодолимым злым ветром все дальш по направлению к последней пропасти.

Никто не выглядел старым. Большинству из тех, кто вы шел живым из этого десятилетия, было сейчас или около со рока, или чуть за сорок. Не возраст исказил их лица, а то неч ловеческое, через что прошел каждый. Всматриваюсь в свои старых знакомых тревожно и пристрастно. Как в зеркало. Зна чит, и у меня такая складка губ и такой взгляд — всезнающий как у змеи.

Почти никто не питал иллюзий. Настоящей воли нет и н будет. Мы заложники. И достаточно сгуститься... нет, не то чтобы каким-то реальным тучкам, а просто — достаточно сгу ститься сизому дымку, клубящемуся из знаменитой трубки чтобы нас снова загнали за колючую проволоку.

Те, кто ждал транспорта на материк, придерживались фор мулы отчаяния: «Будь что будет! Повидаю своих, а там...» Те кто оставался здесь, всячески старались утвердиться в ручном труде, в ремеслах. Кроме врачей, почти никто не работал, да и не хотел работать, по старой специальности. Зоологическая ненависть начальства к интеллигенции слишком хорошо была познана на собственной шкуре в течение лагерных лет. Быть портным, сапожником, столяром, прачкой... Забраться в тихую теплую нору, чтобы никому и в голову не пришло, что ты читал когда-то крамольные книги.

Многие винили меня в неосторожности. Как можно было идти работать в детское учреждение! Быть на виду у них! Скорее спохватятся, что зря выпустили...

Возвращаясь домой, я рассказывала об этих встречах Юльке, делилась с ней горечью своих предвидений и предчувствий. Юля принималась меня бранить. Раз уж пошла на такую работу, так нечего далеко загадывать! Надо уметь наслаждаться маленькими повседневными радостями, которые так долго были нам недоступны. Любимая Юлина формула была: «А ты вспомни Ярославль!»

Со всей силой своего истинно фламандского жизнелюбия Юля убеждала меня, что нам во всей этой эпопее еще дьявольски везет. Всем смертям назло мы живы, здоровы, неплохо выглядим, в сорокалетнем возрасте еще получаем письма от влюбленных в нас мужчин. А насчет еды!

— Вспомни ярославскую шрапнель. И ежедневно благодари небо за то, что ты в своем детском саду получаешь обед из трех блюд: суп, второе и компот из сухофруктов.

В заключение этого гимна сокам земным Юлька вспоминала стихотворную строчку: «Сколько прекрасного в мире! Вот, например, капуста!»

— О моя Муха, ты права, как всегда, — со смехом отвечала я ей, но довольствоваться «капустным» пайком никак не могла научиться.

Однажды я встретила на улице старую казанскую знакомую — Гимранову из университетской библиотеки. Ее муж, бывший ректор Педагогического института, пошел по мукам очень рано, года с тридцать третьего. Его обвиняли в татарском национализме. И она жила до собственного ареста в тридцать седьмом закусив губы, не позволяя себе предаваться горю, потому что ей надо было выращивать двух сыновей.

Она с рыданиями бросилась мне на шею, не обращая внимания на колонку детей, которых я вела на прогулку.

— Какая ты счастливая! Какая ты счастливая! — твердила она.

— Я? Счастливая? Ты разве не слышала? Мой Алеша...

— Знаю. Но ведь Вася жив! Ах, какая ты счастливая — твой Вася жив! А мои... Оба... Оба...

Обрубок, лишившийся обеих ног, завидовал одноногому, ковыляющему с костылем.

Да, я счастливая, мой Вася жив! И еще я счастливая потому, что у меня сейчас такая работа, которая дает возможность посылать ему гораздо больше, чем до сих пор. А скоро детский сад вывезет детей за город, начнется оздоровительная кампания, и нам будут в это время платить полторы ставки. Тогда я смогу купить Васе пальто. Он пишет, что ходит в телогрейке.

Предстоящую мне поездку за город Юля все время поднимает, так сказать, на принципиальную высоту. Подумать только — ведь это я на курорт поеду! Какая же тут может быть мировая скорбь!

На двадцать третьем километре от Магадана, где прежде была центральная больница заключенных, теперь организовали пионерский лагерь «Северный Артек». Летом там отдыхали школьники, а с конца августа туда отправляли малышей из всех детских садов и яслей.

Несколько дней хлопотливых, утомительных сборов. Купаем ребят, пакуем посуду, одежду, игрушки. И вот уже автобусы около нашего двора, а строгая Елена Васильевна отсчитывает своим негромким гипнотизирующим голосом: «Пятая пара проходит, десятая пара проходит... Гаврилов, не смотри по сторонам! Малинина, дай руку Викторову!»

И еще два трудных дня устройства, расстановки кроватей и столов, утихомиривание взбудораженных переездом детей.

Зато потом наступает благостная тишь. Сентябрь — лучший месяц в Магадане и вокруг него. Лето — всегда ветреное и дождливое — уступает место ясным задумчивым дням ранней осени. Осторожное медлительное солнце плывет по сопкам, а на них краснеет коралловыми рифами зрелая брусника. Шишки, битком набитые кедровыми орешками, оттягивают вниз ветки стланика. Тропинки, по которым мы бродим с ребятами, устланы толстым слоем хвои. Ноги скользят и пружинят, как на ворсе толстого ковра. Но самое умилительное — это бурундуки. Их здесь очень много, и, незнакомые с коварством людей, они отчаянно смелы. Бесстрашно шныряют под ногами, а иногда усаживаются на пеньки и, соперничая в любопытстве с ребятами, рассматривают нас в упор своими черными бусинками-глазками.

От близости природы дети стали мягче, тише, доступнее. К тому же на этот месяц отменены все занятия. Мы только гуляем, поем на ходу песни, читаем стихи, собираем бруснику и кедровые шишки.

488

За последние почти одиннадцать лет — это мое первое более или менее свободное общение с небом и деревьями, с травой, со зверушками. Брожу с детьми и стараюсь быть бездумной, как они. Минутами это почти удается. Вдруг рождается какая-то примиренность, приятие всего. Жизнь... Ее надо благодарить за все. И она отдаст все в свой черед. «Принимаю пустынные веси и колодца больших городов, осветленный простор поднебесий и томления рабьих трудов». И вот ведь дождалась, вот он передо мной — осветленный простор поднебесий. Пусть ненадолго, но ведь пришел все-таки на смену томлениям рабьих трудов.

Только по воскресеньям мне становилось здесь очень неуютно. Ко всем воспитательницам приезжали из города мужья, дети. И я снова должна была осознавать, что все простые человеческие радости не про меня. Ко мне не приедут. Мне не положено. Я из другого теста. И как раз по воскресеньям с особой истовостью в меня вгрызались все мои боли. Непоправимая — об Алеше. И требующие активного моего вмешательства две живые боли — о Ваське и об Антоне. С каждым из них дело обстояло плохо, очень плохо.

О Васе я получила из Казани письмо от Моти Аксеновой, его родственницы по отцу, в семье· которой он жил все годы своего сиротства, после того, как его разыскали в костромском детском доме для детей заключенных. Мотя писала, что у Васи тяжелый характер. За последнее время он связался с плохими мальчишками, пропускает школьные занятия, шляется в учебное время по бульварам и киношкам. Вообще с ним просто сладу нет. Еще можно было терпеть все это, пока другого выхода не было: мать была в тюрьме. Но теперь, когда мать на свободе, какая причина не приехать за своим ребенком? Или, может быть, мать думает, что те деньги, которые она посылает, окупают все труды и расход нервов, потраченных на Васю? Так очень ошибается!

В конце письма Мотя ставила вопрос в упор: почему я остаюсь после освобождения в Магадане, почему не возвращаюсь и не забираю своего сына, чтобы заботиться о нем самой? Дальше делались довольно прозрачные намеки, что, видимо, я предпочла материнскому долгу свои личные женские дела.

Ну как было объяснить, да еще письменно, этому жителю другой планеты особенности моей «свободы»? Да и к чему объяснять? Надо было обязательно забрать Ваську сюда, в Магадан. С Юлей все это уже было согласовано. Она даже сказала своему начальству, что к ней с материка едет племянник, и начальство обещало сменить нашу нынешнюю семиметровую комнату на двенадцатиметровую в соседнем бараке.

Но для въезда на Колыму нужен пропуск. А пропуска выдаются по разрешению отдела кадров Дальстроя. И легче верблюду пройти через игольное ушко, чем тюрзаку-террористу получить пропуск на члена семьи. Этим делом ведает полковник Франко, известный своей высокой бдительностью по отношению к врагам народа.

Опытные люди советовали мне действовать по особой методике, уже проверенной многими. Этот способ назывался «перманент» или «непрерывка». Следовало, получив отказ, подавать заявления снова и снова. Хоть десяток отказов! Пиши дальше! И в конце концов, по закону больших чисел, пропуск твой проскочит фуксом через бюрократическую машину. Ну мало ли что! Может быть, твое очередное заявление придется на время отпуска полковника Франко. Или канцеляристы что-нибудь перепутают.

Я послушалась этих советов, и к осени получила один за другим два отказа. Я подала третье заявление и одновременно записалась на прием к полковнику Франко, надеясь умилостивить его личным объяснением. Может быть, увидав меня воочию, он поверит, что опасность террористических актов с моей стороны и со стороны моего пятнадцатилетнего сына не так уж велика.

Аксеновым я посылала отчаянные письма, умоляя их потерпеть еще немного. Уже скоро-скоро я заберу Ваську. Писала я и самому Ваське — таинственному незнакомцу, чей образ двоился перед моим внутренним взором: я пыталась представить себе своенравного подростка с резкими повадками, но тут перед глазами выплывала толстенькая фигурка четырехлетнего малюканчика на руках няни Фимы.

Писала я и маме, просила ее объективно написать, велика ли опасность, что Васька совсем отобьется от рук и бросит школу. Мама отвечала, что, конечно, надо мне Васю вызвать к себе. Вообще-то он умный и довольно красивый парень. Но характер... Сама увидишь.

Начались снова мучительные сны про Ваську. Я просыпалась в холодном поту, с сердцебиением. Мне снилось, что он бросил школу, связался с уголовниками и что я встречаю его в лагере.

Не лучше обстояли дела и с Антоном. Всего дважды я получила от него по Юлиному адресу короткие весточки. Один раз — это было письмо, присланное официально, по почте, со штампом лагерной цензуры. В письме подробно описывалась природа вокруг прииска Штурмовой, а о себе сообщалось лаконично: жив-здоров. Второй раз — это был мешочек с кедровыми орешками. Его передал экспедитор со Штурмового, приехавший в Магадан по делам. К сожалению, ни меня, ни Юли не было дома, и он оставил мешочек у соседей, сказав только, что это от доктора Вальтера. Мы перебрали орешки по одному и нашли-таки среди них свернутую трубочкой записку на папиросной бумаге. Всего несколько слов по-немецки. Из них было ясно: командировка строго режимная, никакой связи с вольными, будущее покрыто мраком.

Вот потому-то я и не любила воскресений, которых почти все остальные обитатели нашего детского оздоровительного лагеря ждали с нетерпением. В обыкновенные дни горькие мои раздумья вытеснялись работой, непрерывным напряжением нервов, заботами о том, чтобы все мои тридцать восемь человек были здоровы, чисты, сыты, веселы. А по воскресеньям на моих руках оставалось всего семь-восемь человек ребят, таких же бездомных бедолаг, как я. К остальным приезжали мамы, а в отдельных случаях даже папы или дяди, и ребята уходили с ними, разбредались отдельными группками.

Своих безродных я старалась отвлечь от естественного чувства зависти, от ощущения своей неполноценности и заброшенности. Поэтому я с самого утра уводила их на дальние прогулки, в сторону от лагеря. Кстати, чтобы и самой не видеть, как весело щебечут мои вольные коллеги-воспитательницы с приехавшими мужьями и детьми.

Во время этих дальних походов я освобождала себя от программы, утвержденной методкабинетом. Чтобы как-то утешить и себя, и их, я пересказывала своим сиротам книжки моего детства. Они узнали от меня историю маленького лорда Фаунтлероя, оторванного жестоким дедом от матери. И злоключения маленькой принцессы Сары Крю, которую так обижали злые люди, что она подружилась с крысой. Крысу звали Мельхиседек. И мало-помалу я начала уже говорить им о Давиде Копперфильде с его жестоким отчимом, и о ранней смерти Домби-сына, и о крошке Доррит...

В конце прогулки, когда я, усталая, усаживалась на пенек, мои неутомимые воспитанники, как гномы, продолжали кружиться вокруг меня, награждая меня за рассказы горстями спелой брусники. Сыпали ее мне прямо на колени, а потом мы ели все вместе. Бывали в этих одиноких прогулках и хорошие минуты, когда я чувствовала благодарность и привязанность детей.

Тем не менее я бесконечно обрадовалась, когда однажды,

уже под конец нашего курортного сезона, я услышала в одно из воскресений голос моей сменщицы Анны Ивановны:

— К вам гости! Двое мужчин...

На секунду мелькнула безумная мысль: не Антон ли появился каким-то чудом? Но на пороге стояли двое незнакомых людей — старик и человек лет сорока. Они представились. Старик назвался Яковом Михайловичем Уманским, его спутник — Василием Никитичем Куприяновым. С первого беглого взгляда можно было определить, что оба они — бывшие заключенные. Как попали сюда, что здесь делают? Ведь до сих пор я была здесь одна-одинешенька в царстве вольняшек.

Все оказалось очень просто. Когда на территории теперешнего лагеря «Северный Артек» была центральная больница заключенных, оба мои гостя, врачи-патологоанатомы, работали здесь и жили в маленькой комнатке при морге. Теперь эта хатка вне ограды пионерского лагеря. С октября анатомы должны перейти в Магадан, работать в морге вольной больницы. А сейчас им поручено составить для управления лагерей большой секретный отчет о смертности заключенных. Вот потому они и живут тут, по соседству.

— Узнали, что среди воспитательниц есть одна наша, ну и пришли, — сказал Куприянов. — Поди несладко тут одной среди вольняшек. Словом не с кем переброситься. Давайте погуляем, поговорим...

Наконец-то, наконец и у меня появились родственники. И мне тоже разрешают передать детей другой воспитательнице, а самой идти со своими гостями...

Мы отправились на дальнюю сопку. Мы говорили наперебой. Говорили, как друзья, встретившиеся после долгой разлуки. Нас не отравляло то гнусное чувство неуверенности в собеседнике, опасение предательства, которое так часто и так долго (уже десятилетиями!) отравляет многие наши новые знакомства.

Старик Уманский с первого же знакомства проявил свою страсть к философствованию, к теоретическому осмысливанию происходящего. О чем только он не говорил в эту первую нашу встречу. О трагизме нашей эпохи, об ее апокалиптическом характере. О слепой игре иррациональных злых сил и в нашей личной, и в общей исторической жизни. О фашизме, об этом духовном заболевании человечества, и об его заразительности.

Речи Василия Куприянова были насквозь пропитаны горечью. Бывший коммунист, притом пламенно верующий, он, пройдя через все наши круги ада, переживал теперь неизбежные сумерки кумиров, и это перерастало у него в отрицание реальной силы добра вообще. Он был теперь убежден, что удел всего честного и доброго — гибель. Молодой ученый, подававший в тридцатых годах блестящие надежды, он говорил теперь о полном крушении гуманистической культуры, вспоминал пророчество Герцена о пришествии Чингисхана с телеграфом.

Выглядел Куприянов, в противовес своим горьким речам, очень хорошо. Белокурый викинг. Типичный синеглазый, прямоносый, высоколобый помор. Он был родом из Архангельска.

— Вы похожи на Рюрика, Синеуса и Трувора, — смеясь, сказала я ему.

Старик Уманский, философ-созерцатель, знаток Священного писания, полиглот, пожиратель стихов, сформировался под влиянием противоречивых условий. Нищее детство в еврейско-украинском местечке, а потом долгая эмиграция и образование, полученное во Франции и в Швейцарии.

Из чуть выпуклых голубых, совсем не выцветших глаз Уманского, из всех морщинок и бугорков стариковского лица так и струилась доброта. Речь его, битком набитая цитатами, была тем не менее ярко своеобразна, полна мягкого, слегка по-еврейски окрашенного юмора. Память Якова Михалыча была просто феноменальна для его возраста. Он читал наизусть кого угодно — и Лукреция Кара, и Георгия Плеханова, и лорда Байрона, и Давида Бурлюка.

Несколько часов кряду бродили мы по сопке, охрипли от споров и наконец присели на склоне отдохнуть и поесть брусники. Стоял один из прозрачных сентябрьских деньков. Брусника была в самом соку. Мы ели ее горстями, высыпая в рот из ладони. Оба мои кавалера по-рыцарски подносили мне то и дело зеленые ветки, огрузневшие от зрелых ягод.

— Не надо, Яков Михалыч. Вам трудно... Пусть уж Василий Никитич постарается, он молодой.

— И я не так уж стар, — слегка обижается Уманский и огорченно добавляет: — Впрочем, и не молод, конечно. В Библии сказано: веку же человеческого — семьдесят лет, а что свыше — то от крепости. Так вот, я уже перешел на крепость...

Я навсегда запомнила ту душевную радость, которую принесло мне это нечаянное общение с неожиданно обретенными родственниками. Какими родными я их чувствовала в этот солнечный день! По страданиям. По мыслям. По желаниям и надеждам. Есть ли ближе родство? Почему-то человеку доставляет особую радость сознание общности психологических законов. И мне и моим гостям было так отрадно видеть, что в условиях одинаковых страданий и унижений наши мысли и чувства развивались в одном направлении, приводили нас часто к одинаковым выводам.

С полунамека поняли они и все конкретные сиюминутные трудности моего вольнонаемного существования.

— Вот приедет Васька, — говорил Уманский таким тоном, точно знал моего Ваську с самого рождения, — и я буду с ним заниматься по математике и по языкам. Чтобы он подогнал все, что там упустил, шалопай этакий!

Куприянов, в противоречии со своим всеобъемлющим пессимизмом, утешал меня насчет пропуска.

— Правильно делаете, что пишете повторно. Пишите! По закону больших бюрократических чисел в конце концов машина сработает на «Да». Логика? Ишь, чего захотели! Именно по закону алогизмов и сработает. Только на прием к этому атаману шайки не ходите. При всех условиях лучше, чтобы персонально они нас не знали.

В итоге тридцать седьмого года Куприянов потерял двоих самых дорогих людей: жену и товарища, с которым шел вместе с детства до самого ареста. Жена уже на втором году заключения умерла в Томском женском лагере для жен изменников родины. С другом вышло хуже. Он не только стал свидетелем обвинения по делу Василия Никитича, не только дал ему «очную ставку», подтверждая, что Куприянов имел преступные сношения с моряками иностранных кораблей, приходивших в порт Архангельск, но и присвоил себе почти готовую диссертацию Куприянова. Сейчас кафедру получил. И хоть бы рубль дал старой матери своего бывшего друга, которая работает уборщицей и растит четырнадцатилетнего внука, единственного сына Василия Никитича.

— Надо ехать. Не сомневаюсь ни минуты, что опять посадят. Но выхода нет. Может, хоть год продержусь на поверхности, поддержу их.

Отчетливо помню странное, почти мистическое чувство предвидения дальнейшей судьбы Куприянова, охватившее меня вдруг. Знала, что погибнет. И что отговаривать от поездки на материк — бесполезно.

Что до Уманского, то он, оказывается, прибыл на Колыму в качестве вольного врача-договорника.

— Хотите презирайте, хотите нет, но приехал за деньгами. Двойная ставка, процентные надбавки. А у меня две дочки. Обе невесты. Сусанночка и Лизочка. Я вырастил их без матери, жена умерла рано.

Дальше жизнь Якова Михайловича приняла вдруг такой неожиданный оборот: в тридцать седьмом вольные врачи Мага-

494

дана были призваны выразить на собрании свое гневное возмущение антисоветскими и аморальными поступками арестованного в Москве известного профессора Плетнева.

И тогда доктор Уманский, приехавший на Колыму с целью скопить приданое дочкам, поднялся и сказал: «Я не знаю политических взглядов профессора Плетнева, на эти темы мы с ним не беседовали. Но я работал в его клинике и могу заверить вас, что все эти россказни о том, что он якобы пытался изнасиловать пациентку, абсолютная несусветная чушь. И это скажет вам всякий, кто хоть немного знает профессора Плетнева. И лично я голосовать за такие вздорные обвинения не могу».

На этом и закончилось накопление приданого для барышень Уманских. На другой же день после этого выступления Яков Михайлович был арестован. Он получил по Особому совещанию полных десять лет по статье КРА (контрреволюционная агитация). Он полностью отбыл этот срок и освободился совсем недавно.

Под конец нашей прогулки Яков Михалыч вдруг отчаянно заспорил со мной, услыхав, что я назвала бывших заключенных вольноотпущенниками.

— Совершенно неточный термин! — горячился он. — Абсолютно несравнимые категории! Я вам назову десяток имен римских вольноотпущенников, которые стали потом персонами грата. И уж во всяком случае никому из них не угрожало возвращение в рабство. А мы? Да ведь каждый бывший зэка — это в то же время и будущий зэка. Как вы смотрите, Василий Никитич?

Куприянов усмехнулся.

— Что уж говорить мне, пессимисту, если наш оптимист делает такие прогнозы! Не будем углублять терминологический спор. Скажу только одно: мне ясно, что наша сегодняшняя бесконвойная прогулка — это одна из улыбок судьбы, дарованная нам в промежутке между двумя тюремными циклами. Наш Родной Отец никогда не прощает тех, кому он сделал такое зло...

— Сдаюсь, — провозгласила я, — действительно, вольноотпущенник — не то слово. А как посмотрит ученый совет, если я предложу другое ходовое словечко — «временно расконвоированные?»

— Это точнее, — одобрил старик. — Но тем не менее, сознавая это, мы должны жить так, точно всерьез верим в свою свободу. Иначе сведется к нулю вся прелесть этих расконвоированных дней или месяцев.

— А вот с этой точки зрения стоит ли рисковать мальчишкой? — задумчиво сказал Куприянов. — Может, лучше вам самой добиваться разрешения на материк?

— Кто ее туда пустит, террористку-тюрзачку? И чем она там этого Ваську кормить будет? Здесь вон какого педагогического чина удостоилась, а там и в уборщицы не возьмут. Нет, Ваську надо обязательно сюда. Бог милостив, может, успеет кончить школу, пока мама расконвоирована. А нет, так хоть честным человеком вырастет, увидав своими глазами колымский пейзаж.

С какой готовностью они принимали в себя чужие боли! Как добры они были, эти люди, пережившие свыше того, что, казалось бы, может пережить человек!

И все они умерли, умерли... Куприянов уехал в Архангельск в сорок восьмом, а уже в пятидесятом мы узнали, что он погиб в этапе по пути в Восточную Сибирь, после второго ареста. Уманский был просто сражен горем. «Почему не я? Почему не я? — твердил он все время. — Ведь он, Василий Никитич, почти целых тридцать лет не дожил до того возраста, который определен человеку Священным писанием. Такой ученый! Мог быть вторым Пастером или Вассерманом. А умер от голодного поноса...»

Впрочем, и сам Яков Михалыч ненадолго пережил своего молодого друга. Но об этом дальше...

ГЛАВА ШЕСТАЯ

И БАРСКИЙ ГНЕВ, И БАРСКАЯ ЛЮБОВЬ...

Год сорок восьмой надвигался на Магадан, с мрачной неотвратимостью пробиваясь сквозь сумерки ледяного тумана, сквозь угрюмую озлобленность людей.

Бешеный заряд злобы несли на этот раз не столько заключенные и бывшие зэка, сколько вольные. Денежная реформа конца сорок седьмого года, пожалуй, больнее, чем по жителям любого другого угла страны, ударила по ним, по колымским конкистадорам, по здешним простым советским миллионерам. В верхней прослойке договорников отряды этих социалистических миллионеров были уже довольно значительны. Но даже и средние вольняшки, прожившие на Колыме несколько лет, насчитывали на своих сберкнижках сотни и сотни тысяч.

Все эти люди, привыкшие ощущать себя любимыми детьми советской власти, были оглушены обрушившимся на них ударом. Как! Поступить подобным образом с ними, с теми, кто составлял оплот режима в этом краю, населенном врагами народа! С теми, кто пережил здесь столько студеных зим, лишая свой организм витаминов!

Для многих эта реформа стала началом краха того иллюзорного мира, в котором они жили и который казался им так безупречно организованным. Мне запомнилась беседа с бывшим командиром тасканского взвода вохры. Я встретила этого «знакомого» на улице, по пути на работу, и он долго задерживал меня, чтобы я приняла на себя взрыв распиравших его словес. Ох, и удивительные же это были словеса! Голос командира шипел, клокотал, захлебывался.

— Справедливость называется! Семь годов мантулил как проклятый! Жизнью рисковал... Каких зубров охранял! Баба моя ребят бросала на благо святых, сама на работу бежала, проценты эти выбивала. А сейчас... Только, понимаешь, оформились на материк, уволились с Дальстроя. Ну, думаем, хату на Полтавщине купим, барахла всякого... По курортам покантуемся... И вот — на тебе! Купишь тут шиша елового...

Я охотно повела с таким необычным собеседником массово-просветительную работу. Дескать, война и все такое... Инфляция... Оздоровление экономики...

— А, брось ты, понимаешь! Хорошо вам, голодранцам, про экономику-то болтать! Терять вам нечего... Да и люди вы отчаянные. Не только денег, а детей своих не пожалели, во враги народа подались...

И вдруг он прервал сам себя, пристально поглядел на меня, махнул рукой и буркнул:

— А может, и про вас все наврали! Черт его разберет!

Настроение вольных было испорчено еще и тем, что появились новые этапы заключенных, получивших свежие сроки именно за махинации, связанные с реформой. Им дали статью «экономическая контрреволюция», и они, таким образом, попадали опять-таки в категорию врагов народа. Были такие случаи и среди жителей Магадана.

По углам тревожно шептались, передавая сенсационные подробности разнокалиберных денежных операций. Самая суть махинаций была для меня абсолютно непостижима: кто-то кого-то предупредил, кто-то кому-то продал, кто-то не то вовремя снял деньги с книжки, не то, наоборот, вовремя положил на книжку. Но развязка во всех случаях была стандартной: десять, иногда восемь, лет заключения за экономическую контрреволюцию.

Юлька радовалась как ребенок, что мы-то нисколько не пострадали от денежной реформы. Ни одного гривенника!

— Мне хорошо, я сирота! — острила она и добавляла: — Нет, у меня все-таки есть интуиция... Как будто какой-то внутренний голос подсказал мне: покупай вторую раскладушку!

Эту капитальную затрату мы сделали, имея в виду предстоящий приезд Васьки. Но пока что все это оставалось в пределах беспочвенных мечтаний, потому что к началу сорок восьмого года я получила от отдела кадров Дальстроя уже восемь — ВОСЕМЬ! — отказов на выдачу моему сыну пропуска в Магадан.

Вся технология «перманентной» подачи заявлений была у меня уже отработана с предельной четкостью. Я выходила из комнаты, где мне сообщали: «Вам отказано», и тут же заходила в соседнюю, куда сдавала новое, заготовленное заранее заявление. Новые заявления принимались механически и безотказно. Каждый раз говорили: «За ответом придете такого-то числа». И после этого отчаяние опять уступало место обманчивым надеждам.

Да, на встречу с Васькой я еще надеялась. Потому что от него шли письма. Скупые, редкие, но шли. И он выражал в них интерес к предстоящему, первому в его жизни, далекому путешествию.

Зато мысль об Антоне и его судьбе будила меня среди ночи толчком в самое сердце, обливала холодным потом, застилала глаза мутной тьмой.

После мешочка с кедровыми орехами потянулись долгие месяцы без всяких вестей, без признаков жизни. Я развила бешеную энергию. Писала всем нашим, кто после выхода из лагеря жил в районе Ягодного и Штурмового. И вот уже перед самым Новым годом пришел ответ, хуже которого трудно было придумать. Одна из моих знакомых по Эльгену все разузнала и сообщила мне, что Антона уже давно нет на Штурмовом. Его отправили в этап и при очень странных обстоятельствах. В обстановке строгой секретности. Без всякого нарушения режима с его стороны. Отправили одного, спецконвоем. Похоже, что по требованию откуда-то свыше.

В бессонные ночи передо мной проплывали картины недавних военных лет. Сколько заключенных немцев (советских граждан) вот так же отправлялись в секретные этапы, чтобы никогда и никуда не прибыть. Правда, сейчас война кончилась. Но кто поручится за колымское начальство! Мне рисовались сцены избиений, допросов, расстрела. Виделась таежная тюрьма «Серпантинка», о которой никто ничего не знал, потому что еще ни один человек оттуда не вернулся.

Хуже всего было сознание собственного бессилия. Я даже не могла сделать официального запроса об его участи. Ведь я не родственница. Пораздумав, написала в Казахстан одной из его четырех сестер, находившихся там в ссылке. Просила ее сделать запрос от имени родных. Они писали. Им не ответили.

Между тем на работе у меня тоже происходили существенные перемены. Вскоре после нашего возвращения из «Северного Артека», где мне дали Почетную грамоту, меня вызвала к себе начальник детских учреждений доктор Горбатова. Она начала разговор с того, что очень довольна моей работой.

— Все у вас есть: образованность, трудолюбие, привязанность к детям. Но...

У меня похолодело под ложечкой. Смысл этого НО был ясен. Наверно, отдел кадров сживает ее со света за то, что она держит террористку-тюрзачку на «идеологическом фронте». И сейчас эта добрая женщина ищет слова, чтобы смягчить удар. Боже мой, что же я буду посылать Ваське?

— Нет, нет, никто вас не увольняет, — воскликнула Горбатова, прочтя все это на моем лице, — я просто хочу принять некоторые меры, чтобы упрочить ваше положение...

Оказалось, что в нашем детском саду освобождается место музыкального работника. Наша заведующая, которая по совместительству вела музыкальные занятия, уходит в 1-й детский сад. Таким образом, мне предоставляется замечательная возможность.

— Мне сказали, что вы хорошо играете.

— Очень неважно. Училась давным-давно, в глубоком детстве.

— Ничего. Поупражняетесь — восстановите. Зато, понимаете...

И тут Горбатова заговорила так открыто, точно сама была не начальником, а тюрзачкой-террористкой.

— В ближайшее время из Красноярского дошкольного педучилища прибудет несколько выпускниц-воспитательниц. Тогда мне будет почти невозможно отстаивать вас дальше. А пианистка... Пианисток среди них нет. Это для вас защитная добавочная квалификация. К тому же слово «пианистка» звучит как-то нейтральнее. Подальше от идеологии... Ну что, согласны? Зарплата та же.

Рассуждения эти не могли вызывать возражений. Но все-таки соглашалась я скрепя сердце. Ведь здесь не таежный Таскан, где достаточно было разбирать «Песни дошкольника». Здесь придется проводить утренники при большой публике, играть бравурные марши в быстром темпе. Одним словом — надо был[о] срочно вернуть утраченную технику.

Я дала телеграмму в Рыбинск, где после войны жила мам[а,] оставшись на месте своей эвакуации из Ленинграда. Бедна[я] все думала, что Рыбинск-то, может быть, мне и разрешат. Сейчас я просила выслать ноты, не очень-то надеясь, что он[а] сможет купить в Рыбинске то, что надо. Но прибыла банде[роль], роль, и я с изумлением обнаружила в ней мои старые детски[е] ноты. Как она умудрилась сохранить их, вынести из двух пожа[-] рищ, своего и моего дома? Однако — факт: у меня в руках бы[л] мой собственный Ганон, над которым некогда страдала я, вось[ми]милетняя. Пожелтевшие подклеенные страницы пестрели рез[-] кими карандашными пометками учительницы, и я вспомнил[а] ее большую руку, обводившую лиловыми кружками те ноть[,] на которых я фальшивила. На одной странице было написан[о] кривыми ребячьими буквами: «Не умею я брать октаву. Руки н[е] хватает!» И «умею» — через ЯТЬ.

Ганон! Я смотрела на него с глубоким раскаянием. Ве[дь] именно в нем воплощались для меня когда-то все силы старо[-] го мира. Именно эту тетрадь я забросила подальше, подава[я] заявление в комсомол и объявив родителям, что у меня тепер[ь] заботы поважнее. Пусть дочки мировой буржуазии штудирую[т] Ганон!

Думала ли я тогда, что настанет день, когда отвергнуты[й] Ганон прибудет на Крайний Север спасать меня от увольне[-] ния с работы, от беды, от всяческого злодейства. Прости меня[,] Ганон! И вы простите, Черни и Клементи!

Я рьяно принялась за дело, просиживая долгими часами [у] расстроенного детсадовского пианино. Совсем не просто был[о] вернуть гибкость пальцам вчерашнего лесоруба и кайловщика[.] Видела бы мама, как я усидчива, как настойчиво не отхожу о[т] инструмента! Сколько огорчений доставила ей когда-то мо[я] музыка! Теперь от этой постылой в детстве тетради зависел[а] моя дальнейшая жизнь, судьба Васи... И я старалась. И мн[е] помогали пометки давно умершей учительницы.

Горбатова была права: для отдела кадров слово «пианист[-] ка» звучало нейтральнее, чем «воспитательница». Но она оши[-] балась, думая, что музыкантша детского сада может стоят[ь] подальше от «идеологического фронта». Наоборот. Ведь имен[-] но музыкальный работник должен был быть и автором сцена[-] риев, и режиссером всех праздничных утренников. А утренни[-] ки это и был основной «товар лицом». Их показывали начальству[.] Их проводили раз семь в году, по всем двунадесятым и пре[-] стольным праздникам. По успеху или провалу утренников су[-]

500

или обо всей работе с детьми. Так что и в новой моей должности методистки из дошкольного методкабинета продолжали бдительно следить за каждым моим шагом.

Моим дебютом должна была стать елка, новогодний утренник сорок восьмого года. Именно в эти черные дни, когда я уже была вконец обессилена борьбой за приезд Васьки, когда неотступно стояло передо мной лицо Антона, истерзанного, может быть убитого, — именно в это-то время я и должна была изощряться, чтобы составить сценарий, какого еще не было в Магадане, яркий, веселый, полный елочной мишуры. И не только сочинить сценарий, но и заразить его веселостью детей, воспитателей. И главное — чего уж там скрывать от себя самой — ублажить начальников, которые придут смотреть.

Бросить все, уйти в спасительный утильцех? Но там я заработаю втрое меньше. А вдруг в это время разрешат вызвать Васю? А у меня не будет денег на билет для него... Значит, надо делать все, чтобы понравилось, чтобы не выгнали с выгодной работы...

Елка удалась на славу. Да это и нетрудно было. Ведь масштабом для сравнения были довольно казенные представления, однообразно переходящие из года в год. Методистам понравилась драматизация сказки. Это давало ценный опыт для работы кабинета методики. Родители хохотали вместе с детьми. Горбачёва жала мне руку и говорила громко, так, чтобы слышал начальник кадров Подушкин: «Такого утренника в наших садах еще не было». Даже сам начальник сануправления Щербаков улыбнулся и кивнул мне головой.

О низость! Я ли это? И не лучше ли, в конце концов, было в тюрьме и в лагере? Там мне не надо было ловить начальственные улыбки. Там пайку давали даром. Да, но пока я ела эти даровые пайки, пропал Алеша. А теперь я должна спасать Васю. Нет, не любой ценой, конечно... Не любой... Ведь я не сделала ничего подлого. Только притворилась веселой, только любезно ответила на улыбку Щербакова... Такие силлогизмы терзали меня день и ночь, и хуже всего было то, что Юле нечего было и заикаться об этом. Она гордилась моими успехами, а все остальное считала «интеллигентскими рефлексиями».

...Стоял беспросветный магаданский январь. Правда, температура здесь не доходила до пятидесяти, как часто бывало на Таскане или в Эльгене. Но магаданские тридцать-тридцать пять переносить было тяжелее, чем таежные пятьдесят. Колкий ветер с моря, промозглость воздуха и какое-то особое, чисто магаданское удушье терзали людей.

Каждое утро хотелось умереть. Главным образом и для того,

чтобы все забыть. И это страстное желание все забыть кажд[ое]
утро терпело поражение. Его побеждала именно память, кото[-]
рая подсовывала одно только слово: Васька. Ведь его надо з[а]
получить сюда. А если даже это не удастся, то ему надо посы[-]
лать каждый месяц деньги на жизнь, на образование.

В один из таких дней, когда хотелось от отчаяния выть п[о]
волчьи, а приходилось аккомпанировать ребятам, разучива[в-]
шим песню «Сталин — он с нами везде и всегда, он — путево[д-]
ная наша звезда», дверь музыкальной комнаты отворилас[ь,]
вернее, чуть-чуть приоткрылась.

— Вас вызывают... Из дома...

У дверей стояла Юля. На лице ее был отсвет чего-то н[е-]
обычайного — тревоги, изумления, радости, чуда, землетряс[е-]
ния какого-то, что ли. Она сжала мою руку и зашептала:

— Скажи, что ты неожиданно заболела. Или еще что-ни[-]
будь наври... Но отпросись домой! Немедленно! У него в распо[-]
ряжении только один час.

— У кого?

— У Антона Вальтера. Он сидит в нашей комнате.

Не помню, как мы шли, как бежали против ветра. Помн[ю]
только, что Юля сказала: «Отдышись, а то умрешь. Как буд[то]
перед ним отчитываться!»

Он стоял у самого порога, прислушиваясь к движению [в]
коридоре. Сразу узнал мои шаги и распахнул дверь. И я прям[о]
упала к нему на руки.

На улице я бы его не сразу узнала. Он был похож тепер[ь]
на любого из наших тасканских доходяг. Просто невероятн[о,]
чтобы можно было так исхудать меньше чем за год. Он поче[-]
му-то хромал, и нога была перевязана. Черные тени лежал[и]
под глазами. Морщины на щеках стали резкими, как у старик[а.]
Но это был он. Живой. Пусть даже полуживой. Он все врем[я]
дотрагивался до моей руки, точно стараясь убедиться, что эт[о]
действительно я, точно это я, а не он, восстала из гроба.

Теперь мы услышали ответы на все мои ночные загадки[:]
где? как? почему?

На Штурмовом все шло сначала более или менее благо[-]
получно. Хлеба достаточно, обращение начальства хоть и хо[-]
лодное, но вежливое. До тех пор, пока не появился там новы[й]
начальник режима. Он сразу возненавидел доктора по многи[м]
причинам. И за манеру свободно разговаривать с начальством[,]
и за то, что заключенному врачу довелось однажды увидет[ь]
режимника не в форме, когда тот занемог, малость перехвати[в]
чистого спирта. И за то, что вообще немчура, фриц недоби[-]
тый, еще лыбится, вражина...

Стал помаленьку утеснять врача. Запретил писать и получать письма. А кем она вам приходится, эта Гинзбург? Чтой-то подозрительно... А вот ослобонитесь, тогда и пишите... Вот так годил доктор под барский гнев.

А в это время в столичном городе Магадане действие развивалось в обратном направлении: доктор явно подпадал под барскую любовь. Дело в том, что у начальника Дальстроя генерала Никишова страшно разболелась печень. Приступы были лютые, и генерал гневался на врачей. Ничего не могут... И однажды кто-то из придворных обмолвился, что вот в Москве, дескать, в таких случаях отлично помогают гомеопаты.

— Так неужели нет у нас среди зэка гомеопатов?
— Вспомнили! Есть один! Только немец!
— Ну и хорошо, что немец! Они в науке хитры. Где он?
— На Штурмовом, на строгом режиме.
— Вызвать в Магадан!

И в один прекрасный день на Штурмовом получили приказ: этапировать заключенного Вальтера Антона Яковлевича в Магадан. Приказ лег на почву давно бурлившего барского гнева и поэтому был воспринят как репрессия против ненавистного немца. Режимник не сомневался, что Вальтера везут на переследствие и пересуд. А так как два лагерных срока, в дополнение к первому, основному, у немца уже были, то что ж ему, голубчику, остается? «Серпантинка» и вышка! Или прямо вышка, без пересадки. Меньше всего режимнику приходило в голову, что немчура потребовался САМОМУ. И отправил он Вальтера в общем порядке, то есть именно по этапам. Как на грех, в магаданском приказе не проставили слово СРОЧНО. Так что везли Антона не торопясь, четыре месяца. Мытарили по неотапливаемым таежным тюрьмам, бросали в камеры, набитые страшными блатарями. Водили по тайге пешим. Почти не кормили. В ответ на жалобы — ухмылялись. Со смертниками не церемонятся.

— И действительно, я был смертником. Независимо от того, собирались ли они меня расстрелять. Диагноз мог поставить любой студент четвертого курса. Тем более, раскрылась трофическая язва на ноге.

Значит, это была язва. А я думала, ногу сломал... Сколько раз он говорил мне на Таскане, обнаруживая такие язвы на ногах доходяг: «Начало гибели. Распад белка».

— Не пугайся. Это был бы и впрямь конец, если бы у генерала Никишова не разболелась печень. Но сейчас я нужен. Меня откормят. Язва снова закроется.

(Тогда он оказался прав. Многие годы после этого на месте

зияющей язвы был всего небольшой непроходящий синяк. Только
к шестидесятому году, после душевной перегрузки и физического потрясения, связанных с реабилитацией и возвращением
на материк, по каким-то загадочным законам природы эта трофическая язва снова раскрылась и зазияла на ноге Антона. Как
клеймо, с которым уходило из жизни столько колымских заключенных. За два дня до смерти, в конце декабря пятьдесят
девятого года, лежа в Московском институте терапии, Антон с
горькой улыбкой говорил: «Узников Освенцима и Дахау узнают
по выжженным на руке номерам. Колымчан можно узнавать по
этому штампу, вытатуированному голодом».)

Но тогда до последнего удара было еще далеко. И мы бились как птицы между стеклом и приоткрытой форточкой —
между страхом задохнуться и надеждой вылететь. Оснований
для надежды было теперь много: мы снова в одном месте, он
снова получит пропуск на бесконвойное хождение.

Антона поселили за четыре километра от города на так
называемом «карпункте». Работать его назначили в вольную
больницу, так что были шансы быстро подкормиться.

Первое его появление у генерала Никишова было связано с неприятностью. Готовя врача к столь ответственному визиту, чиновники-порученцы притащили для него в лагерь, на
карпункт, вольный костюм, рубашку с галстуком, настоящие ботинки. Измученного этапом Антона это взбесило. Категорически: он не наденет этого костюма. Но почему? Да потому, что не подходит ни к общему виду, ни к общественному
положению. Но ведь нельзя же ехать лечить генерала в этом
рваном тряпье. Почему же? Если можно в нем ходить... Ах так?
Может быть, он отказывается лечить генерала? Нет, лечить
всякого, кто к нему обращается, — святой долг врача. Но в
маскараде участвовать он не желает. Пусть генерал посмотрит,
как выглядит заключенный врач после четырехмесячного скитания по таежным изоляторам.

Порученцы ушли, предложив доктору подумать до завтра.
Юлька, которая с первого взгляда поддалась обаянию Антона
и полюбила его, всячески уговаривала его «не упрямиться из-за мелочи», «не поднимать этот идиотский костюм на принципиальную высоту». Я молчала. Во-первых, знала, что говорить
бесполезно, во-вторых, внутри еще свербело у меня от собственных елочных улыбок. Молчала, хотя умирала от страха: не
упекли бы его еще куда-нибудь почище Штурмового.

Но все обошлось. Сошлись на лагерной одежде первого
срока, в котором врача и доставили на следующий день к генералу. В прихожей те же порученцы заставили его надеть бе-

лый медицинский халат. Но из-под него торчали лагерные бут-
сы и штаны из чертовой кожи.

Впрочем, генерал, которого скрутило очень основательно, никакого внимания на внешний вид врача не обратил. Однако его рецепты в гомеопатическую аптеку приказал отправить в Москву тут же, специальным самолетом.

Началась новая жизнь. Она не была больше пустыней одинокого отчаяния, но зато каждый конкретный день насытился
неизбывной тревогой. Если Антон запаздывал хоть ненадолго
со своим ежевечерним приходом к нам (а приходил, только
чтобы подтвердить, что жив, и шел снова в лагерь, отшагивая
свои километры в сторону карпункта), я просто погибала под
бременем своего воображения. Да и не только воображения!
Так многое могло с ним стрястись вполне реально. Наиболее
ходовые варианты несчастий: не отправили ли опять в этап?
Не упал ли на ходу со своего карпункта и не замерз ли на
трассе? Не убил ли какой-нибудь блатарь, которому врач не
дал освобождения от работы?

Больше всего мучило, что я не только не смогу помочь,
но даже и не узнаю ничего точно. Просто в один страшный
вечер он не придет, исчезнет, растворится в воздухе, будто и
не было его... Так вот и каменела от ужаса до того самого момента, как раздавались наконец три условных стука в дверь.
Пришел! Жив! Сегодня жив и пришел. А до завтра еще далеко...

Антону приходилось шагать ежедневно не меньше десятка
километров: с карпункта до вольной больницы, из больницы — к нам, а на ночь — снова на карпункт. Но как ни странно, а именно активность движений и напряженность работы и
вывели его из статуса доходяги. Тогда ему еще не было пятидесяти, а воля к жизни была огромна. Первым признаком того,
что дело пошло на поправку, были рассказы в лицах и анекдоты. Из нашей комнаты по вечерам теперь снова доносился хохот, как, бывало, на Таскане. Новые персонажи из окружения
Антона, как живые, вставали перед нами из его рассказов. Святой мученик на глазах снова превращался в веселого святого.

Слава Богу, Никишову вроде полегчало от гомеопатических средств, и он приказал оставить немца в Магадане, чтобы
был на случай всегда под рукой.

— Да ты понимаешь, какой это дар небес, что мы опять
можем видеться каждый день? — без конца повторял Антон. —
Ну сколько было шансов, что снова встретимся? Ноль целых,
одна сотая! И вдруг именно эта сотая и перетянула. И вот увидишь, Вася тоже скоро будет с нами. Только надо действовать
энергичнее.

Куда еще энергичнее! Я получила уже ДЕВЯТЬ отказов и подала десятое заявление. Все наши советовали мне, если откажут в десятый, идти на прием к Гридасовой. О ней ходили всевозможные россказни. Из уст в уста передавалась, например, история Иры Мухиной, балерины из нашего этапа. Эта Ира чем-то так очаровала всемогущую Гридасову, что та снабдила ее чистым паспортом, одела с ног до головы в одежду со своего плеча и на свой счет отправила на материк. Но были о Гридасовой и другие слухи. Говорили, что если кого невзлюбит, то тому уж на свете не жить.

В марте я попала наконец на прием к полковнику Франкс из отдела кадров Дальстроя. Много раз записывалась, но все невпопад: то уехал, то болен, то не принимает. Но вот я стою наконец перед огромным полированным столом, за которым сидит очень бравый военный, увешанный орденскими колодками. Садиться он мне не предлагает, а пока я сбивчиво излагаю суть дела, он морщится и нетерпеливо постукивает по столу автоматической ручкой.

— Вам отказано в полном соответствии с существующими на этот счет правилами...

— Но поймите, мальчику негде жить! Он ведь учиться должен...

— Я не могу входить в ваши семейные дела.

— Это не семейное, это общественное дело. Я не лишена по суду материнских прав. Мой старший сын погиб от голода в Ленинграде. По какому закону вы приговариваете меня к вечной разлуке с последним моим сыном?

Упоминание о правах и законах выводит полковника из равновесия. На меня обрушивается барский гнев. Шея полковника медленно краснеет под стоячим воротничком, и краснота постепенно проступает на щеках.

— Права ваши крайне ограничены. Вы забыли, что у вас поражение в правах на пять лет?

— Это поражение в избирательных правах. Но не в праве быть матерью своему сыну.

— Не собираюсь спорить с вами. Разговор окончен.

Эти слова он произносит совсем уже разгневанным, шипящим, как у гусака, голосом.

Но и я разгневана. И я пришла в состояние аффекта, в котором человек не отвечает за себя.

Выскочив из отдела кадров Дальстроя, я перебегаю площадь под носом у грузовиков и влетаю в открытую дверь другого учреждения — управления Маглага. Формально Маглаг больше мной не заведует, я вольная. Но именно там сидит начальник

Маглага товарищ Гридасова, мое последнее прибежище, та самая мощная инстанция, которая может вернуть мне Ваську.

Не обращая внимания на извилистую очередь у дверей, я влетела в «предбанник» — комнату личного секретаря Гридасовой. Никто из очереди почему-то не сказал мне ни слова. Был ли у меня такой безумный вид, что никто не решился остановить меня? Или просто не успели, потому что я пронеслась мимо них стрелой?

Только когда я дерзновенно ринулась прямо к черно-золотой табличке «Начальник Маглага», секретарша, остолбеневшая было от моего неслыханного поведения, опомнилась и грудью встала на защиту своей крепости.

— Вы с ума сошли! Люди ждут приема месяцами... Уходите сейчас же!

Сердце у меня ходило маятником. Перед глазами стлался туман. Я не различала лица секретарши. Приметила только крашенные в ярко-рыжий цвет волосы, огненным нимбом торчавшие над узким лбом. Кажется, она была выше и полнее меня. Но я бросилась на нее грубо и оттолкнула от дверей. От непредвиденности и дерзости моих действий она, видимо, растерялась. И я ворвалась, ворвалась-таки с криками и рыданиями в кабинет колымской королевы.

Позднее мне стало ясно, как я рисковала. Ведь королева, по общему мнению, умела не только миловать, но и казнить. Все зависело от момента, от настроения, от того, что сказало сегодня утром королеве ее заветное зеркальце. Она ль на свете всех милее, всех румяней и белее?

Что я выкрикивала сквозь рыдания, какие слова рвались из меня навстречу удивленному королевиному взгляду? Точно не помню. Но во всяком случае не о правах и не о законах... Инстинктивно я поняла, что этот мотив еще более далек королеве, чем полковнику Франко. Странно, я несомненно была в этот момент, что называется, в состоянии аффекта, но где-то подспудно шла во мне работа сознания. Я именно сознательно отбирала сейчас те слова, которые могли оказать воздействие на любительницу чувствительных кинофильмов, бывшую надзирательницу Шурочку Гридасову. Я выкрикивала именно те могущественные банальности, которые могли тронуть ее сердце. О материнских слезах... О том, что чужой ребенок никому не нужен... И о том, что сирота может сбиться с пути...

Ее бездумное красивенькое личико принимало все более растроганное выражение, и наконец нежный голосок прервал меня. Он прозвучал, нет, прожурчал прямо над моей головой:

— Успокойтесь, милая! Ваш мальчик будет с вами...

Потом пошла настоящая фантасмагория. Она нажала на звонок и приказала вошедшей секретарше взять бумагу и писать. Она не обратила ни малейшего внимания на жалобы секретарши по поводу моей неслыханной дерзости. Бумага, которую она продиктовала, была адресована тому же полковнику Франко. Депутат Магаданского горсовета Александра Романовна Гридасова обращалась в отдел кадров Дальстроя с просьбой оказать содействие в вызове из Казани ученика средней школы Аксенова Василия Павловича.

— Я боюсь идти к Франко. Он только что почти выгнал меня.

— А сейчас он будет говорить с вами совсем по-другому. Не бойтесь, милая. Не благодарите, милая! Я сама женщина... Понимаю материнское сердце...

Это «милая», которое она повторила несколько раз, делало ее особенно похожей на добрую помещицу, беседующую с облагодетельствованной крепостной.

Через пятнадцать минут я снова стояла, нет, теперь уже сидела пред светлыми очами полковника Франко и наблюдала ряд волшебных изменений его милого лица при чтении бумажки от депутата Магаданского горсовета А. Р. Гридасовой. Параллельно переменам в лице шла и хроматическая гамма его речей.

— Как, опять вы? Я ведь сказал вам, что... Бумажка? Какая еще бумажка? Гм... Что же вы стоите? Садитесь! Гм... гм... Из Казани? Знаю Казань. Большой город. Университетский. Значит, фамилия вашего мужа Аксенов? Что-то как будто слыхал в тридцатых годах. Жив? Не знаете? Гм... Ну что же! Средняя школа здесь хорошая. Будет учиться парень...

После таких приятных речей полковник взял свою автоматическую ручку и четко вывел наискосок в углу гридасовской бумажки одно — но зато какое! — слово: оформить!

Вечером, когда Антон пришел из больницы, я изображала все это ему и Юле в лицах. А ночью долго не могла заснуть, таращила глаза в темноту и, казалось, различала в ней, как дрожат и колеблются весы моей жизни. На одной чашке — барский гнев, на другой — барская любовь. Такая капризная, причудливая, такая уязвимая, готовая ежеминутно иссякнуть...

(Наверное, я была — да и осталась — непоследовательным человеком. Но отдавая себе полный отчет в унизительности, в непереносимости барской любви, я все-таки испытывала тогда и испытываю до сих пор чувство самой искренней благодарности к этой королеве на час. Сентиментальность, право же, не главная опасность нашего времени, и хорошо, что держав-

ная Шурочка была способна если не к подлинным добрым
чувствам, то хоть к чувствительности.

Судьба ее в дальнейшем сложилась жестоко. После разжа-
лования генерала Никишова, после обнаружения связи Александры Романовны с другим, она оказалась в Москве с двумя
или тремя ребятами на руках и с пьяницей-мужем. В ее пользу
говорит, безусловно, и тот факт, что из периода своего едино-
державного управления Колымой она не вынесла денежных за-
пасов. И в шестидесятых годах ее телефонный звонок нередко
звучал в квартирах реабилитированных, бывших объектов ее милосердия. Александра Романовна просила двадцатку до мужни-
ной зарплаты. И никто из реабилитированных ей не отказывал.)

ГЛАВА СЕДЬМАЯ

«НЕ ПЛАЧЬ ПРИ НИХ...»

После магической резолюции полковника Франко дело о
приезде Васьки перешло в другие каналы. Туда, где процент
бывших заключенных составлял ноль целых и сколько-то де-
сятых. В этих каналах все было приспособлено для вызова людей, желанных и нужных для официальной Колымы. Так что
дело пошло теперь куда быстрее.

И когда Казанское управление милиции любезнейшим образом вручило Ваське самые первосортные документы на въезд
в таинственную запретную зону страны, в семье Аксеновых
разволновались, стали строить предположения. Не может быть,
чтобы такие роскошные бумаги могла раздобыть бесправная
заперша детского сада. Они прислали мне смятенное письмо,
в котором, с одной стороны, поздравляли меня, что я «снова
в люди вышла», а с другой — били отбой насчет приезда Васи.
Люди они были добрые, за десять лет привязались к мальчишке. И хотя за последние два года он донимал их своевольным
поведением и они сами требовали, чтобы я взяла его к себе, но
теперь, когда дело перешло в практическую плоскость, им стало
страшно отпускать его в такой дальний путь. «Пусть уж кончит
школу здесь», — писали они.

Новое препятствие с нежданной стороны. Не хватало только, чтобы теперь, после всех мытарств с пропуском, сорвалась моя встреча с Васей! Но беспокойство мое было напрас-
ным. Моим союзником оказался сам Васька. Впервые за
двенадцать лет разлуки я стала получать от него письма, в ко-

торых проглядывала индивидуальность не знакомого мне сына. Вместо прежних коротеньких писулек: «Как ты живешь? М ничего. Какая у вас погода? У нас ничего» и т. д., стали приходить настойчивые подтверждения, что пропуск он получил, при едет обязательно. И правда ли, что от Колымы рукой подать д Аляски? И верно ли, что на Колыме есть племена, родственные ирокезам?

Я перечитывала эти написанные неустоявшимся почер ком подростка листки и живо представляла себе, как на узень кой кушетке в аксеновской столовой ворочается по ночам мо мальчишка, мечтающий стать Лаперузом или да Гамой, плыт по изгибам зеленых зыбей меж базальтовых и жемчужных скал Я поняла, как жадно рвется он в дальнее плаванье, он, н видавший еще в жизни ничего, кроме сиротского детства семье не слишком близких родственников да серой казармен ной школы сороковых годов.

Впервые между нами протянулась тоненькая ниточк внутренней связи. Теперь я знала, о чем писать ему, вмест воспоминаний о нашем семейном прошлом, о котором он н мог помнить. Я напирала на экзотические описания колым ской природы, на опасности морского путешествия. Спраши вала, как он предпочитает ехать: морем или по воздуху... Ан тон достал для него кинжал из моржовой кости, расписанны чукотскими косторезами, и я подробно описала ему этот кин жал, а заодно и быт чукчей. (О котором сама знала пока толь ко понаслышке.) В ответ приходили нетерпеливые вопросы когда же?

Приезд его был назначен на первые числа сентября, что бы не опоздать к началу учебного года. С замирающим сердцем я зашла в среднюю школу, тогда еще единственную в Магада не, и побеседовала с завучем о том, что вот у меня сын при езжает и есть ли у них места в девятых классах... Это было ост рое, терпкое чувство возвращения из страшных снов к разумной человеческой повседневности. Как это замечательно — хоть н минуту оказаться такой, как все! Не одиночница, не этапни ца, не подсудимая Военной коллегии, не террористка-тюрзач ка. Просто мамаша, пришедшая в школу определять сына.

Но все это пока были еще самоублажения. Еще предстояло преодолеть многое, чтобы встреча стала реальностью. Прежде всего — деньги на дорогу. Где их взять? Если самолетом — то три тысячи. Потом второе — с кем он поедет? Хотя Васе шел уж шестнадцатый год, а путь до Магадана за эти годы несколько упростился, особенно для вольных, но я все еще была во вла сти давнишнего представления как о моем малыше, так и с

удностях пути, пройденного мной по этапам. Я просто не
огла допустить мысли, чтобы дитя пустилось в этакую дорогу
дно-одинешенько.

Заботу о деньгах взяла на себя Юля.

— Я уже объявила среди наших. Соберем... Ведь это первый
аш материковский ребенок едет на Колыму. При чем тут бла-
отворительность? Ерунду городишь! Ну конечно, взаймы. Я
к всем и сказала: выплатим в течение года.

Но вдруг сложилось так, что сбор денег оказался не ну-
ен. Вдруг выяснилось, что среди Юлиных цеховых мастериц
сть одна подпольная миллионерша. Ну, не миллионерша, так
ысячница. Тетя Дуся.

Тетя Дуся была большая искусница по части вязанья коф-
очек и имела клиентуру среди колымской знати. Кроме того,
 нее, шестидесятилетней, только что скончалась где-то во
лубине России старая матушка, которая оставила Дусе в на-
ледство прочный рубленый домик со ставнями. Дальняя род-
я запросила Дусю, приедет ли она вступать во владение. А
ет, так пусть перепишет дом на них, а они ее тоже не обидят.
осле недолгой переписки Дуся получила перевод на пять
ысяч.

Все это тетя Дуся доверяла только Юле, от остальных скры-
ала, держала в глубокой тайне, опасаясь людского завистливо-
 глаза. Сберкнижку тетя Дуся хранила в Юлином железном
кафчике, где лежала вся документация утильцеха. В быту тетя
уся проявляла бережливость на грани скупости. Если другой
аз в цеху варили суп на всех, то тетя Дуся не разрешала сни-
ать с него накипь, уверяя, что вот именно в этой-то накипи
ак раз самый питательный белок и содержится.

Вот эта тетя Дуся и стала теперь главным моим кредито-
ом. Она выбрала время попозднее, когда кругом уже спали,
ришла к нам, уселась на постель прямо в бушлате, огляде-
ась на тонкие стенки, через которые был слышен каждый
вук из соседних клетушек, и приложила палец к губам.

— Т-ш-ш... Главно дело — молчком все покончить. Чтоб
оди не балаболили, — шептала она, копаясь в недрах своего
ушлата. — Вот, бери! В аккурат три. На самолетный билет. А на
елочишку там всякую — это уж еще у кого займите. Только
ро меня не сказывайте, что я этакую кучу деньжищ отвалила.
авидовать станут. Не люблю.

Большие сторублевки, нарядные, торжественные, но-
еньки, солидно легли на колченогий столик. Тридцать штук.
Они сияли неправдоподобным великолепием. Они смущали нас.

— Уж очень много, тетя Дуся, — сказала Юля. — Может,

лучше от всех помаленьку соберем? Чтоб не одной тебе стр[а]дать?

— Чего мельтешиться? Берите, раз даю! Не навовсе вед[ь] Взаймы.

— Конечно! В течение года я все выплачу, Дуся. А може[т] расписку написать, чтобы тебе спокойнее было? — предл[о]жила я.

По лицу тети Дуси пробежало легкое раздражение.

— Пословицу знаете: бьют — беги, дают — бери? Тоже м[не] вольняшка нашлась — расписки давать! Нынче здесь, завтра там. Перелетная птица... А будешь в силе, так и раньше отдаш[ь]. Неужто не поверю на слово? Не первый день знаемся...

Тетя Дуся еще раз пересчитала сотенные, заботливо вы[ро]вняла пачку, погладила ее своей разработанной на лесоп[о]вале широкой ладонью.

— Удивляетесь? — обиженно зашептала она опять. — Д[у]маете, чего это скупердяйка вдруг раскошелилась? Эх вы! Мно[го] понимаете в людях! Это что я девкам на кино не даю, так вы думаете — Кощей? А чего нам в кино-то ходить? Наша зэкац[ион]ная жизнь почище всякого кина. А тут дело кровное! Перв[ый] наш зэковский сын с материка едет! Вот был бы мой-то ж[ив] да ехал, так ты мне неужто не дала бы взаймы? Ну то-то[!] Пошла я... Спите...

(Единственный сын тети Дуси погиб еще в первый г[од] войны. Стыднее всего, что во время всей сцены вручения д[е]нег ни я, ни Юля об этом не вспомнили. Тетя Дуся никогда [об] этом не говорит. Ей невыносимо больно, что похоронная а[д]ресована не ей (вроде она уж и не мать своему сыну!), а како[й]-то двоюродной тетке. И ей кажется, что такое унижение брос[а]ет какую-то тень и на память сына.)

...Теперь деньги на билет были. Оставалось искать попу[т]чиков. Попутчицу нашел Антон. В вольной больнице, где [он] работал, лежал тяжелый сердечник Козырев, главный бухга[л]тер Дальстроя. Болел долго, безнадежно. Случайно, в связи [с] отъездом вольного врача, Козырев был на короткое врем[я] передан Антону. Две недели Антон вел его, и за это врем[я] боль[ному стало много лучше. Откуда взялось это улучшение, был[о] непонятно. Может быть, атмосферное давление изменилось? [а] может, влияние психотерапии, в которой Антон был неотра[зи]зим. (Недаром я подшучивала над ним: не столько врач, скол[ь]ко священник...)

Но тут вернулся лечащий вольный врач, Антона отстра[ни]ли и... состояние больного вдруг резко ухудшилось. Жен[у] Козырева Нина Константиновна, кассирша из продовольствен[ного]

512

ного магазина, забегала по начальству, требуя перевести мужа в палату, которую обслуживает врач Вальтер. Ей объяснили, что в той палате лежат только бывшие зэка. Ее вообще урезонивали, просвещали политически, доказывали, что замена вольного врача заключенным, да еще немцем, может иметь ненужный общественный резонанс. Пока шли эти препирательства, больной скончался. Скорее всего, и Антон не смог бы его поднять, так, по крайней мере, думал он сам. Но вдову никто не мог разубедить: оставили бы при больном Вальтера — он был бы жив.

После похорон занемогла с горя и вдова. Она решила в больницу не ложиться. Пусть Вальтер лечит ее на дому. Он ходил туда ежедневно. Больная поправилась и превратилась в страстную поклонницу доктора. Ради него она готова была на все. И когда он рассказал ей историю вызова Васьки, она решительно заявила: «А вот я как раз еду в отпуск на материк. Я и привезу его».

Это была сухонькая проворная пятидесятилетняя женщина с маленькими быстрыми глазками. Она безошибочно отсчитывала сдачу у своей кассы. С русским языком у нее дело обстояло хуже, чем с арифметикой. Говорила она мещанским подмосковным говорком. И даже свое собственное отчество произносила «Кискиновна». Но сердце у нее было мягкое и, главное, — своевольное. Она сама решала, кто хорош, кто плох, не приглядываясь к анкетам. Плевать ей было и на статьи, и на сроки Антона, и даже на то, что он немец. Она знала одно: спас ее и обязательно спас бы мужа, да не дали, собаки...

В деле с приездом Васьки она проявила не только доброту, но и смелость. Дело в том, что ее дочь Тамара была замужем за следователем МГБ, и тот резко возражал против того, чтобы его теща связывалась с сыном «такой статьи». Но она пренебрегла домашними неприятностями и поступила по-своему.

Теперь, когда все складывалось как будто благоприятно, я стала особенно нервна. Непрерывные страхи перед роковыми случайностями, которые могли сорвать приезд Васи, день и ночь терзали меня. Не заболел бы... Не заупрямились бы Аксеновы... Не раздумал бы сам... Не раздумала бы Козырева...

Нет, она была тверда в своем решении. В мае она пригласила меня к себе на квартиру в часы, когда ее зять на работе. Я пришла в назначенное время и вручила ей Дусины три тысячи на билет для Васи.

— Ладно! — сказала она, быстро пересчитав бумажки и щуря на меня любопытные маленькие глаза. — Ладно, не тушуйтесь!

Сказала — привезу, значит — привезу. Ради доктора... Сколько лет не видали сыночка-то? Двенадцатый год? И как только терпите? А так с личности незаметно, чтобы сильно тосковали. Личность у вас справная...

В июне я набрала по мелочам в долг еще одну тысячу и выслала маме в Рыбинск, с тем чтобы она поехала в Казань, сама снарядила Ваську и довезла его до Москвы, где Козырева будет ждать его. Это было за полтора года до маминой смерти. Но она скрывала от меня, как плохо себя чувствует, как трудно ей это путешествие. Только потом я вспомнила фразу из ее письма: «Как я любила раньше ездить по Волге! А сейчас и на воде что-то чувствовала себя неважно. Но это все пустяки. Самое главное, чтобы ты встретилась с Васенькой».

В июле пришли письма, что Вася уже в Москве, на Сретенке, у Козыревых. Мама сдала его Нине Константиновне с рук на руки и уехала опять в свой Рыбинск. Васька упивается Москвой, личной свободой, дружбой с забубенным сыном Козыревых Володькой, отбившимся от ученья. Сейчас Володька — таксист, катает Васю по Москве, все показывает. Скоро полетят в Магадан...

Но прошли июль и август, а на мои звонки в квартиру следователя МГБ все отвечали одно и то же: Нина Константиновна задерживается в Москве по семейным причинам. В сентябре я должна была опять выехать с детским садом в оздоровительный лагерь. Это приводило меня в отчаяние. Он приедет без меня...

Но наступил октябрь. Уже целый месяц шли занятия в школе. Уже я успела вернуться из «Северного Артека», а Козыревой с Васькой все не было.

Мое нервное напряжение дошло до крайности. Ведь Вася так плохо одет, ему будет холодно лететь поздней осенью. Не пропал бы учебный год для него... Но все эти дневные разумные опасения были ничто по сравнению с ночными темными мученьями, лежавшими по ту сторону рассудка. Может быть, чьей-то чудовищной злой волей я обречена на гибель моих детей? Ведь Алеши уже нет, нет... А Вася — последняя искорка моей угасающей жизни — не то летит и гибнет где-то в облаках, не то просто растворяется в пространстве. И снова, как в кошмарные эльгенские ночи, стучит в моих ушах формула отчаяния: меня никто в жизни не назовет больше мамой.

И Антон, и Юля тратили ежедневно массу слов — сердитых и ласковых, — чтобы приводить меня в чувство.

— Кончится тем, что он прилетит, а тебя уже не будет, — мрачно пророчила Юля, — не ешь, не пьешь, не спишь... Сколько еще протянешь...

— Ты неблагодарная, — злился Антон, — тебе одной из всех бывших зэка удалось получить разрешение на приезд сына, а ты...

— Ох, не говори так! Сглазишь...

При такой моей реплике Антон тут же садился на своего конька. Да, он не видел в тюрьмах и лагерях более суеверных людей, чем бывшие коммунисты. Во все верят: и в сон, и в грех, и в птичий грай... Вот если бы я в Бога так верила, как во все эти глупости...

А тут уже включалась Юля, они оба отвлекались от меня и начинали спорить между собой. Юле, еще с младых ногтей твердо уверовавшей, что религия — опиум народа, невыносимо было слушать Антоновы разъяснения разницы между верой и суеверием.

— Просто странно, Антон Яковлич, как это вы, человек с таким отличным биологическим образованием, можете повторять фидеистические басни...

— Гораздо страннее, Юлия Павловна, что вы, человек с философским образованием, повторяете самые плоские банальности и не хотите осмыслить уроки, которые всем нам дала тюрьма.

Я оставляла их длить этот нескончаемый спор, а сама брела в соседний дом, на вахту Юлиного горкомхоза, — позвонить Козыревым.

— Скажите, пожалуйста, не приехала ли Нина Константиновна?

— Нет еще!

Трубка бахала мне прямо в ухо, пресекая дальнейшие расспросы. И снова тянулись изматывающие дни, каждый из которых начинался надеждой и кончался отчаянием.

Между тем мы с Юлей переехали на новую квартиру. Ей выписали ордер на целых пятнадцать метров в связи с увеличением семьи — предстоящим приездом Васи. Наш новый барак стоял рядом со старым, но он был двухэтажный, и наша комната находилась на втором этаже. Всего вдоль по коридору было не меньше двадцати комнат. Наша была одна из лучших. И может, это казалось нам тогда. Во всяком случае, в ней действительно было пятнадцать метров и хорошее окно. Юля раздобыла где-то ширму, и мы отгородили для Васи отдельный уголок. Там уже стояла железная койка, стул, столик, а на столике — чернильница, бумага, учебники девятого класса. Васе было припасено шерстяное одеяло и настоящая пуховая подушка, которую Юля внесла, как трофей, поднимая ее кверху и сверкая восторженными глазами. Антон уложил под эту подушку стопку нового белья, носки и две верхние рубашки.

Все это он выменял на карпункте, отдав немало своих хлеб
ных паек.

Так Колыма встречала девятиклассника Васю самым пер
воклассным набором лагерного обмундирования.

Вместо того чтобы благодарить своих верных друзей, я ещ
покрикивала на них, срывая тоску и тревогу. Иногда прямо
таки осыпала их несправедливыми обвинениями.

— Конечно... Вам можно так спокойно ждать... Не ваш пос
ледний ребенок пропал без вести.

Они не обижались. Понимали и терпели.

Но однажды... Я сняла трубку с чувством тупой безнадеж
ности и свой вопрос насчет приезда Нины Константиновн
задала с интонацией аппарата, дающего справку о времени.
вдруг, вместо обычного обрезывающего «нет», услышала весе
лый, даже слишком веселый, голос слегка пьяного человека

— Да, прилетела! Вот встречаем! Бокалы поднимаем з
здоровье!

— А... Скажите, а мальчик? Мальчик из Казани прилете
с ней?

— Мальчик?

В этом месте разговора кто-то подошел к моему собесед
нику и задал ему какой-то вопрос. И он, отвлекшись от меня
стал все так же весело разъяснять кому-то что-то там насче
посуды... Он острил и кто-то громко смеялся ему в ответ.

Сколько времени длилась эта пауза в разговоре со мной
Минуту? Вечность? Во всяком случае, я успела с ослепляюще
яркостью представить себе все возможные варианты Васькино
гибели. Все автомобили Москвы наезжали на него. Все уголо
ники Владивостока или Хабаровска грабили и резали именн
его. Все эмгебисты всех городов хватали его за какое-то неост
рожное слово. Вот сейчас так же весело, что нет, мальчик н
приехал...

— Мальчик? Вы спрашиваете про казанского мальчика
Да вот сидит на диване, беспокоится, что за ним долго не идут.
Шампанского не хочет, трезвенник...

Снова взрыв смеха. Потом кто-то берет у весельчака труб
ку и сухим злым голосом говорит:

— Почему же вы, гражданка, не идете за сыном? Он хот
и знает адрес, но в чужом месте трудно сразу сориентироват
ся. А провожать его здесь некому. Хватит и того, что с материк
привезли.

— Я... я сейчас... Сию минуту... Я не знала...

Я положила трубку. Хотела бежать. Но тут со мной при
ключилось что-то странное. Ноги точно прилипли к полу, ста

516

пустыми и ватными. Как сквозь слой воды, услышала голос
журного на вахте:

— Эй-эй-эй, ты что, девка? Никак с копыт валишься?

Он выглянул в вахтенное окошечко и крикнул кому-то:

— Добеги-ка там до Кареповой! Скажи, ейная родня тут
онцы отдает.

Появилась Юлька. Валериановые капли, валидол...

— Возьми себя в руки. Я пойду с тобой, — твердила Юля,
ма бледная и взволнованная.

Картина, которую мы застали в квартире Козыревых, на-
оминала кадр из давнишних фильмов, где кутили и разлага-
ись белые офицеры. Мы топтались в прихожей, ожидая выхода
ины Константиновны, и в полуоткрытую дверь видели блеск
огон, разгоряченные лица, слышали звон стеклянной посу-
ы, взрывы хохота, пьяные возгласы.

— О, это вы? Проходите, проходите... Он уж тут заждался,
риунул совсем, — гостеприимно пригласила нас хозяйка, —
с двое? А вот интересно, узнает ли он, которая мама?

Ей очень хотелось разукрасить и без того интересное тро-
тельное зрелище этой предполагаемой сценой узнавания.

— Смотри, Тамара, — окликнула она свою дочь, жену сле-
ователя, — сейчас у нас тут будет, как в кино, — и, обернув-
ись к дивану, добавила: — Вот, Василек, видишь? Две дамы...
дна, стало быть, твоя мама. Ну-ка, выбери, которая?

И тут только я нашла наконец глазами то, что тщетно
ыталась различить в кутерьме этого кутежа. Вот он! В углу ши-
оченного дивана неловко приткнулся худой подросток в по-
ртой курточке.

Он встал. Показался мне довольно высоким, плечистым. Он
ичем не напоминал того, четырехлетнего белобрысенького тол-
тяка, что бегал двенадцать лет назад по большой казанской
вартире. Тот и цветом волос и голубизной глаз был похож на
еревенских мальчишек рязанской аксеновской породы. Этот был
атеном, глаза посерели и издали казались карими, как у Але-
и. Вообще он больше походил на Алешу, чем на самого себя.

Все эти наблюдения делал как бы кто-то, стоящий вне
еня. Сама же я, оглушенная, неспособная к какой-либо чле-
ораздельной мысли, была поглощена как будто только тем,
гобы выстоять на ногах, чтобы не свалиться под гулом рит-
ичного прибоя крови, бьющего в виски, в затылок, в лицо...

Выбирать между мной и Юлей он не стал. Он подошел ко
не и смущенно положил мне руку на плечо. И тут я услыша-
а, услышала наконец то самое слово, которого боялась не
слышать вовеки, которое донеслось ко мне сейчас через про-

пасть почти двенадцати лет, через все суды, тюрьмы и этапы через гибель моего первенца, через все эльгенские ночи.

— Мама! — сказал мой сын Вася.

— Узнал! — восхищенно закричала Козырева. — Вот он кровь-то! Всегда скажется... Видишь, Тамара?

Нет, глаза определенно не карие. Не Алешины. Те, карие закрывшиеся навеки, не повторились. И все-таки... Как он похож на тогдашнего десятилетнего, нет, почти одиннадцатилетнего, Алешу! Оба мои сына как-то слились у меня в этот момент в один образ.

— Алешенька! — шепотом, почти непроизвольно вымолвила я.

И вдруг услышала глубокий глуховатый голос:

— Нет, мамочка. Я не Алеша. Я Вася.

И потом быстрым шепотом, на ухо:

— Не плачь при них...

И тут я справилась с собой. Я посмотрела на него так, как смотрят друг на друга самые близкие люди, знающие друг о друге все, члены одной семьи. Он понял этот взгляд. Это и был тот самый переломный в моей жизни момент, когда восстановилась распавшаяся связь времен, когда снова возникла глубинная органическая близость, порванная двенадцатью годами разлуки, жизнью среди чужих. Мой сын! И он знает, хоть еще ничего ему не сказала, кто МЫ и кто ОНИ. Призывает меня не уронить своего достоинства перед НИМИ.

«Не бойся, сынок. Я не заплачу», — говорю я ему взглядом. А вслух деловым, почти спокойным голосом:

— Поблагодари Нину Константиновну, Васенька, и пойдем домой, нам пора.

Козырева посмотрела на меня с удивлением и нескрываемым разочарованием. Неужели я не буду долго рыдать, обнимая сына? Неужели не расскажу гостям о том, как страдала в разлуке? Не растрогаю ее зятя, который, хоть и выпил, а все-таки хмурится, глядя на странных гостей?

— Как домой? Да вы присядьте, выпейте хоть по чарке за встречу. Вот люди! Железные какие-то! И не прослезилась даже. Скажи, Тамара!

Нас еще долго тормошили, совали в руки бокалы с шампанским, а те из офицеров, кто был подобродушнее — а может, попьянее, — даже усаживали нас за стол. И Юлька, дипломатичная хозяйка утильцеха, выручила: присела на минутку и даже хлебнула винца, чтобы не обиделись, изъяснила, махнув на нас с Васькой рукой, что оба мы совсем замотались: он — с дороги, мать — от долгого ожидания.

Это случилось девятого октября сорок восьмого года. Спустя одиннадцать лет и восемь месяцев я снова вела по улице своего второго сына, крепко держа его за руку.

Но как она тонка, эта ниточка, скрепившая порванную связь времен моей жизни, как она трепещет на ветру! Не дать ей порваться снова! Удержать, удержать во что бы то ни стало...

— Нет, Вася, ты пойми, что твоя мама добилась почти невозможного, — торопливо объясняла Юля, довольно невразумительно обрушивая на неподготовленную Васькину голову все мои перипетии с отделом кадров Дальстроя, с посещением Гридасовой, со сбором денег на дорогу...

Но, по существу, она права: я действительно добилась почти невозможного. Вот он идет рядом со мной, шагая шире, чем я, и несет в руках свое имущество: заплатанный стираный-перестираный рюкзак, похожий на наши лагерные узелки. И телогрейка на его плечах такая же, какие носят у нас в Эльгене. При мне на материке никто не носил таких телогреек. Наверно, появились в войну. Но все-таки меня ужасно коробит, что на Васе такое, почти лагерное одеяние... Уже маячит передо мной новая сверхзадача — пальто для Васи.

Мы шли и молчали, не находя слов для выражения того слишком большого, что надо было сказать. Слово теперь было только за Юлей. И она без умолку говорила всю дорогу, объясняя Ваське сразу про все. И про то, как вырос Магадан, и какой он был раньше, и про замечательную среднюю школу, и про нашу новую очень просторную — пятнадцать метров! — комнату.

Но на ночь Юлька — спасибо ей! — оставила нас вдвоем, ушла под предлогом дежурства в свой цех. И вот тут-то началась наша первая беседа. Мы не заснули в эту ночь. Да и не хотелось даже помыслить о сне. Мы торопились узнать друг друга и радовались, что каждый узнавал в собеседнике самого себя. Удивительны, поистине удивительны законы генетики! Колдовство какое-то! Ребенок, не помнивший ни отца, ни мать, был похож на обоих не только внешне, но и вкусами, пристрастиями, привычками. Я вздрагивала, когда он поправлял волосы чисто аксеновским жестом. Я захлебывалась от радостного изумления, когда он в эту же первую ночь стал читать мне наизусть те самые стихи, с которыми я жила, погибала и снова жила все эти годы. Так же как я, он находил в поэзии опору против жестокости реального мира. Она — поэзия — была формой его сопротивления. В той первой ночной беседе с нами были и Блок, и Пастернак, и Ахматова. И я радовалась, что владею в изобилии тем, что ему от меня хочется получить.

— Теперь я понимаю, что такое мать... Впервые понимаю. Раньше, особенно в раннем детстве, мне казалось, что тетя Ксения заботится обо мне, как мать. И она действительно заботилась, но...

Он раздумывает несколько минут. Потом формулирует довольно четко:

— Мать это прежде всего бескорыстие чувства. И еще... Еще вот что: ей можно читать свои любимые стихи, а если остановишься, она продолжит с прерванной строчки...

(Свет этой нашей первой магаданской беседы лег на все дальнейшие годы отношений с сыном. Бывало всякое. Ему выпал сложный путь, на котором его искушала и популярность у читателей, и далеко не беспристрастная хула конъюнктурной критики, и вторжение в его жизнь людей, органически чуждых и мне, да и ему самому. И в трудные минуты я всегда вспоминала прозрачный незамутненный родник его души, раскрывшийся передо мной в ту первую его колымскую ночь. И это всегда глушило мою тревогу. Я всегда знала, что внутри у него все та же чистая глубь. Остальное — накипь. Она стечет, когда река войдет в берега. И я оказалась права. Сейчас мой сорокатрехлетний сын такой же мой всепонимающий друг, как тот мальчуган, что приехал в Магадан с томиком Блока в потертом рюкзаке.)

Перед Васиным приездом вся магаданская колония бывших заключенных горячо обсуждала вопрос о том, как осветить первому нашему материковскому ребенку, прорвавшемуся сквозь оградительные заслоны полковника Франко, главный вопрос на шей жизни. Как мы сюда попали? Есть ли хоть крупица правды в предъявленных нам чудовищных обвинениях? Кто виноват в творимых жестокостях и несправедливостях? Одним словом — говорить ли ему правду? Всю ли правду?

Странно, но многие склонялись к тому, чтобы «не вносить в молодую душу неразрешимые сомнения». Даже Юля говорила: «Ему жить. А зная всю правду, жить трудно. И опасно». Только Антон доказывал горячо и страстно, что на лжи и даже на умолчаниях настоящих отношений с сыном не построишь, что надо заботиться прежде всего не о том, чтобы он был удачлив, а о том, чтобы был честен.

Я довольно терпимо выслушивала разные советы на эту тему, но внутри у меня сомнений не было. На первый же его вопрос «За что?», я ответила: «Не «за что?», а «почему?» И дальше с полной искренностью и правдивостью рассказала ему обо всем, через что прошла и что поняла на этом пути. Поняла я тогда, к сорок восьмому году, еще далеко не все. Однако многое.

Но даже если бы я и пыталась в ту ночь скрыть от него правду, мне это не удалось бы. Потому что он ловил все с полуслова. И то драгоценное, что возникло тогда между нами, было немыслимо вне правды. Именно на переломе от девятого к десятому октября 1948 года, уже ближе к рассвету, я рассказала ему устно задуманные главы «Крутого маршрута». Он был первым слушателем...

ГЛАВА ВОСЬМАЯ

КАРТОЧНЫЙ ДОМИК

Уже через несколько дней после своего приезда Вася сказал:

— Мама, надо бы что-нибудь живое в доме иметь. Щенка или котенка...

Он не знал, что такое скромное желание очень трудно выполнимо в тогдашнем Магадане. И собаки (не овчарки), и, тем более, кошки были здесь пока предметом импорта. Но мне удалось после долгих стараний раздобыть материковую кошку Агафью, которая в дальнейшем в течение нескольких лет была неотъемлемым членом нашей семьи. Очень грациозная, капризная в выборе еды, она нисколько не походила на своих колымских родственников, проходивших в первом поколении процесс одомашнения. (Эти вчера еще дикие, похожие на маленьких тигров, коты, которых приручали некоторые наши знакомые, вызывали во мне отвращение.)

Агафья придавала нашему семейному очагу очень мирный традиционный вид. Она любила восседать прямо на столе, греясь у настольной лампы и мурлыча, как патриархальный самовар. Когда Вася садился за стол учить уроки, она меняла позицию, переходила к нему на плечи и возлежала так в виде роскошного горжета.

Вакантное место деда занял у нас в семье Яков Михайлович Уманский, верный своему слову репетировать Ваську по математике. Старик неуклонно прибывал в точно определенное время, медленно двигаясь своей походкой кашалота, но уходил только после того, как все задачи сходились с ответами, а это — увы! — не всегда удавалось. Яков Михалыч сперва каждый раз петушился, уверял, что в учебнике опечатка, потом грустнел, жаловался на склероз, вспоминал, что в свое время щелкал такие задачки как орехи. Помню несколько случаев, когда ему все-таки пришлось уйти, так и не решив задачи. Но каждый раз при этом он возвращался к нам в час-два ночи, не стесняясь ни расстоянием, ни погодой. С возгласом «Вася, вставай, я нашел ошибку!» он появлялся на пороге. Васька сонно мычал, говорил «черт с ней!», но старик, укутанный обледенелым башлыком, стоял как привидение до тех пор, пока Вася не встанет и не запишет правильного решения.

После отъезда своего друга Куприянова старик чувствовал себя одиноким и очень пристрастился ко всем нам, хотя с Антоном они постоянно и страстно спорили. Они не сходились во мнениях насчет Томаса Мора и Фомы Аквинского, насчет побочного действия сульфамидов и эффективности малых доз сулемы. Они классически иллюстрировали столкновение двух полярных психологических типов. Горячий, непримиримый, склонный к абсолютам ум Антона с разбегу натыкался на скептическую иронию, на скорбное неверие старого добряка, сомневающегося в способности рода человеческого к высоким побуждениям. Особенной остроты достигали эти споры, когда дело доходило до одного из двух самых острых для Антона пунктов: до Мартина Лютера, которого Антон считал началом всех зол на земле, и до Самуила Ганнемана, основоположника гомеопатии, который, наоборот, был для Антона спасителем человечества.

Но как бы горячи ни были споры и взаимные перехлесты в обличениях, а стоило старику запоздать с визитом, как Антон уже тревожился, посматривал на часы, говорил о высоком кровяном давлении Якова Михалыча и успокаивался только тогда, когда раздавалось знакомое шарканье глубоких резиновых галош, какие, бывало, носили казанские старьевщики.

Вася очень привязался к Якову Михалычу, хотя и довольно непочтительно хохотал над очаровательными стариковскими чудачествами. Всегда поглощенный какими-нибудь идеями, Уманский был рассеян до предела. К кошке Агафье он обращался на «вы»: «Агафья, подойдите сюда, — говорил он без всякой шутливости, — вот здесь хороший кусочек оленьего мяса. Правда, мне он не по зубам. Он немного жилистый... Но вы, я надеюсь, справитесь, а?»

Иногда старик читал нам стихи собственного сочинения. Это была какая-то нескончаемая поэма, излагавшая в хронологическом порядке всю историю философии. Мы с Васей запомнили одну строфу про Лукреция Кара и забавляли друг друга декламацией, когда падало настроение и хотелось выйти из упадка. Я и до сих пор помню эту строфу: «Достоин похвалы Лукреций Кар. Он первый тайны разгадал природы. Безумных мыслей разогнав угар, он уголок обрел святой свободы».

Однажды Яков Михалыч, очень польщенный, сообщил, что его просили перевести с французского текст «Письма Периколы».

— Это для вокального исполнения... Одна певица обратилась. У нее в нотах французский текст.

Васька буквально катался по своей постели, корчась от хохота, когда Яков Михалыч патетически прочел: «Твоя, любящая тебя, хоть и рыдаю, Перикола...»

Вот так внешне идилличен был построенный нами карточный домик. Но ни на секунду мы не отвлекались от ощущения тех грозных подземных толчков, которые непрерывно колебали почву под нашим хрупким сооружением. Ведь приближался сорок девятый год, и грозная атмосфера нового землетрясения сгущалась над нами. Каждый из нас в одиночку фиксировал про себя и увеличившееся количество прибывающих с материка этапов, и увольнение многих бывших заключенных с хороших работ. А Антон, кроме того, знал и о нарастающем закручивании режима внутри лагеря. Но говорить об этом у нас было запрещено. Чтобы не травмировать Ваську. Чтобы и самим себе не омрачать периода передышки. Жить как ни в чем не бывало...

И мы жили. А Васька — в нем уже и тогда проявлялись черты острой писательской наблюдательности, интереса к нестандартным людям — просто был счастлив временами, что может слушать никогда ранее не слышанные споры и разговоры. Он прожил всю свою сознательную жизнь в семье Аксеновых, где говорили и думали только о хлебе насущном, и его восхищали новые, впервые на Колыме встреченные люди, которых волновали отвлеченности вопреки бесхлебью собственной судьбы.

В наш карточный домик, как и положено в приличных семейных домах, приходили знакомые. Например, профессор Симорин с женой Таней. Они жили в маленькой халупке напротив нашего барака. У них был тоже лагерный роман, прошедший через пропасти запретов, разлук, безвестных отсутствий. Теперь оба они вышли из-за проволоки, были уже не зэка, а бывшие зэка и наслаждались собственной печкой и свободным «совместным проживанием». Симорин, блестящий эрудит, остроумец, бывший сердцеед, импонировал Ваське своими рассказами о предарестном прошлом, в которых фигурировали имена, встречавшиеся Васе только на обложках учебников. Под стать Симорину был и доктор Орлов, коллега Антона. Этот, правда, был молчаливее Симорина, но иногда «выдавал» интересные парадоксы по всем вопросам жизни.

Бывала у нас художница Вера Шухаева, рассказывавшая про Париж, про встречи с Модильяни, с Леже, про работы своего мужа. Теперь, накануне сорок девятого, Вера Шухаева работала в магаданском пошивочном ателье, где ей иногда удавалось придать приличный вид магаданским начальственным толстомясым дамам.

Наконец в нашем же коридоре гнездилась целая колония немцев, которые тоже постоянно бывали у нас. Ганс Мангардт, австриец с живописной бородой Санта Клауса, давнишний коммунист, попавший в Россию и прошедший массу всяческих авантюр, которые он теперь «осмысливал с марксистской точки зрения». Его жена Иоганна Вильке — бывшая машинистка в берлинском комитете компартии Германии. Вслед за ними являлись все их земляки, которые пели хором немецкие песни, приводя в умиление Антона.

Появился и наш старый знакомый по Таскану Натан Штейнбергер. Он бесконечно мучился с устройством на работу. К Натану приехала теперь его настоящая материковская жена, освободившаяся из лагеря в Караганде. Это была шумная и очень требовательная по отношению к мужу женщина, так что мы с Антоном часто жалели о тех хороших часах, которые проводили на Таскане в обществе Натана. Теперь, при этой жене, спокойное вдумчивое общение с ним стало невозможным.

Среди наших немцев была и Гертруда Рихтер, игравшая в то время на рояле в оркестре магаданского дома культуры. Тогда это еще была болезненная, исхудавшая, всегда полуголодная женщина. У нас она находила гостеприимный кров, Антон лечил ее. В ее высказываниях и тогда уже было много всякой несуразицы, но все-таки мы никак не могли тогда предположить, что из нее со временем получится тихий правоверный оруженосец из королевской рати Вальтера Ульбрихта, каким она стала позднее в своем Лейпциге.

Были у меня теперь и вольные знакомые. И не только сослуживцы. Ведь я ходила на родительские собрания в Васину школу, да и Антон знакомил меня с некоторыми своими вольными пациентами из тех, кому вполне доверял.

Но с вольными всегда соблюдалась дистанция. Мы могли очень дружелюбно беседовать на нейтральной почве: в школе, на улице, в парке, в фойе кино «Горняк». Но ни им, ни нам никогда и в голову не приходило пригласить таких знакомых к себе домой. Единственные вольняшки, посещавшие наш дом, были Васины одноклассники. Но и то как-то само собой подобрались ребята с изъянами в анкетах. У Юры Акимова был в заключении отец, и они с мамой приехали к нему, когда он вышел из лагеря. Это было уже после Васиного приезда. Юра Маркелов, хоть и прибыл с мамой-договорницей, но она здесь вышла замуж за нашего старого тасканского знакомого, бывшего зэка, профессора Пентегова.

Благодаря Васиным приятелям у меня появился новый источник заработков: я стала репетировать некоторых ребят, отстававших по-русскому. Но все равно денег систематически не хватало. Так что, кроме таких классически-интеллигентских приработков, как репетированье, мы с Юлей не гнушались и тем, что со смехом называли прикосновением к частнособственнической стихии. Вечерами мы мережили и обвязывали так называемые носовые платки, квадратики, выкроенные из раздобытого Юлей утиля. По субботам за этой нашей продукцией приходил некий сомнительного вида дядька, именуемый в наших разговорах «контрагент». Он забирал готовые носовые платки и по воскресеньям торговал ими на магаданской барахолке. А так как в магазинах тогда и в помине не было подобных товаров, то по понедельникам он приносил нам вырученные деньги, отчислив в свою пользу довольно солидный процент. Совершенно не помню, в каких цифрах выражались эти торговые доходы, но помню, что они играли некоторую роль в нашем бюджете, в постоянных усилиях прокормить наше довольно большое семейство и многочисленных гостей. В послевоенном Магадане неважно приходилось тем, кто не получал северных надбавок и не входил в многоступенчатую систему закрытых распределителей. Тем более, что цены на рынке складывались с учетом огромных, находящихся в обращении денег.

Казалось бы, в этих условиях постоянного страха и нужды никто из нас не был заинтересован в дальнейшем увеличении нашей семьи. И все же...

Это случилось вскоре после Васиного приезда. Был обычный рабочий день. Я уже провела музыкальные занятия с младшими и средними. Оставалась старшая группа, и я привычно барабанила марш, под который они должны войти в зал. Ритмично шагая под музыку, дети обходили свой обычный круг, чтобы на конец музыки остановиться около своих стульчиков. И вдруг я заметила, что за подол последней в строю девочки держится малышка, не доросшая не только до старшей, но даже до младшей группы детского сада. У девочки были заплаканные светлые глаза, а на голове именно такой пушок, какой и полагается птенцу, выпавшему из гнезда.

Воспитательница быстрым шепотом объяснила мне, что мать ребенка, бывшая зэка, сунула заболевшую девочку в больницу, а сама скрылась, подкинула... Весной будет для таких детский этап в Комсомольск-на-Амуре, в спецдетдом. А пока вот мы должны возиться. В яслях, видите ли, мест нет... А мы вроде двужильные, нам все можно... И так в группе тридцать восемь душ. А эта не того возраста, да и плакса большая. Замучились с ней... Пусть посидит на музыкальном, может, отвлечется...

И она — ее звали Тоней — действительно отвлеклась. Она приложила ухо к блестящему полированному боку пианино и, услыхав гудение, счастливо расхохоталась. Когда стали разучивать какую-то очередную русскую пляску, она вдруг поднялась и встала в общий круг. Ей было тогда год и десять месяцев. Но она двигалась ритмичнее шестилеток, в среду которых затесалась так неожиданно.

С тех пор так и повелось. Стоило мне войти утром в так называемый зал, как распахивалась дверь той группы, куда была временно подброшена Тоня, и она выбегала со всех ног, выкрикивая на ходу: «Музыка пришла! Музыка пришла!» Говорила она для своего возраста и биографии на удивленье хорошо. Не все наши четырехлетки имели такой запас слов и чистое произношение.

Няни и воспитательницы очень охотно сплавляли Тоню ко мне, и она не плакала, не капризничала, просиживая около пианино со всеми группами поочередно. Со всеми пела и танцевала. А вообще-то была она очень нервна, впечатлительна, слезлива.

Однажды в субботу, когда шла раздача детей родителям на выходной, я задержалась у заведующей на каком-то совещании и вернулась в зал уже в сумерках. Эта странная приземистая комната, с несимметричными окнами, выглядела в пустоте и полутьме особенно мрачной. Единственным пятном на грязно-серых стенах, кроме черного силуэта пианино, был огромный, не по масштабам помещения, портрет генералиссимуса в орденах и красных лампасах. У подножия портрета, на самодельном пьедестале, всегда стояли искусственные цветы. Очень грубые цветы из кусков шелка, а то и просто из накрахмаленной марли. Но в детях воспитывался священный трепет перед этим алтарем, и даже самые отчаянные шалуны никогда не прикасались ни к цветам, ни к самому портрету.

Но сейчас кто-то возился у этих цветов. Какая-то крохотная фигурка теребила букет белых марлевых роз.

— Тоня? Что ты тут делаешь одна впотьмах?

Она ответила очень точно:

— Я тут плакаю...

Обычно Тоня плакала вслух. Громко рыдала и всхлипывала. Но в эти субботние сумерки, когда, отшумев, затих весь дом, она плакала беззвучно. Скорее всего, уже обессилела от громких рыданий. Наверное, начала плакать, когда субботнее буйство было еще в полном разгаре, когда мальчишки с пернатыми криками скатывались вниз по перилам, кувыркаясь, как циркачи, девчонки визжали и ссорились, отыскивая свои варежки или рейтузы в общей куче, а няни заливисто кричали и на детей, и на родителей. И над всей этой сутолокой висело слово «домой!» Его выкрикивали все дети, его повторяли родители, твердили няни. Кто же тогда мог услышать Тонины вопли?

— Домой, — повторила Тоня, — а это чего такое?

Откуда ей было знать? И как это можно было ей объяснить? Ее биография пока не включала этого странного понятия. У нее был эльгенский деткомбинат, больница, наш круглосуточный... А впереди детский этап в спецдетдом. И надо ли ей растолковывать, что такое «домой»?

— Пойдем в живой уголок, нальем кроликам воды, — странным деревянным голосом предложила я ей.

Нет, ей было не до кроликов, она досадливо отмахнулась от моего предложения.

И тут она вымолвила с неправдоподобной для ее возраста четкостью:

— А у меня нету дома...

...Когда я в эту субботу, договорившись с заведующей, привела Тоню в нашу комнату, никто особенно не удивился. Мне и раньше случалось приводить на воскресенье кого-нибудь из детей, оставшихся на выходной без отпуска. Только Вася недовольно сказал: «Уж очень маленькая! Будет мешать мне заниматься...»

Сама же Тоня с первого момента акклиматизировалась настолько, что, оглядев комнату, задала вопрос: «А где же моя кроватка?» Она вообще умела (и умеет до сих пор) мгновенно ориентироваться в незнакомой обстановке.

А в понедельник утром она категорически отказалась идти в детсад. Ей здесь понравилось, дома лучше, она останется тут с мамой (это слово она мгновенно переняла от Васи). Но маме надо работать! Ну ладно, Тоня согласна сходить туда провести музыкальное занятие, только чтобы сразу вернуться домой.

Заведующая детсадом не позволила мне взять ее в понедельник вечером. В субботу, когда никого нет, пожалуйста! А в будни нельзя. Могут в любой час нагрянуть инспектора, могут затребовать девочку для отправки на материк, в спецдетдом...

В эту же ночь — с понедельника на вторник — я сделала для себя странное открытие: оказывается, в субботу, когда здесь была Тоня, я спала спокойнее, меня не мучили кошмары на тему гибели Алеши. А они по-прежнему неотступно были

527

со мной, даже после приезда Васи. Каждое чувство, связанное с Васей, — пусть и радостное, — было в то же время мучительным. Потому что я все время мысленно ставила рядом с Васей Алешу, примеряла и сопоставляла их характеры, растравляла себя фантастическими видениями наших бесед втроем... Он все время незримо стоял рядом с Васей, особенно по ночам, и я поднималась утром обессиленная своей молчаливой мукой, о которой я не смела сказать ни Антону (он считал страшным грехом мое упорное неумение смириться с потерей), ни Юле, ни тем более Ваське.

В следующую субботу Тоня долго не могла заснуть, ворочалась, вздыхала. А когда я присела на край кушетки, она вдруг взяла обеими руками мою руку и подсунула ее себе под щеку. У меня захватило дыхание. Потому что это был жест маленького Алешки. После кори с тяжелыми осложнениями, которую он перенес трех лет, он всегда требовал, чтобы я сидела с ним, пока не заснет, и именно таким вот движением подкладывал мою руку себе под щеку.

На секунду мне показалось, что даже взгляд ее похож на Алешин, хотя объективно в ее серо-голубых глазах не было ничего общего с карими глазами моего ушедшего сына.

Теперь между субботами меня давил еще один этапный страх. До появления Тони я начинала каждое утро с мысли: не услали бы Антона, который, может быть, уже больше не нужен начальнику Дальстроя. Теперь, вдобавок к этому, я замирала от тоски и ужаса, открывая дверь детского сада: вдруг сейчас мне скажут, что сиротский этап в Комсомольск-на-Амуре уже ушел.

Сейчас это кажется неправдоподобным, однако факт, двухлетняя Тоня уже знала слово «этап». Оно витало в разговорах нянек — бывших зэка — да и в играх старших ребят — бывших питомцев эльгенского деткомбината. В одно из воскресений, сидя за нашим семейным столом, Тоня вдруг четко вымолвила, без всякой связи с общим разговором:

— Это у кого мамы нет — тех в этап... А у меня — мама...

Как раз за два дня до сиротского этапа Тоня заболела дифтеритом и ее положили в больницу.

— Ну, ваша Тоня отстала от большого транспорта. А следующий — через год, не раньше, — сказала мне заведующая детским садом.

В инфекционное отделение больницы меня, конечно, не пустили, и я утешала рыдающую Тоню знаками, стоя на завалинке у закрытого окна.

Недели через две врачиха объявила, что девочка практически здорова и ее можно бы выписать, будь она домашним ебенком. А в детский коллектив нельзя: она бациллоноситель. Вася дифтеритом болел, так что препятствий к тому, чтобы взять Тоню к себе, не было.

За полтора месяца, проведенных у нас, она прочно забыла все прошлые горести, стала меньше плакать, очень развилась умственно.

И опять то же странное наблюдение над собой я сделала за это время. Когда девочка здесь, моя тоска об Алеше становится менее раздирающей, она как бы отступает перед механичностью мелких бытовых забот о маленьком ребенке. Точно все эти манные каши, постирушки, укладывания и одеванья, возвращая мне память о моем неутоленном материнстве, врачуют смертельно раненную душу.

Все мои домашние встретили в штыки мое предложение официально удочерить Тоню. Юлька особенно возмущалась:

— Нет, ты поистине мастер выдумывать себе новые пытки! Мало тебе того, что есть... Сама говорила, что домик наш — карточный. И правильно! Так куда же еще ребенка! Чужого! С неизвестной наследственностью! Уж поверь, что мать, подкинувшая дитя, не очень-то полноценные качества ей передала... Ну а если нас опять заметут? Каково ей будет второй раз оставаться сиротой? Она хорошенькая! Ее охотно какая-нибудь бездетная полковница возьмет, и будет она там как сыр в масле кататься.

Вася, относившийся к Тоне с тем же добродушием, что и к кошке Агафье, никак не мог переключить этот вопрос в серьезную плоскость. Он молчал, но я видела, что все Юлины аргументы кажутся ему убедительными.

Антон подошел к моему намерению с другой стороны:

— А ты подумала, имеем ли мы право связывать судьбу ребенка с нашей обреченной судьбой?

Все это было очень огорчительно, хотя ничуть меня не убеждало. Ведь они не знали, не могли знать, что все их доводы от рассудка не имеют для меня никакого значения, что для меня появление Тони в моей жизни — не бытовое происшествие, а нечто тайное, почти мистически связанное с Алешей.

И я, выслушав все возражения, отправилась на другой день в отдел опеки и попечительства. Полный крах! Оказалось, что лица, неблагонадежные в политическом отношении, правом усыновления не пользуются.

— Скажите спасибо, что на собственных детей материнства вас не лишили! Еще чего придумали — чужих усыновлять! — злобно отчитывала меня тетка, сидевшая в этом отделе и, очевидно, совсем ошалевшая от полного безделья. — И думать забудьте!

529

Под высокой прической у нее торчали ушки, маленьки
но оттопыренные, как у летучей мыши. Пухлые губы, извергав
шие все эти словеса, были аккуратно намалеваны бантиком.

Вечером этого дня, когда мы оказались наедине с Анто
ном и я рассказала ему о своем визите в учреждение, решаю
щее судьбы детей, он, видя мое горе, стал говорить о мое
доброте, о том, что, конечно, девочке лучше всего было б
со мной, но...

— Господи! При чем тут моя доброта! Никакой тут добро
ты нет... Ну ты-то, ты-то разве не понимаешь, что Тоня нуж
на мне больше, чем я ей?

Услышав эти слова, Антон осекся, задумался... Больше о
никогда не сказал ни слова о неблагоразумии этого поступк

(На протяжении дальнейших тринадцати лет он был дл
Тони больше, чем родным отцом. К несчастью, он умер, когд
Тоне шел всего только пятнадцатый год. И все овраги и рытви
ны ее юности мне пришлось преодолевать уже без него. Юлин
предсказания насчет неизвестной наследственности в какой
то мере сбылись. Были моменты, когда я впадала в полное от
чаяние, не зная, как справиться с недоступными моему пони
манию, моему складу поступками. Но ни разу за все двадцат
семь лет, что она — моя дочь (сейчас, когда я пишу это, е
двадцать девять и она актриса Ленинградского Театра коме
дии), ни единого раза я не пожалела о том, что я взяла ее. И
горе, и радость, доставляемые ею, я воспринимаю всегда ка
органическую часть моей жизни, моей судьбы. А ощущение
что я не могла пройти мимо нее, так и осталось.)

...А между тем на нашу страну, на всю Восточную Евро
пу, а в первую очередь на наши каторжные места, надвигалс
сорок девятый год — родной брат тридцать седьмого.

Мы ощущали его грозное приближение, безотчетно —
иногда и сознательно — улавливали его шаги. Но верные своем
принципу — использовать передышку до конца — жили как н
в чем не бывало. Даже участвовали в новогодних вечерах. Анто
на, правда, в этот вечер не выпустили из лагеря. Но каждый и
нас — Юля, Вася, я — встретили этот зловещий год среди хоро
ших людей, окруженные всеобщим доброжелательством и сим
патией. Я сочинила сценарий для всех работников детских садо
и сама же была ведущей на этом вечере. Юля — в своем цехе
Вася — в школе.

Никогда мы не говорили вслух о нависших над нам
завистливых бедах. И только ночами, когда мешаются сон
явь, когда теряешь контроль над словами и мыслями, когд
расслабляется пружина многолетнего напряжения — только

ю время торжествуют чудища. Они встают перед глазами одно
 другим, они хватают тебя липкими хваткими пальцами за
рло. Вот они...

Дальние этапы, суды и пересуды над Антоном. Вторич-
ый арест — мой или Юлин, или обеих вместе. Вася, остав-
ийся в одиночестве на этой дальней планете. Тонин этап в
омсомольск-на-Амуре.

Сохраню ль к судьбе презренье? Понесу ль навстречу ей
преклонность и терпенье гордой юности моей?

Сорок девятый... Сорок девятый...

ГЛАВА ДЕВЯТАЯ

ПО АЛФАВИТУ

Сначала поползли зловещие слухи с материка. Говорили,
о город Александров Владимирской области (сто первый
лометр от Москвы), где поселились многие бывшие заклю-
нные, вернувшиеся в сорок седьмом, опустошается с не-
реклонной систематичностью. Каждую ночь увозят по не-
ольку человек. Называли и определенные фамилии, многие
з которых были нам знакомы.

По ночам мы с Юлей, скрываясь от Васьки, перешепты-
лись на эту тревожную тему. При этом мы неизменно одобб-
ли друг друга за дальновидность. Как мы были правы, остав-
ись на Колыме! Юля горячо надеялась и меня уверяла, что на
ой дальней планете «брать не будут». Здесь мы и так изолиро-
ны от всего мира. Да и как здесь обойтись без бывших заклю-
нных! Все производство на них держится...

Нет, не только чужой, но даже и свой собственный опыт
ичему не учит. Мы по-прежнему пытались прогнозировать свое
общее будущее исходя из разумных посылок. Ничему мы не
аучились за двенадцать лет. Все так же недоступна была нам
гика, вернее, алогизм злодейства. Или, может быть, мы нарочито отмахивались от беспощадных предвидений, чтобы ото-
ать в свою пользу еще месяц, неделю, день...

Очевидно, не только мы, но и вольняшки скромных чи-
ов не подозревали ничего о готовящейся массовой акции. По
райней мере, на моей работе все шло мирно, тихо, почти
диллично. Прошла елка в детском саду. Потом и утренник в
есть Дня Советской Армии. Дети маршировали в костюмах
ех родов войск. Методисты часто созывали совещания, на

которых меня неизменно хвалили. Я действительно уже наби
руку на сценариях утренников, выдумывала разные разност
развлекала детей и взрослых. Однажды я даже выступала
своими ребятами по радио, и дикторша, не сообразив, об
вила с разбегу мою фамилию. И хотя ей, бедняге, за это пот
здорово досталось, но все наши бывшие зэка усмотрели в эт
факте серьезный симптом либерализации.

И вдруг... Вдруг в один злосчастный день все мы узнал
что здесь, у нас в Магадане, повторно арестованы двое наш
Первый из них — Антонов — работал где-то бухгалтером. В
рой — Авербах (или Авербух) — жил в нижнем этаже наше
барака. Это был тихий замкнутый человек, который вежли
здоровался, но никогда не останавливался при встречах.

Вспыхнувшую общую тревогу стали немедленно гаси
всякими домыслами и «достоверными» слухами. Ведь Антоно
дескать, имел большой подотчет, и, конечно, его арест связ
с денежной недостачей. А второй? Ну, второй, оказывает
был когда-то раньше активным сионистом. Сейчас, после с
здания Государства Израиль, — это модный товар. Наверно, р
шили проверить его старые связи. Проверят и отпустят...

Через некоторое время взяли Аню Виноградову и докто
Вольберга, популярного в городе врача. И снова — сначала пан
ка, потом взаимные утешения: это скорее всего какой-нибу
неудачный лечебный случай... Виноградова ведь тоже медик, фел
шерица. Вот их и обвиняют в смерти какого-то больного.

Никто не хотел верить, что начались массовые повторн
аресты. По крайней мере, никто не хотел признаться в этом
только друг другу, но даже самому себе. Оглядываясь назад,
это страшное время, просто дивишься намеренной слепоте л
дей: как можно было не задуматься над очевидностью, н
тем, что в Магадане с каждым днем все шире, глубже и бесц
ремоннее укоренялось управление нового министерства — МГ
реорганизованного из НКВД, что этому новому управлени
отдают лучшие здания города, вплоть до таких крепостей, к
здание Маглага, что уже вошли в быт выражения «красный до
и «белый дом» — две их цитадели. Казалось бы, нам, опытнь
людям, отсидевшим десять лет и два года прожившим на маг
данской «воле», надо было хоть повнимательней приглядеть
к лицам и повадкам наехавших откуда-то молодых офицер
МГБ, которые с хозяйским выражением энергичных упита
ных лиц сновали по улицам города. Их все увеличивающее
количество уже само по себе должно было наводить на мысл
планируемых новых акциях. Но мы не хотели замечать все
этого, а еще больше не хотели над этим раздумывать.

Позднее выяснилось, что повторные аресты уже шли вовсю, а мы не замечали их массовости потому, что дело осуществлялось во всеколымском масштабе, по единому списку. Так что в город Магадан падали пока более или менее единичные слухи. Так или иначе мы благополучно дожили до осени сорок девятого. Устоял наш карточный домик до самого октября месяца. Вася перешел в десятый класс. Тоня опять уцелела от повторного детского этапа, так как по нынешнему приказу отправляли только дети с пятилетнего возраста, а ей было всего три года. И судьба еще даровала нам четыре замечательные недели в пионерлагере «Северный Артек», куда мне разрешили взять с собой Ваську. А Тоня поехала туда же с детским садом. Ваське нравилась экзотическая природа, он много бродил по сопкам, креп, загорел. Тоня, пользуясь отпускными вольностями, не отходила от меня ни на шаг. И сентябрь — единственный колымский месяц, милостивый к людям, — как всегда, щедро одаривал нас нежным желтоватым солнцем, паутиной, брусникой, кедровыми орешками, проказами шустрых бурундуков.

И как же я цеплялась за каждый такой денек, чувствуя, зная почти точно, что вот уходит, утекает, просачивается между пальцами моя с таким трудом построенная новая жизнь! Пусть убогая, нищая, отравленная постоянным страхом, но все-таки жизнь. С Васей, с Тоней, с Антоном, с Юлькой... Но вот подходит к концу и эта передышка. Скала, нависшая над нами, готова ежеминутно рухнуть.

В «Северном Артеке» отвлекаться от эмгебистского комплекса было легче: сюда не доходили городские слухи. Зато к середине сентября, когда мы вернулись в Магадан, сомневаться в близкой катастрофе стало уже невозможно. Все бывшие зэка ходили как придавленные, при встречах на улице вместо приветствия вполголоса называли все новые и новые фамилии взятых. Никто из арестованных пока не вернулся. Судьба их была скрыта прочной тайной. Последовательность арестов и цель их тоже не прояснялась.

Первым догадался старик Уманский. Однажды, позанимавшись с Васей алгеброй, он сел на кушетку, утомленно откинулся к стене, закрыл глаза и неожиданно попросил:

— Карандашика нет у вас?

Исписав страничку своего блокнота короткими строчками, Яков Михалыч поднялся с кушетки и воскликнул:

— Эврика! Все ясно! По алфавиту...

Мы все были в этот момент дома. Но уже не было теперь веселых застольных бесед, как в сорок восьмом. Теперь все молчали, стараясь не смотреть в глаза друг другу, чтобы не увидеть

в них отражение собственного великого Страха. Даже Тон[я]
чувствуя общую подавленность, говорила с куклой шепотом[.]

— Что по алфавиту?

— Арестовывают повторников. По алфавиту! Вот послу[шайте...] Я привел в систему. Вот те фамилии, которые нам из[вестны по Магадану...

И он стал читать. Антонов, Авербух, Астафьев, Берсене[вa, Бланк, Батурина, Вольберг, Виноградова, Венедиктов...

— Чепуха! — горячо воскликнул Антон, кидая на Уман[ского гневные многозначительные взгляды. — Случайное со[впадение!

Но я-то сразу поняла все. Знакомый удушливый спазм пе[рехватил горло. Кульминация Страха. А... Б... В... Но ведь в тако[м случае — следующая буква моя! И Антон тоже сразу понял это[, потому и кричит на Уманского и делает ему глазами знаки [—] не пугать заранее Васю.

— Нелепые домыслы, — повторял Антон раздраженно. А [я] вспомнила, что в последнее время он каждый раз тревожн[о] оглядывается, входя по вечерам в нашу комнату, и облегчен[но вздыхает, увидев меня.

Постучали в дверь. Вошла наша соседка Иоганна. Бледн[ая] как смерть.

— Гертруду взяли, — сказала она и плюхнулась на стул [,] как в обморок.

Это был снаряд, упавший уже совсем рядом. Гертруда [—] чуть ли не ежедневная наша гостья. Гертруда — партийный ор[тодокс, бывший берлинский доктор философии, мастерица н[а] заковыристые силлогизмы, призванные объяснить и теорети[чески обосновать любые действия гениального Сталина.

— Чем она могла провиниться, играя на рояле в оркестр[е] дома культуры? — растерянно сказала Юля.

— Тем же, чем вы в своем утильцехе, а ваша подруга [—] детском саду. Все виноваты лишь в том, что ЕМУ хочется ку[шать, — ответил Уманский. — Странные вопросы из уст чело[века, просидевшего столько лет. Пора понять. Массовая акция[.] Повторные аресты бывших зэка. По алфавиту...

— А вот и осрамились вы со своими изысканиями, — сер[дито бросил Антон, — фамилия Гертруды — Рихтер... Буква Р[...]

Да, действительно! После Б — и вдруг Р. Может быть, Уман[ский и впрямь ошибается... Но он спокойно возразил:

— Я сам был бы рад ошибиться. Но, к несчастью, я прав[.] Дело в том, что у Гертруды Фридриховны двойная фамилия [—] Рихтер-Барток. Вернее, Барток-Рихтер... Так что она явно про[шла на Б.

С этого дня Вася стал иногда опасливо спрашивать меня: «Мама, а тебе не страшно?», на что я отвечала: «Бог милослив...»

Обычно он спрашивал об этом перед сном. Мысль об аресте связывалась с ночью.

Но это случилось опять днем, так же как в тридцать седьмом. Я вела музыкальное занятие в старшей группе. Приближались октябрьские праздники, и надо было усиленно готовить детей к утреннику. Дети под руководством воспитательницы разучивали песню «И Сталин с трибуны высокой с улыбкой глядит на ребят». Аккомпанемент был какой-то трудный, и я уже дважды сфальшивила, не взяв бемоля.

В этот момент двое мужчин в штатском — один молодой, другой постарше — вошли в музыкальную комнату, по-хозяйски дернув дверь.

— Сюда нельзя, здесь музыкальное занятие, — строго сказала им шестилетняя Белла Рубина. Ей уже скоро должно было исполниться семь, и она очень ценила свою роль старшей в группе.

Но вошедшие посмотрели сквозь девочку как сквозь воздух. Они вообще вели себя так, точно в комнате не сидело тридцать восемь человек детей. Они видели только меня. Им была нужна только я. Тот, кто помоложе, небрежно вынул из бокового кармашка небольшой твердый билет с золотыми буквами и бегло показал его мне. Слово «безопасность» я успела схватить взглядом. Его спутник сказал вполголоса:

— Следуйте за нами!

— Евгеничка Семеночка! Не ходите! — закричал, вскакивая со своего места, Эдик Климов.

Образ его встrevоженного, раскрасневшегося лица преследовал меня потом в тюрьме. Безошибочность детской интуиции! Почуял опасность, грудью ринулся, как всхохленный боевой воробьишек, — защитить, предостеречь...

Но в это время вошла заведующая. Она тоже была вся в красных пятнах и старалась не смотреть на меня.

— Евгения Семеновна сейчас вернется, — сказала она детям. — А пока я побуду с вами...

Наверху, в кабинете заведующей, мне предъявили ордер на арест и обыск. Все было оформлено законно, с санкцией прокурора.

— Сейчас мы проедем в вашу квартиру для обыска, — объяснил мне один из рыцарей госбезопасности.

— Я не сделаю ни шага, пока вы не дадите мне возможность повидать сына. Он в школе. Остается на краю земли, один, без куска хлеба. Я должна поговорить с ним перед расставани ем, объяснить ему, куда он может обратиться за помощью.

Старший из рыцарей пожал плечами.

— Ну что ж, пожалуй... Школа рядом. Мы на легковой ма шине. Заедем за ним...

Вася рассказывал потом, что он сразу понял все, когд во время урока приоткрылась дверь класса и раздался повели тельный голос: «Аксенов! На выход!» Да и многие ученик поняли, в чем дело. Здесь, на краю земли, лишними церемо ниями не злоупотребляли, и повадки «белого дома» (а также «красного») были хорошо известны населению.

Через минуту мы уже были вчетвером в машине с заве шанными шелковыми шторками окнами: я, два рыцаря, бес страшно осуществляющие опасную операцию по задержани видной террористки, и мой младший сын, которому довелос в семнадцатилетнем возрасте уже вторично провожать мать тюрьму. Он казался сейчас совсем мальчиком. У него тряслис губы, и он повторял: «Мамочка... Мамочка...»

Мучительным внутренним усилием я старалась сосредо точиться на практических мыслях. Ведь я должна была тут же за оставшиеся несколько минут решить, какие инструкции дат Васе. Сказать ему, чтобы телеграфировал на материк, а полу чив деньги на обратный путь, возвращался в Казань? Или ска зать, чтобы он оставался здесь до конца десятого класса? Ведь Юлина буква К еще не скоро. Может, и до весны дотянут... Н если возьмут Юлю, то отнимут комнату, и Вася может остать ся не только без хлеба, но и без крыши. Что сможет сделать дл него при этом заключенный Антон? За Тоню в этом смысл можно было не беспокоиться — сыта и в тепле будет. Хорошо что я отвела ее как раз сегодня в детский сад...

Обыск проводился как-то небрежно, точно нехотя. Упра вились за пятнадцать минут, которые я использовала, чтоб собрать себе узелок и показать Васе, где его белье и одежда Денег, как назло, совсем не было, зарплату должны был выдавать завтра. Я написала Васе доверенность, но не был уверена, что деньги отдадут. Если судить по тридцать седьмо му, то ничего не выйдет: тогда у нас пропали и вещи, и книги и зарплата, и гонорары...

— Подпишите протокол обыска, — приказали рыцари. Изъято четырнадцать листов материалов...

— Господи, да какие же это материалы? Ведь это сказк «Кот в сапогах»! Я ее переделала в диалогах для кукольног театра.

— Там разберутся, что для детей, а что для взрослых, —

536

загадочно протянул старший рыцарь. Потом он вдруг начал корить Васю, который не мог сдержать слез:

— Стыдитесь, молодой человек! Вам семнадцать лет. Я в ваши годы уже семью кормил...

Васька сорвался. Ответил грубо:

— При этой профессии семью прокормить нетрудно. А я четырех лет остался круглым сиротой, а теперь, когда с таким трудом добрался наконец до матери, вы снова отнимаете ее...

И тут молодой рыцарь не выдержал. В нем проснулось что-то человеческое.

— Ненадолго, — пробурчал он, — не расстраивайтесь, это совсем не то, что в тридцать седьмом. Новый год встречать будете вместе. И не езжай никуда, парень! Кончай десятый здесь, а то год потеряешь...

Я, конечно, не поверила ни одному его слову. В тридцать седьмом тоже вызвали на сорок минут. Но хорошо, что хоть лжет благожелательно, успокаивает Васю.

Я наконец решаюсь дать Васе совет, как быть. Пусть он пошлет моей сестре телеграмму, что я опасно больна, пусть попросит денег на обратный путь. Но когда получит деньги, пусть положит их на книжку и продолжает учиться в Магадане. А деньги — для страховки. Чтобы в случае крайней необходимости было на что уехать. Он понимает намек на возможный арест Юли и кивает мне в знак того, что понял. Молодой рыцарь ворчит: «Никуда ехать не придется...»

Мы подписали протокол обыска и изъятие «Кота в сапогах». Я узнала таким образом фамилии рыцарей. Молодой — Ченцов, постарше — Палей.

Я обнимаю Ваську. Выходим в коридор. Из всех дверей — испуганные лица. Анна Феликсовна, старуха-немка, живущая у Иоганны, удивленно говорит вполголоса: «Опять за старое? Опять матерей от ребят уводят?»

В машине со мной рядом усаживается Палей. Ченцов — с водителем. Поднимаю глаза на наше окно и вижу, что Васька отодвинул стол и вплотную приник к стеклу. Это видение было потом моей смертной мукой в тюрьме. Даже сейчас, много лет спустя, писать об этом больно. Стараюсь полаконичнее.

Мы остановились у «белого дома». Плохой признак. По нашему зэковскому телеграфу передавалось, что именно «в белом» — избранное общество. «Красный дом» — рангом ниже, он для более массовых акций. Еще более массовых! «Белый дом» ранит меня еще и потому, что это — бывшее помещение Маглага, где сидела Гридасова и где мне в прошлом году удалось получить разрешение на въезд Васи. Ради нового всемогущего министерства потеснили даже колымскую королеву. С какими надеждами я сходила с этого крыльца в прошлом году!

Меня заводят в машинописное бюро, где мои рыцари оформляют еще что-то бумажное насчет меня. А я сижу на табуретке в ожидании отправки в тюрьму. Машинистка неопытная, стучит двумя пальцами, то и дело испытывает орфографические сомнения.

— «Произведенный» — два НЫ или одно? — с детской доверчивостью вопрошает она Ченцова, а тот бросает пытливый взгляд на меня.

— Д-два, — неуверенно говорит он с вопросительной интонацией. И я подтверждаю кивком головы. Да, два НЫ...

Мне почему-то вдруг делается жалко и Ченцова, и машинистку. Бедные люди! Ничего-то не знают... Ни сколько НЫ, ни что такое хорошо, ни что такое плохо. Но эта неожиданная жалость так же внезапно сменяется раздражением против бессмысленно-голубых, глазированных глаз машинистки, против таких же глазированных, только черных, сапог Ченцова, нелепо вылезающих из-под штатского пальто. Хоть бы уж скорей в тюрьму, в общую камеру, к своим...

В канцелярии тюрьмы пахнет пылью, табаком, чесноком, влажными солдатскими шинелями. Какой-то истукан с физиономией пожилого усталого дога шарит по моим карманам и долго глубокомысленно разглядывает целлулоидную кукольную ногу, которую Тоня оторвала от своего голыша, а я сунула в карман, чтобы потом попытаться приделать. Истукан должен составить список изъятых при поступлении моих «личных вещей». Он уже записал: «Шпилек головных — три (в скобках прописью — три), карандаш химический — один (опять в скобках прописью — один)». А вот дальше он в затруднении. Как записать кукольную ногу? Он смотрит ее на свет. Ничего... Просвечивает... Послюнив толстый палец, трет ее. Опять ничего... Не меняет консистенции... Наконец он спрашивает: «Это чё у вас?» И с облегчением вздыхает, услышав мой ответ: «Обломок игрушки». Формулировка подходит для списка. Под сведениями о химическом карандаше появляется строчка: «Обломок игрушки». И опять-таки неуклонно прописью — один.

Но на этом процедура по охране государственной безопасности еще не окончена. В действие еще вводится неопрятная баба, в задачу которой входит «личный обыск». Устанавливаю, что техника этого дела за последнее десятилетие ничуть не изменилась, нимало не продвинулась вперед. Баба действует точно так же, как ее коллеги в Бутырках, Лефортове, Ярославке. Разве что более провинциальна в повадках.

Короткий переход по сводчатым гулким коридорам. Тарахтенье ключей. Взвизг камерной двери. Ужасная камера! Вонючая, сырая, тесная. От каменного пола — хватающий за пятки холод. Из передвигаемой мебели — одна параша. Уродливое окно. Оно, правда, довольно большое, доступное дневному свету. Пламенистый круг отраженного солнца словно печать, которой мы снова отгорожены от мира жизни.

— Женя! Женя!

Это хором и поодиночке твердят заключенные женщины. Они мне знакомы, все до одной. Это повторницы. Наши, эльгенские. Они теребят меня, расспрашивают, требуют информации. Я кратко объясняю им, кто взят за последние дни, какая погода на улице, что пишут в газетах, чем торгуют в магазинах. Но им этого мало. Прежде всего они хотят знать, почему взяли именно нас, а не других лиц той же преступной категории. Из допросов, которым они тут подвергаются, это абсолютно не проясняется.

Перебивая друг друга, они высказывают разные глубокомысленные соображения по этому поводу. Интереснее всех соображения Гертруды. Она вещает со вторых нар, как пророк Моисей с горы Синай. Недаром она доктор философии, да еще коренная германская немка, райхсдойче. Фрау доктор выводит наши аресты прямиком из Марксовой теории познания, ленинской теории империализма, а также из последней встречи итальянского и афганского министров иностранных дел.

Пока она проповедует, я проверяю остроумную догадку старика Уманского. Та-а-ак... А... Алимбекова, Артамонова... Б — пожалуйста — Барток, Берсенева, В — Васильева, Виноградова, Вейс... Г — Гаврилова, Гинзбург...

— Хватит, Гертруда, — говорю я, устало махнув рукой. — Оглянись вокруг и перейди от теоретических обобщений, так сказать, к эмпирическому восприятию реального мира.

Она понимает меня по-своему и шепчет по-немецки:

— Если знаешь что-нибудь важное, не говори вслух. Тут есть разные...

— О Господи! Опять... Тринадцатый год сидишь, и все тебе кажется, что все кругом разные. Только ты не разная... Достойная секретов и государственных тайн...

— В чем дело? — обиженно осведомляется Гертруда.

— Да в том, что по алфавиту! Не смотри на меня как на безумную! Повторников арестовывают по алфавиту! Вот оглянись кругом... А, Б, В, Г...

В этот момент дверь камеры снова раскрылась, и мы увидели стоящую на пороге незнакомую бледную женщину средних лет.

— Как ваша фамилия? — почти хором спросили мы.

— Голубева, — ответила она тихо, — Нина Голубева из Оротукана.

В камере воцарилась мертвая тишина.

ГЛАВА ДЕСЯТАЯ

ДОМ ВАСЬКОВА

Самое страшное — это когда злодейство становится повседневностью. Привычными буднями, затянувшимися на десятилетия. В тридцать седьмом оно — злодейство — выступало в монументально-трагическом жанре. Дракон полыхал алым пламенем, грохотал свинцовыми громами, наотмашь разил раскаленными мечами.

Сейчас, в сорок девятом, Змей Горыныч, зевая от пресыщения и скуки, не торопясь составлял алфавитные списки уничтожаемых и не гнушался «Котом в сапогах» как вещественной уликой террористической деятельности.

Скучно стало не только на поверхности Драконова царства, где с каждым днем уменьшалось количество слов и оборотов, нужных для поддержания жизни, но и в его подземных владениях, в его Аиде, где тоже воцарилась банальная унылость.

Тогда, двенадцать лет назад, арест стал открытием мира для правоверной хунвейбинки, которая пятнадцатого февраля 1937 года переступила порог тюрьмы на казанском «Черном озере». Раскрылось неизвестное и даже неподозреваемое подземелье. Пробудилась совсем было атрофированная потребность находить самостоятельные ответы на проклятые вопросы. Жгучий интерес к этому первооткрытию пересиливал даже остроту собственной боли.

Теперь я не находила в себе ни любознательности, ни даже любопытства, ни интереса к душам палачей и жертв. Все было уже ясно. Я уже знала, что все строится по трафарету, мне были известны расхожие стандарты гонителей и гонимых.

Теперь, в сорок девятом, я уже знала, что страдание очищает только в определенной дозе. Когда оно затягивается на десятилетия и врастает в будни, оно уже не очищает. Оно просто превращает в деревяшку. И если я еще сохраняла живую душу в своей «вольной» магаданской жизни, то теперь-то, после второго ареста, одеревенею обязательно.

Вот я лежу на верхних нарах между Гертрудой и Настей Берсеневой, и единственное, что я испытываю, — это отвращение. Ко всему. К нищенскому пайку неба из-за решетки и деревянного щита. К разглагольствованиям Гертруды и к возгласам Ани Виноградовой, которая с утра до вечера подробно и смачно проклинает следователей. К себе самой. Одно омерзение...

Еще за год до второго ареста меня приводило в трепет само название «дом Васькова». Когда о человеке говорили «Он был в доме Васькова», — это значило, что он прошел более высокий, нам неизвестный круг ада. Слова «дом Васькова» могли сравниться по своему зловещему звучанию только со словом «Серпантинка» — таежная тюрьма.

Но вот я лежу на нарах дома Васькова и не испытываю ужаса. Омерзение — да. А ужаса нет. Я уже деревянная, мне все равно. Меня теперь не столько потрясает главное, сколько раздражают отдельные детали. Вот, например, селедочный запах. У меня к нему идиосинкразия. Как бы я ни была голодна, я никогда и в руки не беру тюремную или лагерную селедку. А здесь и Гертруда, и Настя, между которыми я лежу в положении спички между двумя другими спичками, каждое утро раздирают селедку пальцами. И их пальцы — а они на уровне моего лица — весь день и всю ночь источают тошнотворный рыбий жир. И мне кажется, что в доме Васькова нет ничего более ужасного, чем этот селедочный дух, помноженный на вонь параши.

Следствие? Это очень странное следствие. Вот как была «странная война», так это — «странное следствие». Его окутывает такая же липкая тягучая скука, какая оплела весь дом Васькова. Молодой следователь Гайдуков даже не прячет этой скуки. Он откровенно зевает, потягивается, а иногда, не выдержав, прямо в моем присутствии звонит по телефону в соседнюю комнату и делится с товарищем последними футбольными новостями. Стенки в «белом доме», куда меня возят на допросы, тонкие, я довольно хорошо слышу и без телефона, что отвечает насчет футбола другой молодой следователь, приятель Гайдукова.

Боже мой! Что сказали бы мои первые инквизиторы — Царевский, Веверс, майор Ельшин, — если бы увидали все это! С каким азартом, гневом, коварством, а иногда и с притворной ласковостью они вели это дело! И все это для того, чтобы спокойный, слегка подверженный сплину Гайдуков переписывал спустя двенадцать лет каллиграфическим почерком эти пламенные протоколы!

Никаких новых обвинений мне не предъявляли. Никаких

«признаний» не требовали. Все, что я говорила, Гайдуков без малейших извращений безропотно записывал в протокол. Даже записал мои слова о незаконных методах следствия в тридцать седьмом году. Тогда я еще не знала выражения «до лампочки». Но ему безусловно все было именно до нее.

Однажды, подписывая что-то, я заметила, что в папке лежит бумажка, видимо, послужившая для мотивировки моего нынешнего ареста. Я успела прочесть слова: «...по подозрению в продолжении террористической деятельности».

— Да что же это такое! — не сдержалась я. — Это в детском саду, что ли, я террористическую деятельность продолжала?

Гайдуков равнодушно скользнул глазами по бумажке и, не повышая голоса, ответил:

— Так это же просто для оформления... А что же вам писать, когда у вас старая статья пятьдесят восемь-восемь и одиннадцать? Террористическая группа... Шпионаж или вредительство ведь не напишешь, правда?

Вообще он был, что называется, безвредный парень, служ-бист. Он разрешил мне получать из дому передачи. И я получила узелок, весь состоящий из съедобных символов. Два лагерных пончика. Это знак, что Антон ходит к Васе. Это он принес со своего карпункта премиальное докторское блюдо лагерного меню. Два бутерброда с яйцом и килькой. Такие продают в школьном буфете. Значит, Вася продолжает ходить в школу. Наконец, варенные в постном масле кусочки теста, так называемый «хворост», — Юлино фирменное блюдо. Знак того, что Юлька пока дома.

Однажды мне на редкость повезло. Меня повезли на допрос не ночью, как обычно, а среди белого дня. И выходя из ворот дома Васькова, я увидала своего Ваську, стоящего с узелком передачи у вахты. И он увидал меня. Меня охватила короткая, но острая радость. Вот он — жив-здоров и неплохо выглядит. Не улетел на материк, не растерялся, не бросил последний класс школы. И ходит к матери с передачей, не боится, а если и боится, то превозмогает свой страх, хоть, может, его и терзают за это в комсомольской организации.

И я широко улыбнулась ему, садясь в машину, и рукой помахала. (Потом, когда встретились, он все удивлялся: почему ты такая веселая была?)

Но прошла эта минутная утеха, и снова — беспробудное отчаяние. Опять, опять заключенная... Опять привычное выматывающее ощущение конвоя за спиной. Точно и не прерывалось. Ночные бессонные мысли шли теперь сплошным некрологом. И так и этак поворачивала свою жизнь, но любой поворот

ел к единственной избавительнице — смерти. Ведь нельзя же в
амом деле даться им в руки вторично, вновь пойти по эльген-
ким кругам. Нет, я не думала о самоубийстве, тем более — о
онкретных его формах. Я знала, что это не потребуется. Доста-
очно было только перестать сопротивляться ей — и она придет.

Как потом выяснилось, нас арестовали ВСЕГО ТОЛЬКО
ля того, чтобы оформить нам по приговору Особого совеща-
ия МГБ вечное пожизненное поселение. Для этого требовалось
ереписать старое дело, отправить его фельдъегерской связью в
Москву, дождаться, пока там проштампуют (а очередь шла во
сесоюзном масштабе), и наконец получить приговор опять все
ри помощи той же неторопливой фельдъегерской связи. На это
ходило пять-шесть месяцев... Полгода в доме Васькова!

Ах, если бы мы знали это! Если бы хоть догадывались о
аких гуманных намерениях! Тогда хватило бы сил переносить
ту камеру. Ведь поселение — не лагерь. Это без конвоя, без
олючей проволоки, в своей конуре, со своими близкими...

Но следователи не имели права сообщать нам о том, что
ам грозит и что не грозит. (Только мой молодой рыцарь госбе-
опасности Ченцов, обнаруживший при обыске у видной тер-
ористки «Кота в сапогах», пытался намекнуть нам с Васькой,
то теперь «совсем не то, что в тридцать седьмом году». И хоть я
огда, наученная всей многолетней ложью, не поверила ему, а
едь оказалось правдой. И я задним числом благодарна Ченцову
а эту его человечную попытку утешить и рада за него, что у
его дрогнуло сердце, не выдержав нашего с Васей прощания.)

Но все это узналось позднее. А пока мы, несчастные обла-
атели фамилий с начальными буквами алфавита, так сказать,
ервопроходцы сорок девятого года, должны были на собствен-
ых судьбах узнать, каковы цели этой повторной акции. И нас
ерзал призрак нового лагерного срока. Мы ждали полного по-
торения всей программы тридцать седьмого, а это было свыше
еловеческих сил.

Поэтому я и готовилась по ночам к смерти, перебирала
сю свою жизнь, все боли, беды, обиды. И все свои великие
ины. Читала про себя наизусть по-немецки католические мо-
итвы, которым научил меня Антон. И впервые в жизни меч-
ала о церкви как о прибежище. Как это, наверно, целитель-
о — войти в храм. Прислониться лбом к колонне. Она
рохладная и чистая. Никого вокруг не замечать. Но чувство-
ать чью-то невидимую руку на своей голове. Ты один знаешь,
ак я устала, Господи...

...Днем и ночью в камере спорили о том, что с нами бу-
ет. Назывались новые чудовищные сроки. Двадцать лет... Двад-

цать пять... Только Гертруда проявляла оптимизм. Уверяла, чт
будут созданы какие-то промежуточные формы гетто для бы
ших заключенных, нечто среднее между лагерем и вольны
поселением.

— Цум байшпиль, кольхоз «Красная репа», — заканчивал
она на своем воляпюке. Это было не лишено остроумия, и гла
ное — всем хотелось, чтобы это было правдой. С тех пор разго
вор о том, что нас ждет — лагерь или поселение, — формулиро
вался кратко: Эльген или «Красная репа»?

Наступили ноябрьские праздники. В соответствии с луч
шими традициями начальство дома Васькова отметило их ги
гантским обыском. Следователи не работали три дня, никуд
никого не вызывали, и тоска, охватившая герметически зак
поренную камеру, как бы материализовалась, стелясь по пол
грязными пятнами.

И вдруг среди этой могильной тишины, в ночь на девя
тое, загремели замки, закряхтела ржавым голосом дверь каме
ры. Меня! На допрос!

Через минуту я уже жадно вдыхала морозный ноябрьски
воздух, стоя у вахты в ожидании машины. Здесь возили на до
просы на легковой. Я незаметно покрутила ручку, спускаю
щую боковое стекло, и полакомилась кислородцем. Конвои
сделал вид, что не заметил.

Гайдуков после праздников был какой-то отекший и ещ
более равнодушный, чем обычно.

— Ну вот и оформили вас, — эпически сказал он, похло
пывая ладонью по толстой розовой папке моего «дела». Эт
было то самое дело, заведенное еще в тридцать седьмом году
Только папка была новая, свежая, с четкой печатной надпи
сью наверху: «Хранить вечно». Под этой надписью — другая
все через дефисы: ВЧК-ОГПУ-НКВД-МВД-МГБ. Если прики
нуть литераторским глазом, то в папке не меньше двадцат
печатных листов.

— Неужели все обо мне? — вяло поинтересовалась я.

— А то о ком же? — удивился Гайдуков.

Вдруг на его столе зазвонил телефон.

— Да, да, — несколько оживившись, подтвердил мой сле
дователь, — да, у меня. Слушаю, товарищ полковник... Сию ми
нуту, товарищ полковник...

Обернувшись ко мне, следователь сообщил:

— Вас желает видеть наш начальник — полковник Цируль
ницкий. Следуйте за мной!

У полковника был очень импозантный, почти вельможе
ный вид. Он был в меру высок и в меру дороден, с орлины

носом, с живописной сединой в еще густых волосах. К его внешности подошла бы средневековая кардинальская мантия. Но орденские колодки, разноцветной мозаикой теснившиеся на его груди, напоминали, что заслуги его связаны отнюдь не со средними веками.

— Садитесь! — Это мне. — Можете идти... — Это Гайдукову.

Дальше пошло непонятное, необъяснимое! Полковник вдруг сбросил с лица всю важность и заговорил, называя меня по имени-отчеству, точно за чайным столом.

— Какой у вас чудный мальчик! Он приходил за разрешением на передачу. Я любовался им. И как смело он с нами разговаривает! Обычно ведь нас боятся...

Он произнес последние слова со странной интонацией. Не с важностью, не с самодовольством, а даже с каким-то оттенком горечи.

— У вас один мальчик? — спросил он.

Это был именно тот вопрос, которого я не могла перенести. Я долго молчала, мысленно твердя себе Васину просьбу: «Не плачь при них!» Пауза затянулась. Полковник с недоумением глядел на меня.

— Было два. После того, как вмешались в мою жизнь, стал один.

— Война?

— Блокада. Ленинград.

— Но ведь это и при вас могло случиться.

— Нет. Я бы из огня живого вынесла.

Теперь полковник смотрел на меня просто-таки с необъяснимым сочувствием. Я внутренне одернула себя. Что это я? Еще не изучила за двенадцать лет их ухватки? Сейчас, наверно, предложит освободить меня. В обмен на определенные услуги. И я отвечаю на добрый взгляд настороженным враждебным взглядом.

Полковник усмехается.

— Не любите вы нас...

— И с чего бы... — непроизвольно слетает с моих губ. Тут же пугаюсь. Добился-таки он своего, сбил меня с официального тона. А сейчас, убедившись, что ничего со мной не выходит, начнет расправу. Вспоминаю рассказы о карцерах дома Васькова.

Но полковник и не думает злиться. Постукивает карандашом по настольному стеклу и задумчиво говорит, как бы размышляя вслух:

— Да, удивительный у вас мальчик. У меня такой же... То есть такой же по возрасту. А вот хватило ли бы у него смелости в нужный момент идти заступаться за отца в такое страшное мес[то] — этого я не знаю. Так что видите — в каждой беде есть и хорошая сторона. Теперь вы убедились, как ваш сынок вас любит.

Нет, оказывается, я еще не совсем одеревенела. Слова [о] сыновней любви, да еще произнесенные полковником МГБ [в] «белом доме», вдруг потрясли меня. И я нарушила обет, н[е] соблюла Васькину просьбу: заплакала при них.

Полковник с неожиданной легкостью встал со своег[о] места, налил воды в стакан, поднес мне. Я судорожно глотал[а] воду, стуча зубами о стекло. И вдруг различила совсем уж немыслимую в этих устах фразу:

— Я знаю, что вы ни в чем не виноваты...

Да что же это такое? Какое-то уж совсем чудовищное коварство? Или... Или... Неужели искренно?

— Да, я это знаю, — продолжал полковник. — Но сделат[ь] из этого все выводы — выше моих возможностей. Однако облегчить ваше положение могу. И сделаю это. Вот читайте!

Он вынул из ящика папку с бумагами. Протянул мне эт[у] папку и подвинул ближе настольную лампу.

Я долго читала механически, от волнения не в силах связать казенные слова в смысловое целое. Фразы пузырились [и] лопались, не оставляя следа. Но вот наконец кое-что проясняется.

Бумага адресована в Особое совещание при МГБ СССР[.] Это копия той, что уже отправлена в Москву. «Направляется дело такой-то по обвинению»... бу-бу-бу-бу-бу... Ну, это все условный код, применяемый в царстве Змея Горыныча. Н[о] вот и суть! «Для ссылки на поселение»... Ссылка на поселение! Колхоз «Красная репа»! Счастье! Значит, не Эльген, н[е] лагерь, не колючая проволока... Значит, небо надо мной будет открытое?

Поднимаю на полковника счастливые глаза.

— Поселение? Вольное поселение? С семьей можно?

— Да. И из тюрьмы вы тоже скоро выйдете. Осталось несколько дней.

Он протягивает мне другую бумажку. Это копия письма, посланного им прокурору. Он ходатайствует, чтобы в отношении меня была изменена «мера пресечения», чтобы «содержание под стражей заменить подпиской о невыезде». И мотивирует просьбу тем, что остался без средств к существованию несовершеннолетний сын.

— Видите? Я превратил вашего семнадцатилетнего сына в ребенка, чтобы вас выпустить.

— И что прокурор?

— Согласен. Я говорил с ним сегодня. Но официальной резолюции еще нет. Обещал завтра. Ну, пока бумагу проведут через все канцелярские каналы, пройдет еще дней пять. Считайте, что через неделю будете дома, с сыном. Вас вызовут с вещами. Это будет — на волю. Работать будете на старом месте.

У меня мелькает мысль — попросить его тут же дать разрешение на удочерение Тони. Но он уже нажал кнопку звонка, и в дверях уже стоит пришедший за мной конвоир.

— Уведите арестованную, — приказывает полковник, почти не разжимая губ. Лицо у него снова вельможное, непроницаемое. И все, что он сейчас говорил мне, кажется какой-то фантасмагорией, сном, увиденным на ходу.

В камеру я возвращаюсь на рассвете. Уже раздают кипяток, хлеб, селедку. Проходя по тюремному двору, я только что хлебнула свежего ноябрьского воздуха, и после этого едкая селедочная вонь валит меня с ног. И вообще после эфемерных видений, показанных мне полковником Цирульницким, реальность камеры еще более непереносима.

— Ты бледна как смерть, — говорит Гертруда, — что они сказали тебе?

— Потом... — отвечаю я и, отказавшись не только от селедки, но и от хлеба, ложусь на нары и закрываю глаза.

Чтобы не сглазить, не разрушить мечту, я решила никому не говорить о странном поведении полковника.

День. Второй. Третий. Надежда и отчаяние. Отчаяние и надежда. Вокруг меня люди, лежащие плотно, как кильки в банке, а я чувствую себя одинокой, как единственный фонарь на пустынной площади.

На четвертый день мне принесли очередную передачу — узелок с едой. Это был знак полного поражения. Ведь если бы меня действительно собирались выпускать, то передачу не приняли бы. Значит, ничего не вышло. Наверно, прокурор не подписал.

К концу пятых суток, ночью, когда от тоски я ощущала корешок каждого волоса на голове, я не выдержала: разбудила Гертруду и рассказала ей весь разговор с полковником.

— О Женя! Ви думм бист ду! — воскликнула Гертруда и произнесла целую речь, в которой выражала изумление, что я могла хоть на минуту довериться таким полковничьим речам. Ну ясно, хотел что-то прощупать... Втереться в доверие. Расположить к себе. Ничего не требовал? Подожди, еще потребует...

Я устыдилась. Действительно, нет пределов моей глупой доверчивости. Даже ортодоксальная Гертруда реально смотрит на «гуманизм» тюремщиков. И все же... Сотни раз я точно проигрывала пластинку, мысленно воспроизводя все речи полковника. Ведь не во сне же... Хорошо, пусть врал. Но ведь бумагу про ссылку на поселение я читала собственными глазами. Впрочем, что им стоит сфабриковать любую бумагу?

И еще пять дней. Только девятнадцатого ноября, когда я окончательно и безвозвратно окунулась сожженной душой в тюремное полубытие, только тогда и раздались эти уже не чаемые слова: «С вещами!»

В ответ вскочила не я одна. Все мои соседки повскакали со своих мест. Потому что это было эпохальное событие для всех нас. Отсюда еще никого не брали с вещами. Значит, судьба одной уже решена. И это эталон всех остальных судеб.

Конвоир стоял в дверях все время, пока я собирала вещи, так что обменяться какими-нибудь словами мы не могли. Да и не нужны были слова. Понятны были взгляды. «Сообщи как-нибудь...» «При малейшей возможности...»

Через несколько минут я была уже в конторе тюрьмы. Там сидел тот самый истукан, что месяц назад составлял опись моих «личных вещей». Сейчас он щепетильно выложил их передо мной: мои три шпильки, один химический карандаш и — главное — целлулоидную пухлую ногу Тониного голыша. Обожаю строгую законность!

— Распишитесь!

Вошел мой следователь Гайдуков. Я даже не подозревала, что у него может быть такое веселое доброжелательное лицо.

— Ну вот и все, — сказал он. — Обедать будете уже дома. Сейчас заедем вместе на машине в прокуратуру, я возьму там на вас бумажку и тут же высажу вас и отпущу на все четыре стороны. В пределах Магадана, конечно...

Увидав его благодушное настроение, я задумываю сложное дело.

— Гражданин следователь! Я забыла в камере очки. Без них я не могу читать.

Это была наглая ложь. В то время я еще очками не пользовалась. Гайдуков послал истукана в камеру, но тот возвратился, естественно, ни с чем. Мифических очков не нашли.

— Разрешите мне самой на минуточку. Вместе с конвоиром. Я ничего не буду говорить.

Это полное нарушение режима. Но Гайдукову сегодня хочется быть добрым до конца. Он идет со мной сам. Отчаянно торопит, но я, роясь на верхних нарах, успеваю шепнуть Гертруде заветный пароль — «Красная репа». Теперь хоть они не будут бояться новых лагерных сроков.

За те десять минут, что мне приходится ждать Гайдукова в

машине, остановившейся возле здания прокуратуры, все демоны снова неистово впиваются в мое сознание. Десятки предположений, одно другого страшнее. Вот сейчас выйдет и скажет, что прокурор отказал. И обратно в тюрьму. Или коварно ухмыльнется и объявит, ради какой дьявольщины полковник Цирульницкий был так добр ко мне. Я совершенно не могу себе представить, что бы это такое могло быть, но уж наверняка самое беспробудное, беспросветное, бессовестное... А тогда, значит, опять-таки останется только смерть.

— Можете идти домой, — говорит, открывая дверку машины, Гайдуков. И таким добрым голосом говорит, что я краснею от своих предположений. Вот во что я превратилась! Уж до того замаяла меня жизнь, что я совсем потеряла способность верить во что-нибудь хорошее. А между тем вот оно — чудо! Я иду домой. Домой! Кто-то помог мне выбраться из пропасти, а я, вместо того чтобы благодарить и размышлять, что даже в главной резиденции Змея Горыныча есть люди, не лишенные доступа к добру, — вместо всего этого я судорожно ищу подвохов, подставленных ножек.

— Спасибо, — искренно говорю я, адресуя эти слова не Гайдукову, а куда-то поверх его головы.

— На здоровье, — улыбается он и добавляет: — Завтра приходите к часу в «белый дом», ко мне, чтобы оформить подписку о невыезде.

Эмгебистская легковая машина исчезает за углом, а я остаюсь на мостовой с большим, плохо связанным узлом в руках. Боясь неожиданных этапов, мои домашние натаскали мне в тюрьму всяких теплых тряпок, и вот теперь я изнемогаю под тяжестью этого груза. Да и от воздуха отвыкла за этот месяц в зловонии васьковской камеры. Еле иду. Голова кружится, ноги подкашиваются.

Совсем обессилев, ставлю узел на землю и останавливаюсь перевести дух. Вдруг слышу тихое «ох!». Около меня остановилась наша методистка из дошкольного методкабинета. Та самая Александра Михайловна Шильникова, что делала доклад о трогательной любви детей к Великому и Мудрому. Она смотрит на меня, и я словно впервые вижу ее типично уральское высоколобое лицо с мягким ртом и большими круглыми глазами. Оказывается, очень человечное лицо, если с него смыть официальный служебный налет.

— Отпустили? — допытывается она. — Совсем отпустили?

— Насчет «совсем» ничего определенного сказать нельзя. Но и «пока» — тоже неплохо. Пока отпустили. Вот пытаюсь добраться домой...

— Давайте я помогу нести узел. Вы, видно, очень ослабли...

Мы медленно поднимаемся в гору, приближаясь к нашему Гарлему. И Александра Михайловна, методистка, от которой я за два года слышала столько узорчатых слов о задачах дошкольного воспитания, тащит мой пыльный тюремный узел, предлагает денег взаймы, сует мне в карман какие-то свертки из своей хозяйственной сумки. Вот, оказывается, какие настоящие зеленые ростки у нее в душе, глубоко внутри, под слоем бумажных гофрированных мертвых цветов.

(После двадцатого съезда, после чтения доклада Хрущева, Александра Михайловна подошла ко мне как-то и сказала: «Боже, как я была близорука! Как идеализировала этого человека! (Она теперь даже не могла выговорить еще недавно дорогое ей имя.) Вы, наверно, зная все, считали меня безнадежной...» «Нет, — ответила я, — за вами ведь заячий тулупчик...» «Какой тулупчик?» — «А узел-то мой тюремный... Помните, помогали тащить...»)

Уже неподалеку от нашего барака мы вдруг встретили Ваську. Он шел нам навстречу со своим школьным приятелем Феликсом Чернецким. От неожиданности мы не сразу бросились друг к другу.

(Потом Вася рассказывал, что Феликс, увидев меня, сказал: «Вон идет твоя мама». А Вася принял за шутку и резко сказал: «И не стыдно издеваться над ТАКИМ?»)

— Вася!

И опять у него стало совсем детское лицо. Как тогда, когда меня уводили.

— Мамочка!

Ах, до чего же уютен наш закопченный кривой коридор! Как домовито и оседло пахнет жареным луком! И как родны мне все эти люди, тут же набежавшие к нашим дверям!

Антон придет только вечером. Он шагает ежедневно по восемь километров пешком, носит Васе свой лагерный ужин. Тогда я побегу сейчас же в детский сад, за Тоней, чтобы вечером мы были опять все вместе. Все вместе.

В детском саду мертвый час. Дети спят. Зато все воспитательницы, няни, сестры окружают меня с таким искренним теплом и сочувствием, что как бы стирают с моей души все, что на ней накопилось за этот месяц в доме Васькова. Узнаю, что в праздник они носили Васе гостинцы — пирожки, конфеты... Как добры люди! Вчерашние мысли о смерти кажутся мне невозможными, точно это и не приходило мне в голову...

Няня из Тониной группы кается и просит прощения. Так ревела девчонка, маму звала, что пришлось ей соврать: умерла, мол, мама, не придет больше.

— Не ждали ведь вас обратно-то... Уж извините...

По пути домой Тоня, вцепившаяся в мою руку мертвой хваткой, болтает о разном, но время от времени переспрашивает: «А ты больше не умрешь?»

Юля обязательно хочет сделать Антону сюрприз, и вечером, перед его приходом, она приказывает мне взять Тоню на руки и посидеть за ширмой. И хотя я с большей радостью встретила бы его даже не в комнате, а в коридоре, но Юльке отказать не могу. Пусть потешится.

Я слышу, как Антон входит, снимает галоши у дверей, тяжело вздыхает, кладет что-то на стол и напоминает Васе, что завтра в тюрьме день передач. И вдруг Тоня не выдерживает конспирации.

— А мама больше не будет умирать, — объявляет она, соскакивая с моих колен и выбегая из-за ширмы.

Антон так дергает ширму, что она падает на пол с ужасным грохотом. На шум опять сбегаются соседи.

— Ты? Ты? — повторяет Антон.

Соседи вокруг нас утирают слезы. А мы с Антоном не плачем. Он все твердит: «Как исхудала!» А я: «Ничего, поправлюсь...»

Ночь. Антон ушел в лагерь, Юля — в цех, в ночную смену. Тоня спит на кушетке. Только мы с Васькой все говорим, лежа в постелях. Уже несколько раз он желал мне спокойной ночи, но разговор вспыхивает все снова и снова.

Наконец я засыпаю, сохраняя даже во сне чувство острого физического наслаждения от чистой простыни и пододеяльника. Меня будит Васин голос.

— Мама, ты спишь?

— Да. А что?

— Ничего. Я только хотел сказать: спокойной ночи, мамочка...

И через полчаса опять:

— Спокойной ночи, мамочка...

ГЛАВА ОДИННАДЦАТАЯ

ПОСЛЕ ЗЕМЛЕТРЯСЕНИЯ

Улеглось первое радостное возбуждение после неожиданного освобождения из тюрьмы. Наступила реакция. Я просыпалась по утрам бледная, с отекшими веками, с головной болью. И опять, опять с сознанием обреченности.

Из-за окна навстречу мне поднимался декабрьский колымский рассвет. От него нельзя было спрятаться. Надо было выходить на улицу, вступать в соприкосновение с людьми, узнавать новости.

Новости отличались однообразием. Строгий алфавитный порядок не нарушался. Каждый день брали новую пачку повторников. Оставалось только удивляться, как им удается затолкать столько человек в ограниченное пространство дома Васькова. Наверно, лежат уже и под нарами. С каждым днем алфавит все ближе подходил к Юлиной букве К. По вечерам, перед сном Юля давала инструкции.

— Если сегодня возьмут, то имей в виду: мои меховые варежки в починке. Заберешь из мастерской и принесешь. Хлеба не носи, пайки хватит. Но сахар — обязательно. Без сахара я совсем дурею...

И я уже не отвечала теперь: «Не говори глупостей», а лаконично соглашалась: «Хорошо, принесу».

Первое время после моего выхода всех очень поддерживало мое достоверное сообщение о том, что речь идет только о поселении, что лагерных сроков никому не дадут. Но потом радужные мечты о «Красной репе» стали как-то линять перед реальной перспективой дома Васькова, да еще неизвестно на какой срок.

Васька ходил мрачнее тучи. Оставалось полгода до окончания средней школы, а он вдруг зарос тройками. На мою попытку завести об этом разговор — огрызнулся:

— ЭМГЕБЕ, что ли, о моих отметках тревожится?

Отвечать было нечего. Действительно, эмгебе вошло в нашу повседневную жизнь. Прежнего, доарестного, надзора можно было не замечать, он был секретным. Теперь за мной надзирали гласно, и тень «белого дома» лежала на нашем карточном домике, на нашем углом семейном счастье. За первую неделю после выхода из тюрьмы я ходила туда уже трижды. Первый раз — давать подписку о невыезде. Второй и третий — жаловаться на отдел кадров, не желающий восстанавливать меня на работе. А потом они просто приказали мне являться к ним два раза в неделю, пока не придет из Москвы решение по моему новому «делу».

По звонку «оттуда» меня восстановили на работе. Я снова играла на пианино, но то и дело ловила на себе жалостливые взгляды сослуживцев, слышала обрывки разговоров о том, что заведующая ищет нового музыкального работника. Она стала очень неохотно отпускать со мной Тоню.

— Чем больше привыкнет, тем больнее будет отвыкать.

Антону тоже не удавалось теперь приходить каждый вечер, потому что режим в лагере усилился в связи с приближением исторической даты — семидесятилетия Вдохновителя и Организатора всех наших побед, Великого Языковеда и Лучшего Друга советских физкультурников — Генералиссимуса Сталина.

Юля требовала, чтобы радио было всегда включено. У нее была теория: «Надо все слышать». И наш репродуктор надрывался с утра до ночи, извергая на нас потоки холуйского вдохновения по поводу тезоименитства Вождя. Семидесятилетие праздновали чуть ли не неделю подряд. Вакханалия восторгов и изъяснений в любви и преданности длилась часами. Каждый народ шаманствовал по-своему. Азиаты били в тамбуры и цокали языками. Сибиряки истошными голосами вопили насчет просторов родины чудесной, на которых они, дескать, сложили радостную песню о великом друге и вожде. Рязанцы и воронежцы отбивали в честь Генералиссимуса какую-то особенно дробную чечетку, прерывая гармонику лихими взвизгами. Потом транслировалось народное гулянье на Красной площади, громовые оркестры и хоры. Все это шло крещендо, и не видно было этому крещендо предела.

Сейчас это кажется уже почти невероятным. Уж не приснились ли нам тогда эти шаманские свистопляски, под которые уходил с исторической сцены недоброй памяти год сорок девятый? Увы! Точность памяти подтверждалась всякий раз, когда еще совсем недавно мы случайно набредали в эфире на пронзительные дискантовые пекинские голоса, захлебывающиеся в превосходных степенях, бьющиеся в конвульсиях любви к самому-рассамому Великому Кормчему.

...Двадцать пятого декабря сорок девятого года умерла моя мама. Мой второй арест оказался той самой последней каплей, для которой уж не нашлось места в чаше. Как она металась, бедная, узнав из Васиного письма, что он остался снова без меня! Как пыталась оттуда, издалека, защитить, помочь! То посылала полузнакомым людям телеграммы, начинавшиеся со слова «Умоляю», то отваживалась — сухонькая, почти семидесятилетняя, в драповом своем пальтишке с отделкой из тесьмы, — переступать порог грозного министерства, доказывая упитанным, отлично выбритым дежурным, что по всем законам мать имеет право хотя бы узнать, жива ли ее дочь и где она находится, если жива.

К счастью, она еще успела получить мое письмо о выходе из дома Васькова. И я тоже успела получить последнюю ее весть — тетрадный листочек в косую линейку. Крупно уже писала моя мама. Крупно и неровно. Жаловалась на левый глаз. Почти ничего не видит. Но правым она видела мой почерк, понимала, что я еще раз вышла живая, и потому писала: «Какое счастье!» За неделю до смерти так писала.

Она была совсем рядовой, никем не описанной матерью. Матерью заключенной. Свой безмолвный, неосознанный подвиг она совершала уже под старость, уже во вдовьи, бездомные свои годы. Не останавливали ее ни болезни, ни возраст, ни хроническое недоедание. Не было для нее в нашем фантастическом царстве Змея Горыныча недосягаемых земель. Долгих тринадцать лет, день за днем, она отыскивала меня всюду, куда бы меня ни забросили. Если бы издать ее письма за эти тринадцать лет, получился бы человеческий документ разящей силы. Но письма отбирали при обысках, этапах, при втором аресте.

Не осталось писем. Остались только две фотографии. На одной — темноглазая задумчивая гимназистка тысяча девятьсот второго года. Эта гимназистка потихоньку читала не вполне понятную, но заманчивую своей запретностью «Критику Готской программы». На другой фотографии — скорбная старуха. Она досконально изучила правила переписки с заключенными, тоже не очень-то понятные. Она то и дело вступала в юридическое единоборство с Великим Душегубом, в чистоте своей искренно поражаясь тому, что он не хочет соблюдать даже собственные, им же созданные правила. В бесчисленных заявлениях она писала: «На основании пункта такого-то постановления такого-то, прошу предоставить мне разрешение на...»

Телеграмму о маминой смерти принесли двадцать шестого декабря. Репродуктор все еще надрывался в конвульсиях юбилейного ликования. Кто-то надсадно вопил «Да здравствует!», перекрывая голосом сводные оркестры. Да, он дожил до своего семидесятилетия. А она вот не дожила...

...Удар за ударом. Пришло постановление Особого совещания МГБ по моему новому «делу». Я была приговорена к вечному поселению в пределах Восточной Сибири.

Убийственным для меня, для всех нас, был, понятно, не самый факт пожизненной ссылки. Она, наоборот, была меньшим злом, сравнительно с призраком нового лагерного срока. Убивал адрес — Восточная Сибирь. Он означал полное крушение нашего карточного домика. Меня увезут, а Антон будет досиживать на Колыме в лагере свои оставшиеся четыре года. Потом и ему дадут вечное поселение в другом месте, не в том, где я. Вася останется совсем один, потому что Юлина буква, а с ней и дом Васькова, неотвратимо приближается к нам. Тоню весной отправят в спецдетдом. Наконец, по общим отзывам, этап, предстоявший мне, был страшен. Кое-кто уже шел таким и мало кто остался в живых. В частности, жертвой такого этапа стал незадолго перед тем друг Уманского, молодой, талантливый Василий Куприянов.

Ирония судьбы состояла в том, что такой адрес вечного поселения я получила благодаря сочувствию и снисхождению полковника Цирульницкого. Он хотел облегчить мое положение, и потому мое дело оформлялось не на Колыму — места весьма отдаленные, а на Восточную Сибирь — места не столь отдаленные, материк все-таки. Откуда ему было знать все мои обстоятельства!

После получения приговора мой следователь Гайдуков предложил мне являться к нему на отметку через день. Этап в Восточную Сибирь пока откладывался из-за сильных морозов, но в любой час мог быть назначен.

Началась совсем чудовищная жизнь. В углу нашей комнаты стояли мои уже связанные этапные узлы. Каждое утро в день отметки я прощалась со всеми, как навсегда. А отыграв на пианино свои оптимистические марши и лирические песни, я прямиком бежала не домой, а в «белый дом» на отметку. Там-то, в коридоре, и увидал меня однажды полковник Цирульницкий.

— Что с вами? Больны? — спросил он, взглянув на мое заострившееся желтое лицо с черными подглазницами.

— Здорова. Ведь отчаяние нельзя считать болезнью.

— Почему отчаяние? — досадливо спросил полковник. — Ведь вам вынесли сравнительно мягкий приговор. Не Колыма с ее вечной мерзлотой, а Восточная Сибирь. Там лето настоящее, там овощи, там железная дорога. К вам приедут родные.

— У меня нет больше родных, которые могут приехать.

Полковник смотрел на меня с явным неудовольствием. Не возражений он ждал, а благодарности.

— Я здесь уже обжилась. У меня есть угол, работа, близкие люди. А там все заново: голый человек на голой земле, — попыталась я разъяснить.

После короткой паузы полковник распахнул дверь в свой кабинет.

— Зайдите! Если Колыма как место ссылки для вас предпочтительней, то напишите об этом заявление на имя Особого совещания. Мы отправим ваше заявление в Москву. Мотивируйте болезнью и невозможностью следовать этапом.

— А как же этап?

— Отсрочим до получения ответа...

От волнения никак не могу сформулировать текст заявления, и полковник диктует мне. «Ввиду резко ослабленного здоровья... Невозможность перенести дальний этап... Ввиду того, что сын учится в выпускном классе магаданской школы...»

— А дочка еще совсем маленькая, — добавляю я вдруг.

— Какая дочка?

И тут я обрушиваю на полковника историю Тони. Вот уж кто наверняка не перенесет этапа... А ее все время прочат в Комсомольск... Не хочет ли полковник взглянуть на девочку? Она здесь, сидит на стуле в коридоре, ждет меня.

— У нас? Ребенок?

— Ну да. Мне пришлось взять ее с собой, чтобы не возвращаться в детский сад. Я должна сегодня вести ее в баню.

— И что же, хотите официально удочерить?

— Пыталась. Отказали. Говорят, репрессированным нельзя.

Так состоялась первая встреча трехлетней Тони с всесильным министерством. Вот примерное изложение ее диалога с полковником.

— Здравствуй, Тоня. Скажи, не хочешь ли ты поехать в Москву?

— С мамой?

— Нет, со мной. Маме ведь надо работать...

— Без мамы не поеду.

— Гм... Жалко. А там в Москве есть цирк. А в цирке медведи, обезьяны, лисицы...

— У нас дома тоже есть кошка Агафья.

— Агафья? — переспросил полковник и взял телефонную трубку. Дозвонившись до отдела опеки и попечительства при гороно, он отрывисто сказал, что к ним на днях обратится ссыльнопоселенка такая-то. По вопросу о девочке Антонине. Так вот — мнение МГБ — удовлетворить просьбу.

Представляю себе, как выкатила глаза та ушастенькая, похожая на летучую мышь, которая говорила мне, что меня надо бы лишить материнских прав даже на собственных детей.

Но что же все-таки происходило с полковником? Почему он выказывал такие далекие от его профессии чувства? Ведь сколько добра сделал мне этот человек, увешанный орденами за службу в органах! Выпустил из тюрьмы. (Другие в ожидании оформления вечной ссылки просидели не месяц, как я, а все пять-шесть месяцев.) Помог восстановиться на работе при активном сопротивлении отдела кадров. Взялся хлопотать о перемене места ссылки и отсрочил этап. А теперь вот Тоня.

Тогда все это загадочное поведение было мне неясно. Только после отъезда полковника из Магадана я услышала, что во время моей эпопеи сорок девятого года полковник уже знал о своей близкой отставке. Он был ошарашен этим, душевно метался, не находя объяснений чинимой над ним «несправедливости», и, может быть, впервые задумался о судьбах других людей. Я просто попалась ему под руку во время его великого смятения чувств.

А то, что с ним случилось, было связано с другим землетрясением сорок девятого года, эпицентр которого находился на материке. До нас еще только начали доноситься слабые раскаты этого далекого грома. Дело в том, что у полковника, при всех его заслугах перед органами, был изъян в анкете. Изъян роковой и неустранимый. Он относился к пятому пункту анкеты — о национальной принадлежности.

Так или иначе, но через несколько дней после встречи Тони с полковником мы выходили с ней из Магаданского загса, унося с собой метрическое свидетельство, где в графе «Мать» значилось мое имя, отчество и фамилия. И хотя Юля продолжала твердить, что все это моя дикая фантазия, за которую мы все еще поплатимся, но и она вздохнула с облегчением, осознав, что мы больше не должны бояться детского этапа, висевшего над нами грозной тучей целых полтора года.

Сравнительно быстро, месяца через полтора, пришел и ответ на мое заявление в Особое совещание МГБ. Мне благосклонно разрешили остаться навеки на Колыме. Это событие мы шумно отпраздновали за семейным столом. Великое дело — теория меньшего зла! Я с радостью принимаю из рук коменданта бумажку — вместо вида на жительство, — в которой сказано, что я ограничена в правах передвижения семью километрами от Магадана, что я нахожусь под гласным надзором органов МГБ и обязана дважды в месяц являться на регистрацию. И что все это — пожизненно!

Радуюсь я совершенно искренне. Разве это не меньшее зло — остаться со своими близкими в уже обжитой конуре, работать в детском саду, быть окруженной многолетними товарищами по тюрьме и лагерю! А ведь могла быть Восточная Сибирь, с цинготно-дизентерийным голодным этапом, таким, в котором, корчась, умирал друг Уманского Василий Куприянов. Могла быть новая неизвестная пустыня, в которой надо было начинать все сызнова — от крыши над головой до первого доброжелательного человека по соседству.

От формулировок «вечно» и «пожизненно» я тоже не приходила в отчаяние.

— Еще неизвестно, до конца ЧЬЕЙ жизни... Моей или ЕГО? — разъясняла я своим близким. — А он как-никак старше моей мамы...

Не успели нарадоваться на вечное поселение в пределах

Колымского края, как подоспела еще одна радость. По той же теории меньшего зла. В доме Васькова произошел, выражаясь современным языком, демографический взрыв. В связи с абсолютным перенаселением тюрьмы наши местные эмгебисты добились от Москвы разрешения оформлять повторников на пожизненное поселение без предварительного тюремного заключения. С этих пор всех подлежащих переводу на ссылку повторников перестали арестовывать. Их стали просто вызывать в «белый дом», где у них отбирали паспорта, брали подписку о невыезде и отпускали домой. А месяца через два, получив из Москвы оформленные дела, повторников вызывали вторично и вручали им вместо паспорта такой документ, каким уже владела я. К великой нашей радости, эта благодетельная реформа произошла на уровне буквы И. Так что до буквы К и, следовательно, до ареста Юли, дело не дошло.

Так — на редкость парадоксально — наш карточный домик не только выстоял в землетрясении сорок девятого года, но даже вроде бы и несколько укрепился.

Или, может быть, правильней сравнить нашу комнату с ковчегом, плывущим в первозданных волнах? Ну, если и так, то факт остается фактом: сотрясаемый толчками довольно высоких баллов ковчег наш вплывал в новое десятилетие.

...Наступили пятидесятые годы. Пришла весна пятидесятого. Вася кончает школу. Замелькали, как в кино, быстро мелькающие кадры. Аттестат зрелости с жирной тройкой по физике. С такой анкетой да еще с тройкой! Как же в вуз попадать!

Выпускной вечер в школе. Сижу среди родителей выпускников рядом с полковницами и генеральшами. Слушаю, как длинноносенькая шустрая историчка призывает своих учеников не забывать наш светлый золотой Магадан, построенный руками энтузиастов. Гордиться, что учились в таком городе...

Я в своем самом парадном платье из последней предсмертной маминой посылки. Оно с плеча моей сестры Наташи и до этого вечера казалось мне вполне приличным. Но в соседстве с шелками, чернобурками и массой ювелирных изделий я выгляжу самой затрапезной кухаркой, чьего сына выучили по милости господ.

(Вообще-то я дьявольски неблагодарна! Ведь именно эти тетки, так безвкусно расфуфыренные, проявили человечность: давали Васе за счет родительского комитета бесплатный обед, пока я сидела в доме Васькова.)

На выпускном вечере Васька впервые напился допьяна, и я волочила его по ночным улицам домой, видя себя со стороны в этой классически русской роли и горько всхлипывая на ходу. А наутро он совершенно по-ребячьи просил прощения и зарекался от повторения. Но я плакала неутешно.

На самом деле я плакала, понятно, не от Васиного дебюта по части выпивки, а оттого, что на меня снова надвигалось страшное испытание: день Васиного отъезда на материк. Как они пролетели — эти два года нашей общей жизни! И вот опять он уедет. И тосковать о нем, теперь уже таком моем, таком нашем, я буду еще больше, чем раньше тосковала об оставленном четырехлетнем.

Впервые мне показалось, что вечное поселение — пусть хоть и в пределах Колымы — не такая уж сладость. И хотя сын дает мне слово прилететь на каникулы, а я даю ему слово обязательно, чего бы то ни стоило, скопить денег на эту его поездку, но у обоих на уме: не вечная ли ждет нас разлука?

И вот он пришел, этот день. Магаданский аэропорт, тогда еще довольно пустынный. Вольные родители Васиных одноклассников, провожающие своих детей так же, как я, но, в отличие от меня, весело обещающие детям скоро приехать в отпуск на материк.

Посадка. Последнее объятие. Последние нелепые слова. Про галоши, кажется. Не забыл ли галоши? И маленькая точка в небе — гудящий шмель. Летит, унося от меня моего последнего кровного мальчишку, обломок моей настоящей семьи. А я стою одна-одинешенька на опустелом аэродроме, все смотрю вверх, хотя уже ничего не видно. Одна... Антону нельзя показываться в официальных местах, он попрощался с Васей накануне. Юля — на работе. Тоню я не взяла с собой, чтобы не плакать.

Улетел Васька. Точно и не было, точно приснился. Еле доволакиваю до автобуса враз отяжелевшие ноги. Вхожу в комнату, которая тоже уже почти не моя, потому что мы с Тоней должны уехать отсюда, так как Юлька моя выходит замуж. Я рада за нее, за ее будущего мужа. Это очень степенный, рассудительный белорус, бывший учитель, работник минского гороно. Отбыв свой срок, он не стремится теперь никуда. Дело в том, что до ареста, там, в Минске, он был женат на еврейке. Во время оккупации ее убили гитлеровцы. Заодно убили и двоих его детей — девочку и мальчика, хотя они и числились по отцу белорусами. Добрый и тихий человек, он имел одну странность — не мог видеть маленьких девочек. Все они казались ему похожими на его пятилетнюю расстрелянную дочку. «Вы уж извините, что я с вашей Тоней не разговариваю. Не могу. Дочку напоминает».

Да, я рада была за Юлю, но уходить из нашей комнаты, где все было еще полно Васей, мне было тяжко. Старалась не показывать этого Юле, которая так активно помогала мне к тому же хлопотать насчет нового жилья.

В конце концов хлопоты увенчались успехом. В нашем бараке, на первом этаже, была огромная, как сарай, общая кухня. Вот от нее-то и разрешили отгородить фанерной перегородкой восемь метров.

Неприютно было в нашем новом доме. Всегда пахло убежавшими щами, горелым молоком, рыбой на постном масле. С раннего утра начиналась кухонная жизнь. Пятнадцать женщин — из них немало бывших уголовниц — во весь голос, не стесняясь в выражениях, обсуждали свои дела, скандалили, пели.

Антон, приходя по вечерам, утешал: скоро уже, вот выйдет он из лагеря, и мы сменим эту комнату на другую. Я устало улыбалась в ответ, как улыбаются ребенку, обещающему отрубить голову Змею Горынычу. До конца его срока оставалось еще больше двух лет. Да еще и выпустят ли его вообще? Ведь немец! А время-то какое!

Время, действительно, никак не утихало. Пятидесятый оказался ничуть не легче сорок девятого. Наших бывших зэка переводили на вечное поселение во все возрастающей прогрессии. Многих после этого не оставляли в Магадане, отправляли поглубже в тайгу. Каждый день приносил новости, и все в одном плане. Покончили самоубийством Шура Сидоренко и Ганс Штерн. Они жили вместе уже несколько лет, любили друг друга с какой-то исступленностью. При получении ссылки на поселение каждого направили в противоположный конец колымской пустыни. Зарегистрировать их брак, чтобы можно было жить в ссылке вместе, не разрешили: он был австрийский подданный. Они натопили в своей халупе печку, закрыли трубу и умерли от угара. Повесился мой старый знакомый, беличьинский врач-терапевт Каламбет. Сошла с ума Тина Келлер. Нашу Гертруду тоже после выхода из дома Васькова не оставили в Магадане, а отправили в Омсукчан, и она писала оттуда необычные для нее письма: не очень-то старалась «теоретически обосновать» «данный этап», а просто горько жаловалась на тяжелое положение.

Зловещие новости добирались к нам и с материка. Сплошные мартирологи да списки повторно арестованных. Недаром я так боялась Восточной Сибири. Хоть она и считалась краем «не столь отдалённым», но наши пропадали там с голоду, не получая работы, даже физической. Пропадали и с тоски, так как были разлучены со всеми многолетними друзьями по несчастью. Потрясло всех известие о самоубийстве Липы Каплан. Все ее помнили по лагерю как хохотушку, кровь с молоком, рубаху-парня. Бывало, Циммерманша как увидит Липу, так и

невается: «Цветете, прямо как на курорте!» Потом уж стали
ы при появлении Циммерман кричать Липе: «Прячься, а то
опадешь за свой румянец на Известковую!» Вот эта-то румя-
ая хохотушка и выпила яд в ожидании второго ареста.

Можно ли было в непроглядной тьме таких новостей раз-
лядеть какой-нибудь лученышек надежды? И я отмахивалась
очти с досадой, когда Антон уже несколько раз повторял мне,
то у него появилась надежда на досрочное освобождение. К
ему такие детские разговоры! Хоть бы пересиживать не при-
лось! Но он снова и снова подробно рассказывал, как ему
далось вылечить от многолетней экземы одного крупного на-
альника. Тот давно уже считал себя неизлечимым и сейчас
росто ликовал от избавления. Он клялся, что освободит док-
ора досрочно, пусть тот хоть сто раз немец. Нет, я все равно
е принимала этого всерьез. Уж очень не ложилось такое в цвет
ремени.

Но мы жили в стране парадоксов. И однажды, довольно
оздно вечером, когда Тоня уже спала, а я еще дописывала,
удорожно зевая, свои бесконечные «планы музыкальных за-
ятий», в нашу новенькую фанерную дверь постучали. Это был
акой-то странный стук. Торжествующий какой-то, вроде на
отив марша из «Аиды».

— Скажите, пожалуйста, не здесь ли квартира доктора
Вальтера? — сказал Антон, протаскивая сквозь узенькую дверь
вой деревянный лагерный чемодан. — Мне кажется, что это
квартира вольного доктора Вальтера... А вы, по всей вероятно-
сти, его супруга, фрау Вальтер?

Он сверкал зубами, громко хохотал, разбудил и растор-
мошил Тоню, включил яркий верхний свет. Потом выложил
на стол свою справку об освобождении. Это не был сон. Его
действительно освободили досрочно, за два года до окончания его ТРЕТЬЕГО срока.

Теперь на своих восьми метрах околокухонного пространства мы зажили уже втроем. Антон работал как вольный врач в
той же самой больнице, где практиковал еще как заключенный. Но для прописки его на моей площади от нас потребовали регистрации брака. Это было единственное право, которое
давали поселенцам: право так называемого совместного про-
живания в регистрированном браке. Причем имелся в виду только новый брак, заключенный уже по месту ссылки. Материковские супруги, разлученные в тридцать седьмом, ни в коем
случае не соединялись.

Мне не очень-то хотелось идти в загс. У меня были сложные мучительные чувства по отношению к моему материков-

скому мужу Павлу Аксенову, вернее — к памяти Павла. Потому что, независимо от того, жив ли он, я была твердо убеждена, что мы никогда не встретимся. В той, другой, в первой моей жизни, которая теперь казалась приснившейся, мы любили и понимали друг друга. Думаю, что мы никогда не расстались бы, если бы в это дело не вмешался Родной Отец, Лучший друг советских семей. И я продолжала любить Павла, как любят дорогого покойника. Странно, но мне казалось, что они с Антоном понравились бы друг другу. Я часто рассказывала Васе об отце в присутствии Антона, и он охотно поддерживал эти беседы. Не знаю, была ли я при этом преступницей и двоемужницей. Угрызений совести я не чувствовала. Но теперь, когда регистрация брака с Антоном стала практически вопросом дня, мне по какой-то необъяснимой логике, вдруг показалось, что именно вот этой-то регистрации и надо бы избежать ради Павла. Как будто вмешательство загса наносило ему оскорбление.

Формально я могла считать себя вдовой, потому что еще в тридцать девятом, в ответ на мой запрос о судьбе мужа, мне дали справку: скончался от воспаления легких. Но после этой точной справки от него были письма. Когда погиб Алеша, мама телеграфировала мне: «Живи ради Васи, отца у него тоже нет». Но и после этого были слухи, что жив, что на Инте.

Антон, заметив, что я оттягиваю прогулку в загс, все понял без слов.

— Ведь это только чисто полицейская процедура. Чтобы избежать лишних страданий. А то у нас может получиться, как у Шуры с Гансом. Тебе дадут приказ — на запад, мне — в другую сторону...

В загсе от нас не потребовали никаких справок о судьбах моего мужа и первой жены Антона. Оказалось, что существует закон, разрешающий новый брак в случае десятилетнего безвестного отсутствия одного из супругов. А все заживо погребенные на одной из земель в царстве Змея Горыныча считались безвестно отсутствующими и для материка, и для других уголков Горынычева царства.

Вот так мы оказались к началу пятьдесят первого года обладателями нескольких солидных документов: брачного свидетельства, Тониной метрики, Васиного студенческого билета. Вася, несмотря на тройку, поступил в медицинский институт и на всякий случай выслал нам об этом справку.

Как ни скромны были все эти бумажки, но и они обладали кусочком той чудодейственной силы, которую имеет в нашей стране бумага. Хоть и непрочный, но все-таки какой-то барьер для нашего карточного домика они создавали. По край-

ей мере, теперь у нас были в запасе официальные ответы на
одозрительные вопросы «А кто она (он) Вам?».

Неисповедимы извилины судьбы заключенных! Получи-
ось, что наш карточный домик не только выстоял в земле-
рясении сорок девятого-пятидесятого годов, но даже укре-
ился, легализовался.

Впрочем, только до нового подземного толчка...

ГЛАВА ДВЕНАДЦАТАЯ

СЕМЕРО КОЗЛЯТ
НА ИДЕОЛОГИЧЕСКОМ ФРОНТЕ

Новые преследования не заставили себя ждать. На этот
аз несчастье непосредственно выросло из моих трудов пра-
едных. Так как денег нам по-прежнему не хватало, а сейчас
риходилось высылать регулярно Васе, то я не отказывалась
и от каких частных уроков. И хотя меня несколько смутило,
то семья, на этот раз предложившая мне урок, была уж очень
ысокопоставленной, но я все-таки согласилась.

Это был, так сказать, второй по зажиточности в чинов-
ом мире дом Колымы. Мне предложили урок в семье началь-
ика политуправления Дальстроя Шевченко.

Жена этого начальника — красивая женщина с довольно
нтеллигентным лицом — увидела меня в нашем детском саду.
на ходила к нам как член женсовета. Ей понравились музы-
альные занятия, особенно драматизация сказок. Мы играли
Волка и семерых козлят». Самого шустрого и сообразитель-
ого седьмого козлика играл Эдик Климов. Смотреть его сбе-
ались все няни из групп и поварихи с кухни. Очаровал он и
натную даму. В перерыве она сделала мне предложение репе-
ировать ее сына по русскому, сообщив с горечью, что ее че-
ырнадцатилетний мальчик интересуется только футболом.

Я уже слышала кое-что об этой даме от обслуживавших ее
ывших заключенных. Говорили, что она резко отличается от
ругих начальственных супруг. Читает книги, интересуется му-
ыкой, а главное, проявляет необъяснимый интерес к своему
бслуживающему персоналу. Человеческий интерес. Художница
Шухаева рассказывала мне, что эта дама не только рассматри-
ает у нее в дамском ателье новые выкройки, но и задает ей
овольно осмысленные вопросы о живописи, о прошлой жизни
Шухаевой в Париже. Свою маникюршу, известную у нас на

Эльгене под именем «Крошка Альма», — веселую неунывающу
толстуху-латышку, — она, иронически улыбаясь, спросила, ка
это Альма при такой своей комплекции умудрилась стать диве
санткой... Своей прачке Ане Мураловой она сразу сказала, ч
знала ее мужа, расстрелянного в тридцать седьмом году бывш
го начальника Московского военного округа. Похоже было, ч
огненное дыхание тридцать седьмого года если и не опалило е
то пронеслось где-то поблизости, заставив вздрогнуть.

Я стала три раза в неделю подниматься на третий эта
правительственного дома. Проходила мимо двух охранников
по одному на каждом этаже, — предъявляя им записку мое
нанимательницы: «Прошу пропустить учительницу».

С учеником мне приходилось трудно. Это был законче
ный оболтус, цинично ухмылявшийся в ответ на мои опас
ния, не рискует ли он остаться на второй год в том же класс
Он щурил свои красивые, как у матери, глаза и басил: «Э
было бы опаснее для учителей, чем для меня. Не хватает и
того, чтобы сын Шевченко стал у них второгодником...»

— Невыносимый ребенок, — вздыхала мать, — оставьте ег
пойдемте кофе пить...

Она явно хотела сделать меня своей компаньонкой. Но
уклонялась, твердо помня золотое правило о барской любви
которой надо опасаться пуще всех печалей. Но даже мои кра
кие ответы на ее расспросы о судьбе моей семьи, о моем вто
ричном аресте, о суде, о тюрьме и лагере — вызывали у нее
глазах слезы.

Хозяина я изредка встречала в коридоре. Он вежливо кла
нялся и скрывался за дверью своего кабинета. В его внешност
тоже была какая-то несовместимость с колымскими стандар
тами. Это было лицо интеллигентного человека.

И вдруг однажды ко мне в детский сад явилась горничн
Шевченко с конвертом. В нем лежали деньги за проведенны
уроки.

— Хозяйка велела вам передать, что пока больше ходить н
надо. Мальчик заболел.

Она направилась было к двери, потом вернулась, отозва
ла меня в сторонку и зашептала, переходя на «ты».

— Скажу-ка я тебе правду, только ты меня не выдавай
Сама-то я тоже бывшая зэка, чего ж буду своим людям врать
Мальчишка здоровехонек что твой бугай. Но у хозяина выше
скандал с начальником Дальстроя, и тот говорит ему, что
мол, ваша жена окружила себя заключенными. Дескать, и порт
ниха, и прачка, и прислуга, и маникюрша, и даже учительни
ца — все контрики. А учительница — так даже тюрзак! Это, мол

еспроста. Так что и я, наверно, на этом месте последние дни оживаю. Хоть бы тебя отсюда, с детсада-то, не сняли, а? В бщем, имей в виду...

Я давно слышала, что между начальником Дальстроя Митраковым, сменившим уволенного в отставку Никишова, и начальником политуправления Шевченко — нелады. Не знаю, было ли там что-нибудь принципиальное или просто шла борьба за власть в пределах «Дальней планеты». Известно лишь, что вражда между двумя «первыми людьми» Колымы дошла до такой остроты, что Митраков начал «подбирать ключи» под Шевченко. Пристрастие его жены к знакомствам с бывшими заключенными — было очень удобным ключом.

И скоро до меня в нескольких вариантах донеслась весть, что я стала темой обсуждения магаданского партийного актива, что упоминалась моя фамилия с эпитетом «известная террористка». Митраков якобы сказал примерно так: «Вот мы вас, товарищ Шевченко, охраняем от возможных покушений со стороны контрреволюционных элементов, которыми кишит наш край. У вас на лестнице — постоянная охрана. А вы пригласили известную террористку такую-то в качестве учительницы к своему сыну. Да и вообще в окружении вашей жены — сплошные шпионы, диверсанты, вредители...»

Судьба моя была решена. Я стала тем самым холопом, у которого чуб болит, когда дерутся паны. Меня сняли с работы.

— Без всякого объяснения причин, — взволнованно обобщала мне моя заведующая, не раз бегавшая в отдел кадров, пытаясь отстоять меня. — Умоляла хоть недели две подождать, чтобы хоть утренник провести — ни в какую... И что стряслось? Может, вы сами знаете?

Я знала. Но что толку было рассказывать об этом заведующей!

— Как без рук остаемся, — продолжала сокрушаться она, — и главное, после такого успеха.

Под успехом она имела в виду наше недавнее выступление по радио все с теми же «Семерыми козлятами». В программе для малышей. Меня всегда и умиляло, и обескураживало это трогательное непонимание оригинальных закономерностей нашего бытия, которое проявлялось у простых бесхитростных людей. Наша заведующая работала здесь, в самом эпицентре землетрясения, уже несколько лет, но все равно ей была недоступна алогичная связь между успехами бывшего заключенного в работе и снятием его с этой самой работы.

Я-то, конечно, все понимала и, наученная горьким опытом, очень убедительно просила работников радио, ведших программу, не называть моего имени. Они и не назвали его. Сказали так: «Вы слушали радиоспектакль для малышей «Волк семеро козлят» в исполнении воспитанников старшей группы магаданского детского сада № 3. Текст выступления составлен музыкальным работником этого сада».

Но такое прозрачное инкогнито не спасло положения. Наоборот, даже подлило масла в огонь. В доклад Митракова, сделанный на партактиве, происшествие с семью козлятами вошло в такой редакции: «Благодаря политической беспечности работников радио, а также тех, кто руководит ими, слегка замаскированный классовый враг, отбывший срок за террористическую деятельность, получил трибуну. Это не первый случай, когда при попустительстве соответствующих организаций врагам удается пролезть на идеологический фронт». Вот на какую головокружительную принципиальную высоту были подняты бедные семеро козлят!

Я была в отчаянии. Это происшествие потрясло меня, пожалуй, не меньше, чем недавний второй арест. Напрасно Антон со своим безудержным оптимизмом убеждал меня, что все не так плохо. Вот если бы это случилось, когда он еще был в лагере, — это действительно поставило бы нас в очень тяжелое положение. А сейчас, что же? Ведь он получает свою зарплату в больнице, и с голода мы не пропадем.

Меня мало утешало это рассуждение. Дело было не только в деньгах. Угнетала мысль, что ты полностью бесправна, что тебя швыряют, как вещь, что надежды хотя бы на относительную самостоятельность твоих поступков (сравнительно с тюрьмой и лагерем) иллюзорны. Вот захотели — и одним движением вышвыривают тебя из этого коллектива детей, где ты со всеми сроднилась за четыре года работы, где каждый ребенок для тебя — кусок твоей жизни. Они, конечно, обо всем догадались, наши многоопытные зэковские дети. Ни на минуту не поверили в официальное объяснение: заболела. Я приходила туда потихоньку, чтобы подписать «обходной лист», стараясь не встретиться с ребятами. Но они ловили меня, обхватывали за колени, ревмя ревели, приговаривая: «Евгеничку Семеночку опять на этап...» Они не просили меня остаться, отлично знали, что не от меня зависит. Только Эдик страстно нашептывал мне в ухо, что уже недолго осталось потерпеть: скоро он вырастет, уже через месяц пойдет в школу — а тогда отомстит всем, кто меня обижает.

Пытка усугублялась еще и беготней с этим несчастным обходным листком. Приходилось отвечать на расспросы, сочувствия, предположения. Но вот наконец настал день, когда я проводила Антона на работу, Тоню — в детский сад, а сама

рнулась в каморку, отделенную от кухни фанеркой, и бес-
щадно осознала, что мне некуда больше торопиться, не надо
льше выдумывать новые зрелища для ребят, писать постылые
аны и отчеты, разучивать новые марши и песни. Одним сло-
м, впервые с четырнадцатилетнего возраста — если не счи-
ть тюрьмы — я была безработная, иждивенка. Существование
е облиняло до полной серости. Не было даже сил, чтобы от-
авиться на поиски другой работы.

Чтобы вывести меня из этого отупения, Антон сотворил
возможное. Это было поистине чудо! Он купил мне пианино.
мое настоящее пианино марки «Красный Октябрь», свер-
вшее черным лаком и позолотой педалей. Когда его подвезли
грузовике к нашему бараку, все население двух этажей, че-
век сто, высыпало на улицу. В те времена, в 1951 году, в Ма-
дане вообще было считанное количество инструментов,
м более в частном владении. Нечего и говорить, что в на-
м Гарлеме появление пианино восприняли как феномен
угой солнечной системы.

Спасая меня от неожиданного горя, Антон проявил уди-
тельную настойчивость. Использовал все связи своих вольных
циентов, залез в долги на три года. Зато теперь, возвращаясь
работы, он останавливался в дверях и со счастливой улыбкой
сколько минут любовался черным сиянием пианино, при-
онясь к той самой перегородке, из-за которой круглые сутки
ел чад и крикливая ругань. И инструмент вроде бы улыбался
у в ответ своими нежно-кремовыми клавишами. Они каза-
сь видением другого мира рядом с топчаном, табуретками,
тными подушками в серых лагерных наволочках с завязками.
ногда Антон и сам подсаживался к пианино и брал медлен-
ые аккорды, напоминавшие орган или фисгармонию.

Если сама покупка пианино была чудом, то почти таким
е чудом было и то, что его удалось установить все на тех же
осьми метрах, где мы жили втроем и где кроме спальных мест,
буреток и стола накопилось уже множество книжных полок.

Антон нашел мне несколько частных уроков. Это давало
ое-какой заработок, но не выводило из ощущения отвержен-
ости, выброшенности из жизни. Только сейчас, потеряв ра-
оту, я поняла до конца, какое это было счастье — каждый
ень на несколько часов забывать о том, что ты прокаженная.
то давал мне детский сад, где я была нужна целому коллек-
иву, где со мной считались, меня любили, ждали моего при-
ода. А теперь... Было что-то бесконечно унизительное в том,
то надо приходить в эти ломящиеся от изобилия благ кварти-
ы, старательно вытирать ноги, прежде чем ступишь на не-

умеренно лоснящийся паркет, толковать с хозяйками об усп[..]хах их обожаемых чадушек. А хозяйки эти нисколько не пох[..]дили на жену Шевченко. Они каждым жестом и словом по[..]черкивали, что осчастливили меня, давая заработать на хле[..]

На сером фоне такого существования выделялись к том[..] же еще две черным-чернущие даты: первое и пятнадцатое чи[..]ло каждого месяца. В эти числа происходила так называема[..] «отметка», то есть мне надо было идти на регистрацию в к[..]мендатуру МГБ. Она помещалась в небольшом домишке на пл[..]щади, между «белым домом» (МГБ) и «красным домом» (МВД[..] Уже с раннего утра ссыльнопоселенцы выстраивались в дли[..]нющую очередь, заполняя узенький коридорчик, насыщая е[..] тревожными перешептываниями, нервными покашливаниям[..] клубами табачного дыма.

Процедура «отметки» была, казалось бы, несложна. Штам[..] с датой на нашем волчьем билете, заменяющем паспорт, [..] птичка в личной карточке, хранящейся в ящике на столе к[..]менданта. Но ведь алфавитный порядок, в котором переводил[..] бывших заключенных на поселение, далеко еще не был ис[..]черпан. Все прибывали и прибывали новые ссыльнопоселенц[..] И коменданты путались в карточках, подолгу разыскивали и[..] иногда не находили, приказывали прийти еще и завтра. В об[..]щем, простаивать в коридоре у ободранной двери приходилос[..] иногда очень долго.

Уже за два-три дня до первого или пятнадцатого я начи[..]нала ощущать невыносимую тяжесть от предвкушения близ[..]кого свидания с заветным учреждением. Рассудительные само[..]уговоры — дескать, пустая формальность — не помогали. Еш[..] меньше помогали уговоры Антона, не очень-то искренние[..] потому что сквозь его оптимистические речи, основанные н[..] теории меньшего зла, то и дело прорывалась тревога. Дело [..] том, что после каждого отметочного дня с кем-нибудь что[..]нибудь да случалось. Кого-то отправляли из Магадана в тайгу[..] Кого-то переспрашивали, где он работает, и через нескольк[..] дней снимали с работы. А некоторым просто говорили «прой[..]демте» и уводили в задний дворик комендатуры, а оттуда —[..] неизвестно куда. И тогда всех охватывал снова тот Великий[..] Страх, тот невытравимый из нашего сознания ужас, который[..] всем был так хорошо знаком по Бутыркам, по Лефортову, п[..] Ярославке, по дому Васькова... Все начинали убеждать дру[..] друга, что ни о каких расстрелах не может быть и речи, но тем[..] не менее в висках стучало, под ложечкой перекатывалась от[..]вратительная тошнота, а все люди вокруг становились как бы[..] бесплотными и крутились перед глазами, как китайские тени[..]

Были ли мы трусами? Навряд ли. Просто срабатывала нервная память. Те, кто не прошел через все наши круги, не понимают этого. Меня и сейчас, двадцать с лишним лет спустя после посещений Магаданской комендатуры, раздражает, когда я слышу привычные реплики «вольняшек»: «Вам-то чего бояться? Вы-то ведь уж и не такое испытали!» Вот именно. Мы испытали. Вы представляете себе это чисто умозрительно, а мы ЗНАЕМ.

И вот дважды в месяц мы толпились в этом душном коридорчике, охваченные общей живой болью, сроднившиеся одинаковыми ранами. Каждый, кто уже выходит от коменданта, придерживая за собой скрипучую дверь и бережно складывая свой вид на жительство, — это счастливчик. Ему уже пришлепнули штамп, делающий его вольноотпущенником на целых тринадцать дней. Каждый, кто только еще входит в эту дверь, суетливо развертывая на ходу свою бумагу, — это пловец, прыгающий в неизведанную пучину. Голова у него втянута в плечи, готовая к принятию очередного удара.

Каждое первое и пятнадцатое мы с Антоном прощаемся, как навсегда. Он очень страдает от того, что ему не надо отмечаться. Вину передо мной чувствует за то, что мне хуже. Хотелось бы ему проводить меня до комендатуры, но он должен вовремя быть на работе, повесить номерок. Он только доводит меня до порога нашего барака и говорит: «Ты прости меня, Женюша, если я тебя когда-нибудь обидел...» А я: «И ты меня тоже... Тоню, смотри, не оставь».

После того как штамп отметки уже в кармане и ничего, слава Богу, не случилось, я спешу откуда-нибудь позвонить ему в больницу. «Все в порядке. Иду домой...» И так каждое первое и каждое пятнадцатое.

...В начале пятьдесят второго года нам удалось переменить квартиру. Взамен своей восьмиметровой клетушки мы получили теперь целых пятнадцать метров в одном из новых бараков поселка Нагаево. Здесь неподалеку была бухта, веяло морским воздухом, бараки еще не были так загажены, как в нашем Старом Сангородке. Население здесь было смешанное. Основная масса бывших заключенных, ссыльнопоселенцев с семьями разводнялась вольняшками из тех, кто победнее, кто недавно прибыл с материка и еще не имел процентных надбавок.

Радость наша была отравлена тем, что она вытекала из чужой беды. В нашей новой комнате только что скончался от инфаркта талантливый ссыльный художник Исаак Шерман. Его жена Марина, с которой они прошли вместе весь путь, не хотела, не могла ни минуты оставаться в доме, где все напоминало мужа. Она согласилась на нашу конуру, торопила нас с обменом и была благодарна Антону за то, что он все хлопоты взял на себя.

Новое жилище было по соседству с больницей, где работал Антон. Но зато до центра города надо было добираться через большой заснеженный пустырь, открытый всем ветрам, почти неосвещенный и очень удобный для вечернего промысла уголовных. А они пошаливали. Вся активность «белого» и «красного» домов была направлена на нас, врагов народа, террористов, шпионов, диверсантов, вредителей. До блатарей у начальства обычно руки не доходили. Спохватывались только эпизодически, после каких-либо особых происшествий. В темные зимние вечера Антон не пускал меня одну через этот пустырь и старался сам привести Тоню из детского сада. Но в дни его круглосуточных дежурств мне приходилось идти за ней самой. Шла, опасливо озираясь на каждого встречного.

И не зря опасалась. Помню один трагикомический случай. Было всего-то около семи вечера, но наш пустырь выглядел полуночной полярной равниной. Мы с Тоней торопливо пробирались по тропинке между снегами. Тоня первая заметила скачущую прямо по сугробам мужскую фигуру.

— А это хороший дядя? Или противный? Он зачем в снегу купается?

Он купался в снегу, чтобы догнать нас и двигаться параллельно. Я знала эту волчью блатную повадку: идти параллельно преследуемой жертве, а потом вдруг внезапным прыжком перегородить ей путь, став лицом к лицу. И только что я вспомнила об этом, как все произошло именно так. Кроме прыжка, тут был использован еще и световой удар. Он чиркнул большой зажигалкой, и в глаза мне мелькнул синий пламень. Тоня закричала и заплакала.

— Уйми пацанку! — сказал он неожиданно звучным баритоном. — И сама не ори... А то хуже будет. Слушай сюда! Не бойся! Мне твоих грошей не надо и твою лису тоже.

Он презрительно ткнул пальцем в мой воротник. А тот действительно был из чернобурки. Один чукча-охотник, лечившийся у Антона, продал ему по дешевке небольшую шкурку, и Антон удовлетворил свое тайное пристрастие к роскошной жизни. Он купил эту чернобурку, за что я долго пилила его.

— Не нужна мне твоя лисица, — продолжал наш попутчик, — а нужен мне чистый паспорт. На бабу... Во льды иду, поняла? Себе документ исделал, а сейчас бабе своей добываю. Так что гони паспортягу и давай мотай отсюда с пацанкой тво-

. Не трону... А за потерю паспорта сотнягу — штраф выло-
ишь, поди не обедняет твой полковник...

Мое ссыльнопоселенское удостоверение было при мне. Я
ичуть не боялась расстаться с ним. По ходячей поговорке та-
ой документ страшнее найти, чем потерять. Но я все же по-
ыталась урезонить собеседника.

— Послушайте, ваша жена, наверно, совсем молодая, а
не за сорок. Год рождения не подойдет.

— Не твоя забота! Был бы бланк справный, а цифирь эту
сть кому пересобачить. Гони, говорю, а то заплачешь...

— Вам и вообще мой паспорт не подойдет. По нему далеко
е уедешь.

Он гневно рявкнул и недвусмысленно замахнулся на меня.
Тоня закричала еще громче.

— Уйми, говорю, пацанку, а то я ее уйму...

Я торопливо достала из сумки свой документ.

— Что даешь-то? Паспорт, говорю!

— Это и есть у меня вместо паспорта. Зажгите вашу зажи-
лку и прочтите, кто я.

Он долго вчитывался, шевеля толстыми, обметанными
ихорадкой губами.

— Ог-ра-ни-че-на в пра-вах пере-дви-же-ния... Под глас-
ым надзором органов МТБ...

И уже совсем бойко, очевидно хорошо знакомые слова:
Явка на регистрацию первого и пятнадцатого числа каждого
есяца...»

Он дунул на зажигалку и вдруг раскатился довольно доб-
одушным, почти мальчишеским хохотом.

— Дак это чё, девка? Это, выходит, тебе самой надо чис-
ый добывать, а?

И тут нам всем троим стало очень забавно. У меня отва-
илась из-под ложечки ледяная лягушонка. Тоня запрыгала и
акричала: «Дяденька не противный? Он добрый, да?»

Добрый дяденька вразумительно объяснил, что его ввела
заблуждение чернобурка. Он думал — полковница.

— Полковницы не живут в Нагаеве, — резонно возразила
— Они на улице Сталина и на Колымском шоссе.

Узнав, что имеет дело с женой и дочкой доктора Вальте-
а, наш новый знакомый искренне расстроился. Сообщил мне,
то по блатной конвенции этот доктор является лицом непри-
основенным. Хорошо лечил их на карпункте. Мне бы сразу
казать, так разве стал бы он нас пужать!

— Ты вот чего... Ты тут больше в темноте одна с пацанкой
е ходи. А то тут Ленчик-Клещ гуляет неподалеку. Он психо-

571

ванный. Пришьет — потом доказывай ему, что Вальтера баб
Давай-ка доведу вас до дому, а то еще обидят...

Он взял Тоню за руку, а меня под руку. На тех местах, г[де]
поземка обнажила обледенелую землю, он трогательно пре[ду]-
дупреждал: «Держись мотри, тут склизко»... Довел нас до само[-]
го барака и сдал с рук на руки Антону, повторив свое предуп[-]
реждение насчет психованного Ленчика-Клеща.

В общем, наши жилищные условия хоть и улучшилис[ь,]
потому что опять же пятнадцать метров — не восемь, но ра[й-]
он Нагаева, чреватый подобными встречами, как-то еще бол[ь-]
ше замыкал круг моего отчаяния. Непроглядные зимние вече[-]
ра, ледяной пустырь на пути к центру городу — все это ещ[е]
больше изолировало от обычного ритма жизни, от ежедне[в-]
ной работы, о которой я все больше тосковала.

И вдруг замаячила надежда. И как это ни странно, н[о]
именно со стороны тех же семерых козлят, так нагло про[-]
рвавшихся на идеологический фронт.

Однажды в воскресный день к нам в Нагаево пришла не[-]
знакомая дама. Из вольного мира. Нарядная, энергичная, пол[-]
ная замыслов.

— Вы не узнаете меня? — спросила она. — А ведь мы [с]
вами встречались в дошкольном методкабинете. Я Краевская[,]
Любовь Павловна Краевская, заведующая 2-м детским садом[.]
Еле разыскала вас. А в вашем коридоре еле пробилась скво[зь]
пробку велосипедного транспорта.

Она имела в виду семнадцать человек детей, населявши[х]
наш коридор. Они непрерывно ездили по коридору на трехко[-]
лесных велосипедах, отчаянно звонили в звонки и кричали дру[г]
на друга. Большая партия трехколесных велосипедов, получен[-]
ная недавно магаданским универмагом, была распродана з[а]
час. Я тоже успела. И наша Тоня была довольно агрессивны[м]
велосипедистом.

Пошутив по поводу велосипедов, Краевская без всяки[х]
околичностей сообщила мне, что она собирается хлопотать [о]
моем назначении музыкальным работником в ее детский сад[.]
Пришла спросить согласия. Я с горечью изложила ей всю исто[-]
рию с уроком у Шевченко, с радиопередачей про семеры[х]
козлят и речью Митракова на партактиве. Никогда отдел кад[-]
ров меня не утвердит...

— Вот я удивляюсь, — жизнерадостно и напористо пре[-]
рвала меня Любовь Павловна, — вы ведь, говорят, на вол[е]
были на ответственной работе. Так неужто не понимаете сис[-]
тему! Разве вам не ясно, что Митракову вы сами абсолютн[о]
безразличны, что ему важно было усесть Шевченко... Ему

572

одобрали материал... Уверена, что за два месяца он и фамилию вашу забыл...

Дальше выяснилось, что муж Краевской — главный архи-
тектор города, у него большие связи. Поможет...

— Скажите, — спросила я, — кто же просил вас за меня?
Что вас заставляет приняться за такие сложные хлопоты? Не-
жели просто хотите помочь человеку, попавшему в беду?

— Опять удивляюсь, — спокойно ответила она, глядя на
меня в упор веселыми ироническими глазами. — Не понимаете разве систему? Самое главное — показать товар лицом. А в
работе детского сада — самое важное! — праздники, утренники.
На них все начальство приходит. По ним судят о воспитательной работе... Ну, а кто просил за вас? Да ваши же семеро козлят! Такой замечательный спектакль был...

Она встала, попудрила перед зеркалом нос и, смеясь,
добавила:

— Цены себе не знаете... Мало того, что музыкант, так
еще и сценарист, и режиссер. Я как «Семерых козлят» по радио услыхала, так и сказала себе: «Не я буду, если эта женщина не будет у меня работать»...

Через две недели после этого визита я уже сидела за роя-
лем во 2-м детском саду. Моя новая заведующая не стала по-
свящать меня в подробности своих хлопот по поводу моего
назначения. Сказала только, что дело проходило «через шесть
звеньев». В одном из звеньев фигурировал даже шофер заместителя Митракова. Так или иначе, а семеро козлят снова про-
брались на идеологический фронт, захватили трибуну. Далеко
не так просто обошлось дело с «Тараканищем». Но об этом — в
следующей главе.

ГЛАВА ТРИНАДЦАТАЯ

ТАРАКАНИЩЕ

В феврале пятьдесят второго года кончилось мое поражение в правах, присужденное мне в тридцать седьмом военной
коллегией в Москве.

Я совсем было запамятовала про это. Пережив второй арест,
приговор на вечное поселение, снятие с работы, я, понятно,
не слишком убивалась по поводу своего «лишенства». Скорее
напротив, было даже некоторое удобство в том, что при довольно частых избирательных кампаниях — то общесоюзных,

то республиканских, то местных — нас не тревожили мног
численные агитаторы. На их стук в двери нашего жилья м
привычно и кратко отвечали: «Здесь избирателей нет. Толь
пораженцы». На Колыме это было не диво, и агитаторы мол
ретировались, поставив в своем списке какую-то птичку пр
тив номера нашей комнаты.

Но на этот раз наша стандартная отговорка не приостанс
вила напористую агитаторшу.

— Нет, — возразила она, входя, — ваше поражение в пр
вах кончилось пятнадцатого февраля нынешнего года. Я агит
тор вашего района и хочу побеседовать с вами.

Это была первоклассная, ну просто великолепная колым
ская вольная дама. Из общественниц. Жена какого-нибудь н
самого высокого, но и не совсем рядового чиновника. Вокру
нее клубился обволакивающий аромат модных духов «Бела
сирень». Она сверкала перламутровым маникюром и золоть
ми коронками. Да и весь остальной реквизит был в полной ис
правности: темно-голубое джерси, чернобурка, меховые рас
шитые бисером чукотские унты.

— Хочу вас прежде всего поздравить, — сказала она, пр
тягивая мне руку, — от души приветствовать вас с возвраще
нием в семью трудящихся.

У меня стало горько во рту. Это были те самые незабвен
ные словеса, что красовались на наших эльгенских воротах
«Через самоотверженный труд вернемся в семью трудящихся»

— Вы ошибаетесь, — угрюмо буркнула я, — у меня пожиз
ненное поселение.

— Нет, милая, не ошибаюсь. По инструкции ссыльнопосе
ленцы пользуются избирательным правом.

Она самым демократическим образом уселась на край мое
кровати и сразу принялась рассказывать мне о производствен
ных достижениях того знатного вольного горняка, за которо
го мы должны были голосовать.

Это была сталинистка умиленного типа. Она просто вс
сочилась благостным восхищением, искренним желанием при
общить и меня, изгоя, к тому гармоничному миру, в котором
так плодотворно живет она. Она говорила со мной приблизи
тельно так, как, наверно, разговаривают кроткие и терпели
вые монахини-миссионерши с грубыми африканскими або
ригенами.

— Так, значит, вы меня поняли? Ссыльнопоселенць
пользуются правом избирать...

— А быть избранными?

— То есть как это? — любознательно осведомилась она.

— Ну так... Вдруг, например, на предвыборном собрании кто-нибудь назовет мою кандидатуру в местный Совет. Могу я баллотироваться?

Агитаторша рассмеялась рассыпчатым и чистым детским смехом.

— Вот и видно, как вы давно оторваны от жизни. Что же вы думаете — так каждый и кричит на предвыборном собрании, что ему вздумается? Списки-то ведь уж заранее подработаны в партийных органах. Ну ничего, приходите к нам на агитпункт, помаленьку войдете в курс... Вы ведь, наверно, тогда еще совсем молоденькая были, когда это случилось-то с вами...

— Что случилось? — с тупым упрямством переспросила я.

— Ну, вот когда вы в контрреволюционную организацию попали. Молоденькая были, не разобрались... А они воспользовались... В каждую щель лезут...

— Кто лезет в щель? — еще более тупо спросила я.

— Ну иностранные-то агенты! От разведок... Которые завербовали вас. Но вы не расстраивайтесь. Теперь уж это давно прошло. И Советская власть хочет исправить тех, кто по молодости оступился...

— Красивое у вас кольцо, — сказала я, не отводя глаз от сапфирового камня на ее пальце.

— Нравится? — добродушно переспросила она. — Главное, к этому костюму идет... Да, говорят, и к глазам...

Она бросила мимолетный застенчивый взгляд в зеркало. Глаза у нее и впрямь были безоблачно-голубые.

На прощанье она еще обласкала меня улыбкой и дала лакированную открытку немыслимой красоты. Наискосок пышной алой розы вилась золотая лента с надписью «Все на выборы!». Потом от имени всего коллектива агитаторов обратилась ко мне с просьбой не опаздывать, проголосовать пораньше, проявить с первого же шага своей новой жизни высокую сознательность.

Надо сказать, что в условия избирательной игры входило раннее вставание. Предполагалось, что высокие гражданские чувства не дают людям глаз сомкнуть в предвыборную ночь и что с первыми лучами рассвета они наперегонки устремляются к избирательным участкам, открывавшимся в шесть утра. Впрочем, «первые лучи рассвета», неизменно фигурировавшие в колымской газете, — были, конечно, чистейшей данью романтике. В это время года колымский рассвет начинал еле-еле синеть часу так в десятом.

— Женя, Христом-Богом тебя прошу: пойдем голосовать самые первые, — умоляла меня соседка по бараку, избиратель-

ница Фирсова Клавдия Трифоновна, так же как и я, вперв[ы]
возвращенная в семью трудящихся.

Клава, отсидевшая восемь лет за какое-то недонесен[и]
на кого-то, была теперь женой вольного шофера Степы Гус[е]
ва. Это был на редкость счастливый брак. Просто весело гл[я]
деть было на них. Степан, уникальный образец непьющего к[о]
лымского водителя, приезжал из рейса с центральной трасс[ы]
трезвый как стеклышко, кричал на весь коридор: «Клавде[ю]
мою не видали?» И волок ей то мороженую рыбу каталку, [то]
огромный кус оленины. А Клава, не ведая усталости, сразу пос[ле]
работы принималась варить, стирать, скоблить полы, чтоб[ы]
Степочка, спаси Бог, не испытал какого неудобства. В комна[те]
у них были коврики, салфеточки, диванные подушечки на в[се]
темы: лебеди, кошечки, девы-русалки, охотники за оленям[и.]
Пышная постель была оторочена снизу кружевным «подзором[»,]
связанным Клавой в выходные дни из шпулечных ниток. Од[но]
только угнетало Клаву — социальное неравенство.

— Пойми, Женя, — откровенничала она со мной во вр[е]
мя совместной стирки на общей кухне, — пойми, не ровня [я]
ему. Анкета у него больно чистая. Отец — партийный, мать [—]
депутат райсовета. Ну как я к им явлюсь? Бывшая... Пораже[н]
ка... Страм один...

Степан, действительно, был, что называется, знатным ч[е]
ловеком. Шоферов без судимости на Колыме было раз-два [да]
обчелся. И Степан уже года два, как попался в зубы областн[ым]
газетчиков, и о нем строчили очерки насчет покорителей тае[ж]
ных просторов.

— Пойдем самые первые, — горячо шептала Клава. — Пер[во]
вых-то обязательно ведь на карточку снимают и в газете п[о]
том пропечатывают. Вот я тот снимок и возьму с собой, когд[а]
на материк к Степиным родителям поедем. Вот, мол, и мы н[е]
какие-нибудь, и о нас в газетах пишут...

И так сияло ее миловидное доброе лицо, так она горди[
лась своей хитрой выдумкой, что у меня язык не повернул[ся]
сказать ей, что в редакции есть специальное бюро проверки[,]
чтобы не попадали по недосмотру бывшие заключенные ни [в]
качестве авторов, ни в качестве героев. Согласилась я ради с[е]
мейного счастья избирательницы Фирсовой встать среди ноч[и.]

Антон в ту ночь дежурил в больнице. Покоритель таежны[х]
просторов Степан был в рейсе. Мы с Клавой бежали, как гон[
чие, в студеной тьме нашего пустыря. Бояться, впрочем, был[о]
нечего: милиционеры в предвыборную ночь ходили по пусты[
рю косяками.

И мы первыми опустили свои бюллетени. И — о счастье!

фотокор снял-таки Клаву и записал ее фамилию и место работы. Домой она шла тихая, умиленная и все твердила: «Хорошо-то как! Ровно от заутрени!»

Тем сильнее было разочарование, когда на другой день Клава прочла в газете, что первой на нашем участке подала свой голос за блок коммунистов и беспартийных товарищ Козихина Тамара Васильевна, работница комбината бытового обслуживания. Тут же был портрет Козихиной. Она опускала бюллетень в урну и улыбалась голливудской улыбкой.

— Какая же она первая! — с детским отчаянием восклицала Клава. — Тамарка-парикмахерша! Помнишь, мы уж отголосили, назад шли, а она нам в дверях попалась. Еще боты сняла, снег вытряхала. Зачем же врать-то! Как сивые мерины... А еще писатели... Нет, видно, нету правды на земле...

Было и трогательно, и смешно, что эта женщина, отбывшая восемь лет за недонесение о чем-то, чего она к тому же и не слыхала, только теперь, вернувшись в семью трудящихся, открыла ложь и запылала негодованием.

— А что же! Там-то я думала, может, ошиблись, обмишулились и впрямь подумали на меня... А тут-то... Выкатил свои бесстыжие зенки и врет, и врет. А люди читают, думают — правда. Газета ведь пропечатала. Как не поверить...

Вечером тихая Клава вырвала из рук своего Степы газету и с плачем повалилась прямо на царственную их постель, сминая накрахмаленный «подзор».

— Не гляди, говорит, на эту падлу, — смущенно рассказывал Степа. — Тамарка-парикмахерша там снята. Голосует с утра пораньше. Да мне, говорю, нужна эта Тамарка, как вороне — физика. Лыбится эта Тамарка, как майская роза, выпендривается около урны. На что она мне? Уж не захворала ли Клавдея? Никогда так не ревела, никогда не ревновала меня.

— Это не ревность, — сказала я Степану. — Это зависть к Тамаркиному общественному положению, к ее полноправию. И обида на вранье журналиста. На самом-то деле не Тамара, а Клава голосовала первая.

— Ох и дуреха же Клавдея моя, — ласково резюмировал непьющий чудо-шофер. — Нашла, чему завидовать! Не знай чего завтра с той же Тамаркой будет. У нас ведь это по диалектике: нынче выдвиженка, завтра — поселенка...

Диалектики в социальном строе нашей дальней планеты действительно было хоть отбавляй! Существовали у нас даже поселенцы-коммунисты, не исключенные из партии. Это были все члены партии немецкой национальности. Не исключаясь из рядов, они ходили дважды в месяц в комендатуру «на отметку», владели вместо паспорта справкой, аналогичной моей, не имели права выезжать с места поселения дальше чем за семь километров. Иногда явки в комендатуру совпадали с партсобраниями, и партийные немцы, отстояв длиннющую очередь, чтобы пришлепнуть штамп к своему виду на жительство, торопились на партийное собрание, где единодушно голосовали за повышение большевистской бдительности ввиду обострения классовой борьбы по мере нашего продвижения к коммунизму.

Старик наш, Яков Михалыч, у которого после отъезда Васи и прекращения уроков математики стало больше времени, даже схему составил — социальное и политическое устройство Колымы. По этой схеме тут насчитывалось не меньше десятка сословий. Зэка, бывшие зэка с поражением и бывшие без поражения, ссыльные на срок, поселенцы на срок и ссыльнопоселенцы пожизненные, спецпоселенцы-срочники и спецпоселенцы-бессрочники. Здание увенчивали немцы — поселенцы-партийцы.

Озаглавил он свою схему «Тернистый путь к бесклассовому обществу». Все смеялись, подшучивали над стариком, знали, мол, его как врача, как философа, как поэта и математика. А теперь, выходит, — он еще и социолог.

А было это все за неделю до его смерти. В последний раз мы видели его, как всегда, в воскресенье. По воскресеньям мы устраивали традиционный обед для тех наших ссыльных друзей, кто жил здесь одиноко. Приходил обычно Юрий Константинович Милонов, старый большевик не то с двенадцатого, не то с тринадцатого года. Приходил Александр Мильчаков, бывший секретарь ЦК комсомола. Приходил мой знакомый по Казани Тахави Аюпов, бывший секретарь Татарского ЦИКа. А уж Яков Михалыч не пропускал ни одного воскресенья.

В этот последний свой визит он был весел, оживлен, несколько раз повторял свое излюбленное пророчество: «Подождите, мы все еще будем носить жетон «Политкаторжанин...» И еще: «Неужели я не прочту ЕГО некролог? Мы с НИМ ровесники. Но я все-таки надеюсь. Я ведь тут живу на свежем воздухе и соблюдаю диету, а ОН наверняка обжирается. Кроме того, у меня меньше волнений, чем у НЕГО. Мне ведь нечего терять, и врагов у меня совсем нет...»

Только вечером этого воскресенья, когда мы с Антоном пошли его провожать, он вдруг сказал со сдержанной тоской: «Как вы думаете: неужели это возможно, чтобы моя Лизочка забыла меня?» Это была его незаживающая рана. Дочери не писали ему, боялись связи с «врагом народа». А он, отказывая себе во всем, откладывал какие-то гроши на сберкнижку, чтобы они знали: папа думал о них.

Ровно через неделю, в субботу, прибежала Татьяна Симорина и взволнованно сказала: «Идите в морг. Он там».

Лежал он очень спокойный, помолодевший, даже какой-то величественный. Это был тот самый морг вольной больницы, где Яков Михалыч несколько лет работал патологоанатомом, и два прозектора из бывших бытовиков стояли рядом с его телом, насупленные и побледневшие. Они прикололи к лацкану стариковского пиджака искусственную, но хорошо сделанную гвоздику. И я вспомнила про жетон «Политкаторжанин».

Похоронили мы его хорошо. И место возвышенное, и плиту поставили, и ограду. И письмо я написала Лизочке и Сусанне, в котором не только указала номер завещанной им сберкнижки, но и подробно рассказала, каким человеком был их отец. Только про его страдания, связанные с дочерьми, про то, как ранило его их молчание, — умолчала. Многие наши советовали немного намекнуть на этот вопрос, чтобы они хоть задним числом поняли свою жестокость. Но я не согласилась. Вовсе не жестокость это была, а все тот же великий Страх. И если уж бывшие трибуны, вожди и проповедники приняли участие в дьявольском спектакле, выполнив все требования режиссера Вышинского, то что было взять с двух несчастных обывательниц, затюканных бдительными шепотами коммунальной кухни.

И я оказалась права. В минуту острого горя образ любимого отца вытеснил на короткое время все великие страхи. Мы получили сердечное письмо, начинавшееся словами: «Незнакомые друзья, стоявшие у гроба нашего дорогого отца! За вашу доброту вам заплатит Бог...»

Вся наша ссыльная колония оплакивала Якова Михалыча. После его смерти объявилась масса народа, неизвестного нам, но связанного со стариком какими-нибудь его услугами. Тому он денег давал, того лечил, этому правил рукопись, этому делал переводы... Были среди этих людей и недостойные, эксплуатировавшие рассеянность, самоуглубленность и абсолютную житейскую беспомощность чудака-доктора.

Именно его именем («Я к вам от покойного доктора Уманского») и открыл впервые нашу дверь человек, принесший нам много горя, наследивший в нашей чистенькой комнатенке омерзительными грязными пятнами провокации. Впрочем, ведь неизвестно, правда ли, что Яков Михалыч как раз незадолго до своей смерти собирался познакомить нас с инженером Кривошеем. Может быть, ссылка на покойника была всего удобнее, чтобы проникнуть в наш дом, войти к нам в доверие.

Инженер Кривошей представился нам как политический, только что вышедший из лагеря. Это была первая ложь. Поздне́е выяснилось, что он бытовик, сидевший не то за растрату, не то за халатность. Кроме того, он представился как больной, только что перенесший тяжелую операцию и нуждающийся в помощи Антона. (Операционный шов был тут же предъявлен.) Но больше всего доверие к новому знакомому вызывала его образованность, причем образованность гуманитарная, не имеющая прямого отношения к его инженерной профессии. Он любил и знал поэзию, читал наизусть Блока, Ахматову, Пастернака. Он оригинально и свежо высказывался по вопросам политики, экономики, истории. Помню, как интересно было слушать изложение полузабытых страниц Ключевского, Соловьева. Говорил он, правда, несколько вычурно и архаично по стилю, но это как раз очень укладывалось в образ старого потомственного интеллигента-петербуржца, каким он рекомендовался.

Помаленьку он стал у нас завсегдатаем, заняв за нашим воскресным столом опустевшее место Якова Михалыча. Всем новый знакомый понравился. Все снисходительно смотрели на то, что он оказался неистощимым говоруном. Ведь рассказы его были интересны. Было у него несколько отработанных устных новелл, которые он охотно, под общий веселый смех, повторял на бис. Коронным номером среди этих новелл был так называемый «Монолог Уоллеса».

История о том, как американский путешественник Уоллес умудрился проехать по Колыме и увидеть только те «потемкинские деревни», которые ему решило показать начальство, всем была хорошо известна. Но Кривошей произносил свой «Монолог Уоллеса», так здорово имитируя английский акцент и мимику дальнозоркого путешественника, что старая история расцвечивалась новыми красками.

«Рослые здоровые парни из центральной России решили покорить этот дикий край», — говорил Кривошей от имени Уоллеса, а от своего вполголоса и «в сторону» комментировал: «Три взвода отборной вохры, переодетые в рабочие комбинезоны американского производства...» И опять — от Уоллеса: «Пионеры прогресса... Основатели новых городов...» Потом про женщин: «Долгими зимними вечерами женщины и девушки охотно собирались и предавались искусству вышивки гобеленов. Это старорусское искусство — гобелен-штрикерай...» И «в сторону»: «Это был переодетый в приличные кофточки заключенный вышивальный цех, где над этой «штрикерай» слепли наши женщины...»

В промежутках между кусками «Монолога Уоллеса» Кривошей изображал интермедию: вроде бы он рассказывает все это олымской шоферне, а та гогочет и похваливает американцев и за то, что лопоухие, и за то, главное, что привозят антифриз — средство против замораживания двигателей автомобилей. Это средство наши отважные водители потребляли под закуску из морзверя, несмотря на то, что на посуде с антифризом наклеены этикетки по-русски и по-английски — «ЯД!» Это, мол, жидконогому американцу — смерть, а нашему брату — час без горя!

Итак, Кривошей стал у нас душой общества. Только иногда мы с Антоном удивлялись, обращая внимание на то, что обаяние нашего нового знакомца сразу исчезает, как только он замолкает. Тогда вдруг замечаешь, как плотно он сжимает свои извилистые жабьи губы. И глаза его за очками выглядят тогда как-то уклончиво. Он умеет уводить их в сторону и не попадать ими в глаза собеседника.

Впрочем, наверно, все это мы вспомнили уже потом, когда узнали, кто он. А тогда если и были какие-то сомнения, то они окончательно рассеялись после того, как мы побывали у него в гостях и увидели его семиметровую клетушку, битком набитую книгами. Стеллажи шли до самого потолка. Кроме книг в конурке были только две табуретки и тумбочка, на которой он ел и писал. Раскладушка стояла в коридоре за дверью и раскладывалась только на ночь.

И каких только редкостных лакомых кусков не было на этих грубо сколоченных полках! «Цветы зла» Бодлера. Полный Гете по-немецки. Несколько комплектов журнала «Вестник Европы» за начальные годы нашего века. Альманахи «Весы» и «Шиповник»... Да разве перечислишь... У меня просто сердце заколотилось, когда хозяин торжественным тоном объявил, что хотя он никому своих книг не дает, но для нас сделает исключение, и мы можем хоть сейчас выбрать по две книги на человека. Он видит, что для нас книга не меньшее сокровище, чем для него, и что мы будем возвращать их аккуратно.

Захлебываясь, рассказывал он историю отдельных книг. Вот эту он выменял еще в лагере на две пайки хлеба. А эти остались после смерти одного поселенца — его друга в глухом таежном поселке. А эти, представьте, куплены на магаданской барахолке. Лежали рядом с крабами в заднем ряду...

От азарта у него даже руки тряслись. Ревнивая жадность, с какой он следил за нашими движениями, когда мы брали с полки какой-нибудь томик, изобличала в нем настоящего библиофила, точнее — библиомана. А разве это можно совместить с чем-нибудь плохим? Человек, выменявший в лагере пайку хлеба на книгу, не может быть дурным человеком.

А оказалось, что может. Но это обнаружилось позднее,

уже к началу пятьдесят третьего года. А весь пятьдесят второй мы с инженером Кривошеем были закадычными друзьями, охотно цитировали его острые словечки, с упоением слушали его устные новеллы и с глубокой благодарностью пользовались его уникальной библиотекой. В этот беспросветный год, когда вести с материка становились все более зловещими, а газеты все более неистовыми, мы просто душу отводили в беседах с нашим просвещенным другом. Я, как по нотам, разыгрывала популярную песенку: «Ходит птичка весело по тропинке бедствий, не предвидя от сего никаких последствий».

К новому, 1953 году Кривошей подарил каждому из нас по книге. Мне — томик стихов Ахматовой в дореволюционном издании, Антону — учебник терапии Зеленина, а Тоне — отлично изданный сборник сказок Чуковского. Третьему подарку мы особенно обрадовались. Дело в том, что наш новый друг любил животных, но не любил детей. Каждый раз, приходя к нам, он брал на руки кошку Агафью и нежил ее в течение всего визита. На Тоню же он обычно не обращал ни малейшего внимания, никогда не улыбался ей и даже досадливо морщился, когда она своими вопросами отвлекала меня от беседы с гостем. Однажды я даже спросила его, почему он так приветлив с ребенком. Он с чистосердечными интонациями объяснил: жизнь начисто выбила из его души то чувство умиленности, которое неизбежно требуется для общения с детьми. Лицемерить он не может. Кроме того, он так мрачно смотрит на будущее нашей цивилизации, что просто поражается людям, решающим бросать в этот хаос новых несчастных.

Эти рассуждения нас огорчали. Когда он смотрел сквозь Тоню, как сквозь пустое место, нам казалось, что это как-то не укладывается в созданный нами образ тонко мыслящего и чувствующего человека. Тем более мы обрадовались, когда он улыбнулся Тоне и протянул ей томик сказок Чуковского.

Почти все эти сказки я помнила наизусть и часто читала детям в детском саду, где книг Чуковского совсем не было. Но сейчас, чтобы доставить Кривошею удовольствие, я тут же начала читать их вслух, перелистывая красивые лакированные страницы. И тут мы наткнулись на «Тараканище», которого конечно, знали и прежде, но как-то не осмысливали. Я прочла: «Вот и стал Таракан победителем, и лесов и морей повелителем. Покорилися звери усатому, чтоб ему провалиться, проклятому...» И вдруг всех нас поразил второй смысл стиха. Я засмеялась. Одновременно засмеялся и Антон. Зато Кривошей стал вдруг необычайно серьезен. Стекла его очков переблеснулись рассыпчатыми искрами.

— Что вы подумали? — с необычайным волнением воскликнул он. — Неужели... Неужели Чуковский осмелился?

Вместо ответа я многозначительно прочла дальше: «А он меж зверями похаживает, золоченое брюхо поглаживает... Приесите-ка мне, звери, ваших детушек, я сегодня их за ужином кушаю...»

— Неужели Чуковский осмелился? — с каким-то просто невиданным возбуждением повторял Кривошей.

Я не замедлила ответить. (Птичка весело продолжала свой путь по тропинке бедствий!)

— Не знаю, хотел ли этого Чуковский. Наверно, нет. Но объективно только так и выходит! Вот послушайте, как реагировали звери: «И сидят и дрожат под кусточками, за зелеными прячутся кочками. Только и видно, как уши дрожат, только и слышно, как зубы стучат...» Или вот это: «Волки от испуга скушали друг друга...»

Кривошей, ни на минуту не останавливаясь, ходил по комнате. Он потирал руки, так крепко сжимая пальцы, что они белели.

— Блестящая политическая сатира! Не может быть, чтобы никто не заметил... Просто каждый боится сказать, что ему в голову могло прийти такое... Такое...

После ухода гостя Антон недовольно сказал:

— Какой-то осадок у меня остался. И чего он так взвинтился? Не надо бы про Тараканище-то... Не хватает нам еще дела об оскорблении величества. Да нет, Кривошей-то, конечно, никому не скажет, но вообще... Давай договоримся: больше никому про это ни слова.

Призывы к осторожности со стороны бесшабашного в смысле свободы высказываний Антона произвели на меня впечатление. И больше никому, ни одной душе я не высказала соображений по поводу Тараканища.

...Наступил 1953 год. В моем теперешнем детском саду его встретили пышной елкой, которая удалась на славу и за которую мне объявили благодарность в приказе.

Однако ровно через два дня после благодарности меня внезапно и без всякого объяснения причин сняли с работы. Заведующая, которая за год до этого так энергично боролась за меня, вела себя как-то странно. Старалась не встречаться со мной глазами, произносила отрывистые загадочные слова насчет того, что тут, мол, замешан спецсектор. Видно было, что она что-то знает и это «что-то» обрекает меня на гибель. Она говорила со мной так, как говорят родственники с раковыми больными, не знающими своего диагноза. Желала здоровья. Даже промямлила словечко о будущем годе. Дескать, самое главное чтобы прошло какое-то время... А там...

На другой день пришел выразить мне свое соболезнование наш приятель инженер Кривошей. Антона и Тони не было дома. Визитер уселся у стола. Кошка Агафья сладострастно за мурлыкала, устраиваясь у него на коленях. А он начал огорченным голосом упрекать меня в излишней доверчивости. Вот например, наш приятель Милонов... Кривошей сам на дня видел, как тот выходил поздно вечером из «белого дома». Что бы ему там делать?

— Что вы говорите! — возмущенно воскликнула я. — Как же тогда жить, если подозревать в предательстве самых близких друзей! Мы знаем Милонова... Он честный человек...

Кривошей странно усмехнулся. И мне почему-то вдруг стало страшно. Нет, я еще не допускала мысли о том, кто подлинный предатель, затесавшийся в наш дом. Но в этот момент я как бы впервые заметила, что его лицо надежно скрыто маской, из-под которой время от времени прорывается подлинный взгляд, непритворная гримаса, очень далекая от того внутреннего мира, который мы ему сочинили. Это была еще не догадка, но первое предчувствие близкой догадки.

Гость собирался уже уходить, когда в комнату вошел, нет, не вошел, а вбежал Антон. На нем лица не было. Давно я не видела его таким взволнованным. Еле кивнув Кривошею, он отрывисто бросил мне:

— Выйдем на минутку в коридор...

Это было так не похоже на его обычную вежливость, что я сразу поняла: то, что он сейчас скажет мне, будет относиться именно к этому неистощимому говоруну, знатоку отечественной литературы и страстному любителю животных.

— Что? — спросила я, уже предвидя ответ.

— Это он! Тебя сняли с работы по его доносу. Он сообщил про чтение «Тараканища» и про твои комментарии.

Одна из медсестер, работавших с Антоном в поликлинике, взяв с него клятву, что он никогда никому не заикнется об этом разговоре, плача, воскликнула: «Боже мой! Что теперь с вами обоими будет! Что же это ваша Евгения натворила! Назвала товарища Сталина — пауком!»

Так говорили у них на закрытом партсобрании. И соответственно объяснили, что за подобное оскорбление божества воздастся.

Холодея, я выслушала Антона до конца. Механизм происшествия мне был теперь совершенно ясен. Никто, ни одна душа на свете, кроме Кривошея, не слыхал моих дерзновенных догадок насчет Тараканища. Ну а путаница с насекомыми объяснялась, по-видимому, недостаточной начитанностью инстанций «белого дома», а также неосознанными подкорковыми процессами, подсунувшими вместо гротескового, отчасти даже комичного Таракана реального, зловещего и совсем не смешного Паука-кровососа.

— Дай доносчику по физиономии и выгони его за дверь! — потребовала я.

— Это всегда успеется. Никогда нельзя сразу показывать провокатору, что он раскрыт. Последим за ним несколько дней. Предупредим других...

Такая удивительная рассудительность вспыльчивого Антона объяснялась, как он рассказал мне потом, тем, что на улице, около нашего барака, он заметил, входя, несколько милиционеров, круживших тут из-за скандала в одной из комнат, где жили шоферы. Кривошей мог тут же броситься за помощью к правосудию и тем ускорить ход событий.

Так или иначе, но мы вернулись в нашу комнату, где все в той же идиллической позе, с кошкой Агафьей на коленях, сидел как ни в чем не бывало наш желанный гость.

Я не в силах была смотреть на него и без всяких обиняков юркнула за ширму, где у нас на тумбочке стояла электроплитка и вообще было подобие кухни. Там я сразу начала судорожно чистить картошку, прислушиваясь к тому, как выйдет из положения Антон.

— Евгения Семеновна слишком остро реагирует, — ласково, как с больным, заговорил Кривошей. — Ведь уже все бывало. Пройдет и на этот раз.

— Н-да... — отвечал Антон, нетерпеливо постукивая пальцами по столу.

— Я уж тут до вашего прихода говорил, что надо быть более разборчивой и, пожалуй, даже недоверчивой в выборе знакомых, — продолжал наш гость эпическим тоном, гладя кошку двумя пальцами по передним лапкам.

— У-гу... — почти прорычал Антон. — Святая правда!

К счастью, беседа длилась недолго. Постучался кто-то из соседей и завел с Антоном разговор о своих болезнях. Кривошею представилась таким образом возможность вполне благопристойно закруглить свой визит. Он, пожалуй, пойдет, не будет мешать больному беседовать с врачом. Видно, у него был принцип «Чем наглее — тем правдоподобнее», потому что он не преминул заглянуть ко мне за ширму, чтобы еще раз настоятельно порекомендовать мне «экономить нервы». На прощанье он протянул мне руку.

— Извините, руки грязные, — двусмысленно сказала я, пряча свои — за спину.

Но понимать намеки — не входило в его методику. Он ласково улыбнулся и, не растерявшись, просто приветственно помахал своей повисшей в воздухе рукой.

Вечером (терять уже было нечего!) я снова читала Тоне вслух «Тараканище».

Бедные, бедные звери!
Плачут, рыдают, ревут...
В каждой берлоге и в каждой пещере
злого обжору клянут...

ГЛАВА ЧЕТЫРНАДЦАТАЯ

ДВЕНАДЦАТЫЙ ЧАС

А на другой день, с утра, развернув газету, я увидела сообщение о деле врачей-убийц в белых халатах.

То, что последовало за этим, было до сих пор неслыханно на Колыме. Впервые на нашу дальнюю планету проникла эта отрава. До тех пор мы были в глазах начальства единым массивом. Нас терзали на основе полного национального равенства, не выделяя из общей мученической среды, так сказать, ни эллина, ни иудея. Даже космополитская кампания сорок девятого года прошла как-то стороной от нас. В это время нашему начальству было не до того: свои, специфические дела вытесняли эти, общесоюзные. И так все запарились с массовыми повторными арестами, с назначением ссылок и вечных поселений, с расширением числа комендатур... Да мало ли...

А о нашем обществе заключенных и ссыльных в этом плане и говорить было нечего. Ведь среди нас преобладали комсомольцы двадцатых и тридцатых годов, надежно законсервированные в идеях и категориях своей юности. Мы просто и понятия не имели о том, как за время нашего загробного существования здорово окрепла там, на материке, дружба народов.

Итак, в этом отношении Колыма позорно отставала. Только сейчас, в пятьдесят третьем, здесь спохватились и начали «регулировать национальный состав». Начальник сануправления Щербаков, — человек, безусловно, незлой и неглупый, — точно неожиданно сойдя с ума, метался по больничному двору, восклицая: «А Горин — не еврей? А Вальтер — не еврей? А кто здесь вообще евреи?»

— Хоть запрашивай из Германии справку о расовой чистоте, — мрачно острил Антон.

Шутка имела под собой некоторое реальное основание: через новых заключенных, прошедших плен, Антон узнал по каким-то каналам о судьбе своего брата, оказавшегося вместе с фольксдойчами в Германии. Там его подвергли «расовому обследованию», после чего он получил справку, что в роду Вальтеров до пятого колена были все сплошные чистокровные тевтоны.

Но Антону тевтонство не помогло. С работы его тоже сняли. Правда, начальник отдела кадров Подушкин благосклонно выслушал сообщение Антона о том, что он не еврей.

— Никто вас В ЭТОМ и не обвиняет, — беспристрастно отверг ложное ОБВИНЕНИЕ начальник. — Зато вас можно обвинить в другом...

И сделал несколько прозрачных намеков на манеру распускать язык, на участие в контрреволюционной болтовне. Конечно, смешно было надеяться, что наш друг Кривошей скроет от «белого дома» участие Антона в той беседе о творчестве Корнея Чуковского.

— Вот так-то, — заключил начальник кадров, — впрочем, увольняетесь вы по сокращению штатов.

Так или иначе, к началу февраля пятьдесят третьего года мы оба были безнадежно безработными. Для полноты картины и Тоню отчислили из детского сада.

— Это потому, что ты, мамочка, не работаешь. Марья Ивановна сказала, что у тебя теперь есть время за мной ухаживать.

Да, времени вдруг объявилось сколько угодно. Но кормить Тоню так сытно и хорошо, как кормили ее в детском саду, скоро стало не на что.

Когда годами живешь без чувства будущего, без ощущения реальности завтрашнего дня, то начисто выветривается из сознания самая идея запаса, накопления. Ведь были периоды, когда мы хорошо зарабатывали. Могли бы скопить на так называемый черный день. Но когда все дни — черные, то об этом как-то не думаешь. Теперь мы сами удивлялись, куда ушли все деньги и почему мы сразу сели на мель.

Друзья, понятно, приходили на помощь. Присылали нам опять каких-то частных учеников, частных пациентов. Мы учили и лечили их вроде как во сне, почти механически. Потому что теперь ощущение обреченности, предчувствие окончательной катастрофы дошло до самой высокой точки. Мы понима-

ли, что теперь дело опять перешло на другой счет: на масшта
бы дней, часов, а может быть, и минут. Мощная радиация
идущая от «белого дома», пронизывала нас насквозь. И день
ночь мы ждали теперь третьего ареста.

Я испытываю неловкость перед читателем. Однообразно
Опять ожидание ареста? Опять ночные кошмары?

Но тот, кто сам пережил это болезненное напряжени
всех нервов, этот комплекс утки, настигаемой охотником, то
меня не осудит. Тот знает, насколько второй арест страшне
первого, а третий — насколько он страшней второго! Ведь пер
вый круг вспоминается как сущий рай, когда ты добредаешь
до круга седьмого.

А февраль пятьдесят третьего был таким вьюжным. Та
стонали и выли родимые скифские метели за нашим бессон
ным окном. И почему-то они все время выпевали идиотско
двустишие из какого-то газетного стишка, посвященного дел
врачей-убийц: «И гадючья рука не смогла ранить гордое серд
це орла...»

Ах, нет ведь у гадюки рук! Именно вот то и страшно, что
без рук... Вся изовьется и безошибочно вонзится жалом в само
сердце. В гордого-то орла вряд ли попадет, а вот в мое...

Шаги в коридоре! Он у нас такой длинный! Пятнадцать ком
нат с одной стороны и пятнадцать — с другой. И в любой комнате
слышен каждый звук из коридора. Шаги... Они! Сжимаюсь вся
вплоть до пальцев на ногах. Не дамся! Больше не дамся! Хватит!

А что сделаю? Очень просто — умру. А сумею? Конечно
Она придет, если страстно пожелать. Если нисколько не пожа
леть расставанья с этими земными туманами, с этими певучи
ми метелями. Если с легким сердцем отдаться в руки смерти.
Ведь только она может отпустить меня на свободу. И главное —
она погасит память. Я обессилена настолько, что не могу боль
ше выносить не только ожидания новых мук, но даже памяти
об уже пройденных.

Антон хочет вывести меня из окоченения, из унизитель
ной неподвижности кролика, застывшего под взглядом удава.
Он предлагает мне энергично взяться за приведение в порядок
наших дел. Каких дел? А вещи? Зачем, чтобы они достались
«белому дому»? У нас ведь дети...

Он, конечно, прав. И мы развиваем бешеную деятель
ность по ликвидации имущества. У нас ведь есть такая ценная
вещь, как пианино. Мы перетаскиваем его в комнату Степы и
Клавы Гусевых. Они выкладывают нам шесть тысяч налични
ми. При этом Степа басит, что, мол, продажа условная и что
как только все у нас утрясется — а так, наверное, и будет, —

н сейчас же прикатит наше пианино обратно, благо живем-
о дверь в дверь.

Клава на этот раз мыслит трезвее мужа. Она качает голо-
ой, сморкается в фартук и обещает приносить нам передачи.

При помощи практичной Юли мы довольно выгодно про-
ели дешевую распродажу имущества и выручили немалую сум-
у — одиннадцать тысяч. Половину из них выслала Ваське. «По-
ожи на книжку и начинай расходовать только тогда, когда
очно узнаешь, что меня больше нет». Так я писала на бланке
еревода. В те времена Васино высшее образование еще было
ля меня нерушимым фетишем. Если Вася будет вынужден
росить институт — это будет почти такое же страшное несча-
тье, как моя собственная гибель. Глаза бы выцарапала всяко-
у, кто сказал бы мне, что Васька не воспользуется своим
едицинским дипломом и что жизнь его пойдет совсем сторо-
ой от этого института. Это во мне бурлила кровь моих неведо-
ых дедов и бабок. Тех самых, что готовы были обходиться без
упа, лишь бы вырастить ученых детей.

Хуже всего обстояло дело с Тоней. Страшно было поду-
ать, что она снова окажется в детдоме, теперь, после того
ак узнала домашнюю жизнь с папой и мамой. Наше нынеш-
ее странное поведение ей очень нравилось: никто никуда не
пешил, никто не ходил на работу. Она просыпалась веселая,
ела в кровати, хлопала в ладоши, кричала: «Папа дома! Мама
ома!»

Я грызла себя раскаянием: разве можно было связывать
ебенка с моей жизнью, в которой хозяйничают демоны! Это
ыл чистейший эгоизм с моей стороны! Мне нужна была за-
ена Алеши. Нет, не замена. Его не может заменить никто,
аже Вася. Не замена, а постоянное напоминание о нем. Но не
вущее на части, а примиренное напоминание... И вот теперь...

Немного отлегло от сердца, когда получили из Казахстана
исьмо от Антоновых сестер, живших там на поселении. Они
исали, что согласны принять девочку (которую считали на-
ей родной), если с нами, не дай Бог, что случится. Оказа-
ось, что потихоньку от меня Антон писал им об этом. Юля
ала слово — сразу же отправить ребенка туда с кем-нибудь из
адежных вольняшек, едущих на материк.

Итак, все было сделано, предусмотрено. Оставалось ждать.
И мы ждали. Ждали и наши друзья. Встречая нас на улице, они
адовались: ходят еще! Приходя к нам, они сначала стучались
 Гусевым, чтобы узнать, не опечатана ли наша комната. Мы
е обижались. Ведь и сами мы были парализованы страхом. Вез-
е нам грезились стукачи или люди из «белого дома». Обжег-

шись на любителе поэзии Кривошее, мы теперь с подозрени-
ем относились ко всякому незнакомому человеку.

Помню, как мы испугались, когда к нам явился неизвес-
ный парень, назвавшийся дальним родственником доктора
Чернова, вольного сослуживца Антона. Чернов незадолго д
этого уехал на материк. Нам показалось ужасно подозритель
ным, что наш визитер, только что, по его словам, приеха
ший с Большой земли, был как две капли воды похож
лагерника. Резкие острые скулы, обтянутые сухой шелуш
щейся кожей. Куцый бушлатик. Сбитые бурки из солдатско
сукна. Обтрепанный малахай. Все это напоминало знакомь
таежные типы. Только гораздо позднее мы, не видевшие в
енной России, узнали, что в те годы, «сороковые, роковые
такой облик был обычен для наших городов и поселко
К тому же Глеб — так звали парня — был беглецом из колх
за, скитавшимся в бегах два года. Выход из мытарств он н
шел в конторе Дальстроя, где его завербовали на колымски
прииск экскаваторщиком. Нужда в рабочих этой професси
была так велика, что отдел кадров закрыл глаза на подмоче
ную анкету Глеба.

От постоянного страха перед карающей десницей, от н
доедания и скитальческой жизни в глазах Глеба то и дело всп
хивал какой-то звериный огонек. Не то чтобы волчий, но пр
мерно как у бездомного пса, окруженного преследователям
Но губы были мягкие, немного отвислые. Они обличали жалос
ливый характер. Ел Глеб с истовостью человека, знающего цен
пище. За третьей кружкой чая он отошел от первоначально
смущения, расстегнул пиджак и начал очень реалистично ра
сказывать о жизни в колхозах.

— Говорю вам все открыто, потому как сказано мне, чт
вы свои люди...

Мы переглядываемся. Свои люди... это выражение оче
любил употреблять наш друг Кривошей. Да и сиживал он, бь
вало, за столом на том же месте, где сидит сейчас этот Гле
Так же радушно мы его потчевали. И пошел тут у нас стра
ный диалог.

Глеб. Как стали ребята пухнуть с голоду, так и решился
Пойду, думаю, хоть копейку какую раздобуду да вышлю им
Сил нет смотреть...

Мы (после паузы, глаза опущены, голоса автоматичес
кие). У вас много детей?

Глеб (еще не замечая нашего испуга). Трое... Баба вс
войну батрачила, пока я воевал. А теперь начальство-то вмес
то спасиба...

Мы (с грустными интонациями неопытных лжецов). Где е вы тут остановились в Магадане?

Я пишу об этой случайной встрече так подробно, чтобы оказать, до каких пределов мы дошли в этом бреде преследо- ния. Я уже ясно видела, как в очередных протоколах «белого ома» рядом со строчками о «Тараканище» ложатся отличные ормулировки насчет опорочивания колхозного строя. На ка- ие-то мгновения я почти не сомневалась, что этот Глеб по- лан к нам как подкрепление к показаниям Кривошея. А меж- у тем только при полной нашей затравленности можно было ринять этого вековечного бедолагу из села Неелова-Горелова провокатора, усмотреть нечто двузначное, нарочитое в его ростодушных сетованиях на судьбу.

Вот какой мрак мы допустили в свои сердца! Все это чае- итие с Глебом осталось навсегда в моей памяти как одно из озорных воспоминаний. Я и сегодня краснею, когда передо ной всплывает это лицо с горьким недоумением в глазах. Он, аверно, мысленно сопоставлял то хорошее, что говорил ему нас доктор Чернов, с тем, что он нашел у нас сегодня.

— Извиняйте, если что не так, — забормотал он, вставая з-за стола. — Я, вишь ты, попросту... Потому мне сказывали, то...

Когда он ушел, мы поссорились из-за какой-то чепухи. По- ом я заплакала и сказала:

— Ничтожная козявка я, вот кто...

— Главное, какой им смысл сейчас подсылать к нам еще ого-то! Ведь материала против нас у них и так предостаточ- о, — сказал Антон и добавил: — Пойдем гулять!

Мы всегда шли гулять, когда становилось уж совсем не- ыносимо. В любую погоду выходили из дому — что нам буран ли снегопад! Скитались по городу, забредая то в Марчекан, то од Круглую Сопку. Наградой таких походов было полное фи- ическое истощение. Изнемогшие, мы потом засыпали, хоть енадолго, пусть даже со страшными сновидениями. Лишь бы аснуть!

Впрочем, с Антоном такие эпизоды, как прием Глеба, лучались реже, чем со мной. Главное — он оставался добрым, е отказывался в любое время суток бежать к больному, кото- ый позвал его. Временами на него находило какое-то веселое тчаяние гибели. Он начинал шутить, рассказывать анекдоты, вать меня в кино.

— Пойдем! По крайней мере два часа полного покоя. В ино-то уж ни за что не будут они нас хватать. Не захотят однимать шум.

И мы часто ходили в кино. Сидели, взявшись за рук
ободренные тем, что в устремленных на нас взглядах людей
было ни страха, ни жестокости. Одно любопытство. Ведь ве
город знал немецкого доктора. Все знали, что он сейчас снят
работы. И почти все — вплоть до больших начальников — бы
недовольны этим. Он был нужен им всем.

В последний день февраля в «Горняке» шел какой-то ит
льянский фильм.

— Пойду за билетами, — сказал Антон и ушел, оставив ме
с ученицей. Я репетировала девочку-двоечницу по русскому.

И вдруг раздался стук в дверь. Тот самый. Которого м
ждали. Я сразу, шестым чувством, поняла это.

— Что с вами? — воскликнула тринадцатилетняя двоечни
ца. Потом она говорила мне, что я стала белее стены.

Не дожидаясь ответа на стук, он отворил дверь. Властны
движением белого фетрового сапога пнул ее — и она безропо
но раскрылась. Это был некто в штатском. Выдавали его тольк
фирменные фетровые сапоги и еще канты высокого военно
воротничка, выпиравшие из-под мехового воротника пальто. Д
все равно! Будь он хоть в королевской мантии или в костюм
мушкетера, я признала бы его с первого взгляда. Оттуда!

— Где Вальтер? — спросил он, не здороваясь. Тем самы
голосом. С теми самыми интонациями. Бутырско-лубянскими
Эльгенско-васьковскими...

— Не знаю...

— Как, тоись, не знаешь? Ведь он вам муж...

— Он не сказал куда... Может быть, к больному...

— К какому еще больному, когда уж месяц с работы снят

Мной лично он как будто не интересовался. Зато внима
тельно осматривал жилье. Прошел хозяйским шагом по комна
те, оставляя на полу мокрые большие отпечатки подошв, загля
нул в тетрадь двоечницы, прочел с оттенком любознательност
правило правописания частицы НЕ с причастиями. Потом по
смотрел на часы.

— Если скоро вернется, пусть идет сразу же в «красны
дом». Комната семнадцатая. А если через час не придет, тогд
завтра. К девяти утра. Не в «белый дом», смотри, а в «красный
Понятно?

К девяти утра. Я вздохнула с облегчением. Значит, на
дарована еще целая ночь. Только бы не забыть, что я должн
сказать Антону. Самое главное. А то после ареста близкого, ка
и после смерти, всегда оказывается, что самого-то главного
не успела сказать... Ах, только бы ЭТОТ ушел до возвращени
Антона, только бы не встретил его в коридоре!

Я напрягаюсь до кончиков волос, внушая пришельцу: ну уходи, уходи же! Но он не торопится. Еще раз взглядывает на часы. Ужас! Он садится!

Нет... Только поправить портянку, выбившуюся из право-го сапога. Встал...

— Так ровно в девять! Понятно?

Я хочу выйти вслед за ним в коридор, но моя двоечница, которая вполне разобралась в этом эпизоде (уроженка Колы-мы!), отстраняет меня и на цыпочках выходит вслед за фетро-выми сапогами. Проходят нескончаемые секунды.

— Ушел... — шепчет моя ученица, и на ее близоруких гла-зах блестят слезы. — Вниз пошел, к бухте... А Антон Яковлич как раз из города идет... С другой стороны... Нет, нет, не встре-тились!

Антон еще с порога, взглянув на меня, все понял.

— За мной приходили?

И после краткой информации:

— Нельзя нам с тобой сейчас расставаться ни на минуту. Ведь могли и за тобой первой... И увели бы без меня...

Несколько минут мы обсуждаем — при активном участии моей ученицы — такую важную деталь, как приказ явиться именно в «красный дом», а не в «белый». Это вселяет надежды.

— В «красном» — насчет ссылки и поселения. А если бы новый срок, так уж обязательно бы в «белый», — разъясняет нам тринадцатилетняя колымская девчонка, отец которой тоже носит фетровые сапоги. Тут она все на пятерку знает! Это вам не частица НЕ с причастиями!

Посидев немного на табуретке, прямо в пальто и шапке, Антон решительно встает.

— Не опоздать бы в кино, Женюша... Ну конечно, пой-дем... Что ж последний вольный вечер сидеть тут и мучиться! Хоть отвлечемся...

Мы отводим Тоню к Юле, а сами вот уже снова сидим, взявшись за руки, на наших излюбленных местах — в предпос-леднем ряду с краю.

По ходу итальянского фильма показывают кусок католи-ческой мессы. Антон радостно волнуется.

— Боже мой, какая ты еще дикарка, Женюша, — шепчет он, — коммунистическая готтентотка. Подумать только — ты никогда не слыхала ничего этого. Зато эта радость еще у тебя впереди...

И вдруг мы оба явственно слышим, как девушка в доро-гой каракулевой шубке, сидящая позади нас, вздыхает и гром-ким шепотом говорит своему соседу:

— Смотри, как раньше Бога-то славили! Прямо как Сталина!

Ночь прошла удивительно быстро. Как ни странно, но именно в эту ночь мне удалось заснуть. Потому что мы рассудили: раз вызвали к девяти утра, значит, сегодня вряд ли придут ночью. А когда проснулись — около шести — то часы помчались как бешеные. И опять мы не успели сказать самого главного. И вот уже Антон стоит у дверей в пальто и шапке. И снова:

— Прости, если я тебя когда-нибудь обидел...

— Молчи, молчи... Скажи, сколько часов можно ждать с надеждой на возвращение?

— Часа четыре, не меньше. Бюро пропусков... У дверей кабинетов... До часа не приходи в отчаяние, ладно? Ну а если и не вернусь, то ведь все равно встретимся...

Чтобы переключить свое страшное возбуждение, чтобы куда-то направить то, что сжигает изнутри, я начинаю мыть полы. С остервенением скоблю те места, где остались пятна от вчерашних фетровых сапог. Потом тру половую тряпку мылом так ожесточенно, точно всерьез задумала вернуть ей первоначальный белый цвет.

Стук в дверь. Ничего, это всего только наш друг Гейс. Михаил Францевич Гейс, земляк Антона, тоже немец-колонист из Крыма. Он выглядит не просто взволнованным, а потрясенным, и это усиливает мое отчаяние.

— Уже знаете? — спрашиваю я.

— Да. И вы тоже?

Мимолетно удивляюсь странному его вопросу — как же мне-то не знать... И тут же начинаю выпытывать, что он думает о перспективах, если человека вызвали не в «белый дом», а в «красный». Можно ли надеяться, что...

— Можно! — произносит он каким-то нелепо-торжественным тоном. — Теперь нам действительно можно надеяться.

И совсем уж без всякой логики добавляет:

— Почему у вас выключено радио? Включите!

— Господи! Да что с вами? Понимаете ли вы, наконец, что Антона вызвали в «красный дом»?

Не отвечая, он подходит к стене, включает вилку репродуктора в штепсель. И вдруг сквозь трескучие разряды я слышу... Что я слышу, Боже милосердный!

«...Наступило ухудшение... Сердечные перебои... Пульс нитевидный...»

Голос диктора, натянутый как струна, звенит сдерживаемой скорбью. Отчаянная невероятная догадка огненным зигзагом прорезает мозг, но я не решаюсь ей довериться. Стою

594

еред Гейсом с вытаращенными глазами, не выпуская из рук
оловой тряпки, с которой стекает вода.

«...Мы передавали бюллетень о болезни...»

Из-за шума в голове — точно звуки прилива дошли сюда
з бухты Нагаево — я не слышу перечисляемых чинов и званий.
о вот совершенно явственно:

«Иосифа Виссарионовича Сталина...»

Чистая половая тряпка вырвалась из моих рук и брякну-
ась назад в ведро с грязной водой. И тишина... И в тишине
тчетливо слышу торопливые шаги Антона по коридору.

— Вернулся!

— Паспорт отобрали! — ликующим голосом, точно благую
есть, возвещает он. — Вспомнили, что у меня нет ни ссылки,
и поселения. Переведут на поселение, только и всего...

— Еще неизвестно, переведут ли, — загадочно произносит
ейс.

Антон начал было рассказывать о беседе в «красном
оме», но репродуктор снова затрещал во всю мочь. И опять:
Передаем бюллетень...»

— Антоша, — твердила я, вцепившись в руку Антона, —
нтоша... А вдруг... А вдруг он поправится?

— Не говори глупостей, Женюша, — почти кричал воз-
ужденный Антон, — я говорю тебе как врач: выздоровление
евозможно. Слышишь? Дыхание Чайнстока... Это агония...

— Вы просто младенцы, — ледяным голосом сказал Гейс, —
еужели вы думаете, что если бы была надежда на выздоровле-
ие, народу сообщили бы об этой болезни? Скорее всего, он
же мертв.

Я упала руками на стол и бурно разрыдалась. Тело мое
отрясалось. Это была разрядка не только за последние несколь-
о месяцев ожидания третьего ареста. Я плакала за два десяти-
етия сразу. В одну минуту передо мной пронеслось все. Все
ытки и все камеры. Все шеренги казненных и несметные тол-
ы замученных. И моя, моя собственная жизнь, уничтоженная
ГО дьявольской волей. И мой мальчик, мой погибший сын...

Где-то там, в уже нереальной для нас Москве, испустил
оследнее дыхание кровавый Идол века — и это было величай-
ее событие для миллионов еще недомученных его жертв, для
х близких и родных и для каждой отдельной маленькой жизни.

Каюсь: я рыдала не только над монументальной истори-
еской трагедией, но прежде всего над собой. Что сделал этот
еловек со мной, с моей душой, с моими детьми, с моей
амой...

— Который час? — спросил вдруг Гейс.

— Двенадцать, — ответил Антон, — пробил двенадцатый час. Скоро мы будем свободны...

ГЛАВА ПЯТНАДЦАТАЯ

ПО РАДИО — МУЗЫКА БАХА

И до пятого марта и после него, в скорбные дни погребения Великого и Мудрого, в эфире царил Иоганн Себастьян Бах. Музыка заняла в передачах невиданное, непомерное место. Величавые музыкальные фразы, медленные, просветленные, лились изо всех репродукторов нашего барака, заглушая коридорную беготню детей и истерические рыдания женщин

Да, в нашем бараке, населенном колымским плебсом бабы голосили об усопшем со всей истовостью, с выкриками «И на кого ж ты нас спокинул»... Они знали приличие, наши бабенки, и не хотели выглядеть хуже людей. Рыдал весь Магадан — рыдали и они.

Впрочем, иногда, сходясь на кухне, они вдруг прерывали плач и деловито обменивались соображениями насчет того что же теперь с нами, сиротами, будет. По международным вопросам все сходились на том, что войны не миновать, потому что нынче и заступиться-то за нас некому. Но насчет внутренних дел стали иногда, вопреки рыданиям, прорываться оптимистические нотки: может, теперь не так будет строго, может, кому и удастся на материк стронуться.

— А ты, мамочка, почему не плачешь? — любопытствовала Тоня. — Все тети плачут, а ты нет...

— Мама уже плакала один раз, — терпеливо объяснял ей Антон, — только тебя тогда дома не было, ты у тети Юли гостила.

В эти траурные дни у Антона вдруг снова объявилась огромная врачебная практика. То и дело за ним присылали из начальственных домов. От тягостных переживаний, от полного смятения чувств и тревог за будущее занемогли многие. И вспомнили опального, снятого с работы, сдавшего свой паспорт в «красный дом», но — черт возьми! — умелого немецкого доктора.

Смятение охватило знатных колымчан еще до сообщения о смертельном исходе болезни Вождя и Друга. Уже и предварительные бюллетени повергли наше начальство в мучительное недоумение. Ведь они начисто забыли о том странном факте, что Генералиссимус сотворен из той же самой несовершенной плоти, что и остальные грешные. Уже сама по себе его болезнь

596

становилась трещиной на теле той счастливой, понятной, гармоничной планеты, обитателями и хозяевами которой они были и с которой так ловко управлялись.

Кровяное давление... Белок в моче... Черт возьми, все это годится для простых смертных, но какое отношение такая подлая материя может иметь к НЕМУ?

Наверно, так же были бы оскорблены в своих лучших чувствах древние славяне, если бы им объявили вдруг, что у Перуна повысилось кровяное давление. Или древние египтяне, если бы они неожиданно узнали, что у бога Озириса — в моче белок.

Еще более разрушительное действие возымела на колымских начальников ЕГО смерть. Немудрено, что со многими из них в эти дни случались приступы стенокардии и гипертонические кризы. Нет, при всем реализме своего мышления эти люди не могли смириться с вульгарной мыслью о том, что Гений, Вождь, Отец, Творец, Вдохновитель, Организатор, Лучший друг, Корифей и прочая и прочая подвержен тем же каменным законам биологии, что и любой заключенный или спецпоселенец. Своенравие Смерти, вторгшееся в гигантскую систему, такую стройную, такую плановую, было непостижимо. Наконец, все они привыкли к тому, что люди высокого положения могут умирать только по личному указанию товарища Сталина. А тут вдруг... Нет, право, в этом было что-то скандальное, не совсем приличное...

Медлительная музыка Иоганна Себастьяна Баха была призвана поддержать дрогнувшее величие.

Немало сердечных приступов и нервных припадков было в эти дни и среди наших политических ссыльных. Десятилетиями лишенные надежд, мы валились с ног, пораженные первой вспыхнувшей зарницей. Привыкшие к рабству, мы почти теряли сознание от самого зарождения мысли о свободе. Прикованные к своей ледяной тюрьме, мы заболевали при воскресшем воспоминании о поездах, пароходах, самолетах...

Никто из нас не мог сидеть в эти дни дома. Бродили по улицам. Останавливались при встречах со своими. Озираясь по сторонам, обменивались потаенным блеском глаз, возбужденными шепотами. Все были словно пьяные. У всех кружилась голова от предвкушения близких перемен. И хотя еще никто не знал, что скоро с легкой руки Эренбурга вступит в строй весеннее слово «оттепель», но уже вроде услышали, как артачатся застоявшиеся льдины, но уже шутили, повторяя формулу Остапа Бендера «Лед тронулся, господа присяжные заседатели!»

— Говорят, Молотов будет...

597

— Вряд ли... Тупица... Может только твердить зады...

— Ну и достаточно...

— Скорей Берия...

— А тогда как бы еще солонее не было...

— Ведь, наверно, есть какой-нибудь документ... Завещание о престолонаследии.

— Во всяком случае вечное поселение отменят. Вот увидите!

— И двадцатипятилетние сроки...

Время от времени раздавался чей-то совсем сбитого с толку голос:

— Как бы хуже не стало...

На такого сейчас же бурно обрушивались. Возобновились споры о роли личности в истории. Находились еще среди поселенцев ортодоксальные марксисты, все еще лепетавшие бесцветными растрескавшимися губами что-нибудь из некогда затверженного на лекциях по диамату.

Но огромное большинство ссыльных явственно ощущало, как дрогнуло государство, лишившееся Владыки к исходу тридцатого года его царствования, как смутились и переполошились все крупные и мелкие диспетчеры, когда увидали, что нет больше «того пальца, который столько лет лежал на главной кнопке управляющей машины».

На четвертый день траурной музыки, вернувшись домой из магазина, я увидела, что наше пианино стоит на старом месте. Улыбающийся Степа Гусев, непьющий чудо-шофер, на этот раз изменил себе. Сидя за столом вместе с Антоном, они оба потягивали из кружек шампанское, заменявшее на Колыме ситро и минеральную воду.

— Теперь вы в безопасности, — добродушно щурясь, сказал Степан, — теперь вас не тронут.

Он разыскал в шкафчике третью кружку, налил мне и провозгласил:

— Ну, за свободу!

— Глас народа — глас Божий, — подытожил Антон.

Собственно говоря, еще не было никаких конкретных признаков того, что опасность для нас миновала. Строго говоря, совсем не была исключена возможность того, что «белый дом» даст ход доносу Кривошея. Но мы интуитивно почувствовали, что этого не будет. Мы, не сговариваясь и не обсуждая этого вопроса, перестали ждать третьего ареста. Точно девятипудовый камень свалился с плеч. И не последнюю роль в этом вновь обретенном чувстве жизни играла музыка, день и ночь льющаяся по радио музыка Баха. Она напоминала нам о том, что нет уже того, кто воплощал безумие и жестокость.

Я не могла бы отчетливо объяснить, чего я жду от ближайшего будущего. Но ждала я страстно. Каждое утро начиналось теперь для меня с восхитительного чувства: все дрогнуло, сдвинулось, повернулось. Мы — у истоков новой эпохи. Конечно, это сопровождалось тревогой. Она гнала на улицу. Хотелось видеть людей, слышать их мнения о нашем будущем, о будущем страны. И как радостно было видеть, что почти все наши разделяют эти чувства!

Вот мы с Юлей идем по центральной улице Магадана. Встречаем Алексея Астахова. Это приятель Антона по прииску. Он весь лучится. Сияет его великолепная черная борода а ля Александр III, лакированные карие глаза, белые, такие же как у Антона, неистребимые зубы. Это живописнейший человек. Высок, статен, красив. Да и слушать его — одно удовольствие. Речь его остра, сочна, блестяща. И все это после многих лет заключения.

— С праздничком вас! Со светлым Христовым воскресеньем! — восклицает Алексей Алексеич. На какой-то момент его голос заглушает даже траурную музыку, все еще плывущую по радио. Изо всех громкоговорителей... Астахов на прииске оглох, и теперь ему не всегда удается соразмерять мощь своего раскатистого голоса со слухом собеседника.

Осторожная Юля в ужасе. Оглядывается на прохожих. Затем кричит так же громко, прямо в ухо Астахову:

— Разве нынче такая ранняя Пасха?

Она победительно смотрит на меня. Вот как тонко она вышла из неловкости! Потом для окончательной безопасности Юля с пафосом добавляет:

— Скорее всего, Генсеком будет теперь Лаврентий Павлович... Это было бы самое разумное...

О Юлька, великий конспиратор! Зря старалась! Никто из прохожих не обращает на нас никакого внимания. У всех масса новых забот и волнений. В новой ситуации каждый еще только прощупывает свое новое место.

Подходят еще двое ссыльных. Снова перекрестный огонь предсказаний, предположений, опасений. Еще не проникло в наши беседы слепящее слово «реабилитация», но уже носится в воздухе отчасти унизительное, но все-таки желанное — «амнистия». И уже развелось немало информированных товарищей, предсказывающих, какие именно статьи подойдут под этот акт доброй воли нового правительства.

Во всех этих толках было много смешного, нелепого, трогательного. Люди, десятилетиями оторванные от жизни Большой земли, не могли не делать ошибок в рассуждениях. Но единой и общей для всех была уверенность, что кто бы ни сел сейчас на престол московский (в том, что диктатура будет единоличной, как-то даже не сомневались), он будет менее жесток, чем покойник. Потому что более жестоким быть нельзя не только по человеческой, но даже по дьявольской мерке.

Эти наши умозрительные надежды впервые начали облекаться плотью через десять дней после кончины Генералиссимуса, пятнадцатого марта, в день очередной «отметки» ссыльных и поселенцев. Войдя в длинный узкий коридор, где мы обычно стояли нескончаемой шеренгой перед дверями коменданта, я увидала, что вдоль этой знаменитой стены стоит скамейка.

Скамейка! Довольно удобная, со спинкой, вроде садовой. Длинная, человек так на десять. На ней уже сидело четверо, и у всех у них сияли глаза и раздвигались в улыбке губы. Ведь годами, годами стояли-выстаивали мы здесь, подпирая своими спинами и боками грязно-серую, мажущую мелом стену. Годами переминались с ноги на ногу в ожидании, когда откроется перед тобой заветная дверь и хмурый комендант, не поднимая глаз, пристукнет штамп, продолжит твою жизнь на две недели. И вдруг на этом самом месте — скамейка! Со спинкой...

— Садись, дорогая, — сказал мне старик в серой телогрейке с синими заплатами на локтях, — садись, отдыхай! Комендатура не хочет, чтобы ты зря утомлялась.

Он весело подмигнул мне мутным склеротическим глазом, а трое остальных захохотали. Смех в комендатуре!

Минут через десять вся скамейка была заполнена, а те, кому не хватило места, все равно были радехоньки и любовно разглядывали сидящих.

И тут свершилось второе чудо. Торопливо вошли оба наших коменданта, аккуратно закрыли за собой дверь, чтобы не сквозило, и... улыбнулись нам. Правда, это были несколько вымученные улыбки, какие-то неопределенные, с оттенком опасливости. Но все-таки факт оставался фактом: коменданты улыбались. Те самые коменданты — а их уже много у нас сменилось, — которые неизменно проходили мимо нас, хлопнув входными дверями, напустив в коридор холода, не глядя на нас, с каменными лицами, точно мы были не живые существа, а какие-то детали постройки.

— Проходите, товарищи, — сказал один из комендантов, — вдвоем быстренько отметим вас... Пять человек проходите сразу. А остальные вот тут, на скамейке, посидите, подождите немного.

— Он, кажется, сказал ТОВАРИЩИ? Я не ослышалась? — переспросила поселенка Голубева, знакомая мне по дому Васькова.

— Нет, не ослышалась, — с готовностью ответил старик с синими заплатами.

— Раз скамеечка, то почему бы и не ТОВАРИЩИ! — И, причмокнув губами, со смаком произнес: — Так сказать, социалистический гуманизм!

Все ответили ему дружным счастливым хохотом.

...Летели дни, и мало-помалу траурная музыка стала уступать место обычному разговорному жанру. Мы теперь не выключали своего репродуктора. Ведь впервые можно было ждать от этой коробочки, среди потока обычной шелухи, каких-нибудь реальных новостей.

И однажды мы действительно услышали нечто, что поразило не только весь мир, но даже и видавшую виды Колыму. Это было в самом начале апреля.

— Слушайте! — истошным голосом завопила Клава Гусева, влетая на кухню. — Радио слушайте!

На кухне радио не выключалось, но его голос всегда был заглушен примусами, керогазами, бабьим гомоном. Однако сейчас все затихло в один миг. И во внезапной тишине мы прослушали официальное сообщение о прекращении дела врачей — «убийц в белых халатах». Текст явно смущал диктора. Его натоевший в победных реляциях и патетических восторгах голос звучал непривычно. Его устами говорил великий Левиафан, непогрешимая держава. И впервые на памяти слушателей она говорила сейчас о своих ошибках. И не только об ошибках! Даже о «незаконных методах следствия». Правда, эти странные слова были произнесены как-то не совсем разборчиво, точно сквозь зубы и с явным усилием. Но так или иначе, а произнесены они были. И это стало в нашем восприятии началом новой эры.

Незаконные методы следствия! Подумать только! Они выговорили это. Эти три слова были теперь точно некая вакцина неуемного возбуждения, впрыснутая под кожу миллионам колымских ссыльных и заключенных. Всем вместе и каждому в отдельности. Люди перестали спать. Исхудали от перенапряжения, от ежеминутного ожидания невиданных перемен. Говорили до сухости в глотке, точно в какой-то горячке снова и снова пересказывая друг другу свои старые следственные истории, тысячекратно пересказанные за долгие-долгие годы. Все раны тридцать седьмого и сорок девятого открылись, нестерпимо жгли, требовали исхода. Их нельзя было дальше выносить после того, как в прессе — даже в газете «Советская Колыма» — появились эти три слова «незаконные методы следствия».

Помаленьку из глухого бурленья стали выкристаллизовываться эксцессы. Кто-то из ссыльных бросил коменданту в лицо свое удостоверение, закричал: «Не приду больше! Стар стал, чтобы каждые две недели вам кланяться, штамп ваш вымаливать. Хотите, забирайте! А сам больше не приду!» И главное — ничего ему не было. Просто через несколько дней получил по почте свое удостоверенные. И на нем — штамп за те две недели и еще за две вперед...

На мужской магаданской лагерной командировке работяги устроили хай из-за прокисшей баланды. Некоторые даже миски на пол пошвыряли. И опять-таки начальство стерпело. Никого в карцер не взяли. А вместо той кислой баланды по два черпака каши выдали.

А как-то солнечным апрельским утром вдруг обнаружилось, что в течение ночи какой-то неизвестный злоумышленник напялил ржавое поганое ведро на статую товарища Сталина, что стоит в Магаданском парке культуры и отдыха. Прямо на голову... Одновременно пошли слухи о бунтах в лагерях. Не у нас, правда. Где-то на Воркуте, на Игарке... И сведения о них были глухими, неопределенными, точно какие-то отдаленные подземные толчки. Но эхо от них все равно раздавалось, раскатывалось по нашим баракам. Невиданные перемены... Неслыханные мятежи...

Теперь, оглядываясь назад, я вижу, что это были для нас счастливые дни. Освобождение от страха. Пусть пока еще подсознательное, не основанное ни на фактах, ни на трезвом анализе. Но все равно. Почему-то вдруг напряглись все мускулы тела и все силы души. Точно тебя вдруг окатило каким-то колдовским душем. И вот уже смыта усталость, которая, казалось, въелась в каждую клеточку. Мы помолодели. Я стала дьявольски энергичной. Как в двадцать лет.

Я предприняла ряд атак на начальство. Прежде всего написала заявление о реабилитации. Впервые. Никогда я не включалась прежде в массовый психоз писания заявлений, которому многие были подвержены. Бывало, в Эльгене, после поверки, при свете коптилок, таясь от надзирателей, строчили и строчили, меняя адреса. То верховному прокурору, то министру госбезопасности, то Председателю Совета Министров, то в Центральный Комитет партии. А чаще всего — лично товарищу Сталину. Некоторые написали за лагерный срок несколько сот заявлений. Ответ был всегда один: оснований для пересмотра дела нет.

Никогда я этому не поддавалась. Твердо знала, что пока на троне Лучший друг детей, ни одна колымская мать не вернется к своим детям.

Теперь я писала заявление, считая, что появились шансы

на благоприятный ответ. Я писала на имя Ворошилова. Потому что в своей первой юности я сталкивалась с ним. Кратко напоминала ему о себе, сообщала о своей судьбе, просила вмешаться. ТЕПЕРЬ он мог, имел возможность сделать это. Я не сомневалась в том, что смерть тирана раскрепостит не только нас, но и тех, кто стоял за его спиной в роли ближайших соратников.

Конечно, в тогдашних моих чаяниях и надеждах очень мало места уделялось трезвому анализу положения, особенностей системы в целом. В том состоянии всеобщей эйфории, в каком мы тогда находились, верх брали эмоции. Чувство почти физиологического обновления, которое мы испытывали, мешало нам рассуждать, оценивать, взвешивать.

Насколько далеко шли мои надежды на начало новой жизни, видно хотя бы из того, что я начала вдруг настойчиво писать на материк, добиваясь, чтобы мне выслали хотя бы копии моих документов об образовании. Ну пусть только университетский диплом. Юля уверяла меня, что я с таким же успехом могла бы попросить, чтобы мне выслали звезду с неба. Она полагала, что от всей нашей прошлой жизни осталась только та самая розовая папка, на которой написано «Хранить вечно».

Но чудеса продолжались. Сестра Аксенова (моего мужа) сумела получить в архиве копию моего университетского диплома и выслала ее мне. Вот тогда-то я и предприняла еще один шаг, удививший своей дерзостью не только начальство, но даже и многих товарищей по ссылке. Я написала в политуправление Дальстроя заявление с просьбой указать мне, на какие средства я должна существовать в ссылке, если мне не дают работать. Требовала назначения по специальности. Педагогической работы. И совсем уже вызывающе добавляла: «Так как в Магадане нет вузов, то я согласна преподавать в средней школе».

— Ты с ума сошла! — восклицала Юля. — Привлекать к себе внимание такими претензиями! И это в то время, когда они еще не разобрались в кривошеевских доносах на тебя!

Астахов подшучивал надо мной. Сочинил даже памфлет «От скамейки до кафедры». Там излагалось в стихах, как я, обрадовавшись скамейке в комендатуре, запросилась на кафедру и как Некто в фетровых сапогах тряхнул меня, чтобы раз и навсегда покончить с такими бессмысленными мечтаниями.

— Смейтесь, смейтесь, — упорствовала я, — я ведь знаю, что они ответят. «Мы бы вас с удовольствием взяли, но у вас ведь нет документов об образовании, о праве на преподавание». Тут я им дипломчик и предъявлю. Посмотрим, что они тогда запоют. По-моему, податься им будет некуда.

Антон притворно вздыхал над моей неразумностью, острил: меня, мол, семеро козлят ничему не научили. Проведя идеологическую диверсию среди шестилетних, подбираюсь сейчас к шестнадцатилетним...

Но все это были шутки. А всерьез-то я видела, что он вполне одобряет мои энергичные действия и сам находится в таком же состоянии душевного подъема, как и я.

Этого настроения не могла погасить даже бериевская амнистия, объявленная вскорости. Хотя, конечно, она нас очень огорчила, а некоторых даже повергла в полную безнадежность. Это была амнистия только для уголовников. Политических она практически не коснулась, потому что под нее формально подпадали только те, кто имел срок до пяти лет. А таких среди политических не существовало. Даже восьмилетников было ничтожно мало.

Мало того, что эта амнистия обманула ожидания, она еще принесла неисчислимые бытовые бедствия. В ожидании транспорта на материк выпущенные из лагерей блатари терроризировали Магадан. Милиция не справлялась с уличными грабежами. Наглость блатарей наводила на мысль, вернее, на тревожное предощущение каких-то разгульных погромов, каких-то «И-эх, и-эх, без креста!» С наступлением сумерек мы были просто блокированы в своем Нагаеве. Идти через больничный пустырь после наступления темноты стало опасно для жизни.

К счастью, пришла наконец весна, и на Колыму открылась навигация. Новых свободных граждан, «друзей народа», облагодетельствованных Лаврентием Берией, стали косяками грузить на пароходы, отплывающие в бухту Находка, а оттуда во Владивосток, где их перегружали в железнодорожные эшелоны. Поезд, отвозивший эту компанию, прозвали «пятьсот веселый». По имени поезда и всех амнистированных уголовников величали «весельчаками». Еще долго до нас доходили разные слухи о подвигах «весельчаков» во Владивостоке, Хабаровске, в сибирских городах, лежащих на пути к столице.

В начале лета Антону предоставили наконец работу. Его взяли в Госстрах в качестве врача, дававшего заключение о здоровье страхующегося. Это была плоская и бездушная работа, с которой он возвращался каждый день расстроенным, посеревшим. Но отказываться нечего было и думать. Все-таки этот несчастный Госстрах выводил нас из затянувшегося постоянного безденежья.

— А как же вы будете оформлять меня? Ведь паспорт отнят, а ссыльного удостоверения у меня тоже пока нет, — допытывался Антон у своих новых хозяев.

— Ничего, все согласовано, где надо, — уклончиво, торопливо и даже несколько смущенно ответили ему.

Потом и мне предложили играть на пианино в марчеканском детском саду. Это было очень далеко, приходилось с большим трудом добираться. Да и вообще при изменившихся обстоятельствах мне казалось невыносимым тянуть все ту же лямку. Ведь главного мучителя больше нет. Так неужели я не смогу добиться хоть простейшей, элементарной умственной работы? Только теперь, когда отошли немного в сторону страхи за самую жизнь, я с особой остротой ощутила, как я истосковалась по настоящей деятельности. Писать и преподавать. Преподавать и писать. Вот чего я жаждала, вот что я обдумывала днем и ночью, составляя в уме конспекты своих первых лекций. Набросать их на бумаге я не решалась. Чтобы не сглазить, не спугнуть свою упрямую надежду, которую почти никто не разделял.

А между тем неожиданные происшествия продолжались. Кажется, история начинала наконец работать на нас.

...Я была на кухне и варила под руководством дневальной тети Зины страшенного уродливого краба в тот момент, когда наше невыключаемое радио вдруг ни с того ни с сего поведало нам новости из биографии Лаврентия Берии. Услыхав, что он агент царской охранки, английский шпион и оголтелый враг народа, мы с тетей Зиной покинули кипящего краба на произвол судьбы и в немом недоумении уставились друг на друга.

— Тетя Зина, — сказала я, — тетя Зина, повторите, пожалуйста, что вы слышали сейчас по радио?

— А вы? Сами-то вы чего слыхали? — крикнула она, как-то даже агрессивно надвигаясь на меня.

— Я не разобрала... Или, может быть, мне показалось...

— Ну, а я и подавно ничего в этом не смыслю. Вы-то люди ученые, газеты читаете, по телефону разговариваете... Чего же это я стану такое повторять... Мы люди простые, в университетах не учились.

Я быстро собралась и бросилась к Антону, на новую его службу.

— Слышал?

— Тш-ш-ш... — ответил он. — Пока помолчим. Сейчас я закончу тут дела, и мы с тобой сбегаем на почту, проверим...

Я сразу поняла, что он имеет в виду. На почте, над отделом «Заказная корреспонденция» висел портрет Лаврентия Берии. Очень интеллигентное лицо. Пенсне, правильные, даже тонкие, черты, вдумчивый взгляд.

Запыхавшись, мы вбежали в просторный почтовый зал. Над головой девицы, ведавшей заказной корреспонденцией, вызывающе, почти цинично зиял пустой темный квадрат. Оказывается, стена здорово выгорела.

Через несколько дней после этого происшествия Антону сообщили в неслыханно вежливой форме, что полковник Шевелев из «красного дома» хотел бы встретиться с доктором Вальтером. Нет, точного времени полковник не назначает. Просто когда у доктора выдастся свободный часок, пусть звякнет по такому-то телефону.

Встреча состоялась. В большом уютном кабинете, сидя рядышком на мягком кожаном диване, собеседники, при полном взаимопонимании, обсудили подробно коварные проявления полковничьей печени, договорились о диете, тут же вызвали фельдъегеря, летящего завтра в Москву, чтобы вручить ему рецепты в московскую гомеопатическую аптеку. И только уже проводив доктора до дверей и с благодарностью пожимая ему руку, полковник вдруг вспомнил:

— Ах да, чуть было не забыл... Минуточку, доктор... Тут в моем столе залежался ваш паспорт. Возьмите его, пожалуйста!

...Летние закаты в Магадане обычно очень ветреные. Даже в голову не приходит снять пальто, когда поднимаешься из центра к нашему больничному пустырю. Да и на спуске тебя все равно пронизывает насквозь колким холодком.

А в этот вечер, когда мы решили отметить прогулкой возвращение Антону его паспорта, все было как-то по-особому. Может, за все лето не больше двух-трех раз и выдастся такое. Даже на самом ветру стоял неподвижный, прозрачный, слегка прохладный воздух. Мы остановились, вглядываясь в лежащую перед нами бухту.

— Что за чудо нынче! — воскликнул Антон. — Не Нагаево, а просто Неаполь какой-то...

Белые корабли, деликатно уступая друг другу место, толпились у причалов. Не багровый, как обычно, а нежно-персиковый закат сеялся сверху на темно-синюю гладь воды.

Мы остановились, неотрывно глядя на открывшуюся перед нами нежданную, негаданную красоту.

— Ты говоришь, Неаполь? — переспросила я. — А что же! Может быть, еще и Неаполь увидим... Мне кажется, жизнь начинается сначала... Мы еще не старые...

Безумное, безумное время! Шальные надежды вернуть украденную жизнь. Какие-то тайные, еле внятные голоса изнутри.

Ну что ж, постоим, постоим еще над этой зыбко-прекрасной водой, красоту которой мы впервые за много лет восприняли. Постоим, чтобы продлить еще немного свои иллюзии, чтобы подальше не проваливаться в действительность.

Пусть сами собой, без нас, разоблачатся обманы! Ведь если повержен Змей Горыныч, то, значит, где-то уже ведет свою великодушную армию добрый и храбрый Иван-царевич.

Постоим. Как мы могли не замечать, что она живописна, наша бухта! Мы не умели отделить ее первозданную суровую красоту от грязного налета извергаемых из ее вод потоков серых бушлатов, уродливых чуней, злобных окриков конвоя...

Восхищенное погодой, все население нашего барака вылезло на завалинку. Курят, окликают ребят, поглаживают узловатые уморившиеся ноги, расчесывают волосы, грызут кедровые орешки. Как в воронежской или пензенской деревеньке.

А в коридоре — необычная тишина. Только из-за закрытых дверей тридцати комнат (по пятнадцати с каждой стороны) льется из репродуктора музыка.

— Кажется, опять Бах, — говорит, прислушиваясь, Антон.

— Это хорошо. Это доброе предзнаменование. Баха они играют каждый раз, когда смущены, когда предстоит сказать что-то новое...

Так мы втянули Иоганна Себастьяна Баха в наши грешные земные дела.

ГЛАВА ШЕСТНАДЦАТАЯ

КОМЕНДАНТЫ ИЗУЧАЮТ КЛАССИКОВ

В середине августа я получила по почте официальный пакет. Магаданский отдел народного образования приглашал меня зайти для переговоров о назначении на работу. Пакет пришел в пятницу, а идти надо было в понедельник. Мне предоставлялось, таким образом, целых три дня для колебаний между боязнью «сглазить» и непреодолимым желанием показать эту бумажку всем, кто предрекал неудачу моим дерзким претензиям.

Не выдержала — показала. Неслыханный пакет передавали из рук в руки, перечитывали, обсуждали. Вызывают в гороно! Вечную поселенку — в гороно! По неудержимой склонности к широким обобщениям на основе единичных фактов, наши бывшие заключенные истолковали эту бумажку как вернейшее знамение скорой всеобщей реабилитации. Отдельные закоренелые скептики кривили губы: «Какая-нибудь хитрость! Не может этого быть».

Поверить, действительно, было трудно. Конечно, гороно не такое учреждение, как, скажем, главк или политуправление, величественное с виду, окруженное охраной. Но все-таки и гороно — один из островков вольного мира. Туда вход для касты неприкасаемых прочно закрыт. Это не то что наше сануправление, где работает масса бывших зэка и поселенцев.

Я первая из наших переступаю этот порог. И пока иду по незнакомым коридорам, меня не оставляет чувство ожидания внезапного удара. В отделе кадров на переднем плане — очень нарядная дама с державным бюстом. В глубине комнаты, спиной к двери — мужская фигура, склонившаяся над бумагами. Молча протягиваю даме мою заветную бумажку. Она долго вчитывается в нее с таким напряженным видом, точно это китайские иероглифы.

— Это вы сами и будете? — вопрошает она наконец.

Потом она подходит к сейфу, огромному, храмообразному, вынимает оттуда бумажные листы и кладет их передо мной.

— Заполняйте!

Анкета. Анкета для лиц, вступающих на педагогическое поприще в этом благословенном крае. Уникальная в моей жизни анкета. Потому что в тридцатых годах таких ЕЩЕ не было, а после двадцатого съезда и нашего возвращения на материк их УЖЕ не было. Эта анкета произвела на меня неизгладимое впечатление. До сих пор помню отдельные вопросы. Девичья фамилия матери Вашего первого мужа? В скобках — второго, третьего... Назовите адреса и места работы Ваших братьев, их жен, Ваших сестер и их мужей. Боже мой, Боже мой! Куда я лезу? Уж не лучше ли было оставаться в мире семерых козлят? Там хоть про такое не выпытывали. Но пути к отступлению были отрезаны.

— Сядьте вон за тот столик и заполняйте четким почерком, без помарок, — распорядилась дама, а сама углубилась в какие-то очень красивые разноцветные полированные папки.

Надо было видеть лицо этой кадровички, когда после долгой работы я выложила наконец перед ней заполненные листы. И как было по-человечески ее не понять! Ей, призванной вылавливать какую-нибудь раскулаченную двоюродную бабушку или жену деверя с нерусской фамилией, ей, натренированной на такие тонкости, вдруг с циничной открытостью вывалили прямо на стол смертные террористические статьи Уголовного кодекса, Военную коллегию, вечное поселение, двух репрессированных мужей и кучу репрессированных родственников со стороны Антона. Не говоря уже о массе немецких фамилий, которых не могли перекрыть православные Аксеновы, поскольку у Павла была всего одна сестра и один брат, а у Антона четыре сестры и четыре брата, двое из которых находились к тому же в Западной Германии.

— Андрей Иваныч! — позвала кадровичка смятенным голосом. — Можно вас на минуточку?

Она звала на помощь, хотя ей было известно, что по каким-то неведомым высшим соображениям меня решили допустить к преподаванию, что есть указание «оформить». Но она просто не могла с собой справиться. Годами выработанные условные рефлексы валили ее с ног. Она была сейчас точно борзая, которую почему-то заставляют отпустить пойманную дичь.

Молодой человек, сидевший к нам спиной, встал и подошел к столу дамы. У него была запоминающаяся наружность. Этакий дореволюционный классный наставник с матовым челом. Он был явно умен. По его внимательным глазам и удлиненному сжатому рту было видно, что за время, протекшее с пятого марта, он, в отличие от своей начальницы, кое-что понял и, во всяком случае, научился ничему не удивляться. С непроницаемым видом он прочел список моих преступлений и данные моей генеалогии. Потом сказал:

— Отлично!

Дама вздрогнула.

— Отлично, — продолжал он, — теперь напишите заявление о предоставлении вам вакантной должности преподавателя русского языка и литературы в школе взрослых. Приложите документы об образовании.

Дама оживилась от вспыхнувшей надежды.

— Документов об образовании у вас на руках, конечно, нет? — спросила она.

— Почему же? Вот, пожалуйста. Правда, копии. Но законно заверенные...

Неприятно пораженная, она стала внимательно читать мои дипломы. Аккуратно подбритые бровки все ползли и ползли вверх. Бедняге не легко давалась задача — совместить такие дипломы с ТАКОЙ анкетой. Но ее коллега мгновенно сориентировался.

— Вот и хорошо, что будете работать со взрослыми. Вам, как вузовскому работнику, это будет привычнее, чем детская школа.

Привычнее! Господи, да был ли мальчик-то? Где-то далеко-далеко, в непроглядной дали — за горами, за долами, за тюрьмами-лагерями, — маячила в извилинах памяти некая молодая дуреха, самоуверенно вещавшая с кафедры хорошо заученные уроки.

На минуту меня охватывает ужас. Куда я лезу? Чему я буду учить? Может быть, я уже все забыла? Может быть, они не захотят меня слушать?

— Ну вот, резолюция уже есть, — очень лояльно говорит

этот самый Андрей Иваныч, возвращаясь с моими бумагами от начальства, — сейчас получите выписку из приказа и можете идти к директору школы.

...Накануне первого сентября у меня от волнения пропал голос. Не совсем пропал, но стал хриплым, как у пропойцы.

— Нервный ларингит, — диагностировал Антон и дал мне гомеопатические шарики трилистника, по прозвищу «Джек на кафедре».

Не знаю, помогало ли это Джеку. Мне — нет. Джек-то, наверно, не возвращался на свою кафедру из таких дальних странствий, как я.

— К уникальной ситуации не подходят обычные лекарства, — объявила я Антону, сильно прогневив его этим. — Вылечусь сама!

И я действительно вылечилась сама так же неожиданно, как заболела. От удивления. От непредвиденного удара.

— Вот ваши ученики, — сказала директорша школы, вводя меня в класс.

Что это? Передо мной, сверкая золотыми погонами и отлично вычищенными сапогами, сидели офицеры. Одни сплошные офицеры. Сорок человек. Среди них мелькали знакомые мне лица. Да это наши коменданты! Бывшие и нынешние! Молодые и постарше. Позднее мне объяснили, что в связи с новыми веяниями от офицеров потребовался образовательный ценз, и им срочно пришлось идти в школу взрослых приобретать ставший необходимым аттестат зрелости.

А я-то рисовала себе в качестве моих учеников рабочих с авторемонтного завода, из аэропорта, может быть, грузчиков из бухты Нагаево. Я представляла себе мужественных трудолюбивых людей, среди которых будет много товарищей по несчастью. Мечтала о том, как я сдружусь с ними, как они будут благодарны мне за то, что я смогу дать им. И вот...

— Преподавательница русского языка и литературы, — представила меня директорша, и я увидела, что в глазах комендантов вспыхнуло острое любопытство, насмешливая ухмылка, даже, пожалуй, враждебность. Тем не менее все они встали и по-военному четко гаркнули:

— Здравствуйте, товарищ преподаватель!

— Здравствуйте, товарищи! — ответила я, с удивлением обнаруживая, что ко мне вернулся мой прежний голос. Меня вылечила, повторяю, неожиданность удара. А нельзя отказать им в остроумии! Уж если им, по каким-то соображениям, пришлось взять на педагогическую работу такую подозрительную личность, то по крайней мере бдительность, при этом составе слушателей, будет обеспечена. И действительно, в их взглядах, устремленных на меня, больше всего сквозила бдительность и меньше всего любознательность, желание получить от меня что-то новое, до сих пор неизвестное им.

— Ну как, ну как я буду строить с ними отношения, когда на первой парте сидит Горохов, мой комендант? Тот самый, что два раза в месяц ставит лиловый штамп на моем удостоверении...

— А помнишь, ты рассказывала, что все объявления, которые он вывешивает, пестрят ошибками... Вот и научи его русской грамматике, — спокойно утешал меня Антон.

— Но я стою перед ним в очереди... Он, да и все они считают меня преступницей...

— Навряд ли. В общем-то большинство из них деревенские Занятки. Чувство реальности, наверно, есть у них... А еще поучатся годик — совсем другими людьми станут... Самое главное, абсолютно забудь про их погоны и чины. Обращайся с ними как с обычными учениками...

Легко сказать! А каково рвать прочные устоявшиеся условные рефлексы! Эти сапоги, эти гладко выбритые скулы и канты на воротничках вызывали во мне комплекс преследования. Я без конца всматривалась в эти лица и видела в них только надменность или, в лучшем случае, усмешку принужденного внимания. Я входила в класс и, казалось, физически ощущала изучение угрюмого недоверия. Некоторые, наверно, держат ухо востро в ожидании, когда я начну «протаскивать» что-нибудь такое идеологически сомнительное. Другие, видимо, не верили, что я действительно постигла бездну премудрости. Эти дотошно переспрашивали даты, названия местностей, заглавия произведений, откровенно заглядывая в учебник для проверки.

Отношения еще больше обострились после первого контрольного диктанта. Он принес колоссальный урожай двоек. Мрачная атмосфера сгустилась над классом. Теперь эти люди, до сих пор настроенные против меня, так сказать, в общем порядке, были еще и персонально оскорблены мной. Те, кто был поумнее, просто затаили недоброжелательное чувство, но те, кто не мог смириться ни со своей непривычной ролью, ни вообще с новыми веяниями, — пошли в дирекцию жаловаться.

В класс после этой жалобы пришел завуч. Он убедительно многословно разъяснял, что товарищи офицеры не должны думать, будто отметки выставляются по произволу преподавателя. Имеется «шкала», утвержденная министерством, по которой за четыре орфографические и четыре пунктуационные ошибки положено ставить двойку.

Против таких слов, как «шкала», «министерство», «положено», они, разумеется, возражать не могли, но раздражение против меня осталось. Особенно долго не мог смирить себя капитан Епифанов. Это был коротконогий круглый человек, похожий на актера ТЮЗа в гриме Ежа. Орфографию он еще грехом пополам признавал, но в вопросе о пунктуации был непримирим. Его возмущали даже запятые, не говоря уже о двоеточиях и тире. Он и мысли не допускал, чтобы подобная мелюзга могла действовать на нервы солидным людям.

После второго диктанта, за который я снова недрогнувшей рукой поставила ему двойку, он возглавил целую оппозиционную ко мне группу, прерывал мои объяснения нелепыми вызывающими вопросами. На уроках синтаксиса я всегда ловила на себе колкие вспышки его ежиных глаз.

Тогда я прибегла к древнейшему примеру, описанному Вересаевым в гимназических воспоминаниях. Я написала на доске предложение без знаков препинания. Это была резолюция Николая II на прошении приговоренного к смерти преступника. «Расстрелять нельзя помиловать». Потом обратилась к Епифанову с вопросом: будет ли по такой резолюции казнен осужденный? Мой строптивый ученик долго пыхтел, глядя на доску исподлобья, наконец махнул рукой.

— Николай II был известный идиот! Написал, что и так и этак понять можно.

— Ну а теперь? — спросила я, ставя запятую после слова «расстрелять».

— Гм... Теперь, выходит, расстреляют...

— А если так? — Я стерла эту запятую и поставила новую после слова «нельзя».

— Помилован! — зашумел сразу весь класс.

— Теперь вы видите, товарищ Епифанов, что от одной запятой, поставленной не на месте или не поставленной вовсе, может зависеть жизнь человека!

Этот давнишний грамматический курьез явно понравился моим неискушенным слушателям. На перемене они окружили меня, задавая разные казуистические вопросы о знаках препинания, приводя примеры, споря друг с другом.

Другой случай, когда лед между ними и мной немного тронулся, был связан со старшим лейтенантом Насреддиновым. Я давно внутренне выделила его как любознательного человека, напоминавшего мне к тому же моих казанских давнишних рабфаковцев. Чувствовала я и с его стороны сравнительно доброе отношение к себе. Насреддинов очень плохо говорил, еще хуже писал по-русски, но на двойки нисколько не обижался и учился усердно.

Однажды он отвечал перед всем классом, говорил о Маковском, о его стихах «Товарищу Нетте». Бедняга лейтенант просто взмок от напряжения, передавая прихотливые строки. И все облегченно вздохнули, когда он объявил, что переходит к характеристике «идейного содержания» этих стихов.

— Минуточку, товарищ преподаватель... Отвечать будем...

Дальше Насреддинов разъяснил, что «зажатые железной клятвой» — это значит — живем в капиталистическом окружении, «пулею чешите» — это значит — не подходи, стрелять будем! А вот «за нее на крест»...

Насреддинов, наклонив голову, набычился и покраснел в усилии понять непонятное.

— Минуточку, товарищ преподаватель... Отвечать будем...

Вдруг — радостная улыбка. Осенило!

— Ага! Понятно! «За нее — на крест...» Крест русские на могилы ставят. Значит, не подходи, стрелять будем, крест ставить будем...

Веселый смех, пронесшийся по классу, сразу внес человеческую теплоту, разрядил напряженную атмосферу. Что может быть лучше доброго юмора, чтобы в людях раскрылось первичное, детское, свободное от напластований жестокого взрослого опыта! Летели дни, и постепенно я стала различать среди моих офицеров разные психологические типы. Вот, например, лейтенант Сумочкин — тот совершенно недвусмысленно высказался как-то насчет литературного ремесла и тех, кто им занимается. Оказалось, что тут и хитрости-то никакой особой нет. Каждый грамотный человек может, тем более если не стихами, а прозой. Описывай, как было дело, да вставляй время от времени картины природы. Его сосед по парте поддержал его, добавив только, что идейность должна соблюдаться. Были бы правильные идеи, а уж написать — это всякий может.

Никакие мои усилия не могли сдвинуть их с позиций этой твердокаменной воинствующей тупости. Она звучала в их речах так же определенно, как звучит порой вятский или одесский акцент.

Были в классе и железные забияки. Они тоже глубоко презирали писак, щелкоперов, интеллигентов, но выражали свои чувства весело-задиристо, напрашиваясь на возражения, на спор. Эти не так обескураживали меня. В самой их наступательности, в желании поспорить уже присутствовало что-то человеческое. Была надежда их понять, прорваться сквозь броню их обросших упитанным мясом сердец к самой сердцевинке, где, возможно, что-то и таилось.

— Позвольте, а зачем вам это нужно, к сердцам-то ихним

пробиваться? И что вы можете в глубине этих жандармских сердец обнаружить?

Так резко оборвал в одно из воскресений мои излияния друг Антона Михаил Францевич Гейс, тот самый, что первым принес нам весть о смерти Великого и Мудрого. Гейс был непримирим в своей памяти о пережитых им муках. Он не делал различий между Вдохновителем и Организатором и десятками тысяч Ваняток, ставивших штамп на наши ссыльные удостоверения. С самого начала он советовал мне отказаться от работы в школе, поскольку «вместо учеников вам подсунули палачей».

— Ладно, допустим, вам очень трудно было отказаться от работы по специальности, которой вы так жаждали все время. Ну и учите уж их чему положено. Но душу-то зачем вкладывать? Поберегите ее до лучших времен. А они недалеко...

Гейс с необычайным энтузиазмом ловил малейший признак оттепели, ждал далеко идущих последствий, и в его мечтах о наступлении лучших времен немалое место занимали мысли о возмездии палачам. И почти каждое воскресенье он «осаживал» меня в связи с моими рассказами о работе в школе. Эти столкновения оставляли во мне горький осадок, тем более что его четкой позиции я пока не могла противопоставить окончательно продуманную точку зрения. Только оставаясь наедине с Антоном, я не стеснялась высказывать пока еще не оформившиеся возражения Гейсу.

— Так ведь конца не будет, правда? Они — нас, потом — мы их, потом опять... До каких пор будет кругом ненависть? Ну я не говорю, конечно, о главных, пусть о них решается вопрос в меру их преступлений, но вот такие коменданты... А сколько раз в лагере мы выживали благодаря добрым конвоирам! А Тимошкина вспомни! А ты знаешь, что третьего дня было после урока о Пушкине? Лейтенант Погорелко подошел ко мне уже на перемене и попросил меня прочесть еще раз, или, как он выразился, «рассказать» еще раз стихи Пушкина «Безумных лет угасшее веселье». А когда я ему сказала, что ведь уже был звонок и разве он не хочет покурить, то он ответил, что папироска всегда при нем, а вот такие стихи не каждый день услышишь. И я всю большую перемену читала им наизусть Пушкина. А они — Погорелко и еще человек пять — не ходили курить, слушали. И как еще слушали! И хочешь презирай меня — хочешь нет, но я видела в них в это время не комендантов, а своих учеников. И мне ужасно хотелось, чтобы им нравились именно те стихи, которые люблю я...

На одном из очередных заседаний педсовета завуч сдержанно сказал, что офицеры моими уроками довольны. А еще

через неделю ко мне подошел староста класса капитан Разува-
в и высказался в том смысле, что сейчас, поздней осенью,
вечера стали очень ветреными и темными. Возвращаться домой
после уроков в одиннадцать часов ночи, да еще идти через пустырь в Нагаево, стало небезопасно. И класс постановил ввести
дежурство. Каждый день меня будет провожать кто-нибудь из
офицеров до самого дома.

Меня обычно встречал Антон, но в те вечера, когда он
дежурил по ночам (он снова работал теперь в больнице), мне
действительно приходилось трудно. Поэтому я с радостью приняла предложение офицеров. Теперь, когда я спускалась вниз в
раздевалку, меня ждал уже там один из моих вооруженных учеников, и под его охраной я спокойно возвращалась в Нагаево.

Немало я походила под конвоем, но такое оригинальное
конвоирование было даже мне внове. Мы дружно шагали в ногу,
а на рытвинах и ухабах очередной спутник деликатно поддерживал меня под руку. Разговоров во время этих возвращений
было то больше, то меньше, в зависимости от характера дежурного провожатого, но одно соблюдалось всегда: мы никогда не говорили о политике, хотя события напряженно нарас-
тали и каждый день приносил с собой новые впечатления,
надежды и разочарования.

Мы говорили почти всегда о литературе, о классиках, которых мы изучали в классе. Часто это была с их стороны дань
вежливости, заполнение пустого времени. Но порой прорыва-
лись вдруг признаки неподдельного интереса к книге. Иногда я
использовала это время для дополнительных занятий на ходу.
Память у меня тогда была очень хорошая, я помнила индивидуальные ошибки каждого и разъясняла ему их, пробираясь
через наш знаменитый пустырь.

Однажды пришла очередь провожать меня моему соб-
ственному коменданту Горохову. Всю дорогу я толковала ему о
правописании суффиксов прилагательных, а уже на спуске к
Нагаеву вдруг вспомнила вслух:

— Да, завтра ведь пятнадцатое! Завтра мне к вам в комендатуру. Отмечаться...

Горохов (это был молодой, довольно красивый блондин
ярославского типа) внезапно остановился, пристально глядя
на меня, и ни с того ни с сего спросил:

— А вот Молотова вы знаете?

— Конечно. Не лично, но достаточно подробно. По его
деятельности.

— А ведь вот его жена в таком же положении, как вы... Не
в нашей, правда, комендатуре, но тоже отмечается.

Я не очень удивилась, так как уже слышала об этом. Гораздо любопытнее мне было уловить ход мыслей Горохова.

— В таком же... В таком же... — задумчиво повторил он и вдруг решительно добавил: — Скоро, наверно, все это кончится.

Я дипломатично промолчала. Прощаясь со мной у моего крыльца, он шутя поблагодарил «за дополнительное занятие на ходу» и сказал, чтобы я завтра пришла минут за десять до открытия комендатуры. Он придет пораньше и быстро меня отметит, а то ему каждый раз неловко при мысли, что такая образованная дама стоит — да хоть бы и сидит — у него в коридоре.

— Подумаешь, образованная, — не упускаю я случая навести его на недозволенные мысли, — да у вас там крупных ученых полно. Вот хоть старик Гребенщиков. За мной стоял прошлый раз. Известный геофизик. Член-корреспондент Академии наук.

— Это тот, что сильно кашляет?

— Он самый. Дневальным в бараке строителей работает.

...А между тем вопрос о том, возможно ли, допустимо ли доброе отношение к таким оригинальным ученикам, как мои, не сходил с повестки дня за нашим воскресным столом. Мои отношения с Гейсом заметно ухудшались. Меня злило, что я не всегда нахожу достаточно убедительные возражения против его хлестких аргументов, в то время как внутренне убеждена, что я права. Гейс вел себя наступательно. Зло острил.

— Так, значит, они в сущности славные ребята, эти офицеры определенного ведомства? И их довольно приятно обучать классической литературе? Тем более, что вам так хотелось вернуться к своей профессии...

— Не касайтесь этой стороны вопроса. Да, я много лет томилась по своей работе. Все время алчно мечтала о том, чтобы писать и преподавать... Все годы, пока я пилила, кайлила, мыла полы, перевязывала язвы и прочая и прочая... Вы это считаете моим преступлением? Проявлением беспринципности?

— Да, поскольку вас назначили просвещать тюремщиков...

— А вам не приходит в голову, что среди рядовых армии Зла есть люди, много людей, которых можно перетянуть на сторону Добра?

И тут на меня вдруг напало вдохновение. Я стала говорить о том, что в нашу эпоху, с ее невиданными масштабами, с ее стертостью линии, отделяющей палачей от жертв (сколько людей, прежде чем самим попасть в сталинскую мясорубку, с азартом перемалывали в ней других!), нет больше той баррикады, которая, скажем, в девятьсот пятом году четко разграничивала: по ту сторону ОНИ, по эту — МЫ. Неслыханная ситема разложения душ Великой Ложью привела к тому, что тысячи и тысячи простых людей оказались втянутыми в эти соблазны. И что же? Мстить им всем? Подражать тирану в жестокости? Длить без конца торжество ненависти?

— Да уж, понятно, не «сеять разумное, доброе, вечное» на таком каменистом поле, как комендатура МГБ!

— Позвольте, Михаил Францевич, — вмешался вдруг в разговор профессор Симорин, один из наших постоянных воскресных гостей, — давайте перенесем вопрос в практическую плоскость. Вот сейчас все мы ждем с нетерпением — обоснованно или нет, будет видно дальше — радикальных перемен в нашем обществе. Представьте себе возвращение к тому, что было задумано в идеале. Как же вы в этом случае мыслите судьбу всех этих несчисленных маленьких комендантов, охранников, конвоиров? Сплошным Нюрнбергским процессом, что ли?

— Да! Десятками, даже сотнями таких процессов! — запальчиво воскликнул Гейс. — Месть беспощадная, нет, не месть, а возмездие всем сообщникам Тирана, всем его сатрапам! Пусть получит свое каждый винтик палаческой машины!

Я видела, что Гейс зарвался, что он говорил уже больше того, что думает и чувствует. Я вспомнила, как много он испытал, и мне как-то даже жалко его стало за такое разрывающее душу ожесточение. Мне очень хотелось привести вслух короткое изречение, ставшее эпиграфом к «Анне Карениной»: «Мне отмщение, и аз воздам». Но я стеснялась вымолвить эти слова. В те времена во мне еще крепко сидели если не мысли, то подсознательные движения души, привитые уродливым воспитанием. Те размышления о Вечном и временном, о Целом и маленьких беспомощных его частицах-людях, которые я доверяла тюремным нарам в доме Васькова, я еще не могла выговаривать вслух. И вместо этой короткой исчерпывающей евангельской Истины я наговорила Гейсу кучу куда менее убедительных слов.

— Вы говорите: если оставить злодеев безнаказанными, они в конце концов разорвут мир на части. Вы, наверное, правы, если говорить о главных злодеях, о «вдохновителях и организаторах». Но ведь если встать на путь преследований каждого, кто по недомыслию, по трусости, по слабости, по жадности, по упорчивости, по темноте творил Зло, если снова поощрять звериную жестокость, пусть даже по отношению к вчерашним винтикам в сложной машине злодейства, чем все это кончится? Ведь обрастем клыками и шерстью! На четвереньки встанем!

Антон, давно уже с беспокойством поглядывавший на нас, прислушиваясь к спору, решил шуткой спустить весь разговор на тормоза.

— Признайся, что у тебя с ненавистью и впрямь плохова
то обстоят дела. Тренировки нет... Не умеешь... Обмен вещест
не тот...

— Почему это? Вот двоих наших современников я остр
ненавижу. К счастью, обоих уже нет в живых.

— Кто же второй? — улыбаясь, осведомился Симорин.

— Как кто? Гитлер, конечно!

Но Гейс не шел на шутки, был по-прежнему мрачен. Те
перь он обратился к Антону.

— А если без зубоскальства, всерьез? Одобряешь педаго
гическую деятельность своей жены?

— По-моему, единственное, что надо делать с этими ко
мендантами, это их учить. Ведь темнота несусветная! И мы н
знаем, что раскроется в их душах, когда хоть немного свет
туда проникнет...

Потом Антон помолчал немного и совсем тихо добавил

— Вообще, мне думается, что лечить и учить надо всех..

...Гости разошлись. Первый час ночи, а я еще не провери
ла тетради. Зажигаю настольную лампу и раскрываю тетрад
старшего лейтенанта Насреддинова. Сочинение «Образ Нилов
ны в романе Горького «Мать». «В молодой годы Ниловна, ка
и все девчата, любила прогулок и гулянок...» Замаялся, бед
няга, с этим родительным падежом... Нет, я слишком взвол
нована разговором. Откладываю тетради на утро и ложусь. Ан
тон и Тоня ровно дышат. А мне все еще тревожно и знобко
хотя я чувствую, что права я, не Гейс.

ГЛАВА СЕМНАДЦАТАЯ

ПЕРЕД РАССВЕТОМ

Наверно, так было в первые месяцы революции. Тогдашни
взрослые, скорее всего, так же жили в постоянном детском ожи
дании чудес или ужасов. И ожидания их не обманывали. Невидан
ное и неслыханное приходило, поражало на минуту и тут же пре
вращалось в повседневность. И снова жизнь, всклокоченная, но
все равно беспощадная, тащила людей дальше. Несла их, как бу
мажки в бурном потоке. Знай себе барахтайся сколько хочешь!

Год пятьдесят четвертый уравнял в этом барахтанье вче
рашних антиподов. Теперь наши хозяева разворачивали газеть
с той же тревогой, как и мы, так же, как мы, прислушивалис
не только к сообщениям по радио, но и к различным слухам.

618

озникавшим то и дело. У них были свои слухи. О сокращении
татов. О реорганизации учреждений. О сокращении колым-
ких льгот и больших денежных надбавок.

Нервозность начальства ощущалась на каждом шагу. Те,
то поумнее, осознали, что новое время — новые песни. Они
тали подчеркнуто вежливы и предупредительны с нами, иногда
аже позволяли себе еретические шутки. Но многие из них —
, кто был безысходно, величаво глуп — продолжали цепляться
а привычное, механическое, злобное. Например, бухгалтер
эроно упорно рассчитывал мои заработки исходя из самой
изкой учительской ставки.

— На ссыльных льготы не распространяются, — буркал
н, не поднимая на меня глаз.

— Так это льготы Крайнего Севера. Но почему я не полу-
аю того, что полагается по образованию и по стажу?

— Ссыльные во всех правах ограничены, — отрезал он,
роизнося слово «ссыльные» с такой интонацией, точно оно
значало «зачумленные» или «омерзительные».

Портреты генералиссимуса висели еще везде незыблемо,
обрамлении траурных лент. Докладчики еще неизменно «за-
руглялись» речитативом «Под водительством партии Лени-
а — Сталина». Но новь настойчиво прорастала то там, то здесь,
ак бы ей ни противились. Уже прошел знаменитый пленум по
ельскому хозяйству. Уже проявлял себя Никита Хрущев. Про-
ивались слухи о готовящемся процессе Абакумова.

Возродились некоторые старые материковские связи. Пи-
ательница Лидия Сейфуллина прислала Гале Воронской пись-
о, предлагая помочь в хлопотах о посмертной реабилитации
дорогого Александра Константиновича». Бывший секретарь ЦК
омсомола Александр Мильчаков получил уже несколько пи-
ем от уцелевших на воле старых друзей, упорно молчавших
се эти годы.

Пятого марта, в первую годовщину, появились траурные
татьи. В них еще была сакраментальная формула — «Ровно год
азад перестало биться сердце того, кто...» и так далее. Но об-
ая сдержанность тона бросалась в глаза всем. Тем более, что
ерез три дня, намаявшись от тревог, магаданские вольняшки
собенно весело отпраздновали восьмое марта — Женский день.

— Помнишь, как в прошлом году бабенки убивались, что
еперь, мол, навсегда будет отравлен Женский день? — спра-
ивала я Антона. — Боялись, что тень великой смерти сдела-
т всякое веселье восьмого марта неприличным...

— Проходит, проходит земная слава, — весело вздыхал
нтон.

Мои сановные ученики поздравляли меня с Восьмым марта очень торжественно, и мне показалось, что в их клишированных речах появился оттенок доброго отношения ко мне персонально. По почте пришло индивидуальное поздравление от лейтенанта Насреддинова, от того самого, знатока Маяковского. Он желал мне множества всяких благ, а особенно «скорейшей РЕБЕЛИТАЦИИ».

А на другой день он подошел ко мне в коридоре школы и смущенно сказал:

— Опять ошибка делал. Теперь знаю — не «ребелитация», а «реабилитация».

— И кто вас поправил?

— Сам заметил! Чуть не в каждой служебной бумаге это слово...

Да, удивительное, опьяняющее это слово действительно носилось теперь в нашем колымском воздухе, перепархивая из уст в уста.

Истории первых реабилитаций были похожи на английскую детскую повесть о маленькой принцессе Саре Крю, получившей после всех ужасов сиротского детства в наследство крупные алмазные россыпи. Так и тут. Если верить восторженным рассказчикам, то первые реабилитированные въезжали в те самые квартиры, из которых были когда-то уведены в подвалы МГБ. Они якобы получали самые высокие партийные посты и зарплату по предарестной ставке за все годы заключения. Правда, пока еще никто не знал фамилий подобных счастливчиков. Но появление этих рассказов само по себе было знамением времени.

Весной пятьдесят четвертого отменили пропуска для въезда на Колыму. Это принесло мне нечаянную радость. Вася, перешедший уже на четвертый курс мединститута, вдруг приехал к нам с направлением в магаданскую больницу на производственную практику. На все лето! Этот сюрприз сделал мне Антон. Он договорился в больнице, выслал Ваське денег на дорогу.

Самолет прибыл раньше, чем телеграмма из Хабаровска, и я встретила сына после новой четырехлетней разлуки запросто идущим по направлению к нашему бараку. Он шел (вроде и не уезжал!) с открытой — не по погоде — головой, размахивая небольшим пестрым рюкзаком. На нем был надет какой-то немыслимо яркий клетчатый пиджак.

Весь его вид и все поведение как бы подчеркивали, что Большая земля перестала быть для Колымы иным, зазвездным миром. Материк как-то необычайно приблизился. Вот просто взял билет, прихватил рюкзачок и, забыв фуражку, вско-

ил в самолет. Ведь теперь въезд на Колыму свободный. Как в
амый обыкновенный район страны. Древней историей каза-
ось теперь мое хождение по мукам ради Васиного приезда в
онце сороковых годов.

Сутки пути — и вот он передо мной, мой мальчик! Я
нова вижу его, могу говорить с ним, могу потрепать рукой
го красивые волнистые светлые волосы. Но почему они та-
ие длинные?

И тут вдруг вся сила моей любви выливается в странный
озглас:

— Что за нелепый пиджак у тебя? И что за прическа?

А это были первые увиденные мной признаки «модерна»!
Мне бы обрадоваться, что мой ребенок за эти годы вроде бы
ышел из трагической обреченности сына репрессированной
емьи, что просыпается в нем молодая жажда жизни, пусть
оть выраженная в попугайской расцветке пиджака. Но во мне
работали запрограммированные с детства комсомольско-ква-
ерские рефлексы, и я сердито сказала:

— Иди в парикмахерскую, постригись покороче. Завтра я
уплю тебе нормальный пиджак. А из этого переделаем летнее
альтишко для Тони.

— Через мой труп, — мрачно ответил Васька, — это самая
одная расцветка.

Он не шутил. И я замолчала, догадавшись вдруг, что все
то гораздо серьезней, чем кажется, что в нашем смешном
иалоге происходит мое первое соприкосновение со второй
оловиной века, с новой молодежью, настолько разгневан-
ой на поколение своих отцов, что хочет ни в чем не походить
а них: ни в привычках, ни в манерах, ни даже в расцветке и
расоне пиджаков. А уж тем более — во взглядах на жизнь.

...Между тем события все развивались. Ни злоба, ни ту-
ость, ни обскурантизм, ни инерция не могли остановить под-
пудного таяния заматерелых льдов. Толчок был силен, и мы
се время ощущали это подземное кипение, а порой, не веря
лазам своим, даже видели вырвавшиеся на свободу ручьи.

В августе 1954 года отменили ссылку на поселение. Конец
омендатуры. Тревожное перешептывание среди моих учени-
ов-офицеров, подпадающих под неслыханное сокращение
татов. А для нас — удлинение цепи, на которой мы бродили.
Вместо семи километров вокруг Магадана, отводившихся нам
сыльным видом на жительство, мы получали теперь голово-
ружительную возможность переплыть Охотское море, стран-
твовать по Большой земле, правда, не заезжая в города и веси,
редусмотренные пунктом 39 положения о паспортах.

Надо отдать справедливость моему ученику — коменданту Горохову. Хотя ликвидация комендатуры и выбивала его из привычной налаженной жизненной колеи, сулила перемещения и хлопоты, но он, отвлекаясь от личных забот, выдавал нам справки для милиции с искренней доброжелательной улыбкой. А мы выскакивали из комендатуры и еще долго шумели на улице, как шалые воробьи, как школьники на большой перемене. Вперебивку спорили об этой злосчастной тридцать девятой статье, которую — мы уже знали — всем нам вписывают в паспорта. Одни утверждали, что это только «минус столицы», другие уверяли, что также «минус все областные города». Но все сходились на том, что наплевать на минусы. Лишь бы можно было ездить, искать, самим решать, где жить и что делать. Все минусы таяли в наплыве этого вольного ветра.

Маленькие местные перемены тоже шли в русле этих больших новостей. Вдруг, например, распространился слух, что в редакции нашей магаданской газеты ликвидировано бюро по спецпроверке материалов, потому что теперь любой бывший зэка или ссыльный может печататься. Я решила тут же проверить это. За два вечера написала статью на вполне нейтральную тему. О засорении русского языка, о специфическом колымском диалекте. Привела несколько смешных примеров, рассказала о том, как учителя борются с этим на уроках. Подписала собственной фамилией.

В редакцию я отправилась почти с таким же замиранием сердца, как недавно шла первый раз в школу. Моя вторая профессия была не менее дорога мне, чем первая. Писать безумно хотелось. Голова кружилась при мысли о редакционных коридорах, о запахе типографской краски.

Газета называлась теперь уже не «Советская Колыма», а «Магаданская правда». Редакция располагалась на той же центральной площади, где все главные учреждения города. В отделе культуры сидел очень молодой парень в толстом свитере с бегущими оленями. В губах парня висела трубка, и по тому, как эффектно он ее покусывал, было видно, насколько он молод. Пробежав глазами статью, он обрадованно воскликнул:

— Свежая тема! И написана хорошо. Раньше писали?

— Раньше я писала и печаталась много. Но это было давно, в молодости. А с тридцать седьмого меня все время репрессируют. Вот только отменили вечную ссылку в пределах Колымы.

Трубка выпала из уст парнишки. За год с небольшим он еще не привык к таким явлениям. Светлые глаза наполнились младенческим ужасом. Точно буку ему показали. И он нечле-

раздельно забормотал в том смысле, что, собственно, он
дь не завотделом и даже не зам. Просто литсотрудник. От него
обще-то ровно ничего не зависит.

Но я продолжала наступление.

— Я слышала, что сейчас отменены все ограничения на
трудничество в газете бывших репрессированных. Ну что вы
к изумляетесь? Обстановка-то ведь изменилась. Вот разре-
или же мне преподавать в школе. Будьте добры, покажите
атью кому-нибудь ответственному. Ну хоть замредактора.
подожду.

Он обрадовался возможности выскочить из комнаты. О сен-
ционном случае он, видимо, сейчас же всем рассказал, по-
му что стала то и дело взвизгивать дверь, стали появляться
зные люди, которые, кося на меня любопытные взоры, все
его-то искали среди бумаг, разложенных на столе. Потом меня
игласили к замредактора. Он встал из-за стола и протянул
не руку! Вот до чего изменились времена! Что бы он запел,
ли бы я явилась к нему год назад! А сейчас начал лепетать,
о слышал о моей интересной работе в школе взрослых. Во-
рос о статье будет решен в ближайшие дни. Сейчас он запи-
ет мой адрес. Меня известят по почте.

Но извещения я не получила. Получила номер газеты с
апечатанной за моей полной подписью статьей.

Опять переполох среди наших. Какие только прогнозы не
роятся! НАС печатают! Какой еще может быть более выра-
ительный знак того, что нас возвращают в мир живых! Рас-
росы, восторги, счастливый смех... Нагнетание того упои-
льного чувства благих перемен, постоянного ожидания чудес,
го, можно сказать, электричества, которое брызжет теперь
кими искрами вокруг нас. Вот-вот откроются ворота всех зон,
т-вот все самолеты и все корабли бухты Нагаево выстроятся
реницей в ожидании невероятных пассажиров.

Правда, этого-то ослепительного ВДРУГ как раз и не было.
лубок разматывался в обратную сторону с осторожной мед-
ительностью, часто путаясь в петлях и узелках. Но все-таки
азматывался.

...Первым нашумевшим в Магадане реабилитированным
гал Александр Иваныч Мильчаков, бывший секретарь ЦК
омсомола. в этом проявилась как бы законная очередность.
отому что никто не был так твердо уверен в наступлении
того момента, как Саша Мильчаков. На протяжении всех долгих
ет он существовал на Колыме так, точно ему вот-вот, сию
инуту предстоит вылететь на материк, принять свой старый
ост, встретить Марусю и детей. О Марусе он тоже говорил в

таком тоне, точно она на минутку выбежала в магазин и се час вернется... Женщины для него не существовали, и никак колымских романов он не заводил. Ждал Марусю. Это бы трогательно. Но с другой стороны, многих настораживала в н какая-то подчеркнутая замкнутость, какое-то сознание сво врожденной предназначенности для руководящих должносте Например, относясь хорошо к Антону, который постоянн лечил его, он все-таки каждый раз шутливо подчеркивал, ч доктор — «беспартийный товарищ».

Я навсегда запомнила день отлета Мильчакова в Москв по вызову, для реабилитации. Нечаянно я стала свидетелем с последних шагов по земле колымской. Потому что тем же сам летом вылетал, после двухмесячного пребывания у нас, мой Вас

Меня поразило, что Мильчакова никто не провожал. С стоял на обочине посадочного поля, весь подобранный, по жавшийся, как для прыжка, устремив сощуренные глаза в н видимую для нас далекую точку. Это был настоящий отр занный ломоть. Вместе с арестантским бушлатом он сброс с себя всякое родство с нами, всякую память о пайке с дове ком, о скотской тесноте нар, о бирках, привязанных к рука умерших... Это уже не был тот Саша Мильчаков, который пр ходил к нам обменяться новостями, прогнозами, пожалова ся Антону на непорядок с пищеварением, посмеяться н анекдотами. Это был человек, аккуратно связавший разорва ную нить своей жизни. Тугим узелком затянул он кончик соединил тридцать седьмой с пятьдесят четвертым и заброс подальше все, что лежало посередине. Сейчас он ехал, чтоб снова занять соответствующий номенклатурный пост, чтоб снова начать подъем по лестнице Иакова, с которой его нен роком столкнули. По ошибке столкнули, приняли за кого-д другого, совсем иной породы...

Александр Иваныч вежливо со мной простился. Даже вы разил уверенность в том, что скоро и мы полетим по этой ж трассе. Но слова были ненастоящие. Он даже не давал себе труд притворяться, что его может интересовать что-нибудь оста щееся здесь.

Антон сначала этому не поверил, сказал, что я мастери «сочинять подтексты». Но тремя годами позднее, уже в пятьд сят седьмом, в Москве, ему вспомнился мой рассказ об отле Мильчакова, и он — в который уж раз — признал, что я н лишена душевного слуха.

(А было в пятьдесят седьмом так: «Позвони-ка Саш Мильчакову, — сказал Антон, — вот обрадуется, что мы уже Москве!»

Я позвонила. «Саша! — восклицала я возбужденно. — Саша, мы уже в Москве! Да ты что, не узнаешь, что ли? Это Женя! Женя и Антон!»

Я ждала радостных путаных междометий, предложений немедленно встретиться... И вдруг услышала скрипучий каренинский голос, мерно осведомлявшийся о моем здоровье, о здоровье ДОКТОРА... Я растерялась до того, что сунула трубку Антону. «Говори с ним сам!» Антон в течение нескольких минут выслушивал этот малознакомый голос с покровительственными барскими интонациями, и лицо его все больше каменело. Потом он сказал «желаю успехов» и положил трубку. И добавил: «Нет, это ты, оказывается, очень правильно почувствовала тогда, на магаданском аэродроме».)

Да, именно в тот день, последний день Мильчакова на Колыме, произошло первое мое столкновение с этой поразительной готовностью все забыть, все выполоть с корнем и вернуться на исходные позиции. Без всякой переоценки ценностей в свете полученного жестокого опыта, без всякого сожаления о тех, с кем еще вчера роднили одинаковые раны. Сколько их, разновидностей этой породы, довелось встретить потом, уже на Большой земле!

Можно еще понять, а поняв, простить тех, кто навеки ушиблен СТРАХОМ, кто не в силах победить свою нервную память. (Рецидивы страха — впрочем, не доводящие до отречения от прошлого, от друзей, от этой книги — я и сама порой еще испытываю при ночных звонках у дверей, при повороте ключа с наружной стороны.)

Но как понять тех, кто ради карьеры, ради ярмарки тщеславия хочет все забыть, заглушить в себе все, что открылось ему страданием, продолжить как ни в чем не бывало свой дотюремный путь, свою славную автобиографию с массовыми казнями хороших знакомых. И все это в погоне за фантомами, за побрякушками, за дьявольской ерундой. А ведь так мало нам всем осталось жить! И в тот момент, когда я пишу это, уже нет и нашего колымского друга Саши Мильчакова.

Нет, не осуществилась его мечта, пронесенная сквозь восемнадцать лет мучений. Не призвали его после реабилитации к кормилу власти. Так же железно, как и к другим реабилитированным, была выдержана и по отношению к нему партийная установка. Законный отдых? — Да. Персональная пенсия? — Пожалуйста! Жилплощадь? — Получите! Печатание мемуаров о славном революционном прошлом? — Ну, что же, печатайтесь... Но не больше. Для ведения практических дел сегодняшнего дня есть уже новая номенклатура. Выпестованная, пока вы сидели на Колыме, на Печоре, в Соловках. Не отягощенная слишком обильным знанием истории.

И Александру Ивановичу Мильчакову, сгоравшему от желания действовать, руководить, направлять, размять застоявшиеся руки, ноги, мозги, была предоставлена — увы! — единственная возможность: делиться на страницах журнала «Юность» воспоминаниями о первых годах комсомола, о славных его руководителях, бойцах и мучениках революции. Но даже и в этих «Житиях святых» Саша не мог рассказать всего, что пережили его первые соратники, руководители комсомола революционных лет. Как раз мученическая кончина этих героев, расстрелянных в тридцать седьмом году, и была запретной темой. И если в начале шестидесятых еще можно было написать: «Стал жертвой нарушений революционной законности», то к середине десятилетия уже приходилось обрывать на оптимистической ноте, оставляя в глубоком мраке вопрос о том, как же эти несравненные герои и рыцари Революции ушли из жизни.

Может быть, именно от крушения надежд и погиб сравнительно рано Саша Мильчаков. Умер, оплаканный преданной семьей, редколлегией журнала «Юность» и нами, своими друзьями тяжких дней, забывшими обиду, забывшими, что он хотел напрочь отмежеваться от нас, чтобы не компрометировать себя «опасными связями». Помним Сашу Мильчакова магаданского, а не московского.

...Но так или иначе — оттепель продолжалась. 1954/55 учебный год дал мне возможность, отказавшись от офицерского класса, получить два обычных класса в вечерней школе взрослых. Теперь моими учениками стали летчики, рабочие авторемонтного завода. Среди них было несколько бывших заключенных, принятых, по нынешним либеральным временам, на доучивание. Мне теперь поручались доклады в Институте усовершенствования учителей, а на моих уроках побывали САМ завгороно Трубченко и — еще самее! — завоблоно Железков. Они предложили мне дать несколько открытых уроков для учителей, желающих «перенять опыт».

После этих посещений на нас вдруг свалилась манна небесная — меня пригласили в горжилотдел «для переговоров об улучшении квартирных условий».

Двухэтажный деревянный дом на улице Коммуны — два шага от школы — показался нам версальским дворцом. Нам дали двадцатиметровую комнату в квартире, где, кроме нас, жили всего только две семьи. И это после нагаевского барака, где мы были тридцатые! В квартире была хорошая кухня, ванная комната, теплая уборная. Не веря глазам своим, мы с Антоном от-

626

ручивали краны в ванной, недоверчиво дотрагивались до каельных плиток на кухонной печке. Шум спускаемой в уборной
оды мы воспринимали как сигналы из потустороннего мира,
отому что чего-чего, а уж благоустроенной уборной мы за поседние два десятилетия категорически не встречали.

Окончательно неправдоподобным чудом-юдом явился возикший на нашем столе телефонный аппарат. Его водрузили
осле того, как Антон стал обслуживать в больнице отдельную
алату для начальства. Я до сих пор помню номер этого первоо телефона моей второй жизни, начавшейся пятого марта пятьесят третьего года. Двадцать два — семьдесят один. Автоматиеской станции в Магадане тогда еще не было, и вместо
ездушных гудков слышался мелодичный голосок, сговорчиво
твечавший «Даю»... Мы с Антоном первые дни играли в этот
елефон. По нескольку раз в день звонили друг другу с работы
омой и вели, захлебываясь смехом, глупейшие, но милые нам
иалоги. «Это совхоз Эльген?» — «Нет, что вы...» — «Прииск
урхала?» — «Отнюдь нет». — «Может быть, это дом Васькоа?» — «Гражданин, это частная квартира. Здесь живет один поулярный у населения доктор, он же шарлатан-гомеопат...» —
Да? А я думал, что это квартира выдающегося специалиста по
бучению комендантов изящной словесности...»

Так мы забавлялись. Но в то же время мы вполне серьезно
аслаждались своей новой квартирой. Остро, чувственно, можно
казать, плотоядно смаковали наконец-то обретенное освобожение от Страха. Смело и спокойно запирали дверь на ночь и
асыпали, не ожидая ночных звонков и стуков. Частная кварира... Одним словом, мой дом — моя крепость.

К Новому году я получила одну за другой две обнадеживащие бумаги из Москвы. В одной сообщалось, что мое заявлеие о реабилитации, адресованное Ворошилову, переслано в
рокуратуру СССР, в другом — что из прокуратуры оно ушло
Верховный суд. Понимающие люди утверждали, что это —
амечательный признак. Волновало то, что Антон все еще не
олучал никакого ответа. К празднику Тоня положила ему на
очной столик открытку с картинкой, в которой желала ему
здоровья, счастья и получить скорее чистый паспорт». В свои
огдашние восемь лет она уже отлично понимала, что значит
ля человека «чистый паспорт».

И вот весна пятьдесят пятого. Мои сослуживцы по школе
зрослых оживленно толкуют в учительской о каникулах. Вычитывают, сколько им причитается за долгий колымский отуск, спорят о сравнительных преимуществах Крыма и Кавкаа, показывают друг другу купленные в дорогу обновки.

Давно ли я умела усилием воли отключаться от той горечи, которую ощущала, присутствуя при подобных разговорах. Теперь больше не могу. Теперь эти прибои житейских волн отдаются у меня в голове гулким шумом.

И вот наступает наконец тот немыслимый момент, когда директорша школы задает мне мимоходом совсем простой вопрос:

— А вы чего же не подаете заявление насчет отпуска н материк?

— Я? На материк?

— А почему бы и нет? — скучным голосом говорит директорша. — С отделом кадров согласовано. Ссылка у вас снята Можете ехать.

Директорша добрая женщина. Во всяком случае, вкуса злу у нее нет. Только вот похожа она очерком лица и фигуры н крупного зеркального карпа. Да и вялой флегматичной душой тоже. Она таращится на меня с глубоким удивлением, когда я обнимаю ее за плечи и шепотом читаю ей из Пушкина: «Я стал доступен утешенью, за что на Бога мне роптать, когда хоть одному творенью я мог свободу даровать?»

Двенадцать ночи. Я иду из школы домой. Теперь не страшно, живу рядом со школой. А воздух с бухты доносится и сюда. И звезды те же, что и там у нас, в Нагаеве. Ощущение праздника не оставляет меня. Какие-то давние чувства, запахи весенней земли, обрывки стихотворных строк, какая-то радостная слитость со всем сущим... Как будто бы Пасха... И мне как будто четырнадцать лет...

Пройдут еще годы и годы, и однажды я вспомню это свое настроение тогдашней весенней «оттепельной» ночи с чувством глубокого стыда. Это произойдет в самом начале семидесятых годов, когда мне в руки попадет книга Артура Лондона «Признание». И из этой потрясающей книги я узнаю, что вот в эту самую благословенную для меня ночь, когда мне казалось, что пришел конец нашим мукам — именно НАШИМ, а не только моим, — рядом, в Чехословакии, полным ходом шло разбирательство «дела Сланского». И в эти именно числа, когда телячий восторг от предвкушения возврата в жизнь лишил меня разума, умения читать газеты, сопоставлять факты, делать выводы и прогнозы, — в эти именно дни, когда я почти поверила в наступление Золотого века, людей продолжали утонченно терзать, унижать, заставляли разыгрывать по сценариям позорные «судебные заседания»... Людей продолжали ВЕШАТЬ ни за что без всякой вины... И пепел их развеивать по ветру... И эта ночь, наполненная для меня иллюзией близкой полной свободы, была для многих, таких же, как я, хотя бы для тех же чехов, налита до краев все тем же давнишним отчаянием.

Но тогда я ничего этого не знала. «Оттепель» лишила меня способности предвидеть хоть что-нибудь. Почти бессознательно нелепая идея компенсации, которую судьба должна же дать мне за испытанные муки, овладела мной, застилая взор. Я должна еще быть счастлива. Я еще не стара. Я успею многое сделать, прочесть, написать.

...Долго не вхожу в дом. Стою у крыльца и смотрю на звездное колымское небо, холодное, но все-таки весеннее. Я ни о чем не думаю, только прислушиваюсь к чьему-то страстному и нежному голосу, звучащему внутри. Кажется, это голос Блока. «О, я хочу безумно жить, все сущее увековечить, безличное — очеловечить, несбывшееся — воплотить...»

А сегодня мне хочется просить у Артура Лондона и его товарищей прощения за ту мою счастливую ночь пятьдесят пятого года. И за то, что я назвала эту главу «Перед рассветом». Но менять заголовка не буду, чтобы не отклоняться от правды тогдашнего моего восприятия событий.

ГЛАВА ВОСЕМНАДЦАТАЯ
ЗА ОТСУТСТВИЕМ СОСТАВА ПРЕСТУПЛЕНИЯ

Я сижу в мягком кресле самолета Ил-14, а подо мной клубятся облака, висящие над Охотским морем. Это не сон. Это фантастическая явь середины пятидесятых годов. Меня, привезенную сюда в утробе трюма «Джурмы», везут обратно на Большую землю со всеми удобствами, и бортпроводница говорит мне: «Дама, пристегните вашу девочку ремнями!..» Дама! Это я-то?

Девятилетней Тоне куда легче освоиться с необычностью обстановки, чем мне. У нее нет прошлого. Она вся — воплощение будущего, и ее распирает любопытство. Засыпает меня вопросами, на которые я отвечаю механически.

Острое ощущение полета, терпкая радость движения мутится для меня воспоминанием о глазах Антона, оставшегося на взлетной площадке. Антон еще не реабилитирован, поэтому он отказался ехать, вернее, даже возбуждать ходатайство о поездке на материк. Но я ведь тоже еще не реабилитирована. Другое дело... «Тебе сами предложили ехать». Он никак не мо-

жет отделаться от ощущения безнадежной дискриминирован-
ности своей по национальному признаку.

Догадываюсь, что он решил отправить меня в первый ра-
без себя еще и для того, чтобы я без всякого давления смогл
решить вопрос о дальнейшей нашей личной жизни. Ведь мı
знаем теперь точно, что Павел — мой первый муж — жив.

Мы с Тоней уже сидели на своих местах, когда в наш
самолет, готовый к старту, вошел летчик Баранов, мой ученик из школы взрослых, и сказал, чтобы я подошла на минутку к двери. Антон Яковлич хочет еще что-то сказать мне, забы
тое, видно, когда прощались. Я подошла к двери, а Антоı
быстро поднялся по еще неубранному трапу.

— Поступай, как тебе подскажет совесть... Но помни,
помни...

Тут его заторопили, пора убирать трап.

Совесть уже давно подсказала мне. Вернусь. Хотя я ужı
знаю, что еду за реабилитацией (получено несколько бумаг
приближающих меня к ней), но решение твердо: не уеду ı
Колымы, пока Антон к ней привязан. Обязательно вернемс
через полгода, после отпуска. Но пока... Пока я лечу на Боль
шую землю, и вся моя душа не просто раскрыта, а настеж
распахнута навстречу ватным облакам, перламутровым стру
ям воздуха, шальным искрам, рвущимся из-под самолетного
крыла. Навстречу тому полузабытому, желанному, виденном
в далеких снах, к тому, что называется ЖИЗНЬ.

Я все больше невпопад отвечаю Тоне на бесчисленные
вопросы, которыми она продолжает засыпать меня. Сосед, сидящий впереди, оборачивается и откровенно фыркает, услыхав мои объяснения насчет техники движения самолета. Но
мне ничуть не обидно. Хохочу вместе с ним и доверительно
объясняю ему, что по физике у меня никогда не было больше
тройки.

— А самолет не может упасть в море? — опасливо осведомляется Тоня.

— Нет. Не может.

Мой ответ звучит уверенно и категорично. Потому что я
дала его не только для успокоения ребенка. Это мое глубокое
убеждение. Не может он упасть. Потому что погибнуть в авиационной катастрофе после того, как ты уцелела в Ярославке и
на Эльгене, на Известковой и в доме Васькова — это было бı
немыслимо. Это означало бы, что мир стихиен и бессмыслен.
А я именно в середине пятидесятых годов была так глубоко
убеждена в разумности мира, в высшем смысле вещей, в том,
что Бог правду видит, хоть и не скоро скажет.

(Это было двадцать лет назад. И как же я остыла сердцем за эти годы!)

Целых семь часов летел степенный самолет пятьдесят пятого года над Охотским морем. Порой я начинала дремать, обволакиваемая льющейся из окон белизной. Но всякий раз будила сама себя возмущенной мыслью: как я смею спать, когда я лечу... Страшно вымолвить! В Москву! Все равно, что на Марс. И я с удивлением рассматриваю сидящего сзади знакомого мне человека, тоже бывшего заключенного, впервые после восемнадцати лет летящего на материк. Он спит со всех ног бесчувственным стопроцентным сном, и его приплюснутое, скомканное лицо дышит глубоким физическим удовлетворением.

Вспоминаю, что его зовут Федор Решетников и что он дважды «доходил» и дважды выкарабкивался. Его терпеливые кости заново обрастали плотью. Но эта плоть, выращенная на благодеяниях лагерного оздоровительного пункта, была именно тем складчатым, желтоватым, студенистым тестом, из которого вылеплено это лицо, похожее на муляж. Вспоминаю, что и садился он в самолет без всякого радостного волнения, без улыбки, с безразличным тусклым взглядом.

И я отдаю себе снова отчет в том, что я не просто счастливица, а счастливица стократная. Потому что я вывожу сейчас на этом Иле не только относительно целые руки и ноги, глаза и уши, но и целехонькую душу, не потерявшую способности любить и презирать, негодовать и восторгаться. Меня переполняет чувство благодарности. Господи! Это не сон. Ты вывел меня с Колымы...

Дар благодарности — редчайший дар. И я не исключение. Все мы неистово взываем «помоги!», когда гибнем, но очень редко вспоминаем об источнике своего спасения, когда опасность отступила. На своем крестном пути я видела десятки, даже сотни наиученейших марксистов, как говорится, «в доску отчаянных» ортодоксов, которые в страшные моменты жизни обращали свои искаженные мукой лица к Тому, чье существование они так авторитетно отвергали в своих многолетних лекциях и докладах. Но те, кому довелось спастись, благодарили за это не Бога, а в лучшем случае Никиту Хрущева. Или совсем никого не благодарили. Такова наша натура.

Именно поэтому я и запомнила как редкостный миг озарения этот свой первый полет над Охотским морем, когда душа моя действительно благословляла в поле каждую былинку и в небе каждую звезду. Даже когда я начинала дремать, укачиваемая воздушными ямами, то и тут, среди сгущавшейся темноты, у последней заставы сознания, меня не оставляло это не-

631

здешнее чувство. Больше оно у меня никогда не повторялось. Тонуло в суете.

...Хабаровск. Посадка. Суеверно ступаю по выщербленному асфальту. Это первое мое прикосновение к материковской земле.

— Мамочка! Смотри, сколько соловьев! — восклицает Тоня в восхищении застывая перед стайкой воробьев, вперебивку щебечущих над навозной кучкой.

— Эх ты, отродьице колымское! Воробья не видала, — подает реплику, проходя мимо нас, краснорожий мужик явно из племени полублатных колымских конкистадоров. Потом он случайно оказывается нашим соседом во время завтрака в ресторане. Он вызывающе швыряет на стол новенькие нарядные сотенные и требует, чтобы официантка принесла ему всю программу разом. Привязался к Тоне, без конца просвещает ее.

— А это чего? Не знаешь? Маслина называется. Видишь, вроде сливы... Да ты и сливы-то поди не видала?

Ну, конечно, мы не видали сливы. Тоня — никогда в жизни, а я видала, да забыла. Но мы с Тоней как заговорщики. Только выразительными взглядами перебрасываемся. Она уже поняла, что вслух удивляться, дремучесть свою показывать не надо. А взгляд у нее зоркий, за все цепляется. Судок для горчицы и перца. Чей-то чемодан на длинной элегантной молнии. Сплошные чудеса.

...Под Иркутском вдруг резко ухудшилась погода. Сначала снежная белизна облаков испестрилась темными бликами, стала похожа на горностаевый мех. Потом за окнами началась какая-то мокрая вьюга, и нас отчаянно заболтало. В уютных креслах обеспокоенно задвигались люди. Молодая толстуха с рыжей челкой до самых бровей стала громко убиваться, что вот, мол, она, дура, польстилась на эту путевку в Сочи. А ведь в Южно-Сахалинске у нее есть муж и комната. Восемнадцать с лишним метров. Только бывший зэка Федор Решетников все так же настойчиво спал. Стопроцентно спал, точно наверстывая за все лагерные ночные смены.

Битых полчаса наш пилот маневрирует, чтобы посадить свою птицу. И вот наконец желанный толчок. Земля! Общий облегченный вздох. Сразу все повеселели, начали шутить, приглаживать волосы, оправлять платье, вспомнили, что давно пора обедать. И все дружно рассмеялись, когда очнувшийся наконец от своего летаргического сна Федор Решетников мрачно буркнул:

— Рожденный ползать летать не может...

632

— И не полетим теперь скоро-то, — откликнулась наша стюардесса, — погода нелетная. Припухайте в Иркутске в полное свое удовольствие.

Иркутская гостиница Аэрофлота потрясла нас с Тоней еще больше, чем хабаровский ресторан. В таких апартаментах обитали, вероятно, только граф Фридерик и графиня Эльвира из блатных «романов». Многопудовые бархатные портьеры цвета бордо свисали на золотых кольцах прямо на лакированные фосфоресцирующие полы. Хрустальные люстры нежно позвякивали бомбошками. В глубочайшем мягком кресле склонилась над бумагами разнаряженная администраторша. И над всем этим великолепием сияло напечатанное типографским способом лаконичное объявление «Мест нет». Однако после долгих объяснений, просьб и молений человеколюбивая администрация сжалилась над нами, и все население нескольких застрявших самолетов было размещено вповалку прямо на полу нижнего коридора, направо от вестибюля.

К ночи гуманизм местного начальства дошел до того, что нам выдали несколько старых тюфяков, так что дети теперь были уложены хоть и на полу, но с комфортом. Взрослым предстояло провести ночь на табуретках все в том же коридоре, под репродуктором, из которого никак не вылетали желанные слова «Объявляется посадка».

И тут вдруг одна из пассажирок, импульсивная коротышка лет сорока, принесла сенсационное известие. Оказывается, свободных номеров в гостинице сколько угодно.

— Для китайцев... Нам не дают, мы черная кость. У нас вроде денежки не те. Целый этаж пустует, а мы тут валяемся. Берегут... А для кого?

— То есть как это для кого? — возмутилась администраторша. — Здесь трасса Москва — Пекин, понятно вам? Номера бронированы для китайских товарищей.

— Откуда они свалятся, китайские-то товарищи? Чай, со всех концов погода нелетная, Иркутск не принимает. А к утру, если развиднеется, мы и сами улетим.

Но администраторша продолжала тупо твердить:

— Свои законы тут не устанавливайте! Линия международная...

Поднялся бунт. Появился директор гостиницы, очень нежный бледный человек, весь из тонких удлиненных линий. Голос его вызывал воспоминание о переслащенной яблочной пастиле. Призывая пассажиров к спокойствию, он пожелал взглянуть на документы. Администраторша кивнула ему на наши паспорта, кучкой лежавшие на ее столе. Он быстро перелистал их, рассортировал на три стопки и стал вызывать по фамилиям, называя номера комнат.

Привычный комплекс немедленно сработал: я решила, что нам с Тоней или совсем не дадут номера, или уж самый завалященький. И вдруг нам достается номер семнадцатый на втором этаже. Сначала я подумала, что это недоразумение. Никак не тянул мой паспорт с «минусами» и тридцать девятым пунктом на такое экспортное великолепие. Неужели это мне говорит «плиз» эта накрахмаленная горничная? И нам же предназначены эти: непомерно большие зеркала, атласные одеяла и монументальный шкаф? Все загадки разъяснились появлением директора гостиницы.

— Удобно будет? — осведомился он, как бы отвешивая нам еще полкило пастилы. — Мы весь исторический этап понимаем. Вчера репрессированные, завтра — начальство. У нас вот у самих, по нашему как раз ведомству, один новый товарищ в руководстве назначен. Из тех самых, что с тридцать седьмого в бушлатике ходили. Это надо понимать... Все ведь по диалектике развивается... Пожелаю приятных снов!

Так мы с Тоней, благодаря утонченному диалектическому мышлению директора иркутской гостиницы (впрочем, не оправдавшему себя в дальнейшем, по крайней мере по части предвидений большой карьеры для реабилитированных), выспались, как богдыханши, под пекинскими атласными одеялами, на кроватях с ножками в виде львиных голов.

А наутро — солнце. И снова мы летим над Сибирью, потом над Уралом. Посадки в Новосибирске, в Свердловске. Именно начиная со Свердловска я ощущаю возвращение на материк. С каждым получасом все осязаемей становится приближение к Москве. Деревья, луга, птицы, цвет неба — все становится похожим на то давнишнее, родное, что столько лет было нереальным в своей невозвратности. Я с такой гордостью сообщаю Тоне все новые названия деревьев, точно я их тут посадила, точно я ввожу ее во владение наследственным имением.

Маленькая колымчанка пускается в спор насчет берез.

— У нас в «Северном Артеке» были березы. Они не такие...

— Те были карликовые...

Но в целом Тоня ориентируется во всей этой нови быстрее меня. Потому что она не отвлекается во власть ассоциаций, смещающих последовательность времен. А меня застает врасплох даже остановка Казань. Я не сразу отдаю себе отчет в том, что вот я и прибыла на место, откуда все началось. Точно на собственную могилу приехала...

Вздрагиваю от звонкого дискантового девичьего голоса.

Вернее, не от самого голоса, а от выраженного татарского акцента.

— Аэропорт Казань. Все здоровы, товарищи?

Эта румяная девушка с котиковыми бровями и медицинской сумкой через плечо снова сбивает меня со счета времени. Возникает обманное чувство: неужели и впрямь прошло восемнадцать лет с тех пор, как я обучала ее говорить по-русски? Как вода, как вода, пролилось оно между пальцами, мое время, самые расцветные годы жизни, истраченные на невыносимо однообразные страдания...

Не допускать, не допускать этой разъедающей горечи... Ведь я возвращаюсь... Ведь впереди еще большой кусок жизни. И он будет плодотворным...

— Смотри, Тоня, какой замечательный аэропорт в Казани...

Меня огорчает, что Тоня не восхищается этим новым зданием. Она не видела прежней кособокой лачуги, которая стояла здесь в тридцатых годах, и она равнодушно заявляет, что аэропорт точно такой же, как в Свердловске.

Еще два часа дремотной качающейся самолетной жизни. И наконец... Вот оно, свершилось! Толчок о землю. Толчок где-то внутри самого моего существа. Вот он, мой Марс, моя недостижимая звезда! Вот та земля, очертания которой совсем было уж стерлись для меня, для всех нас...

— Москва!

Это голос нашей бортпроводницы. Она инструктирует нас насчет порядка высадки, сообщает, какие виды городского транспорта нам лучше всего использовать.

Я почти ничего не понимаю. Я решила, что мы выйдем из самолета последними, хоть Тоня и дергает меня изо всех сил и тянет за руку к выходу. Ей не терпится. А я выигрываю минуты, чтобы справиться с приливами крови к вискам. Механически, с ощущением фантастичности всего происходящего проделываю все, что надо: несу чемодан, жду автобуса, отвечаю на вопросы Тони.

Этот день нескончаем. Я, привыкшая тянуться этапами, выстаивать у лагерных ворот и в комендатурных очередях, никак не могу изжить этих суток, начавшихся в Свердловске и продолжающихся сейчас в Москве, на Таганке. Почему именно на Таганке? Да потому, что я не решилась обратиться ни к кому из старых знакомых с просьбой о пристанище. Мне еще казалось немыслимым навьючить на чьи-то плечи такую ношу — пришельца из страшных снов с котомкой за плечами. И я взяла записку у магаданского знакомого-вольняшки к таганской хозяйке, промышляющей специально сдачей комнат и углов приезжим вольным колымчанам-толстосумам.

Квартира оказалась пахнущим сыростью полуподвалом, снабженным, впрочем, телевизором и холодильником. Гладкая и ласковая, как толстый кот, жадная до денег хозяйка в обмен на наши хрустящие новенькие сотенные билеты отвела нам неопрятную двуспальную кровать с лоскутным одеялом и бесформенно растекающимися жидкими подушками. И мы поскорее улеглись еще засветло, чтобы как-то закончить этот день, в который столько вместилось.

Сон обволакивает мгновенно, но тут меня будит тоненький захлебывающийся счастьем взвизг:

— Мама, смотри, у бабушки свое маленькое кино!

Я открываю глаза, и мы с Тоней, два колымских дикаря, одновременно видим впервые в жизни телевизионную передачу.

Утром ласковая квартирная хозяйка «Стойла колымчанина» предлагает нам кофе и сама усаживается с нами за стол. Уже неделю она без квартирантов, намолчалась, рвется к общению, точнее — к монологу. Собеседник для нее лицо подставное, несущественное, ей важно, как говорят французы, «вытряхнуть свой мешок». В жизни она не выезжала с Таганки, но магаданские проблемы освоила со всей дотошностью. Знает, кому какие надбавки и где выгоднее работать — в северном или западном управлении. Слушаю ее вполуха, отделываясь пустыми репликами. Но тут вдруг она пытливо щурит свои мохнатые, в колких ресничках, еще не погасшие глаза и задает мне колдовской вопрос:

— А вы не забыли, как на Кировскую-то проехать?

Кировская, 41 — адрес Прокуратуры СССР, куда я первым делом должна направиться насчет реабилитации. Но откуда эта толстуха, похожая на гладкого кота, знает это? Ни слова об этом не было сказано ни в моих разговорах с ней, ни в записке, по которой я ее разыскала.

— На Букашке поезжайте. До Красных ворот. При вас-то ходила туда Букашка? Не упомню уж...

— Ходила. А вы откуда все знаете?

— Не маленькая! По чемодану, по одежке вижу. Да и по лицу. Девчонку-то оставьте на меня. Присмотрю. И недорого возьму за это.

Но Тоне кажется, что «пуркуратура» (так она произносит) это какое-то из московских чудес, вроде телевизора. Она упирается, плачет, настаивает. И я сдаюсь, беру ее с собой.

В пути я пытаюсь рассматривать в окно трамвая Москву,

уловить, в чем она изменилась за восемнадцать лет. Но это мне не удается. Потому что в оконном стекле я вижу свое отражение, всматриваюсь в него и все стараюсь понять, в чем же дело, почему первая же москвичка, хозяйка квартиры, сразу опознала во мне вчерашнюю каторжанку. Отрываясь от стекла, я озиралась вокруг довольно затравленным взором, потому что в каждом пассажире трамвая мне виделся знатный человек, отмеченный гербом московской прописки, недоступной мне.

В мрачном здании серо-гранитного цвета двери открываются туго, несмотря на то, что в них ежеминутно входят. С усилием тяну массивную ручку. Тоня юрко прошмыгивает вперед и тянет меня за собой. Оглядываюсь вокруг себя и останавливаюсь, потрясенная. Что же это? Я — от Колымы, а она — за мной? Вестибюль битком набит нашими. Теми самыми, которых я узнаю из тысяч, у кого изработанные, набрякшие узлами руки, расшатанные цинготные зубы, а в глазах — то самое выражение всеведения и предельной усталости, что не передается словами. Оно — это выражение — не смывается даже радостным возбуждением, которым охвачены здесь люди.

Говорят одновременно почти все. Говорят нескончаемо, хотя и приглушенными голосами, хотя и с привычной оглядкой на снующих среди толпы военных с бумагами в руках. Все повествуют о своих странствиях, все инструктируют друг друга, в каком порядке ходить по кабинетам, столам и окошечкам этого серо-гранитного дома. Вестибюль прокуратуры по улице Кирова, 41, гудит, как... Нет, не как улей! Как транзитка! Как владивостокская транзитка. Прикрываю на секунду глаза. Меня шатает и мутит от острого воспоминания, от того, что опять смещается грань времен.

— Мама! А почему в «пуркуратуре» все седые? — громко спрашивает Тоня, и вокруг нас всплескиваются дружелюбные смешки.

Еще минуты, и вот уже кто-то окликает меня по имени, потом еще и еще. А вот уже и я сама узнаю многих в лицо. Кругом родственники... Сестры по Бутыркам и братья по морскому этапу. Эльгенские дочки... И даже отцы и матери, потому что здесь много семидесятилетних. Тогда, в пятьдесят пятом, они еще не все вымерли. Их белоснежные головы, вкрапленные в толпу клиентов серо-гранитного дома, и создают впечатление, что в «пуркуратуре все седые».

Наши... То самое подземное царство, тот самый Аид, в котором я жила почти два десятилетия. Как страшны их лица в неподкупном свете московского солнечного летнего дня! Но до чего же они родные мне и как быстро от их присутствия испаряется и тает ощущение своей отчужденности, которое не оставляет меня с момента приезда в столицу. Со всех сторон тянутся ко мне дружеские руки. Вот уже Тоня передана на попечение Анастасии Федоровны, моей соседки по Бутырской пересылке. И вот уже к нужному окошечку провожает меня Иван Синицын, лежавший у нас с Антоном в Тасканской больнице заключенных. Тогда он у нас числился смертником, а вот поди же ты, дожил до Кировской, 41, и сейчас ему уже за пятьдесят.

По дороге Иван предупреждает меня, чтобы я подготовилась к волоките.

— Главное, помните: реабилитируют обязательно! В конце концов... И не впадайте в отчаяние, когда начнут говорить: «Зайдите на днях...» Без этого нельзя же. Надо и им посочувствовать, ведь в каких бумажных морях они плавают! И в каком море лжи!

Но мне невероятно повезло. Всего несколько минут я стояла у окошечка, после того как назвала вежливому военному свою фамилию.

— Все в порядке, — с любезной сдержанностью сказал он, наклоняясь над картотекой. — Ваш приговор опротестован прокурором. Теперь вы должны ходить не к нам, а в Верховный суд. Улица Воровского. Там и получите окончательное решение по делу.

С часу дня в прокуратуре перерыв на обед, и мы с Иваном, с Анастасией Федоровной и еще двумя знакомыми стариками, отбывшими «всю катушку», отправляемся в кафе «Ландыш», знакомое еще по аспирантским годам. Остро вспоминается вкус пельменей, съеденных в этом кафе лет двадцать с лишним назад.

Занимаем отдельный столик. И никак не можем перестать говорить. Нам кажется, что мы говорим шепотом, но, видимо, мы уже не управляем своими голосами. Замечаю, что за соседним столом нас слушают и прислушиваются. Молодежь. Два парня и девушка. Наверное, студенты. Интеллигентная молодежь. Как давно я не видала, не слыхала ее! А ведь какая кровная связь! С новой остротой всплывает горечь: как мы поруганы, как оклеветаны в их глазах! Сколько десятилетий понадобится, чтобы из их сознания вытравилось наконец недоверие к вчерашним «шпионам, диверсантам, террористам»?

Однако мы их уж очень заинтересовали. Совсем прекратили свою беседу и жадно прислушиваются к нашей. Наконец один из юношей решительно встает, подходит к нам и, очень волнуясь, спрашивает:

— Вы оттуда, да? Из ссылки? Простите, это не пустое любопытство.

— Да, — спокойно отвечает Николай Степаныч Мордвинов, один из наших стариков, бывший геолог, бывший узник Верхнеуральского политизолятора, бывший лагерник Ухты, бывший красивый мужчина. — Да, мы из тех мест. Весьма отдаленных. Жертвы тридцать седьмого года.

Молодые так потрясены этой встречей, что некоторое время просто молчат, глядя на нас как на призраков. Потом девушка восклицает: «Одну минуточку!», и стремглав бросается к дверям. Через несколько минут она возвращается с двумя пучками гладиолусов, обернутых в целлофан. Протягивает цветы Анастасии Федоровне и мне. Замечаю, что глаза девушки полны слез и очки одного из парней тоже поблескивают. И все мы молчим. Потом старик Мордвинов откашливается и хрипловато произносит:

— Повторяю — мы жертвы. Жертвы, а не герои...

— Но у вас хватило мужества все перенести, — возражает студент в очках.

— Стало быть, цветы нам за то, что мы двужильные, — грубовато шутит Анастасия Федоровна.

Эта встреча и разговор с незнакомыми молодыми людьми запомнились мне на долгие годы. Первое свидетельство того, что не все, далеко не все поверили великой лжи, что во многих душах, особенно молодых, потаенно жило сочувствие к невинно замученным.

А дня через три — еще одно красноречивое доказательство того, как прав был Евтушенко, когда писал в прекрасных своих юношеских стихах: «Умирают в России страхи...» Они умирали на глазах. А, выходит, именно ими, страхами, держалась наша отверженность. Страхами, а вовсе не доверием к той клевете, которая окружала нас почти два десятилетия.

Еще через несколько дней я получила новое убедительное подтверждение того, что далеко не все остававшиеся на воле принимали на веру россказни про «шпионов, диверсантов, террористов». Однажды рано утром в наш таганский подвал явилась нежданно-негаданно моя давнишняя комсомольская подруга Тоня Иванова. Каким чудом она разведала, что я в Москве, на Таганке, трудно сказать. «Сердце подсказало», — отшучивалась она.

— И как ты могла заехать в такой подвалище? Точно у тебя друзей нет в Москве! Собирайся!

Через час мы были в уютной двухкомнатной квартире на улице Чкалова, где уже ждал меня брат Тони — Петя Иванов, известный в тридцатых годах журналист, мой друг юности, мой, так называемый, «партийный крестный», рекомендовавший меня когда-то в партию. Великим удовольствием для меня было выслушать историю о том, как ему удалось в тридцать седьмом (он работал тогда в «Правде») спастись от ареста. Проявил оперативность! Взял и в одну прекрасную ночь уехал из Москвы в неизвестном направлении, бросил семью, работу, квартиру. А потом «затерялся в родных просторах» и обнаружился в Москве только ко времени «частичного отлива» после снятия Ежова. Вся Петина терминология, все его шутки и словечки не оставляли ни малейшего сомнения в том, что он отлично разобрался, что к чему. И это было великой радостью для меня — открыть единомышленников среди московских вольняшек, благополучников. Только теперь я, привыкшая к сверхортодоксальности колымских вольных, начинала отдавать себе отчет в том, как относительно было благополучие интеллигенции, ускользнувшей от раскинутой большой сети, поняла, что и их, спавших все эти годы в своих собственных чистых мягких постелях, терзали по ночам те же великие страхи, что и нас, грешных.

А к вечеру появилась моя лучшая подруга былых лет, о которой я ничего не слышала за все эти годы. Ксеня Крылова! Ее появление протянуло еще одну слабую ниточку между моей первой жизнью и последними восемнадцатью годами. Восстанавливалась связь времен. О нашей встрече с Ксенией очень забавно рассказывала потом моя Тоня (маленькая).

— Они только смотрели друг на друга и плакали. И по очереди говорили

по
одному
слову
каждая.
Тетя
говорила:
«Женька!», а мама говорила: «Ксенька!» И опять плакали...

...Переход с улицы Кирова на улицу Воровского означал для каждого из нас следующий шаг на пути к реабилитации. И казалось бы, настроение должно было становиться лучше. Но вопреки логике, обстановка в здании Верховного суда на улице Воровского была куда более нервозной, чем в прокуратуре на Кировской. Там еще всеми владел подъем духа, связанный с возвращением в Москву, со взрывом надежд, с фантастическими планами новой жизни. А сюда, на улицу Воровского, приходили уже измотанные очередями, окошечками, в которые надо ыло унизительно просовывать голову, чтобы увидеть ровный пробор офицера, склонившегося над бумагами, услышать (в который уж раз!), как он голосом пифии изрекает: «Еще не протестовано!», или даже: «Ваше дело за Верховным судом!»

И те, кто уже добрался до улицы Воровского, были порядком раздражены всем этим.

— Как быстро они оформили мне в тридцать седьмом десять лет срока! Без всякой бюрократической волокиты! А сейчас... Извольте полюбоваться на этих жрецов Фемиды! Сколько бумаг им требуется для того, чтобы доказать, что я не агент Мадагаскара и не организовывал в городе Пензе разведывательной сети в пользу Цейлона!

Старик, произносивший эту густо наперченную тираду, казалось, был мне знаком. Где-то я его определенно встречала, но где? Лишь когда он произнес, махнув рукой: «А дурак ожидает ответа...» — я вспомнила. Этого человека я видела однажды в Магадане, когда приходила в общежитие для бывших зэка, работавших в больнице. Тогда он был подчеркнуто осторожен, молчалив, старался не участвовать в крамольных разговорах, а на все риторические вопросы «за что?», «почему?», «зачем?» — произносил единственную, вот эту самую фразу: «А дурак ожидает ответа...»

Куда же девалась теперь его осторожная замкнутость? Почему он так осмелел сейчас, когда до желанной свободы оставались уже считанные дни? Оказывается, это было типично. Простояв несколько дней в очередях на улице Воровского, я сделала наблюдение: именно сейчас, когда так недолго оставалось потерпеть, у людей вдруг начисто иссякло терпение. Раздраженное обращение с офицерами, дерзкие реплики слышались все чаще и чаще. Запомнилась, например, высокая женщина, истощенная в той степени, когда неопределим становится возраст. Дождавшись, когда один из офицеров подошел к ней вплотную, она очень громко сказала, показывая на поясной портрет Сталина, все еще украшавший приемную Верховного суда.

— А этого зачем тут повесили? Или для того, чтобы люди не забыли, кто все это натворил?

Офицер промолчал. Вообще на улице Воровского офицеры были еще бесстрастнее, чем в прокуратуре. У них у всех точно уши были заткнуты ватой. Проталкиваясь через наши очереди, они произносили механическими машинными голосами «разрешите!», отвечая на вопросы, адресованные непосредственно им, называли в ответ номер комнаты или окошка, куда надлежит обратиться. Этим исчерпывался их лексикон.

В общем, весь дух этого учреждения в те дни как бы наиболее выразительно воплощал собой неопределенность, переходность и выжидательность переживаемого страной момента. Можно было легко себе представить, что эти вежливые немногословные офицеры в один прекрасный день вдруг начнут стучать кулаками по столам и изрыгать то непотребное, что изрыгали их старшие коллеги в тридцать седьмом. Но так же легко можно было вообразить и обратное: что в один воистину прекрасный день они разговорятся и начнут убедительно доказывать, что лично они никакого отношения к преступлениям тридцать седьмого года не имели, они еще были тогда невинными детьми. И что они возмущены тогдашними беззакониями.

...Я протолклась в этом здании больше десяти дней, а получив предложение «зайти как-нибудь на той неделе», решила съездить на эту неделю в Ленинград, чтобы повидать сестру, побывать на могиле мамы и оставить Тоню, замученную толканьем в очередях, у сестры на даче.

Когда я рассказала об этом решении старику из Воркуты, с которым я сдружилась в этих нескончаемых выстаиваниях у окошечек, он великодушно предложил одновременно с выяснением собственных дел ежедневно наводить справки и о продвижении моих. И при необходимости дать мне в Ленинград телеграмму.

Сестра оказалась незнакомкой. При горячей родственной любви ко мне, при полной готовности прийти решительно во всем мне на помощь, она в то же время обнаруживала такое органическое равнодушие ко всему, что жгло и испепеляло меня, что было для меня, для всех НАС самым главным в нашем остатке жизни. И я скоро совершенно бросила попытки заинтересовать ее этим. Она рассеянно выслушивала меня, явно думая о своем, и завершала все мои рассказы неизменной репликой: «Ах, какой ужас! Лучше не вспоминать об этом!». После чего снова переходила к своему, к бытовому, служебному, повседневному. Это поражало меня тем более, что ее первый муж, Шура Королев, выпускник Института красной профессуры, отец ее единственного сына, был расстрелян в тридцать восьмом году, и я ждала ее расспросов о нашем мире, о том мире, где он погиб. Но факт оставался фактом: наше общение все больше стало ограничиваться воспоминаниями о родительской семье, о старых знакомых. При всем том она была необыкновенно добра, великодушна, охотно взяла на себя все заботы о Тоне, которую я оставляла пока у нее.

И вот наконец...

— Вам телеграмма!

Я сразу, по гулко забившемуся сердцу догадалась, о чем сообщает этот благовестный голос из коридора сестриной коммунальной квартиры.

«Срочно выезжайте за справкой о реабилитации...» Милый воркутинский старик, полузнакомый товарищ по несчастью, честно выполнил свое обещание.

...И вот настал этот день. Сколько раз за нескончаемые годы я мечтала о нем, пыталась представить себе конкретные обстоятельства этого момента, этой минуты полного освобождения, окончательного ухода из-под гнетущей десницы, давящей и раздавливающей меня! Об этом мечталось то так, то так, но неизменно мечты были связаны с представлением о каком-то катаклизме, о шквале, который сметет уродливые античеловеческие установления, о ком-то Благородном, кто откроет перед нами двери тюрем и лагерей, а мы — мы ХЛЫНЕМ на свободу, на вольный ветер.

Меньше всего я могла себе представить, что эту страстно вымечтанную свободу мы будем получать из рук все того же (выражаясь по-нынешнему) «истеблишмента», будем стоять за той свободой в огромных очередях, захлебываться в потоке казенных бумаг, лениво составляемых все теми же бюрократами, в лучшем случае равнодушными, в худшем — еле скрывающими свое недовольство этими непредвиденными эксцентричными реформами.

И, однако, все это было именно так. Был знойный летний день. В очереди к полковнику, выдававшему справки о реабилитации, сидело, стояло, переминалось на отекших ногах свыше двухсот человек. Голова у меня кружилась от спертого воздуха и нетерпения. Минутами я забывала разницу между той эпохальной бумагой и сине-лиловым штампом магаданской комендатуры, продлевавшим мне жизнь на две недели. Старалась подбадривать себя мыслями о свободе, но чувство горечи не оставляло меня. Да разве свобода ТАК приходит?

Уже ближе к вечеру мне удалось наконец протиснуться в ближайшую к двери десятку. Входим все десятеро сразу. Усталым жестом полковник предлагает нам рассесться на скамейке вдоль стены и вызывает к себе по фамилиям. Этот пожилой человек — хозяин справок о реабилитации — умаялся не меньше нас. Ему очень жарко. Мы-то в легких тряпках, а он при полном мундире, застегнутом на все пуговицы. Пот струится по его лысеющему лбу, и он то и дело прерывает работу, чтобы вытереть лоб носовым платком. Фамилию он переспрашивает трижды, как глухой.

— Вот, — протягивает он мне бумажку, — прочтите внимательно. Обратите внимание: при утере не возобновляется.

Кроме справки, которую я не успеваю прочесть, он дает мне листок из блокнота с записанным на нем телефонным номером.

— А это что?

— Телефон комиссии партконтроля. Сюда будете звонить по вопросу о восстановлении в партии.

— Что-о?

Я так потрясена этим неожиданным поворотом дела, на лице моем такая растерянность, что полковник несколько оживляется и вглядывается в меня, как в живого человека.

— Вы разве не хотите партийной реабилитации?

— Я... Я...

Я просто не верю своим ушам. Мне, вчерашней парии, предлагают вернуться в ряды правящей партии. Меня охватывает смятение.

— А как будете анкеты заполнять при оформлении на работу? — совсем уже по-свойски говорит полковник.

— А если... Беспартийная!

— А вы не беспартийная. Вы — исключенная из партии. И следующий вопрос в анкете будет: состояли ли в партии, когда и каким образом выбыли? И вы должны будете написать ту формулировку, которая у вас в деле: исключена за контрреволюционную троцкистскую террористическую деятельность. Так что звоните по этому номеру!

Каждого выходящего из полковничьего кабинета сразу окружает толпа ожидающих в вестибюле. Они буквально вырывают из рук только что полученную справку, сравнивают формулировки, делятся различными глубокомысленными выкладками о том, какая реабилитация ПОЛНАЯ, какая — в чем-то ограниченная. Сразу находятся крючкотворы не хуже самих авторов справок. Они уверяют, что существует большая разница между формулировками «за отсутствием состава преступления» и «за недоказанностью обвинения»...

Моя справка — первый сорт. «За отсутствием состава преступления». Знатоки поздравляют меня. Находятся, правда, и скептики, разглядывающие бумагу на свет, ищущие в ней каких-то тайных водяных знаков, условных номеров и серий... А я как-то не очень вслушиваюсь во все это, а больше всего боюсь, не смяли бы они мою бумажку, не изорвали бы, сохрани Бог! Ведь при утере не возобновляется.

Но вот от полковника выходят новые люди, внимание отвлекается от меня, и мой драгоценный документ возвраща-

ся в мои руки. Теперь я бреду в полном изнеможении по
ице Воровского (ах, да ведь она Поварская, Поварская... Толь-
о что сообразила, что это она!). Вообще с тех пор, как я оста-
ила Тоню в Ленинграде, я как-то отпустила вожжи, стала
егко расслабляться, реже обедать, позволяла себе долго и бес-
ельно бродить по улицам. Делаю над собой усилие. Надо под-
нуться. Надо сейчас же ехать к Тоне Ивановой. Они там все
олнуются, ждут меня со справкой. Сейчас я предъявлю им ее.

Где же она, кстати? Меня вдруг обливает ледяным ужа-
ом. Останавливаюсь посреди Арбатской площади, открываю
умочку и начинаю судорожно рыться в ней. Нету справки! Пе-
ебираю квитанции прошлогодней давности (проклятая мане-
а совать все бумажки в сумку, а вытряхивать ее раз в году!)...
Нету справки. Я погибла... И снова, стоя посреди площади, под
тук бешено колотящегося сердца, перебираю бумажки, ско-
ившиеся в сумочке. Что же это такое?

Меня выводит из этого состояния отчаянный скрежет ав-
омобильных тормозов и дикая брань, которой осыпает меня
одитель грузовика. Захваченная поисками справки, я не заме-
ила, что чуть не погибла под колесами этой тяжелой грязно-
атой колесницы, которые в середине пятидесятых годов еще
одили по старой Арбатской площади.

— Так и так и так! — орал вне себя шофер. — Деревенщи-
а чертова! Машка с трудоднями! Наедут в город, а ходить-то
е умеют! И от самой бы только мокренько осталось, и меня
ы в тюрягу засадила! Чтоб тебе!..

Но даже и более сильные его выражения, которые я опус-
аю, я принимаю с полной кротостью и со счастливой улыбкой.
Во-первых, он прав: я бессовестно нарушила все правила движе-
ия пешеходов, я даже мельком не взглядывала на светофоры. А
о-вторых... Во-вторых, какое все это может иметь значение, ког-
а нашлась, НАШЛАСЬ моя справка! Оказывается, я положила
е не в сумочку, а туда, куда за восемнадцать лет привыкла пря-
ать все самое для меня ценное, — на грудь, за лифчик...

Я еще и еще раз ощупываю себя, слышу божественный
хруст моей драгоценной бумаги за лифчиком и бормочу изви-
нения вслед уехавшему шоферу грузовика. Совсем обессиленная добираюсь до фонтана, стоящего перед входом в арбатское
метро, и падаю на скамейку рядом со стариками, отдыхающи-
ми, опираясь на старорежимные трости, с мамашами детей,
играющих у фонтана в мячик. Вынимаю свою справку и впервые с полным вниманием начинаю перечитывать ее. Ага! Вон в
чем дело! Здесь сказано: «По вновь открывшимся обстоятель-
ствам...» Какие же, интересно, обстоятельства вновь раскры-

лись перед моими неподкупными судьями? Может быть, он нашли подлинного преступника-террориста и выяснили, что и я, а именно он убил... Но кто убит-то? Ведь при миллионах террористов НИКТО, абсолютно никто не был убит... Киров толь ко... Но имя его убийцы мы все в лагерях знали твердо. Так Почитаем дальше... «Дело прекратить за отсутствием состава пре ступления». В сознании всплывает излюбленная фраза, которо утешали и усмиряли нас наиболее «гуманные» тюремщики. «Ра берутся! Если не виноваты, разберутся и выпустят». И вот ра зобрались. И двадцати лет не прошло, как сам Верховный су авторитетно заявляет: нет состава преступления!

Никак не соберусь с силами — встать со скамейки и войт в метро. Вдруг ко мне подходят двое провинциалов — он и она с тяжелыми чемоданами в руках и рюкзаками за плечами.

— Не подскажете, девушка, как нам добраться до Казан ского вокзала?

Эта вроде бы ничего не значащая мелочь вдруг приводи меня в хорошее настроение. Во-первых, они назвали меня де вушкой. Значит, к исходу пятого десятка я еще не выгляж старухой. Во-вторых, они спросили меня, как добраться д Казанского вокзала. Не до Мылги, не до Эльгена, не до дом Васькова и даже не до Лефортова, а просто до Казанского вок зала. И я со всем старанием и подробностями объясняю им где пересаживаться и переходить.

Вспоминаю, что когда я рылась в сумочке, разыскива свою пропавшую грамоту, то видела там на дне обломок шо коладки. С аппетитом съедаю его и решительно встаю со ска мейки. Оглядываюсь вокруг. Откормленные московские голу би, тогда еще очень модные, упоенно переговариваются дру с другом. Девочка в красном платье деловито скачет через ве ревочку. В двери метро непрерывно вливаются люди. Сейчас и я присоединюсь к ним. Вольюсь в общий поток. Возможно ли? Я такая же, как все! «За отсутствием состава преступления...»

ЭПИЛОГ

В сущности, эта книга жила со мной больше тридцати лет. Сначала как замысел, потом как постоянное писание вариан- тов, перечеркивание целых больших кусков текста, поиски более точных слов, более зрелых размышлений.

646

Особенно это относится к той части книги, которая не угола в опубликованный на Западе в 1967 году томик. Ведь жизнь одолжается, маршрут мой хоть и утратил за последние два сятилетия свою исключительную крутизну, но все же остает достаточно гористым. Да и возраст подошел предельный. Тот мый, когда сознание исчерпанности всего личного, беспоадная ясность по поводу отсутствия для тебя завтрашнего дня рует тебе неоценимые преимущества: объективность оценок, главное — постепенное раскрепощение от того великого Стра, который сопутствовал моему поколению в течение всей его ознательной жизни.

И вот когда в свете этих закатных дней перечитаешь все це лежащую в твоем столе неопубликованную часть книги, озникает непреодолимая потребность снова что-то передеывать. (Не в смысле фактов, понятно, а в смысле их подбора, свещения, а главное — суждений о них.) С одной стороны, то радует, как признак того, что душа еще не окостенела, ще способна к дальнейшему развитию, к пониманию новых влений жизни. Но с другой стороны, эти бесконечные переелки (печальная участь всех рукописей, залежавшихся в стоах!) в чем-то и портят работу, может быть, меняют к худшеу ее интонацию.

Поэтому я и решила больше ничего не переделывать. Даже отношении стилистической правки. Пусть останется все так, ак сказалось, потому что даже погрешности стиля отражают о особое состояние души, в котором все это писалось.

Меня часто спрашивают читатели: как вы могли удержать памяти такую массу имен, фактов, названий местностей, тихов?

Очень просто: потому что именно это — запомнить, чтоы потом написать! — было основной целью моей жизни в течеие всех восемнадцати лет. Сбор материала для этой книги наался с того самого момента, когда я впервые переступила орог подвала в Казанской внутренней тюрьме НКВД. У меня е было за все годы возможности записать что-нибудь, сделать акие-нибудь заготовки для будущей книги. Все, что написао, написано только по памяти. Единственными ориентирами лабиринтах прошлого являлись при работе над книгой мои тихи, сочиненные тоже без бумаги и карандаша, но благодая тренированности моей памяти именно на поэзию четко отечатавшиеся в мозгу. Я полностью отдаю себе отчет в «самоцельном», кустарном характере моих тюремных и лагерных тихов. Но они заменили мне в какой-то мере отсутствующие локноты. И в этом их оправдание.

Последовательно писать главу за главой я начала еще [в]
1959 году, в Закарпатье, где мы жили на даче. Я сидела под бол[ь]
шим ореховым деревом на пеньке и писала карандашом, де[р]
жа школьную тетрадь на коленях. Первые главы я еще успе[ла]
прочесть Антону. Он был уже неизлечимо болен. И я впервы[е]
похолодела, осознав близость его смерти, когда он заплака[л,]
прослушав мою главу «Бутырские ночи».

После его смерти — 27 декабря 1959 года — я писала поры[в]
вами. То забрасывала на долгие месяцы, то исступленно раб[о]
тала чуть ли не целыми ночами. (Днем я в это время писа[ла]
ради хлеба насущного расхожие статьи и очерки для периоди[]
ческой прессы, главным образом педагогической.)

К 1962 году я стала автором объемистой рукописи при[]
мерно в 400 машинописных страниц. Это было совсем не т[о,]
что сейчас знают многие читатели первой части «Крутого ма[р]
шрута». Этот первый вариант, написанный в том состояни[и]
просветленной горечи, которое возникает после утраты бли[з]
ких, был полон самого сокровенного, доверяемого тольк[о]
бумаге. Эпиграфом к тому варианту были блоковские строчк[и]
«Двадцатый век. Еще бездомней, еще страшнее жизни мгла..[.]
Тогда еще не участвовал в моей работе внутренний редактор[,]
поскольку мысль о публикации вроде бы и не возникала. Про[]
сто писала, потому что не могла не писать.

Но тут подоспел двадцать второй съезд партии, оживив[]
ший во мне самые несбыточные надежды. Затрепанная пап[]
ка, которая была до тех пор тайным моим собеседником, мои[м]
конфидентом, вдруг приобрела в моих собственных глазах но[]
вое значение. Мне показалось, что вот оно, настало наконе[ц]
то желанное, чаемое время, когда я могу высказаться вслу[х,]
когда мои правдивые свидетельства поддержат тех, кто ис[]
кренне хочет, чтобы наш национальный позор и ужас не по[]
вторились.

Я еще и еще раз перечитала свой первый вариант, битком
набитый стихами и эмоциями, и поняла, что это еще не кни[]
га, а только материалы к ней. И я принялась за работу занов[о,]
беспощадно вымарывая целые страницы, которые еще вчер[а]
были мне бесконечно дороги. Я перечеркнула блоковский эпи[]
граф, который обязывал к непосильному для меня общефило[]
софскому раскрытию темы, и взяла новый, из стихотворени[я]
Евтушенко, перемещавший центр тяжести в область конкрет[]
ной борьбы с наследием Сталина.

А когда наступил конец моим многолетним квартирным
мытарствам и я получила кооперативную однокомнатную квар[]
тиру, я сожгла старую папку, которую столько лет прятала [и]

перепрятывала в коммунальных условиях. Иногда мне делается жаль, что я уничтожила ее, жаль той раскованности и абсолютной исповедальности, которые могли бы привлечь читательские сердца. Но в то же время я знаю, что в том первом варианте была масса лишнего, недостаточно продуманного, рыхлого по композиции.

Теперь я работала регулярно по многу часов, не ленясь сидеть за машинкой после утомительного редакционного дня. Теперь мне светила вполне определенная цель — предложить ту рукопись толстым журналам. Может быть, «Юности», где я же печатала свои очерки? Или — чем черт не шутит! — даже «Новому миру», где уже появился к тому времени «Иван Денисович»?

Увы, вместе с надеждами на публикацию народился в моей душе и внутренний редактор, зудивший меня на каждом абзаце своим обычным — «этого цензура не пропустит». И я начала искать более обтекаемые формулировки, нередко портила удавшиеся места, утешая себя тем, что, мол, подумаешь, одна фраза — не такая уж большая жертва за право быть напечатанной, дойти наконец до людей.

Все это очень отразилось на первой и начале второй частей «Крутого маршрута».

Как только рукопись попала в редакции двух популярнейших толстых журналов, началось пятилетнее плавание ее по бурным волнам самиздата. Рукопись, с которой снимались десятки, а может, и сотни копий, с фантастической быстротой размножалась и переходила границы Москвы. Когда я начала получать читательские отзывы из Ленинграда и Красноярска, из Саратова и Одессы, я поняла, что совершенно утратила контроль за удивительной жизнью моей ненапечатанной книги.

Нечего и говорить о том, как утешительно было находить в письмах незнакомых людей отклик на то сокровенное, что годами вынашивалось молчком. Эти письма, особенно написанные молодыми, развеивали мой давнишний страх перед гипнотизирующей силой возведенных на нас фантастических обвинений. Теперь я видела, что молодежь снимает шапку перед памятью моих погибших в застенках товарищей и благодарит меня за те кусочки правды, которые дошли до нее через мою книгу.

А вскоре пошли письма от писателей. И не только письма, но и авторские экземпляры книг с трогательными автографами. Я получила письма и книги от Эренбурга, Паустовского, Каверина, Чуковского, Солженицына, Евтушенко, Вознесенского,

Вигдоровой, Пановой, Бруштейн и многих, многих других. Передавали мне и хорошие устные отзывы ученых, например академика Тамма. Пришел со мной знакомиться молодой историк Рой Медведев, чей отец погиб у нас на Колыме. Другая группа историков подарила мне свою книгу (сборник) с надписью: «Опередившей историков в понимании исторических событий».

Мне было абсолютно ясно, что всем этим я обязана отнюдь не каким-либо особым литературным качествам книги, а только ее правдивости. Изголодавшиеся по простому нелукавому слову, люди были благодарны всякому, кто взял на себя труд рассказать «де профундис» о том, как все это было НА САМОМ ДЕЛЕ.

Хочу еще раз заверить своих читателей, что я писала только правду. В тексте этой книги возможны, конечно, неточности, ошибки, вызванные смещениями памяти во времени. Но лжи, конъюнктурных ухищрений, сознательных замалчиваний здесь нет. В моем сегодняшнем возрасте, когда смотришь на жизнь уже как бы из некоторого отдаления, нет смысла хитрить. Итак, я написала правду. Не ВСЮ правду (ВСЯ, наверно, была и мне неизвестна), но ТОЛЬКО ПРАВДУ.

Да, чтобы написать ВСЮ правду, у меня не хватило ни информированности, ни умения, ни глубины понимания. Хватило меня только на то, чтобы не подчинять свое изложение софизмам, жонглирующим понятием «целесообразность», чтобы не подчинять свою мысль спекулятивным концепциям «данного момента». Я исходила из той простейшей мысли, что правда не нуждается в оправдании целесообразностью. Она просто ПРАВДА. И пусть целесообразность опирается на нее, а не наоборот.

Чем дальше я писала, тем больше укреплялась в этом взгляде. Пожалуй, с этой точки зрения оказался положительным тот факт, что я потеряла всякую надежду на публикацию книги у себя на родине. И если в первой части, во вступлении к ней, еще видна рука внутреннего редактора, то в дальнейшем тексте уже никакие посторонние соображения не отягощали меня.

Между тем, пока я работала над окончанием книги, первая часть распространялась самиздатом во все возрастающей геометрической прогрессии. Один ленинградский профессор — специалист по истории русской бесцензурной печати — сказал мне, что, по его мнению, по впечатлению его наметанного глаза, моя книга побила рекорд по самиздатовскому тиражу не только нашего времени, но и девятнадцатого века.

Были, однако, и люди, которым моя книга не понравилась. К моему большому огорчению, одним из них оказался вардовский. В то время как в отделе прозы «Нового мира» к оей работе отнеслись с сочувствием и пониманием, главный едактор почему-то подошел к ней с явным предубеждением. Мне передавали, что он говорил: «Она заметила, что не все в орядке, только тогда, когда стали сажать коммунистов. А ко-а истребляли русское крестьянство, она считала это вполне стественным».

Тяжкое и несправедливое обвинение. Конечно, мое по-имание событий до тридцать седьмого года было крайне ог-аниченным, о чем я и пишу со всей искренностью. Но услы-шав такой отзыв Твардовского о моей работе, я подумала, что ряд ли он прочел ее, а не просто бегло перелистал. Иначе он е мог бы не заметить, что вопрос о личной ответственности аждого из нас — основная моя боль, основное страдание. Об том я пишу подробно в главе, озаглавленной «Меа кульпа» моя вина). Но Твардовский не заметил даже этого заголовка.

В редакции «Юности», где меня много обнадеживали, ру-копись тоже залежалась. А время между тем работало против еня. Все яснее становилось, что на эту тему наложено табу. И, наконец, в один прекрасный день редактор Полевой в разгово-е со мной воскликнул: «Неужели вы всерьез надеялись, что ы это напечатаем?» После чего «Юность» переслала мою руко-ись на хранение в Институт Маркса — Энгельса — Ленина, де, как писалось в сопроводительной бумажке, «она может виться материалом по истории партии».

Таким образом, к концу 1966 года все надежды на какую-о, кроме самиздатовской, жизнь книги были погребены. И то, то произошло дальше, было для меня не просто неожиданно-тью — фантастикой!

Непредугадываемо переплетаются разные пути в нашем дивительном веке. Вдруг я увидела свою книгу (по крайней ере, первую ее часть и кусок второй) напечатанной в Ита-ии. Меня — долголетнюю обитательницу ледяных каторжных ор с преобладающим звуком Ы в названиях местностей (МЫл-а, ХаттЫнах и т. д.) — напечатали в сладкозвучном Милане. А отом и в Париже, и в Лондоне, и в Мюнхене, и в Нью-Йор-е, и в Стокгольме и во многих других местах.

Мне довелось повидать некоторые из этих изданий, по-ержать их в руках. Часть этих книг привез из заграничной поезд-и покойный Эренбург.

Это совсем новая тема, рожденная нашим странным вре-енем и его феноменами. Тема о душевном состоянии автора одобных изданий. Противоречивые чувства раздирают его. С одной стороны, он не может сдержать естественного чувства

радости при виде своей рукописи, превратившейся в книгу. Н
с другой... Без моей правки, без всякого моего участия в изда
нии... Без возможности исправить типографский брак (русско
издание пестрит ошибками в орфографии и пунктуации)... Точн
твоего погибавшего ребенка спасли какие-то чужестранцы, н
при этом его полностью оторвали от тебя. А тем временем
земляки дают несчастной матери почувствовать: она виноват
не только в том, что породила нежеланное для властей дитя
но и в том, что не смогла удержать его дома.

Так или иначе, книга вступила в новую фазу своего бытия
из догутенберговской, самиздатовской, родной отечественно
контрабанды она превратилась в нарядное детище разноязыч
ных издательств, перекочевала в мир роскошной глянцевой бу
маги, золотых обрезов, ярких суперобложек. Полное отчужде
ние произведения от его автора! Книга стала чем-то врод
взрослой дочери, безоглядно пустившейся «по заграницам»
начисто забыв о брошенной на родине старушке-матери.

Но что же будет с остальной, неопубликованной частью
книги? Неужели ей суждено остаться не книгой, а тетрадкой
И на что тогда надеяться? На то, что «рукописи не горят»?

Как бы там ни случилось, а я считала своим долгом до
писать все до конца. Главным образом не для того, чтобы из
ложить фактическую историю дальнейших лет в лагере и ссыл
ке, а для того, чтобы читателю раскрылась внутренняя
душевная эволюция героини, путь превращения наивной ком
мунистической идеалистки в человека, основательно вкусив
шего от древа познания добра и зла, человека, к которому
через все новые утраты и мучения приходили и новые озаре
ния (пусть минутные!) в поисках правды. И этот внутренни
«крутой маршрут» мне важнее донести до читателя, чем про
стую летопись страданий.

И все-таки... Все-таки я хочу надеяться на то, что если н
я и не мой сын, то, может быть, хотя бы мой внук увидит эту
книгу полностью напечатанной на нашей родине...

СОДЕРЖАНИЕ

Часть II

654

Литературно-художественное издание

Серия «Женщина-миф»

Е. Гинзбург
КРУТОЙ МАРШРУТ

Ответственный редактор *А. В. Бушуев*
Художник *А. А. Шашкевич*
Технический редактор *С. В. Лишанков*
Корректор *О. Э. Храменко*

Подписано в печать 26.10.98. Формат 84×108¹/₃₂. Бумага газетная. Печать офсетная. Гарнитура «Times». Усл. печ. л. 34,86. Уч.-изд. л. 36,53. Тираж 15 000 экз. Зак. 2269.

Фирма «Русич». Лицензия ЛР 040432 от 29.04.97. 214016, Смоленск, ул. Соболева, 7.

Издание выпущено при участии ООО «Миринда». Лицензия ЛВ 273 от 29.04.98. 220056, Минск, ул. Садовая, д. 1.

Отпечатано с готовых диапозитивов заказчика в типографии издательства «Белорусский Дом печати». 220013, Минск, пр. Ф. Скорины, 79.